华章IT
HZBOOKS | Information Technology

Java
核心技术 卷 I

基础知识（原书第10版）

Core Java Volume I—Fundamentals
(10th Edition)

[美] 凯 S. 霍斯特曼（Cay S. Horstmann）著
周立新 陈波 叶乃文 邝劲筠 杜永萍 译

机械工业出版社
China Machine Press

图书在版编目（CIP）数据

Java 核心技术　卷 I　基础知识（原书第 10 版）/（美）凯 S. 霍斯特曼（Cay S. Horstmann）著；周立新等译．—北京：机械工业出版社，2016.8（2017.5 重印）
（Java 核心技术系列）
书名原文：Core Java Volume I—Fundamentals (Tenth Edition)

ISBN 978-7-111-54742-6

I. J…　II. ①凯…　②周…　III. JAVA 语言 – 程序设计　IV. TP312.8

中国版本图书馆 CIP 数据核字（2016）第 211440 号

本书版权登记号：图字：01-2016-5145

Java 核心技术　卷 I　基础知识（原书第 10 版）

出版发行：机械工业出版社（北京市西城区百万庄大街 22 号　邮政编码：100037）

责任编辑：关　敏　　　　责任校对：董纪丽
印　　刷：北京诚信伟业印刷有限公司　　　　版　　次：2017 年 5 月第 1 版第 5 次印刷
开　　本：186mm × 240mm　1/16　　　　印　　张：45.5
书　　号：ISBN 978-7-111-54742-6　　　　定　　价：119.00 元

凡购本书，如有缺页、倒页、脱页，由本社发行部调换
客服热线：（010）88379426　88361066　　　　投稿热线：（010）88379604
购书热线：（010）68326294　88379649　68995259　　　　读者信箱：hzit@hzbook.com

译 者 序

书写 Java 传奇的 Sun Microsystems 曾经堪称“日不落”帝国，但服务器市场的萎缩却让这个声名赫赫的庞大帝国从蓬勃走向落寞。在 2009 年被 Oracle 公司收购之后，Sun 公司逐渐淡出了人们的视线，而与此同时，我们也在很长一段时间内没能看到 Java 当初活跃的身影。

Java 就这样退出历史舞台了吗？当然不是！从 Sun 公司 2006 年 12 月发布 Java 6 后，经过 5 年多的不懈努力，终于在 2011 年 7 月底发布了 Java 7 正式版。3 年后，被冠名为“跳票王”的 Oracle 终于发布了 Java 8 的正式版，但对于很多开发者来说，Java 8 却比 Java 7 来得更漫长一些。主要是因为 Oracle 原本计划在 2013 年发布正式版 Java 8，却因受困于安全性的问题经过了两次“跳票”。无论如何，如今 Java 8 来了，全新“革命”而不只是“进化”的功能将会让无数开发者动容。

值得一提的是，伴随着 Java 的成长，《Java 核心技术》也从第 1 版到第 9 版一路走来，得到了广大 Java 程序设计人员的青睐，成为一本畅销不衰的 Java 经典图书。经过几年的蛰伏，针对 Java 8 打造的《Java 核心技术》第 10 版终于问世，这一版有了大幅的修订和更新，以反映 Java 8 增补、删改的内容。它将续写从前的辉煌，使人们能及时跟上 Java 前进的脚步。

本书由周立新、陈波等主译，程芳、刘晓兵、张练达、陈峰、江健、谢连宝、张雷生、杨健康、张莹参与了全书的修改整理，并完善了关键部分的翻译。全体人员共同完成了本书的翻译工作。特别需要说明的是，按照出版社的要求，这一版的翻译在老版本基础上完成，因此尤其感谢之前版本的译者叶乃文、邝劲筠和杜永萍，他们的辛勤工作为新版本的翻译奠定了很好的基础。

书中文字与内容力求忠实原著，不过由于译者水平有限，译文肯定有不当之处，敬请批评指正。

译者

2016 年 6 月于北京

前　　言

致读者

1995年年底，Java语言在Internet舞台一亮相便名声大噪。其原因在于它将有望成为连接用户与信息的万能胶，而不论这些信息来自Web服务器、数据库、信息提供商，还是任何其他渠道。事实上，就发展前景而言，Java的地位是独一无二的。它是一种完全可信赖的程序设计语言，得到了除微软之外的所有厂家的认可。其固有的可靠性与安全性不仅令Java程序员放心，也令使用Java程序的用户放心。Java内建了对网络编程、数据库连接、多线程等高级程序设计任务的支持。

1995年以来，已经发布了Java开发工具包（Java Development Kit）的9个主要版本。在过去的20年中，应用程序编程接口（API）已经从200个类扩展到超过4000个类。现在这些API覆盖了用户界面构建、数据库管理、国际化、安全性以及XML处理等各个不同的领域。

本书是《Java核心技术》第10版的卷Ⅰ。自《Java核心技术》出版以来，每个新版本都尽可能快地跟上Java开发工具箱发展的步伐，而且每一版都重新改写了部分内容，以便适应Java的最新特性。在这一版中，已经反映了Java标准版（Java SE 8）的特性。

与前几版一样，本版仍然将读者群定位在那些打算将Java应用到实际工程项目中的程序设计人员。本书假设读者是一名具有程序设计语言（除Java之外）坚实背景知识的程序设计人员，并且不希望书中充斥着玩具式的示例（诸如，烤面包机、动物园的动物或神经质的跳动文本）。这些内容绝对不会在本书中出现。本书的目标是让读者充分理解书中介绍的Java语言及Java类库的相关特性，而不会产生任何误解。

在本书中，我们选用大量的示例代码演示所讨论的每一个语言特性和类库特性。我们有意使用简单的示例程序以突出重点，然而，其中的大部分既不是赝品也没有偷工减料。它们将成为读者自己编写代码的良好开端。

我们假定读者愿意（甚至渴望）学习Java提供的所有高级特性。例如，本书将详细介绍下列内容：

- 面向对象程序设计
- 反射与代理
- 接口与内部类
- 异常处理
- 泛型程序设计
- 集合框架

- 事件监听器模型
- 使用 Swing UI 工具箱进行图形用户界面设计
- 并行操作

随着 Java 类库的爆炸式增长，一本书无法涵盖程序员需要了解的所有 Java 特性。因此，我们决定将本书分为两卷。卷 I（本书）集中介绍 Java 语言的基本概念以及图形用户界面程序设计的基础知识。卷 Ⅱ（高级特性）涉及企业特性以及高级的用户界面程序设计，其中详细讨论下列内容：

- 流 API
- 文件处理与正则表达式
- 数据库
- XML 处理
- 注释
- 国际化
- 网络编程
- 高级 GUI 组件
- 高级图形
- 原生方法

本书中难免出现错误和不准确之处。我们很想知道这些错误，当然，也希望同一个问题只被告知一次。我们在网页 http://horstmann.com/corejava 中以列表的形式给出了常见的问题、bug 修正和解决方法。在勘误页（建议先阅读一遍）最后附有用来报告 bug 并提出修改意见的表单。如果我们不能回答每一个问题或没有及时回复，请不要失望。我们会认真地阅读所有的来信，感谢您的建议使本书后续的版本更清晰、更有指导价值。

关于本书

第 1 章概述 Java 与其他程序设计语言不同的性能。解释这种语言的设计初衷，以及在哪些方面达到了预期的效果。然后，简要叙述 Java 诞生和发展的历史。

第 2 章详细论述如何下载和安装 JDK 以及本书的程序示例。然后，通过编译和运行 3 个典型的 Java 程序（一个控制台应用、一个图形应用、一个 applet），指导读者使用简易的 JDK、可启用 Java 的文本编辑器以及一个 Java IDE。

第 3 章开始讨论 Java 语言。这一章涉及的基础知识有变量、循环以及简单的函数。对于 C 或 C++ 程序员来说，学习这一章的内容将会感觉一帆风顺，因为这些语言特性的语法本质上与 C 语言相同。对于没有 C 语言程序设计背景，但使用过其他程序设计语言（如 Visual Basic）的程序员来说，仔细地阅读这一章是非常必要的。

面向对象程序设计（Object-Oriented Programming, OOP）是当今程序设计的主流，而 Java 是一种完全面向对象的语言。第 4 章将介绍面向对象两个基本成分中最重要的——封装，以及 Java 语言实现封装的机制，即类与方法。除了 Java 语言规则之外，还对如何完成合理的 OOP 设计给出了忠告。最后，介绍奇妙的 javadoc 工具，它将代码注释转换为一组包含超链接的网页。熟悉 C++ 的程序员可以快速地浏览这一章，而没有面向对象程序设计背景的程序员应在进一步学习 Java 之前花一些时间了解 OOP 的有关概念。

类与封装仅仅是 OOP 中的一部分，第 5 章将介绍另一部分——继承。继承使程序员可以使用现有的类，并根据需要进行修改。这是 Java 程序设计中的一个基础技术。Java 中的继承机制与 C++ 的继承机制十分相似。C++ 程序员只需关注两种语言的不同之处即可。

第 6 章展示如何使用 Java 的接口。接口可以让你的理解超越第 5 章的简单继承模型。掌握接口可以充分获得 Java 的完全的面向对象程序设计能力。介绍接口之后，我们将转而介绍 *lambda* 表达式（*lambda expression*），这是一种简洁的方法，用来表述可以在以后某个时间点执行的代码块。本章还将介绍 Java 的一个有用的技术特性——内部类。

第 7 章讨论异常处理（*exception handling*），即 Java 的一种健壮机制，用于处理可正常运行程序可能出现意外的情况。异常提供了一种将正常处理代码与错误处理代码分开的有效手段。当然，即使程序能够处理所有异常条件，仍然有可能无法按照预计的方式工作。这一章的后半部分将给出大量实用的调试技巧。

第 8 章概要介绍泛型程序设计。泛型程序设计可以让程序更可读、更安全。我们会展示如何使用强类型机制，而舍弃不安全的强制类型转换，以及如何处理与旧版本 Java 兼容所带来的复杂问题。

第 9 章讨论的是 Java 平台的集合框架。如果希望收集多个对象并在以后获取这些对象，就应当使用集合，而不要简单地把这些元素放在一个数组中，这是这种情况下最适用的做法。这一章会介绍如何充分利用内建的标准集合。

第 10 章开始介绍 GUI 程序设计。我们会讨论如何建立窗口、如何在窗口中绘图、如何利用几何图形绘图、如何采用多种字体格式化文本，以及如何显示图像。

第 11 章将详细讨论抽象窗口工具包（*abstract window toolkit*，AWT）的事件模型。你会看到如何编写代码来响应事件，如鼠标点击事件或按键事件。同时，你还会看到如何处理基本的 GUI 元素，如按钮和面板。

第 12 章详细讨论 Swing GUI 工具包。Swing 工具包允许建立跨平台的图像用户界面。在这里你会了解各种按钮、文本组件、边框、滑块、列表框、菜单以及对话框的有关内容。不过，一些更高级的组件会在卷 II 中讨论。

第 13 章介绍如何将程序部署为应用或 applet。在这里我们会描述如何将程序打包在 JAR 文件中，以及如何使用 Java Web Start 和 applet 机制在 Internet 上发布应用。另外还会解释 Java 程序部署之后如何存储和获取配置信息。

第 14 章是本书的最后一章，这一章将讨论并发，并发能够让程序任务并行执行。在当今这个时代，大多数处理器都有多个内核，你往往希望这些内核都在工作，并发是 Java 技术的一个重要而且令人振奋的应用。

附录列出了 Java 语言的保留字。

约定

本书使用以下图标表示特殊内容。

注释：“注释”信息会用这样的“注释”图标标志。

提示：“提示”信息会用这样的“提示”图标标志。

警告：对于可能出现的危险，我们用一个“警告”图标做出警示。

C++ 注释：在本书中有许多用来解释 Java 与 C++ 之间差别的 C++ 注释。对于没有 C++ 程序设计背景，或者不擅长 C++ 程序设计、把它当做一场噩梦不愿再想起的程序员来说，可以跳过这些注释。

Java 提供了一个很大的程序设计库，即应用程序编程接口。第一次使用 API 调用时，我们会在该节的结尾给出一个概要描述。这些描述十分通俗易懂，希望能够比联机 API 文档提供更多的信息。类、接口或方法名后面的编号是介绍该特性的 JDK 版本号，如下例所示：

API 应用程序编程接口 1.2

程序（源代码见本书网站）以程序清单形式给出，例如：

程序清单 1-1　InputTest/InputTest.java

示例代码

本书网站 http://horstmann.com/corejava 以压缩的形式提供了书中的所有示例代码。可以用熟悉的解压缩程序或者用 Java 开发包中的 jar 实用程序解压这个文件。有关安装 Java 开发包和示例代码的详细信息请参看第 2 章。

致　谢

写一本书需要投入大量的精力，改写一本书也并不像想象的那样轻松，尤其是 Java 技术一直在持续不断地更新。编著一本书让很多人耗费了很多心血，在此衷心地感谢《 Java 核心技术》编写小组的每一位成员。

Prentice Hall 公司的许多人提供了非常有价值的帮助，却甘愿做幕后英雄。在此，我希望每一位都能够知道我对他们努力的感恩。与以往一样，我要真诚地感谢我的编辑，Prentice Hall 公司的 Greg Doench，从本书的写作到出版他一直在给予我们指导，同时感谢那些不知其姓名的为本书做出贡献的幕后人士。非常感谢 Julie Nahil 在图书制作方面给予的支持，还要感谢 Dmitry Kirsanov 和 Alina Kirsanova 完成手稿的编辑和排版工作。我还要感谢早期版本中我的合作者，Gary Cornell，他已经转向其他的事业。

感谢早期版本的许多读者，他们指出了许多令人尴尬的错误并给出了许多具有建设性的修改意见。我还要特别感谢本书优秀的审阅小组，他们仔细地审阅我的手稿，使本书减少了许多错误。

本书及早期版本的审阅专家包括：Chuck Allison（Utah Valley 大学）、Lance Andersen（Oracle）、Paul Anderson（Anderson Software Group）、Alec Beaton（IBM）、Cliff Berg、Andrew Binstock（Oracle）、Joshua Bloch、David Brown、Corky Cartwright、Frank Cohen（PushToTest）、Chris Crane（devXsolution）、Dr. Nicholas J. De Lillo（Manhattan 学院）、Rakesh Dhoopar（Oracle）、David Geary（Clarity Training）、Jim Gish（Oracle）、Brian Goetz（Oracle）、Angela Gordon、Dan Gordon（Electric Cloud）、Rob Gordon、John Gray（Hartford 大学）、Cameron Gregory（olabs.com）、Marty Hall（coreservlets.com 公司）、Vincent Hardy（Adobe Systems）、Dan Harkey（San Jose 州立大学）、William Higgins（IBM）、Vladimir Ivanovic（PointBase）、Jerry Jackson（CA Technologies）、Tim Kimmet（Walmart）、Chris Laffra、Charlie Lai（Apple）、Angelika Langer、Doug Langston、Hang Lau（McGill 大学）、Mark Lawrence、Doug Lea（SUNY Oswego）、Gregory Longshore、Bob Lynch（Lynch Associates）、Philip Milne（consultant）、Mark Morrissey（Oregon 研究院）、Mahesh Neelakanta（Florida Atlantic 大学）、Hao Pham、Paul Philion、Blake Ragsdell、Stuart Reges（Arizona 大学）、Rich Rosen（Interactive Data Corporation）、Peter Sanders（法国尼斯 ESSI 大学）、Dr. Paul Sanghera（San Jose 州立大学 Brooks 学院）、Paul Sevinc（Teamup AG）、Devang Shah（Sun Microsystems）、Yoshiki Shibata、Bradley A. Smith、Steven Stelting（Oracle）、Christopher Taylor、Luke Taylor（Valtech）、George Thiruvathukal、Kim Topley（StreamingEdge）、Janet Traub、Paul Tyma（consultant）、Peter van der Linden、Christian Ullenboom、Burt Walsh、Dan Xu（Oracle）和 John Zavgren（Oracle）。

Cay Horstmann

2015 年 11 月于瑞士比尔

目　录

第 1 章　Java 程序设计概述

- ▲ Java 程序设计平台
- ▲ Java 发展简史
- ▲ Java“白皮书”的关键术语
- ▲ 关于 Java 的常见误解
- ▲ Java applet 与 Internet

1996 年 Java 第一次发布就引起了人们的极大兴趣。关注 Java 的人士不仅限于计算机出版界，还有诸如《纽约时报》《华盛顿邮报》《商业周刊》这样的主流媒体。Java 是第一种也是唯一一种在 National Public Radio 上占用了 10 分钟时间来进行介绍的程序设计语言，并且还得到了 $100 000 000 的风险投资基金。这些基金全部用来支持用这种特别的计算机语言开发的产品。重温那些令人兴奋的日子是很有意思的。本章将简要地介绍一下 Java 语言的发展历史。

1.1　Java 程序设计平台

本书的第 1 版是这样描写 Java 的：“作为一种计算机语言，Java 的广告词确实有点夸大其辞。然而，Java 的确是一种优秀的程序设计语言。作为一个名副其实的程序设计人员，使用 Java 无疑是一个好的选择。有人认为：Java 将有望成为一种最优秀的程序设计语言，但还需要一个相当长的发展时期。一旦一种语言应用于某个领域，与现存代码的相容性问题就摆在了人们的面前。”

我们的编辑手中有许多这样的广告词。这是 Sun 公司高层的某位不愿透露姓名的人士提供的（Sun 是原先开发 Java 的公司）。Java 有许多非常优秀的语言特性，本章稍后将会详细地讨论这些特性。由于相容性这个严峻的问题确实存在于现实中，所以，或多或少地还是有一些“累赘”被加到语言中，这就导致 Java 并不如想象中的那么完美无瑕。

但是，正像我们在第 1 版中已经指出的那样，Java 并不只是一种语言。在此之前出现的那么多种语言也没有能够引起那么大的轰动。Java 是一个完整的平台，有一个庞大的库，其中包含了很多可重用的代码和一个提供诸如安全性、跨操作系统的可移植性以及自动垃圾收集等服务的执行环境。

作为一名程序设计人员，常常希望能够有一种语言，它具有令人赏心悦目的语法和易于理解的语义（C++ 不是这样的）。与许多其他的优秀语言一样，Java 完全满足了这些要求。有些语言提供了可移植性、垃圾收集等，但是，没有提供一个大型的库。如果想要有奇特的绘图功能、网络连接功能和数据库存取功能就必须自己动手编写代码。Java 具备所有这些特性，它是一种功能齐全的出色语言，是一个高质量的执行环境，还提供了一个庞大的库。正是因为它集多种优势于一身，所以对广大的程序设计人员有着不可抗拒的吸引力。

1.2 Java“白皮书”的关键术语

Java 的设计者已经编写了颇有影响力的“白皮书”，用来解释设计的初衷以及完成的情况，并且发布了一个简短的摘要。这个摘要用下面 11 个关键术语进行组织：

1）简单性
2）面向对象
3）分布式
4）健壮性
5）安全性
6）体系结构中立
7）可移植性
8）解释型
9）高性能
10）多线程
11）动态性

本节将提供一个小结，给出白皮书中相关的说明，这是 Java 设计者对各个关键术语的论述，另外还会根据我们对 Java 当前版本的使用经验，给出对这些术语的理解。

注释：写这本书时，白皮书可以在 www.oracle.com/technetwork/java/langenv-140151.html 上找到。对于 11 个关键术语的论述请参看 http://horstmann.com/corejava/java-an-overview/7Gosling.pdf。

1.2.1 简单性

> 人们希望构建一个无须深奥的专业训练就可以进行编程的系统，并且要符合当今的标准惯例。因此，尽管人们发现 C++ 不太适用，但在设计 Java 的时候还是尽可能地接近 C++，以便系统更易于理解。Java 剔除了 C++ 中许多很少使用、难以理解、易混淆的特性。在目前看来，这些特性带来的麻烦远远多于其带来的好处。

的确，Java 语法是 C++ 语法的一个“纯净”版本。这里没有头文件、指针运算（甚至指针语法）、结构、联合、操作符重载、虚基类等（请参阅本书各个章节给出的 C++ 注释，其中比较详细地解释了 Java 与 C++ 之间的区别）。然而，设计者并没有试图清除 C++ 中所有不适当的特性。例如，switch 语句的语法在 Java 中就没有改变。如果你了解 C++ 就会发现可以轻而易举地转换到 Java 语法。

Java 发布时，实际上 C++ 并不是最常用的程序设计语言。很多开发人员都在使用 Visual Basic 和它的拖放式编程环境。这些开发人员并不觉得 Java 简单。很多年之后 Java 开发环境才迎头赶上。如今，Java 开发环境已经远远超出大多数其他编程语言的开发环境。

> 简单的另一个方面是小。Java 的目标之一是支持开发能够在小型机器上独立运行的软件。基本的解释器以及类支持大约仅为 40KB；再加上基础的标准类库和对线程的支持（基本上是一个自包含的微内核）大约需要增加 175KB。

在当时，这是一个了不起的成就。当然，由于不断的扩展，类库已经相当庞大了。现在有一个独立的具有较小类库的 Java 微型版（Java Micro Edition），这个版本适用于嵌入式设备。

1.2.2 面向对象

> 简单地讲，面向对象设计是一种程序设计技术。它将重点放在数据（即对象）

> 和对象的接口上。用木匠打一个比方，一个“面向对象的”木匠始终关注的是所制作的椅子，第二位才是所使用的工具；一个“非面向对象的”木匠首先考虑的是所用的工具。在本质上，Java 的面向对象能力与 C++ 是一样的。

开发 Java 时面向对象技术已经相当成熟。Java 的面向对象特性与 C++ 旗鼓相当。Java 与 C++ 的主要不同点在于多重继承，在 Java 中，取而代之的是更简单的接口概念。与 C++ 相比，Java 提供了更丰富的运行时自省功能（有关这部分内容将在第 5 章中讨论）。

1.2.3 分布式

> Java 有一个丰富的例程库，用于处理像 HTTP 和 FTP 之类的 TCP/IP 协议。Java 应用程序能够通过 URL 打开和访问网络上的对象，其便捷程度就好像访问本地文件一样。

如今，这一点已经得到认可，不过在 1995 年，主要还是从 C++ 或 Visual Basic 程序连接 Web 服务器。

1.2.4 健壮性

> Java 的设计目标之一在于使得 Java 编写的程序具有多方面的可靠性。Java 投入了大量的精力进行早期的问题检测、后期动态的（运行时）检测，并消除了容易出错的情况……Java 和 C++ 最大的不同在于 Java 采用的指针模型可以消除重写内存和损坏数据的可能性。

Java 编译器能够检测许多在其他语言中仅在运行时才能够检测出来的问题。至于第二点，对于曾经花费几个小时来检查由于指针 bug 而引起内存冲突的人来说，一定很喜欢 Java 的这一特性。

1.2.5 安全性

> Java 适用于网络 / 分布式环境。为了达到这个目标，在安全方面投入了很大精力。使用 Java 可以构建防病毒、防篡改的系统。

从一开始，Java 就设计成能够防范各种攻击，其中包括：

- 运行时堆栈溢出。如蠕虫和病毒常用的攻击手段。
- 破坏自己的进程空间之外的内存。
- 未经授权读写文件。

原先，Java 对下载代码的态度是“尽管来吧！”。不可信代码在一个沙箱环境中执行，在这里它不会影响主系统。用户可以确信不会发生不好的事情，因为 Java 代码不论来自哪里，都不能脱离沙箱。

不过，Java 的安全模型很复杂。Java 开发包（Java Development Kit，JDK）的第一版发布之后不久，普林斯顿大学的一些安全专家就发现一些小 bug 会允许不可信的代码攻击主系统。

最初，安全 bug 可以快速修复。遗憾的是，经过一段时间之后，黑客已经很擅长找出安全体系结构实现中的小漏洞。Sun 以及之后的 Oracle 为修复 bug 度过了一段很是艰难的日子。

遭遇多次高调攻击之后，浏览器开发商和Oracle都越来越谨慎。Java浏览器插件不再信任远程代码，除非代码有数字签名而且用户同意执行这个代码。

注释：现在看来，尽管Java安全模型没有原先预想的那么成功，但Java在那个时代确实相当超前。微软提供了一种与之竞争的代码传输机制，其安全性完全依赖于数字签名。显然这是不够的，因为微软自身产品的任何用户都可以证实，知名开发商的程序确实会崩溃并对系统产生危害。

1.2.6 体系结构中立

> 编译器生成一个体系结构中立的目标文件格式，这是一种编译过的代码，只要有Java运行时系统，这些编译后的代码可以在许多处理器上运行。Java编译器通过生成与特定的计算机体系结构无关的字节码指令来实现这一特性。精心设计的字节码不仅可以很容易地在任何机器上解释执行，而且还可以动态地翻译成本地机器代码。

当时，为“虚拟机”生成代码并不是一个新思路。诸如Lisp、Smalltalk和Pascal等编程语言多年前就已经采用了这种技术。

当然，解释虚拟机指令肯定会比全速运行机器指令慢很多。然而，虚拟机有一个选项，可以将执行最频繁的字节码序列翻译成机器码，这一过程被称为即时编译。

Java虚拟机还有一些其他的优点。它可以检测指令序列的行为，从而增强其安全性。

1.2.7 可移植性

> 与C和C++不同，Java规范中没有“依赖具体实现”的地方。基本数据类型的大小以及有关运算都做了明确的说明。

例如，Java中的int永远为32位的整数，而在C/C++中，int可能是16位整数、32位整数，也可能是编译器提供商指定的其他大小。唯一的限制只是int类型的大小不能低于short int，并且不能高于long int。在Java中，数据类型具有固定的大小，这消除了代码移植时令人头痛的主要问题。二进制数据以固定的格式进行存储和传输，消除了字节顺序的困扰。字符串是用标准的Unicode格式存储的。

> 作为系统组成部分的类库，定义了可移植的接口。例如，有一个抽象的Window类，并给出了在UNIX、Windows和Macintosh环境下的不同实现。

选择Window类作为例子可能并不太合适。凡是尝试过的人都知道，要编写一个在Windows、Macintosh和10种不同风格的UNIX上看起来都不错的程序有多么困难。Java 1.0就尝试着做了这么一个壮举，发布了一个将常用的用户界面元素映射到不同平台上的简单工具包。遗憾的是，花费了大量的心血，却构建了一个在各个平台上都难以让人接受的库。原先的用户界面工具包已经重写，而且后来又再次重写，不过跨平台的可移植性仍然是个问题。

不过，除了与用户界面有关的部分外，所有其他Java库都能很好地支持平台独立性。你可以处理文件、正则表达式、XML、日期和时间、数据库、网络连接、线程等，而不用操心底层操作系统。不仅程序是可移植的，Java API往往也比原生API质量更高。

1.2.8 解释型

> Java解释器可以在任何移植了解释器的机器上执行Java字节码。由于链接是一个增量式且轻量级的过程，所以，开发过程也变得更加快捷，更加具有探索性。

这看上去很不错。用过Lisp、Smalltalk、Visual Basic、Python、R或Scala的人都知道“快捷而且具有探索性”的开发过程是怎样的。你可以做些尝试，然后就能立即看到结果。Java开发环境并没有将重点放在这种体验上。

1.2.9 高性能

> 尽管对解释后的字节码性能已经比较满意，但在有些场合下还需要更加高效的性能。字节码可以（在运行时刻）动态地翻译成对应运行这个应用的特定CPU的机器码。

使用Java的头几年，许多用户不同意这样的看法：性能就是“适用性更强”。然而，现在的即时编译器已经非常出色，以至于成了传统编译器的竞争对手。在某些情况下，甚至超越了传统编译器，原因是它们含有更多的可用信息。例如，即时编译器可以监控经常执行哪些代码并优化这些代码以提高速度。更为复杂的优化是消除函数调用（即“内联”）。即时编译器知道哪些类已经加载。基于当前加载的类集，如果特定的函数不会被覆盖，就可以使用内联。必要时，还可以撤销优化。

1.2.10 多线程

> 多线程可以带来更好的交互响应和实时行为。

如今，我们非常关注并发性，因为摩尔定律行将完结。我们不再追求更快的处理器，而是着眼于获得更多的处理器，而且要让它们一直保持工作。不过，可以看到，大多数编程语言对于这个问题并没有显示出足够的重视。

Java在当时很超前。它是第一个支持并发程序设计的主流语言。从白皮书中可以看到，它的出发点稍有些不同。当时，多核处理器还很神秘，而Web编程才刚刚起步，处理器要花很长时间等待服务器响应，需要并发程序设计来确保用户界面不会“冻住”。

并发程序设计绝非易事，不过Java在这方面表现很出色，可以很好地管理这个工作。

1.2.11 动态性

> 从各种角度看，Java与C或C++相比更加具有动态性。它能够适应不断发展的环境。库中可以自由地添加新方法和实例变量，而对客户端却没有任何影响。在Java中找出运行时类型信息十分简单。

当需要将某些代码添加到正在运行的程序中时，动态性将是一个非常重要的特性。一个很好的例子是：从Internet下载代码，然后在浏览器上运行。如果使用C或C++，这确实难度很大，不过Java设计者很清楚动态语言可以很容易地实现运行程序的演进。最终，他们将这一特性引入这个主流程序设计语言中。

注释：Java 成功地推出后不久，微软就发布了一个叫做 J++ 的产品，它与 Java 有几乎相同的编程语言以及虚拟机。现在，微软不再支持 J++，取而代之的是另一种名为 C# 的语言。C# 与 Java 有很多相似之处，然而使用的却是完全不同的虚拟机。本书不准备介绍 J++ 或 C# 语言。

1.3 Java applet 与 Internet

这里的想法很简单：用户从 Internet 下载 Java 字节码，并在自己的机器上运行。在网页中运行的 Java 程序称为 applet。要使用 applet，需要启用 Java 的 Web 浏览器执行字节码。不需要安装任何软件。任何时候只要访问包含 applet 的网页都会得到程序的最新版本。最重要的是，要感谢虚拟机的安全性，它让我们不必再担心来自恶意代码的攻击。

在网页中插入一个 applet 就如同在网页中嵌入一幅图片。applet 会成为页面的一部分。文本环绕着 applet 所占据的空间周围。关键的一点是这个图片是活动的。它可以对用户命令做出响应，改变外观，在运行它的计算机与提供它的计算机之间传递数据。

图 1-1 展示了一个很好的动态网页的例子。Jmol applet 显示了分子结构，这将需要相当复杂的计算。在这个网页中，可以利用鼠标进行旋转，调整焦距等操作，以便更好地理解分子结构。用静态网页就无法实现这种直接的操作，而 applet 却可以达到此目的（可以在 http://jmol.sourceforge.net 上找到这个 applet）。

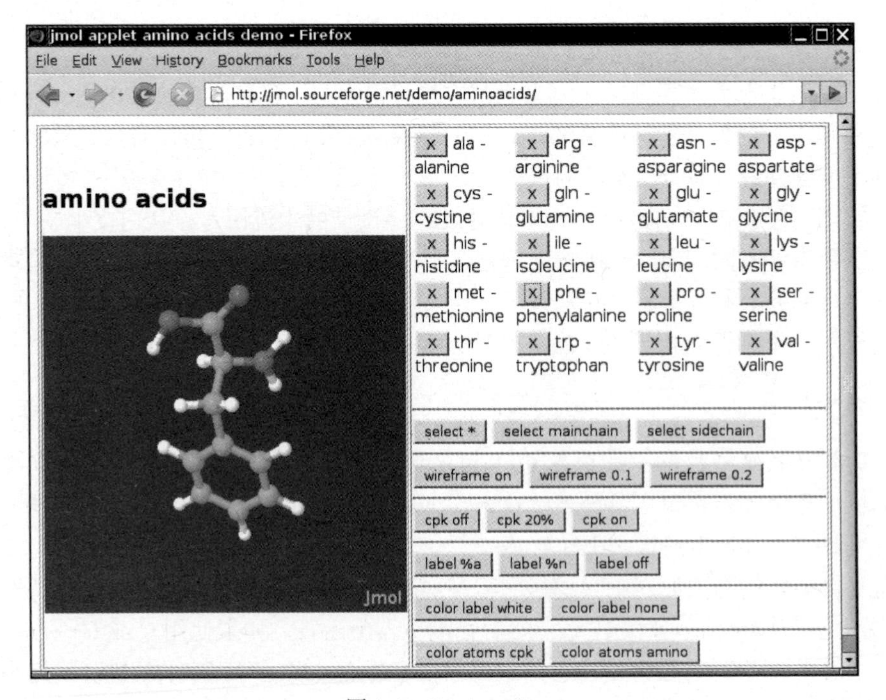

图 1-1 Jmol applet

当 applet 首次出现时，人们欣喜若狂。许多人相信 applet 的魅力将会导致 Java 迅速地流行起来。然而，初期的兴奋很快就淡化了。不同版本的 Netscape 与 Internet Explorer 运行不同版本的 Java，其中有些早已过时。这种糟糕的情况导致更加难于利用 Java 的最新版本开发 applet。实际上，为了在浏览器中得到动态效果，Adobe 的 Flash 技术变得相当流行。后来，Java 遭遇了严重的安全问题，浏览器和 Java 浏览器插件变得限制越来越多。如今，要在浏览器中使用 applet，这不仅需要一定的水平，而且要付出努力。例如，如果访问 Jmol 网站，可能会看到一个消息，警告你要适当地配置浏览器允许运行 applet。

1.4 Java 发展简史

本节将介绍 Java 的发展简史。这些内容来自很多出版资料（最重要的是 SunWorld 的在线杂志 1995 年 7 月刊上对 Java 创建者的专访）。

Java 的历史要追溯到 1991 年，由 Patrick Naughton 和 James Gosling（一个全能的计算机奇才）带领的 Sun 公司的工程师小组想要设计一种小型的计算机语言，主要用于像有线电视转换盒这类的消费设备。由于这些消费设备的处理能力和内存都很有限，所以语言必须非常小且能够生成非常紧凑的代码。另外，由于不同的厂商会选择不同的中央处理器（CPU），因此这种语言的关键是不与任何特定的体系结构捆绑在一起。这个项目被命名为“Green”。

代码短小、紧凑且与平台无关，这些要求促使开发团队设计一个可移植的语言，可以为虚拟机生成中间代码。

不过，Sun 公司的人都有 UNIX 的应用背景。因此，所开发的语言以 C++ 为基础，而不是 Lisp、Smalltalk 或 Pascal。不过，就像 Gosling 在专访中谈到的：“毕竟，语言只是实现目标的工具，而不是目标本身”。Gosling 把这种语言称为“Oak”（这么起名的原因大概是因为他非常喜欢自己办公室外的橡树）。Sun 公司的人后来发现 Oak 是一种已有的计算机语言的名字，于是，将其改名为 Java。事实证明这是一个很有灵感的选择。

1992 年，Green 项目发布了它的第一个产品，称之为“*7”。这个产品具有非常智能的远程控制。遗憾的是，Sun 公司对生产这个产品并不感兴趣，Green 项目组的人员必须找出其他的方法来将他们的技术推向市场。然而，没有一个标准消费品电子公司对此感兴趣。于是，Green 项目组竞标了一个提供视频点播等新型服务的有线电视盒的项目，但没有成功（有趣的是，得到这个项目的公司的领导恰恰是开创 Netscape 公司的 Jim Clark。Netscape 公司后来对 Java 的成功给予了很大的帮助）。

Green 项目（这时换了一个新名字——“First Person 公司”）花费了 1993 年一整年以及 1994 年的上半年，一直在苦苦寻求其技术的买家。然而，一个也没有找到（Patrick Naughton，项目组的创立人之一，也是完成此项目大多数市场工作的人，声称为了销售这项技术，累计飞行了 300 000 英里）。1994 年 First Person 公司解散了。

当这一切在 Sun 公司发生的时候，Internet 的万维网也在日渐发展壮大。万维网的关键是把超文本页面转换到屏幕上的浏览器。1994 年大多数人都在使用 Mosaic，这是一个 1993

年出自伊利诺斯大学超级计算中心的非商业化的 Web 浏览器（Mosaic 的一部分是由 Marc Andreessen 编写的。当时，他作为一名参加半工半读项目的本科生，编写了这个软件，每小时的薪水只有 6.85 美元。他后来成了 Netscape 公司的创始人之一和技术总监，可谓名利双收）。

在接受 SunWorld 采访的时候，Gosling 说在 1994 年中期，Java 语言的开发者意识到："我们能够建立一个相当酷的浏览器。我们已经拥有在客户机 / 服务器主流模型中所需要的体系结构中立、实时、可靠、安全——这些在工作站环境并不太重要，所以，我们决定开发浏览器。"

实际的浏览器是由 Patrick Naughton 和 Jonathan Payne 开发的，并演变为 HotJava 浏览器。为了炫耀 Java 语言超强的能力，HotJava 浏览器采用 Java 编写。设计者让 HotJava 浏览器具有在网页中执行内嵌代码的能力。这一"技术印证"在 1995 年 5 月 23 日的 SunWorld 上得到展示，同时引发了人们延续至今的对 Java 的狂热追逐。

1996 年年初，Sun 发布了 Java 的第 1 个版本。人们很快地意识到 Java1.0 不能用来进行真正的应用开发。的确，可以使用 Java 1.0 来实现在画布上随机跳动的神经质的文本 applet，但它却没有提供打印功能。坦率地说，Java 1.0 的确没有为其黄金时期的到来做好准备。后来的 Java 1.1 弥补了其中的大多明显的缺陷，大大改进了反射能力，并为 GUI 编程增加了新的事件处理模型。不过它仍然具有很大的局限性。

1998 年 JavaOne 会议的头号新闻是即将发布 Java 1.2 版。这个版本取代了早期玩具式的 GUI，并且它的图形工具箱更加精细而具有可伸缩性，更加接近"一次编写，随处运行"的承诺。在 1998 年 12 月 Java 1.2 发布三天之后，Sun 公司市场部将其名称改为更加吸引人的"Java 2 标准版软件开发工具箱 1.2 版"。

除了"标准版"之外，Sun 还推出了两个其他的版本：一个是用于手机等嵌入式设备的"微型版"；另一个是用于服务器端处理的"企业版"。本书主要讲述标准版。

标准版的 1.3 和 1.4 版本对最初的 Java 2 版本做出了某些改进，扩展了标准类库，提高系统性能。当然，还修正了一些 bug。在此期间，Java applet 采用低调姿态，并淡化了客户端的应用，但 Java 却成为服务器端应用的首选平台。

5.0 版是自 1.1 版以来第一个对 Java 语言做出重大改进的版本（这一版本原来被命名为 1.5 版，在 2004 年的 JavaOne 会议之后，版本数字升至 5.0）。经历了多年的研究，这个版本添加了泛型类型（generic type）(类似于 C++ 的模板)，其挑战性在于添加这一特性并没有对虚拟机做出任何修改。另外，还有几个受 C# 启发的很有用的语言特性："for each"循环、自动装箱和注解。

版本 6（没有后缀 .0）于 2006 年年末发布。同样，这个版本没有对语言方面再进行改进。但是，改进了其他性能，并增强了类库。

随着数据中心越来越依赖于商业硬件而不是专用服务器，Sun Microsystems 终于沦陷，于 2009 年被 Oracle 收购。Java 的开发停滞了很长一段时间。直到 2011 年 Oracle 发布了 Java 的一个新版本，Java 7，其中只做了一些简单的改进。

2014 年，Java 8 终于发布，在近 20 年中这个版本有了最大的改变。Java 8 提供了一种"函数式”编程方式，可以很容易地表述并发执行的计算。所有编程语言都必须与时俱进，Java 在这方面显示出非凡的能力。

表 1-1 展示了 Java 语言以及类库的发展状况。可以看到，应用程序编程接口（API）的规模发生了惊人的变化。

表 1-1　Java 语言的发展状况

版　本	年　份	语言新特性	类与接口的数量
1.0	1996	语言本身	211
1.1	1997	内部类	477
1.2	1998	strictfp 修饰符	1524
1.3	2000	无	1840
1.4	2002	断言	2723
5.0	2004	泛型类、“for each”循环、可变元参数、自动装箱、元数据、枚举、静态导入	3279
6	2006	无	3793
7	2011	基于字符串的 switch、钻石操作符、二进制字面量、异常处理改进	4024
8	2014	lambda 表达式，包含默认方法的接口，流和日期 / 时间库	4240

1.5　关于 Java 的常见误解

在结束本章之前，我们列出了一些关于 Java 的常见误解，同时给出了解释。

1. Java 是 HTML 的扩展

Java 是一种程序设计语言；HTML 是一种描述网页结构的方式。除了用于在网页上放置 Java applet 的 HTML 扩展之外，两者没有任何共同之处。

2. 使用 XML，所以不需要 Java

Java 是一种程序设计语言；XML 是一种描述数据的方式。可以使用任何一种程序设计语言处理 XML 数据，而 Java API 对 XML 处理提供了很好的支持。此外，许多重要的第三方 XML 工具采用 Java 编写。有关这方面更加详细的信息请参看卷 Ⅱ。

3. Java 是一种非常容易学习的程序设计语言

像 Java 这种功能强大的语言大都不太容易学习。首先，必须将编写玩具式程序的轻松和开发实际项目的艰难区分开来。需要注意的是：本书只用了 7 章讨论 Java 语言。在两卷中，其他的章节介绍如何使用 Java 类库将 Java 语言应用到实际中去。Java 类库包含了数千种类和接口以及数万个函数。幸运的是，并不需要知道它们中的每一个，然而，要想 Java 解决实际问题，还是需要了解不少内容的。

4. Java 将成为适用于所有平台的通用性编程语言

从理论上讲，这是完全有可能的。但在实际中，某些领域其他语言有更出色的表现，比如，Objective C 和后来的 Swift 在 iOS 设备上就有着无可取代的地位。浏览器中的处理几乎完全由 JavaScript 掌控。Windows 程序通常都用 C++ 或 C# 编写。Java 在服务器端编程和跨平台客户端应用领域则很有优势。

5. Java 只不过是另外一种程序设计语言

Java 是一种很好的程序设计语言，很多程序设计人员喜欢 Java 胜过 C、C++ 或 C#。有上百种好的程序设计语言没有广泛地流行，而带有明显缺陷的语言，如：C++ 和 Visual Basic 却大行其道。

这是为什么呢？程序设计语言的成功更多地取决于其支撑系统的能力，而不是优美的语法。人们主要关注：是否提供了易于实现某些功能的易用、便捷和标准的库？是否有开发工具提供商能建立强大的编程和调试环境？语言和工具集是否能够与其他计算基础架构整合在一起？Java 的成功源于其类库能够让人们轻松地完成原本有一定难度的事情。例如：联网 Web 应用和并发。Java 减少了指针错误，这是一个额外的好处，因此使用 Java 编程的效率更高。但这些并不是 Java 成功的全部原因。

6. Java 是专用的，应该避免使用

最初创建 Java 时，Sun 为销售者和最终用户提供了免费许可。尽管 Sun 对 Java 拥有最终的控制权，不过在语言版本的不断发展和新库的设计过程中还涉及很多其他公司。虚拟机和类库的源代码可以免费获得，不过仅限于查看，而不能修改和再发布。Java 是“闭源的，不过可以很好地使用”。

这种状况在 2007 年发生了戏剧性的变化，Sun 声称 Java 未来的版本将在 General Public License（GPL）下提供。Linux 使用的是同一个开放源代码许可。Oracle 一直致力于保持 Java 开源。只有一点美中不足——专利。根据 GPL，任何人都可以得到专利许可，允许其使用和修改 Java，不过仅限于桌面和服务器平台。如果你想在嵌入式系统中使用 Java，就需要另外一个不同的许可，这很可能需要付费。不过，这些专利在未来十年就会到期，那时 Java 就完全免费了。

7. Java 是解释型的，因此对于关键的应用程序速度太慢了

早期的 Java 是解释型的。现在 Java 虚拟机使用了即时编译器，因此采用 Java 编写的“热点”代码其运行速度与 C++ 相差无几，有些情况下甚至更快。

对于 Java 桌面应用速度慢，人们已经抱怨很多年了。但是，今天的计算机速度远比人们发出抱怨的时候快了很多。一个较慢的 Java 程序与几年前相当快的 C++ 程序相比还要快一些。

8. 所有的 Java 程序都是在网页中运行的

所有的 Java applet 都是在网页浏览器中运行的。这也恰恰是 applet 的定义，即一种在浏览器中运行的 Java 程序。然而，大多数 Java 程序是运行在 Web 浏览器之外的独立应用程序。实际上，很多 Java 程序都在 Web 服务器上运行并生成用于网页的代码。

9. Java 程序是主要的安全风险

对于早期的 Java，有过关于安全系统失效的报道，曾经一度引起公众哗然。研究人员将

这视为一种挑战，即努力找出 Java 的漏洞，对 applet 安全模型的强度和复杂度发起挑战。随后，人们很快就解决了引发问题的所有技术因素。后来又发现了更严重的漏洞，而 Sun 以及后来的 Oracle 反应却过于迟缓。浏览器制造商则有些反应过度，他们甚至默认禁用了 Java。客观地来讲，可以想想针对 Windows 可执行文件和 Word 宏有数百万种病毒攻击，并造成了巨大的损害，不过奇怪的是却很少有人批评被攻击平台的脆弱。

有些系统管理员甚至在公司浏览器中禁用了 Java，而同时却允许用户下载可执行文件和 Word 文档，实际上，这些带来的风险远甚于使用 Java。尽管距离 Java 诞生已经 20 年之久，与其他常用的执行平台相比，Java 还是安全得多。

10. JavaScript 是 Java 的简易版

JavaScript 是一种在网页中使用的脚本语言，它是由 Netscape 发明的，原来的名字叫做 LiveScript。JavaScript 的语法类似 Java，除此之外，两者无任何关系。当然，名字有些相像。JavaScript 的一个子集已经标准化为 ECMA-262。与 Java applet 相比，JavaScript 更紧密地与浏览器集成在一起。特别是 JavaScript 程序可以修改正在显示的文档，而 applet 只能在有限的区域内控制外观。

11. 使用 Java 可以用廉价的 Internet 设备取代桌面计算机

当 Java 刚刚发布的时候，一些人打赌：肯定会有这样的好事情发生。一些公司已经生产出 Java 网络计算机的原型，不过用户还不打算放弃功能强大而便利的桌面计算机，而去使用没有本地存储而且功能有限的网络设备。当然，如今世界已经发生改变，对于大多数最终用户，常用的平台往往是手机或平板电脑。这些设备大多使用安卓平台，这是 Java 的衍生产物。学习 Java 编程肯定也对 Android 编程很有帮助。

第2章 Java程序设计环境

- ▲ 安装 Java 开发工具包
- ▲ 运行图形化应用程序
- ▲ 使用命令行工具
- ▲ 构建并运行 applet
- ▲ 使用集成开发环境

本章主要介绍如何安装 Java 开发工具包（JDK）以及如何编译和运行不同类型的程序：控制台程序、图形化应用程序以及 applet。运行 JDK 工具的方法是在终端窗口中键入命令。然而，很多程序员更喜欢使用集成开发环境。为此，将在稍后介绍如何使用免费的开发环境编译和运行 Java 程序。尽管学起来很容易，但集成开发环境需要吞噬大量资源，编写小型程序时也比较烦琐。一旦掌握了本章的技术，并选定了自己的开发工具，就可以学习第 3 章，开始研究 Java 程序设计语言。

2.1 安装 Java 开发工具包

Oracle 公司为 Linux、Mac OS X、Solaris 和 Windows 提供了 Java 开发工具包（JDK）的最新、最完整的版本。用于很多其他平台的版本仍处于多种不同的开发状态中，不过，这些版本都由相应平台的开发商授权并分发。

2.1.1 下载 JDK

要想下载 Java 开发工具包，可以访问 Oracle 网站：www.oracle.com/technetwork/java/javase/downloads，在得到所需的软件之前必须弄清楚大量专业术语。请看表 2-1 的总结。

表 2-1 Java 术语

术 语 名	缩写	解 释
Java Development Kit	JDK	编写 Java 程序的程序员使用的软件
Java Runtime Environment	JRE	运行 Java 程序的用户使用的软件
Server JRE	—	在服务器上运行 Java 程序的软件
Standard Edition	SE	用于桌面或简单服务器应用的 Java 平台
Enterprise Edition	EE	用于复杂服务器应用的 Java 平台
Micro Edition	ME	用于手机和其他小型设备的 Java 平台
Java FX	—	用于图形化用户界面的一个替代工具包，在 Oracle 的 Java SE 发布版本中提供
OpenJDK	—	Java SE 的一个免费开源实现，不包含浏览器集成或 JavaFX
Java 2	J2	一个过时的术语，用于描述 1998 年 ~ 2006 年之间的 Java 版本
Software Development Kit	SDK	一个过时的术语，用于描述 1998 年 ~ 2006 年之间的 JDK
Update	u	Oracle 的术语，表示 bug 修正版本
NetBeans	—	Oracle 的集成开发环境

你已经看到，JDK 是 Java Development Kit 的缩写。有点混乱的是：这个工具包的版本 1.2 ~ 版本 1.4 被称为 Java SDK（软件开发包，Software Development Kit）。在某些场合下，还可以看到这个过时的术语。另外，还有一个术语是 Java 运行时环境（JRE），它包含虚拟机但不包含编译器。这并不是开发者想要的环境，而是专门为不需要编译器的用户而提供。

接下来，Java SE 会大量出现，相对于 Java EE（Enterprise Edition）和 Java ME（Micro Edition），它是 Java 的标准版。

Java 2 这种提法始于 1998 年。当时 Sun 公司的销售人员感觉增加小数点后面的数值改变版本号并没有反映出 JDK 1.2 的重大改进。但是，由于在发布之后才意识到这个问题，所以决定开发工具包的版本号仍然沿用 1.2，接下来的版本是 1.3、1.4 和 5.0。但是，Java 平台被重新命名为 Java 2。因此，就有了 Java 2 Standard Edition Software Development Kit（Java 2 标准版软件开发包）的 5.0 版，即 J2SE SDK 5.0。

幸运的是，2006 年版本号得到简化。Java 标准版的下一个版本取名为 Java SE 6，后来又有了 Java SE 7 和 Java SE 8。不过，“内部”版本号分别是 1.6.0、1.7.0 和 1.8.0。

当 Oracle 为解决一些紧急问题做出某些微小的版本改变时，将其称为更新。例如：Java SE 8u31 是 Java SE 8 的第 31 次更新，它的内部版本号是 1.8.0_31。更新不需要安装在前一个版本上，它会包含整个 JDK 的最新版本。另外，并不是所有更新都公开发布，所以如果“更新 31”之后没有“更新 32”，你也不用惊慌。

对于 Windows 或 Linux，需要在 x86（32 位）和 x64（64 位）版本之间做出选择。应当选择与你的操作系统体系结构匹配的版本。

对于 Linux，还可以在 RPM 文件和 .tar.gz 文件之间做出选择。我们建议使用后者，可以在你希望的任何位置直接解压缩这个压缩包。

现在你已经了解了如何选择适当的 JDK。下面做一个小结：

- 你需要的是 JDK（Java SE 开发包），而不是 JRE。
- Windows 或 Linux：32 位选择 x86，64 位以 x64。
- Linux：选择 .tar.gz 版本。

接受许可协议，然后下载文件。

注释： Oracle 提供了一个捆绑包，其中包含 Java 开发包（JDK）和 NetBeans 集成开发环境。建议现在不要安装任何捆绑包，而只需安装 Java 开发包。如果以后你打算使用 NetBeans，可以再从 http://netbeans.org 下载。

2.1.2 设置 JDK

下载 JDK 之后，需要安装这个开发包并明确要在哪里安装，后面还会需要这个信息。

- 在 Windows 上，启动安装程序。会询问你要在哪里安装 JDK。最好不要接受路径名中包含空格的默认位置，如 c:\Program Files\Java\jdk1.8.0_*version*。取出路径名中的 Program Files 部分就可以了。

- 在 Mac 上，运行安装程序。这会把软件安装到 /Library/Java/JavaVirtualMachines/jdk1.8.0_*version*.jdk/Contents/Home。用 Finder 找到这个目录。
- 在 Linux 上，只需要把 .tar.gz 文件解压缩到你选择的某个位置，如你的主目录，或者 /opt。如果从 RPM 文件安装，则要反复检查是否安装在 /usr/java/jdk1.8.0_*version*。

在这本书中，安装目录用*jdk*表示。例如，谈到*jdk*/bin 目录时，是指 /opt/jdk1.8.0_31/bin 或 c:\Java\jdk1.8.0_31\bin 目录。

在 Windows 或 Linux 上安装 JDK 时，还需要另外完成一个步骤：将*jdk*/bin 目录增加到执行路径中——执行路径是操作系统查找可执行文件时所遍历的目录列表。

- 在 Linux 上，需要在 ~/.bashrc 或 ~/.bash_profile 文件的最后增加这样一行：

  ```
  export PATH=jdk/bin:$PATH
  ```

  一定要使用 JDK 的正确路径，如 /opt/jdk1.8.0_31。
- 在 Windows 上，启动控制面板，选择“系统与安全”(System and Security)，再选择“系统”(System)，选择高级系统设置（Advanced System Settings)(参见图 2-1)。在系统属性（System Properties）对话框中，点击“高级”(Advanced）标签页，然后点击“环境”(Environment）按钮。

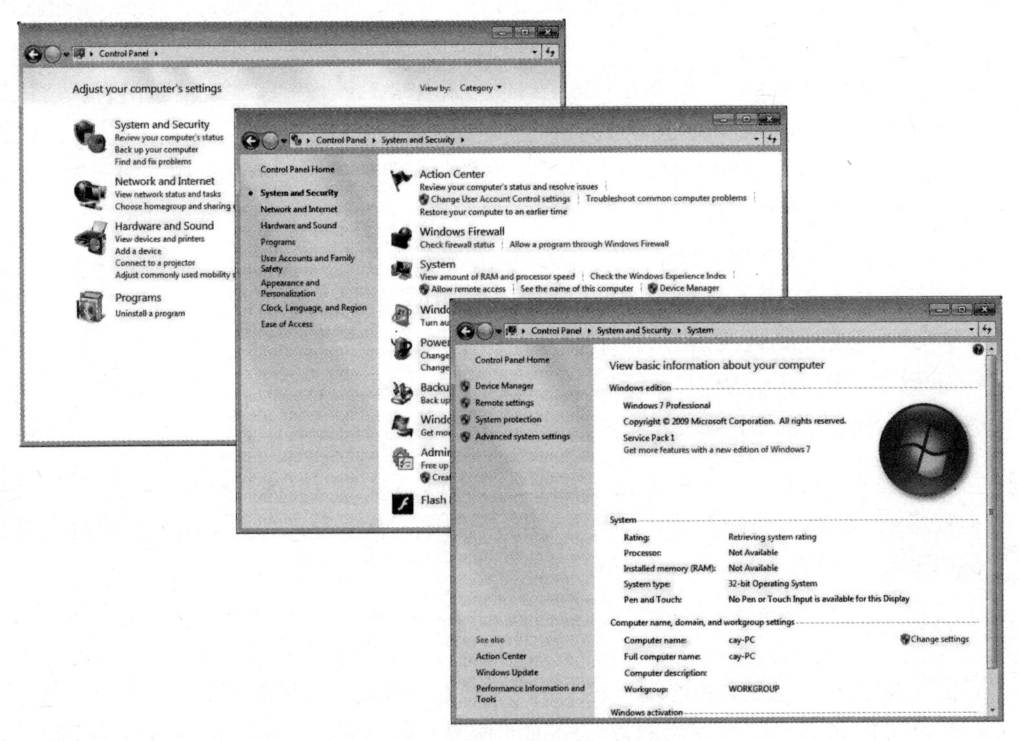

图 2-1 Windows 7 中设置系统属性

滚动“系统变量”(System Variables）列表，直到找到名为 Path 的变量。点击“编辑”(Edit)

按钮（参见图 2-2）。将 *jdk*\bin 目录增加到路径最前面，并用一个分号分隔新增的这一项，如下所示：

```
jdk\bin;other stuff
```

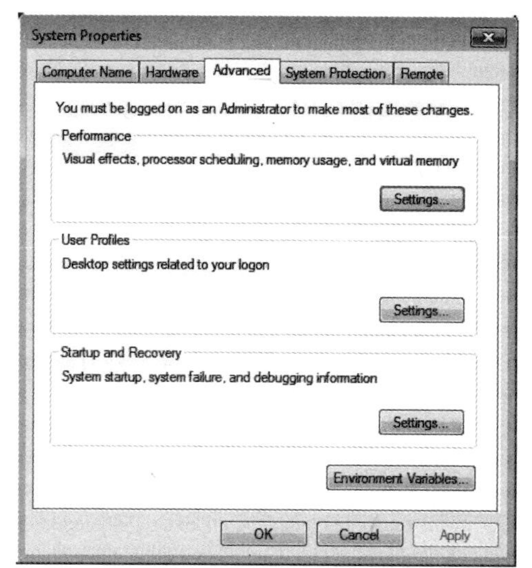

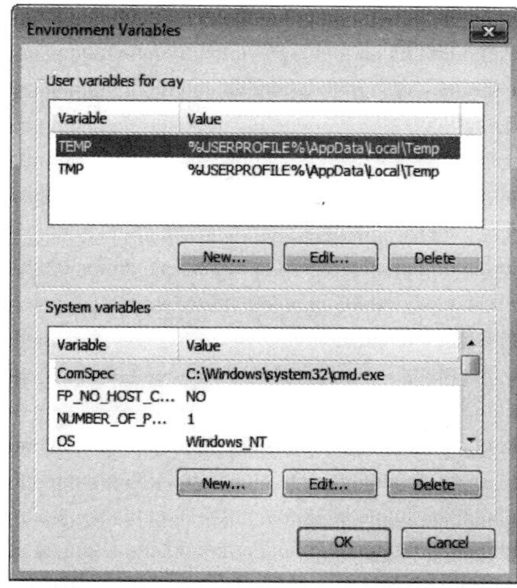

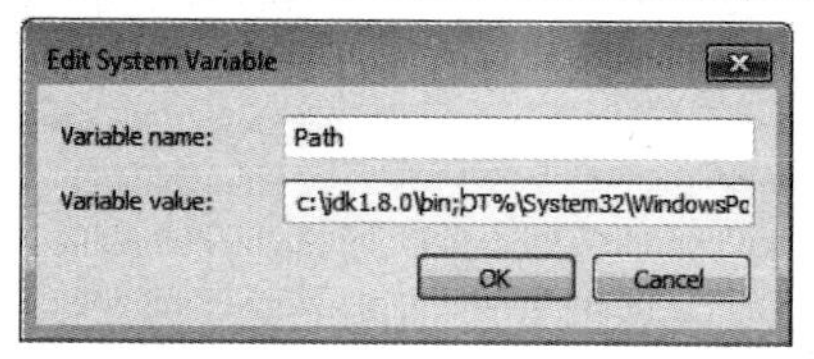

图 2-2　Windows 7 中设置 Path 环境变量

注意要把 *jdk* 替换为具体的 Java 安装路径，如 c:\Java\jdk1.8.0_31。如果忽视前面的建议，想要保留 Program Files 部分，则要把整个路径用双引号引起来："c:\Program Files\Java\jdk1.8.0_31\bin"; 其他目录。

保存所做的设置。之后新打开的所有控制台窗口都会有正确的路径。

可以如下测试设置是否正确：打开一个终端窗口，键入：

```
javac -version
```

然后按回车键。应该能看到显示以下信息：

```
javac 1.8.0_31
```

如果得到诸如“javac: command not found”(javac:：命令未找到）或“The name specified is not recognized as an internal or external command, operable program or batch file”（指定名不是一个内部或外部命令、可执行的程序或批文件），就需要退回去反复检查你的安装。

2.1.3　安装库源文件和文档

库源文件在 JDK 中以一个压缩文件 src.zip 的形式发布，必须将其解压缩后才能够访问源代码。建议按照下面所述的步骤进行操作。很简单：

1）确保 JDK 已经安装，并且 jdk/bin 目录在执行路径中。

2）在主目录中建立一个目录 javasrc。如果愿意，可以在一个终端窗口完成这个步骤。

```
mkdir javasrc
```

3）在 *jdk* 目录下找到文件 src.zip。

4）将 src.zip 文件解压缩到 javasrc 目录。在一个终端窗口中，可以执行以下命令：

```
cd javasrc
jar xvf jdk/src.zip
cd ..
```

提示：src.zip 文件中包含了所有公共类库的源代码。要想获得更多的源代码（例如：编译器、虚拟机、本地方法以及私有辅助类），请访问网站：http://jdk8.java.net。

文档包含在一个压缩文件中，它是一个独立于 JDK 的压缩文件。可以直接从网站 http://www.oracle.com/technetwork/java/javase/downloads 下载这个文档。操作步骤如下：

1）下载文档压缩文件。这个文件名为 jdk-*version*-docs-all.zip，其中的 *version* 表示版本号，例如 8u31。

2）解压缩这个文件，将 doc 目录重命名为一个更有描述性的名字，如 javadoc。如果愿意，可以从命令行完成这个工作：

```
jar xvf Downloads/jdk-version-docs-all.zip
mv doc javadoc
```

这里 *version* 是相应的版本号。

3）在浏览器中导航到 javadoc/api/index.html，将这个页面增加到书签。

还要安装本书的程序示例。可以从 http://horstmann.com/corejava 下载示例。这些程序打包在一个 zip 文件 corejava.zip 中。可以将程序解压缩到你的主目录。它们会放在目录 corejava 中。如果愿意，可以从命令行完成这个工作：

```
jar xvf Downloads/corejava.zip
```

2.2 使用命令行工具

如果在此之前有过使用 Microsoft Visual Studio 等开发环境编程的经验，你可能会习惯于有一个内置文本编辑器、用于编译和启动程序的菜单以及调试工具的系统。JDK 完全没有这些功能。所有工作都要在终端窗口中键入命令来完成。这听起来很麻烦，不过确实是一个基本技能。第一次安装 Java 时，你可能希望在安装开发环境之前先检查 Java 的安装是否正确。另外，通过自己执行基本步骤，你可以更好地理解开发环境的后台工作。

不过，掌握了编译和运行 Java 程序的基本步骤之后，你可能就会希望使用专业的开发环境。下一节会介绍如何使用开发环境。

首先介绍较难的方法：从命令行编译并运行 Java 程序。

1）打开一个终端窗口。

2）进入 corejava/v1ch02/Welcome 目录（CoreJava 是安装本书示例源代码的目录，请参看 2.1.3 节）。

3）键入下面的命令：

```
javac Welcome.java
java Welcome
```

然后，将会在终端窗口中看到图 2-3 所示的输出。

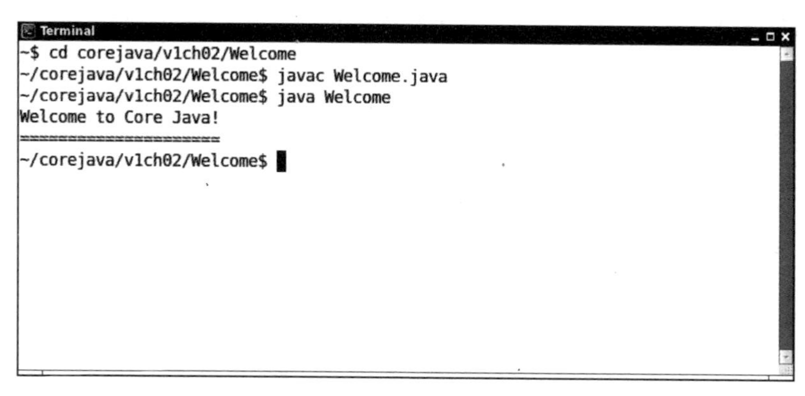

图 2-3　编译并运行 Welcome.java

祝贺你！你已经编译并运行了第一个 Java 程序。

那么，刚才都进行了哪些操作呢？javac 程序是一个 Java 编译器。它将文件 Welcome.java 编译成 Welcome.class。java 程序启动 Java 虚拟机。虚拟机执行编译器放在 class 文件中的字节码。

Welcome 程序非常简单。它只是向控制台输出了一条消息。你可能想查看程序清单 2-1 的程序代码。（在下一章中，将解释它是如何工作的。）

程序清单 2-1　Welcome/Welcome.java

```
 1 /**
 2  * This program displays a greeting for the reader.
 3  * @version 1.30 2014-02-27
 4  * @author Cay Horstmann
 5  */
 6 public class Welcome
 7 {
 8    public static void main(String[] args)
 9    {
10       String greeting = "Welcome to Core Java!";
11       System.out.println(greeting);
12       for (int i = 0; i < greeting.length(); i++)
13          System.out.print("=");
14       System.out.println();
15    }
16 }
```

在使用可视化开发环境的年代，许多程序员对于在终端窗口中运行程序已经很生疏了。常常会出现很多错误，最终导致令人沮丧的结果。

一定要注意以下几点：

- 如果手工输入源程序，一定要注意大小写。尤其是类名为Welcome，而不是welcome或WELCOME。
- 编译器需要一个文件名（Welcome.java），而运行程序时，只需要指定类名（Welcome），不要带扩展名.java或.class。
- 如果看到诸如Bad command or file name或javac:command not found这类消息，就要返回去反复检查安装是否有问题，特别是执行路径的设置。
- 如果javac报告了一个错误，指出无法找到Welcome.java，就应该检查目录中是否存在这个文件。

在Linux环境下，检查Welcome.java是否以正确的大写字母开头。

在Windows环境下，使用命令dir，而不要使用图形浏览器工具。有些文本编辑器（特别是Notepad）在每个文件名后面要添加扩展名.txt。如果使用Notepad编辑Welcome.java就会存为Welcome.java.txt。对于默认的Windows设置，浏览器与Notepad都隐含.txt扩展名，这是因为这个扩展名属于“已知的文件类型”。此时，需要重新命名这个文件，使用命令ren，或是另存一次，为文件名加一对双引号，如：“Welcome.java”。

- 如果运行程序之后，收到关于java.lang.NoClassDefFoundError的错误消息，就应该仔细地检查出问题的类的名字。

  如果收到关于welcome（w为小写）的错误消息，就应该重新执行命令：java Welcome（W为大写）。记住，Java区分大小写。

  如果收到有关Welcome/java的错误信息，这说明你错误地键入了java Welcome.java，应该重新执行命令java Welcome。
- 如果键入java Welcome，而虚拟机没有找到Welcome类，就应该检查一下是否有人设置了系统的CLASSPATH环境变量（将这个变量设置为全局并不是一个提倡的做法，然而，Windows中有些比较差的软件安装程序就是这样做的）。可以像设置PATH环境变量一样设置CLASSPATH，不过这里将删除这个设置。

提示： 在http://docs.oracle.com/javase/tutorial/getStarted/cupojava/上有一个很好的教程。其中提到了初学者经常容易犯的一些错误。

2.3 使用集成开发环境

上一节中，你已经了解了如何从命令行编译和运行一个Java程序。这是一个很有用的技能，不过对于大多数日常工作来说，都应当使用集成开发环境。这些环境非常强大，也很方便，不使用这些环境有些不合情理。我们可以免费得到一些很棒的开发环境，如Eclipse、NetBeans和IntelliJ IDEA程序。这一章中，我们将学习如何从Eclipse起步。当然，如果你喜欢其他开发环境，学习本书时也完全可以使用你喜欢的环境。

本节将介绍如何使用 Eclipse 编译一个程序。Eclipse 是一个可以从网站 http://eclipse.org/downloads 上免费下载得到的集成开发环境。Eclipse 已经有面向 Linux、Mac OS X、Solaris 和 Windows 的版本。访问下载网站时，选择“Eclipse IDE for Java Developers”。再根据你的操作系统选择 32 位或 64 位版本。

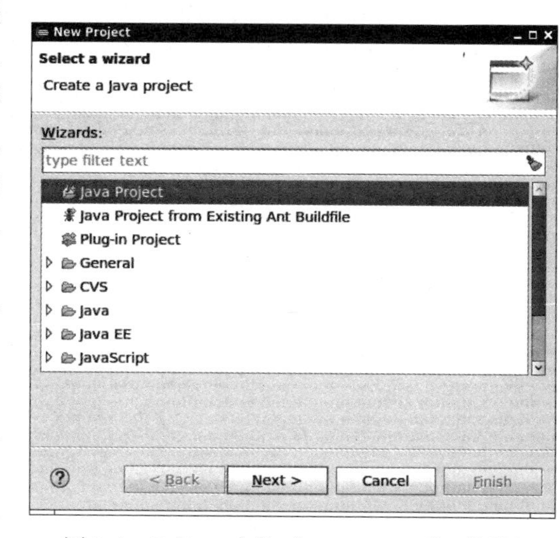

图 2-4　Eclipse 中的“New Project”对话框

将 Eclipse 解压缩到你选择的位置，执行这个 zip 文件中的 eclipse 程序。

下面是用 Eclipse 编写程序的一般步骤。

1）启动 Eclipse 之后，从菜单选择 File → New → Project。

2）从向导对话框中选择 Java Project（如图 2-4 所示）。

3）点击 Next 按钮，不选中“Use default location”复选框。点击 Browse 导航到 corejava/v1ch02/Welcome 目录（见图 2-5）。

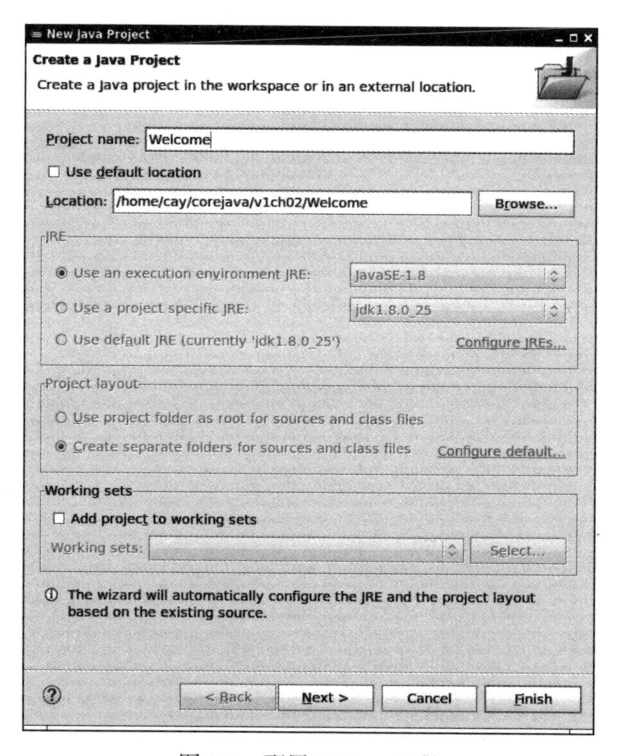

图 2-5　配置 Eclipse 工程

4）点击 Finish 按钮。这个工程已经创建完成了。

5）点击工程窗口左边窗格中的三角，直到找到 Welcome.java 并双击。现在应该看到带有程序代码的窗口了（如图 2-6 所示）。

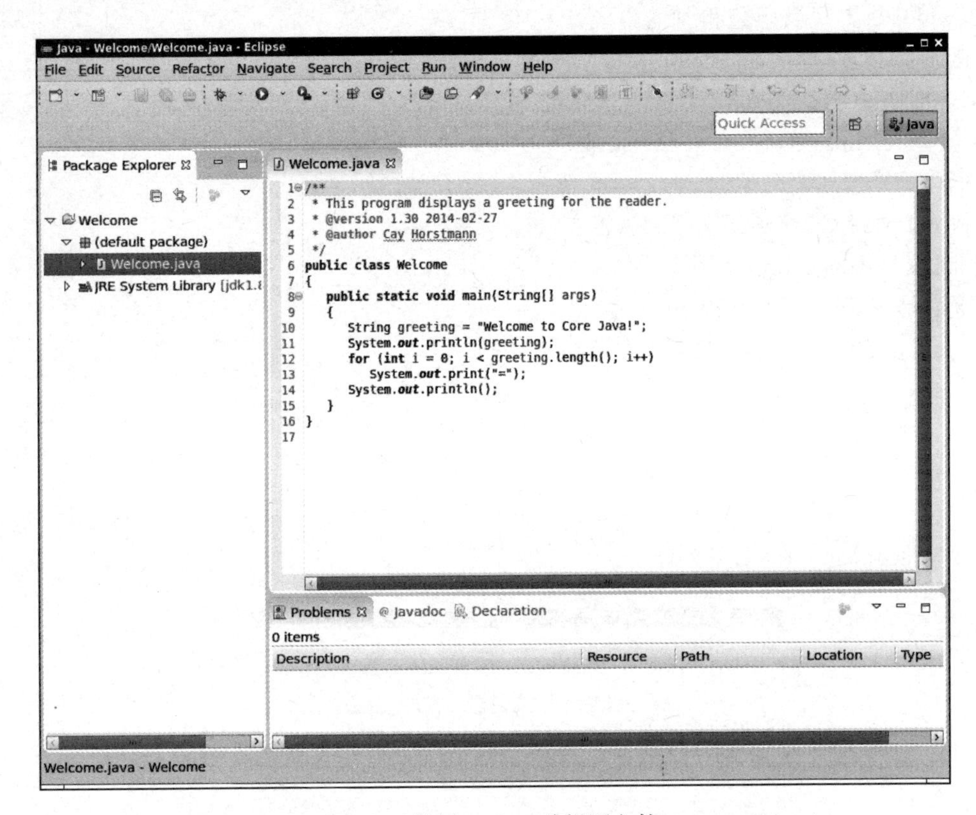

图 2-6　使用 Eclipse 编辑源文件

6）用鼠标右键点击最左侧窗格中的工程名（Welcome），选择 Run → Run As → Java Application。程序输出会显示在控制台窗格中。

可以假定，这个程序没有输入错误或 bug（毕竟，这段代码只有几行）。为了说明问题，假定在代码中不小心出现了录入错误（或者甚至语法错误）。试着将原来的程序修改一下，让它包含一些录入错误，例如，将 String 的大小写弄错：

```
string greeting = "Welcome to Core Java!";
```

注意 string 下面的波折线。点击源代码下标签页中的 Problems，展开小三角，会看到一个错误消息，指出有一个未知的 string 类型（见图 2-7）。点击这个错误消息。光标会移到编辑窗口中相应的代码行，可以在这里纠正错误。利用这个特性可以快速地修正错误。

✔ **提示：**通常，Eclipse 错误报告会伴有一个灯泡图标。点击这个图标可以得到一个建议解决这个错误的方案列表。

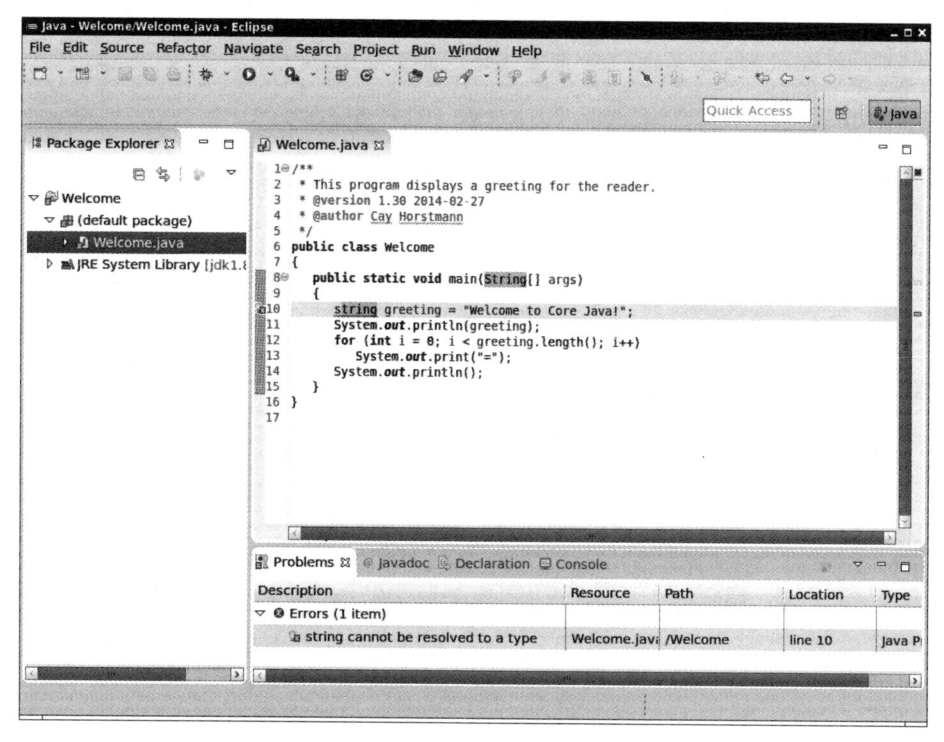

图 2-7　Eclipse 中的错误消息

2.4　运行图形化应用程序

Welcome 程序并不会引起人们的兴奋。接下来，给出一个图形化应用程序。这个程序是一个简单的图像文件查看器（viewer），它可以加载并显示一个图像。首先，由命令行编译并运行这个程序。

1）打开一个终端窗口。

2）进入 corejava/v1ch02/ImageViewer。

3）输入：

```
javac ImageViewer.java
java ImageViewer
```

将弹出一个标题栏为 ImageViewer 的新程序窗口（如图 2-8 所示）。

现在，选择 File → Open，然后找到一个图像文件并打开它（我们在同一个目录下提供了两个示例文件）。要关闭这一程序，只需要点击标题栏中的关闭按钮或者从菜单中选择 File → Exit。

图 2-8　运行 ImageViewer 应用程序

下面快速地浏览一下源代码（程序清单 2-2）。这个程序比第一个程序要长很多，但是只要想一想用 C 或 C++ 编写同样功能的应用程序所需要的代码量，就不会觉得它太复杂了。本书将在第 10 章 ~ 第 12 章介绍如何编写像这样的图形化应用程序。

程序清单 2-2 ImageViewer/ImageViewer.java

```
1 import java.awt.*;
2 import java.io.*;
3 import javax.swing.*;
4
5 /**
6  * A program for viewing images.
7  * @version 1.30 2014-02-27
8  * @author Cay Horstmann
9  */
10 public class ImageViewer
11 {
12    public static void main(String[] args)
13    {
14       EventQueue.invokeLater(() -> {
15          JFrame frame = new ImageViewerFrame();
16          frame.setTitle("ImageViewer");
17          frame.setDefaultCloseOperation(JFrame.EXIT_ON_CLOSE);
18          frame.setVisible(true);
19       });
20    }
21 }
22
23 /**
24  * A frame with a label to show an image.
25  */
26 class ImageViewerFrame extends JFrame
27 {
28    private JLabel label;
29    private JFileChooser chooser;
30    private static final int DEFAULT_WIDTH = 300;
31    private static final int DEFAULT_HEIGHT = 400;
32
33    public ImageViewerFrame()
34    {
35       setSize(DEFAULT_WIDTH, DEFAULT_HEIGHT);
36
37       // use a label to display the images
38       label = new JLabel();
39       add(label);
40
41       // set up the file chooser
42       chooser = new JFileChooser();
43       chooser.setCurrentDirectory(new File("."));
44
45       // set up the menu bar
46       JMenuBar menuBar = new JMenuBar();
47       setJMenuBar(menuBar);
48
49       JMenu menu = new JMenu("File");
50       menuBar.add(menu);
```

```
51
52         JMenuItem openItem = new JMenuItem("Open");
53         menu.add(openItem);
54         openItem.addActionListener(event -> {
55            // show file chooser dialog
56               int result = chooser.showOpenDialog(null);
57
58               // if file selected, set it as icon of the label
59               if (result == JFileChooser.APPROVE_OPTION)
60               {
61                  String name = chooser.getSelectedFile().getPath();
62                  label.setIcon(new ImageIcon(name));
63               }
64            });
65
66         JMenuItem exitItem = new JMenuItem("Exit");
67         menu.add(exitItem);
68         exitItem.addActionListener(event -> System.exit(0));
69      }
70   }
```

2.5 构建并运行 applet

本书给出的前两个程序是 Java 应用程序。它们与所有本地程序一样，是独立的程序。然而，正如第 1 章提到的，有关 Java 的大量宣传都在炫耀 Java 在浏览器中运行 applet 的能力。如果你对“过去的记忆”感兴趣，可以继续阅读下面的内容来了解如何构建和运行一个 applet，以及如何在 Web 浏览器中显示；如果你不感兴趣，完全可以跳过这个例子，直接转到第 3 章。

首先，打开终端窗口并转到 CoreJava/v1ch02/RoadApplet，然后，输入下面的命令：

```
javac RoadApplet.java
jar cvfm RoadApplet.jar RoadApplet.mf *.class
appletviewer RoadApplet.html
```

图 2-9 显示了在 applet 查看器窗口中显示的内容。这个 applet 图示显示了司机随意减速可能导致交通拥堵的情况。1996 年，applet 是创建这种可视化显示的绝佳工具。

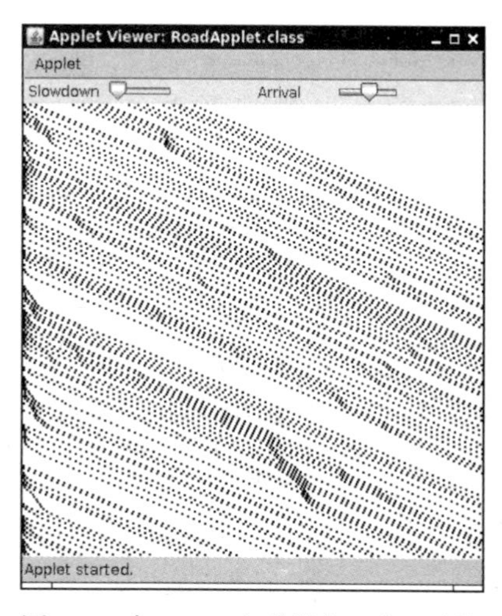

图 2-9 在 applet 查看器窗口中显示的 RoadApplet

第一条命令是大家已经非常熟悉的调用 Java 编译器的命令。它将 RoadApplet.java 源文件编译成字节码文件 RoadApplet.class。

不过这一次不要运行 java 程序。首先，使用 jar 工具将类文件打包到一个“JAR 文件”。然后调用 appletviewer 程序，这是 JDK 自带的一个工具，可以用来快速测试 applet。需要为这个程序指定一个 HTML 文件名，而不是一个 Java 类文件名。RoadApplet.html 文件的内容如本节最后的程序清单 2-3 所示。

程序清单 2-3　RoadApplet/RoadApplet.html

```
1  <html xmlns="http://www.w3.org/1999/xhtml">
2     <head><title>A Traffic Simulator Applet</title></head>
3     <body>
4        <h1>Traffic Simulator Applet</h1>
5
6        <p>I wrote this traffic simulation, following the article &quot;Und nun die
7        Stauvorhersage&quot; of the German Magazine <i>Die Zeit</i>, June 7,
8        1996. The article describes the work of Professor Michael Schreckenberger
9        of the University of Duisburg and unnamed collaborators at the University
10       of Cologne and Los Alamos National Laboratory. These researchers model
11       traffic flow according to simple rules, such as the following: </p>
12       <ul>
13          <li>A freeway is modeled as a sequence of grid points. </li>
14          <li>Every car occupies one grid point. Each grid point occupies at most
15          one car. </li>
16          <li>A car can have a speed of 0 - 5 grid points per time interval. </li>
17          <li>A car with speed of less than 5 increases its speed by one unit in
18          each time interval, until it reaches the maximum speed. </li>
19          <li>If a car's distance to the car in front is <i>d</i> grid points, its
20          speed is reduced to <i>d</i>-1 if necessary to avoid crashing into it.
21          </li>
22          <li>With a certain probability, in each time interval some cars slow down
23          one unit for no good reason whatsoever. </li>
24       </ul>
25
26       <p>This applet models these rules. Each line shows an image of the same
27       stretch of road. Each square denotes one car. The first scrollbar lets you
28       adjust the probability that some cars slow down. If the slider is all the
29       way to the left, no car slows down. If it is all the way to the right,
30       every car slows down one unit. A typical setting is that 10% - 20% of the
31       cars slow down. The second slider controls the arrival rate of the cars.
32       When it is all the way to the left, no new cars enter the freeway. If it
33       is all the way to the right, a new car enters the freeway every time
34       interval, provided the freeway entrance is not blocked. </p>
35
36       <p>Try out the following experiments. Decrease the probability of slowdown
37       to 0. Crank up the arrival rate to 1. That means, every time unit, a new
38       car enters the road. Note how the road can carry this load. </p>
39
40       <p>Now increase the probability that some cars slow down. Note how traffic
41       jams occur almost immediately. </p>
42
43       <p>The moral is: If it wasn't for the rubberneckers, the cellular phone
44       users, and the makeup-appliers who can't keep up a constant speed, we'd all
45       get to work more quickly. </p>
46
47       <p>Notice how the traffic jam is stationary or even moves backwards, even
48       though the individual cars are still moving. In fact, the first car
49       causing the jam has long left the scene by the time the jam gets bad.
50       (To make it easier to track cars, every tenth vehicle is colored red.) </p>
51
```

```
52        <p><applet code="RoadApplet.class" archive="RoadApplet.jar"
53                width="400" height="400" alt="Traffic jam visualization">
54        </applet></p>
55
56        <p>For more information about applets, graphics programming and
57        multithreading in Java, see
58        <a href="http://horstmann.com/corejava">Core Java</a>. </p>
59     </body>
60  </html>
```

如果熟悉 HTML，你会注意这里的标准 HTML 标记和 applet 标签，这会告诉 applet 查看器加载 applet，其代码存储在 RoadApplet.jar 中。applet 会忽略除 applet 标签外的所有 HTML 标签。

当然，applet 要在浏览器中查看。遗憾的是，现在很多浏览器并不提供 Java 支持，或者启用 Java 很困难。对此，最好使用 Firefox。

如果使用 Windows 或 Mac OS X，Firefox 会自动启用计算机上安装的 Java。在 Linux 上，则需要用下面的命令启用这个插件：

```
mkdir -p ~/.mozilla/plugins
cd ~/.mozilla/plugins
ln -s jdk/jre/lib/amd64/libnpjp2.so
```

作为检查，可以在地址栏键入 about:plugins，查找 Java 插件。确保使用这个插件的 Java SE 8 版本，为此要查找 MIME 类型 application/x-java-applet;version=1.8。

接下来，将浏览器导航到 http://horstmann.com/applets/RoadApplet/RoadApplet.html，对所有安全提示都选择接受，保证最后会显示 applet。

遗憾的是，只是测试刚刚编译的 applet 还不够。horstmann.com 服务器上的 applet 有数字签名。还必须再花一些工夫，让 Java 虚拟机信任的一个证书发行者信任我，为我提供一个证书，我再用这个证书为 JAR 文件签名。浏览器插件不再运行不信任的 applet。与过去相比，这是一个很大的变化，原先在屏幕上绘制像素的简单 applet 会限制在“沙箱”中，即使没有签名也可以工作。可惜，即使是 Oracle 也不再相信沙箱的安全性了。

为了解决这个问题，可以临时将 Java 配置为信任本地文件系统的 applet。首先，打开 Java 控制面板。

- 在 Windows 中，查看控制面板中的 Programs（程序）部分。
- 在 Mac 上，打开 System Preferences（系统首选项）。
- 在 Linux 上，运行 jcontrol。

然后点击 Security（安全）标签页和 Edit Site List（编辑网站列表）按钮。再点击 Add（增加），并键入 file:///。点击 OK，接受下一个安全提示，然后再次点击 OK（见图 2-10）。

现在应该可以在浏览器中加载文件 corejava/v1ch02/RoadApplet/RoadApplet.html，applet 将随周围的文本一同显示。结果如图 2-11 所示。

最后，在程序清单 2-4 中给出了这个 applet 类的代码。现在，只需要简单看一下。在第

13 章中，还会再来介绍 applet 的编写。

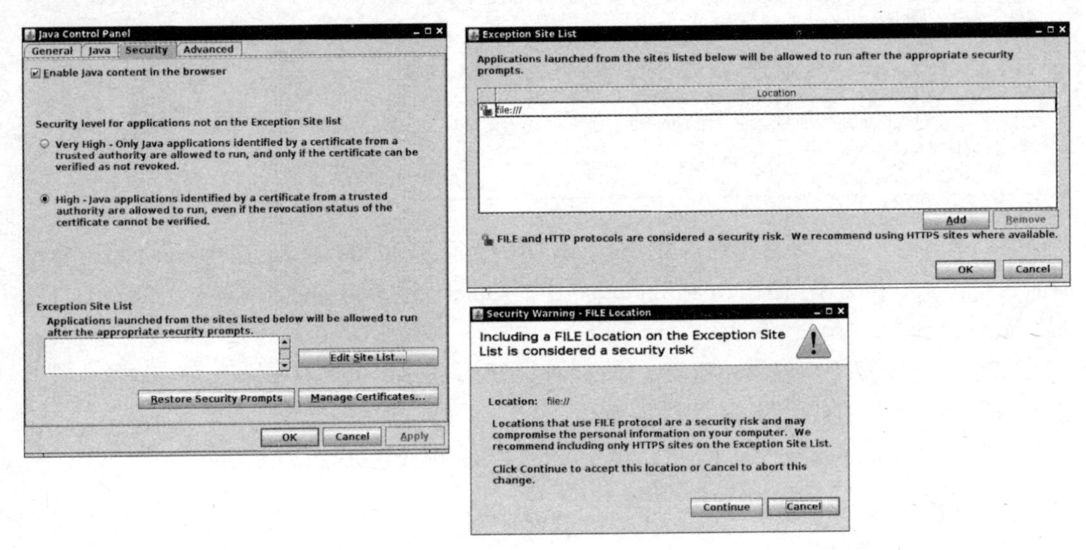

图 2-10 配置 Java 信任本地 applet

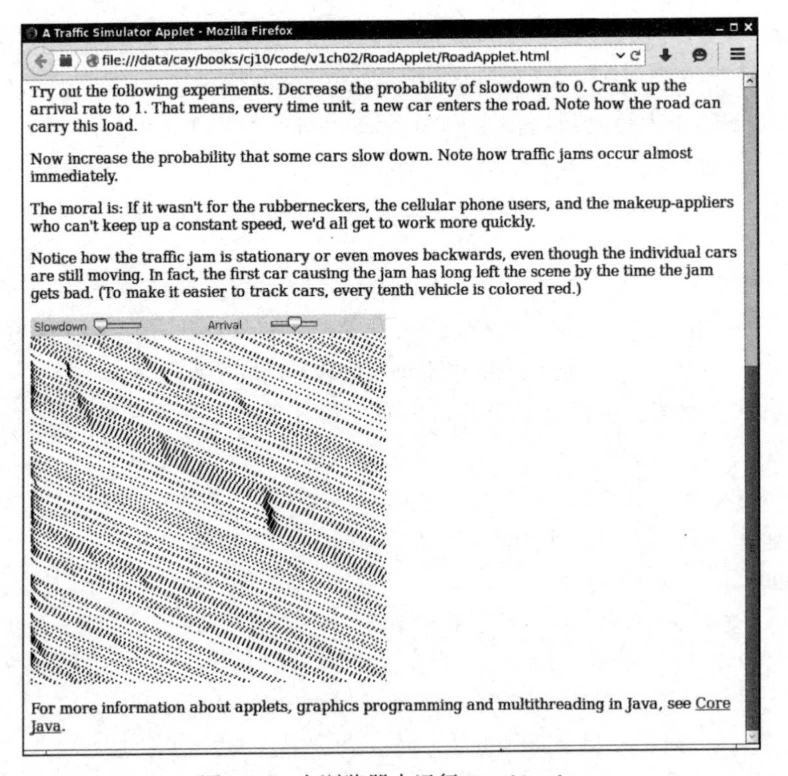

图 2-11 在浏览器中运行 RoadApplet

程序清单 2-4 RoadApplet/RoadApplet.java

```
1 import java.awt.*;
2 import java.applet.*;
3 import javax.swing.*;
4
5 public class RoadApplet extends JApplet
6 {
7    private RoadComponent roadComponent;
8    private JSlider slowdown;
9    private JSlider arrival;
10
11    public void init()
12    {
13       EventQueue.invokeLater(() ->
14          {
15             roadComponent = new RoadComponent();
16             slowdown = new JSlider(0, 100, 10);
17             arrival = new JSlider(0, 100, 50);
18
19             JPanel p = new JPanel();
20             p.setLayout(new GridLayout(1, 6));
21             p.add(new JLabel("Slowdown"));
22             p.add(slowdown);
23             p.add(new JLabel(""));
24             p.add(new JLabel("Arrival"));
25             p.add(arrival);
26             p.add(new JLabel(""));
27             setLayout(new BorderLayout());
28             add(p, BorderLayout.NORTH);
29             add(roadComponent, BorderLayout.CENTER);
30          });
31    }
32
33    public void start()
34    {
35       new Thread(() ->
36          {
37             for (;;)
38             {
39                roadComponent.update(
40                   0.01 * slowdown.getValue(),
41                   0.01 * arrival.getValue());
42                try { Thread.sleep(50); } catch(InterruptedException e) {}
43             }
44          }).start();
45    }
46 }
```

在本章中，我们学习了有关编译和运行 Java 程序的机制。现在可以转到第 3 章开始学习 Java 语言了。

第 3 章　Java 的基本程序设计结构

- ▲ 一个简单的 Java 应用程序
- ▲ 注释
- ▲ 数据类型
- ▲ 变量
- ▲ 运算符
- ▲ 字符串
- ▲ 输入输出
- ▲ 控制流
- ▲ 大数值
- ▲ 数组

现在，假定已经成功地安装了 JDK，并且能够运行第 2 章中给出的示例程序。我们从现在开始将介绍 Java 应用程序设计。本章主要介绍程序设计的基本概念（如数据类型、分支以及循环）在 Java 中的实现方式。

非常遗憾，需要告诫大家，使用 Java 编写 GUI 应用程序并不是一件很容易的事情，编程者需要掌握很多相关的知识才能够创建窗口、添加文本框以及能响应的按钮等。介绍基于 GUI 的 Java 应用程序设计技术与本章将要介绍的程序设计基本概念相差甚远，因此本章给出的所有示例都是为了说明一些相关概念而设计的“玩具式”程序，它们仅仅使用终端窗口提供输入输出。

最后需要说明，对于一个有 C++ 编程经验的程序员来说，本章的内容只需要浏览一下，应该重点阅读散布在正文中的 C/C++ 注释。对于具有使用 Visual Basic 等其他编程背景的程序员来说，可能会发现其中的绝大多数概念都很熟悉，但是在语法上有比较大的差异，因此，需要非常仔细地阅读本章的内容。

3.1　一个简单的 Java 应用程序

下面看一个最简单的 Java 应用程序，它只发送一条消息到控制台窗口中：

```
public class FirstSample
{
   public static void main(String[] args)
   {
      System.out.println("We will not use 'Hello, World!'");
   }
}
```

这个程序虽然很简单，但所有的 Java 应用程序都具有这种结构，还是值得花一些时间来研究。首先，Java 区分大小写。如果出现了大小写拼写错误（例如，将 main 拼写成 Main），程序将无法运行。

下面逐行地查看一下这段源代码。关键字 public 称为访问修饰符（access modifier），这些修饰符用于控制程序的其他部分对这段代码的访问级别。在第 5 章中将会更加详细地介绍访问修饰符的具体内容。关键字 class 表明 Java 程序中的全部内容都包含在类中。这里，只需要将类作为一个加载程序逻辑的容器，程序逻辑定义了应用程序的行为。在第 4 章中将会用大量的篇幅介绍 Java 类。正如第 1 章所述，类是构建所有 Java 应用程序和 applet 的构建块。Java 应用程序中的全部内容都必须放置在类中。

关键字 class 后面紧跟类名。Java 中定义类名的规则很宽松。名字必须以字母开头，后面可以跟字母和数字的任意组合。长度基本上没有限制。但是不能使用 Java 保留字（例如，public 或 class）作为类名（保留字列表请参看附录 A）。

标准的命名规范为（类名 FirstSample 就遵循了这个规范）：类名是以大写字母开头的名词。如果名字由多个单词组成，每个单词的第一个字母都应该大写（这种在一个单词中间使用大写字母的方式称为骆驼命名法。以其自身为例，应该写成 CamelCase）。

源代码的文件名必须与公共类的名字相同，并用 .java 作为扩展名。因此，存储这段源代码的文件名必须为 FirstSample.java（再次提醒大家注意，大小写是非常重要的，千万不能写成 firstsample.java）。

如果已经正确地命名了这个文件，并且源代码中没有任何录入错误，在编译这段源代码之后就会得到一个包含这个类字节码的文件。Java 编译器将字节码文件自动地命名为 FirstSample. class，并与源文件存储在同一个目录下。最后，使用下面这行命令运行这个程序：

```
java FirstSample
```

（请记住，不要添加 .class 扩展名。）程序执行之后，控制台上将会显示“We will not use ‘Hello,World’!”。

当使用

```
java ClassName
```

运行已编译的程序时，Java 虚拟机将从指定类中的 main 方法开始执行（这里的“方法”就是 Java 中所说的“函数”），因此为了代码能够执行，在类的源文件中必须包含一个 main 方法。当然，也可以将用户自定义的方法添加到类中，并且在 main 方法中调用它们（第 4 章将讲述如何自定义方法）。

注释： 根据 Java 语言规范，main 方法必须声明为 public（Java 语言规范是描述 Java 语言的官方文档。可以从网站 http://docs.oracle.com/javase/specs 上阅读或下载）。

不过，当 main 方法不是 public 时，有些版本的 Java 解释器也可以执行 Java 应用程序。有个程序员报告了这个 bug。如果感兴趣的话，可以在网站 http://bugs.java.com/bugdatabase/ index.jsp 上输入 bug 号码 4252539 查看。这个 bug 被标明“关闭，不予修复。”Sun 公司的工程师解释说：Java 虚拟机规范（在 http://docs.oracle.com/javase/specs/jvms/se8/html）并没有要求 main 方法一定是 public，并且“修复这个 bug 有可能带来其他的隐患”。好在，这个问题最终得到了解决。在 Java SE 1.4 及以后的版本中强制 main 方法是 public 的。

从上面这段话可以发现一个问题的两个方面。一方面让质量保证工程师判断在 bug

报告中是否存在问题是一件很头痛的事情，这是因为其工作量很大，并且工程师对Java的所有细节也未必了解得很清楚。另一方面，Sun公司在Java开源很久以前就把bug报告及其解决方案放到网站上让所有人监督检查，这是一种非常了不起的举动。某些情况下，Sun甚至允许程序员为他们最厌恶的bug投票，并用投票结果来决定发布的下一个JDK版本将修复哪些bug。

需要注意源代码中的括号{ }。在Java中，像在C/C++中一样，用大括号划分程序的各个部分（通常称为块）。Java中任何方法的代码都用“{”开始，用“}”结束。

大括号的使用风格曾经引发过许多无意义的争论。我们的习惯是把匹配的大括号上下对齐。不过，由于空白符会被Java编译器忽略，所以可以选用自己喜欢的大括号风格。在下面讲述各种循环语句时，我们还会详细地介绍大括号的使用。

我们暂且不去理睬关键字static void，而仅把它们当作编译Java应用程序必要的部分就行了。在学习完第4章后，这些内容的作用就会揭晓。现在需要记住：每个Java应用程序都必须有一个main方法，其声明格式如下所示：

```
public class ClassName
{
   public static void main(String[] args)
   {
      program statements
   }
}
```

C++注释：作为一名C++程序员，一定知道类的概念。Java的类与C++的类很相似，但还是有些差异会使人感到困惑。例如，Java中的所有函数都属于某个类的方法（标准术语将其称为方法，而不是成员函数）。因此，Java中的main方法必须有一个外壳类。读者有可能对C++中的静态成员函数（static member functions）十分熟悉。这些成员函数定义在类的内部，并且不对对象进行操作。Java中的main方法必须是静态的。最后，与C/C++一样，关键字void表示这个方法没有返回值，所不同的是main方法没有为操作系统返回“退出代码”。如果main方法正常退出，那么Java应用程序的退出代码为0，表示成功地运行了程序。如果希望在终止程序时返回其他的代码，那就需要调用System.exit方法。

接下来，研究一下这段代码：

```
{
   System.out.println("We will not use 'Hello, World!'");
}
```

一对大括号表示方法体的开始与结束，在这个方法中只包含一条语句。与大多数程序设计语言一样，可以将Java语句看成是这种语言的句子。在Java中，每个句子必须用分号结束。特别需要说明，回车不是语句的结束标志，因此，如果需要可以将一条语句写在多行上。

在上面这个main方法体中只包含了一条语句，其功能是：将一个文本行输出到控制台上。

在这里，使用了 System.out 对象并调用了它的 println 方法。注意，点号（·）用于调用方法。Java 使用的通用语法是

object.method(parameters)

这等价于函数调用。

在这个示例中，调用了 println 方法并传递给它一个字符串参数。这个方法将传递给它的字符串参数显示在控制台上。然后，终止这个输出行，使得每次调用 println 都会在新的一行上显示输出。需要注意一点，Java 与 C/C++ 一样，都采用双引号分隔字符串。(本章稍后将会详细地讲解有关字符串的知识)。

与其他程序设计语言中的函数一样，在 Java 的方法中，可以没有参数，也可以有一个或多个参数（有的程序员把参数叫做实参）。对于一个方法，即使没有参数也需要使用空括号。例如，不带参数的 println 方法只打印一个空行。使用下面的语句来调用：

```
System.out.println();
```

注释： System.out 还有一个 print 方法，它在输出之后不换行。例如，System.out.print（“Hello”）打印“Hello”之后不换行，后面的输出紧跟在字母“o”之后。

3.2 注释

与大多数程序设计语言一样，Java 中的注释也不会出现在可执行程序中。因此，可以在源程序中根据需要添加任意多的注释，而不必担心可执行代码会膨胀。在 Java 中，有 3 种标记注释的方式。最常用的方式是使用 //，其注释内容从 // 开始到本行结尾。

```
System.out.println("We will not use 'Hello, World!'"); // is this too cute?
```

当需要长篇的注释时，既可以在每行的注释前面标记 //，也可以使用 /* 和 */ 将一段比较长的注释括起来。

最后，第 3 种注释可以用来自动地生成文档。这种注释以 /** 开始，以 */ 结束。请参见程序清单 3-1。有关这种注释的详细内容和自动生成文档的具体方法请参见第 4 章。

程序清单 3-1 FirstSample/FirstSample.java

```
1 /**
2  * This is the first sample program in Core Java Chapter 3
3  * @version 1.01 1997-03-22
4  * @author Gary Cornell
5  */
6 public class FirstSample
7 {
8    public static void main(String[] args)
9    {
10      System.out.println("We will not use 'Hello, World!'");
11   }
12 }
```

警告： 在 Java 中，/* */ 注释不能嵌套。也就是说，不能简单地把代码用 /* 和 */ 括起来作为注释，因为这段代码本身可能也包含一个 */。

3.3　数据类型

Java 是一种强类型语言。这就意味着必须为每一个变量声明一种类型。在 Java 中，一共有 8 种基本类型（primitive type），其中有 4 种整型、2 种浮点类型、1 种用于表示 Unicode 编码的字符单元的字符类型 char（请参见论述 char 类型的章节）和 1 种用于表示真值的 boolean 类型。

注释： Java 有一个能够表示任意精度的算术包，通常称为"大数值"（big number）。虽然被称为大数值，但它并不是一种新的 Java 类型，而是一个 Java 对象。本章稍后将会详细地介绍它的用法。

3.3.1　整型

整型用于表示没有小数部分的数值，它允许是负数。Java 提供了 4 种整型，具体内容如表 3-1 所示。

表 3-1　Java 整型

类型	存储需求	取值范围
int	4 字节	–2 147 483 648 ~ 2 147 483 647（正好超过 20 亿）
short	2 字节	–32 768 ~ 32 767
long	8 字节	–9 223 372 036 854 775 808 ~ 9 223 372 036 854 775 807
byte	1 字节	–128 ~ 127

在通常情况下，int 类型最常用。但如果表示星球上的居住人数，就需要使用 long 类型了。byte 和 short 类型主要用于特定的应用场合，例如，底层的文件处理或者需要控制占用存储空间量的大数组。

在 Java 中，整型的范围与运行 Java 代码的机器无关。这就解决了软件从一个平台移植到另一个平台，或者在同一个平台中的不同操作系统之间进行移植给程序员带来的诸多问题。与此相反，C 和 C++ 程序需要针对不同的处理器选择最为高效的整型，这样就有可能造成一个在 32 位处理器上运行很好的 C 程序在 16 位系统上运行却发生整数溢出。由于 Java 程序必须保证在所有机器上都能够得到相同的运行结果，所以各种数据类型的取值范围必须固定。

长整型数值有一个后缀 L 或 l（如 4000000000L）。十六进制数值有一个前缀 0x 或 0X（如 0xCAFE）。八进制有一个前缀 0，例如，010 对应八进制中的 8。很显然，八进制表示法比较容易混淆，所以建议最好不要使用八进制常数。

从 Java 7 开始，加上前缀 0b 或 0B 就可以写二进制数。例如，0b1001 就是 9。另外，同样是从 Java 7 开始，还可以为数字字面量加下划线，如用 1_000_000（或 0b1111_0100_0010_0100_0000）表示一百万。这些下划线只是为了让人更易读。Java 编译器会去除这些下划线。

C++ 注释： 在 C 和 C++ 中，int 和 long 等类型的大小与目标平台相关。在 8086 这样的 16 位处理器上整型数值占 2 字节；不过，在 32 位处理器（比如 Pentium 或 SPARC）上，整型数值则为 4 字节。类似地，在 32 位处理器上 long 值为 4 字节，在 64 位处理器上则为 8 字节。由于存在这些差别，这对编写跨平台程序带来了很大难度。在 Java 中，所有的数值类型所占据的字节数量与平台无关。

注意，Java 没有任何无符号（unsigned）形式的 int、long、short 或 byte 类型。

3.3.2　浮点类型

浮点类型用于表示有小数部分的数值。在 Java 中有两种浮点类型，具体内容如表 3-2 所示。

表 3-2　浮点类型

类型	存储需求	取值范围
float	4 字节	大约 ± 3.402 823 47E+38F（有效位数为 6 ~ 7 位）
double	8 字节	大约 ± 1.797 693 134 862 315 70E+308（有效位数为 15 位）

double 表示这种类型的数值精度是 float 类型的两倍（有人称之为双精度数值）。绝大部分应用程序都采用 double 类型。在很多情况下，float 类型的精度很难满足需求。实际上，只有很少的情况适合使用 float 类型，例如，需要单精度数据的库，或者需要存储大量数据。

float 类型的数值有一个后缀 F 或 f（例如，3.14F）。没有后缀 F 的浮点数值（如 3.14）默认为 double 类型。当然，也可以在浮点数值后面添加后缀 D 或 d（例如，3.14D）。

注释： 可以使用十六进制表示浮点数值。例如，$0.125=2^{-3}$ 可以表示成 0x1.0p-3。在十六进制表示法中，使用 p 表示指数，而不是 e。注意，尾数采用十六进制，指数采用十进制。指数的基数是 2，而不是 10。

所有的浮点数值计算都遵循 IEEE 754 规范。具体来说，下面是用于表示溢出和出错情况的三个特殊的浮点数值：

- 正无穷大
- 负无穷大
- NaN（不是一个数字）

例如，一个正整数除以 0 的结果为正无穷大。计算 0/0 或者负数的平方根结果为 NaN。

注释： 常量 Double.POSITIVE_INFINITY、Double.NEGATIVE_INFINITY 和 Double.NaN（以及相应的 Float 类型的常量）分别表示这三个特殊的值，但在实际应用中很少遇到。特别要说明的是，不能这样检测一个特定值是否等于 Double.NaN：

```
if (x == Double.NaN) // is never true
```

所有“非数值”的值都认为是不相同的。然而，可以使用 Double.isNaN 方法：

```
if (Double.isNaN(x)) // check whether x is "not a number"
```

警告：浮点数值不适用于无法接受舍入误差的金融计算中。例如，命令 System.out.println（2.0–1.1）将打印出 0.8999999999999999，而不是人们想象的 0.9。这种舍入误差的主要原因是浮点数值采用二进制系统表示，而在二进制系统中无法精确地表示分数 1/10。这就好像十进制无法精确地表示分数 1/3 一样。如果在数值计算中不允许有任何舍入误差，就应该使用 BigDecimal 类，本章稍后将介绍这个类。

3.3.3 char 类型

char 类型原本用于表示单个字符。不过，现在情况已经有所变化。如今，有些 Unicode 字符可以用一个 char 值描述，另外一些 Unicode 字符则需要两个 char 值。有关的详细信息请阅读下一节。

char 类型的字面量值要用单引号括起来。例如：'A' 是编码值为 65 所对应的字符常量。它与 "A" 不同，"A" 是包含一个字符 A 的字符串。char 类型的值可以表示为十六进制值，其范围从 \u0000 到 \Uffff。例如：\u2122 表示注册符号（™），\u03C0 表示希腊字母 π。

除了转义序列 \u 之外，还有一些用于表示特殊字符的转义序列，请参看表 3-3。所有这些转义序列都可以出现在加引号的字符字面量或字符串中。例如，'\u2122' 或 "Hello\n"。转义序列 \u 还可以出现在加引号的字符常量或字符串之外（而其他所有转义序列不可以）。例如：

```
public static void main(String\u005B\u005D args)
```

就完全符合语法规则，\u005B 和 \u005D 是 [和] 的编码。

表 3-3 特殊字符的转义序列

转义序列	名称	Unicode 值	转义序列	名称	Unicode 值
\b	退格	\u0008	\”	双引号	\u0022
\t	制表	\u0009	\’	单引号	\u0027
\n	换行	\u000a	\\	反斜杠	\u005c
\r	回车	\u000d			

警告：Unicode 转义序列会在解析代码之前得到处理。例如，"\u0022+\u0022" 并不是一个由引号 (U+0022) 包围加号构成的字符串。实际上，\u0022 会在解析之前转换为 "，这会得到 ""+""，也就是一个空串。

更隐秘地，一定要当心注释中的 \u。注释

```
// \u00A0 is a newline
```

会产生一个语法错误，因为读程序时 \u00A0 会替换为一个换行符。类似地，下面这个注释

```
// Look inside c:\users
```

也会产生一个语法错误，因为 \u 后面并未跟着 4 个十六进制数。

3.3.4 Unicode 和 char 类型

要想弄清 char 类型，就必须了解 Unicode 编码机制。Unicode 打破了传统字符编码机制的限制。在 Unicode 出现之前，已经有许多种不同的标准：美国的 ASCII、西欧语言中的 ISO 8859-1、俄罗斯的 KOI-8、中国的 GB 18030 和 BIG-5 等。这样就产生了下面两个问题：一个是对于任意给定的代码值，在不同的编码方案下有可能对应不同的字母；二是采用大字符集的语言其编码长度有可能不同。例如，有些常用的字符采用单字节编码，而另一些字符则需要两个或更多个字节。

设计 Unicode 编码的目的就是要解决这些问题。在 20 世纪 80 年代开始启动设计工作时，人们认为两个字节的代码宽度足以对世界上各种语言的所有字符进行编码，并有足够的空间留给未来的扩展。在 1991 年发布了 Unicode 1.0，当时仅占用 65 536 个代码值中不到一半的部分。在设计 Java 时决定采用 16 位的 Unicode 字符集，这样会比使用 8 位字符集的程序设计语言有很大的改进。

十分遗憾，经过一段时间，不可避免的事情发生了。Unicode 字符超过了 65 536 个，其主要原因是增加了大量的汉语、日语和韩语中的表意文字。现在，16 位的 char 类型已经不能满足描述所有 Unicode 字符的需要了。

下面利用一些专用术语解释一下 Java 语言解决这个问题的基本方法。从 Java SE 5.0 开始。*码点*（code point）是指与一个编码表中的某个字符对应的代码值。在 Unicode 标准中，码点采用十六进制书写，并加上前缀 U+，例如 U+0041 就是拉丁字母 A 的码点。Unicode 的码点可以分成 17 个*代码级别*（code plane）。第一个代码级别称为*基本的多语言级别*（basic multilingual plane），码点从 U+0000 到 U+FFFF，其中包括经典的 Unicode 代码；其余的 16 个级别码点从 U+10000 到 U+10FFFF，其中包括一些*辅助字符*（supplementary character）。

UTF-16 编码采用不同长度的编码表示所有 Unicode 码点。在基本的多语言级别中，每个字符用 16 位表示，通常被称为*代码单元*（code unit）；而辅助字符采用一对连续的代码单元进行编码。这样构成的编码值落入基本的多语言级别中空闲的 2048 字节内，通常被称为*替代区域*（surrogate area）[U+D800 ~ U+DBFF 用于第一个代码单元，U+DC00 ~ U+DFFF 用于第二个代码单元]。这样设计十分巧妙，我们可以从中迅速地知道一个代码单元是一个字符的编码，还是一个辅助字符的第一或第二部分。例如，𝕆是八元数集（http://math.ucr.edu/home/baez/octonions）的一个数学符号，码点为 U+1D546，编码为两个代码单元 U+D835 和 U+DD46。（关于编码算法的具体描述见 http://en.wikipedia.org/wiki/UTF-16 ）。

在 Java 中，char 类型描述了 UTF-16 编码中的一个代码单元。

我们强烈建议不要在程序中使用 char 类型，除非确实需要处理 UTF-16 代码单元。最好将字符串作为抽象数据类型处理（有关这方面的内容将在 3.6 节讨论）。

3.3.5 boolean 类型

boolean（布尔）类型有两个值：false 和 true，用来判定逻辑条件。整型值和布尔值之间不能进行相互转换。

C++注释： 在C++中，数值甚至指针可以代替boolean值。值0相当于布尔值false，非0值相当于布尔值true。在Java中则不是这样。因此，Java程序员不会遇到下述麻烦：

```
if (x = 0) // oops... meant x == 0
```

在C++中这个测试可以编译运行，其结果总是false。而在Java中，这个测试将不能通过编译，其原因是整数表达式x = 0不能转换为布尔值。

3.4 变量

在Java中，每个变量都有一个类型（type）。在声明变量时，变量的类型位于变量名之前。这里列举一些声明变量的示例：

```
double salary;
int vacationDays;
long earthPopulation;
boolean done;
```

可以看到，每个声明以分号结束。由于声明是一条完整的Java语句，所以必须以分号结束。

变量名必须是一个以字母开头并由字母或数字构成的序列。需要注意，与大多数程序设计语言相比，Java中“字母”和“数字”的范围更大。字母包括'A' ~ 'Z'、'a' ~ 'z'、'_'、'$'或在某种语言中表示字母的任何Unicode字符。例如，德国的用户可以在变量名中使用字母‘ä’；希腊人可以用π。同样，数字包括'0' ~ '9'和在某种语言中表示数字的任何Unicode字符。但'+'和'©'这样的符号不能出现在变量名中，空格也不行。变量名中所有的字符都是有意义的，并且大小写敏感。变量名的长度基本上没有限制。

提示： 如果想要知道哪些Unicode字符属于Java中的“字母”，可以使用Character类的isJavaIdentifierStart和isJavaIdentifierPart方法来检查。

提示： 尽管$是一个合法的Java字符，但不要在你自己的代码中使用这个字符。它只用在Java编译器或其他工具生成的名字中。

另外，不能使用Java保留字作为变量名（请参看附录A中的保留字列表）。

可以在一行中声明多个变量：

```
int i, j; // both are integers
```

不过，不提倡使用这种风格。逐一声明每一个变量可以提高程序的可读性。

注释： 如前所述，变量名对大小写敏感，例如，hireday和hireDay是两个不同的变量名。在对两个不同的变量进行命名时，最好不要只存在大小写上的差异。不过，在有些时候，确实很难给变量取一个好的名字。于是，许多程序员将变量名命名为类型名，例如：

```
Box box; // "Box" is the type and "box" is the variable name
```

还有一些程序员更加喜欢在变量名前加上前缀“a”：

```
Box aBox;
```

3.4.1 变量初始化

声明一个变量之后，必须用赋值语句对变量进行显式初始化，千万不要使用未初始化的变量。例如，Java 编译器认为下面的语句序列是错误的：

```
int vacationDays;
System.out.println(vacationDays); // ERROR--variable not initialized
```

要想对一个已经声明过的变量进行赋值，就需要将变量名放在等号（=）左侧，相应取值的 Java 表达式放在等号的右侧。

```
int vacationDays;
vacationDays = 12;
```

也可以将变量的声明和初始化放在同一行中。例如：

```
int vacationDays = 12;
```

最后，在 Java 中可以将声明放在代码中的任何地方。例如，下列代码的书写形式在 Java 中是完全合法的：

```
double salary = 65000.0;
System.out.println(salary);
int vacationDays = 12; // OK to declare a variable here
```

在 Java 中，变量的声明尽可能地靠近变量第一次使用的地方，这是一种良好的程序编写风格。

C++ 注释： C 和 C++ 区分变量的声明与定义。例如：

```
int i = 10;
```

是一个定义，而

```
extern int i;
```

是一个声明。在 Java 中，不区分变量的声明与定义。

3.4.2 常量

在 Java 中，利用关键字 final 指示常量。例如：

```
public class Constants
{
   public static void main(String[] args)
   {
      final double CM_PER_INCH = 2.54;
      double paperWidth = 8.5;
      double paperHeight = 11;
      System.out.println("Paper size in centimeters: "
         + paperWidth * CM_PER_INCH + " by " + paperHeight * CM_PER_INCH);
   }
}
```

关键字 final 表示这个变量只能被赋值一次。一旦被赋值之后，就不能够再更改了。习惯上，常量名使用全大写。

在 Java 中，经常希望某个常量可以在一个类中的多个方法中使用，通常将这些常量称为类常量。可以使用关键字 static final 设置一个类常量。下面是使用类常量的示例：

```
public class Constants2
{
   public static final double CM_PER_INCH = 2.54;

   public static void main(String[] args)
   {
      double paperWidth = 8.5;
      double paperHeight = 11;
      System.out.println("Paper size in centimeters: "
         + paperWidth * CM_PER_INCH + " by " + paperHeight * CM_PER_INCH);
   }
}
```

需要注意，类常量的定义位于 main 方法的外部。因此，在同一个类的其他方法中也可以使用这个常量。而且，如果一个常量被声明为 public，那么其他类的方法也可以使用这个常量。在这个示例中，Constants2.CM_PER-INCH 就是这样一个常量。

C++ 注释： const 是 Java 保留的关键字，但目前并没有使用。在 Java 中，必须使用 final 定义常量。

3.5 运算符

在 Java 中，使用算术运算符 +、-、*、/ 表示加、减、乘、除运算。当参与 / 运算的两个操作数都是整数时，表示整数除法；否则，表示浮点除法。整数的求余操作（有时称为取模）用 % 表示。例如，15/2 等于 7，15%2 等于 1，15.0/2 等于 7.5。

需要注意，整数被 0 除将会产生一个异常，而浮点数被 0 除将会得到无穷大或 NaN 结果。

注释： 可移植性是 Java 语言的设计目标之一。无论在哪个虚拟机上运行，同一运算应该得到同样的结果。对于浮点数的算术运算，实现这样的可移植性是相当困难的。double 类型使用 64 位存储一个数值，而有些处理器使用 80 位浮点寄存器。这些寄存器增加了中间过程的计算精度。例如，以下运算：

```
double w = x * y / z;
```

很多 Intel 处理器计算 x * y，并且将结果存储在 80 位的寄存器中，再除以 z 并将结果截断为 64 位。这样可以得到一个更加精确的计算结果，并且还能够避免产生指数溢出。但是，这个结果可能与始终在 64 位机器上计算的结果不一样。因此，Java 虚拟机的最初规范规定所有的中间计算都必须进行截断。这种行为遭到了数值计算团体的反对。截断计算不仅可能导致溢出，而且由于截断操作需要消耗时间，所以在计算速度上实际上要比精确计算慢。为此，Java 程序设计语言承认了最优性能与理想结果之间存在的冲突，并给予了改进。在默认情况下，虚拟机设计者允许对中间计算结果采用扩展的精度。但是，对于使用 strictfp 关键字标记的方法必须使用严格的浮点计算来生成可再生的结

果。例如，可以把 main 方法标记为

```
public static strictfp void main(String[] args)
```

于是，在 main 方法中的所有指令都将使用严格的浮点计算。如果将一个类标记为 strictfp，这个类中的所有方法都要使用严格的浮点计算。

实际的计算方式将取决于 Intel 处理器的行为。在默认情况下，中间结果允许使用扩展的指数，但不允许使用扩展的尾数（Intel 芯片在截断尾数时并不损失性能）。因此，这两种方式的区别仅仅在于采用默认的方式不会产生溢出，而采用严格的计算有可能产生溢出。

如果没有仔细阅读这个注释，也没有什么关系。对大多数程序来说，浮点溢出不属于大问题。在本书中，将不使用 strictfp 关键字。

3.5.1 数学函数与常量

在 Math 类中，包含了各种各样的数学函数。在编写不同类别的程序时，可能需要的函数也不同。

要想计算一个数值的平方根，可以使用 sqrt 方法：

```
double x = 4;
double y = Math.sqrt(x);
System.out.println(y); // prints 2.0
```

注释：println 方法和 sqrt 方法存在微小的差异。println 方法处理 System.out 对象。但是，Math 类中的 sqrt 方法处理的不是对象，这样的方法被称为静态方法。有关静态方法的详细内容请参看第 4 章。

在 Java 中，没有幂运算，因此需要借助于 Math 类的 pow 方法。语句：

```
double y = Math.pow(x, a);
```

将 y 的值设置为 x 的 a 次幂（x^a）。pow 方法有两个 double 类型的参数，其返回结果也为 double 类型。

floorMod 方法的目的是解决一个长期存在的有关整数余数的问题。考虑表达式 n % 2。所有人都知道，如果 n 是偶数，这个表达式为 0；如果 n 是奇数，表达式则为 1。当然，除非 n 是负数。如果 n 为负，这个表达式则为 -1。为什么呢？设计最早的计算机时，必须有人制定规则，明确整数除法和求余对负数操作数该如何处理。数学家们几百年来都知道这样一个最优（或“欧几里德”）规则：余数总是要 ≥ 0。不过，最早制定规则的人并没有翻开数学书好好研究，而是提出了一些看似合理但实际上很不方便的规则。

下面考虑这样一个问题：计算一个时钟时针的位置。这里要做一个时间调整，而且要归一化为一个 0 ~ 11 之间的数。这很简单：(position + adjustment) % 12。不过，如果这个调整为负会怎么样呢？你可能会得到一个负数。所以要引入一个分支，或者使用 ((position + adjustment) % 12 + 12) % 12。不管怎样，总之都很麻烦。

floorMod 方法就让这个问题变得容易了：floorMod(position + adjustment, 12) 总会得到一

个 0 ~ 11 之间的数。(遗憾的是，对于负除数，floorMod 会得到负数结果，不过这种情况在实际中很少出现。)

Math 类提供了一些常用的三角函数：

```
Math.sin
Math.cos
Math.tan
Math.atan
Math.atan2
```

还有指数函数以及它的反函数——自然对数以及以 10 为底的对数：

```
Math.exp
Math.log
Math.log10
```

最后，Java 还提供了两个用于表示 π 和 e 常量的近似值：

```
Math.PI
Math.E
```

✔ **提示：** 不必在数学方法名和常量名前添加前缀"Math"，只要在源文件的顶部加上下面这行代码就可以了。

```
import static java.lang.Math.*;
```

例如：

```
System.out.println("The square root of \u03C0 is " + sqrt(PI));
```

在第 4 章中将讨论静态导入。

注释： 在 Math 类中，为了达到最快的性能，所有的方法都使用计算机浮点单元中的例程。如果得到一个完全可预测的结果比运行速度更重要的话，那么就应该使用 StrictMath 类。它使用"自由发布的 Math 库"(fdlibm) 实现算法，以确保在所有平台上得到相同的结果。有关这些算法的源代码请参看 www.netlib.org/fdlibm (当 fdlibm 为一个函数提供了多个定义时，StrictMath 类就会遵循 IEEE 754 版本，它的名字将以"e"开头)。

3.5.2 数值类型之间的转换

经常需要将一种数值类型转换为另一种数值类型。图 3-1 给出了数值类型之间的合法转换。

在图 3-1 中有 6 个实心箭头，表示无信息丢失的转换；有 3 个虚箭头，表示可能有精度损失的转换。例如，123 456 789 是一个大整数，它所包含的位数比 float 类型所能够表达的位数多。当将这个整型数值转换为 float 类型时，将会得到同样大小的结果，但却失去了一定的精度。

```
int n = 123456789;
float f = n; // f is 1.23456792E8
```

当使用上面两个数值进行二元操作时（例如 n + f，n 是整数，f 是浮点数），先要将两个操作数转换为同一种类型，然后再进行计算。

- 如果两个操作数中有一个是 double 类型，另一个操作数就会转换为 double 类型。
- 否则，如果其中一个操作数是 float 类型，另一个操作数将会转换为 float 类型。
- 否则，如果其中一个操作数是 long 类型，另一个操作数将会转换为 long 类型。
- 否则，两个操作数都将被转换为 int 类型。

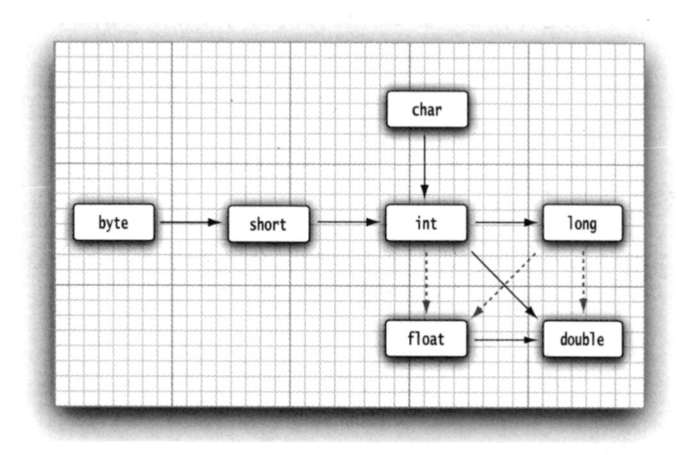

图 3-1　数值类型之间的合法转换

3.5.3　强制类型转换

在上一小节中看到，在必要的时候，int 类型的值将会自动地转换为 double 类型。但另一方面，有时也需要将 double 转换成 int。在 Java 中，允许进行这种数值之间的类型转换。当然，有可能会丢失一些信息。在这种情况下，需要通过强制类型转换（cast）实现这个操作。强制类型转换的语法格式是在圆括号中给出想要转换的目标类型，后面紧跟待转换的变量名。例如：

```
double x = 9.997;
int nx = (int) x;
```

这样，变量 nx 的值为 9。强制类型转换通过截断小数部分将浮点值转换为整型。

如果想对浮点数进行舍入运算，以便得到最接近的整数（在很多情况下，这种操作更有用），那就需要使用 Math.round 方法：

```
double x = 9.997;
int nx = (int) Math.round(x);
```

现在，变量 nx 的值为 10。当调用 round 的时候，仍然需要使用强制类型转换（int）。其原因是 round 方法返回的结果为 long 类型，由于存在信息丢失的可能性，所以只有使用显式的强制类型转换才能够将 long 类型转换成 int 类型。

警告：如果试图将一个数值从一种类型强制转换为另一种类型，而又超出了目标类型的表示范围，结果就会截断成一个完全不同的值。例如，(byte) 300 的实际值为 44。

C++ 注释：不要在 boolean 类型与任何数值类型之间进行强制类型转换，这样可以防止发生错误。只有极少数的情况才需要将布尔类型转换为数值类型，这时可以使用条件表达式 b ? 1:0。

3.5.4 结合赋值和运算符

可以在赋值中使用二元运算符，这是一种很方便的简写形式。例如，

```
x += 4;
```

等价于：

```
x = x + 4;
```

（一般地，要把运算符放在 = 号左边，如 *= 或 %=）。

注释：如果运算符得到一个值，其类型与左侧操作数的类型不同，就会发生强制类型转换。例如，如果 x 是一个 int，则以下语句

```
x += 3.5;
```

是合法的，将把 x 设置为 (int)(x + 3.5)。

3.5.5 自增与自减运算符

当然，程序员都知道加 1、减 1 是数值变量最常见的操作。在 Java 中，借鉴了 C 和 C++ 的做法，也提供了自增、自减运算符：n++ 将变量 n 的当前值加 1，n-- 则将 n 的值减 1。例如，以下代码：

```
int n = 12;
n++;
```

将 n 的值改为 13。由于这些运算符会改变变量的值，所以它们的操作数不能是数值。例如，4++ 就不是一个合法的语句。

实际上，这些运算符有两种形式；上面介绍的是运算符放在操作数后面的“后缀”形式。还有一种“前缀”形式：++n。后缀和前缀形式都会使变量值加 1 或减 1。但用在表达式中时，二者就有区别了。前缀形式会先完成加 1；而后缀形式会使用变量原来的值。

```
int m = 7;
int n = 7;
int a = 2 * ++m; // now a is 16, m is 8
int b = 2 * n++; // now b is 14, n is 8
```

建议不要在表达式中使用 ++，因为这样的代码很容易让人困惑，而且会带来烦人的 bug。

3.5.6 关系和 boolean 运算符

Java 包含丰富的关系运算符。要检测相等性，可以使用两个等号 ==。例如，

```
3 == 7
```

的值为 false。

另外可以使用 != 检测不相等。例如，

```
3 != 7
```

的值为 true。

最后，还有经常使用的 <（小于）、>（大于）、<=（小于等于）和 >=（大于等于）运算符。

Java 沿用了 C++ 的做法，使用 && 表示逻辑“与”运算符，使用 || 表示逻辑“或”运算符。从 != 运算符可以想到，感叹号 ! 就是逻辑非运算符。&& 和 || 运算符是按照“短路”方式来求值的：如果第一个操作数已经能够确定表达式的值，第二个操作数就不必计算了。如果用 && 运算符合并两个表达式，

$expression_1$ **&&** $expression_2$

而且已经计算得到第一个表达式的真值为 false，那么结果就不可能为 true。因此，第二个表达式就不必计算了。可以利用这一点来避免错误。例如，在下面的表达式中：

```
x != 0 && 1 / x > x + y // no division by 0
```

如果 x 等于 0，那么第二部分就不会计算。因此，如果 x 为 0，也就不会计算 1 / x，除以 0 的错误就不会出现。

类似地，如果第一个表达式为 true，$expression_1$ || $expression_2$ 的值就自动为 true，而无需计算第二个表达式。

最后一点，Java 支持三元操作符 ?:，这个操作符有时很有用。如果条件为 true，下面的表达式

condition ? $expression_1$: $expression_2$

就为第一个表达式的值，否则计算为第二个表达式的值。例如，

```
x < y ? x : y
```

会返回 x 和 y 中较小的一个。

3.5.7 位运算符

处理整型类型时，可以直接对组成整型数值的各个位完成操作。这意味着可以使用掩码技术得到整数中的各个位。位运算符包括：

```
& ("and")   | ("or")   ^ ("xor")   ~ ("not")
```

这些运算符按位模式处理。例如，如果 n 是一个整数变量，而且用二进制表示的 n 从右边数第 4 位为 1，则

```
int fourthBitFromRight = (n & 0b1000) / 0b1000;
```

会返回 1，否则返回 0。利用 & 并结合使用适当的 2 的幂，可以把其他位掩掉，而只保留其中的某一位。

注释： 应用在布尔值上时，& 和 | 运算符也会得到一个布尔值。这些运算符与 && 和 || 运算符很类似，不过 & 和 | 运算符不采用“短路”方式来求值，也就是说，得到计算结果

之前两个操作数都需要计算。

另外，还有 >> 和 << 运算符将位模式左移或右移。需要建立位模式来完成位掩码时，这两个运算符会很方便：

```
int fourthBitFromRight = (n & (1 << 3)) >> 3;
```

最后，>>> 运算符会用 0 填充高位，这与 >> 不同，它会用符号位填充高位。不存在 <<< 运算符。

警告：移位运算符的右操作数要完成模 32 的运算（除非左操作数是 long 类型，在这种情况下需要对右操作数模 64）。例如，1 << 35 的值等同于 1 << 3 或 8。

C++ 注释：在 C/C++ 中，不能保证 >> 是完成算术移位（扩展符号位）还是逻辑移位（填充 0）。实现者可以选择其中更高效的任何一种做法。这意味着 C/C++ >> 运算符对于负数生成的结果可能会依赖于具体的实现。Java 则消除了这种不确定性。

3.5.8 括号与运算符级别

表 3-4 给出了运算符的优先级。如果不使用圆括号，就按照给出的运算符优先级次序进行计算。同一个级别的运算符按照从左到右的次序进行计算（除了表中给出的右结合运算符外。）例如，由于 && 的优先级比 || 的优先级高，所以表达式

```
a && b || c
```

等价于

```
(a && b) || c
```

又因为 += 是右结合运算符，所以表达式

```
a += b += c
```

等价于

```
a += (b += c)
```

也就是将 b += c 的结果（加上 c 之后的 b）加到 a 上。

C++ 注释：与 C 或 C++ 不同，Java 不使用逗号运算符。不过，可以在 for 语句的第 1 和第 3 部分中使用逗号分隔表达式列表。

表 3-4 运算符优先级

运 算 符	结合性
[ ] . ( ) (方法调用)	从左向右
! ~ ++ -- + (一元运算) - (一元运算) ( ) (强制类型转换) new	从右向左
* / %	从左向右
+ -	从左向右
<< >> >>>	从左向右
< <= > >= instanceof	从左向右

（续）

<table>
<tr><th>运　算　符</th><th>结合性</th></tr>
<tr><td>== !=</td><td>从左向右</td></tr>
<tr><td>&</td><td>从左向右</td></tr>
<tr><td>^</td><td>从左向右</td></tr>
<tr><td>|</td><td>从左向右</td></tr>
<tr><td>&&</td><td>从左向右</td></tr>
<tr><td>||</td><td>从左向右</td></tr>
<tr><td>?:</td><td>从右向左</td></tr>
<tr><td>= += -= *= /= %= &= |= ^= <<= >>= >>>=</td><td>从右向左</td></tr>
</table>

3.5.9　枚举类型

有时候，变量的取值只在一个有限的集合内。例如：销售的服装或比萨饼只有小、中、大和超大这四种尺寸。当然，可以将这些尺寸分别编码为 1、2、3、4 或 S、M、L、X。但这样存在着一定的隐患。在变量中很可能保存的是一个错误的值（如 0 或 m）。

针对这种情况，可以自定义枚举类型。枚举类型包括有限个命名的值。例如，

```
enum Size { SMALL, MEDIUM, LARGE, EXTRA_LARGE };
```

现在，可以声明这种类型的变量：

```
Size s = Size.MEDIUM;
```

Size 类型的变量只能存储这个类型声明中给定的某个枚举值，或者 null 值，null 表示这个变量没有设置任何值。

有关枚举类型的详细内容将在第 5 章介绍。

3.6　字符串

从概念上讲，Java 字符串就是 Unicode 字符序列。例如，串“Java\u2122”由 5 个 Unicode 字符 J、a、v、a 和 ™。Java 没有内置的字符串类型，而是在标准 Java 类库中提供了一个预定义类，很自然地叫做 String。每个用双引号括起来的字符串都是 String 类的一个实例：

```
String e = ""; // an empty string
String greeting = "Hello";
```

3.6.1　子串

String 类的 substring 方法可以从一个较大的字符串提取出一个子串。例如：

```
String greeting = "Hello";
String s = greeting.substring(0, 3);
```

创建了一个由字符“Hel”组成的字符串。

substring方法的第二个参数是不想复制的第一个位置。这里要复制位置为0、1和2（从0到2，包括0和2）的字符。在substring中从0开始计数，直到3为止，但不包含3。

substring的工作方式有一个优点：容易计算子串的长度。字符串s.substring(a, b)的长度为b-a。例如，子串"Hel"的长度为3-0=3。

3.6.2 拼接

与绝大多数的程序设计语言一样，Java语言允许使用+号连接（拼接）两个字符串。

```
String expletive = "Expletive";
String PG13 = "deleted";
String message = expletive + PG13;
```

上述代码将"Expletivedeleted"赋给变量message（注意，单词之间没有空格，+号按照给定的次序将两个字符串拼接起来）。

当将一个字符串与一个非字符串的值进行拼接时，后者被转换成字符串（在第5章中可以看到，任何一个Java对象都可以转换成字符串）。例如：

```
int age = 13;
String rating = "PG" + age;
```

rating设置为"PG13"。

这种特性通常用在输出语句中。例如：

```
System.out.println("The answer is " + answer);
```

这是一条合法的语句，并且将会打印出所希望的结果（因为单词is后面加了一个空格，输出时也会加上这个空格）。

如果需要把多个字符串放在一起，用一个定界符分隔，可以使用静态join方法：

```
String all = String.join(" / ", "S", "M", "L", "XL");
    // all is the string "S / M / L / XL"
```

3.6.3 不可变字符串

String类没有提供用于修改字符串的方法。如果希望将greeting的内容修改为"Help!"，不能直接地将greeting的最后两个位置的字符修改为'p'和'!'。这对于C程序员来说，将会感到无从下手。如何修改这个字符串呢？在Java中实现这项操作非常容易。首先提取需要的字符，然后再拼接上替换的字符串：

```
greeting = greeting.substring(0, 3) + "p!";
```

上面这条语句将greeting当前值修改为"Help!"。

由于不能修改Java字符串中的字符，所以在Java文档中将String类对象称为不可变字符串，如同数字3永远是数字3一样，字符串"Hello"永远包含字符H、e、l、l和o的代码单元序列，而不能修改其中的任何一个字符。当然，可以修改字符串变量greeting，让它引用另外一个字符串，这就如同可以将存放3的数值变量改成存放4一样。

这样做是否会降低运行效率呢？看起来好像修改一个代码单元要比创建一个新字符串更加简洁。答案是：也对，也不对。的确，通过拼接 "Hel" 和 "p!" 来创建一个新字符串的效率确实不高。但是，不可变字符串却有一个优点：编译器可以让字符串共享。

为了弄清具体的工作方式，可以想象将各种字符串存放在公共的存储池中。字符串变量指向存储池中相应的位置。如果复制一个字符串变量，原始字符串与复制的字符串共享相同的字符。

总而言之，Java 的设计者认为共享带来的高效率远远胜过于提取、拼接字符串所带来的低效率。查看一下程序会发现：很少需要修改字符串，而是往往需要对字符串进行比较（有一种例外情况，将来自于文件或键盘的单个字符或较短的字符串汇集成字符串。为此，Java 提供了一个独立的类，在 3.6.9 节中将详细介绍）。

C++ 注释： 在 C 程序员第一次接触 Java 字符串的时候，常常会感到迷惑，因为他们总将字符串认为是字符型数组：

```
char greeting[] = "Hello";
```

这种认识是错误的，Java 字符串大致类似于 char* 指针，

```
char* greeting = "Hello";
```

当采用另一个字符串替换 greeting 的时候，Java 代码大致进行下列操作：

```
char* temp = malloc(6);
strncpy(temp, greeting, 3);
strncpy(temp + 3, "p!", 3);
greeting = temp;
```

的确，现在 greeting 指向字符串 "Help!"。即使一名最顽固的 C 程序员也得承认 Java 语法要比一连串的 strncpy 调用舒适得多。然而，如果将 greeting 赋予另外一个值又会怎样呢？

```
greeting = "Howdy";
```

这样做会不会产生内存遗漏呢？毕竟，原始字符串放置在堆中。十分幸运，Java 将自动地进行垃圾回收。如果一块内存不再使用了，系统最终会将其回收。

对于一名使用 ANSI C++ 定义的 string 类的 C++ 程序员，会感觉使用 Java 的 String 类型更为舒适。C++ string 对象也自动地进行内存的分配与回收。内存管理是通过构造器、赋值操作和析构器显式执行的。然而，C++ 字符串是可修改的，也就是说，可以修改字符串中的单个字符。

3.6.4　检测字符串是否相等

可以使用 equals 方法检测两个字符串是否相等。对于表达式：

```
s.equals(t)
```

如果字符串 s 与字符串 t 相等，则返回 true ；否则，返回 false。需要注意，s 与 t 可以是字符

串变量，也可以是字符串字面量。例如，下列表达式是合法的：

```
"Hello".equals(greeting)
```

要想检测两个字符串是否相等，而不区分大小写，可以使用 equalsIgnoreCase 方法。

```
"Hello".equalsIgnoreCase("hello")
```

一定不要使用 == 运算符检测两个字符串是否相等！这个运算符只能够确定两个字符串是否放置在同一个位置上。当然，如果字符串放置在同一个位置上，它们必然相等。但是，完全有可能将内容相同的多个字符串的拷贝放置在不同的位置上。

```
String greeting = "Hello"; //initialize greeting to a string
if (greeting == "Hello") . . .
   // probably true
if (greeting.substring(0, 3) == "Hel") . . .
   // probably false
```

如果虚拟机始终将相同的字符串共享，就可以使用 == 运算符检测是否相等。但实际上只有字符串常量是共享的，而 + 或 substring 等操作产生的结果并不是共享的。因此，千万不要使用 == 运算符测试字符串的相等性，以免在程序中出现糟糕的 bug。从表面上看，这种 bug 很像随机产生的间歇性错误。

C++ 注释： 对于习惯使用 C++ 的 string 类的人来说，在进行相等性检测的时候一定要特别小心。C++ 的 string 类重载了 == 运算符以便检测字符串内容的相等性。可惜 Java 没有采用这种方式，它的字符串"看起来、感觉起来"与数值一样，但进行相等性测试时，其操作方式又类似于指针。语言的设计者本应该像对 + 那样也进行特殊处理，即重定义 == 运算符。当然，每一种语言都会存在一些不太一致的地方。

C 程序员从不使用 == 对字符串进行比较，而使用 strcmp 函数。Java 的 compareTo 方法与 strcmp 完全类似，因此，可以这样使用：

```
if (greeting.compareTo("Hello") == 0) . . .
```

不过，使用 equals 看起来更为清晰。

3.6.5 空串与 Null 串

空串 "" 是长度为 0 的字符串。可以调用以下代码检查一个字符串是否为空：

```
if (str.length() == 0)
```

或

```
if (str.equals(""))
```

空串是一个 Java 对象，有自己的串长度（0）和内容（空）。不过，String 变量还可以存放一个特殊的值，名为 null，这表示目前没有任何对象与该变量关联（关于 null 的更多信息请参见第 4 章）。要检查一个字符串是否为 null，要使用以下条件：

```
if (str == null)
```

有时要检查一个字符串既不是 null 也不为空串，这种情况下就需要使用以下条件：

```
if (str != null && str.length() != 0)
```

首先要检查 str 不为 null。在第 4 章会看到，如果在一个 null 值上调用方法，会出现错误。

3.6.6 码点与代码单元

Java 字符串由 char 值序列组成。从 3.3.3 节“char 类型”已经看到，char 数据类型是一个采用 UTF-16 编码表示 Unicode 码点的代码单元。大多数的常用 Unicode 字符使用一个代码单元就可以表示，而辅助字符需要一对代码单元表示。

length 方法将返回采用 UTF-16 编码表示的给定字符串所需要的代码单元数量。例如：

```
String greeting = "Hello";
int n = greeting.length(); // is 5.
```

要想得到实际的长度，即码点数量，可以调用：

```
int cpCount = greeting.codePointCount(0, greeting.length());
```

调用 s.charAt(n) 将返回位置 n 的代码单元，n 介于 0 ~ s.length()-1 之间。例如：

```
char first = greeting.charAt(0); // first is 'H'
char last = greeting.charAt(4); // last is 'o'
```

要想得到第 i 个码点，应该使用下列语句

```
int index = greeting.offsetByCodePoints(0, i);
int cp = greeting.codePointAt(index);
```

注释：类似于 C 和 C++，Java 对字符串中的代码单元和码点从 0 开始计数。

为什么会对代码单元如此大惊小怪？请考虑下列语句：

```
𝕆 is the set of octonions
```

使用 UTF-16 编码表示字符𝕆 (U+1D546) 需要两个代码单元。调用

```
char ch = sentence.charAt(1)
```

返回的不是一个空格，而是𝕆的第二个代码单元。为了避免这个问题，不要使用 char 类型。这太底层了。

如果想要遍历一个字符串，并且依次查看每一个码点，可以使用下列语句：

```
int cp = sentence.codePointAt(i);
if (Character.isSupplementaryCodePoint(cp)) i += 2;
else i++;
```

可以使用下列语句实现回退操作：

```
i--;
if (Character.isSurrogate(sentence.charAt(i))) i--;
int cp = sentence.codePointAt(i);
```

显然，这很麻烦。更容易的办法是使用 codePoints 方法，它会生成一个 int 值的“流”，每个 int 值对应一个码点。(流将在卷Ⅱ的第 2 章中讨论)。可以将它转换为一个数组（见 3.10 节），再完成遍历。

```
int[] codePoints = str.codePoints().toArray();
```

反之，要把一个码点数组转换为一个字符串，可以使用构造函数（我们将在第 4 章详细讨论构造函数和 new 操作符）。

```
String str = new String(codePoints, 0, codePoints.length);
```

3.6.7 String API

Java 中的 String 类包含了 50 多个方法。令人惊讶的是绝大多数都很有用，可以设想使用的频繁非常高。下面的 API 注释汇总了一部分最常用的方法。

注释： 可以发现，本书中给出的 API 注释会有助于理解 Java 应用程序编程接口（API）。每一个 API 的注释都以形如 java.lang.String 的类名开始。(java.lang 包的重要性将在第 4 章给出解释。) 类名之后是一个或多个方法的名字、解释和参数描述。

在这里，一般不列出某个类的所有方法，而是选择一些最常用的方法，并以简洁的方式给予描述。完整的方法列表请参看联机文档（请参看 3.6.8 节）。

这里还列出了所给类的版本号。如果某个方法是在这个版本之后添加的，就会给出一个单独的版本号。

API java.lang.string 1.0

- `char charAt (int index)`
  返回给定位置的代码单元。除非对底层的代码单元感兴趣，否则不需要调用这个方法。
- `int codePointAt(int index) 5.0`
  返回从给定位置开始的码点。
- `int offsetByCodePoints(int startIndex, int cpCount) 5.0`
  返回从 startIndex 代码点开始，位移 cpCount 后的码点索引。
- `int compareTo(String other)`
  按照字典顺序，如果字符串位于 other 之前，返回一个负数；如果字符串位于 other 之后，返回一个正数；如果两个字符串相等，返回 0。
- `IntStream codePoints() 8`
  将这个字符串的码点作为一个流返回。调用 toArray 将它们放在一个数组中。
- `new String(int[] codePoints, int offset, int count) 5.0`
  用数组中从 offset 开始的 count 个码点构造一个字符串。
- `boolean equals(Object other)`
  如果字符串与 other 相等，返回 true。

- `boolean equalsIgnoreCase(String other)`
  如果字符串与 other 相等（忽略大小写），返回 true。
- `boolean startsWith(String prefix)`
- `boolean endsWith(String suffix)`
  如果字符串以 suffix 开头或结尾，则返回 true。
- `int indexOf(String str)`
- `int indexOf(String str, int fromIndex)`
- `int indexOf(int cp)`
- `int indexOf(int cp, int fromIndex)`
  返回与字符串 str 或代码点 cp 匹配的第一个子串的开始位置。这个位置从索引 0 或 fromIndex 开始计算。如果在原始串中不存在 str，返回 -1。
- `int lastIndexOf(String str)`
- `int lastIndexOf(String str, int fromIndex)`
- `int lastindexOf(int cp)`
- `int lastindexOf(int cp, int fromIndex)`
  返回与字符串 str 或代码点 cp 匹配的最后一个子串的开始位置。这个位置从原始串尾端或 fromIndex 开始计算。
- `int length( )`
  返回字符串的长度。
- `int codePointCount(int startIndex, int endIndex) 5.0`
  返回 startIndex 和 endIndex-1 之间的代码点数量。没有配成对的代用字符将计入代码点。
- `String replace(CharSequence oldString,CharSequence newString)`
  返回一个新字符串。这个字符串用 newString 代替原始字符串中所有的 oldString。可以用 String 或 StringBuilder 对象作为 CharSequence 参数。
- `String substring(int beginIndex)`
- `String substring(int beginIndex, int endIndex)`
  返回一个新字符串。这个字符串包含原始字符串中从 beginIndex 到串尾或 endIndex-1 的所有代码单元。
- `String toLowerCase( )`
- `String toUpperCase( )`
  返回一个新字符串。这个字符串将原始字符串中的大写字母改为小写，或者将原始字符串中的所有小写字母改成了大写字母。
- `String trim( )`
  返回一个新字符串。这个字符串将删除了原始字符串头部和尾部的空格。
- `String join(CharSequence delimiter, CharSequence... elements) 8`
  返回一个新字符串，用给定的定界符连接所有元素。

注释：在 API 注释中，有一些 CharSequence 类型的参数。这是一种接口类型，所有字符串都属于这个接口。第 6 章将介绍更多有关接口类型的内容。现在只需要知道只要看到一个 CharSequence 形参，完全可以传入 String 类型的实参。

3.6.8 阅读联机 API 文档

正如前面所看到的，String 类包含许多方法。而且，在标准库中有几千个类，方法数量更加惊人。要想记住所有的类和方法是一件不太不可能的事情。因此，学会使用在线 API 文档十分重要，从中可以查阅到标准类库中的所有类和方法。API 文档是 JDK 的一部分，它是 HTML 格式的。让浏览器指向安装 JDK 的 docs/api/index.html 子目录，就可以看到如图 3-2 所示的屏幕。

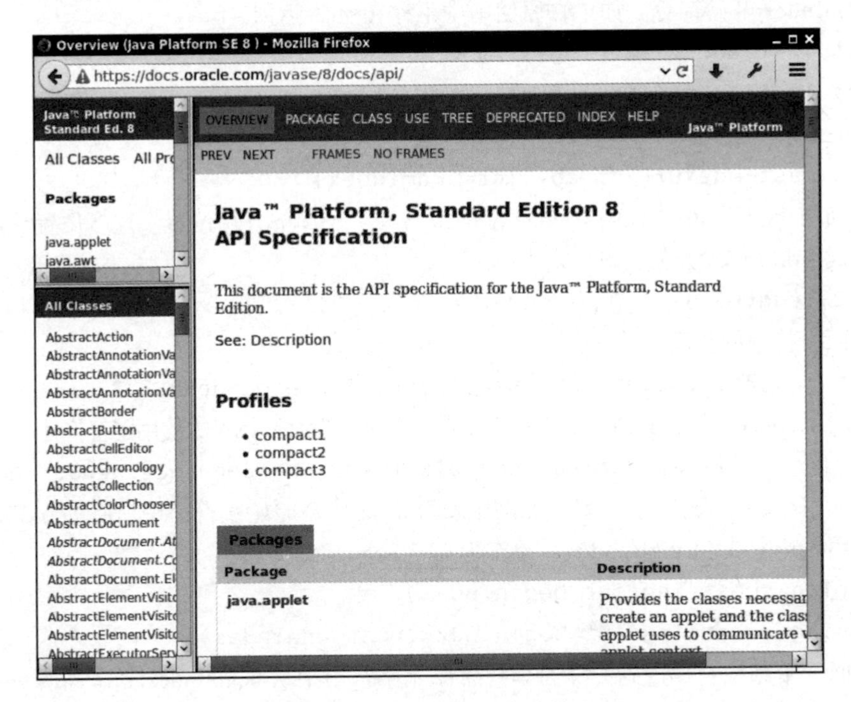

图 3-2 API 文档的三个窗格

可以看到，屏幕被分成三个窗框。在左上方的小窗框中显示了可使用的所有包。在它下面稍大的窗框中列出了所有的类。点击任何一个类名之后，这个类的 API 文档就会显示在右侧的大窗框中（请参看图 3-3）。例如，要获得有关 String 类方法的更多信息，可以滚动第二个窗框，直到看见 String 链接为止，然后点击这个链接。

接下来，滚动右面的窗框，直到看见按字母顺序排列的所有方法为止（请参看图 3-4）。点击任何一个方法名便可以查看这个方法的详细描述（参见图 3-5）。例如，如果点击 compareToIgnoreCase 链接，就会看到 compareToIgnoreCase 方法的描述。

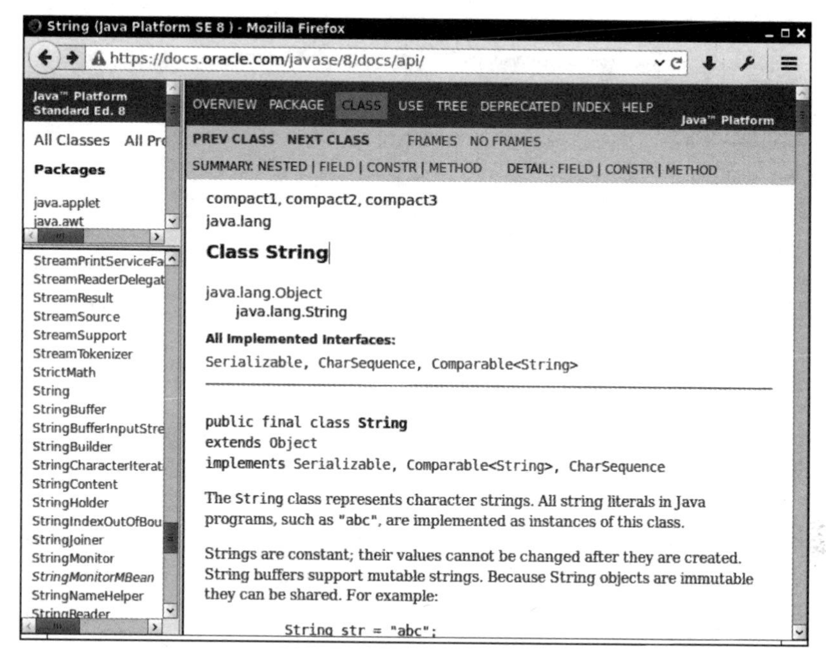

图 3-3 String 类的描述

✔ **提示：**马上在浏览器中将 docs/api/index.html 页面建一个书签。

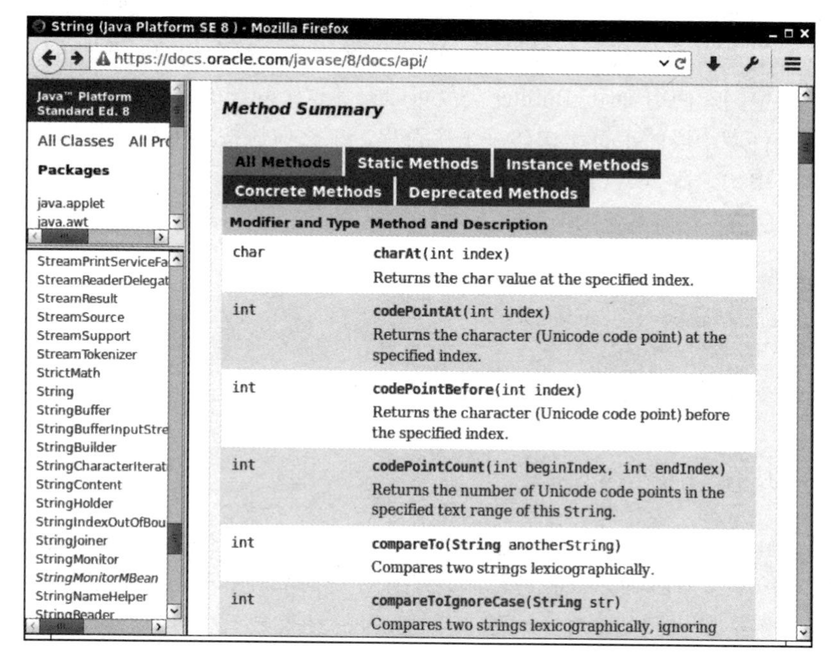

图 3-4 String 类方法的小结

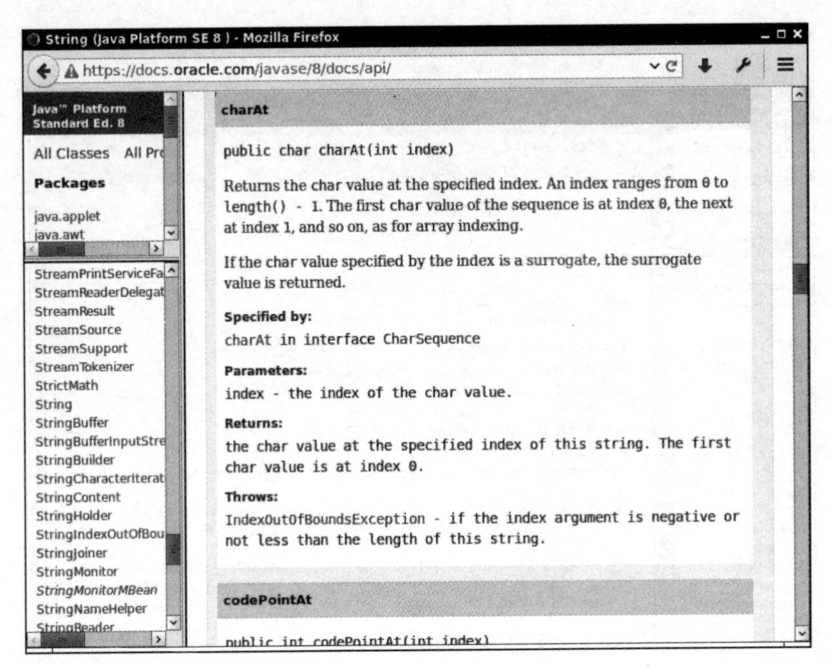

图 3-5 String 方法的详细描述

3.6.9 构建字符串

有些时候，需要由较短的字符串构建字符串，例如，按键或来自文件中的单词。采用字符串连接的方式达到此目的效率比较低。每次连接字符串，都会构建一个新的 String 对象，既耗时，又浪费空间。使用 StringBuilder 类就可以避免这个问题的发生。

如果需要用许多小段的字符串构建一个字符串，那么应该按照下列步骤进行。首先，构建一个空的字符串构建器：

```
StringBuilder builder = new StringBuilder();
```

当每次需要添加一部分内容时，就调用 append 方法。

```
builder.append(ch); // appends a single character
builder.append(str); // appends a string
```

在需要构建字符串时就调用 toString 方法，将可以得到一个 String 对象，其中包含了构建器中的字符序列。

```
String completedString = builder.toString();
```

注释： 在 JDK5.0 中引入 StringBuilder 类。这个类的前身是 StringBuffer，其效率稍有些低，但允许采用多线程的方式执行添加或删除字符的操作。如果所有字符串在一个单线程中编辑（通常都是这样），则应该用 StringBuilder 替代它。这两个类的 API 是相同的。

下面的 API 注释包含了 StringBuilder 类中的重要方法。

API java.lang.StringBuilder 5.0

- `StringBuilder()`

  构造一个空的字符串构建器。
- `int length()`

  返回构建器或缓冲器中的代码单元数量。
- `StringBuilder append(String str)`

  追加一个字符串并返回 this。
- `StringBuilder append(char c)`

  追加一个代码单元并返回 this。
- `StringBuilder appendCodePoint(int cp)`

  追加一个代码点，并将其转换为一个或两个代码单元并返回 this。
- `void setCharAt(int i,char c)`

  将第 i 个代码单元设置为 c。
- `StringBuilder insert(int offset,String str)`

  在 offset 位置插入一个字符串并返回 this。
- `StringBuilder insert(int offset,Char c)`

  在 offset 位置插入一个代码单元并返回 this。
- `StringBuilder delete(int startIndex,int endIndex)`

  删除偏移量从 startIndex 到 -endIndex-1 的代码单元并返回 this。
- `String toString()`

  返回一个与构建器或缓冲器内容相同的字符串。

3.7 输入输出

为了增加后面示例程序的趣味性，需要程序能够接收输入，并以适当的格式输出。当然，现代的程序都使用 GUI 收集用户的输入，然而，编写这种界面的程序需要使用较多的工具与技术，目前还不具备这些条件。主要原因是需要熟悉 Java 程序设计语言，因此只要有简单的用于输入输出的控制台就可以了。第 10 章 ~ 第 12 章将详细地介绍 GUI 程序设计。

3.7.1 读取输入

前面已经看到，打印输出到“标准输出流”（即控制台窗口）是一件非常容易的事情，只要调用 System.out.println 即可。然而，读取“标准输入流”System.in 就没有那么简单了。要想通过控制台进行输入，首先需要构造一个 Scanner 对象，并与“标准输入流”System.in 关联。

```
Scanner in = new Scanner(System.in);
```

（构造函数和 new 操作符将在第 4 章中详细地介绍。）

现在，就可以使用Scanner类的各种方法实现输入操作了。例如，nextLine方法将输入一行。

```
System.out.print("What is your name? ");
String name = in.nextLine();
```

在这里，使用nextLine方法是因为在输入行中有可能包含空格。要想读取一个单词（以空白符作为分隔符），就调用

```
String firstName = in.next();
```

要想读取一个整数，就调用nextInt方法。

```
System.out.print("How old are you? ");
int age = in.nextInt();
```

与此类似，要想读取下一个浮点数，就调用nextDouble方法。

在程序清单3-2的程序中，询问用户姓名和年龄，然后打印一条如下格式的消息：

```
Hello, Cay. Next year, you'll be 57
```

最后，在程序的最开始添加上一行：

```
import java.util.*;
```

Scanner类定义在java.util包中。当使用的类不是定义在基本java.lang包中时，一定要使用import指示字将相应的包加载进来。有关包与import指示字的详细描述请参看第4章。

程序清单3-2 InputTest/InputTest.java

```
1 import java.util.*;
2
3 /**
4  * This program demonstrates console input.
5  * @version 1.10 2004-02-10
6  * @author Cay Horstmann
7  */
8 public class InputTest
9 {
10    public static void main(String[] args)
11    {
12       Scanner in = new Scanner(System.in);
13
14       // get first input
15       System.out.print("What is your name? ");
16       String name = in.nextLine();
17
18       // get second input
19       System.out.print("How old are you? ");
20       int age = in.nextInt();
21
22       // display output on console
23       System.out.println("Hello, " + name + ". Next year, you'll be " + (age + 1));
24    }
25 }
```

注释： 因为输入是可见的，所以 Scanner 类不适用于从控制台读取密码。Java SE 6 特别引入了 Console 类实现这个目的。要想读取一个密码，可以采用下列代码：

```
Console cons = System.console();
String username = cons.readLine("User name: ");
char[] passwd = cons.readPassword("Password: ");
```

为了安全起见，返回的密码存放在一维字符数组中，而不是字符串中。在对密码进行处理之后，应该马上用一个填充值覆盖数组元素（数组处理将在 3.10 节介绍）。

采用 Console 对象处理输入不如采用 Scanner 方便。每次只能读取一行输入，而没有能够读取一个单词或一个数值的方法。

API java.util.Scanner 5.0

- `Scanner (InputStream in)`

  用给定的输入流创建一个 Scanner 对象。
- `String nextLine( )`

  读取输入的下一行内容。
- `String next( )`

  读取输入的下一个单词（以空格作为分隔符）。
- `int nextInt( )`
- `double nextDouble( )`

  读取并转换下一个表示整数或浮点数的字符序列。
- `boolean hasNext( )`

  检测输入中是否还有其他单词。
- `boolean hasNextInt( )`
- `boolean hasNextDouble( )`

  检测是否还有表示整数或浮点数的下一个字符序列。

API java.lang.System 1.0

- `static Console console( )` 6

  如果有可能进行交互操作，就通过控制台窗口为交互的用户返回一个 Console 对象，否则返回 null。对于任何一个通过控制台窗口启动的程序，都可使用 Console 对象。否则，其可用性将与所使用的系统有关。

API java.io.Console 6

- `static char[] readPassword(String prompt, Object...args)`
- `static String readLine(String prompt, Object...args)`

  显示字符串 prompt 并且读取用户输入，直到输入行结束。args 参数可以用来提供输入格式。有关这部分内容将在下一节中介绍。

3.7.2 格式化输出

可以使用 System.out.print(x) 将数值 x 输出到控制台上。这条命令将以 x 对应的数据类型所允许的最大非 0 数字位数打印输出 x。例如：

```
double x = 10000.0 / 3.0;
System.out.print(x);
```

打印

```
3333.3333333333335
```

如果希望显示美元、美分等符号，则有可能会出现问题。

在早期的 Java 版本中，格式化数值曾引起过一些争议。庆幸的是，Java SE 5.0 沿用了 C 语言库函数中的 printf 方法。例如，调用

```
System.out.printf("%8.2f", x);
```

可以用 8 个字符的宽度和小数点后两个字符的精度打印 x。也就是说，打印输出一个空格和 7 个字符，如下所示：

```
3333.33
```

在 printf 中，可以使用多个参数，例如：

```
System.out.printf("Hello, %s. Next year, you'll be %d", name, age);
```

每一个以 % 字符开始的格式说明符都用相应的参数替换。格式说明符尾部的转换符将指示被格式化的数值类型：f 表示浮点数，s 表示字符串，d 表示十进制整数。表 3-5 列出了所有转换符。

表 3-5 用于 printf 的转换符

转换符	类　型	举　例	转换符	类　型	举　例
d	十进制整数	159	s	字符串	Hello
x	十六进制整数	9f	c	字符	H
o	八进制整数	237	b	布尔	True
f	定点浮点数	15.9	h	散列码	42628b2
e	指数浮点数	1.59e+01	tx 或 Tx	日期时间（T 强制大写）	已经过时，应当改为使用 java.time 类，参见卷Ⅱ第 6 章
g	通用浮点数	—	%	百分号	%
a	十六进制浮点数	0x1.fccdp3	n	与平台有关的行分隔符	—

另外，还可以给出控制格式化输出的各种标志。表 3-6 列出了所有的标志。例如，逗号标志增加了分组的分隔符。即

```
System.out.printf("%,.2f", 10000.0 / 3.0);
```

打印

```
3,333.33
```

可以使用多个标志，例如，“%, (.2f” 使用分组的分隔符并将负数括在括号内。

表 3-6　用于 printf 的标志

标　　志	目　　的	举　　例
+	打印正数和负数的符号	+3333.33
空格	在正数之前添加空格	| 3333.33|
0	数字前面补 0	003333.33
-	左对齐	|3333.33 |
(	将负数括在括号内	(3333.33)
,	添加分组分隔符	3,333.33
#（对于 f 格式）	包含小数点	3,333.
#（对于 x 或 0 格式）	添加前缀 0x 或 0	0xcafe
$	给定被格式化的参数索引。例如，%1$d，%1$x 将以十进制和十六进制格式打印第 1 个参数	159 9F
<	格式化前面说明的数值。例如，%d%<x 以十进制和十六进制打印同一个数值	159 9F

注释： 可以使用 s 转换符格式化任意的对象。对于任意实现了 Formattable 接口的对象都将调用 formatTo 方法；否则将调用 toString 方法，它可以将对象转换为字符串。在第 5 章中将讨论 toString 方法，在第 6 章中将讨论接口。

可以使用静态的 String.format 方法创建一个格式化的字符串，而不打印输出：

```
String message = String.format("Hello, %s. Next year, you'll be %d", name, age);
```

基于完整性的考虑，下面简略地介绍 printf 方法中日期与时间的格式化选项。在新代码中，应当使用卷 Ⅱ 第 6 章中介绍的 java.time 包的方法。不过你可能会在遗留代码中看到 Date 类和相关的格式化选项。格式包括两个字母，以 t 开始，以表 3-7 中的任意字母结束。例如，

```
System.out.printf("%tc", new Date());
```

这条语句将用下面的格式打印当前的日期和时间：

```
Mon Feb 09 18:05:19 PST 2015
```

表 3-7　日期和时间的转换符

转换符	类　　型	举　　例
c	完整的日期和时间	Mon Feb 09 18:05:19 PST 2015
F	ISO 8601 日期	2015-02-09
D	美国格式的日期（月 / 日 / 年）	02/09/2015
T	24 小时时间	18:05:19

（续）

转换符	类　型	举　例
r	12 小时时间	06:05:19 pm
R	24 小时时间没有秒	18:05
Y	4 位数字的年（前面补 0）	2015
y	年的后两位数字（前面补 0）	15
C	年的前两位数字（前面补 0）	20
B	月的完整拼写	February
b 或 h	月的缩写	Feb
m	两位数字的月（前面补 0）	02
d	两位数字的日（前面补 0）	09
e	两位数字的日（前面不补 0）	9
A	星期几的完整拼写	Monday
a	星期几的缩写	Mon
j	三位数的年中的日子（前面补 0），在 001 到 366 之间	069
H	两位数字的小时（前面补 0），在 0 到 23 之间	18
k	两位数字的小时（前面不补 0），在 0 到 23 之间	18
I	两位数字的小时（前面补 0），在 0 到 12 之间	06
l	两位数字的小时（前面不补 0），在 0 到 12 之间	6
M	两位数字的分钟（前面补 0）	05
S	两位数字的秒（前面补 0）	19
L	三位数字的毫秒（前面补 0）	047
N	九位数字的毫微秒（前面补 0）	047000000
p	上午或下午的标志	pm
z	从 GMT 起，RFC822 数字位移	–0800
Z	时区	PST
s	从格林威治时间 1970-01-01 00:00:00 起的秒数	1078884319
Q	从格林威治时间 1970-01-01 00:00:00 起的毫秒数	1078884319047

从表 3-7 可以看到，某些格式只给出了指定日期的部分信息。例如，只有日期或月份。如果需要多次对日期操作才能实现对每一部分进行格式化的目的就太笨拙了。为此，可以采用一个格式化的字符串指出要被格式化的参数索引。索引必须紧跟在 % 后面，并以 $ 终止。例如，

```
System.out.printf("%1$s %2$tB %2$te, %2$tY", "Due date:", new Date());
```

打印

```
Due date: February 9, 2015
```

还可以选择使用 < 标志。它指示前面格式说明中的参数将被再次使用。也就是说，下列语句将产生与前面语句同样的输出结果：

```
System.out.printf("%s %tB %<te, %<tY", "Due date:", new Date());
```

提示：参数索引值从 1 开始，而不是从 0 开始，%1$... 对第 1 个参数格式化。这就避免了与 0 标志混淆。

现在，已经了解了 printf 方法的所有特性。图 3-6 给出了格式说明符的语法图。

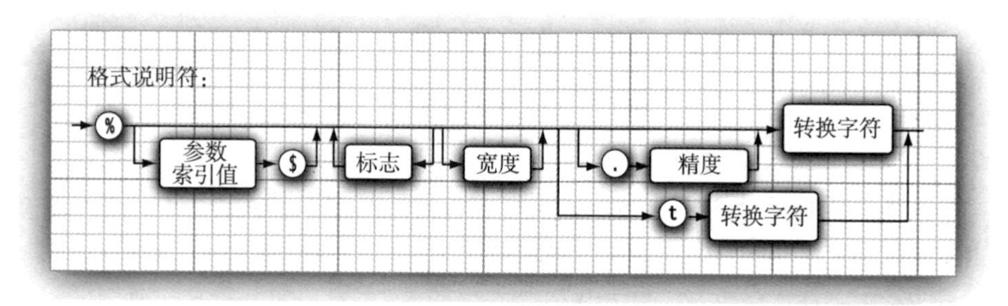

图 3-6 格式说明符语法

注释：许多格式化规则是本地环境特有的。例如，在德国，组分隔符是句号而不是逗号，Monday 被格式化为 Montag。在卷 Ⅱ 第 5 章中将介绍如何控制应用的国际化行为。

3.7.3 文件输入与输出

要想对文件进行读取，就需要一个用 File 对象构造一个 Scanner 对象，如下所示：

```
Scanner in = new Scanner(Paths.get("myfile.txt"), "UTF-8");
```

如果文件名中包含反斜杠符号，就要记住在每个反斜杠之前再加一个额外的反斜杠："c:\\mydirectory\\myfile.txt"。

注释：在这里指定了 UTF-8 字符编码，这对于互联网上的文件很常见（不过并不是普遍适用）。读取一个文本文件时，要知道它的字符编码——更多信息参见卷 Ⅱ 第 2 章。如果省略字符编码，则会使用运行这个 Java 程序的机器的"默认编码"。这不是一个好主意，如果在不同的机器上运行这个程序，可能会有不同的表现。

现在，就可以利用前面介绍的任何一个 Scanner 方法对文件进行读取。

要想写入文件，就需要构造一个 PrintWriter 对象。在构造器中，只需要提供文件名：

```
PrintWriter out = new PrintWriter("myfile.txt", "UTF-8");
```

如果文件不存在，创建该文件。可以像输出到 System.out 一样使用 print、println 以及 printf 命令。

警告：可以构造一个带有字符串参数的 Scanner，但这个 Scanner 将字符串解释为数据，而不是文件名。例如，如果调用：

```
Scanner in = new Scanner("myfile.txt"); // ERROR?
```

这个 scanner 会将参数作为包含 10 个字符的数据：'m'，'y'，'f' 等。在这个示例中所显示的并不是人们所期望的效果。

注释：当指定一个相对文件名时，例如，"myfile.txt"，"mydirectory/myfile.txt" 或 "../myfile.

txt”，文件位于 Java 虚拟机启动路径的相对位置。如果在命令行方式下用下列命令启动程序：

```
java MyProg
```

启动路径就是命令解释器的当前路径。然而，如果使用集成开发环境，那么启动路径将由 IDE 控制。可以使用下面的调用方式找到路径的位置：

```
String dir = System.getProperty("user.dir");
```

如果觉得定位文件比较烦恼，则可以考虑使用绝对路径，例如：“c:\\mydirectory\\myfile.txt”或者“/home/me/mydirectory/myfile.txt”。

正如读者所看到的，访问文件与使用 System.in 和 System.out 一样容易。要记住一点：如果用一个不存在的文件构造一个 Scanner，或者用一个不能被创建的文件名构造一个 PrintWriter，那么就会发生异常。Java 编译器认为这些异常比“被零除”异常更严重。在第 7 章中，将会学习各种处理异常的方式。现在，应该告知编译器：已经知道有可能出现“输入 / 输出”异常。这需要在 main 方法中用 throws 子句标记，如下所示：

```
public static void main(String[] args) throws IOException
{
   Scanner in = new Scanner(Paths.get("myfile.txt"), "UTF-8");
   . . .
}
```

现在读者已经学习了如何读写包含文本数据的文件。对于更加高级的技术，例如，处理不同的字符编码、处理二进制数据、读取目录以及写压缩文件，请参看卷 II 第 2 章。

注释： 当采用命令行方式启动一个程序时，可以利用 Shell 的重定向语法将任意文件关联到 System.in 和 System.out：

```
java MyProg < myfile.txt > output.txt
```

这样，就不必担心处理 IOException 异常了。

API java.util.Scanner 5.0

- `Scanner(File f)`

  构造一个从给定文件读取数据的 Scanner。

- `Scanner(String data)`

  构造一个从给定字符串读取数据的 Scanner。

API java.io.PrintWriter 1.1

- `PrintWriter(String fileName)`

  构造一个将数据写入文件的 PrintWriter。文件名由参数指定。

API java.nio.file.Paths 7

- `static Path get(String pathname)`

  根据给定的路径名构造一个 Path。

3.8 控制流程

与任何程序设计语言一样，Java 使用条件语句和循环结构确定控制流程。本节先讨论条件语句，然后讨论循环语句，最后介绍看似有些笨重的 switch 语句，当需要对某个表达式的多个值进行检测时，可以使用 switch 语句。

C++ 注释：Java 的控制流程结构与 C 和 C++ 的控制流程结构一样，只有很少的例外情况。没有 goto 语句，但 break 语句可以带标签，可以利用它实现从内层循环跳出的目的（这种情况 C 语言采用 goto 语句实现）。另外，还有一种变形的 for 循环，在 C 或 C++ 中没有这类循环。它有点类似于 C# 中的 foreach 循环。

3.8.1 块作用域

在深入学习控制结构之前，需要了解块（block）的概念。

块（即复合语句）是指由一对大括号括起来的若干条简单的 Java 语句。块确定了变量的作用域。一个块可以嵌套在另一个块中。下面就是在 main 方法块中嵌套另一个语句块的示例。

```
public static void main(String[] args)
{
   int n;
   . . .
   {
      int k;
      . . .
   } // k is only defined up to here
}
```

但是，不能在嵌套的两个块中声明同名的变量。例如，下面的代码就有错误，而无法通过编译：

```
public static void main(String[] args)
{
   int n;
   . . .
   {
      int k;
      int n; // Error--can't redefine n in inner block
      . . .
   }
}
```

C++ 注释：在 C++ 中，可以在嵌套的块中重定义一个变量。在内层定义的变量会覆盖在外层定义的变量。这样，有可能会导致程序设计错误，因此在 Java 中不允许这样做。

3.8.2 条件语句

在 Java 中，条件语句的格式为

```
if (condition) statement
```

这里的条件必须用括号括起来。

与绝大多数程序设计语言一样，Java 常常希望在某个条件为真时执行多条语句。在这种情况下，应该使用块语句（block statement），形式为

```
{
   statement1
   statement2
   . . .
}
```

例如：

```
if (yourSales >= target)
{
   performance = "Satisfactory";
   bonus = 100;
}
```

当 yourSales 大于或等于 target 时，将执行括号中的所有语句（请参看图 3-7）。

注释： 使用块（有时称为复合语句）可以在 Java 程序结构中原本只能放置一条（简单）语句的地方放置多条语句。

在 Java 中，更一般的条件语句格式如下所示（请参看图 3-8）：

```
if (condition) statement1 else statement2
```

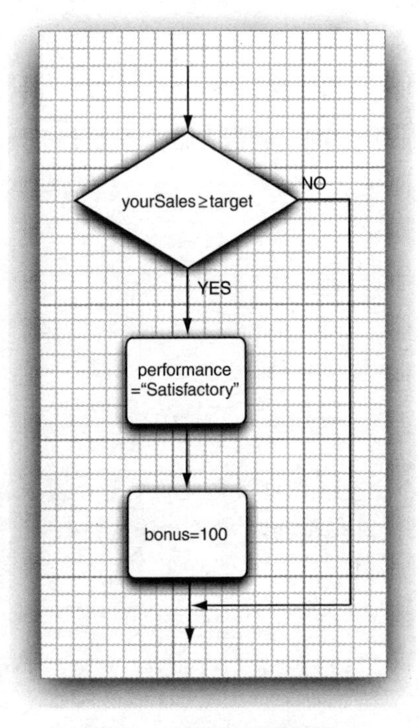

图 3-7 if 语句的流程图

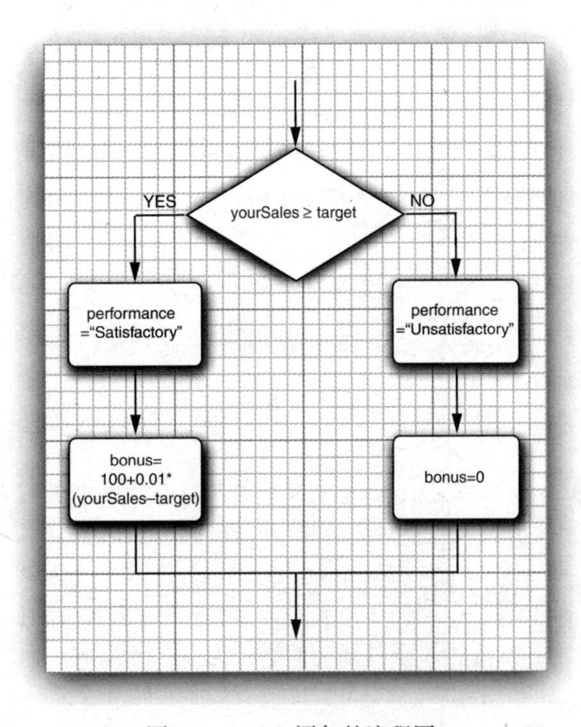

图 3-8 if/else 语句的流程图

例如：

```
if (yourSales >= target)
{
   performance = "Satisfactory";
   bonus = 100 + 0.01 * (yourSales - target);
}
else
{
   performance = "Unsatisfactory";
   bonus = 0;
}
```

其中 else 部分是可选的。else 子句与最邻近的 if 构成一组。因此，在语句

```
if (x <= 0) if (x == 0) sign = 0; else sign = -1;
```

中 else 与第 2 个 if 配对。当然，用一对括号将会使这段代码更加清晰：

```
if (x <= 0) { if (x == 0) sign = 0; else sign = -1; }
```

重复地交替出现 if...else if... 是一种很常见的情况（请参看图 3-9）。例如：

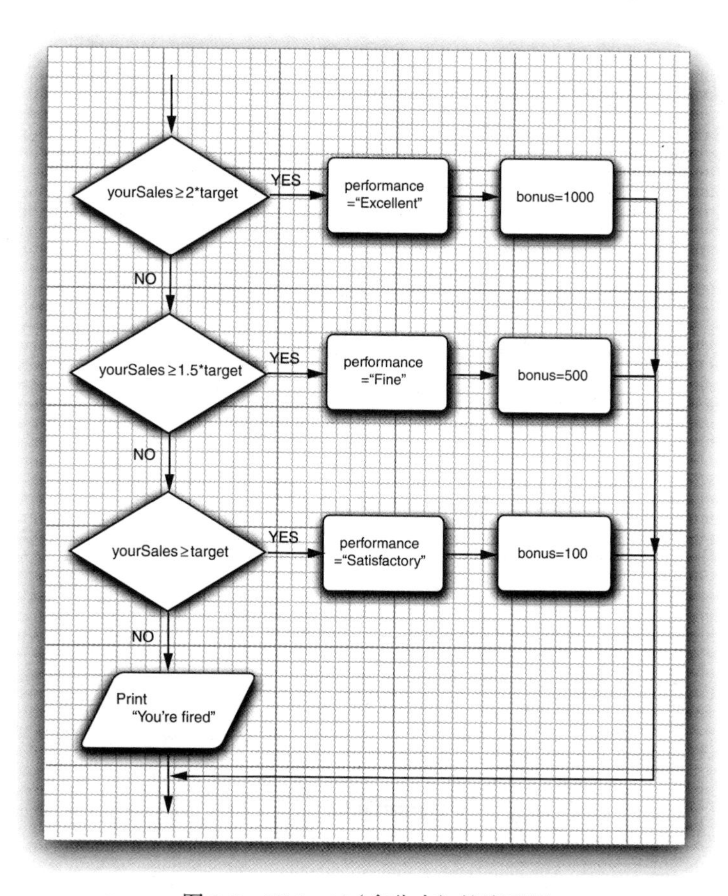

图 3-9 if/else if（多分支）的流程图

```
if (yourSales >= 2 * target)
{
   performance = "Excellent";
   bonus = 1000;
}
else if (yourSales >= 1.5 * target)
{
   performance = "Fine";
   bonus = 500;
}
else if (yourSales >= target)
{
   performance = "Satisfactory";
   bonus = 100;
}
else
{
   System.out.println("You're fired");
}
```

3.8.3 循环

当条件为 true 时，while 循环执行一条语句（也可以是一个语句块）。一般格式为

```
while (condition) statement
```

如果开始循环条件的值就为 false，则 while 循环体一次也不执行（请参看图 3-10）。

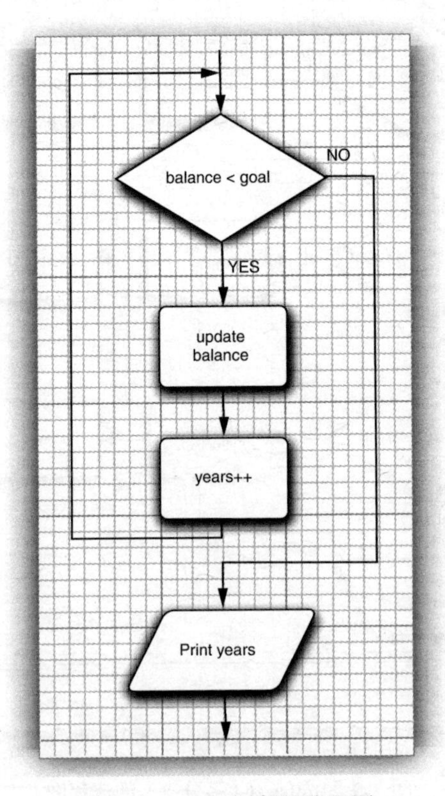

图 3-10 while 语句的流程图

程序清单 3-3 中的程序将计算需要多长时间才能够存储一定数量的退休金，假定每年存入相同数量的金额，而且利率是固定的。

程序清单 3-3　Retirement/Retirement.java

```
 1 import java.util.*;
 2 
 3 /**
 4  * This program demonstrates a <code>while</code> loop.
 5  * @version 1.20 2004-02-10
 6  * @author Cay Horstmann
 7  */
 8 public class Retirement
 9 {
10    public static void main(String[] args)
11    {
12       // read inputs
13       Scanner in = new Scanner(System.in);
14 
15       System.out.print("How much money do you need to retire? ");
16       double goal = in.nextDouble();
17 
18       System.out.print("How much money will you contribute every year? ");
19       double payment = in.nextDouble();
20 
21       System.out.print("Interest rate in %: ");
22       double interestRate = in.nextDouble();
23 
24       double balance = 0;
25       int years = 0;
26 
27       // update account balance while goal isn't reached
28       while (balance < goal)
29       {
30          // add this year's payment and interest
31          balance += payment;
32          double interest = balance * interestRate / 100;
33          balance += interest;
34          years++;
35       }
36 
37       System.out.println("You can retire in " + years + " years.");
38    }
39 }
```

在这个示例中，增加了一个计数器，并在循环体中更新当前的累积数量，直到总值超过目标值为止。

```
while (balance < goal)
{
   balance += payment;
   double interest = balance * interestRate / 100;
   balance += interest;
   years++;
}
System.out.println(years + " years.");
```

（千万不要使用这个程序安排退休计划。这里忽略了通货膨胀和所期望的生活水准。）

while 循环语句首先检测循环条件。因此，循环体中的代码有可能不被执行。如果希望循环体至少执行一次，则应该将检测条件放在最后。使用 do/while 循环语句可以实现这种操作方式。它的语法格式为：

```
do statement while (condition);
```

这种循环语句先执行语句（通常是一个语句块），再检测循环条件；然后重复语句，再检测循环条件，以此类推。在程序清单 3-4 中，首先计算退休账户中的余额，然后再询问是否打算退休：

```
do
{
   balance += payment;
   double interest = balance * interestRate / 100;
   balance += interest;
   year++;
   // print current balance
   . . .
   // ask if ready to retire and get input
   . . .
}
while (input.equals("N"));
```

只要用户回答“N”，循环就重复执行（见图 3-11）。这是一个需要至少执行一次的循环的很好示例，因为用户必须先看到余额才能知道是否满足退休所用。

程序清单 3-4 Retirement2/Retirement2.java

```
1  import java.util.*;
2
3  /**
4   * This program demonstrates a <code>do/while</code> loop.
5   * @version 1.20 2004-02-10
6   * @author Cay Horstmann
7   */
8  public class Retirement2
9  {
10    public static void main(String[] args)
11    {
12       Scanner in = new Scanner(System.in);
13
14       System.out.print("How much money will you contribute every year? ");
15       double payment = in.nextDouble();
16
17       System.out.print("Interest rate in %: ");
18       double interestRate = in.nextDouble();
19
20       double balance = 0;
21       int year = 0;
22
23       String input;
24
25       // update account balance while user isn't ready to retire
26       do
27       {
28          // add this year's payment and interest
```

```
29          balance += payment;
30          double interest = balance * interestRate / 100;
31          balance += interest;
32
33          year++;
34
35          // print current balance
36          System.out.printf("After year %d, your balance is %,.2f%n", year, balance);
37
38          // ask if ready to retire and get input
39          System.out.print("Ready to retire? (Y/N) ");
40          input = in.next();
41       }
42       while (input.equals("N"));
43    }
44 }
```

3.8.4 确定循环

for 循环语句是支持迭代的一种通用结构，利用每次迭代之后更新的计数器或类似的变量来控制迭代次数。如图 3-12 所示，下面的程序将数字 1 ~ 10 输出到屏幕上。

```
for (int i = 1; i <= 10; i++)
   System.out.println(i);
```

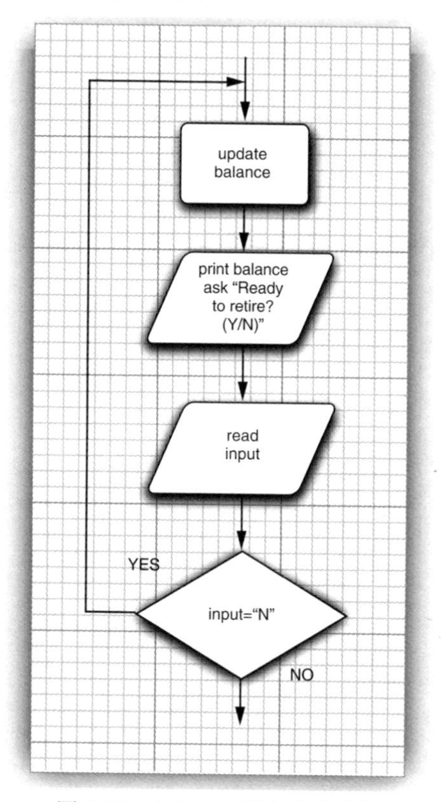

图 3-11 do/while 语句的流程图

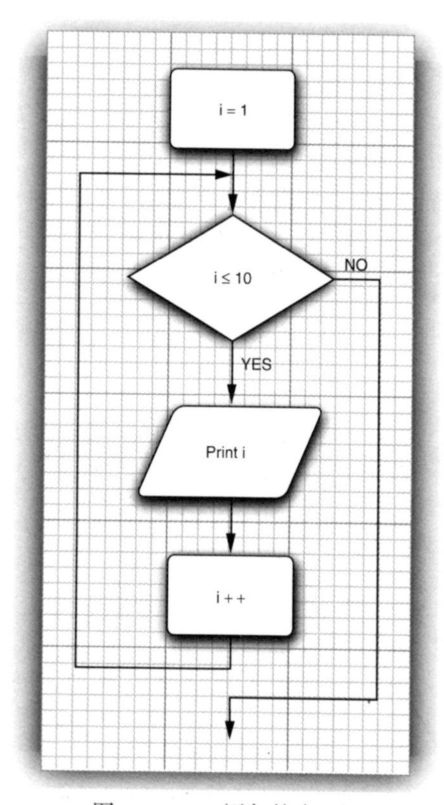

图 3-12 for 语句的流程图

for 语句的第 1 部分通常用于对计数器初始化；第 2 部分给出每次新一轮循环执行前要检测的循环条件；第 3 部分指示如何更新计数器。

与 C++ 一样，尽管 Java 允许在 for 循环的各个部分放置任何表达式，但有一条不成文的规则：for 语句的 3 个部分应该对同一个计数器变量进行初始化、检测和更新。若不遵守这一规则，编写的循环常常晦涩难懂。

即使遵守了这条规则，也还有可能出现很多问题。例如，下面这个倒计数的循环：

```
for (int i = 10; i > 0; i--)
   System.out.println("Counting down . . . " + i);
System.out.println("Blastoff!");
```

警告：在循环中，检测两个浮点数是否相等需要格外小心。下面的 for 循环

```
for (double x = 0; x != 10; x += 0.1) . . .
```

可能永远不会结束。由于舍入的误差，最终可能得不到精确值。例如，在上面的循环中，因为 0.1 无法精确地用二进制表示，所以，x 将从 9.999 999 999 999 98 跳到 10.099 999 999 999 98。

当在 for 语句的第 1 部分中声明了一个变量之后，这个变量的作用域就为 for 循环的整个循环体。

```
for (int i = 1; i <= 10; i++)
{
   . . .
}
// i no longer defined here
```

特别指出，如果在 for 语句内部定义一个变量，这个变量就不能在循环体之外使用。因此，如果希望在 for 循环体之外使用循环计数器的最终值，就要确保这个变量在循环语句的前面且在外部声明！

```
int i;
for (i = 1; i <= 10; i++)
{
   . . .
}
// i is still defined here
```

另一方面，可以在各自独立的不同 for 循环中定义同名的变量：

```
for (int i = 1; i <= 10; i++)
{
   . . .
}
. . .
for (int i = 11; i <= 20; i++) // OK to define another variable named i
{
   . . .
}
```

for 循环语句只不过是 while 循环的一种简化形式。例如，

```
for (int i = 10; i > 0; i--)
   System.out.println("Counting down . . . " + i);
```

可以重写为：

```
int i = 10;
while (i > 0)
{
   System.out.println("Counting down . . . " + i);
   i--;
}
```

程序清单 3-5 给出了一个应用 for 循环的典型示例。这个程序用来计算抽奖中奖的概率。例如，如果必须从 1 ~ 50 之间的数字中取 6 个数字来抽奖，那么会有 $(50 \times 49 \times 48 \times 47 \times 46 \times 45)/(1 \times 2 \times 3 \times 4 \times 5 \times 6)$ 种可能的结果，所以中奖的几率是 1/15 890 700。祝你好运！

程序清单 3-5 LotteryOdds/LotteryOdds.java

```
 1 import java.util.*;
 2 
 3 /**
 4  * This program demonstrates a <code>for</code> loop.
 5  * @version 1.20 2004-02-10
 6  * @author Cay Horstmann
 7  */
 8 public class LotteryOdds
 9 {
10    public static void main(String[] args)
11    {
12       Scanner in = new Scanner(System.in);
13 
14       System.out.print("How many numbers do you need to draw? ");
15       int k = in.nextInt();
16 
17       System.out.print("What is the highest number you can draw? ");
18       int n = in.nextInt();
19 
20       /*
21        * compute binomial coefficient n*(n-1)*(n-2)*...*(n-k+1)/(1*2*3*...*k)
22        */
23 
24       int lotteryOdds = 1;
25       for (int i = 1; i <= k; i++)
26          lotteryOdds = lotteryOdds * (n - i + 1) / i;
27 
28       System.out.println("Your odds are 1 in " + lotteryOdds + ". Good luck!");
29    }
30 }
```

一般情况下，如果从 n 个数字中抽取 k 个数字，就可以使用下列公式得到结果。

$$\frac{n \times (n-1) \times (n-2) \times \cdots \times (n-k+1)}{1 \times 2 \times 3 \times 4 \times \cdots \times k}$$

下面的 for 循环语句计算了上面这个公式的值：

```
int lotteryOdds = 1;
for (int i = 1; i <= k; i++)
   lotteryOdds = lotteryOdds * (n - i + 1) / i;
```

注释：3.10.1 节将会介绍“通用 for 循环”（又称为 for each 循环），这是 Java SE 5.0 新增加的一种循环结构。

3.8.5 多重选择：switch 语句

在处理多个选项时，使用 if/else 结构显得有些笨拙。Java 有一个与 C/C++ 完全一样的 switch 语句。

例如，如果建立一个如图 3-13 所示的包含 4 个选项的菜单系统，可以使用下列代码：

```
Scanner in = new Scanner(System.in);
System.out.print("Select an option (1, 2, 3, 4) ");
int choice = in.nextInt();
switch (choice)
{
   case 1:
      . . .
      break;
   case 2:
      . . .
      break;
   case 3:
      . . .
      break;
   case 4:
      . . .
      break;
   default:
      // bad input
      . . .
      break;
}
```

switch 语句将从与选项值相匹配的 case 标签处开始执行直到遇到 break 语句，或者执行到 switch 语句的结束处为止。如果没有相匹配的 case 标签，而有 default 子句，就执行这个子句。

警告：有可能触发多个 case 分支。如果在 case 分支语句的末尾没有 break 语句，那么就会接着执行下一个 case 分支语句。这种情况相当危险，常常会引发错误。为此，我们在程序中从不使用 switch 语句。

如果你比我们更喜欢 switch 语句，编译代码时可以考虑加上 -Xlint:fallthrough 选项，如下所示：

```
javac -Xlint:fallthrough Test.java
```

这样一来，如果某个分支最后缺少一个 break 语句，编译器就会给出一个警告消息。

如果你确实正是想使用这种“直通式”（fallthrough）行为，可以为其外围方法加一个标注 @SuppressWarnings("fallthrough")。这样就不会对这个方法生成警告了。（标注是为编译器或处理 Java 源文件或类文件的工具提供信息的一种机制。我们将在卷Ⅱ的第 8 章详细讨论标注。)

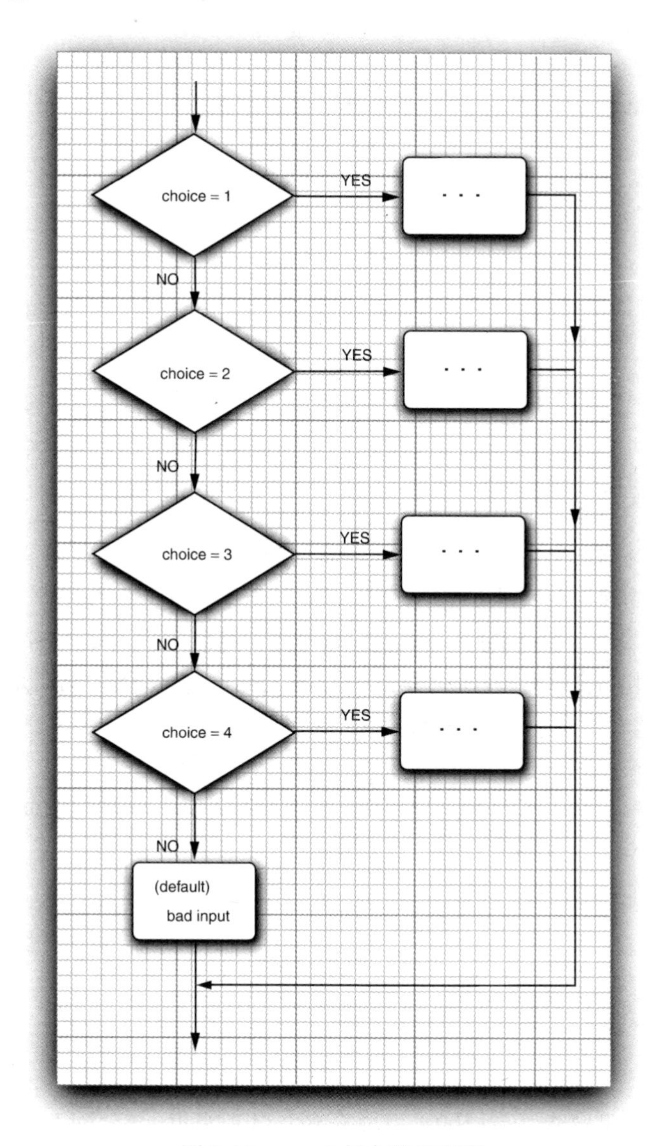

图 3-13 switch 语句的流程图

case 标签可以是:

- 类型为 char、byte、short 或 int 的常量表达式。
- 枚举常量。
- 从 Java SE 7 开始,case 标签还可以是字符串字面量。

例如:

```
String input = . . .;
switch (input.toLowerCase())
{
   case "yes": // OK since Java SE 7
      . . .
      break;
   . . .
}
```

当在 switch 语句中使用枚举常量时，不必在每个标签中指明枚举名，可以由 switch 的表达式值确定。例如：

```
Size sz = . . .;
switch (sz)
{
   case SMALL: // no need to use Size.SMALL
      . . .
      break;
   . . .
}
```

3.8.6 中断控制流程语句

尽管 Java 的设计者将 goto 作为保留字，但实际上并没有打算在语言中使用它。通常，使用 goto 语句被认为是一种拙劣的程序设计风格。当然，也有一些程序员认为反对 goto 的呼声似乎有些过分（例如，Donald Knuth 就曾编著过一篇名为《 Structured Programming with goto statements 》的著名文章）。这篇文章说：无限制地使用 goto 语句确实是导致错误的根源，但在有些情况下，偶尔使用 goto 跳出循环还是有益处的。Java 设计者同意这种看法，甚至在 Java 语言中增加了一条带标签的 break，以此来支持这种程序设计风格。

下面首先看一下不带标签的 break 语句。与用于退出 switch 语句的 break 语句一样，它也可以用于退出循环语句。例如，

```
while (years <= 100)
{
   balance += payment;
   double interest = balance * interestRate / 100;
   balance += interest;
   if (balance >= goal) break;
   years++;
}
```

在循环开始时，如果 years > 100，或者在循环体中 balance ≥ goal，则退出循环语句。当然，也可以在不使用 break 的情况下计算 years 的值，如下所示：

```
while (years <= 100 && balance < goal)
{
   balance += payment;
   double interest = balance * interestRate / 100;
   balance += interest;
   if (balance < goal)
      years++;
}
```

但是需要注意，在这个版本中，检测了两次 balance < goal。为了避免重复检测，有些程序员更加偏爱使用 break 语句。

与 C++ 不同，Java 还提供了一种带标签的 break 语句，用于跳出多重嵌套的循环语句。有时候，在嵌套很深的循环语句中会发生一些不可预料的事情。此时可能更加希望跳到嵌套的所有循环语句之外。通过添加一些额外的条件判断实现各层循环的检测很不方便。

这里有一个示例说明了 break 语句的工作状态。请注意，标签必须放在希望跳出的最外层循环之前，并且必须紧跟一个冒号。

```
Scanner in = new Scanner(System.in);
int n;
read_data:
while (. . .) // this loop statement is tagged with the label
{
   . . .
   for (. . .) // this inner loop is not labeled
   {
      System.out.print("Enter a number >= 0: ");
      n = in.nextInt();
      if (n < 0) // should never happen-can't go on
         break read_data;
         // break out of read_data loop
      . . .
   }
}
// this statement is executed immediately after the labeled break
if (n < 0) // check for bad situation
{
   // deal with bad situation
}
else
{
   // carry out normal processing
}
```

如果输入有误，通过执行带标签的 break 跳转到带标签的语句块末尾。对于任何使用 break 语句的代码都需要检测循环是正常结束，还是由 break 跳出。

注释：事实上，可以将标签应用到任何语句中，甚至可以应用到 if 语句或者块语句中，如下所示：

```
label:
{
   . . .
   if (condition) break label; // exits block
   . . .
}
// jumps here when the break statement executes
```

因此，如果希望使用一条 goto 语句，并将一个标签放在想要跳到的语句块之前，就可以使用 break 语句！当然，并不提倡使用这种方式。另外需要注意，只能跳出语句块，而不能跳入语句块。

最后，还有一个 continue 语句。与 break 语句一样，它将中断正常的控制流程。continue 语句将控制转移到最内层循环的首部。例如：

```
Scanner in = new Scanner(System.in);
while (sum < goal)
{
   System.out.print("Enter a number: ");
   n = in.nextInt();
   if (n < 0) continue;
   sum += n; // not executed if n < 0
}
```

如果 n<0，则 continue 语句越过了当前循环体的剩余部分，立刻跳到循环首部。

如果将 continue 语句用于 for 循环中，就可以跳到 for 循环的“更新”部分。例如，下面这个循环：

```
for (count = 1; count <= 100; count++)
{
   System.out.print("Enter a number, -1 to quit: ");
   n = in.nextInt();
   if (n < 0) continue;
   sum += n; // not executed if n < 0
}
```

如果 n<0，则 continue 语句跳到 count++ 语句。

还有一种带标签的 continue 语句，将跳到与标签匹配的循环首部。

提示： 许多程序员容易混淆 break 和 continue 语句。这些语句完全是可选的，即不使用它们也可以表达同样的逻辑含义。在本书中，将不使用 break 和 continue。

3.9 大数值

如果基本的整数和浮点数精度不能够满足需求，那么可以使用 java.math 包中的两个很有用的类：BigInteger 和 BigDecimal。这两个类可以处理包含任意长度数字序列的数值。BigInteger 类实现了任意精度的整数运算，BigDecimal 实现了任意精度的浮点数运算。

使用静态的 valueOf 方法可以将普通的数值转换为大数值：

```
BigInteger a = BigInteger.valueOf(100);
```

遗憾的是，不能使用人们熟悉的算术运算符（如：+ 和 *）处理大数值。而需要使用大数值类中的 add 和 multiply 方法。

```
BigInteger c = a.add(b); // c = a + b
BigInteger d = c.multiply(b.add(BigInteger.valueOf(2))); // d = c * (b + 2)
```

C++ 注释： 与 C++ 不同，Java 没有提供运算符重载功能。程序员无法重定义 + 和 * 运算符，使其应用于 BigInteger 类的 add 和 multiply 运算。Java 语言的设计者确实为字符串的连接重载了 + 运算符，但没有重载其他的运算符，也没有给 Java 程序员在自己的类中重载运算符的机会。

程序清单 3-6 是对程序清单 3-5 中彩概率程序的改进，使其可以采用大数值进行运算。假设你被邀请参加抽奖活动，并从 490 个可能的数值中抽取 60 个，这个程序将会得到中彩概率 1/71639584346199555741511622254009293341171761278926349349335101345948110466 8848。祝你好运！

程序清单 3-6 BigIntegerTest/BigIntegerTest.java

```
1 import java.math.*;
2 import java.util.*;
3
4 /**
5  * This program uses big numbers to compute the odds of winning the grand prize in a lottery.
6  * @version 1.20 2004-02-10
7  * @author Cay Horstmann
8  */
9 public class BigIntegerTest
10 {
11    public static void main(String[] args)
12    {
13       Scanner in = new Scanner(System.in);
14
15       System.out.print("How many numbers do you need to draw? ");
16       int k = in.nextInt();
17
18       System.out.print("What is the highest number you can draw? ");
19       int n = in.nextInt();
20
21       /*
22        * compute binomial coefficient n*(n-1)*(n-2)*...*(n-k+1)/(1*2*3*...*k)
23        */
24
25       BigInteger lotteryOdds = BigInteger.valueOf(1);
26
27       for (int i = 1; i <= k; i++)
28          lotteryOdds = lotteryOdds.multiply(BigInteger.valueOf(n - i + 1)).divide(
29                BigInteger.valueOf(i));
30
31       System.out.println("Your odds are 1 in " + lotteryOdds + ". Good luck!");
32    }
33 }
```

在程序清单 3-5 中，用于计算的语句是

```
lotteryOdds = lotteryOdds * (n - i + 1) / i;
```

如果使用大数值，则相应的语句为：

```
lotteryOdds = lotteryOdds.multiply(BigInteger.valueOf(n - i + 1)).divide(BigInteger.valueOf(i));
```

API java.math.BigInteger 1.1

- `BigInteger add(BigInteger other)`
- `BigInteger subtract(BigInteger other)`

- `BigInteger multiply(BigInteger other)`
- `BigInteger divide(BigInteger other)`
- `BigInteger mod(BigInteger other)`

  返回这个大整数和另一个大整数 other 的和、差、积、商以及余数。
- `int compareTo(BigInteger other)`

  如果这个大整数与另一个大整数 other 相等，返回 0；如果这个大整数小于另一个大整数 other，返回负数；否则，返回正数。
- `static BigInteger valueOf(long x)`

返回值等于 x 的大整数。

API java.math.BigInteger 1.1

- `BigDecimal add(BigDecimal other)`
- `BigDecimal subtract(BigDecimal other)`
- `BigDecimal multiply(BigDecimal other)`
- `BigDecimal divide(BigDecimal other RoundingMode mode) 5.0`

  返回这个大实数与另一个大实数 other 的和、差、积、商。要想计算商，必须给出舍入方式（rounding mode）。RoundingMode.HALF_UP 是在学校中学习的四舍五入方式（即，数值 0 到 4 舍去，数值 5 到 9 进位）。它适用于常规的计算。有关其他的舍入方式请参看 API 文档。
- `int compareTo(BigDecimal other)`

  如果这个大实数与另一个大实数相等，返回 0 ；如果这个大实数小于另一个大实数，返回负数；否则，返回正数。
- `static BigDecimal valueOf(long x)`
- `static BigDecimal valueOf(long x,int scale)`

  返回值为 x 或 $x / 10^{scale}$ 的一个大实数。

3.10 数组

数组是一种数据结构，用来存储同一类型值的集合。通过一个整型下标可以访问数组中的每一个值。例如，如果 a 是一个整型数组，a[i] 就是数组中下标为 i 的整数。

在声明数组变量时，需要指出数组类型（数据元素类型紧跟 []）和数组变量的名字。下面声明了整型数组 a：

```
int[] a;
```

不过，这条语句只声明了变量 a，并没有将 a 初始化为一个真正的数组。应该使用 new 运算符创建数组。

```
int[] a = new int[100];
```

这条语句创建了一个可以存储 100 个整数的数组。数组长度不要求是常量：new int[n] 会创建一个长度为 n 的数组。

注释： 可以使用下面两种形式声明数组

```
int[] a;
```

或

```
int a[];
```

大多数 Java 应用程序员喜欢使用第一种风格，因为它将类型 int[]（整型数组）与变量名分开了。

这个数组的下标从 0 ~ 99（不是 1 ~ 100）。一旦创建了数组，就可以给数组元素赋值。例如，使用一个循环：

```
int[] a = new int[100];
for (int i = 0; i < 100; i++)
   a[i] = i; // fills the array with numbers 0 to 99
```

创建一个数字数组时，所有元素都初始化为 0。boolean 数组的元素会初始化为 false。对象数组的元素则初始化为一个特殊值 null，这表示这些元素（还）未存放任何对象。初学者对此可能有些不解。例如，

```
String[] names = new String[10];
```

会创建一个包含 10 个字符串的数组，所有字符串都为 null。如果希望这个数组包含空串，可以为元素指定空串：

```
for (int i = 0; i < 10; i++) names[i] = "";
```

警告： 如果创建了一个 100 个元素的数组，并且试图访问元素 a[100]（或任何在 0 ~ 99 之外的下标），程序就会引发 "array index out of bounds" 异常而终止执行。

要想获得数组中的元素个数，可以使用 array.length。例如，

```
for (int i = 0; i < a.length; i++)
   System.out.println(a[i]);
```

一旦创建了数组，就不能再改变它的大小（尽管可以改变每一个数组元素）。如果经常需要在运行过程中扩展数组的大小，就应该使用另一种数据结构——数组列表（array list）有关数组列表的详细内容请参看第 5 章。

3.10.1　for each 循环

Java 有一种功能很强的循环结构，可以用来依次处理数组中的每个元素（其他类型的元素集合亦可）而不必为指定下标值而分心。

这种增强的 for 循环的语句格式为：

```
for (variable : collection) statement
```

定义一个变量用于暂存集合中的每一个元素，并执行相应的语句（当然，也可以是语句块）。collection 这一集合表达式必须是一个数组或者是一个实现了 Iterable 接口的类对象（例如 ArrayList）。有关数组列表的内容将在第 5 章中讨论，有关 Iterable 接口的内容将在第 9 章中讨论。

例如，

```
for (int element : a)
  System.out.println(element);
```

打印数组 a 的每一个元素，一个元素占一行。

这个循环应该读作"循环 a 中的每一个元素"（for each element in a）。Java 语言的设计者认为应该使用诸如 foreach、in 这样的关键字，但这种循环语句并不是最初就包含在 Java 语言中的，而是后来添加进去的，并且没有人打算废除已经包含同名（例如 System.in）方法或变量的旧代码。

当然，使用传统的 for 循环也可以获得同样的效果：

```
for (int i = 0; i < a.length; i++)
  System.out.println(a[i]);
```

但是，for each 循环语句显得更加简洁、更不易出错（不必为下标的起始值和终止值而操心）。

注释： for each 循环语句的循环变量将会遍历数组中的每个元素，而不需要使用下标值。

如果需要处理一个集合中的所有元素，for each 循环语句对传统循环语句所进行的改进更是叫人称赞不已。然而，在很多场合下，还是需要使用传统的 for 循环。例如，如果不希望遍历集合中的每个元素，或者在循环内部需要使用下标值等。

提示： 有个更加简单的方式打印数组中的所有值，即利用 Arrays 类的 toString 方法。调用 Arrays.toString(a)，返回一个包含数组元素的字符串，这些元素被放置在括号内，并用逗号分隔，例如，"[2,3,5,7,11,13]"。要想打印数组，可以调用

```
System.out.println(Arrays.toString(a));
```

3.10.2 数组初始化以及匿名数组

在 Java 中，提供了一种创建数组对象并同时赋予初始值的简化书写形式。下面是一个例子：

```
int[] smallPrimes = { 2, 3, 5, 7, 11, 13 };
```

请注意，在使用这种语句时，不需要调用 new。

甚至还可以初始化一个匿名的数组：

```
new int[] { 17, 19, 23, 29, 31, 37 }
```

这种表示法将创建一个新数组并利用括号中提供的值进行初始化，数组的大小就是初始值的个数。使用这种语法形式可以在不创建新变量的情况下重新初始化一个数组。例如：

```
smallPrimes = new int[] { 17, 19, 23, 29, 31, 37 };
```

这是下列语句的简写形式：

```
int[] anonymous = { 17, 19, 23, 29, 31, 37 };
smallPrimes = anonymous;
```

注释：在 Java 中，允许数组长度为 0。在编写一个结果为数组的方法时，如果碰巧结果为空，则这种语法形式就显得非常有用。此时可以创建一个长度为 0 的数组：

```
new elementType[0]
```

注意，数组长度为 0 与 null 不同。

3.10.3 数组拷贝

在 Java 中，允许将一个数组变量拷贝给另一个数组变量。这时，两个变量将引用同一个数组：

```
int[] luckyNumbers = smallPrimes;
luckyNumbers[5] = 12; // now smallPrimes[5] is also 12
```

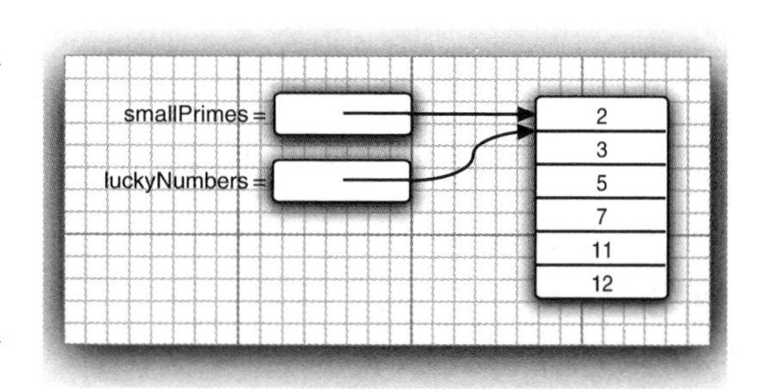

图 3-14 拷贝一个数组变量

图 3-14 显示了拷贝的结果。如果希望将一个数组的所有值拷贝到一个新的数组中去，就要使用 Arrays 类的 copyOf 方法：

```
int[] copiedLuckyNumbers = Arrays.copyOf(luckyNumbers, luckyNumbers.length);
```

第 2 个参数是新数组的长度。这个方法通常用来增加数组的大小：

```
luckyNumbers = Arrays.copyOf(luckyNumbers, 2 * luckyNumbers.length);
```

如果数组元素是数值型，那么多余的元素将被赋值为 0；如果数组元素是布尔型，则将赋值为 false。相反，如果长度小于原始数组的长度，则只拷贝最前面的数据元素。

C++ 注释：Java 数组与 C++ 数组在堆栈上有很大不同，但基本上与分配在堆（heap）上的数组指针一样。也就是说，

```
int[] a = new int[100]; // Java
```

不同于

```
int a[100]; // C++
```

而等同于

```
int* a = new int[100]; // C++
```

Java 中的 [ ] 运算符被预定义为检查数组边界，而且没有指针运算，即不能通过 a 加 1 得到数组的下一个元素。

3.10.4 命令行参数

前面已经看到多个使用 Java 数组的示例。每一个 Java 应用程序都有一个带 String arg[]

参数的 main 方法。这个参数表明 main 方法将接收一个字符串数组，也就是命令行参数。

例如，看一看下面这个程序：

```
public class Message
{
   public static void main(String[] args)
   {
      if (args.length == 0 || args[0].equals("-h"))
         System.out.print("Hello,");
      else if (args[0].equals("-g"))
         System.out.print("Goodbye,");
      // print the other command-line arguments
      for (int i = 1; i < args.length; i++)
         System.out.print(" " + args[i]);
      System.out.println("!");
   }
}
```

如果使用下面这种形式运行这个程序：

```
java Message -g cruel world
```

args 数组将包含下列内容：

```
args[0]: "-g"
args[1]: "cruel"
args[2]: "world"
```

这个程序将显示下列信息：

```
Goodbye, cruel world!
```

C++ 注释：在 Java 应用程序的 main 方法中，程序名并没有存储在 args 数组中。例如，当使用下列命令运行程序时

```
java Message -h world
```

args[0] 是“-h”，而不是“Message”或“java”。

3.10.5 数组排序

要想对数值型数组进行排序，可以使用 Arrays 类中的 sort 方法：

```
int[] a = new int[10000];
 . . .
Arrays.sort(a)
```

这个方法使用了优化的快速排序算法。快速排序算法对于大多数数据集合来说都是效率比较高的。Arrays 类还提供了几个使用很便捷的方法，在稍后的 API 注释中将介绍它们。

程序清单 3-7 中的程序用到了数组，它产生一个抽彩游戏中的随机数值组合。假如抽彩是从 49 个数值中抽取 6 个，那么程序可能的输出结果为：

```
Bet the following combination. It'll make you rich!
   4
   7
   8
```

```
19
30
44
```

要想选择这样一个随机的数值集合，就要首先将数值 1，2，…，n 存入数组 numbers 中：

```
int[] numbers = new int[n];
for (int i = 0; i < numbers.length; i++)
   numbers[i] = i + 1;
```

而用第二个数组存放抽取出来的数值：

```
int[] result = new int[k];
```

现在，就可以开始抽取 k 个数值了。Math.random 方法将返回一个 0 到 1 之间（包含 0、不包含 1）的随机浮点数。用 n 乘以这个浮点数，就可以得到从 0 到 n−1 之间的一个随机数。

```
int r = (int) (Math.random() * n);
```

下面将 result 的第 i 个元素设置为 numbers[r] 存放的数值，最初是 r+1。但正如所看到的，numbers 数组的内容在每一次抽取之后都会发生变化。

```
result[i] = numbers[r];
```

现在，必须确保不会再次抽取到那个数值，因为所有抽彩的数值必须不相同。因此，这里用数组中的最后一个数值改写 number[r]，并将 n 减 1。

```
numbers[r] = numbers[n - 1];
n--;
```

关键在于每次抽取的都是下标，而不是实际的值。下标指向包含尚未抽取过的数组元素。

在抽取了 k 个数值之后，就可以对 result 数组进行排序了，这样可以让输出效果更加清晰：

```
Arrays.sort(result);
for (int r : result)
   System.out.println(r);
```

程序清单 3-7　LotteryDrawing/LotteryDrawing.java

```
 1 import java.util.*;
 2 
 3 /**
 4  * This program demonstrates array manipulation.
 5  * @version 1.20 2004-02-10
 6  * @author Cay Horstmann
 7  */
 8 public class LotteryDrawing
 9 {
10    public static void main(String[] args)
11    {
12       Scanner in = new Scanner(System.in);
13 
14       System.out.print("How many numbers do you need to draw? ");
15       int k = in.nextInt();
16 
17       System.out.print("What is the highest number you can draw? ");
18       int n = in.nextInt();
```

```
19
20        // fill an array with numbers 1 2 3 . . . n
21        int[] numbers = new int[n];
22        for (int i = 0; i < numbers.length; i++)
23           numbers[i] = i + 1;
24
25        // draw k numbers and put them into a second array
26        int[] result = new int[k];
27        for (int i = 0; i < result.length; i++)
28        {
29           // make a random index between 0 and n - 1
30           int r = (int) (Math.random() * n);
31
32           // pick the element at the random location
33           result[i] = numbers[r];
34
35           // move the last element into the random location
36           numbers[r] = numbers[n - 1];
37           n--;
38        }
39
40        // print the sorted array
41        Arrays.sort(result);
42        System.out.println("Bet the following combination. It'll make you rich!");
43        for (int r : result)
44           System.out.println(r);
45     }
46  }
```

API java.util.Arrays 1.2

- `static String toString(type[] a)` 5.0

  返回包含 a 中数据元素的字符串，这些数据元素被放在括号内，并用逗号分隔。

  参数：a　　类型为 int、long、short、char、byte、boolean、float 或 double 的数组。

- `static type copyOf(type[] a, int length)` 6
- `static type copyOfRange(type[] a, int start, int end)` 6

  返回与 a 类型相同的一个数组，其长度为 length 或者 end-start，数组元素为 a 的值。

  参数：a　　类型为 int、long、short、char、byte、boolean、float 或 double 的数组。

  start　　起始下标（包含这个值）。

  end　　终止下标（不包含这个值）。这个值可能大于 a.length。在这种情况下，结果为 0 或 false。

  length　　拷贝的数据元素长度。如果 length 值大于 a.length，结果为 0 或 false；否则，数组中只有前面 length 个数据元素的拷贝值。

- `static void sort(type[] a)`

  采用优化的快速排序算法对数组进行排序。

  参数：a　　类型为 int、long、short、char、byte、boolean、float 或 double 的数组。

- `static int binarySearch(type[] a, type v)`

- `static int binarySearch(type[] a, int start, int end, type v)` 6

  采用二分搜索算法查找值 v。如果查找成功，则返回相应的下标值；否则，返回一个负数值 r。-r-1 是为保持 a 有序 v 应插入的位置。

  参数：a　　类型为 int、long、short、char、byte、boolean、float 或 double 的有序数组。

  　　　start　　起始下标（包含这个值）。

  　　　end　　终止下标（不包含这个值）。

  　　　v　　同 a 的数据元素类型相同的值。

- `static void fill(type[] a, type v)`

  将数组的所有数据元素值设置为 v。

  参数：a　　类型为 int、long、short、char、byte、boolean、float 或 double 的数组。

  　　　v　　与 a 数据元素类型相同的一个值。

- `static boolean equals(type[] a, type[] b)`

  如果两个数组大小相同，并且下标相同的元素都对应相等，返回 true。

  参数：a、b　　类型为 int、long、short、char、byte、boolean、float 或 double 的两个数组。

3.10.6 多维数组

多维数组将使用多个下标访问数组元素，它适用于表示表格或更加复杂的排列形式。这一节的内容可以先跳过，等到需要使用这种存储机制时再返回来学习。

假设需要建立一个数值表，用来显示在不同利率下投资 \$10,000 会增长多少，利息每年兑现，而且又被用于投资（见表 3-8）。

表 3-8 不同利率下的投资增长情况

10%	11%	12%	13%	14%	15%
10 000.00	10 000.00	10 000.00	10 000.00	10 000.00	10 000.00
11 000.00	11 100.00	11 200.00	11 300.00	11 400.00	11 500.00
12 100.00	12 321.00	12 544.00	12 769.00	12 996.00	13 225.00
13 310.00	13 676.31	14 049.28	14 428.97	14 815.44	15 208.75
14 641 00	15 180.70	15 735.19	16 304.74	16 889.60	17 490.06
16 105.10	16 850.58	17 623.42	18 424 .35	19 254.15	20 113.57
17 715.61	18 704.15	19 738.23	20 819.52	21 949.73	23 130.61
19 487.17	20 761.60	22 106.81	23 526.05	25 022.69	26 600.20
21 435.89	23 045.38	24 759.63	26 584.44	28 525.86	30 590.23
23 579.48	25 580.37	27 730.79	30 040.42	32 519.49	35 178.76

可以使用一个二维数组（也称为矩阵）存储这些信息。这个数组被命名为 balances。

在 Java 中，声明一个二维数组相当简单。例如：

```
double[][] balances;
```

与一维数组一样，在调用 new 对多维数组进行初始化之前不能使用它。在这里可以这样初始化：

```
balances = new double[NYEARS][NRATES];
```

另外，如果知道数组元素，就可以不调用 new，而直接使用简化的书写形式对多维数组进行初始化。例如：

```
int[][] magicSquare =
   {
      {16, 3, 2, 13},
      {5, 10, 11, 8},
      {9, 6, 7, 12},
      {4, 15, 14, 1}
   };
```

一旦数组被初始化，就可以利用两个方括号访问每个元素，例如，balances[i][j]。

在示例程序中用到了一个存储利率的一维数组 interest 与一个存储余额的二维数组 balances。一维用于表示年，另一维用于表示利率，最初使用初始余额来初始化这个数组的第一行：

```
for (int j = 0; j < balances[0].length; j++)
   balances[0][j] = 10000;
```

然后，按照下列方式计算其他行：

```
for (int i = 1; i < balances.length; i++)
{
   for (int j = 0; j < balances[i].length; j++)
   {
      double oldBalance = balances[i - 1][j];
      double interest = . . .;
      balances[i][j] = oldBalance + interest;
   }
}
```

程序清单 3-8 给出了完整的程序。

注释： for each 循环语句不能自动处理二维数组的每一个元素。它是按照行，也就是一维数组处理的。要想访问二维数组 a 的所有元素，需要使用两个嵌套的循环，如下所示：

```
for (double[] row : a)
   for (double value : row)
      do something with value
```

提示： 要想快速地打印一个二维数组的数据元素列表，可以调用：

```
System.out.println(Arrays.deepToString(a));
```

输出格式为：

```
[[16, 3, 2, 13], [5, 10, 11, 8], [9, 6, 7, 12], [4, 15, 14, 1]]
```

程序清单 3-8　CompoundInterest/CompoundInterest.java

```
1  /**
2   * This program shows how to store tabular data in a 2D array.
3   * @version 1.40 2004-02-10
4   * @author Cay Horstmann
5   */
6  public class CompoundInterest
7  {
8     public static void main(String[] args)
9     {
10       final double STARTRATE = 10;
11       final int NRATES = 6;
12       final int NYEARS = 10;
13
14       // set interest rates to 10 . . . 15%
15       double[] interestRate = new double[NRATES];
16       for (int j = 0; j < interestRate.length; j++)
17          interestRate[j] = (STARTRATE + j) / 100.0;
18
19       double[][] balances = new double[NYEARS][NRATES];
20
21       // set initial balances to 10000
22       for (int j = 0; j < balances[0].length; j++)
23          balances[0][j] = 10000;
24
25       // compute interest for future years
26       for (int i = 1; i < balances.length; i++)
27       {
28          for (int j = 0; j < balances[i].length; j++)
29          {
30             // get last year's balances from previous row
31             double oldBalance = balances[i - 1][j];
32
33             // compute interest
34             double interest = oldBalance * interestRate[j];
35
36             // compute this year's balances
37             balances[i][j] = oldBalance + interest;
38          }
39       }
40
41       // print one row of interest rates
42       for (int j = 0; j < interestRate.length; j++)
43          System.out.printf("%9.0f%%", 100 * interestRate[j]);
44
45       System.out.println();
46
47       // print balance table
48       for (double[] row : balances)
49       {
50          // print table row
51          for (double b : row)
52             System.out.printf("%10.2f", b);
53
54          System.out.println();
55       }
```

```
56     }
57 }
```

3.10.7 不规则数组

到目前为止，读者所看到的数组与其他程序设计语言中提供的数组没有多大区别。但实际存在着一些细微的差异，而这正是 Java 的优势所在：Java 实际上没有多维数组，只有一维数组。多维数组被解释为“数组的数组。”

例如，在前面的示例中，balances 数组实际上是一个包含 10 个元素的数组，而每个元素又是一个由 6 个浮点数组成的数组（请参看图 3-15）。

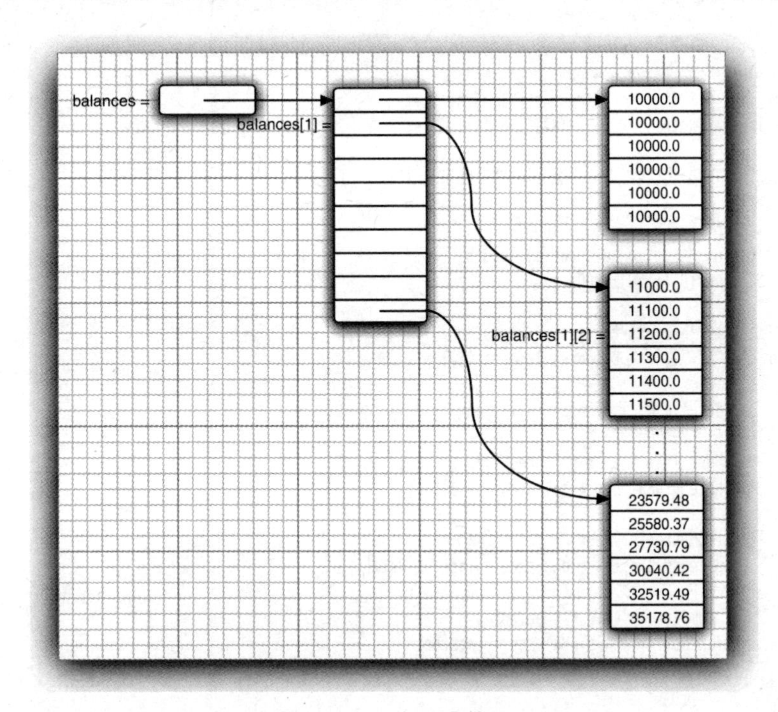

图 3-15　一个二维数组

表达式 balances[i] 引用第 i 个子数组，也就是二维表的第 i 行。它本身也是一个数组，balances[i][j] 引用这个数组的第 j 项。

由于可以单独地存取数组的某一行，所以可以让两行交换。

```
double[] temp = balances[i];
balances[i] = balances[i + 1];
balances[i + 1] = temp;
```

还可以方便地构造一个“不规则”数组，即数组的每一行有不同的长度。下面是一个典型的示例。在这个示例中，创建一个数组，第 i 行第 j 列将存放“从 i 个数值中抽取 j 个数值”产生的结果。

```
1
1  1
1  2  1
1  3  3  1
1  4  6  4  1
1  5 10 10  5 1
1  6 15 20 15 6 1
```

由于j不可能大于i，所以矩阵是三角形的。第i行有i + 1个元素（允许抽取0个元素，也是一种选择）。要想创建一个不规则的数组，首先需要分配一个具有所含行数的数组。

```
int[][] odds = new int[NMAX + 1][];
```

接下来，分配这些行。

```
for (int n = 0; n <= NMAX; n++)
   odds[n] = new int[n + 1];
```

在分配了数组之后，假定没有超出边界，就可以采用通常的方式访问其中的元素了。

```
for (int n = 0; n < odds.length; n++)
   for (int k = 0; k < odds[n].length; k++)
   {
      // compute lotteryOdds
      . . .
      odds[n][k] = lotteryOdds;
   }
```

程序清单3-9给出了完整的程序。

C++注释：在C++中，Java声明

```
double[][] balances = new double[10][6]; // Java
```

不同于

```
double balances[10][6]; // C++
```

也不同于

```
double (*balances)[6] = new double[10][6]; // C++
```

而是分配了一个包含10个指针的数组：

```
double** balances = new double*[10]; // C++
```

然后，指针数组的每一个元素被填充了一个包含6个数字的数组：

```
for (i = 0; i < 10; i++)
   balances[i] = new double[6];
```

庆幸的是，当创建new double[10][6]时，这个循环将自动地执行。当需要不规则的数组时，只能单独地创建行数组。

程序清单3-9　LotteryArray/LotteryArray.java

```
1 /**
2  * This program demonstrates a triangular array.
3  * @version 1.20 2004-02-10
```

```
 4   * @author Cay Horstmann
 5   */
 6 public class LotteryArray
 7 {
 8    public static void main(String[] args)
 9    {
10       final int NMAX = 10;
11 
12       // allocate triangular array
13       int[][] odds = new int[NMAX + 1][];
14       for (int n = 0; n <= NMAX; n++)
15          odds[n] = new int[n + 1];
16 
17       // fill triangular array
18       for (int n = 0; n < odds.length; n++)
19          for (int k = 0; k < odds[n].length; k++)
20          {
21             /*
22              * compute binomial coefficient n*(n-1)*(n-2)*...*(n-k+1)/(1*2*3*...*k)
23              */
24             int lotteryOdds = 1;
25             for (int i = 1; i <= k; i++)
26                lotteryOdds = lotteryOdds * (n - i + 1) / i;
27 
28             odds[n][k] = lotteryOdds;
29          }
30 
31       // print triangular array
32       for (int[] row : odds)
33       {
34          for (int odd : row)
35             System.out.printf("%4d", odd);
36          System.out.println();
37       }
38    }
39 }
```

现在，已经看到了 Java 语言的基本程序结构，下一章将介绍 Java 中的面向对象的程序设计。

第4章 对象与类

▲ 面向对象程序设计概述
▲ 使用预定义类
▲ 用户自定义类
▲ 静态域与静态方法
▲ 方法参数
▲ 对象构造
▲ 包
▲ 类路径
▲ 文档注释
▲ 类设计技巧

这一章将主要介绍如下内容：

- 面向对象程序设计
- 如何创建标准 Java 类库中的类对象
- 如何编写自己的类

如果你没有面向对象程序设计的应用背景，就一定要认真地阅读一下本章的内容。面向对象程序设计与面向过程程序设计在思维方式上存在着很大的差别。改变一种思维方式并不是一件很容易的事情，而且为了继续学习 Java 也要清楚对象的概念。

对于具有使用 C++ 经历的程序员来说，与上一章相同，对本章的内容不会感到太陌生，但这两种语言还是存在着很多不同之处，所以要认真地阅读本章的后半部分内容，你将发现“C++ 注释”对学习 Java 语言会很有帮助。

4.1 面向对象程序设计概述

面向对象程序设计（简称 OOP）是当今主流的程序设计范型，它已经取代了 20 世纪 70 年代的“结构化”过程化程序设计开发技术。Java 是完全面向对象的，必须熟悉 OOP 才能够编写 Java 程序。

面向对象的程序是由对象组成的，每个对象包含对用户公开的特定功能部分和隐藏的实现部分。程序中的很多对象来自标准库，还有一些是自定义的。究竟是自己构造对象，还是从外界购买对象完全取决于开发项目的预算和时间。但是，从根本上说，只要对象能够满足要求，就不必关心其功能的具体实现过程。在 OOP 中，不必关心对象的具体实现，只要能够满足用户的需求即可。

传统的结构化程序设计通过设计一系列的过程（即算法）来求解问题。一旦确定了这些过程，就要开始考虑存储数据的方式。这就是 Pascal 语言的设计者 Niklaus Wirth 将其著作命名为《算法 + 数据结构 = 程序》（*Algorithms + Data Structures = Programs*, Prentice Hall, 1975）的原因。需要注意的是，在 Wirth 命名的书名中，算法是第一位的，数据结构是第二位的，这就明确地表述了程序员的工作方式。首先要确定如何操作数据，然后再决定如何组织数据，以便于数据操作。而 OOP 却调换了这个次序，将数据放在第一位，然后再考虑操作数据的算法。

对于一些规模较小的问题，将其分解为过程的开发方式比较理想。而面向对象更加适用于解决规模较大的问题。要想实现一个简单的 Web 浏览器可能需要大约 2000 个过程，这些过程可能需要对一组全局数据进行操作。采用面向对象的设计风格，可能只需要大约 100 个类，每个类平均包含 20 个方法（如图 4-1 所示）。后者更易于程序员掌握，也容易找到 bug。假设给定对象的数据出错了，在访问过这个数据项的 20 个方法中查找错误要比在 2000 个过程中查找容易得多。

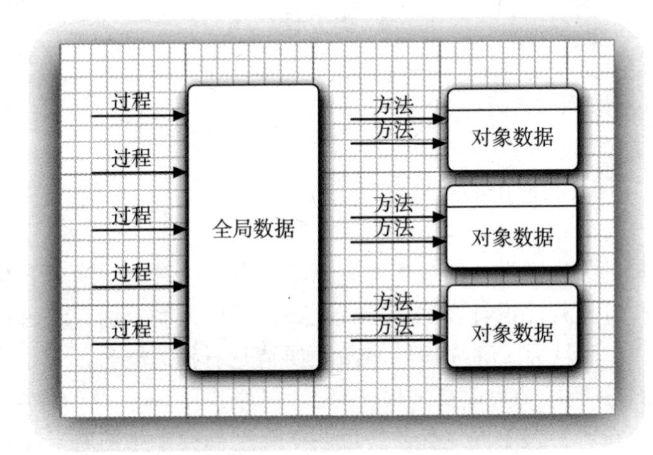

图 4-1 面向过程与面向对象的程序设计对比

4.1.1 类

类（class）是构造对象的模板或蓝图。我们可以将类想象成制作小甜饼的切割机，将对象想象为小甜饼。由类构造（construct）对象的过程称为创建类的实例（instance）。

正如前面所看到的，用 Java 编写的所有代码都位于某个类的内部。标准的 Java 库提供了几千个类，可以用于用户界面设计、日期、日历和网络程序设计。尽管如此，还是需要在 Java 程序中创建一些自己的类，以便描述应用程序所对应的问题域中的对象。

封装（encapsulation，有时称为数据隐藏）是与对象有关的一个重要概念。从形式上看，封装不过是将数据和行为组合在一个包中，并对对象的使用者隐藏了数据的实现方式。对象中的数据称为实例域（instance field），操纵数据的过程称为方法（method）。对于每个特定的类实例（对象）都有一组特定的实例域值。这些值的集合就是这个对象的当前状态（state）。无论何时，只要向对象发送一个消息，它的状态就有可能发生改变。

实现封装的关键在于绝对不能让类中的方法直接地访问其他类的实例域。程序仅通过对象的方法与对象数据进行交互。封装给对象赋予了“黑盒”特征，这是提高重用性和可靠性的关键。这意味着一个类可以全面地改变存储数据的方式，只要仍旧使用同样的方法操作数据，其他对象就不会知道或介意所发生的变化。

OOP 的另一个原则会让用户自定义 Java 类变得轻而易举，这就是：可以通过扩展一个类来建立另外一个新的类。事实上，在 Java 中，所有的类都源自于一个“神通广大的超类”，它就是 Object。在下一章中，读者将可以看到有关 Object 类的详细介绍。

在扩展一个已有的类时，这个扩展后的新类具有所扩展的类的全部属性和方法。在新类中，只需提供适用于这个新类的新方法和数据域就可以了。通过扩展一个类来建立另外一个类的过程称为*继承*（inheritance），有关继承的详细内容请参看下一章。

4.1.2 对象

要想使用 OOP，一定要清楚对象的三个主要特性：

- *对象的行为*（behavior）——可以对对象施加哪些操作，或可以对对象施加哪些方法？
- *对象的状态*（state）——当施加那些方法时，对象如何响应？
- *对象标识*（identity）——如何辨别具有相同行为与状态的不同对象？

同一个类的所有对象实例，由于支持相同的行为而具有家族式的相似性。对象的行为是用可调用的方法定义的。

此外，每个对象都保存着描述当前特征的信息。这就是对象的状态。对象的状态可能会随着时间而发生改变，但这种改变不会是自发的。对象状态的改变必须通过调用方法实现（如果不经过方法调用就可以改变对象状态，只能说明封装性遭到了破坏）。

但是，对象的状态并不能完全描述一个对象。每个对象都有一个唯一的*身份*（identity）。例如，在一个订单处理系统中，任何两个订单都存在着不同之处，即使所订购的货物完全相同也是如此。需要注意，作为一个类的实例，每个对象的标识永远是不同的，状态常常也存在着差异。

对象的这些关键特性在彼此之间相互影响着。例如，对象的状态影响它的行为（如果一个订单“已送货”或“已付款”，就应该拒绝调用具有增删订单中条目的方法。反过来，如果订单是“空的”，即还没有加入预订的物品，这个订单就不应该进入“已送货”状态）。

4.1.3 识别类

传统的过程化程序设计，必须从顶部的 main 函数开始编写程序。在面向对象程序设计时没有所谓的“顶部”。对于学习 OOP 的初学者来说常常会感觉无从下手。答案是：首先从设计类开始，然后再往每个类中添加方法。

识别类的简单规则是在分析问题的过程中寻找名词，而方法对应着动词。

例如，在订单处理系统中，有这样一些名词：

- 商品（Item）
- 订单（Order）
- 送货地址（Shipping address）
- 付款（Payment）
- 账户（Account）

这些名词很可能成为类 Item、Order 等。

接下来，查看动词：商品被添加到订单中，订单被发送或取消，订单货款被支付。对于每一个动词如："添加"、"发送"、"取消"以及"支付"，都要标识出主要负责完成相应动作的对象。例如，当一个新的商品添加到订单中时，那个订单对象就是被指定的对象，因为它知道如何存储商品以及如何对商品进行排序。也就是说，add 应该是 Order 类的一个方法，而 Item 对象是一个参数。

当然，所谓"找名词与动词"原则只是一种经验，在创建类的时候，哪些名词和动词是重要的完全取决于个人的开发经验。

4.1.4 类之间的关系

在类之间，最常见的关系有

- 依赖（"uses-a"）
- 聚合（"has-a"）
- 继承（"is-a"）

依赖（dependence），即"uses-a"关系，是一种最明显的、最常见的关系。例如，Order 类使用 Account 类是因为 Order 对象需要访问 Account 对象查看信用状态。但是 Item 类不依赖于 Account 类，这是因为 Item 对象与客户账户无关。因此，如果一个类的方法操纵另一个类的对象，我们就说一个类依赖于另一个类。

应该尽可能地将相互依赖的类减至最少。如果类 A 不知道 B 的存在，它就不会关心 B 的任何改变（这意味着 B 的改变不会导致 A 产生任何 bug）。用软件工程的术语来说，就是让类之间的耦合度最小。

聚合（aggregation），即"has-a"关系，是一种具体且易于理解的关系。例如，一个 Order 对象包含一些 Item 对象。聚合关系意味着类 A 的对象包含类 B 的对象。

注释： 有些方法学家不喜欢聚合这个概念，而更加喜欢使用"关联"这个术语。从建模的角度看，这是可以理解的。但对于程序员来说，"has-a"显得更加形象。喜欢使用聚合的另一个理由是关联的标准符号不易区分，请参看表 4-1。

表 4-1 表达类关系的 UML 符号

关　系	UML 连接符
继承	————▷
接口实现	- - - - ▷
依赖	- - - - >
聚合	◇————
关联	————
直接关联	————>

继承（inheritance），即"is-a"关系，是一种用于表示特殊与一般关系的。例如，Rush Order 类由 Order 类继承而来。在具有特殊性的 RushOrder 类中包含了一些用于优先处理的

特殊方法，以及一个计算运费的不同方法；而其他的方法，如添加商品、生成账单等都是从 Order 类继承来的。一般而言，如果类 A 扩展类 B，类 A 不但包含从类 B 继承的方法，还会拥有一些额外的功能（下一章将详细讨论继承，其中会用较多的篇幅讲述这个重要的概念）。

很多程序员采用 UML（Unified Modeling Language，统一建模语言）绘制类图，用来描述类之间的关系。图 4-2 就是这样一个例子。类用矩形表示，类之间的关系用带有各种修饰的箭头表示。表 4-1 给出了 UML 中最常见的箭头样式。

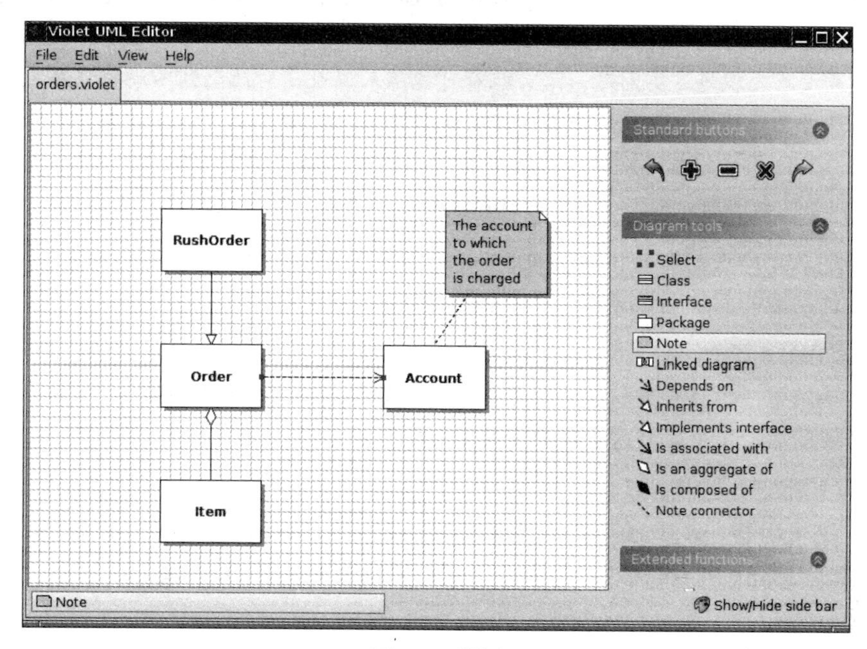

图 4-2　类图

4.2　使用预定义类

在 Java 中，没有类就无法做任何事情，我们前面曾经接触过几个类。然而，并不是所有的类都具有面向对象特征。例如，Math 类。在程序中，可以使用 Math 类的方法，如 Math.random，并只需要知道方法名和参数（如果有的话），而不必了解它的具体实现过程。这正是封装的关键所在，当然所有类都是这样。但遗憾的是，Math 类只封装了功能，它不需要也不必隐藏数据。由于没有数据，因此也不必担心生成对象以及初始化实例域。

下一节将会给出一个更典型的类——Date 类，从中可以看到如何构造对象，以及如何调用类的方法。

4.2.1　对象与对象变量

要想使用对象，就必须首先构造对象，并指定其初始状态。然后，对对象应用方法。

在 Java 程序设计语言中，使用构造器（constructor）构造新实例。构造器是一种特殊的方法，用来构造并初始化对象。下面看一个例子。在标准 Java 库中包含一个 Date 类。它的对象将描述一个时间点，例如："December 31, 1999, 23:59:59 GMT"。

注释：你可能会感到奇怪：为什么用类描述时间，而不像其他语言那样用一个内置的（built-in）类型？例如，在 Visual Basic 中有一个内置的 date 类型，程序员可以采用 #6/1/1995# 格式指定日期。从表面上看，这似乎很方便，因为程序员使用内置的 date 类型，而不必为设计类而操心。但实际上，Visual Basic 这样设计的适应性如何呢？在有些地区日期表示为月 / 日 / 年，而另一些地区表示为日 / 月 / 年。语言设计者是否能够预见这些问题呢？如果没有处理好这类问题，语言就有可能陷入混乱，对此感到不满的程序员也会丧失使用这种语言的热情。如果使用类，这些设计任务就交给了类库的设计者。如果类设计的不完善，其他的操作员可以很容易地编写自己的类，以便增强或替代（replace）系统提供的类（作为这个问题的印证：Java 的日期类库有些混乱，已经重新设计了两次）。

构造器的名字应该与类名相同。因此 Date 类的构造器名为 Date。要想构造一个 Date 对象，需要在构造器前面加上 new 操作符，如下所示：

```
new Date()
```

这个表达式构造了一个新对象。这个对象被初始化为当前的日期和时间。

如果需要的话，也可以将这个对象传递给一个方法：

```
System.out.println(new Date());
```

或者，也可以将一个方法应用于刚刚创建的对象。Date 类中有一个 toString 方法。这个方法将返回日期的字符串描述。下面的语句可以说明如何将 toString 方法应用于新构造的 Date 对象上。

```
String s = new Date().toString();
```

在这两个例子中，构造的对象仅使用了一次。通常，希望构造的对象可以多次使用，因此，需要将对象存放在一个变量中：

```
Date birthday = new Date();
```

图 4-3 显示了引用新构造的对象变量 birthday。

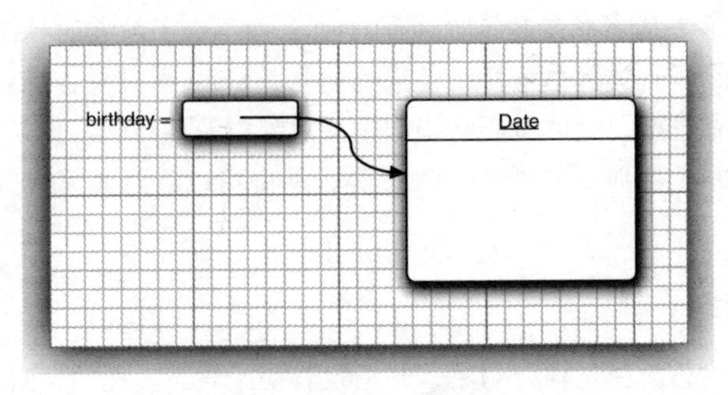

图 4-3　创建一个新对象

在对象与对象变量之间存在着一个重要的区别。例如，语句

```
Date deadline; // deadline doesn't refer to any object
```

定义了一个对象变量 deadline，它可以引用 Date 类型的对象。但是，一定要认识到：变量 deadline 不是一个对象，实际上也没有引用对象。此时，不能将任何 Date 方法应用于这个变量上。语句

```
s = deadline.toString(); // not yet
```

将产生编译错误。

必须首先初始化变量 deadline，这里有两个选择。当然，可以用新构造的对象初始化这个变量：

```
deadline = new Date();
```

也让这个变量引用一个已存在的对象：

```
deadline = birthday;
```

现在，这两个变量引用同一个对象（请参见图 4-4）。

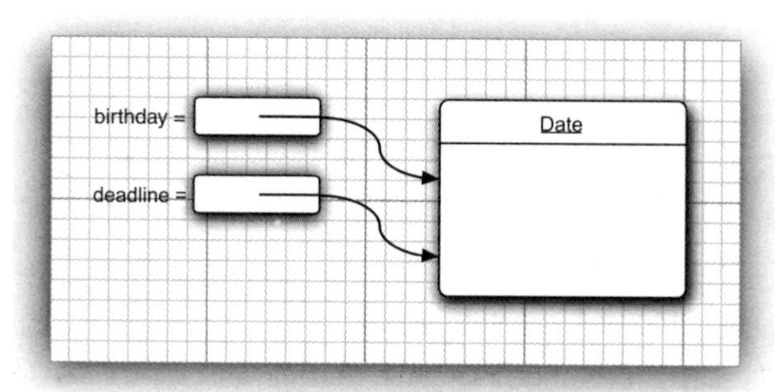

图 4-4　引用同一个对象的对象变量

一定要认识到：一个对象变量并没有实际包含一个对象，而仅仅引用一个对象。

在 Java 中，任何对象变量的值都是对存储在另外一个地方的一个对象的引用。new 操作符的返回值也是一个引用。下列语句：

```
Date deadline = new Date();
```

有两个部分。表达式 new Date() 构造了一个 Date 类型的对象，并且它的值是对新创建对象的引用。这个引用存储在变量 deadline 中。

可以显式地将对象变量设置为 null，表明这个对象变量目前没有引用任何对象。

```
deadline = null;
. . .
if (deadline != null)
   System.out.println(deadline);
```

如果将一个方法应用于一个值为 null 的对象上，那么就会产生运行时错误。

```
birthday = null;
String s = birthday.toString(); // runtime error!
```

局部变量不会自动地初始化为null，而必须通过调用new或将它们设置为null进行初始化。

C++注释： 很多人错误地认为Java对象变量与C++的引用类似。然而，在C++中没有空引用，并且引用不能被赋值。可以将Java的对象变量看作C++的对象指针。例如，

```
Date birthday; // Java
```

实际上，等同于

```
Date* birthday; // C++
```

一旦理解了这一点，一切问题就迎刃而解了。当然，一个Date*指针只能通过调用new进行初始化。就这一点而言，C++与Java的语法几乎是一样的。

```
Date* birthday = new Date(); // C++
```

如果把一个变量的值赋给另一个变量，两个变量就指向同一个日期，即它们是同一个对象的指针。在Java中的null引用对应C++中的NULL指针。

所有的Java对象都存储在堆中。当一个对象包含另一个对象变量时，这个变量依然包含着指向另一个堆对象的指针。

在C++中，指针十分令人头疼，并常常导致程序错误。稍不小心就会创建一个错误的指针，或者造成内存溢出。在Java语言中，这些问题都不复存在。如果使用一个没有初始化的指针，运行系统将会产生一个运行时错误，而不是生成一个随机的结果。同时，不必担心内存管理问题，垃圾收集器将会处理相关的事宜。

C++确实做了很大的努力，它通过拷贝型构造器和复制操作符来实现对象的自动拷贝。例如，一个链表（linked list）拷贝的结果将会得到一个新链表，其内容与原始链表相同，但却是一组独立的链接。这使得将同样的拷贝行为内置在类中成为可能。在Java中，必须使用clone方法获得对象的完整拷贝。

4.2.2 Java类库中的LocalDate类

在前面的例子中，已经使用了Java标准类库中的Date类。Date类的实例有一个状态，即特定的时间点。

尽管在使用Date类时不必知道这一点，但时间是用距离一个固定时间点的毫秒数（可正可负）表示的，这个点就是所谓的纪元（epoch），它是UTC时间1970年1月1日00:00:00。UTC是Coordinated Universal Time的缩写，与大家熟悉的GMT（即Greenwich Mean Time，格林威治时间）一样，是一种具有实践意义的科学标准时间。

但是，Date类所提供的日期处理并没有太大的用途。Java类库的设计者认为：像“December 31, 1999, 23:59:59”这样的日期表示法只是阳历的固有习惯。这种特定的描述法遵循了世界上大多数地区使用的Gregorian阳历表示法。但是，同一时间点采用中国的农历表示和采用希伯来的阴历表示就很不一样，对于火星历来说就更不可想象了。

注释： 有史以来，人类的文明与历法的设计紧紧地相连，日历给日期命名、给太阳和月

亮的周期排列次序。有关世界上各种日历的有趣解释，从法国革命的日历到玛雅人计算日期的方法等，请参看 Nachum Dershowitz 和 Edward M. Reingold 编写的《Calendrical Calculations》第 3 版（剑桥大学出版社，2007 年）。

类库设计者决定将保存时间与给时间点命名分开。所以标准 Java 类库分别包含了两个类：一个是用来表示时间点的 Date 类；另一个是用来表示大家熟悉的日历表示法的 LocalDate 类。Java SE 8 引入了另外一些类来处理日期和时间的不同方面——有关内容参见卷 II 第 6 章。

将时间与日历分开是一种很好的面向对象设计。通常，最好使用不同的类表示不同的概念。

不要使用构造器来构造 LocalDate 类的对象。实际上，应当使用静态工厂方法（*factory method*）代表你调用构造器。下面的表达式

```
LocalDate.now()
```

会构造一个新对象，表示构造这个对象时的日期。

可以提供年、月和日来构造对应一个特定日期的对象：

```
LocalDate.of(1999, 12, 31)
```

当然，通常都希望将构造的对象保存在一个对象变量中：

```
LocalDate newYearsEve = LocalDate.of(1999, 12, 31);
```

一旦有了一个 LocalDate 对象，可以用方法 getYear、getMonthValue 和 getDayOfMonth 得到年、月和日：

```
int year = newYearsEve.getYear(); // 1999
int month = newYearsEve.getMonthValue(); // 12
int day = newYearsEve.getDayOfMonth(); // 31
```

看起来这似乎没有多大的意义，因为这正是构造对象时使用的那些值。不过，有时可能某个日期是计算得到的，你希望调用这些方法来得到更多信息。例如，plusDays 方法会得到一个新的 LocalDate，如果把应用这个方法的对象称为当前对象，这个新日期对象则是距当前对象指定天数的一个新日期：

```
LocalDate aThousandDaysLater = newYearsEve.plusDays(1000);
year = aThousandDaysLater.getYear(); // 2002
month = aThousandDaysLater.getMonthValue(); // 09
day = aThousandDaysLater.getDayOfMonth(); // 26
```

LocalDate 类封装了实例域来维护所设置的日期。如果不查看源代码，就不可能知道类内部的日期表示。当然，封装的意义在于，这一点并不重要，重要的是类对外提供的方法。

注释： 实际上，Date 类还有 getDay、getMonth 以及 getYear 等方法，然而并不推荐使用这些方法。当类库设计者意识到某个方法不应该存在时，就把它标记为不鼓励使用。

类库设计者意识到应当单独提供类来处理日历，不过在此之前这些方法已经是 Date 类的一部分了。Java 1.1 中引入较早的一组日历类时，Date 方法被标为废弃不用。虽然仍然可以在程序中使用这些方法，不过如果这样做，编译时会出现警告。最好还是不要使用这些废弃不用的方法，因为将来的某个类库版本很有可能将它们完全删除。

4.2.3 更改器方法与访问器方法

再来看上一节中的 plusDays 方法调用：

```
LocalDate aThousandDaysLater = newYearsEve.plusDays(1000);
```

这个调用之后 newYearsEve 会有什么变化？它会改为 1000 天之后的日期吗？事实上，并没有。plusDays 方法会生成一个新的 LocalDate 对象，然后把这个新对象赋给 aThousandDaysLater 变量。原来的对象不做任何改动。我们说 plusDays 方法没有更改调用这个方法的对象。（这类似于第 3 章中见过的 String 类的 toUpperCase 方法。在一个字符串上调用 toUpperCase 时，这个字符串仍保持不变，会返回一个将字符大写的新字符串。）

Java 库的一个较早版本曾经有另一个类来处理日历，名为 GregorianCalendar。可以如下为这个类表示的一个日期增加 1000 天：

```
GregorianCalendar someDay = new GregorianCalendar(1999, 11, 31);
   // Odd feature of that class: month numbers go from 0 to 11
someDay.add(Calendar.DAY_OF_MONTH, 1000);
```

与 LocalDate.plusDays 方法不同，GregorianCalendar.add 方法是一个更改器方法（*mutator method*）。调用这个方法后，someDay 对象的状态会改变。可以如下查看新状态：

```
year = someDay.get(Calendar.YEAR); // 2002
month = someDay.get(Calendar.MONTH) + 1; // 09
day = someDay.get(Calendar.DAY_OF_MONTH); // 26
```

正是因为这个原因，我们将变量命名为 someDay 而不是 newYearsEve——调用这个更改器方法之后，它不再是新年前夜。

相反，只访问对象而不修改对象的方法有时称为访问器方法（*accessor method*）。例如，LocalDate.getYear 和 GregorianCalendar.get 就是访问器方法。

C++ 注释： 在 C++ 中，带有 const 后缀的方法是访问器方法；默认为更改器方法。但是，在 Java 语言中，访问器方法与更改器方法在语法上没有明显的区别。

下面用一个应用 LocalDate 类的程序来结束本节内容的论述。这个程序将显示当前月的日历，其格式为：

```
Mon Tue Wed Thu Fri Sat Sun
                          1
  2   3   4   5   6   7   8
  9  10  11  12  13  14  15
 16  17  18  19  20  21  22
 23  24  25  26* 27  28  29
 30
```

当前的日用一个 * 号标记。可以看到，这个程序需要解决如何计算某月份的天数以及一个给定日期相应是星期几。

下面看一下这个程序的关键步骤。首先，构造了一个日历对象，并用当前的日期和时间进行初始化。

```
LocalDate date = LocalDate.now();
```

下面获得当前的月和日。

```
int month = date.getMonthValue();
int today = date.getDayOfMonth();
```

然后，将 date 设置为这个月的第一天，并得到这一天为星期几。

```
date = date.minusDays(today - 1); // Set to start of month
DayOfWeek weekday = date.getDayOfWeek();
int value = weekday.getValue(); // 1 = Monday, ... 7 = Sunday
```

变量 weekday 设置为 DayOfWeek 类型的对象。我们调用这个对象的 getValue 方法来得到星期几的一个数值。这会得到一个整数，这里遵循国际惯例，即周末是一周的末尾，星期一就返回 1，星期二返回 2，依此类推。星期日则返回 7。

注意，日历的第一行是缩进的，使得月份的第一天指向相应的星期几。下面的代码会打印表头和第一行的缩进：

```
System.out.println("Mon Tue Wed Thu Fri Sat Sun");
for (int i = 1; i < value; i++)
   System.out.print("    ");
```

现在我们来打印日历的主体。进入一个循环，其中 date 遍历一个月中的每一天。

每次迭代时，打印日期值。如果 date 是当前日期，这个日期则用一个 * 标记。接下来，把 date 推进到下一天。如果到达新的一周的第一天，则换行打印：

```
while (date.getMonthValue() == month)
{
   System.out.printf("%3d", date.getDayOfMonth());
   if (date.getDayOfMonth() == today)
      System.out.print("*");
   else
      System.out.print(" ");
   date = date.plusDays(1);
   if (date.getDayOfWeek().getValue() == 1) System.out.println();
}
```

什么时候结束呢？我们不知道这个月有几天，是 31 天、30 天、29 天还是 28 天。实际上，只要 date 还在当月就要继续迭代。

程序清单 4-1 给出了完整的程序。

程序清单 4-1　CalendarTest/CalendarTest.java

```
1  import java.time.*;
2
3  /**
4   * @version 1.5 2015-05-08
5   * @author Cay Horstmann
6   */
7
8  public class CalendarTest
9  {
10    public static void main(String[] args)
```

```
11     {
12        LocalDate date = LocalDate.now();
13        int month = date.getMonthValue();
14        int today = date.getDayOfMonth();
15
16        date = date.minusDays(today - 1); // Set to start of month
17        DayOfWeek weekday = date.getDayOfWeek();
18        int value = weekday.getValue(); // 1 = Monday, ... 7 = Sunday
19
20        System.out.println("Mon Tue Wed Thu Fri Sat Sun");
21        for (int i = 1; i < value; i++)
22           System.out.print("    ");
23        while (date.getMonthValue() == month)
24        {
25           System.out.printf("%3d", date.getDayOfMonth());
26           if (date.getDayOfMonth() == today)
27              System.out.print("*");
28           else
29              System.out.print(" ");
30           date = date.plusDays(1);
31           if (date.getDayOfWeek().getValue() == 1) System.out.println();
32        }
33        if (date.getDayOfWeek().getValue() != 1) System.out.println();
34     }
35  }
```

可以看到，利用 LocalDate 类可以编写一个日历程序，能处理星期几以及各月天数不同等复杂问题。你并不需要知道 LocalDate 类如何计算月和星期几。只需要使用这个类的接口，如 plusDays 和 getDayOfWeek 等方法。

这个示例程序的重点是向你展示如何使用一个类的接口来完成相当复杂的任务，而无需了解实现细节。

API java.time.LocalDate 8

- `static LocalTime now()`

  构造一个表示当前日期的对象。
- `static LocalTime of(int year, int month, int day)`

  构造一个表示给定日期的对象。
- `int getYear()`
- `int getMonthValue()`
- `int getDayOfMonth()`

  得到当前日期的年、月和日。
- `DayOfWeek getDayOfWeek`

  得到当前日期是星期几，作为 DayOfWeek 类的一个实例返回。调用 getValue 来得到 1 ~ 7 之间的一个数，表示这是星期几，1 表示星期一，7 表示星期日。
- `LocalDate plusDays(int n)`

- `LocalDate minusDays(int n)`

  生成当前日期之后或之前 n 天的日期。

4.3 用户自定义类

在第 3 章中，已经开始编写了一些简单的类。但是，那些类都只包含一个简单的 main 方法。现在开始学习如何设计复杂应用程序所需要的各种主力类（workhorse class）。通常，这些类没有 main 方法，却有自己的实例域和实例方法。要想创建一个完整的程序，应该将若干类组合在一起，其中只有一个类有 main 方法。

4.3.1 Employee 类

在 Java 中，最简单的类定义形式为：

```
class ClassName
{
   field1
   field2
   . . .
   constructor1
   constructor2
   . . .
   method1
   method2
   . . .
}
```

下面看一个非常简单的 Employee 类。在编写薪金管理系统时可能会用到。

```
class Employee
{
   // instance fields
   private String name;
   private double salary;
   private LocalDate hireDay;

   // constructor
   public Employee(String n, double s, int year, int month, int day)
   {
      name = n;
      salary = s;
      hireDay = LocalDate.of(year, month, day);
   }

   // a method
   public String getName()
   {
      return name;
   }

   // more methods
   . . .
}
```

这里将这个类的实现细节分成以下几个部分，并分别在稍后的几节中给予介绍。下面先看看程序清单 4-2，这个程序显示了一个 Employee 类的实际使用。

程序清单 4-2 EmployeeTest/EmployeeTest.java

```
1 import java.time.*;
2 
3 /**
4  * This program tests the Employee class.
5  * @version 1.12 2015-05-08
6  * @author Cay Horstmann
7  */
8 public class EmployeeTest
9 {
10    public static void main(String[] args)
11    {
12       // fill the staff array with three Employee objects
13       Employee[] staff = new Employee[3];
14 
15       staff[0] = new Employee("Carl Cracker", 75000, 1987, 12, 15);
16       staff[1] = new Employee("Harry Hacker", 50000, 1989, 10, 1);
17       staff[2] = new Employee("Tony Tester", 40000, 1990, 3, 15);
18 
19       // raise everyone's salary by 5%
20       for (Employee e : staff)
21          e.raiseSalary(5);
22 
23       // print out information about all Employee objects
24       for (Employee e : staff)
25          System.out.println("name=" + e.getName() + ",salary=" + e.getSalary() + ",hireDay="
26                + e.getHireDay());
27    }
28 }
29 
30 class Employee
31 {
32    private String name;
33    private double salary;
34    private LocalDate hireDay;
35 
36    public Employee(String n, double s, int year, int month, int day)
37    {
38       name = n;
39       salary = s;
40       hireDay = LocalDate.of(year, month, day);
41    }
42 
43    public String getName()
44    {
45       return name;
46    }
47 
48    public double getSalary()
49    {
50       return salary;
51    }
52 
```

```
53    public LocalDate getHireDay()
54    {
55       return hireDay;
56    }
57
58    public void raiseSalary(double byPercent)
59    {
60       double raise = salary * byPercent / 100;
61       salary += raise;
62    }
63 }
```

在这个程序中，构造了一个 Employee 数组，并填入了三个雇员对象：

```
Employee[] staff = new Employee[3];

staff[0] = new Employee("Carl Cracker", . . .);
staff[1] = new Employee("Harry Hacker", . . .);
staff[2] = new Employee("Tony Tester", . . .);
```

接下来，利用 Employee 类的 raiseSalary 方法将每个雇员的薪水提高 5%：

```
for (Employee e : staff)
   e.raiseSalary(5);
```

最后，调用 getName 方法、getSalary 方法和 getHireDay 方法将每个雇员的信息打印出来：

```
for (Employee e : staff)
   System.out.println("name=" + e.getName()
      + ",salary=" + e.getSalary()
      + ",hireDay=" + e.getHireDay());
```

注意，在这个示例程序中包含两个类：Employee 类和带有 public 访问修饰符的 EmployeeTest 类。EmployeeTest 类包含了 main 方法，其中使用了前面介绍的指令。

源文件名是 EmployeeTest.java，这是因为文件名必须与 public 类的名字相匹配。在一个源文件中，只能有一个公有类，但可以有任意数目的非公有类。

接下来，当编译这段源代码的时候，编译器将在目录下创建两个类文件：EmployeeTest.class 和 Employee.class。

将程序中包含 main 方法的类名提供给字节码解释器，以便启动这个程序：

```
java EmployeeTest
```

字节码解释器开始运行 EmployeeTest 类的 main 方法中的代码。在这段代码中，先后构造了三个新 Employee 对象，并显示它们的状态。

4.3.2 多个源文件的使用

在程序清单 4-2 中，一个源文件包含了两个类。许多程序员习惯于将每一个类存在一个单独的源文件中。例如，将 Employee 类存放在文件 Employee.java 中，将 EmployeeTest 类存放在文件 EmployeeTest.java 中。

如果喜欢这样组织文件，将可以有两种编译源程序的方法。一种是使用通配符调用 Java

编译器：

```
javac Employee*.java
```

于是，所有与通配符匹配的源文件都将被编译成类文件。或者键入下列命令：

```
javac EmployeeTest.java
```

读者可能会感到惊讶，使用第二种方式，并没有显式地编译 Employee.java。然而，当 Java 编译器发现 EmployeeTest.java 使用了 Employee 类时会查找名为 Employee.class 的文件。如果没有找到这个文件，就会自动地搜索 Employee.java，然后，对它进行编译。更重要的是：如果 Employee.java 版本较已有的 Employee.class 文件版本新，Java 编译器就会自动地重新编译这个文件。

注释：如果熟悉 UNIX 的“make”工具（或者是 Windows 中的“nmake”等工具），可以认为 Java 编译器内置了“make”功能。

4.3.3 剖析 Employee 类

下面对 Employee 类进行剖析。首先从这个类的方法开始。通过查看源代码会发现，这个类包含一个构造器和 4 个方法：

```
public Employee(String n, double s, int year, int month, int day)
public String getName()
public double getSalary()
public LocalDate getHireDay()
public void raiseSalary(double byPercent)
```

这个类的所有方法都被标记为 public。关键字 public 意味着任何类的任何方法都可以调用这些方法（共有 4 种访问级别，将在本章稍后和下一章中介绍）。

接下来，需要注意在 Employee 类的实例中有三个实例域用来存放将要操作的数据：

```
private String name;
private double salary;
private LocalDate hireDay;
```

关键字 private 确保只有 Employee 类自身的方法能够访问这些实例域，而其他类的方法不能够读写这些域。

注释：可以用 public 标记实例域，但这是一种极为不提倡的做法。public 数据域允许程序中的任何方法对其进行读取和修改。这就完全破坏了封装。任何类的任何方法都可以修改 public 域，从我们的经验来看，某些代码将使用这种存取权限，而这并不我们所希望的，因此，这里强烈建议将实例域标记为 private。

最后，请注意，有两个实例域本身就是对象：name 域是 String 类对象，hireDay 域是 LocalDate 类对象。这种情形十分常见：类通常包括类型属于某个类类型的实例域。

4.3.4 从构造器开始

下面先看看 Employee 类的构造器：

```
public Employee(String n, double s, int year, int month, int day)
{
   name = n;
   salary = s;
   LocalDate hireDay = LocalDate.of(year, month, day);
}
```

可以看到，构造器与类同名。在构造 Employee 类的对象时，构造器会运行，以便将实例域初始化为所希望的状态。

例如，当使用下面这条代码创建 Employee 类实例时：

```
new Employee("James Bond", 100000, 1950, 1, 1)
```

将会把实例域设置为：

```
name = "James Bond";
salary = 100000;
hireDay = LocalDate.of(1950, 1, 1); // January 1, 1950
```

构造器与其他的方法有一个重要的不同。构造器总是伴随着 new 操作符的执行被调用，而不能对一个已经存在的对象调用构造器来达到重新设置实例域的目的。例如，

```
james.Employee("James Bond", 250000, 1950, 1, 1) // ERROR
```

将产生编译错误。

本章稍后还会更加详细地介绍有关构造器的内容。现在只需要记住：

- 构造器与类同名
- 每个类可以有一个以上的构造器
- 构造器可以有 0 个、1 个或多个参数
- 构造器没有返回值
- 构造器总是伴随着 new 操作一起调用

C++ 注释：Java 构造器的工作方式与 C++ 一样。但是，要记住所有的 Java 对象都是在堆中构造的，构造器总是伴随着 new 操作符一起使用。C++ 程序员最易犯的错误就是忘记 new 操作符：

```
Employee number007("James Bond", 100000, 1950, 1, 1);
   // C++, not Java
```

这条语句在 C++ 中能够正常运行，但在 Java 中却不行。

警告：请注意，不要在构造器中定义与实例域重名的局部变量。例如，下面的构造器将无法设置 salary。

```
public Employee(String n, double s, . . .)
{
   String name = n; // Error
   double salary = s; // Error
   . . .
}
```

这个构造器声明了局部变量 name 和 salary。这些变量只能在构造器内部访问。这些

变量屏蔽了同名的实例域。有些程序设计者（例如，本书的作者）常常不假思索地写出这类代码，因为他们已经习惯增加这类数据类型。这种错误很难被检查出来，因此，必须注意在所有的方法中不要命名与实例域同名的变量。

4.3.5 隐式参数与显式参数

方法用于操作对象以及存取它们的实例域。例如，方法：

```
public void raiseSalary(double byPercent)
{
   double raise = salary * byPercent / 100;
   salary += raise;
}
```

将调用这个方法的对象的 salary 实例域设置为新值。看看下面这个调用：

```
number007.raiseSalary(5);
```

它的结果将 number007.salary 域的值增加 5%。具体地说，这个调用将执行下列指令：

```
double raise = number007.salary * 5 / 100;
number007.salary += raise;
```

raiseSalary 方法有两个参数。第一个参数称为隐式（implicit）参数，是出现在方法名前的 Employee 类对象。第二个参数位于方法名后面括号中的数值，这是一个显式（explicit）参数。(有些人把隐式参数称为方法调用的目标或接收者。)

可以看到，显式参数是明显地列在方法声明中的，例如 double byPercent。隐式参数没有出现在方法声明中。

在每一个方法中，关键字 this 表示隐式参数。如果需要的话，可以用下列方式编写 raiseSalary 方法：

```
public void raiseSalary(double byPercent)
{
   double raise = this.salary * byPercent / 100;
   this.salary += raise;
}
```

有些程序员更偏爱这样的风格，因为这样可以将实例域与局部变量明显地区分开来。

C++ 注释：在 C++ 中，通常在类的外面定义方法：

```
void Employee::raiseSalary(double byPercent) // C++, not Java
{
   . . .
}
```

如果在类的内部定义方法，这个方法将自动地成为内联（inline）方法。

```
class Employee
{
   . . .
   int getName() { return name; } // inline in C++
}
```

在 Java 中，所有的方法都必须在类的内部定义，但并不表示它们是内联方法。是否将某个方法设置为内联方法是 Java 虚拟机的任务。即时编译器会监视调用那些简洁、经常被调用、没有被重载以及可优化的方法。

4.3.6　封装的优点

最后，再仔细地看一下非常简单的 getName 方法、getSalary 方法和 getHireDay 方法。

```
public String getName()
{
   return name;
}

public double getSalary()
{
   return salary;
}

public LocalDate getHireDay()
{
   return hireDay;
}
```

这些都是典型的访问器方法。由于它们只返回实例域值，因此又称为域访问器。

将 name、salary 和 hireDay 域标记为 public，以此来取代独立的访问器方法会不会更容易些呢？

关键在于 name 是一个只读域。一旦在构造器中设置完毕，就没有任何一个办法可以对它进行修改，这样来确保 name 域不会受到外界的破坏。

虽然 salary 不是只读域，但是它只能用 raiseSalary 方法修改。特别是一旦这个域值出现了错误，只要调试这个方法就可以了。如果 salary 域是 public 的，破坏这个域值的捣乱者有可能会出没在任何地方。

在有些时候，需要获得或设置实例域的值。因此，应该提供下面三项内容：

- 一个私有的数据域；
- 一个公有的域访问器方法；
- 一个公有的域更改器方法。

这样做要比提供一个简单的公有数据域复杂些，但是却有着下列明显的好处：

首先，可以改变内部实现，除了该类的方法之外，不会影响其他代码。例如，如果将存储名字的域改为：

```
String firstName;
String lastName;
```

那么 getName 方法可以改为返回

```
firstName + " " + lastName
```

对于这点改变，程序的其他部分完全不可见。

当然，为了进行新旧数据表示之间的转换，访问器方法和更改器方法有可能需要做许多工作。但是，这将为我们带来了第二点好处：更改器方法可以执行错误检查，然而直接对域进行赋值将不会进行这些处理。例如，setSalary方法可以检查薪金是否小于0。

警告：注意不要编写返回引用可变对象的访问器方法。在Employee类中就违反了这个设计原则，其中的getHireDay方法返回了一个Date类对象：

```
class Employee
{
   private Date hireDay;
   . . .
   public Date getHireDay()
   {
      return hireDay; // Bad
   }
   . . .
}
```

LocalDate类没有更改器方法，与之不同，Date类有一个更改器方法setTime，可以在这里设置毫秒数。

Date对象是可变的，这一点就破坏了封装性！请看下面这段代码：

```
Employee harry = . . .;
Date d = harry.getHireDay();
double tenYearsInMilliSeconds = 10 * 365.25 * 24 * 60 * 60 * 1000;
d.setTime(d.getTime() - (long) tenYearsInMilliSeconds);
// let's give Harry ten years of added seniority
```

出错的原因很微妙。d和harry.hireDay引用同一个对象（请参见图4-5）。对d调用更改器方法就可以自动地改变这个雇员对象的私有状态！

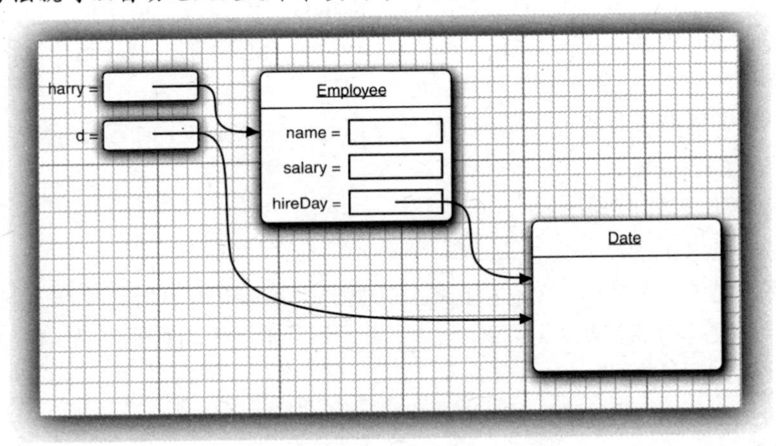

图4-5 返回可变数据域的引用

如果需要返回一个可变对象的引用，应该首先对它进行克隆（clone）。对象clone是指存放在另一个位置上的对象副本。有关对象clone的详细内容将在第6章中讨论。下面是修改后的代码：

```
class Employee
{
   . . .
   public Date getHireDay()
   {
      return (Date) hireDay.clone(); // Ok
   }
   . . .
}
```

凭经验可知，如果需要返回一个可变数据域的拷贝，就应该使用 clone。

4.3.7 基于类的访问权限

从前面已经知道，方法可以访问所调用对象的私有数据。一个方法可以访问所属类的所有对象的私有数据，这令很多人感到奇怪！例如，下面看一下用来比较两个雇员的 equals 方法。

```
class Employee
{
   . . .
   public boolean equals(Employee other)
   {
      return name.equals(other.name);
   }
}
```

典型的调用方式是

```
if (harry.equals(boss)) . . .
```

这个方法访问 harry 的私有域，这点并不会让人奇怪，然而，它还访问了 boss 的私有域。这是合法的，其原因是 boss 是 Employee 类对象，而 Employee 类的方法可以访问 Employee 类的任何一个对象的私有域。

C++ 注释： C++ 也有同样的原则。方法可以访问所属类的私有特性（feature），而不仅限于访问隐式参数的私有特性。

4.3.8 私有方法

在实现一个类时，由于公有数据非常危险，所以应该将所有的数据域都设置为私有的。然而，方法又应该如何设计呢？尽管绝大多数方法都被设计为公有的，但在某些特殊情况下，也可能将它们设计为私有的。有时，可能希望将一个计算代码划分成若干个独立的辅助方法。通常，这些辅助方法不应该成为公有接口的一部分，这是由于它们往往与当前的实现机制非常紧密，或者需要一个特别的协议以及一个特别的调用次序。最好将这样的方法设计为 private 的。

在 Java 中，为了实现一个私有的方法，只需将关键字 public 改为 private 即可。

对于私有方法，如果改用其他方法实现相应的操作，则不必保留原有的方法。如果数据的表达方式发生了变化，这个方法可能会变得难以实现，或者不再需要。然而，只要方法是私有的，类的设计者就可以确信：它不会被外部的其他类操作调用，可以将其删去。如果方法是公有的，就不能将其删去，因为其他的代码很可能依赖它。

4.3.9 final 实例域

可以将实例域定义为 final。构建对象时必须初始化这样的域。也就是说，必须确保在每一个构造器执行之后，这个域的值被设置，并且在后面的操作中，不能够再对它进行修改。例如，可以将 Employee 类中的 name 域声明为 final，因为在对象构建之后，这个值不会再被修改，即没有 setName 方法。

```
class Employee
{
   private final String name;
   . . .
}
```

final 修饰符大都应用于基本（primitive）类型域，或不可变（immutable）类的域（如果类中的每个方法都不会改变其对象，这种类就是不可变的类。例如，String 类就是一个不可变的类）。

对于可变的类，使用 final 修饰符可能会对读者造成混乱。例如，

```
private final StringBuilder evaluations;
```

在 Employee 构造器中会初始化为

```
evaluations = new StringBuilder();
```

final 关键字只是表示存储在 evaluations 变量中的对象引用不会再指示其他 StringBuilder 对象。不过这个对象可以更改：

```
public void giveGoldStar()
{
   evaluations.append(LocalDate.now() + ": Gold star!\n");
}
```

4.4 静态域与静态方法

在前面给出的示例程序中，main 方法都被标记为 static 修饰符。下面讨论一下这个修饰符的含义。

4.4.1 静态域

如果将域定义为 static，每个类中只有一个这样的域。而每一个对象对于所有的实例域却都有自己的一份拷贝。例如，假定需要给每一个雇员赋予唯一的标识码。这里给 Employee 类添加一个实例域 id 和一个静态域 nextId：

```
class Employee
{
   private static int nextId = 1;

   private int id;
   . . .
}
```

现在，每一个雇员对象都有一个自己的 id 域，但这个类的所有实例将共享一个 nextId 域。换句话说，如果有 1000 个 Employee 类的对象，则有 1000 个实例域 id。但是，只有一个静态域 nextId。即使没有一个雇员对象，静态域 nextId 也存在。它属于类，而不属于任何独立的对象。

注释： 在绝大多数的面向对象程序设计语言中，静态域被称为类域。术语 “static” 只是沿用了 C++ 的叫法，并无实际意义。

下面实现一个简单的方法：

```
public void setId()
{
   id = nextId;
   nextId++;
}
```

假定为 harry 设定雇员标识码：

```
harry.setId();
```

harry 的 id 域被设置为静态域 nextId 当前的值，并且静态域 nextId 的值加 1：

```
harry.id = Employee.nextId;
Employee.nextId++;
```

4.4.2　静态常量

静态变量使用得比较少，但静态常量却使用得比较多。例如，在 Math 类中定义了一个静态常量：

```
public class Math
{
   . . .
   public static final double PI = 3.14159265358979323846;
   . . .
}
```

在程序中，可以采用 Math.PI 的形式获得这个常量。

如果关键字 static 被省略，PI 就变成了 Math 类的一个实例域。需要通过 Math 类的对象访问 PI，并且每一个 Math 对象都有它自己的一份 PI 拷贝。

另一个多次使用的静态常量是 System.out。它在 System 类中声明：

```
public class System
{
   . . .
   public static final PrintStream out = . . .;
   . . .
}
```

前面曾经提到过，由于每个类对象都可以对公有域进行修改，所以，最好不要将域设计为 public。然而，公有常量（即 final 域）却没问题。因为 out 被声明为 final，所以，不允许再将其他打印流赋给它：

```
System.out = new PrintStream(. . .); // Error--out is final
```

注释：如果查看一下System类，就会发现有一个setOut方法，它可以将System.out设置为不同的流。读者可能会感到奇怪，为什么这个方法可以修改final变量的值。原因在于，setOut方法是一个本地方法，而不是用Java语言实现的。本地方法可以绕过Java语言的存取控制机制。这是一种特殊的方法，在自己编写程序时，不应该这样处理。

4.4.3 静态方法

静态方法是一种不能向对象实施操作的方法。例如，Math类的pow方法就是一个静态方法。表达式

```
Math.pow(x, a)
```

计算幂x^a。在运算时，不使用任何Math对象。换句话说，没有隐式的参数。

可以认为静态方法是没有this参数的方法（在一个非静态的方法中，this参数表示这个方法的隐式参数，参见4.3.5节）。

Employee类的静态方法不能访问Id实例域，因为它不能操作对象。但是，静态方法可以访问自身类中的静态域。下面是使用这种静态方法的一个示例：

```
public static int getNextId()
{
   return nextId; // returns static field
}
```

可以通过类名调用这个方法：

```
int n = Employee.getNextId();
```

这个方法可以省略关键字static吗？答案是肯定的。但是，需要通过Employee类对象的引用调用这个方法。

注释：可以使用对象调用静态方法。例如，如果harry是一个Employee对象，可以用harry.getNextId( )代替Employee.getNextId( )。不过，这种方式很容易造成混淆，其原因是getNextId方法计算的结果与harry毫无关系。我们建议使用类名，而不是对象来调用静态方法。

在下面两种情况下使用静态方法：

- 一个方法不需要访问对象状态，其所需参数都是通过显式参数提供（例如：Math.pow）。
- 一个方法只需要访问类的静态域（例如：Employee.getNextId）。

C++注释：Java中的静态域与静态方法在功能上与C++相同。但是，语法书写上却稍有所不同。在C++中，使用::操作符访问自身作用域之外的静态域和静态方法，如Math::PI。

术语“static”有一段不寻常的历史。起初，C引入关键字static是为了表示退出一个块后依然存在的局部变量。在这种情况下，术语“static”是有意义的：变量一直存在，

当再次进入该块时仍然存在。随后，static 在 C 中有了第二种含义，表示不能被其他文件访问的全局变量和函数。为了避免引入一个新的关键字，关键字 static 被重用了。最后，C++ 第三次重用了这个关键字，与前面赋予的含义完全不一样，这里将其解释为：属于类且不属于类对象的变量和函数。这个含义与 Java 相同。

4.4.4　工厂方法

静态方法还有另外一种常见的用途。类似 LocalDate 和 NumberFormat 的类使用静态工厂方法（*factory method*）来构造对象。你已经见过工厂方法 LocalDate.now 和 LocalDate.of。NumberFormat 类如下使用工厂方法生成不同风格的格式化对象：

```
NumberFormat currencyFormatter = NumberFormat.getCurrencyInstance();
NumberFormat percentFormatter = NumberFormat.getPercentInstance();
double x = 0.1;
System.out.println(currencyFormatter.format(x)); // prints $0.10
System.out.println(percentFormatter.format(x)); // prints 10%
```

为什么 NumberFormat 类不利用构造器完成这些操作呢？这主要有两个原因：

- 无法命名构造器。构造器的名字必须与类名相同。但是，这里希望将得到的货币实例和百分比实例采用不用的名字。
- 当使用构造器时，无法改变所构造的对象类型。而 Factory 方法将返回一个 DecimalFormat 类对象，这是 NumberFormat 的子类（有关继承的详细内容请参看第 5 章）。

4.4.5　main 方法

需要注意，不需要使用对象调用静态方法。例如，不需要构造 Math 类对象就可以调用 Math.pow。

同理，main 方法也是一个静态方法。

```
public class Application
{
   public static void main(String[] args)
   {
      // construct objects here
      . . .
   }
}
```

main 方法不对任何对象进行操作。事实上，在启动程序时还没有任何一个对象。静态的 main 方法将执行并创建程序所需要的对象。

提示：每一个类可以有一个 main 方法。这是一个常用于对类进行单元测试的技巧。例如，可以在 Employee 类中添加一个 main 方法：

```
class Employee
{
   public Employee(String n, double s, int year, int month, int day)
   {
```

```
      name = n;
      salary = s;
      LocalDate hireDay = LocalDate.now(year, month, day);
   }
   . . .
   public static void main(String[] args) // unit test
   {
      Employee e = new Employee("Romeo", 50000, 2003, 3, 31);
      e.raiseSalary(10);
      System.out.println(e.getName() + " " + e.getSalary());
   }
   . . .
}
```

如果想要独立地测试 Employee 类，只需要执行

```
java Employee
```

如果 Employee 类是一个更大型应用程序的一部分，就可以使用下面这条语句运行程序

```
java Application
```

Employee 类的 main 方法永远不会执行。

程序清单 4-3 中的程序包含了 Employee 类的一个简单版本，其中有一个静态域 nextId 和一个静态方法 getNextId。这里将三个 Employee 对象写入数组，然后打印雇员信息。最后，打印出下一个可用的员工标识码来展示静态方法。

程序清单 4-3 StaticTest/StaticTest.java

```
1  /**
2   * This program demonstrates static methods.
3   * @version 1.01 2004-02-19
4   * @author Cay Horstmann
5   */
6  public class StaticTest
7  {
8     public static void main(String[] args)
9     {
10       // fill the staff array with three Employee objects
11       Employee[] staff = new Employee[3];
12
13       staff[0] = new Employee("Tom", 40000);
14       staff[1] = new Employee("Dick", 60000);
15       staff[2] = new Employee("Harry", 65000);
16
17       // print out information about all Employee objects
18       for (Employee e : staff)
19       {
20          e.setId();
21          System.out.println("name=" + e.getName() + ",id=" + e.getId() + ",salary="
22                + e.getSalary());
23       }
24
25       int n = Employee.getNextId(); // calls static method
26       System.out.println("Next available id=" + n);
27    }
```

```
28 }
29
30 class Employee
31 {
32    private static int nextId = 1;
33
34    private String name;
35    private double salary;
36    private int id;
37
38    public Employee(String n, double s)
39    {
40       name = n;
41       salary = s;
42       id = 0;
43    }
44
45    public String getName()
46    {
47       return name;
48    }
49
50    public double getSalary()
51    {
52       return salary;
53    }
54
55    public int getId()
56    {
57       return id;
58    }
59
60    public void setId()
61    {
62       id = nextId; // set id to next available id
63       nextId++;
64    }
65
66    public static int getNextId()
67    {
68       return nextId; // returns static field
69    }
70
71    public static void main(String[] args) // unit test
72    {
73       Employee e = new Employee("Harry", 50000);
74       System.out.println(e.getName() + " " + e.getSalary());
75    }
76 }
```

需要注意，Employee 类也有一个静态的 main 方法用于单元测试。试试运行

```
java Employee
```

和

```
java StaticTest
```

执行两个 main 方法。

4.5 方法参数

首先回顾一下在程序设计语言中有关将参数传递给方法（或函数）的一些专业术语。按值调用（call by value）表示方法接收的是调用者提供的值。而按引用调用（call by reference）表示方法接收的是调用者提供的变量地址。一个方法可以修改传递引用所对应的变量值，而不能修改传递值调用所对应的变量值。"按……调用"(call by）是一个标准的计算机科学术语，它用来描述各种程序设计语言（不只是 Java）中方法参数的传递方式（事实上，以前还有按名调用（call by name)，Algol 程序设计语言是最古老的高级程序设计语言之一，它使用的就是这种参数传递方式。不过，对于今天，这种传递方式已经成为历史）。

Java 程序设计语言总是采用按值调用。也就是说，方法得到的是所有参数值的一个拷贝，特别是，方法不能修改传递给它的任何参数变量的内容。

例如，考虑下面的调用：

```
double percent = 10;
harry.raiseSalary(percent);
```

不必理睬这个方法的具体实现，在方法调用之后，percent 的值还是 10。

下面再仔细地研究一下这种情况。假定一个方法试图将一个参数值增加至 3 倍：

```
public static void tripleValue(double x) // doesn't work
{
   x = 3 * x;
}
```

然后调用这个方法：

```
double percent = 10;
tripleValue(percent);
```

不过，并没有做到这一点。调用这个方法之后，percent 的值还是 10。下面看一下具体的执行过程：

1）x 被初始化为 percent 值的一个拷贝（也就是 10）。

2）x 被乘以 3 后等于 30。但是 percent 仍然是 10（如图 4-6 所示）。

3）这个方法结束之后，参数变量 x 不再使用。

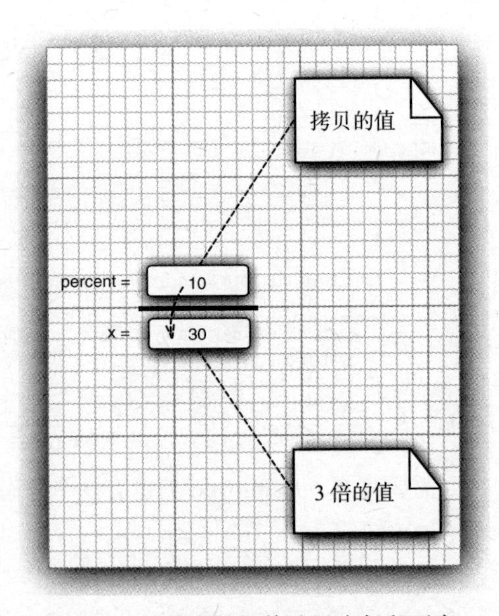

图 4-6　对值参数的修改没有保留下来

然而，方法参数共有两种类型：

- 基本数据类型（数字、布尔值）。
- 对象引用。

读者已经看到，一个方法不可能修改一个基

本数据类型的参数。而对象引用作为参数就不同了，可以很容易地利用下面这个方法实现将一个雇员的薪金提高两倍的操作：

```
public static void tripleSalary(Employee x) // works
{
   x.raiseSalary(200);
}
```

当调用

```
harry = new Employee(. . .);
tripleSalary(harry);
```

时，具体的执行过程为：

1）x 被初始化为 harry 值的拷贝，这里是一个对象的引用。

2）raiseSalary 方法应用于这个对象引用。x 和 harry 同时引用的那个 Employee 对象的薪金提高了 200%。

3）方法结束后，参数变量 x 不再使用。当然，对象变量 harry 继续引用那个薪金增至 3 倍的雇员对象（如图 4-7 所示）。

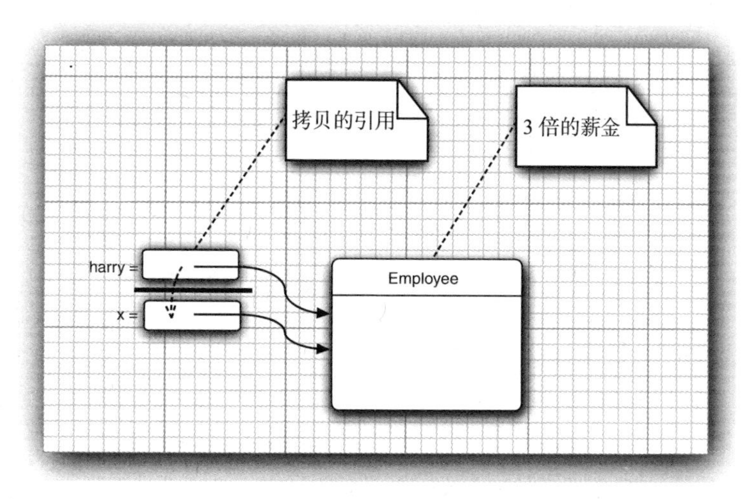

图 4-7　对对象参数的修改保留了下来

读者已经看到，实现一个改变对象参数状态的方法并不是一件难事。理由很简单，方法得到的是对象引用的拷贝，对象引用及其他的拷贝同时引用同一个对象。

很多程序设计语言（特别是，C++ 和 Pascal）提供了两种参数传递的方式：值调用和引用调用。有些程序员（甚至本书的作者）认为 Java 程序设计语言对对象采用的是引用调用，实际上，这种理解是不对的。由于这种误解具有一定的普遍性，所以下面给出一个反例来详细地阐述一下这个问题。

首先，编写一个交换两个雇员对象的方法：

```
public static void swap(Employee x, Employee y) // doesn't work
{
```

```
    Employee temp = x;
    x = y;
    y = temp;
  }
```

如果 Java 对对象采用的是按引用调用，那么这个方法就应该能够实现交换数据的效果：

```
Employee a = new Employee("Alice", . . .);
Employee b = new Employee("Bob", . . .);
swap(a, b);
// does a now refer to Bob, b to Alice?
```

但是，方法并没有改变存储在变量 a 和 b 中的对象引用。swap 方法的参数 x 和 y 被初始化为两个对象引用的拷贝，这个方法交换的是这两个拷贝。

```
// x refers to Alice, y to Bob
Employee temp = x;
x = y;
y = temp;
// now x refers to Bob, y to Alice
```

最终，白费力气。在方法结束时参数变量 x 和 y 被丢弃了。原来的变量 a 和 b 仍然引用这个方法调用之前所引用的对象（如图 4-8 所示）。

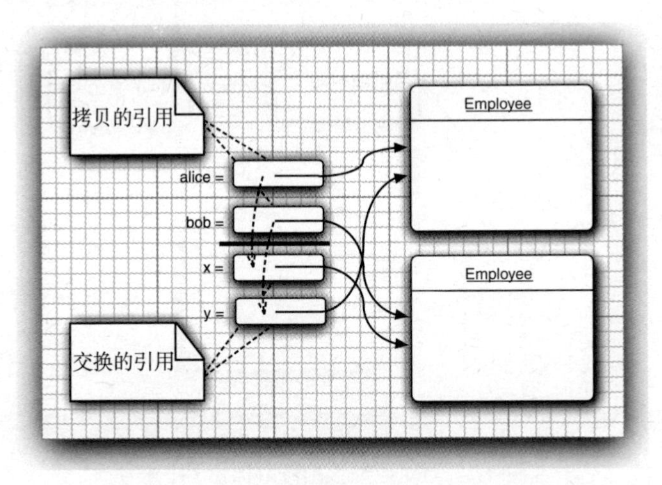

图 4-8　交换对象参数的结果没有保留下来

这个过程说明：Java 程序设计语言对对象采用的不是引用调用，实际上，对象引用是按值传递的。

下面总结一下 Java 中方法参数的使用情况：

- 一个方法不能修改一个基本数据类型的参数（即数值型或布尔型）。
- 一个方法可以改变一个对象参数的状态。
- 一个方法不能让对象参数引用一个新的对象。

程序清单 4-4 中的程序给出了相应的演示。在这个程序中，首先试图将一个值参数的值提高两倍，但没有成功：

```
Testing tripleValue:
Before: percent=10.0
End of method: x=30.0
After: percent=10.0
```

随后，成功地将一个雇员的薪金提高了两倍：

```
Testing tripleSalary:
Before: salary=50000.0
End of method: salary=150000.0
After: salary=150000.0
```

方法结束之后，harry 引用的对象状态发生了改变。这是因为这个方法可以通过对象引用的拷贝修改所引用的对象状态。

最后，程序演示了 swap 方法的失败效果：

```
Testing swap:
Before: a=Alice
Before: b=Bob
End of method: x=Bob
End of method: y=Alice
After: a=Alice
After: b=Bob
```

可以看出，参数变量 x 和 y 交换了，但是变量 a 和 b 没有受到影响。

C++ 注释： C++ 有值调用和引用调用。引用参数标有 & 符号。例如，可以轻松地实现 void tripleValue(double& x) 方法或 void swap(Employee& x, Employee& y) 方法实现修改它们的引用参数的目的。

程序清单 4-4 ParamTest/ParamTest.java

```
1 /**
2  * This program demonstrates parameter passing in Java.
3  * @version 1.00 2000-01-27
4  * @author Cay Horstmann
5  */
6 public class ParamTest
7 {
8    public static void main(String[] args)
9    {
10      /*
11       * Test 1: Methods can't modify numeric parameters
12       */
13      System.out.println("Testing tripleValue:");
14      double percent = 10;
15      System.out.println("Before: percent=" + percent);
16      tripleValue(percent);
17      System.out.println("After: percent=" + percent);
18
19      /*
20       * Test 2: Methods can change the state of object parameters
21       */
22      System.out.println("\nTesting tripleSalary:");
23      Employee harry = new Employee("Harry", 50000);
```

```
24         System.out.println("Before: salary=" + harry.getSalary());
25         tripleSalary(harry);
26         System.out.println("After: salary=" + harry.getSalary());
27 
28         /*
29          * Test 3: Methods can't attach new objects to object parameters
30          */
31         System.out.println("\nTesting swap:");
32         Employee a = new Employee("Alice", 70000);
33         Employee b = new Employee("Bob", 60000);
34         System.out.println("Before: a=" + a.getName());
35         System.out.println("Before: b=" + b.getName());
36         swap(a, b);
37         System.out.println("After: a=" + a.getName());
38         System.out.println("After: b=" + b.getName());
39      }
40 
41      public static void tripleValue(double x) // doesn't work
42      {
43         x = 3 * x;
44         System.out.println("End of method: x=" + x);
45      }
46 
47      public static void tripleSalary(Employee x) // works
48      {
49         x.raiseSalary(200);
50         System.out.println("End of method: salary=" + x.getSalary());
51      }
52 
53      public static void swap(Employee x, Employee y)
54      {
55         Employee temp = x;
56         x = y;
57         y = temp;
58         System.out.println("End of method: x=" + x.getName());
59         System.out.println("End of method: y=" + y.getName());
60      }
61   }
62 
63   class Employee // simplified Employee class
64   {
65      private String name;
66      private double salary;
67 
68      public Employee(String n, double s)
69      {
70         name = n;
71         salary = s;
72      }
73 
74      public String getName()
75      {
76         return name;
77      }
78 
79      public double getSalary()
80      {
```

```
81         return salary;
82      }
83
84      public void raiseSalary(double byPercent)
85      {
86         double raise = salary * byPercent / 100;
87         salary += raise;
88      }
89   }
```

4.6 对象构造

前面已经学习了编写简单的构造器，可以定义对象的初始状态。但是，由于对象构造非常重要，所以 Java 提供了多种编写构造器的机制。下面将详细地介绍这些机制。

4.6.1 重载

有些类有多个构造器。例如，可以如下构造一个空的 StringBuilder 对象：

```
StringBuilder messages = new StringBuilder();
```

或者，可以指定一个初始字符串：

```
StringBuilder todoList = new StringBuilder("To do:\n");
```

这种特征叫做重载（overloading）。如果多个方法（比如，StringBuilder 构造器方法）有相同的名字、不同的参数，便产生了重载。编译器必须挑选出具体执行哪个方法，它通过用各个方法给出的参数类型与特定方法调用所使用的值类型进行匹配来挑选出相应的方法。如果编译器找不到匹配的参数，就会产生编译时错误，因为根本不存在匹配，或者没有一个比其他的更好。(这个过程被称为重载解析（overloading resolution）。)

注释： Java 允许重载任何方法，而不只是构造器方法。因此，要完整地描述一个方法，需要指出方法名以及参数类型。这叫做方法的签名（signature）。例如，String 类有 4 个称为 indexOf 的公有方法。它们的签名是

```
indexOf(int)
indexOf(int, int)
indexOf(String)
indexOf(String, int)
```

返回类型不是方法签名的一部分。也就是说，不能有两个名字相同、参数类型也相同却返回不同类型值的方法。

4.6.2 默认域初始化

如果在构造器中没有显式地给域赋予初值，那么就会被自动地赋为默认值：数值为 0、布尔值为 false、对象引用为 null。然而，只有缺少程序设计经验的人才会这样做。确实，如果不明确地对域进行初始化，就会影响程序代码的可读性。

注释： 这是域与局部变量的主要不同点。必须明确地初始化方法中的局部变量。但是，如果没有初始化类中的域，将会被自动初始化为默认值（0、false或null）。

例如，仔细看一下Employee类。假定没有在构造器中对某些域进行初始化，就会默认地将salary域初始化为0，将name和hireDay域初始化为null。

但是，这并不是一种良好的编程习惯。如果此时调用getName方法或getHireDay方法，则会得到一个null引用，这应该不是我们所希望的结果：

```
LocalDate h = harry.getHireDay();
int year = h.getYear(); // throws exception if h is null
```

4.6.3 无参数的构造器

很多类都包含一个无参数的构造函数，对象由无参数构造函数创建时，其状态会设置为适当的默认值。例如，以下是Employee类的无参数构造函数：

```
public Employee()
{
   name = "";
   salary = 0;
   hireDay = LocalDate.now();
}
```

如果在编写一个类时没有编写构造器，那么系统就会提供一个无参数构造器。这个构造器将所有的实例域设置为默认值。于是，实例域中的数值型数据设置为0、布尔型数据设置为false、所有对象变量将设置为null。

如果类中提供了至少一个构造器，但是没有提供无参数的构造器，则在构造对象时如果没有提供参数就会被视为不合法。例如，在程序清单4-2中的Employee类提供了一个简单的构造器：

```
Employee(String name, double salary, int y, int m, int d)
```

对于这个类，构造默认的雇员属于不合法。也就是，调用

```
e = new Employee();
```

将会产生错误。

警告： 请记住，仅当类没有提供任何构造器的时候，系统才会提供一个默认的构造器。如果在编写类的时候，给出了一个构造器，哪怕是很简单的，要想让这个类的用户能够采用下列方式构造实例：

```
new ClassName()
```

就必须提供一个默认的构造器（即不带参数的构造器）。当然，如果希望所有域被赋予默认值，可以采用下列格式：

```
public ClassName()
{
}
```

4.6.4　显式域初始化

通过重载类的构造器方法，可以采用多种形式设置类的实例域的初始状态。确保不管怎样调用构造器，每个实例域都可以被设置为一个有意义的初值，这是一种很好的设计习惯。

可以在类定义中，直接将一个值赋给任何域。例如：

```
class Employee
{
   private String name = "";
   . . .
}
```

在执行构造器之前，先执行赋值操作。当一个类的所有构造器都希望把相同的值赋予某个特定的实例域时，这种方式特别有用。

初始值不一定是常量值。在下面的例子中，可以调用方法对域进行初始化。仔细看一下Employee类，其中每个雇员有一个id域。可以使用下列方式进行初始化：

```
class Employee
{
   private static int nextId;
   private int id = assignId();
   . . .
   private static int assignId()
   {
      int r = nextId;
      nextId++;
      return r;
   }
   . . .
}
```

C++注释：在C++中，不能直接初始化类的实例域。所有的域必须在构造器中设置。但是，有一个特殊的初始化器列表语法，如下所示：

```
Employee::Employee(String n, double s, int y, int m, int d) // C++
:  name(n),
   salary(s),
   hireDay(y, m, d)
{
}
```

C++使用这种特殊的语法来调用域构造器。在Java中没有这种必要，因为对象没有子对象，只有指向其他对象的指针。

4.6.5　参数名

在编写很小的构造器时（这是十分常见的），常常在参数命名上出现错误。

通常，参数用单个字符命名：

```
public Employee(String n, double s)
{
   name = n;
```

```
    salary = s;
}
```

但这样做有一个缺陷：只有阅读代码才能够了解参数 n 和参数 s 的含义。

有些程序员在每个参数前面加上一个前缀“a”：

```
public Employee(String aName, double aSalary)
{
   name = aName;
   salary = aSalary;
}
```

这样很清晰。每一个读者一眼就能够看懂参数的含义。

还一种常用的技巧，它基于这样的事实：参数变量用同样的名字将实例域屏蔽起来。例如，如果将参数命名为 salary，salary 将引用这个参数，而不是实例域。但是，可以采用 this.salary 的形式访问实例域。回想一下，this 指示隐式参数，也就是所构造的对象。下面是一个示例：

```
public Employee(String name, double salary)
{
   this.name = name;
   this.salary = salary;
}
```

C++ 注释： 在 C++ 中，经常用下划线或某个固定的字母（一般选用 m 或 x）作为实例域的前缀。例如，salary 域可能被命名为 _salary、mSalary 或 xSalary。Java 程序员通常不这样做。

4.6.6 调用另一个构造器

关键字 this 引用方法的隐式参数。然而，这个关键字还有另外一个含义。

如果构造器的第一个语句形如 this(...)，这个构造器将调用同一个类的另一个构造器。下面是一个典型的例子：

```
public Employee(double s)
{
   // calls Employee(String, double)
   this("Employee #" + nextId, s);
   nextId++;
}
```

当调用 new Employee(60000) 时，Employee(double) 构造器将调用 Employee(String, double) 构造器。

采用这种方式使用 this 关键字非常有用，这样对公共的构造器代码部分只编写一次即可。

C++ 注释： 在 Java 中，this 引用等价于 C++ 的 this 指针。但是，在 C++ 中，一个构造器不能调用另一个构造器。在 C++ 中，必须将抽取出的公共初始化代码编写成一个独立的方法。

4.6.7 初始化块

前面已经讲过两种初始化数据域的方法：

- 在构造器中设置值
- 在声明中赋值

实际上，Java 还有第三种机制，称为*初始化块*（initialization block）。在一个类的声明中，可以包含多个代码块。只要构造类的对象，这些块就会被执行。例如，

```
class Employee
{
   private static int nextId;

   private int id;
   private String name;
   private double salary;

   // object initialization block
   {
      id = nextId;
      nextId++;
   }

   public Employee(String n, double s)
   {
      name = n;
      salary = s;
   }

   public Employee()
   {
      name = "";
      salary = 0;
   }

   . . .
}
```

在这个示例中，无论使用哪个构造器构造对象，id 域都在对象初始化块中被初始化。首先运行初始化块，然后才运行构造器的主体部分。

这种机制不是必需的，也不常见。通常会直接将初始化代码放在构造器中。

注释： 即使在类的后面定义，仍然可以在初始化块中设置域。但是，为了避免循环定义，不要读取在后面初始化的域。具体的规则请参看 Java 语言规范的 8.3.2.3 节（http://docs.oracle.com/javase/specs）。这个规则的复杂度足以使编译器的实现者头疼，因此建议将初始化块放在域定义之后。

由于初始化数据域有多种途径，所以列出构造过程的所有路径可能相当混乱。下面是调用构造器的具体处理步骤：

1）所有数据域被初始化为默认值（0、false 或 null）。

2）按照在类声明中出现的次序，依次执行所有域初始化语句和初始化块。

3）如果构造器第一行调用了第二个构造器，则执行第二个构造器主体。

4）执行这个构造器的主体。

当然，应该精心地组织好初始化代码，这样有利于其他程序员的理解。例如，如果让类的构造器行为依赖于数据域声明的顺序，那就会显得很奇怪并且容易引起错误。

可以通过提供一个初始化值，或者使用一个静态的初始化块来对静态域进行初始化。前面已经介绍过第一种机制：

```
private static int nextId = 1;
```

如果对类的静态域进行初始化的代码比较复杂，那么可以使用静态的初始化块。

将代码放在一个块中，并标记关键字 static。下面是一个示例。其功能是将雇员 ID 的起始值赋予一个小于 10 000 的随机整数。

```
// static initialization block
static
{
   Random generator = new Random();
   nextId = generator.nextInt(10000);
}
```

在类第一次加载的时候，将会进行静态域的初始化。与实例域一样，除非将它们显式地设置成其他值，否则默认的初始值是 0、false 或 null。所有的静态初始化语句以及静态初始化块都将依照类定义的顺序执行。

注释： 让人惊讶的是，在 JDK 6 之前，都可以用 Java 编写一个没有 main 方法的“Hello, World”程序。

```
public class Hello
{
   static
   {
      System.out.println("Hello, World");
   }
}
```

当用 java Hello 调用这个类时，就会加载这个类，静态初始化块将会打印“Hello, World”。在此之后，会显示一个消息指出 main 未定义。从 Java SE 7 以后，java 程序首先会检查是否有一个 main 方法。

程序清单 4-5 中的程序展示了本节讨论的很多特性：

- 重载构造器
- 用 this(...) 调用另一个构造器
- 无参数构造器
- 对象初始化块
- 静态初始化块
- 实例域初始化

程序清单 4-5 ConstructorTest/ConstructorTest.java

```
1  import java.util.*;
2
3  /**
4   * This program demonstrates object construction.
5   * @version 1.01 2004-02-19
6   * @author Cay Horstmann
7   */
8  public class ConstructorTest
9  {
10    public static void main(String[] args)
11    {
12       // fill the staff array with three Employee objects
13       Employee[] staff = new Employee[3];
14
15       staff[0] = new Employee("Harry", 40000);
16       staff[1] = new Employee(60000);
17       staff[2] = new Employee();
18
19       // print out information about all Employee objects
20       for (Employee e : staff)
21          System.out.println("name=" + e.getName() + ",id=" + e.getId() + ",salary="
22                + e.getSalary());
23    }
24 }
25
26 class Employee
27 {
28    private static int nextId;
29
30    private int id;
31    private String name = ""; // instance field initialization
32    private double salary;
33
34    // static initialization block
35    static
36    {
37       Random generator = new Random();
38       // set nextId to a random number between 0 and 9999
39       nextId = generator.nextInt(10000);
40    }
41
42    // object initialization block
43    {
44       id = nextId;
45       nextId++;
46    }
47
48    // three overloaded constructors
49    public Employee(String n, double s)
50    {
51       name = n;
52       salary = s;
53    }
54
55    public Employee(double s)
```

```
56      {
57         // calls the Employee(String, double) constructor
58         this("Employee #" + nextId, s);
59      }
60
61      // the default constructor
62      public Employee()
63      {
64         // name initialized to ""--see above
65         // salary not explicitly set--initialized to 0
66         // id initialized in initialization block
67      }
68
69      public String getName()
70      {
71         return name;
72      }
73
74      public double getSalary()
75      {
76         return salary;
77      }
78
79      public int getId()
80      {
81         return id;
82      }
83   }
```

API java.util.Random 1.0

- `Random( )`

  构造一个新的随机数生成器。
- `int nextInt(int n) 1.2`

  返回一个 0 ~ n-1 之间的随机数。

4.6.8 对象析构与 finalize 方法

有些面向对象的程序设计语言，特别是 C++，有显式的析构器方法，其中放置一些当对象不再使用时需要执行的清理代码。在析构器中，最常见的操作是回收分配给对象的存储空间。由于 Java 有自动的垃圾回收器，不需要人工回收内存，所以 Java 不支持析构器。

当然，某些对象使用了内存之外的其他资源，例如，文件或使用了系统资源的另一个对象的句柄。在这种情况下，当资源不再需要时，将其回收和再利用将显得十分重要。

可以为任何一个类添加 finalize 方法。finalize 方法将在垃圾回收器清除对象之前调用。在实际应用中，不要依赖于使用 finalize 方法回收任何短缺的资源，这是因为很难知道这个方法什么时候才能够调用。

注释： *有个名为 System.runFinalizersOnExit(true) 的方法能够确保 finalizer 方法在 Java 关闭前被调用。不过，这个方法并不安全，也不鼓励大家使用。有一种代替的方法是使用*

方法 Runtime.addShutdownHook 添加“关闭钩”(shutdown hook),详细内容请参看 API 文档。

如果某个资源需要在使用完毕后立刻被关闭,那么就需要由人工来管理。对象用完时,可以应用一个 close 方法来完成相应的清理操作。7.2.5 节会介绍如何确保这个方法自动得到调用。

4.7 包

Java 允许使用包(package)将类组织起来。借助于包可以方便地组织自己的代码,并将自己的代码与别人提供的代码库分开管理。

标准的 Java 类库分布在多个包中,包括 java.lang、java.util 和 java.net 等。标准的 Java 包具有一个层次结构。如同硬盘的目录嵌套一样,也可以使用嵌套层次组织包。所有标准的 Java 包都处于 java 和 javax 包层次中。

使用包的主要原因是确保类名的唯一性。假如两个程序员不约而同地建立了 Employee 类。只要将这些类放置在不同的包中,就不会产生冲突。事实上,为了保证包名的绝对唯一性,Sun 公司建议将公司的因特网域名(这显然是独一无二的)以逆序的形式作为包名,并且对于不同的项目使用不同的子包。例如,horstmann.com 是本书作者之一注册的域名。逆序形式为 com.horstmann。这个包还可以被进一步地划分成子包,如 com.horstmann.corejava。

从编译器的角度来看,嵌套的包之间没有任何关系。例如,java.util 包与 java.util.jar 包毫无关系。每一个都拥有独立的类集合。

4.7.1 类的导入

一个类可以使用所属包中的所有类,以及其他包中的公有类(public class)。我们可以采用两种方式访问另一个包中的公有类。第一种方式是在每个类名之前添加完整的包名。例如:

```
java.time.LocalDate today = java.time.LocalDate.now();
```

这显然很繁琐。更简单且更常用的方式是使用 import 语句。import 语句是一种引用包含在包中的类的简明描述。一旦使用了 import 语句,在使用类时,就不必写出包的全名了。

可以使用 import 语句导入一个特定的类或者整个包。import 语句应该位于源文件的顶部(但位于 package 语句的后面)。例如,可以使用下面这条语句导入 java.util 包中所有的类。

```
import java.util.*;
```

然后,就可以使用

```
LocalDate today = LocalDate.now();
```

而无须在前面加上包前缀。还可以导入一个包中的特定类:

```
import java.time.LocalDate;
```

java.time.* 的语法比较简单，对代码的大小也没有任何负面影响。当然，如果能够明确地指出所导入的类，将会使代码的读者更加准确地知道加载了哪些类。

提示：在 Eclipse 中，可以使用菜单选项 Source → Organize Imports。Package 语句，如 import java.util.*; 将会自动地扩展指定的导入列表，如：

```
import java.util.ArrayList;
import java.util.Date;
```

这是一个十分便捷的特性。

但是，需要注意的是，只能使用星号（*）导入一个包，而不能使用 import java.* 或 import java.*.* 导入以 java 为前缀的所有包。

在大多数情况下，只导入所需的包，并不必过多地理睬它们。但在发生命名冲突的时候，就不能不注意包的名字了。例如，java.util 和 java.sql 包都有日期（Date）类。如果在程序中导入了这两个包：

```
import java.util.*;
import java.sql.*;
```

在程序使用 Date 类的时候，就会出现一个编译错误：

```
Date today; // Error--java.util.Date or java.sql.Date?
```

此时编译器无法确定程序使用的是哪一个 Date 类。可以采用增加一个特定的 import 语句来解决这个问题：

```
import java.util.*;
import java.sql.*;
import java.util.Date;
```

如果这两个 Date 类都需要使用，又该怎么办呢？答案是，在每个类名的前面加上完整的包名。

```
java.util.Date deadline = new java.util.Date();
java.sql.Date today = new java.sql.Date(...);
```

在包中定位类是编译器（compiler）的工作。类文件中的字节码肯定使用完整的包名来引用其他类。

C++ 注释：C++ 程序员经常将 import 与 #include 弄混。实际上，这两者之间并没有共同之处。在 C++ 中，必须使用 #include 将外部特性的声明加载进来，这是因为 C++ 编译器无法查看任何文件的内部，除了正在编译的文件以及在头文件中明确包含的文件。Java 编译器可以查看其他文件的内部，只要告诉它到哪里去查看就可以了。

在 Java 中，通过显式地给出包名，如 java.util.Date，就可以不使用 import；而在 C++ 中，无法避免使用 #include 指令。

Import 语句的唯一的好处是简捷。可以使用简短的名字而不是完整的包名来引用一个类。例如，在 import java.util.*（或 import java.util.Date）语句之后，可以仅仅用 Date 引用 java.util.Date 类。

在 C++ 中，与包机制类似的是命名空间（namespace）。在 Java 中，package 与 import 语句类似于 C++ 中的 namespace 和 using 指令。

4.7.2 静态导入

import 语句不仅可以导入类，还增加了导入静态方法和静态域的功能。

例如，如果在源文件的顶部，添加一条指令：

```
import static java.lang.System.*;
```

就可以使用 System 类的静态方法和静态域，而不必加类名前缀：

```
out.println("Goodbye, World!"); // i.e., System.out
exit(0); // i.e., System.exit
```

另外，还可以导入特定的方法或域：

```
import static java.lang.System.out;
```

实际上，是否有更多的程序员采用 System.out 或 System.exit 的简写形式，似乎是一件值得怀疑的事情。这种编写形式不利于代码的清晰度。不过，

```
sqrt(pow(x, 2) + pow(y, 2))
```

看起来比

```
Math.sqrt(Math.pow(x, 2) + Math.pow(y, 2))
```

清晰得多。

4.7.3 将类放入包中

要想将一个类放入包中，就必须将包的名字放在源文件的开头，包中定义类的代码之前。例如，程序清单 4-7 中的文件 Employee.java 开头是这样的：

```
package com.horstmann.corejava;

public class Employee
{
   . . .
}
```

如果没有在源文件中放置 package 语句，这个源文件中的类就被放置在一个默认包（defaulf package）中。默认包是一个没有名字的包。在此之前，我们定义的所有类都在默认包中。

将包中的文件放到与完整的包名匹配的子目录中。例如，com.horstmann.corejava 包中的所有源文件应该被放置在子目录 com/horstmann/corejava（Windows 中 com\horstmann\corejava）中。编译器将类文件也放在相同的目录结构中。

程序清单 4-6 和程序清单 4-7 中的程序分放在两个包中：PackageTest 类放置在默认包中；Employee 类放置在 com.horstmann.corejava 包中。因此，Employee.java 文件必须包含在子目录 com/horstmann/ corejava 中。换句话说，目录结构如下所示：

```
.（基目录）
├── PackageTest.java
├── PackageTest.class
└── com/
    └── horstmann/
        └── corejava/
            ├── Employee.java
            └── Employee.class
```

要想编译这个程序，只需改变基目录，并运行命令

```
javac PackageTest.java
```

编译器就会自动地查找文件 com/horstmann/corejava/Employee.java 并进行编译。

下面看一个更加实际的例子。在这里不使用默认包，而是将类分别放在不同的包中（com. horstmann.corejava 和 com.mycompany）。

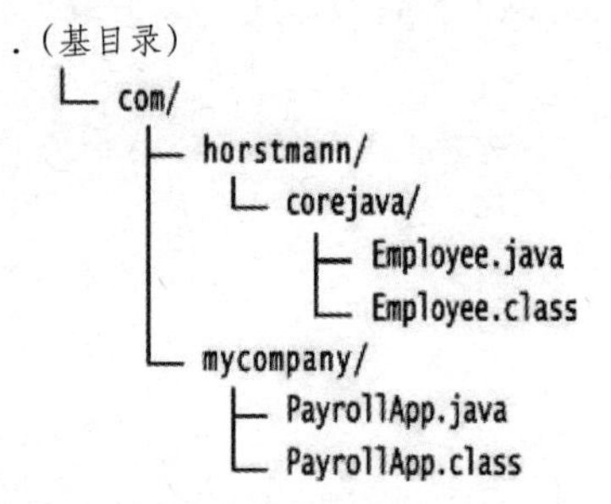

在这种情况下，仍然要从基目录编译和运行类，即包含 com 目录：

```
javac com/mycompany/PayrollApp.java
java com.mycompany.PayrollApp
```

需要注意，编译器对文件（带有文件分隔符和扩展名 .java 的文件）进行操作。而 Java 解释器加载类（带有 . 分隔符）。

提示：从下一章开始，我们将对源代码使用包。这样一来，就可以为各章建立一个 IDE 工程，而不是各小节分别建立工程。

警告：编译器在编译源文件的时候不检查目录结构。例如，假定有一个源文件开头有下列语句：

```
package com.mycompany;
```

即使这个源文件没有在子目录 com/mycompany 下，也可以进行编译。如果它不依赖于其他包，就不会出现编译错误。但是，最终的程序将无法运行，除非先将所有类文件移到正确的位置上。如果包与目录不匹配，虚拟机就找不到类。

程序清单 4-6 PackageTest/PackageTest.java

```
1  import com.horstmann.corejava.*;
2  // the Employee class is defined in that package
3
4  import static java.lang.System.*;
5
6  /**
7   * This program demonstrates the use of packages.
8   * @version 1.11 2004-02-19
9   * @author Cay Horstmann
10  */
11 public class PackageTest
12 {
13    public static void main(String[] args)
14    {
15       // because of the import statement, we don't have to use
16       // com.horstmann.corejava.Employee here
17       Employee harry = new Employee("Harry Hacker", 50000, 1989, 10, 1);
18
19       harry.raiseSalary(5);
20
21       // because of the static import statement, we don't have to use System.out here
22       out.println("name=" + harry.getName() + ",salary=" + harry.getSalary());
23    }
24 }
```

程序清单 4-7 PackageTest/com/horstmann/corejava/Employee.java

```
1  package com.horstmann.corejava;
2
3  // the classes in this file are part of this package
4
5  import java.time.*;
6
7  // import statements come after the package statement
8
9  /**
10  * @version 1.11 2015-05-08
11  * @author Cay Horstmann
12  */
13 public class Employee
14 {
15    private String name;
16    private double salary;
17    private LocalDate hireDay;
18
19    public Employee(String name, double salary, int year, int month, int day)
20    {
21       this.name = name;
22       this.salary = salary;
23       hireDay = LocalDate.of(year, month, day);
24    }
25
26    public String getName()
27    {
```

```
28          return name;
29       }
30
31       public double getSalary()
32       {
33          return salary;
34       }
35
36       public LocalDate getHireDay()
37       {
38          return hireDay;
39       }
40
41       public void raiseSalary(double byPercent)
42       {
43          double raise = salary * byPercent / 100;
44          salary += raise;
45       }
46    }
```

4.7.4 包作用域

前面已经接触过访问修饰符 public 和 private。标记为 public 的部分可以被任意的类使用；标记为 private 的部分只能被定义它们的类使用。如果没有指定 public 或 private，这个部分（类、方法或变量）可以被同一个包中的所有方法访问。

下面再仔细地看一下程序清单 4-2。在这个程序中，没有将 Employee 类定义为公有类，因此只有在同一个包（在此是默认包）中的其他类可以访问，例如 EmployeeTest。对于类来说，这种默认是合乎情理的。但是，对于变量来说就有些不适宜了，因此变量必须显式地标记为 private，不然的话将默认为包可见。显然，这样做会破坏封装性。问题主要出于人们经常忘记键入关键字 private。在 java.awt 包中的 Window 类就是一个典型的示例。java.awt 包是 JDK 提供的部分源代码：

```
public class Window extends Container
{
   String warningString;
   . . .
}
```

请注意，这里的 warningString 变量不是 private！这意味着 java.awt 包中的所有类的方法都可以访问该变量，并将它设置为任意值（例如，"Trust me!"）。实际上，只有 Window 类的方法访问它，因此应该将它设置为私有变量。我们猜测可能是程序员匆忙之中忘记键入 private 修饰符了（为防止程序员内疚，我们没有说出他的名字，感兴趣的话，可以查看一下源代码）。

注释： 奇怪的是，这个问题至今还没有得到纠正，即使我们在这本书的 9 个版本中已经指出了这一点。很明显，类库的实现者并没有读这本书。不仅如此，这个类还增加了一些新域，其中大约一半也不是私有的。

这真的会成为一个问题吗？答案是：视具体情况而定。在默认情况下，包不是一个封闭的实体。也就是说，任何人都可以向包中添加更多的类。当然，有敌意或低水平的程序员很可能利用包的可见性添加一些具有修改变量功能的代码。例如，在Java程序设计语言的早期版本中，只需要将下列这条语句放在类文件的开头，就可以很容易地将其他类混入java.awt包中：

```
package java.awt;
```

然后，把结果类文件放置在类路径某处的java/awt子目录下，就可以访问java.awt包的内部了。使用这一手段，可以对警告框进行设置（如图4-9所示）。

从1.2版开始，JDK的实现者修改了类加载器，明确地禁止加载用户自定义的、包名以“java.”开始的类！当然，用户自定义的类无法从这种保护中受益。然而，可以通过包密封（package sealing）机制来解决将各种包混杂在一起的问题。如果将一个包密封起来，就不能再向这个包添加类了。在第9章中，将介绍制作包含密封包的JAR文件的方法。

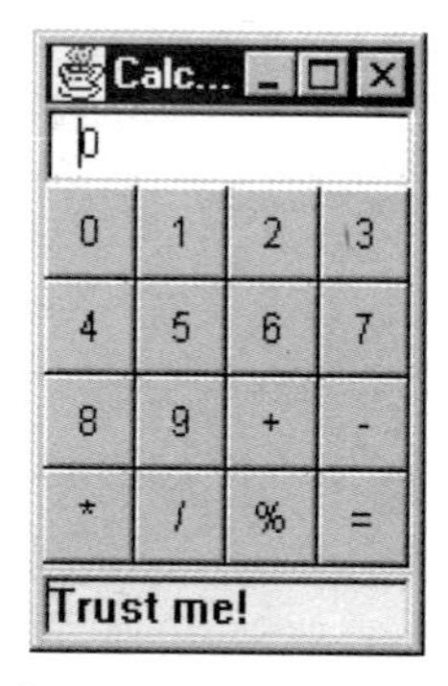

图4-9 在applet窗口中修改警告字符串

4.8 类路径

在前面已经看到，类存储在文件系统的子目录中。类的路径必须与包名匹配。

另外，类文件也可以存储在JAR(Java归档)文件中。在一个JAR文件中，可以包含多个压缩形式的类文件和子目录，这样既可以节省又可以改善性能。在程序中用到第三方（third-party）的库文件时，通常会给出一个或多个需要包含的JAR文件。JDK也提供了许多的JAR文件，例如，在jre/lib/rt.jar中包含数千个类库文件。有关创建JAR文件的详细内容将在第9章中讨论。

✔ **提示：** JAR文件使用ZIP格式组织文件和子目录。可以使用所有ZIP实用程序查看内部的rt.jar以及其他的JAR文件。

为了使类能够被多个程序共享，需要做到下面几点：

1）把类放到一个目录中，例如/home/user/classdir。需要注意，这个目录是包树状结构的基目录。如果希望将com.horstmann.corejava.Employee类添加到其中，这个Employee.class类文件就必须位于子目录/home/user/classdir/com/horstmann/corejava中。

2）将JAR文件放在一个目录中，例如：/home/user/archives。

3）设置类路径（class path）。类路径是所有包含类文件的路径的集合。

在UNIX环境中，类路径中的不同项目之间采用冒号（:）分隔：

```
/home/user/classdir:.:/home/user/archives/archive.jar
```

而在 Windows 环境中，则以分号（;）分隔：

```
c:\classdir;.;c:\archives\archive.jar
```

在上述两种情况中，句点（.）表示当前目录。

类路径包括：

- 基目录 /home/user/classdir 或 c:\classes；
- 当前目录 (.)；
- JAR 文件 /home/user/archives/archive.jar 或 c:\archives\archive.jar。

从 Java SE 6 开始，可以在 JAR 文件目录中指定通配符，如下：

```
/home/user/classdir:.:/home/user/archives/'*'
```

或者

```
c:\classdir;.;c:\archives\*
```

但在 UNIX 中，禁止使用 * 以防止 shell 命令进一步扩展。

在 archives 目录中的所有 JAR 文件（但不包括 .class 文件）都包含在类路径中。

由于运行时库文件（rt.jar 和在 jre/lib 与 jre/lib/ext 目录下的一些其他的 JAR 文件）会被自动地搜索，所以不必将它们显式地列在类路径中。

警告： javac 编译器总是在当前的目录中查找文件，但 Java 虚拟机仅在类路径中有“.”目录的时候才查看当前目录。如果没有设置类路径，那也并不会产生什么问题，默认的类路径包含“.”目录。然而如果设置了类路径却忘记了包含“.”目录，则程序仍然可以通过编译，但不能运行。

类路径所列出的目录和归档文件是搜寻类的起始点。下面看一个类路径示例：

```
/home/user/classdir:.:/home/user/archives/archive.jar
```

假定虚拟机要搜寻 com.horstmann.corejava.Employee 类文件。它首先要查看存储在 jre/lib 和 jre/lib/ext 目录下的归档文件中所存放的系统类文件。显然，在那里找不到相应的类文件，然后再查看类路径。然后查找以下文件：

- /home/user/classdir/com/horstmann/corejava/Employee.class
- com/horstmann/corejava/Employee.class 从当前目录开始
- com/horstmann/corejava/Employee.class inside /home/user/archives/archive.jar

编译器定位文件要比虚拟机复杂得多。如果引用了一个类，而没有指出这个类所在的包，那么编译器将首先查找包含这个类的包，并询查所有的 import 指令，确定其中是否包含了被引用的类。例如，假定源文件包含指令：

```
import java.util.*;
import com.horstmann.corejava.*;
```

并且源代码引用了 Employee 类。编译器将试图查找 java.lang.Employee（因为 java.lang 包被默认导入）、java.util.Employee、com.horstmann.corejava.Employee 和当前包中的 Employee。

对这个类路径的所有位置中所列出的每一个类进行逐一查看。如果找到了一个以上的类，就会产生编译错误（因为类必须是唯一的，而 import 语句的次序却无关紧要）。

编译器的任务不止这些，它还要查看源文件（Source files）是否比类文件新。如果是这样的话，那么源文件就会被自动地重新编译。在前面已经知道，仅可以导入其他包中的公有类。一个源文件只能包含一个公有类，并且文件名必须与公有类匹配。因此，编译器很容易定位公有类所在的源文件。当然，也可以从当前包中导入非公有类。这些类有可能定义在与类名不同的源文件中。如果从当前包中导入一个类，编译器就要搜索当前包中的所有源文件，以便确定哪个源文件定义了这个类。

4.8.1 设置类路径

最好采用 -classpath（或 -cp）选项指定类路径：

```
java -classpath /home/user/classdir:.:/home/user/archives/archive.jar MyProg
```

或者

```
java -classpath c:\classdir;.;c:\archives\archive.jar MyProg
```

整个指令应该书写在一行中。将这样一个长的命令行放在一个 shell 脚本或一个批处理文件中是一个不错的主意。

利用 -classpath 选项设置类路径是首选的方法，也可以通过设置 CLASSPATH 环境变量完成这个操作。其详细情况依赖于所使用的 shell。在 Bourne Again shell（bash）中，命令格式如下：

```
export CLASSPATH=/home/user/classdir:.:/home/user/archives/archive.jar
```

在 Windows shell，命令格式如下：

```
set CLASSPATH=c:\classdir;.;c:\archives\archive.jar
```

直到退出 shell 为止，类路径设置均有效。

警告：有人建议将 CLASSPATH 环境变量设置为永久不变的值。总的来说这是一个很糟糕的主意。人们有可能会忘记全局设置，因此，当使用的类没有正确地加载进来时，会感到很奇怪。一个应该受到谴责的示例是 Windows 中 Apple 的 QuickTime 安装程序。它进行了全局设置，CLASSPATH 指向一个所需要的 JAR 文件，但并没有在类路径上包含当前路径。因此，当程序编译后却不能运行时，众多的 Java 程序员花费了很多精力去解决这个问题。

警告：有人建议绕开类路径，将所有的文件放在 jre/lib/ext 路径。这是一个极坏的主意，其原因主要有两个：当手工地加载其他的类文件时，如果将它们存放在扩展路径上，则不能正常地工作（有关类加载器的详细信息，请参看卷Ⅱ第 9 章）。此外，程序员经常会忘记 3 个月前所存放文件的位置。当类加载器忽略了曾经仔细设计的类路径时，程序员会毫无头绪地在头文件中查找。事实上，加载的是扩展路径上已长时间遗忘的类。

4.9 文档注释

JDK 包含一个很有用的工具，叫做 javadoc，它可以由源文件生成一个 HTML 文档。事实上，在第 3 章讲述的联机 API 文档就是通过对标准 Java 类库的源代码运行 javadoc 生成的。

如果在源代码中添加以专用的定界符 /** 开始的注释，那么可以很容易地生成一个看上去具有专业水准的文档。这是一种很好的方式，因为这种方式可以将代码与注释保存在一个地方。如果将文档存入一个独立的文件中，就有可能会随着时间的推移，出现代码和注释不一致的问题。然而，由于文档注释与源代码在同一个文件中，在修改源代码的同时，重新运行 javadoc 就可以轻而易举地保持两者的一致性。

4.9.1 注释的插入

javadoc 实用程序（utility）从下面几个特性中抽取信息：

- 包
- 公有类与接口
- 公有的和受保护的构造器及方法
- 公有的和受保护的域

在第 5 章中将介绍受保护特性，在第 6 章将介绍接口。

应该为上面几部分编写注释。注释应该放置在所描述特性的前面。注释以 /** 开始，并以 */ 结束。

每个 /** . . . */ 文档注释在标记之后紧跟着自由格式文本（free-form text）。标记由 @ 开始，如 @author 或 @param。

自由格式文本的第一句应该是一个概要性的句子。javadoc 实用程序自动地将这些句子抽取出来形成概要页。

在自由格式文本中，可以使用 HTML 修饰符，例如，用于强调的 <em>...</em>、用于着重强调的 <strong>...</strong> 以及包含图像的 <img ...> 等。不过，一定不要使用 <h1> 或 <hr>，因为它们会与文档的格式产生冲突。若要键入等宽代码，需使用 {@code ... } 而不是 <code>...</code>——这样一来，就不用操心对代码中的 < 字符转义了。

注释： 如果文档中有到其他文件的链接，例如，图像文件（用户界面的组件的图表或图像等），就应该将这些文件放到子目录 doc-files 中。javadoc 实用程序将从源目录拷贝这些目录及其中的文件到文档目录中。在链接中需要使用 doc-files 目录，例如：<img src=“doc-files/uml.png” alt=“UML diagram” >。

4.9.2 类注释

类注释必须放在 import 语句之后，类定义之前。

下面是一个类注释的例子：

```
/**
 * A {@code Card} object represents a playing card, such
 * as "Queen of Hearts". A card has a suit (Diamond, Heart,
 * Spade or Club) and a value (1 = Ace, 2 . . . 10, 11 = Jack,
 * 12 = Queen, 13 = King)
 */
public class Card
{
   . . .
}
```

注释：没有必要在每一行的开始用星号 *，例如，以下注释同样是合法的：

```
/**
   A <code>Card</code> object represents a playing card, such
   as "Queen of Hearts". A card has a suit (Diamond, Heart,
   Spade or Club) and a value (1 = Ace, 2 . . . 10, 11 = Jack,
   12 = Queen, 13 = King).
*/
```

然而，大部分 IDE 提供了自动添加星号 *，并且当注释行改变时，自动重新排列这些星号的功能。

4.9.3 方法注释

每一个方法注释必须放在所描述的方法之前。除了通用标记之外，还可以使用下面的标记：

- `@param` 变量描述

  这个标记将对当前方法的 “param”（参数）部分添加一个条目。这个描述可以占据多行，并可以使用 HTML 标记。一个方法的所有 @param 标记必须放在一起。

- `@return` 描述

  这个标记将对当前方法添加 “return”（返回）部分。这个描述可以跨越多行，并可以使用 HTML 标记。

- `@throws` 类描述

  这个标记将添加一个注释，用于表示这个方法有可能抛出异常。有关异常的详细内容将在第 10 章中讨论。

下面是一个方法注释的示例：

```
/**
 * Raises the salary of an employee.
 * @param byPercent the percentage by which to raise the salary (e.g. 10 means 10%)
 * @return the amount of the raise
 */
public double raiseSalary(double byPercent)
{
   double raise = salary * byPercent / 100;
   salary += raise;
   return raise;
}
```

4.9.4 域注释

只需要对公有域（通常指的是静态常量）建立文档。例如，

```
/**
 * The "Hearts" card suit
 */
public static final int HEARTS = 1;
```

4.9.5 通用注释

下面的标记可以用在类文档的注释中。

- `@author` 姓名

  这个标记将产生一个"author"（作者）条目。可以使用多个 @author 标记，每个 @author 标记对应一个作者。

- `@version` 文本

  这个标记将产生一个"version"（版本）条目。这里的文本可以是对当前版本的任何描述。

  下面的标记可以用于所有的文档注释中。

- `@since` 文本

  这个标记将产生一个"since"（始于）条目。这里的 text 可以是对引入特性的版本描述。例如，@since version 1.7.1。

- `@deprecated` 文本

  这个标记将对类、方法或变量添加一个不再使用的注释。文本中给出了取代的建议。例如，

  `@deprecated Use <code> setVisible(true) </code> instead`

  通过 @see 和 @link 标记，可以使用超级链接，链接到 javadoc 文档的相关部分或外部文档。

- `@see` 引用

  这个标记将在"see also"部分增加一个超级链接。它可以用于类中，也可以用于方法中。这里的引用可以选择下列情形之一：

  ```
  package.class#feature label
  <a href="...">label</a>
  "text"
  ```

  第一种情况是最常见的。只要提供类、方法或变量的名字，javadoc 就在文档中插入一个超链接。例如，

  ```
  @see com.horstmann.corejava.Employee#raiseSalary(double)
  ```

  建立一个链接到 com.horstmann.corejava.Employee 类的 raiseSalary(double) 方法的超链接。可以省略包名，甚至把包名和类名都省去，此时，链接将定位于当前包或当前类。

需要注意，一定要使用井号（#），而不要使用句号（.）分隔类名与方法名，或类名与变量名。Java 编译器本身可以熟练地断定句点在分隔包、子包、类、内部类与方法和变量时的不同含义。但是 javadoc 实用程序就没有这么聪明了，因此必须对它提供帮助。

如果 @see 标记后面有一个 < 字符，就需要指定一个超链接。可以超链接到任何 URL。例如：

```
@see <a href="www.horstmann.com/corejava.html">The Core Java home page</a>
```

在上述各种情况下，都可以指定一个可选的标签（label）作为链接锚（link anchor）。如果省略了 label，用户看到的锚的名称就是目标代码名或 URL。

如果 @see 标记后面有一个双引号（"）字符，文本就会显示在 " see also " 部分。例如，

```
@see "Core Java 2 volume 2"
```

可以为一个特性添加多个 @see 标记，但必须将它们放在一起。

- 如果愿意的话，还可以在注释中的任何位置放置指向其他类或方法的超级链接，以及插入一个专用的标记，例如，

```
{@link package.class#feature label}
```

这里的特性描述规则与 @see 标记规则一样。

4.9.6　包与概述注释

可以直接将类、方法和变量的注释放置在 Java 源文件中，只要用 /** . . . */ 文档注释界定就可以了。但是，要想产生包注释，就需要在每一个包目录中添加一个单独的文件。可以有如下两个选择：

1）提供一个以 package.html 命名的 HTML 文件。在标记 <body>...</body> 之间的所有文本都会被抽取出来。

2）提供一个以 package-info.java 命名的 Java 文件。这个文件必须包含一个初始的以 /** 和 */ 界定的 Javadoc 注释，跟随在一个包语句之后。它不应该包含更多的代码或注释。

还可以为所有的源文件提供一个概述性的注释。这个注释将被放置在一个名为 overview.html 的文件中，这个文件位于包含所有源文件的父目录中。标记 <body>... </body> 之间的所有文本将被抽取出来。当用户从导航栏中选择"Overview"时，就会显示出这些注释内容。

4.9.7　注释的抽取

这里，假设 HTML 文件将被存放在目录 docDirectory 下。执行以下步骤：

1）切换到包含想要生成文档的源文件目录。如果有嵌套的包要生成文档，例如 com.horstmann.corejava，就必须切换到包含子目录 com 的目录（如果存在 overview.html 文件的话，这也是它的所在目录）。

2）如果是一个包，应该运行命令：

```
javadoc -d docDirectory nameOfPackage
```

或对于多个包生成文档，运行：

```
javadoc -d docDirectory nameOfPackage1 nameOfPackage2...
```

如果文件在默认包中，就应该运行：

```
javadoc -d docDirectory *.java
```

如果省略了 -d docDirectory 选项，那 HTML 文件就会被提取到当前目录下。这样有可能会带来混乱，因此不提倡这种做法。

可以使用多种形式的命令行选项对 javadoc 程序进行调整。例如，可以使用 -author 和 -version 选项在文档中包含 @author 和 @version 标记（默认情况下，这些标记会被省略）。另一个很有用的选项是 -link，用来为标准类添加超链接。例如，如果使用命令

```
javadoc -link http://docs.oracle.com/javase/8/docs/api *.java
```

那么，所有的标准类库类都会自动地链接到 Oracle 网站的文档。

如果使用 -linksource 选项，则每个源文件被转换为 HTML（不对代码着色，但包含行编号），并且每个类和方法名将转变为指向源代码的超链接。

有关其他的选项，请查阅 javadoc 实用程序的联机文档，http://docs.oracle.com/javase /8/docs/guides/javadoc。

注释： 如果需要进一步的定制，例如，生成非 HTML 格式的文档，可以提供自定义的 doclet，以便生成想要的任何输出形式。显然，这是一种特殊的需求，有关细节内容请查阅 http://docs.oracle.com/javase/8/docs/guides/javadoc/doclet/overview.html 的联机文档。

4.10 类设计技巧

我们不会面面俱到，也不希望过于沉闷，所以这一章结束之前，简单地介绍几点技巧。应用这些技巧可以使得设计出来的类更具有 OOP 的专业水准。

1. 一定要保证数据私有

这是最重要的；绝对不要破坏封装性。有时候，需要编写一个访问器方法或更改器方法，但是最好还是保持实例域的私有性。很多惨痛的经验告诉我们，数据的表示形式很可能会改变，但它们的使用方式却不会经常发生变化。当数据保持私有时，它们的表示形式的变化不会对类的使用者产生影响，即使出现 bug 也易于检测。

2. 一定要对数据初始化

Java 不对局部变量进行初始化，但是会对对象的实例域进行初始化。最好不要依赖于系统的默认值，而是应该显式地初始化所有的数据，具体的初始化方式可以是提供默认值，也可以是在所有构造器中设置默认值。

3. 不要在类中使用过多的基本类型

就是说，用其他的类代替多个相关的基本类型的使用。这样会使类更加易于理解且易于修改。例如，用一个称为 Address 的新的类替换一个 Customer 类中以下的实例域：

```
private String street;
private String city;
private String state;
private int zip;
```

这样，可以很容易处理地址的变化，例如，需要增加对国际地址的处理。

4. 不是所有的域都需要独立的域访问器和域更改器

或许，需要获得或设置雇员的薪金。而一旦构造了雇员对象，就应该禁止更改雇用日期，并且在对象中，常常包含一些不希望别人获得或设置的实例域，例如，在 Address 类中，存放州缩写的数组。

5. 将职责过多的类进行分解

这样说似乎有点含糊不清，究竟多少算是“过多”？每个人的看法不同。但是，如果明显地可以将一个复杂的类分解成两个更为简单的类，就应该将其分解（但另一方面，也不要走极端。设计 10 个类，每个类只有一个方法，显然有些矫枉过正了）。

下面是一个反面的设计示例。

```
public class CardDeck // bad design
{
   private int[] value;
   private int[] suit;

   public CardDeck() { . . . }
   public void shuffle() { . . . }
   public int getTopValue() { . . . }
   public int getTopSuit() { . . . }
   public void draw() { . . . }
}
```

实际上，这个类实现了两个独立的概念：一副牌（含有 shuffle 方法和 draw 方法）和一张牌（含有查看面值和花色的方法）。另外，引入一个表示单张牌的 Card 类。现在有两个类，每个类完成自己的职责：

```
public class CardDeck
{
   private Card[] cards;

   public CardDeck() { . . . }
   public void shuffle() { . . . }
   public Card getTop() { . . . }
   public void draw() { . . . }
}

public class Card
{
   private int value;
   private int suit;
```

```
    public Card(int aValue, int aSuit) { . . . }
    public int getValue() { . . . }
    public int getSuit() { . . . }
}
```

6. 类名和方法名要能够体现它们的职责

与变量应该有一个能够反映其含义的名字一样，类也应该如此（在标准类库中，也存在着一些含义不明确的例子，如：Date 类实际上是一个用于描述时间的类）。

命名类名的良好习惯是采用一个名词（Order）、前面有形容词修饰的名词（RushOrder）或动名词（有“-ing”后缀）修饰名词（例如，BillingAddress）。对于方法来说，习惯是访问器方法用小写 get 开头（getSalary），更改器方法用小写的 set 开头（setSalary）。

7. 优先使用不可变的类

LocalDate 类以及 java.time 包中的其他类是不可变的——没有方法能修改对象的状态。类似 plusDays 的方法并不是更改对象，而是返回状态已修改的新对象。

更改对象的问题在于，如果多个线程试图同时更新一个对象，就会发生并发更改。其结果是不可预料的。如果类是不可变的，就可以安全地在多个线程间共享其对象。

因此，要尽可能让类是不可变的，这是一个很好的想法。对于表示值的类，如一个字符串或一个时间点，这尤其容易。计算会生成新值，而不是更新原来的值。

当然，并不是所有类都应当是不可变的。如果员工加薪时让 raiseSalary 方法返回一个新的 Employee 对象，这会很奇怪。

本章介绍了 Java 这种面向对象语言的有关对象和类的基础知识。为了真正做到面向对象，程序设计语言还必须支持继承和多态。Java 提供了对这些特性的支持，具体内容将在下一章中介绍。

第5章 继 承

- ▲ 类、超类和子类
- ▲ Object：所有类的超类
- ▲ 泛型数组列表
- ▲ 对象包装器与自动装箱
- ▲ 参数数量可变的方法
- ▲ 枚举类
- ▲ 反射
- ▲ 继承的设计技巧

第4章主要阐述了类和对象的概念，本章将学习面向对象程序设计的另外一个基本概念：继承（inheritance）。利用继承，人们可以基于已存在的类构造一个新类。继承已存在的类就是复用（继承）这些类的方法和域。在此基础上，还可以添加一些新的方法和域，以满足新的需求。这是Java程序设计中的一项核心技术。

另外，本章还阐述了反射（reflection）的概念。反射是指在程序运行期间发现更多的类及其属性的能力。这是一个功能强大的特性，使用起来也比较复杂。由于主要是开发软件工具的人员，而不是编写应用程序的人员对这项功能感兴趣，因此对于这部分内容，可以先浏览一下，待日后再返回来学习。

5.1 类、超类和子类

现在让我们重新回忆一下在前一章中讨论的Employee类。假设你在某个公司工作，这个公司中经理的待遇与普通雇员的待遇存在着一些差异。不过，他们之间也存在着很多相同的地方，例如，他们都领取薪水。只是普通雇员在完成本职任务之后仅领取薪水，而经理在完成了预期的业绩之后还能得到奖金。这种情形就需要使用继承。这是因为需要为经理定义一个新类Manager，以便增加一些新功能。但可以重用Employee类中已经编写的部分代码，并将其中的所有域保留下来。从理论上讲，在Manager与Employee之间存在着明显的“is-a”(是）关系，每个经理都是一名雇员：“is-a”关系是继承的一个明显特征。

注释： 这一章中，我们使用员工和经理的传统示例，不过必须提醒你对这个例子要有所保留。在真实世界里，员工也可能会成为经理，所以你建模时可能希望经理也是员工，而不是一个子类。不过，在我们的例子中，假设公司里只有两类人：一些人一直是员工，另一些人一直是经理。

5.1.1 定义子类

下面是由继承Employee类来定义Manager类的格式，关键字extends表示继承。

```
public class Manager extends Employee
{
   添加方法和域
}
```

C++ 注释： Java 与 C++ 定义继承类的方式十分相似。Java 用关键字 extends 代替了 C++ 中的冒号（ : ）。在 Java 中，所有的继承都是公有继承，而没有 C++ 中的私有继承和保护继承。

关键字 extends 表明正在构造的新类派生于一个已存在的类。已存在的类称为超类（superclass）、基类（base class）或父类（parent class）；新类称为子类（subclass）、派生类（derived class）或孩子类（child class）。超类和子类是 Java 程序员最常用的两个术语，而了解其他语言的程序员可能更加偏爱使用父类和孩子类，这些都是继承时使用的术语。

尽管 Employee 类是一个超类，但并不是因为它优于子类或者拥有比子类更多的功能。实际上恰恰相反，子类比超类拥有的功能更加丰富。例如，读过 Manager 类的源代码之后就会发现，Manager 类比超类 Employee 封装了更多的数据，拥有更多的功能。

注释： 前缀“超”和“子”来源于计算机科学和数学理论中的集合语言的术语。所有雇员组成的集合包含所有经理组成的集合。可以这样说，雇员集合是经理集合的超集，也可以说，经理集合是雇员集合的子集。

在 Manager 类中，增加了一个用于存储奖金信息的域，以及一个用于设置这个域的新方法：

```
public class Manager extends Employee
{
   private double bonus;
   . . .
   public void setBonus(double bonus)
   {
      this.bonus = bonus;
   }
}
```

这里定义的方法和域并没有什么特别之处。如果有一个 Manager 对象，就可以使用 setBonus 方法。

```
Manager boss = . . .;
boss.setBonus(5000);
```

当然，由于 setBonus 方法不是在 Employee 类中定义的，所以属于 Employee 类的对象不能使用它。

然而，尽管在 Manager 类中没有显式地定义 getName 和 getHireDay 等方法，但属于 Manager 类的对象却可以使用它们，这是因为 Manager 类自动地继承了超类 Employee 中的这些方法。

同样，从超类中还继承了 name、salary 和 hireDay 这 3 个域。这样一来，每个 Manager 类对象就包含了 4 个域：name、salary、hireDay 和 bonus。

在通过扩展超类定义子类的时候，仅需要指出子类与超类的不同之处。因此在设计类的时候，应该将通用的方法放在超类中，而将具有特殊用途的方法放在子类中，这种将通用的功能放到超类的做法，在面向对象程序设计中十分普遍。

5.1.2 覆盖方法

然而，超类中的有些方法对子类 Manager 并不一定适用。具体来说，Manager 类中的 getSalary 方法应该返回薪水和奖金的总和。为此，需要提供一个新的方法来*覆盖*（override）超类中的这个方法：

```
public class Manager extends Employee
{
   . . .
   public double getSalary()
   {
      . . .
   }
   . . .
}
```

应该如何实现这个方法呢？乍看起来似乎很简单，只要返回 salary 和 bonus 域的总和就可以了：

```
public double getSalary()
{
   return salary + bonus; // won't work
}
```

然而，这个方法并不能运行。这是因为 Manager 类的 getSalary 方法*不能够直接地访问超类的私有域*。也就是说，尽管每个 Manager 对象都拥有一个名为 salary 的域，但在 Manager 类的 getSalary 方法中并不能够直接地访问 salary 域。只有 Employee 类的方法才能够访问私有部分。如果 Manager 类的方法一定要访问私有域，就必须借助于公有的接口，Employee 类中的公有方法 getSalary 正是这样一个接口。

现在，再试一下。将对 salary 域的访问替换成调用 getSalary 方法。

```
public double getSalary()
{
   double baseSalary = getSalary(); // still won't work
   return baseSalary + bonus;
}
```

上面这段代码仍然不能运行。问题出现在调用 getSalary 的语句上，这是因为 Manager 类也有一个 getSalary 方法（就是正在实现的这个方法），所以这条语句将会导致无限次地调用自己，直到整个程序崩溃为止。

这里需要指出：我们希望调用超类 Employee 中的 getSalary 方法，而不是当前类的这个方法。为此，可以使用特定的关键字 super 解决这个问题：

```
super.getSalary()
```

上述语句调用的是 Employee 类中的 getSalary 方法。下面是 Manager 类中 getSalary 方法的正确书写格式：

```
public double getSalary()
{
   double baseSalary = super.getSalary();
   return baseSalary + bonus;
}
```

注释：有些人认为super与this引用是类似的概念，实际上，这样比较并不太恰当。这是因为super不是一个对象的引用，不能将super赋给另一个对象变量，它只是一个指示编译器调用超类方法的特殊关键字。

正像前面所看到的那样，在子类中可以增加域、增加方法或覆盖超类的方法，然而绝对不能删除继承的任何域和方法。

C++注释：在Java中使用关键字super调用超类的方法，而在C++中则采用超类名加上::操作符的形式。例如，在Manager类的getSalary方法中，应该将super.getSalary替换为Employee::getSalary。

5.1.3 子类构造器

在例子的最后，我们来提供一个构造器。

```
public Manager(String name, double salary, int year, int month, int day)
{
   super(name, salary, year, month, day);
   bonus = 0;
}
```

这里的关键字super具有不同的含义。语句

```
super(n, s, year, month, day);
```

是“调用超类Employee中含有n、s、year、month和day参数的构造器”的简写形式。

由于Manager类的构造器不能访问Employee类的私有域，所以必须利用Employee类的构造器对这部分私有域进行初始化，我们可以通过super实现对超类构造器的调用。使用super调用构造器的语句必须是子类构造器的第一条语句。

如果子类的构造器没有显式地调用超类的构造器，则将自动地调用超类默认（没有参数）的构造器。如果超类没有不带参数的构造器，并且在子类的构造器中又没有显式地调用超类的其他构造器，则Java编译器将报告错误。

注释：回忆一下，关键字this有两个用途：一是引用隐式参数，二是调用该类其他的构造器。同样，super关键字也有两个用途：一是调用超类的方法，二是调用超类的构造器。在调用构造器的时候，这两个关键字的使用方式很相似。调用构造器的语句只能作为另一个构造器的第一条语句出现。构造参数既可以传递给本类（this）的其他构造器，也可以传递给超类（super）的构造器。

C++注释：在C++的构造函数中，使用初始化列表语法调用超类的构造函数，而不调用super。在C++中，Manager的构造函数如下所示：

```
Manager::Manager(String name, double salary, int year, int month, int day) // C++
: Employee(name, salary, year, month, day)
{
   bonus = 0;
}
```

重新定义 Manager 对象的 getSalary 方法之后，奖金就会自动地添加到经理的薪水中。

下面给出一个例子，其功能为创建一个新经理，并设置他的奖金：

```
Manager boss = new Manager("Carl Cracker", 80000, 1987, 12, 15);
boss.setBonus(5000);
```

下面定义一个包含 3 个雇员的数组：

```
Employee[] staff = new Employee[3];
```

将经理和雇员都放到数组中：

```
staff[0] = boss;
staff[1] = new Employee("Harry Hacker", 50000, 1989, 10, 1);
staff[2] = new Employee("Tony Tester", 40000, 1990, 3, 15);
```

输出每个人的薪水：

```
for (Employee e : staff)
   System.out.println(e.getName() + " " + e.getSalary());
```

运行这条循环语句将会输出下列数据：

```
Carl Cracker 85000.0
Harry Hacker 50000.0
Tommy Tester 40000.0
```

这里的 staff[1] 和 staff[2] 仅输出了基本薪水，这是因为它们对应的是 Employee 对象，而 staff[0] 对应的是 Manager 对象，它的 getSalary 方法将奖金与基本薪水加在了一起。

需要提到的是，

```
e.getSalary()
```

调用能够确定应该执行哪个 getSalary 方法。请注意，尽管这里将 e 声明为 Employee 类型，但实际上 e 既可以引用 Employee 类型的对象，也可以引用 Manager 类型的对象。

当 e 引用 Employee 对象时，e.getSalary( ) 调用的是 Employee 类中的 getSalary 方法；当 e 引用 Manager 对象时，e.getSalary( ) 调用的是 Manager 类中的 getSalary 方法。虚拟机知道 e 实际引用的对象类型，因此能够正确地调用相应的方法。

一个对象变量（例如，变量 e）可以指示多种实际类型的现象被称为*多态*（polymorphism）。在运行时能够自动地选择调用哪个方法的现象称为*动态绑定*（dynamic binding）。在本章中将详细地讨论这两个概念。

C++ 注释：*在 Java 中，不需要将方法声明为虚拟方法。动态绑定是默认的处理方式。如果不希望让一个方法具有虚拟特征，可以将它标记为 final（本章稍后将介绍关键字 final）。*

程序清单 5-1 的程序展示了 Employee 对象（程序清单 5-2）与 Manager（程序清单 5-3）

对象在薪水计算上的区别。

程序清单 5-1 inheritance/ManagerTest.java

```
1 package inheritance;
2
3 /**
4  * This program demonstrates inheritance.
5  * @version 1.21 2004-02-21
6  * @author Cay Horstmann
7  */
8 public class ManagerTest
9 {
10    public static void main(String[] args)
11    {
12       // construct a Manager object
13       Manager boss = new Manager("Carl Cracker", 80000, 1987, 12, 15);
14       boss.setBonus(5000);
15
16       Employee[] staff = new Employee[3];
17
18       // fill the staff array with Manager and Employee objects
19
20       staff[0] = boss;
21       staff[1] = new Employee("Harry Hacker", 50000, 1989, 10, 1);
22       staff[2] = new Employee("Tommy Tester", 40000, 1990, 3, 15);
23
24       // print out information about all Employee objects
25       for (Employee e : staff)
26          System.out.println("name=" + e.getName() + ",salary=" + e.getSalary());
27    }
28 }
```

程序清单 5-2 inheritance/Employee.java

```
1 package inheritance;
2
3 import java.time.*;
4
5 public class Employee
6 {
7    private String name;
8    private double salary;
9    private LocalDate hireDay;
10
11    public Employee(String name, double salary, int year, int month, int day)
12    {
13       this.name = name;
14       this.salary = salary;
15       hireDay = LocalDate.of(year, month, day);
16    }
17
18    public String getName()
19    {
20       return name;
21    }
```

```
22
23    public double getSalary()
24    {
25       return salary;
26    }
27
28    public LocalDate getHireDay()
29    {
30       return hireDay;
31    }
32
33    public void raiseSalary(double byPercent)
34    {
35       double raise = salary * byPercent / 100;
36       salary += raise;
37    }
38 }
```

程序清单 5-3 inheritance/Manager.java

```
1 package inheritance;
2
3 public class Manager extends Employee
4 {
5    private double bonus;
6
7    /**
8     * @param name the employee's name
9     * @param salary the salary
10    * @param year the hire year
11    * @param month the hire month
12    * @param day the hire day
13    */
14   public Manager(String name, double salary, int year, int month, int day)
15   {
16      super(name, salary, year, month, day);
17      bonus = 0;
18   }
19
20   public double getSalary()
21   {
22      double baseSalary = super.getSalary();
23      return baseSalary + bonus;
24   }
25
26   public void setBonus(double b)
27   {
28      bonus = b;
29   }
30 }
```

5.1.4 继承层次

继承并不仅限于一个层次。例如，可以由 Manager 类派生 Executive 类。由一个公共超类派生出来的所有类的集合被称为继承层次（inheritance hierarchy），如图 5-1 所示。在继承层次中，从某个特定的类到其祖先的路径被称为该类的继承链（inheritance chain）。

通常，一个祖先类可以拥有多个子孙继承链。例如，可以由 Employee 类派生出子类 Programmer 或 Secretary，它们与 Manager 类没有任何关系（有可能它们彼此之间也没有任何关系）。必要的话，可以将这个过程一直延续下去。

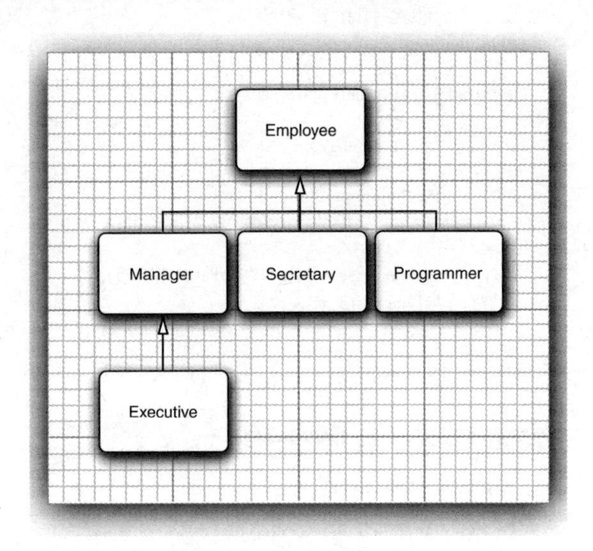

图 5-1　Employee 继承层次

C++ 注释：Java 不支持多继承。有关 Java 中多继承功能的实现方式，请参看下一章 6.1 节有关接口的讨论。

5.1.5　多态

有一个用来判断是否应该设计为继承关系的简单规则，这就是“is-a”规则，它表明子类的每个对象也是超类的对象。例如，每个经理都是雇员，因此，将 Manager 类设计为 Employee 类的子类是显而易见的，反之不然，并不是每一名雇员都是经理。

“is-a”规则的另一种表述法是置换法则。它表明程序中出现超类对象的任何地方都可以用子类对象置换。

例如，可以将一个子类的对象赋给超类变量。

```
Employee e;
e = new Employee(. . .);  // Employee object expected
e = new Manager(. . .); // OK, Manager can be used as well
```

在 Java 程序设计语言中，对象变量是多态的。一个 Employee 变量既可以引用一个 Employee 类对象，也可以引用一个 Employee 类的任何一个子类的对象（例如，Manager、Executive、Secretary 等）。

从程序清单 5-1 中，已经看到了置换法则的优点：

```
Manager boss = new Manager(. . .);
Employee[] staff = new Employee[3];
staff[0] = boss;
```

在这个例子中，变量 staff[0] 与 boss 引用同一个对象。但编译器将 staff[0] 看成 Employee 对象。

这意味着，可以这样调用

```
boss.setBonus(5000); // OK
```

但不能这样调用

```
staff[0].setBonus(5000); // Error
```

这是因为 staff[0] 声明的类型是 Employee，而 setBonus 不是 Employee 类的方法。

然而，不能将一个超类的引用赋给子类变量。例如，下面的赋值是非法的

```
Manager m = staff[i]; // Error
```

原因很清楚：不是所有的雇员都是经理。如果赋值成功，m 有可能引用了一个不是经理的 Employee 对象，当在后面调用 m.setBonus(...) 时就有可能发生运行时错误。

警告：在 Java 中，子类数组的引用可以转换成超类数组的引用，而不需要采用强制类型转换。例如，下面是一个经理数组

```
Manager[] managers = new Manager[10];
```

将它转换成 Employee[] 数组完全是合法的：

```
Employee[] staff = managers; // OK
```

这样做肯定不会有问题，请思考一下其中的缘由。毕竟，如果 manager[i] 是一个 Manager，也一定是一个 Employee。然而，实际上，将会发生一些令人惊讶的事情。要切记 managers 和 staff 引用的是同一个数组。现在看一下这条语句：

```
staff[0] = new Employee("Harry Hacker", . . .);
```

编译器竟然接纳了这个赋值操作。但在这里，staff[0] 与 manager[0] 引用的是同一个对象，似乎我们把一个普通雇员擅自归入经理行列中了。这是一种很忌讳发生的情形，当调用 managers[0].setBonus(1000) 的时候，将会导致调用一个不存在的实例域，进而搅乱相邻存储空间的内容。

为了确保不发生这类错误，所有数组都要牢记创建它们的元素类型，并负责监督仅将类型兼容的引用存储到数组中。例如，使用 new managers[10] 创建的数组是一个经理数组。

如果试图存储一个 Employee 类型的引用就会引发 ArrayStoreException 异常。

5.1.6 理解方法调用

弄清楚如何在对象上应用方法调用非常重要。下面假设要调用 x.f(args)，隐式参数 x 声明为类 C 的一个对象。下面是调用过程的详细描述：

1）编译器查看对象的声明类型和方法名。假设调用 x.f(param)，且隐式参数 x 声明为 C 类的对象。需要注意的是：有可能存在多个名字为 f，但参数类型不一样的方法。例如，可能存在方法 f(int) 和方法 f(String)。编译器将会一一列举所有 C 类中名为 f 的方法和其超类中访问属性为 public 且名为 f 的方法（超类的私有方法不可访问）。

至此，编译器已获得所有可能被调用的候选方法。

2）接下来，编译器将查看调用方法时提供的参数类型。如果在所有名为 f 的方法中存在一个与提供的参数类型完全匹配，就选择这个方法。这个过程被称为重载解析（overloading resolution）。例如，对于调用 x.f(“Hello”) 来说，编译器将会挑选 f(String)，而不是 f(int)。

由于允许类型转换（int 可以转换成 double，Manager 可以转换成 Employee，等等），所以这个过程可能很复杂。如果编译器没有找到与参数类型匹配的方法，或者发现经过类型转换后有多个方法与之匹配，就会报告一个错误。

至此，编译器已获得需要调用的方法名字和参数类型。

注释： 前面曾经说过，方法的名字和参数列表称为方法的签名。例如，f(int) 和 f(String) 是两个具有相同名字，不同签名的方法。如果在子类中定义了一个与超类签名相同的方法，那么子类中的这个方法就覆盖了超类中的这个相同签名的方法。

不过，返回类型不是签名的一部分，因此，在覆盖方法时，一定要保证返回类型的兼容性。允许子类将覆盖方法的返回类型定义为原返回类型的子类型。例如，假设 Employee 类有

```
public Employee getBuddy() { . . . }
```

经理不会想找这种地位低下的员工。为了反映这一点，在后面的子类 Manager 中，可以按照如下所示的方式覆盖这个方法

```
public Manager getBuddy() { . . . } // OK to change return type
```

我们说，这两个 getBuddy 方法具有可协变的返回类型。

3）如果是 private 方法、static 方法、final 方法（有关 final 修饰符的含义将在下一节讲述）或者构造器，那么编译器将可以准确地知道应该调用哪个方法，我们将这种调用方式称为静态绑定（static binding）。与此对应的是，调用的方法依赖于隐式参数的实际类型，并且在运行时实现动态绑定。在我们列举的示例中，编译器采用动态绑定的方式生成一条调用 f (String) 的指令。

4）当程序运行，并且采用动态绑定调用方法时，虚拟机一定调用与 x 所引用对象的实际类型最合适的那个类的方法。假设 x 的实际类型是 D，它是 C 类的子类。如果 D 类定义了方法 f(String)，就直接调用它；否则，将在 D 类的超类中寻找 f(String)，以此类推。

每次调用方法都要进行搜索，时间开销相当大。因此，虚拟机预先为每个类创建了一个方法表（method table），其中列出了所有方法的签名和实际调用的方法。这样一来，在真正调用方法的时候，虚拟机仅查找这个表就行了。在前面的例子中，虚拟机搜索 D 类的方法表，以便寻找与调用 f(Sting) 相匹配的方法。这个方法既有可能是 D.f(String)，也有可能是 X.f(String)，这里的 X 是 D 的超类。这里需要提醒一点，如果调用 super.f(param)，编译器将对隐式参数超类的方法表进行搜索。

现在，查看一下程序清单 5-1 中调用 e.getSalary() 的详细过程。e 声明为 Employee 类型。Employee 类只有一个名叫 getSalary 的方法，这个方法没有参数。因此，在这里不必担心重载解析的问题。

由于 getSalary 不是 private 方法、static 方法或 final 方法，所以将采用动态绑定。虚拟机为 Employee 和 Manager 两个类生成方法表。在 Employee 的方法表中，列出了这个类定义的

所有方法：

```
Employee:
   getName() -> Employee.getName()
   getSalary() -> Employee.getSalary()
   getHireDay() -> Employee.getHireDay()
   raiseSalary(double) -> Employee.raiseSalary(double)
```

实际上，上面列出的方法并不完整，稍后会看到 Employee 类有一个超类 Object，Employee 类从这个超类中还继承了许多方法，在此，我们略去了 Object 方法。

Manager 方法表稍微有些不同。其中有三个方法是继承而来的，一个方法是重新定义的，还有一个方法是新增加的。

```
Manager:
   getName() -> Employee.getName()
   getSalary() -> Manager.getSalary()
   getHireDay() -> Employee.getHireDay()
   raiseSalary(double) -> Employee.raiseSalary(double)
   setBonus(double) -> Manager.setBonus(double)
```

在运行时，调用 e.getSalary() 的解析过程为：

1）首先，虚拟机提取 e 的实际类型的方法表。既可能是 Employee、Manager 的方法表，也可能是 Employee 类的其他子类的方法表。

2）接下来，虚拟机搜索定义 getSalary 签名的类。此时，虚拟机已经知道应该调用哪个方法。

3）最后，虚拟机调用方法。

动态绑定有一个非常重要的特性：无需对现存的代码进行修改，就可以对程序进行扩展。假设增加一个新类 Executive，并且变量 e 有可能引用这个类的对象，我们不需要对包含调用 e.getSalary() 的代码进行重新编译。如果 e 恰好引用一个 Executive 类的对象，就会自动地调用 Executive.getSalary() 方法。

警告：在覆盖一个方法的时候，子类方法不能低于超类方法的可见性。特别是，如果超类方法是 public，子类方法一定要声明为 public。经常会发生这类错误：在声明子类方法的时候，遗漏了 public 修饰符。此时，编译器将会把它解释为试图提供更严格的访问权限。

5.1.7 阻止继承：final 类和方法

有时候，可能希望阻止人们利用某个类定义子类。不允许扩展的类被称为 final 类。如果在定义类的时候使用了 final 修饰符就表明这个类是 final 类。例如，假设希望阻止人们定义 Executive 类的子类，就可以在定义这个类的时候，使用 final 修饰符声明。声明格式如下所示：

```
public final class Executive extends Manager
{
   . . .
}
```

类中的特定方法也可以被声明为 final。如果这样做，子类就不能覆盖这个方法（final 类

中的所有方法自动地成为 final 方法）。例如

```
public class Employee
{
   . . .
   public final String getName()
   {
      return name;
   }
   . . .
}
```

注释：前面曾经说过，域也可以被声明为 final。对于 final 域来说，构造对象之后就不允许改变它们的值了。不过，如果将一个类声明为 final，只有其中的方法自动地成为 final，而不包括域。

将方法或类声明为 final 主要目的是：确保它们不会在子类中改变语义。例如，Calendar 类中的 getTime 和 setTime 方法都声明为 final。这表明 Calendar 类的设计者负责实现 Date 类与日历状态之间的转换，而不允许子类处理这些问题。同样地，String 类也是 final 类，这意味着不允许任何人定义 String 的子类。换言之，如果有一个 String 的引用，它引用的一定是一个 String 对象，而不可能是其他类的对象。

有些程序员认为：除非有足够的理由使用多态性，应该将所有的方法都声明为 final。事实上，在 C++ 和 C# 中，如果没有特别地说明，所有的方法都不具有多态性。这两种做法可能都有些偏激。我们提倡在设计类层次时，仔细地思考应该将哪些方法和类声明为 final。

在早期的 Java 中，有些程序员为了避免动态绑定带来的系统开销而使用 final 关键字。如果一个方法没有被覆盖并且很短，编译器就能够对它进行优化处理，这个过程为称为内联（inlining）。例如，内联调用 e.getName( ) 将被替换为访问 e.name 域。这是一项很有意义的改进，这是由于 CPU 在处理调用方法的指令时，使用的分支转移会扰乱预取指令的策略，所以，这被视为不受欢迎的。然而，如果 getName 在另外一个类中被覆盖，那么编译器就无法知道覆盖的代码将会做什么操作，因此也就不能对它进行内联处理了。

幸运的是，虚拟机中的即时编译器比传统编译器的处理能力强得多。这种编译器可以准确地知道类之间的继承关系，并能够检测出类中是否真正地存在覆盖给定的方法。如果方法很简短、被频繁调用且没有真正地被覆盖，那么即时编译器就会将这个方法进行内联处理。如果虚拟机加载了另外一个子类，而在这个子类中包含了对内联方法的覆盖，那么将会发生什么情况呢？优化器将取消对覆盖方法的内联。这个过程很慢，但却很少发生。

5.1.8 强制类型转换

第 3 章曾经讲过，将一个类型强制转换成另外一个类型的过程被称为类型转换。Java 程序设计语言提供了一种专门用于进行类型转换的表示法。例如：

```
double x = 3.405;
int nx = (int) x;
```

将表达式 x 的值转换成整数类型，舍弃了小数部分。

正像有时候需要将浮点型数值转换成整型数值一样，有时候也可能需要将某个类的对象引用转换成另外一个类的对象引用。对象引用的转换语法与数值表达式的类型转换类似，仅需要用一对圆括号将目标类名括起来，并放置在需要转换的对象引用之前就可以了。例如：

```
Manager boss = (Manager) staff[0];
```

进行类型转换的唯一原因是：在暂时忽视对象的实际类型之后，使用对象的全部功能。例如，在 managerTest 类中，由于某些项是普通雇员，所以 staff 数组必须是 Employee 对象的数组。我们需要将数组中引用经理的元素复原成 Manager 类，以便能够访问新增加的所有变量（需要注意，在前面的示例代码中，为了避免类型转换，我们做了一些特别的处理，即将 boss 变量存入数组之前，先用 Manager 对象对它进行初始化。而为了设置经理的奖金，必须使用正确的类型）。

大家知道，在 Java 中，每个对象变量都属于一个类型。类型描述了这个变量所引用的以及能够引用的对象类型。例如，staff[i] 引用一个 Employee 对象（因此它还可以引用 Manager 对象）。

将一个值存入变量时，编译器将检查是否允许该操作。将一个子类的引用赋给一个超类变量，编译器是允许的。但将一个超类的引用赋给一个子类变量，必须进行类型转换，这样才能够通过运行时的检查。

如果试图在继承链上进行向下的类型转换，并且“谎报”有关对象包含的内容，会发生什么情况呢？

```
Manager boss = (Manager) staff[1]; // Error
```

运行这个程序时，Java 运行时系统将报告这个错误，并产生一个 ClassCastException 异常。如果没有捕获这个异常，那么程序就会终止。因此，应该养成这样一个良好的程序设计习惯：在进行类型转换之前，先查看一下是否能够成功地转换。这个过程简单地使用 instanceof 操作符就可以实现。例如：

```
if (staff[1] instanceof Manager)
{
   boss = (Manager) staff[1];
   . . .
}
```

最后，如果这个类型转换不可能成功，编译器就不会进行这个转换。例如，下面这个类型转换：

```
String c = (String) staff[1];
```

将会产生编译错误，这是因为 String 不是 Employee 的子类。

综上所述：

- 只能在继承层次内进行类型转换。
- 在将超类转换成子类之前，应该使用 instanceof 进行检查。

注释：如果 x 为 null，进行下列测试

```
x instanceof C
```

不会产生异常，只是返回 false。之所以这样处理是因为 null 没有引用任何对象，当然也不会引用 C 类型的对象。

实际上，通过类型转换调整对象的类型并不是一种好的做法。在我们列举的示例中，大多数情况并不需要将 Employee 对象转换成 Manager 对象，两个类的对象都能够正确地调用 getSalary 方法，这是因为实现多态性的动态绑定机制能够自动地找到相应的方法。

只有在使用 Manager 中特有的方法时才需要进行类型转换，例如，setBonus 方法。如果鉴于某种原因，发现需要通过 Employee 对象调用 setBonus 方法，那么就应该检查一下超类的设计是否合理。重新设计一下超类，并添加 setBonus 方法才是正确的选择。请记住，只要没有捕获 ClassCastException 异常，程序就会终止执行。在一般情况下，应该尽量少用类型转换和 instanceof 运算符。

C++ 注释：Java 使用的类型转换语法来源于 C 语言"以往糟糕的日子"，但处理过程却有些像 C++ 的 dynamic_cast 操作。例如，

```
Manager boss = (Manager) staff[1]; // Java
```

等价于

```
Manager* boss = dynamic_cast<Manager*>(staff[1]); // C++
```

它们之间只有一点重要的区别：当类型转换失败时，Java 不会生成一个 null 对象，而是抛出一个异常。从这个意义上讲，有点像 C++ 中的引用（reference）转换。真是令人生厌。在 C++ 中，可以在一个操作中完成类型测试和类型转换。

```
Manager* boss = dynamic_cast<Manager*>(staff[1]); // C++
if (boss != NULL) . . .
```

而在 Java 中，需要将 instanceof 运算符和类型转换组合起来使用：

```
if (staff[1] instanceof Manager)
{
   Manager boss = (Manager) staff[1];
   . . .
}
```

5.1.9 抽象类

如果自下而上在类的继承层次结构中上移，位于上层的类更具有通用性，甚至可能更加抽象。从某种角度看，祖先类更加通用，人们只将它作为派生其他类的基类，而不作为想使用的特定的实例类。例如，考虑一下对 Employee 类层次的扩展。一名雇员是一个人，一名学生也是一个人。下面将类 Person 和类 Student 添加到类的层次结构中。图 5-2 是这三个类之间的关系层次图。

为什么要花费精力进行这样高层次的抽象呢？每个人都有一些诸如姓名这样的属性。学生

与雇员都有姓名属性，因此可以将 getName 方法放置在位于继承关系较高层次的通用超类中。

现在，再增加一个 getDescription 方法，它可以返回对一个人的简短描述。例如：

```
an employee with a salary of $50,000.00
a student majoring in computer science
```

在 Employee 类和 Student 类中实现这个方法很容易。但是在 Person 类中应该提供什么内容呢？除了姓名之外，Person 类一无所知。当然，可以让 Person.getDescription( ) 返回一个空字符串。然而，还有一个更好的方法，就是使用 abstract 关键字，这样就完全不需要实现这个方法了。

```
public abstract String getDescription();
   // no implementation required
```

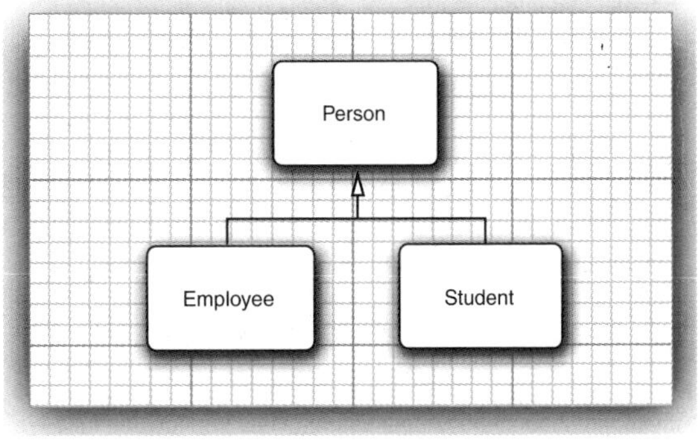

Person
Employee
Student

图 5-2 Person 与子类的继承图

为了提高程序的清晰度，包含一个或多个抽象方法的类本身必须被声明为抽象的。

```
public abstract class Person
{
   . . .
   public abstract String getDescription();
}
```

除了抽象方法之外，抽象类还可以包含具体数据和具体方法。例如，Person 类还保存着姓名和一个返回姓名的具体方法。

```
public abstract class Person
{
   private String name;
   public Person(String name)
   {
      this.name = name;
   }

   public abstract String getDescription();

   public String getName()
   {
       return name;
   }
}
```

提示： 许多程序员认为，在抽象类中不能包含具体方法。建议尽量将通用的域和方法（不管是否是抽象的）放在超类（不管是否是抽象类）中。

抽象方法充当着占位的角色，它们的具体实现在子类中。扩展抽象类可以有两种选择。一种是在抽象类中定义部分抽象类方法或不定义抽象类方法，这样就必须将子类也标记为抽象类；另一种是定义全部的抽象方法，这样一来，子类就不是抽象的了。

例如，通过扩展抽象 Person 类，并实现 getDescription 方法来定义 Student 类。由于在

Student 类中不再含有抽象方法，所以不必将这个类声明为抽象的。

类即使不含抽象方法，也可以将类声明为抽象类。

抽象类不能被实例化。也就是说，如果将一个类声明为 abstract，就不能创建这个类的对象。例如，表达式

```
new Person("Vince Vu")
```

是错误的，但可以创建一个具体子类的对象。

需要注意，可以定义一个抽象类的对象变量，但是它只能引用非抽象子类的对象。例如，

```
Person p = new Student("Vince Vu", "Economics");
```

这里的 p 是一个抽象类 Person 的变量，Person 引用了一个非抽象子类 Student 的实例。

C++ 注释：在 C++ 中，有一种在尾部用 =0 标记的抽象方法，称为纯虚函数，例如：

```
class Person // C++
{
public:
   virtual string getDescription() = 0;
   . . .
};
```

只要有一个纯虚函数，这个类就是抽象类。在 C++ 中，没有提供用于表示抽象类的特殊关键字。

下面定义一个扩展抽象类 Person 的具体子类 Student：

```
public class Student extends Person
{
   private String major;

   public Student(String name, String major)
   {
      super(name);
      this.major = major;
   }

   public String getDescription()
   {
      return "a student majoring in " + major;
   }
}
```

在 Student 类中定义了 getDescription 方法。因此，在 Student 类中的全部方法都是非抽象的，这个类不再是抽象类。

在程序清单 5-4 的程序中定义了抽象超类 Person（程序清单 5-5）和两个具体子类 Employee（程序清单 5-6）和 Student（程序清单 5-7）。下面将雇员和学生对象填充到 Person 引用数组。

```
Person[] people = new Person[2];
people[0] = new Employee(. . .);
people[1] = new Student(. . .);
```

然后，输出这些对象的姓名和信息描述：

```
for (Person p : people)
   System.out.println(p.getName() + ", " + p.getDescription());
```

有些人可能对下面这个调用感到困惑：

```
p.getDescription()
```

这不是调用了一个没有定义的方法吗？请牢记，由于不能构造抽象类 Person 的对象，所以变量 p 永远不会引用 Person 对象，而是引用诸如 Employee 或 Student 这样的具体子类对象，而这些对象中都定义了 getDescription 方法。

程序清单 5-4 abstractClasses/PersonTest.java

```
1 package abstractClasses;
2 
3 /**
4  * This program demonstrates abstract classes.
5  * @version 1.01 2004-02-21
6  * @author Cay Horstmann
7  */
8 public class PersonTest
9 {
10    public static void main(String[] args)
11    {
12       Person[] people = new Person[2];
13 
14       // fill the people array with Student and Employee objects
15       people[0] = new Employee("Harry Hacker", 50000, 1989, 10, 1);
16       people[1] = new Student("Maria Morris", "computer science");
17 
18       // print out names and descriptions of all Person objects
19       for (Person p : people)
20          System.out.println(p.getName() + ", " + p.getDescription());
21    }
22 }
```

程序清单 5-5 abstractClasses/Person.java

```
1 package abstractClasses;
2 
3 public abstract class Person
4 {
5    public abstract String getDescription();
6    private String name;
7 
8    public Person(String name)
9    {
10       this.name = name;
11    }
12 
13    public String getName()
14    {
15       return name;
16    }
17 }
```

程序清单 5-6 abstractClasses/Employee.java

```
package abstractClasses;

import java.time.*;

public class Employee extends Person
{
   private double salary;
   private LocalDate hireDay;

   public Employee(String name, double salary, int year, int month, int day)
   {
      super(name);
      this.salary = salary;
      hireDay = LocalDate.of(year, month, day);
   }

   public double getSalary()
   {
      return salary;
   }

   public LocalDate getHireDay()
   {
      return hireDay;
   }

   public String getDescription()
   {
      return String.format("an employee with a salary of $%.2f", salary);
   }

   public void raiseSalary(double byPercent)
   {
      double raise = salary * byPercent / 100;
      salary += raise;
   }
}
```

程序清单 5-7 abstractClasses/Student.java

```
package abstractClasses;

public class Student extends Person
{
   private String major;

   /**
    * @param nama the student's name
    * @param major the student's major
    */
   public Student(String name, String major)
   {
      // pass n to superclass constructor
      super(name);
```

```
15          this.major = major;
16       }
17
18       public String getDescription()
19       {
20          return "a student majoring in " + major;
21       }
22    }
```

是否可以省略Person超类中的抽象方法，而仅在Employee和Student子类中定义getDescription方法呢？如果这样的话，就不能通过变量p调用getDescription方法了。编译器只允许调用在类中声明的方法。

在Java程序设计语言中，抽象方法是一个重要的概念。在接口（interface）中将会看到更多的抽象方法。有关接口的详细介绍请参看第6章。

5.1.10 受保护访问

大家都知道，最好将类中的域标记为private，而方法标记为public。任何声明为private的内容对其他类都是不可见的。前面已经看到，这对于子类来说也完全适用，即子类也不能访问超类的私有域。

然而，在有些时候，人们希望超类中的某些方法允许被子类访问，或允许子类的方法访问超类的某个域。为此，需要将这些方法或域声明为protected。例如，如果将超类Employee中的hireDay声明为proteced，而不是私有的，Manager中的方法就可以直接地访问它。

不过，Manager类中的方法只能够访问Manager对象中的hireDay域，而不能访问其他Employee对象中的这个域。这种限制有助于避免滥用受保护机制，使得子类只能获得访问受保护域的权利。

在实际应用中，要谨慎使用protected属性。假设需要将设计的类提供给其他程序员使用，而在这个类中设置了一些受保护域，由于其他程序员可以由这个类再派生出新类，并访问其中的受保护域。在这种情况下，如果需要对这个类的实现进行修改，就必须通知所有使用这个类的程序员。这违背了OOP提倡的数据封装原则。

受保护的方法更具有实际意义。如果需要限制某个方法的使用，就可以将它声明为protected。这表明子类（可能很熟悉祖先类）得到信任，可以正确地使用这个方法，而其他类则不行。

这种方法的一个最好的示例就是Object类中的clone方法，有关它的详细内容请参看第6章。

C++ 注释：事实上，Java中的受保护部分对所有子类及同一个包中的所有其他类都可见。这与C++中的保护机制稍有不同，Java中的protected概念要比C++中的安全性差。

下面归纳一下Java用于控制可见性的4个访问修饰符：

1）仅对本类可见——private。

2）对所有类可见——public。

3）对本包和所有子类可见——protected。

4）对本包可见——默认（很遗憾），不需要修饰符。

5.2 Object：所有类的超类

Object类是Java中所有类的始祖，在Java中每个类都是由它扩展而来的。但是并不需要这样写：

```
public class Employee extends Object
```

如果没有明确地指出超类，Object就被认为是这个类的超类。由于在Java中，每个类都是由Object类扩展而来的，所以，熟悉这个类提供的所有服务十分重要。本章将介绍一些基本的内容，没有提到的部分请参看后面的章节或在线文档（在Object中有几个只在处理线程时才会被调用的方法，有关线程内容请参见第14章）。

可以使用Object类型的变量引用任何类型的对象：

```
Object obj = new Employee("Harry Hacker", 35000);
```

当然，Object类型的变量只能用于作为各种值的通用持有者。要想对其中的内容进行具体的操作，还需要清楚对象的原始类型，并进行相应的类型转换：

```
Employee e = (Employee) obj;
```

在Java中，只有基本类型（primitive types）不是对象，例如，数值、字符和布尔类型的值都不是对象。

所有的数组类型，不管是对象数组还是基本类型的数组都扩展了Object类。

```
Employee[] staff = new Employee[10];
obj = staff; // OK
obj = new int[10]; // OK
```

C++注释：在C++中没有所有类的根类，不过，每个指针都可以转换成void*指针。

5.2.1 equals方法

Object类中的equals方法用于检测一个对象是否等于另外一个对象。在Object类中，这个方法将判断两个对象是否具有相同的引用。如果两个对象具有相同的引用，它们一定是相等的。从这点上看，将其作为默认操作也是合乎情理的。然而，对于多数类来说，这种判断并没有什么意义。例如，采用这种方式比较两个PrintStream对象是否相等就完全没有意义。然而，经常需要检测两个对象状态的相等性，如果两个对象的状态相等，就认为这两个对象是相等的。

例如，如果两个雇员对象的姓名、薪水和雇佣日期都一样，就认为它们是相等的（在实际的雇员数据库中，比较ID更有意义。利用下面这个示例演示equals方法的实现机制）。

```
public class Employee
{
   . . .
   public boolean equals(Object otherObject)
   {
      // a quick test to see if the objects are identical
      if (this == otherObject) return true;

      // must return false if the explicit parameter is null
      if (otherObject == null) return false;

      // if the classes don't match, they can't be equal
      if (getClass() != otherObject.getClass())
         return false;

      // now we know otherObject is a non-null Employee
      Employee other = (Employee) otherObject;

      // test whether the fields have identical values
      return name.equals(other.name)
         && salary == other.salary
         && hireDay.equals(other.hireDay);
   }
}
```

getClass 方法将返回一个对象所属的类，有关这个方法的详细内容稍后进行介绍。在检测中，只有在两个对象属于同一个类时，才有可能相等。

提示：为了防备 name 或 hireDay 可能为 null 的情况，需要使用 Objects.equals 方法。如果两个参数都为 null，Objects.equals(a, b) 调用将返回 true；如果其中一个参数为 null，则返回 false；否则，如果两个参数都不为 null，则调用 a.equals(b)。利用这个方法，Employee.equals 方法的最后一条语句要改写为：

```
return Objects.equals(name, other.name)
   && salary == other.salary
   && Object.equals(hireDay, other.hireDay);
```

在子类中定义 equals 方法时，首先调用超类的 equals。如果检测失败，对象就不可能相等。如果超类中的域都相等，就需要比较子类中的实例域。

```
public class Manager extends Employee
{
   . . .
   public boolean equals(Object otherObject)
   {
      if (!super.equals(otherObject)) return false;
      // super.equals checked that this and otherObject belong to the same class
      Manager other = (Manager) otherObject;
      return bonus == other.bonus;
   }
}
```

5.2.2 相等测试与继承

如果隐式和显式的参数不属于同一个类，equals 方法将如何处理呢？这是一个很有争议的问题。在前面的例子中，如果发现类不匹配，equals 方法就返回 false。但是，许多程序员却喜欢使用 instanceof 进行检测：

```
if (!(otherObject instanceof Employee)) return false;
```

这样做不但没有解决 otherObject 是子类的情况，并且还有可能会招致一些麻烦。这就是建议不要使用这种处理方式的原因所在。Java 语言规范要求 equals 方法具有下面的特性：

1）自反性：对于任何非空引用 x，x.equals(x) 应该返回 true。

2）对称性：对于任何引用 x 和 y，当且仅当 y.equals(x) 返回 true，x.equals(y) 也应该返回 true。

3）传递性：对于任何引用 x、y 和 z，如果 x.equals(y) 返回 true，y.equals(z) 返回 true，x.equals(z) 也应该返回 true。

4）一致性：如果 x 和 y 引用的对象没有发生变化，反复调用 x.equals(y) 应该返回同样的结果。

5）对于任意非空引用 x，x.equals(null) 应该返回 false。

这些规则十分合乎情理，从而避免了类库实现者在数据结构中定位一个元素时还要考虑调用 x.equals(y)，还是调用 y.equals(x) 的问题。

然而，就对称性来说，当参数不属于同一个类的时候需要仔细地思考一下。请看下面这个调用：

```
e.equals(m)
```

这里的 e 是一个 Employee 对象，m 是一个 Manager 对象，并且两个对象具有相同的姓名、薪水和雇佣日期。如果在 Employee.equals 中用 instanceof 进行检测，则返回 true。然而这意味着反过来调用：

```
m.equals(e)
```

也需要返回 true。对称性不允许这个方法调用返回 false，或者抛出异常。

这就使得 Manager 类受到了束缚。这个类的 equals 方法必须能够用自己与任何一个 Employee 对象进行比较，而不考虑经理拥有的那部分特有信息！猛然间会让人感觉 instanceof 测试并不是完美无瑕。

某些书的作者认为不应该利用 getClass 检测，因为这样不符合置换原则。有一个应用 AbstractSet 类的 equals 方法的典型例子，它将检测两个集合是否有相同的元素。AbstractSet 类有两个具体子类：TreeSet 和 HashSet，它们分别使用不同的算法实现查找集合元素的操作。无论集合采用何种方式实现，都需要拥有对任意两个集合进行比较的功能。

然而，集合是相当特殊的一个例子，应该将 AbstractSet.equals 声明为 final，这是因为没有任何一个子类需要重定义集合是否相等的语义（事实上，这个方法并没有被声明为 final。这样做，可以让子类选择更加有效的算法对集合进行是否相等的检测）。

下面可以从两个截然不同的情况看一下这个问题：

- 如果子类能够拥有自己的相等概念，则对称性需求将强制采用 getClass 进行检测。

- 如果由超类决定相等的概念，那么就可以使用 instanceof 进行检测，这样可以在不同子类的对象之间进行相等的比较。

在雇员和经理的例子中，只要对应的域相等，就认为两个对象相等。如果两个 Manager 对象所对应的姓名、薪水和雇佣日期均相等，而奖金不相等，就认为它们是不相同的，因此，可以使用 getClass 检测。

但是，假设使用雇员的 ID 作为相等的检测标准，并且这个相等的概念适用于所有的子类，就可以使用 instanceof 进行检测，并应该将 Employee.equals 声明为 final。

注释：在标准 Java 库中包含 150 多个 equals 方法的实现，包括使用 instanceof 检测、调用 getClass 检测、捕获 ClassCastException 或者什么也不做。可以查看 java.sql.Timestamp 类的 API 文档，在这里实现人员不无尴尬地指出，他们使自己陷入了困境。Timestamp 类继承自 java.util.Date，而后者的 equals 方法使用了一个 instanceof 测试，这样一来就无法覆盖实现 equals 使之同时做到对称且正确。

下面给出编写一个完美的 equals 方法的建议：

1）显式参数命名为 otherObject，稍后需要将它转换成另一个叫做 other 的变量。

2）检测 this 与 otherObject 是否引用同一个对象：

```
if (this == otherObject) return true;
```

这条语句只是一个优化。实际上，这是一种经常采用的形式。因为计算这个等式要比一个一个地比较类中的域所付出的代价小得多。

3）检测 otherObject 是否为 null，如果为 null，返回 false。这项检测是很必要的。

```
if (otherObject == null) return false;
```

4）比较 this 与 otherObject 是否属于同一个类。如果 equals 的语义在每个子类中有所改变，就使用 getClass 检测：

```
if (getClass() != otherObject.getClass()) return false;
```

如果所有的子类都拥有统一的语义，就使用 instanceof 检测：

```
if (!(otherObject instanceof ClassName)) return false;
```

5）将 otherObject 转换为相应的类类型变量：

```
ClassName other = (ClassName) otherObject
```

6）现在开始对所有需要比较的域进行比较了。使用 == 比较基本类型域，使用 equals 比较对象域。如果所有的域都匹配，就返回 true；否则返回 false。

```
return field1 == other.field1
   && Objects.equals(field2, other.field2)
   && . . .;
```

如果在子类中重新定义 equals，就要在其中包含调用 super.equals(other)。

提示：对于数组类型的域，可以使用静态的 Arrays.equals 方法检测相应的数组元素是否相等。

警告： 下面是实现equals方法的一种常见的错误。可以找到其中的问题吗？

```
public class Employee
{
   public boolean equals(Employee other)
   {
      return other != null
         && getClass() == other.getClass()
         && Objects.equals(name, other.name)
         && salary == other.salary
         && Objects.equals(hireDay, other.hireDay);
   }
   . . .
}
```

这个方法声明的显式参数类型是Employee。其结果并没有覆盖Object类的equals方法，而是定义了一个完全无关的方法。

为了避免发生类型错误，可以使用@Override对覆盖超类的方法进行标记：

```
@Override public boolean equals(Object other)
```

如果出现了错误，并且正在定义一个新方法，编译器就会给出错误报告。例如，假设将下面的声明添加到Employee类中：

```
@Override public boolean equals(Employee other)
```

就会看到一个错误报告，这是因为这个方法并没有覆盖超类Object中的任何方法。

API java.util.Arrays 1.2

- `static Boolean equals(type[] a, type[] b) 5.0`
  如果两个数组长度相同，并且在对应的位置上数据元素也均相同，将返回true。数组的元素类型可以是Object、int、long、short、char、byte、boolean、float或double。

API java.util.Objects 7

- `static boolean equals(Object a, Object b)`
  如果a和b都为null，返回true；如果只有其中之一为null，则返回false；否则返回a.equals(b)。

5.2.3 hashCode方法

散列码（hash code）是由对象导出的一个整型值。散列码是没有规律的。如果x和y是两个不同的对象，x.hashCode( )与y.hashCode( )基本上不会相同。在表5-1中列出了几个通过调用String类的hashCode方法得到的散列码。

String类使用下列算法计算散列码：

```
int hash = 0;
for (int i = 0; i < length(); i++)
   hash = 31 * hash + charAt(i);
```

由于 hashCode 方法定义在 Object 类中，因此每个对象都有一个默认的散列码，其值为对象的存储地址。来看下面这个例子。

```
String s = "Ok";
StringBuilder sb = new StringBuilder(s);
System.out.println(s.hashCode() + " " + sb.hashCode());
String t = new String("Ok");
StringBuilder tb = new StringBuilder(t);
System.out.println(t.hashCode() + " " + tb.hashCode());
```

表 5-2 列出了结果。

表 5-1　调用 hashCode 函数得到的散列码

字符串	散列码
Hello	69609650
Harry	69496448
Hacker	−2141031506

表 5-2　String 和 String Builder 的散列码

对象	散列码
s	2556
sb	20526976
t	2556
tb	20527144

请注意，字符串 s 与 t 拥有相同的散列码，这是因为字符串的散列码是由内容导出的。而字符串缓冲 sb 与 tb 却有着不同的散列码，这是因为在 StringBuffer 类中没有定义 hashCode 方法，它的散列码是由 Object 类的默认 hashCode 方法导出的对象存储地址。

如果重新定义 equals 方法，就必须重新定义 hashCode 方法，以便用户可以将对象插入到散列表中（有关散列表的内容将在第 9 章中讨论）。

hashCode 方法应该返回一个整型数值（也可以是负数），并合理地组合实例域的散列码，以便能够让各个不同的对象产生的散列码更加均匀。

例如，下面是 Employee 类的 hashCode 方法。

```
public class Employee
{
   public int hashCode()
   {
      return 7 * name.hashCode()
         + 11 * new Double(salary).hashCode()
         + 13 * hireDay.hashCode();
   }
   . . .
}
```

不过，还可以做得更好。首先，最好使用 null 安全的方法 Objects.hashCode。如果其参数为 null，这个方法会返回 0，否则返回对参数调用 hashCode 的结果。

另外，使用静态方法 Double.hashCode 来避免创建 Double 对象：

```
public int hashCode()
{
   return 7 * Objects.hashCode(name)
      + 11 * Double.hashCode(salary)
      + 13 * Objects.hashCode(hireDay);
}
```

还有更好的做法，需要组合多个散列值时，可以调用 Objects.hash 并提供多个参数。这个方法会对各个参数调用 Objects.hashCode，并组合这些散列值。这样 Employee.hashCode 方法可以简单地写为：

```
public int hashCode()
{
   return Objects.hash(name, salary, hireDay);
}
```

Equals 与 hashCode 的定义必须一致：如果 x.equals(y) 返回 true，那么 x.hashCode( ) 就必须与 y.hashCode( ) 具有相同的值。例如，如果用定义的 Employee.equals 比较雇员的 ID，那么 hashCode 方法就需要散列 ID，而不是雇员的姓名或存储地址。

✔ **提示：** *如果存在数组类型的域，那么可以使用静态的 Arrays.hashCode 方法计算一个散列码，这个散列码由数组元素的散列码组成。*

API java.util.Object 1.0

- `int hashCode()`

  返回对象的散列码。散列码可以是任意的整数，包括正数或负数。两个相等的对象要求返回相等的散列码。

API java.util.Objects 7

- `static int hash(Object... objects)`

  返回一个散列码，由提供的所有对象的散列码组合而得到。
- `static int hashCode(Object a)`

  如果 a 为 null 返回 0，否则返回 a.hashCode()。

API java.lang.(Integer|Long|Short|Byte|Double|Float|Character|Boolean) 1.0

- `static int hashCode((int|long|short|byte|double|float|char|boolean) value) 8`

  返回给定值的散列码。

API java.util.Arrays 1.2

- `static int hashCode(type[] a)  5.0`

  计算数组 a 的散列码。组成这个数组的元素类型可以是 object, int, long, short, char, byte, boolean, float 或 double。

5.2.4 toString 方法

在 Object 中还有一个重要的方法，就是 toString 方法，它用于返回表示对象值的字符串。下面是一个典型的例子。Point 类的 toString 方法将返回下面这样的字符串：

```
java.awt.Point[x=10,y=20]
```

绝大多数（但不是全部）的 toString 方法都遵循这样的格式：类的名字，随后是一对方括号括起来的域值。下面是 Employee 类中的 toString 方法的实现：

```
public String toString()
{
   return "Employee[name=" + name
      + ",salary=" + salary
      + ",hireDay=" + hireDay
      + "]";
}
```

实际上，还可以设计得更好一些。最好通过调用 getClass( ).getName( ) 获得类名的字符串，而不要将类名硬加到 toString 方法中。

```
public String toString()
{
   return getClass().getName()
      + "[name=" + name
      + ",salary=" + salary
      + ",hireDay=" + hireDay
      + "]";
}
```

toString 方法也可以供子类调用。

当然，设计子类的程序员也应该定义自己的 toString 方法，并将子类域的描述添加进去。如果超类使用了 getClass( ).getName( )，那么子类只要调用 super.toString( ) 就可以了。例如，下面是 Manager 类中的 toString 方法：

```
public class Manager extends Employee
{
   . . .
   public String toString()
   {
      return super.toString()
        + "[bonus=" + bonus
        + "]";
   }
}
```

现在，Manager 对象将打印输出如下所示的内容：

```
Manager[name=...,salary=...,hireDay=...][bonus=...]
```

随处可见 toString 方法的主要原因是：只要对象与一个字符串通过操作符“+”连接起来，Java 编译就会自动地调用 toString 方法，以便获得这个对象的字符串描述。例如，

```
Point p = new Point(10, 20);
String message = "The current position is " + p;
   // automatically invokes p.toString()
```

提示：在调用 x.toString( ) 的地方可以用 ""+x 替代。这条语句将一个空串与 x 的字符串表示相连接。这里的 x 就是 x.toString( )。与 toString 不同的是，如果 x 是基本类型，这条语句照样能够执行。

如果 x 是任意一个对象，并调用

```
System.out.println(x);
```

println 方法就会直接地调用 x.toString( )，并打印输出得到的字符串。

Object 类定义了 toString 方法，用来打印输出对象所属的类名和散列码。例如，调用

```
System.out.println(System.out)
```

将输出下列内容：

```
java.io.PrintStream@2f6684
```

之所以得到这样的结果是因为 PrintStream 类的设计者没有覆盖 toString 方法。

警告：令人烦恼的是，数组继承了 object 类的 toString 方法，数组类型将按照旧的格式打印。例如：

```
int[] luckyNumbers = { 2, 3, 5, 7, 11, 13 };
String s = "" + luckyNumbers;
```

生成字符串“[I@1a46e30”（前缀 [I 表明是一个整型数组）。修正的方式是调用静态方法 Arrays.toString。代码：

```
String s = Arrays.toString(luckyNumbers);
```

将生成字符串“[2,3,5,7,11,13]”。

要想打印多维数组（即，数组的数组）则需要调用 Arrays.deepToString 方法。

toString 方法是一种非常有用的调试工具。在标准类库中，许多类都定义了 toString 方法，以便用户能够获得一些有关对象状态的必要信息。像下面这样显示调试信息非常有益：

```
System.out.println("Current position = " + position);
```

读者在第 7 章中将可以看到，更好的解决方法是：

```
Logger.global.info("Current position = " + position);
```

提示：强烈建议为自定义的每一个类增加 toString 方法。这样做不仅自己受益，而且所有使用这个类的程序员也会从这个日志记录支持中受益匪浅。

程序清单 5-8 的程序实现了 Employee 类（程序清单 5-9）和 Manager 类（程序清单 5-10）的 equals、hashCode 和 toString 方法。

程序清单 5-8 equals/EqualsTest.java

```
1 package equals;
2
3 /**
4  * This program demonstrates the equals method.
5  * @version 1.12 2012-01-26
6  * @author Cay Horstmann
7  */
8 public class EqualsTest
9 {
10    public static void main(String[] args)
```

```
11    {
12       Employee alice1 = new Employee("Alice Adams", 75000, 1987, 12, 15);
13       Employee alice2 = alice1;
14       Employee alice3 = new Employee("Alice Adams", 75000, 1987, 12, 15);
15       Employee bob = new Employee("Bob Brandson", 50000, 1989, 10, 1);
16
17       System.out.println("alice1 == alice2: " + (alice1 == alice2));
18
19       System.out.println("alice1 == alice3: " + (alice1 == alice3));
20
21       System.out.println("alice1.equals(alice3): " + alice1.equals(alice3));
22
23       System.out.println("alice1.equals(bob): " + alice1.equals(bob));
24
25       System.out.println("bob.toString(): " + bob);
26
27       Manager carl = new Manager("Carl Cracker", 80000, 1987, 12, 15);
28       Manager boss = new Manager("Carl Cracker", 80000, 1987, 12, 15);
29       boss.setBonus(5000);
30       System.out.println("boss.toString(): " + boss);
31       System.out.println("carl.equals(boss): " + carl.equals(boss));
32       System.out.println("alice1.hashCode(): " + alice1.hashCode());
33       System.out.println("alice3.hashCode(): " + alice3.hashCode());
34       System.out.println("bob.hashCode(): " + bob.hashCode());
35       System.out.println("carl.hashCode(): " + carl.hashCode());
36    }
37 }
```

程序清单 5-9 equals/Employee.java

```
1  package equals;
2
3  import java.time.*;
4  import java.util.Objects;
5
6  public class Employee
7  {
8     private String name;
9     private double salary;
10    private LocalDate hireDay;
11
12    public Employee(String name, double salary, int year, int month, int day)
13    {
14       this.name = name;
15       this.salary = salary;
16       hireDay = LocalDate.of(year, month, day);
17    }
18
19    public String getName()
20    {
21       return name;
22    }
23
24    public double getSalary()
25    {
26       return salary;
```

```
27    }
28
29    public LocalDate getHireDay()
30    {
31       return hireDay;
32    }
33
34    public void raiseSalary(double byPercent)
35    {
36       double raise = salary * byPercent / 100;
37       salary += raise;
38    }
39
40    public boolean equals(Object otherObject)
41    {
42       // a quick test to see if the objects are identical
43       if (this == otherObject) return true;
44
45       // must return false if the explicit parameter is null
46       if (otherObject == null) return false;
47
48       // if the classes don't match, they can't be equal
49       if (getClass() != otherObject.getClass()) return false;
50
51       // now we know otherObject is a non-null Employee
52       Employee other = (Employee) otherObject;
53
54       // test whether the fields have identical values
55       return Objects.equals(name, other.name) && salary == other.salary
56             && Objects.equals(hireDay, other.hireDay);
57    }
58
59    public int hashCode()
60    {
61       return Objects.hash(name, salary, hireDay);
62    }
63
64    public String toString()
65    {
66       return getClass().getName() + "[name=" + name + ",salary=" + salary + ",hireDay=" + hireDay
67             + "]";
68    }
69 }
```

程序清单 5-10 equals/Manager.java

```
1 package equals;
2
3 public class Manager extends Employee
4 {
5    private double bonus;
6
7    public Manager(String name, double salary, int year, int month, int day)
8    {
9       super(name, salary, year, month, day);
10      bonus = 0;
```

```
11     }
12
13     public double getSalary()
14     {
15        double baseSalary = super.getSalary();
16        return baseSalary + bonus;
17     }
18
19     public void setBonus(double bonus)
20     {
21        this.bonus = bonus;
22     }
23
24     public boolean equals(Object otherObject)
25     {
26        if (!super.equals(otherObject)) return false;
27        Manager other = (Manager) otherObject;
28        // super.equals checked that this and other belong to the same class
29        return bonus == other.bonus;
30     }
31
32     public int hashCode()
33     {
34        return super.hashCode() + 17 * new Double(bonus).hashCode();
35     }
36
37     public String toString()
38     {
39        return super.toString() + "[bonus=" + bonus + "]";
40     }
41  }
```

API java.lang.Object 1.0

- `Class getClass()`

  返回包含对象信息的类对象。稍后会看到 Java 提供了类运行时的描述，它的内容被封装在 Class 类中。

- `boolean equals(Object otherObject)`

  比较两个对象是否相等，如果两个对象指向同一块存储区域，方法返回 true ；否则方法返回 false。在自定义的类中，应该覆盖这个方法。

- `String toString()`

  返回描述该对象值的字符串。在自定义的类中，应该覆盖这个方法。

API java.lang.Class 1.0

- `String getName()`

  返回这个类的名字。

- `Class getSuperclass()`

  以 Class 对象的形式返回这个类的超类信息。

5.3 泛型数组列表

在许多程序设计语言中，特别是在 C++ 语言中，必须在编译时就确定整个数组的大小。程序员对此十分反感，因为这样做将迫使程序员做出一些不情愿的折中。例如，在一个部门中有多少雇员？肯定不会超过 100 人。一旦出现一个拥有 150 名雇员的大型部门呢？愿意为那些仅有 10 名雇员的部门浪费 90 名雇员占据的存储空间吗？

在 Java 中，情况就好多了。它允许在运行时确定数组的大小。

```
int actualSize = . . .;
Employee[] staff = new Employee[actualSize];
```

当然，这段代码并没有完全解决运行时动态更改数组的问题。一旦确定了数组的大小，改变它就不太容易了。在 Java 中，解决这个问题最简单的方法是使用 Java 中另外一个被称为 ArrayList 的类。它使用起来有点像数组，但在添加或删除元素时，具有自动调节数组容量的功能，而不需要为此编写任何代码。

ArrayList 是一个采用*类型参数*（type parameter）的*泛型类*（generic class）。为了指定数组列表保存的元素对象类型，需要用一对尖括号将类名括起来加在后面，例如，ArrayList <Employee>。在第 8 章中将可以看到如何自定义一个泛型类，这里并不需要了解任何技术细节就可以使用 ArrayList 类型。

下面声明和构造一个保存 Employee 对象的数组列表：

```
ArrayList<Employee> staff = new ArrayList<Employee>();
```

两边都使用类型参数 Employee，这有些繁琐。Java SE 7 中，可以省去右边的类型参数：

```
ArrayList<Employee> staff = new ArrayList<>();
```

这被称为“菱形”语法，因为空尖括号 <> 就像是一个菱形。可以结合 new 操作符使用菱形语法。编译器会检查新值是什么。如果赋值给一个变量，或传递到某个方法，或者从某个方法返回，编译器会检查这个变量、参数或方法的泛型类型，然后将这个类型放在 <> 中。在这个例子中，new ArrayList<>() 将赋至一个类型为 ArrayList<Employee> 的变量，所以泛型类型为 Employee。

注释： Java SE 5.0 以前的版本没有提供泛型类，而是有一个 ArrayList 类，其中保存类型为 Object 的元素，它是“自适应大小”的集合。如果一定要使用老版本的 Java，则需要将所有的后缀 <. . .> 删掉。在 Java SE 5.0 以后的版本中，没有后缀 <. . .> 仍然可以使用 ArrayList，它将被认为是一个删去了类型参数的“原始”类型。

注释： 在 Java 的老版本中，程序员使用 Vector 类实现动态数组。不过，ArrayList 类更加有效，没有任何理由一定要使用 Vector 类。

使用 add 方法可以将元素添加到数组列表中。例如，下面展示了如何将雇员对象添加到数组列表中的方法：

```
staff.add(new Employee("Harry Hacker", . . .));
staff.add(new Employee("Tony Tester", . . .));
```

数组列表管理着对象引用的一个内部数组。最终，数组的全部空间有可能被用尽。这就显现出数组列表的操作魅力：如果调用 add 且内部数组已经满了，数组列表就将自动地创建一个更大的数组，并将所有的对象从较小的数组中拷贝到较大的数组中。

如果已经清楚或能够估计出数组可能存储的元素数量，就可以在填充数组之前调用 ensureCapacity 方法：

```
staff.ensureCapacity(100);
```

这个方法调用将分配一个包含 100 个对象的内部数组。然后调用 100 次 add，而不用重新分配空间。

另外，还可以把初始容量传递给 ArrayList 构造器：

```
ArrayList<Employee> staff = new ArrayList<>(100);
```

警告：分配数组列表，如下所示：

```
new ArrayList<>(100) // capacity is 100
```

它与为新数组分配空间有所不同：

```
new Employee[100] // size is 100
```

数组列表的容量与数组的大小有一个非常重要的区别。如果为数组分配 100 个元素的存储空间，数组就有 100 个空位置可以使用。而容量为 100 个元素的数组列表只是拥有保存 100 个元素的潜力（实际上，重新分配空间的话，将会超过 100），但是在最初，甚至完成初始化构造之后，数组列表根本就不含有任何元素。

size 方法将返回数组列表中包含的实际元素数目。例如，

```
staff.size()
```

将返回 staff 数组列表的当前元素数量，它等价于数组 a 的 a.length。

一旦能够确认数组列表的大小不再发生变化，就可以调用 trimToSize 方法。这个方法将存储区域的大小调整为当前元素数量所需要的存储空间数目。垃圾回收器将回收多余的存储空间。

一旦整理了数组列表的大小，添加新元素就需要花时间再次移动存储块，所以应该在确认不会添加任何元素时，再调用 trimToSize。

C++ 注释：ArrayList 类似于 C++ 的 vector 模板。ArrayList 与 vector 都是泛型类型。但是 C++ 的 vector 模板为了便于访问元素重载了 [ ] 运算符。由于 Java 没有运算符重载，所以必须调用显式的方法。此外，C++ 向量是值拷贝。如果 a 和 b 是两个向量，赋值操作 a = b 将会构造一个与 b 长度相同的新向量 a，并将所有的元素由 b 拷贝到 a，而在 Java 中，这条赋值语句的操作结果是让 a 和 b 引用同一个数组列表。

API java.util.ArrayList<E> 1.2

- `ArrayList<E>()`

  构造一个空数组列表。

- `ArrayList<E>(int initialCapacity)`

  用指定容量构造一个空数组列表。

  参数：initalCapacity　　数组列表的最初容量

- `boolean add(E obj)`

  在数组列表的尾端添加一个元素。永远返回 true。

  参数：obj　　添加的元素

- `int size()`

  返回存储在数组列表中的当前元素数量。（这个值将小于或等于数组列表的容量。）

- `void ensureCapacity(int capacity)`

  确保数组列表在不重新分配存储空间的情况下就能够保存给定数量的元素。

  参数：capacity　　需要的存储容量

- `void trimToSize()`

  将数组列表的存储容量削减到当前尺寸。

5.3.1 访问数组列表元素

很遗憾，天下没有免费的午餐。数组列表自动扩展容量的便利增加了访问元素语法的复杂程度。其原因是 ArrayList 类并不是 Java 程序设计语言的一部分；它只是一个由某些人编写且被放在标准库中的一个实用类。

使用 get 和 set 方法实现访问或改变数组元素的操作，而不使用人们喜爱的 [ ] 语法格式。

例如，要设置第 i 个元素，可以使用：

```
staff.set(i, harry);
```

它等价于对数组 a 的元素赋值（数组的下标从 0 开始）：

```
a[i] = harry;
```

警告： 只有 i 小于或等于数组列表的大小时，才能够调用 list.set(i,x)。例如，下面这段代码是错误的：

```
ArrayList<Employee> list = new ArrayList<>(100); // capacity 100, size 0
list.set(0, x); // no element 0 yet
```

使用 add 方法为数组添加新元素，而不要使用 set 方法，它只能替换数组中已经存在的元素内容。

使用下列格式获得数组列表的元素：

```
Employee e = staff.get(i);
```

等价于：

```
Employee e = a[i];
```

注释：没有泛型类时，原始的 ArrayList 类提供的 get 方法别无选择只能返回 Object，因此，get 方法的调用者必须对返回值进行类型转换：

```
Employee e = (Employee) staff.get(i);
```

原始的 ArrayList 存在一定的危险性。它的 add 和 set 方法允许接受任意类型的对象。对于下面这个调用

```
staff.set(i, "Harry Hacker");
```

编译不会给出任何警告，只有在检索对象并试图对它进行类型转换时，才会发现有问题。如果使用 ArrayList<Employee>，编译器就会检测到这个错误。

下面这个技巧可以一举两得，既可以灵活地扩展数组，又可以方便地访问数组元素。首先，创建一个数组，并添加所有的元素。

```
ArrayList<X> list = new ArrayList<>();
while (. . .)
{
   x = . . .;
   list.add(x);
}
```

执行完上述操作后，使用 toArray 方法将数组元素拷贝到一个数组中。

```
X[] a = new X[list.size()];
list.toArray(a);
```

除了在数组列表的尾部追加元素之外，还可以在数组列表的中间插入元素，使用带索引参数的 add 方法。

```
int n = staff.size() / 2;
staff.add(n, e);
```

为了插入一个新元素，位于 n 之后的所有元素都要向后移动一个位置。如果插入新元素后，数组列表的大小超过了容量，数组列表就会被重新分配存储空间。

同样地，可以从数组列表中间删除一个元素。

```
Employee e = staff.remove(n);
```

位于这个位置之后的所有元素都向前移动一个位置，并且数组的大小减 1。

对数组实施插入和删除元素的操作其效率比较低。对于小型数组来说，这一点不必担心。但如果数组存储的元素数比较多，又经常需要在中间位置插入、删除元素，就应该考虑使用链表了。有关链表操作的实现方式将在第 9 章中讲述。

可以使用“for each”循环遍历数组列表：

```
for (Employee e : staff)
   do something with e
```

这个循环和下列代码具有相同的效果

```
for (int i = 0; i < staff.size(); i++)
{
   Employee e = staff.get(i);
   do something with e
}
```

程序清单 5-11 是对第 4 章中 EmployeeTest 做出修改后的程序。在这里，将 Employee[ ] 数组替换成了 ArrayList<Employee>。请注意下面的变化：

- 不必指出数组的大小。
- 使用 add 将任意多的元素添加到数组中。
- 使用 size() 替代 length 计算元素的数目。
- 使用 a.get(i) 替代 a[i] 访问元素。

程序清单 5-11 arrayList/ArrayListTest.java

```
1 package arrayList;
2 
3 import java.util.*;
4 
5 /**
6  * This program demonstrates the ArrayList class.
7  * @version 1.11 2012-01-26
8  * @author Cay Horstmann
9  */
10 public class ArrayListTest
11 {
12    public static void main(String[] args)
13    {
14       // fill the staff array list with three Employee objects
15       ArrayList<Employee> staff = new ArrayList<>();
16 
17       staff.add(new Employee("Carl Cracker", 75000, 1987, 12, 15));
18       staff.add(new Employee("Harry Hacker", 50000, 1989, 10, 1));
19       staff.add(new Employee("Tony Tester", 40000, 1990, 3, 15));
20 
21       // raise everyone's salary by 5%
22       for (Employee e : staff)
23          e.raiseSalary(5);
24 
25       // print out information about all Employee objects
26       for (Employee e : staff)
27          System.out.println("name=" + e.getName() + ",salary=" + e.getSalary() + ",hireDay="
28                + e.getHireDay());
29    }
30 }
```

API java.util.ArrayList<T> 1.2

- `void set(int index,E obj)`

  设置数组列表指定位置的元素值，这个操作将覆盖这个位置的原有内容。

参数：index　　位置（必须介于 0 ~ size()-1 之间）
　　　obj　　新的值

- `E get(int index)`

  获得指定位置的元素值。

  参数：index　　获得的元素位置（必须介于 0 ~ size()-1 之间）

- `void add(int index,E obj)`

  向后移动元素，以便插入元素。

  参数：index　　插入位置（必须介于 0 ~ size()-1 之间）
  　　　obj　　新元素

- `E remove(int index)`

  删除一个元素，并将后面的元素向前移动。被删除的元素由返回值返回。

  参数：index　　被删除的元素位置（必须介于 0 ~ size()-1 之间）

5.3.2　类型化与原始数组列表的兼容性

在你自己的代码中，你可能更愿意使用类型参数来增加安全性。这一节中，你会了解如何与没有使用类型参数的遗留代码交互操作。

假设有下面这个遗留下来的类：

```
public class EmployeeDB
{
   public void update(ArrayList list) { . . . }
   public ArrayList find(String query) { . . . }
}
```

可以将一个类型化的数组列表传递给 update 方法，而并不需要进行任何类型转换。

```
ArrayList<Employee> staff = . . .;
employeeDB.update(staff);
```

也可以将 staff 对象传递给 update 方法。

警告：尽管编译器没有给出任何错误信息或警告，但是这样调用并不太安全。在 update 方法中，添加到数组列表中的元素可能不是 Employee 类型。在对这些元素进行检索时就会出现异常。听起来似乎很吓人，但思考一下就会发现，这与在 Java 中增加泛型之前是一样的。虚拟机的完整性绝对没有受到威胁。在这种情形下，既没有降低安全性，也没有受益于编译时的检查。

相反地，将一个原始 ArrayList 赋给一个类型化 ArrayList 会得到一个警告。

```
ArrayList<Employee> result = employeeDB.find(query); // yields warning
```

注释：为了能够看到警告性错误的文字信息，要将编译选项置为 -Xlint:unchecked。

使用类型转换并不能避免出现警告。

```
ArrayList<Employee> result = (ArrayList<Employee>) employeeDB.find(query);
   // yields another warning
```

这样，将会得到另外一个警告信息，指出类型转换有误。

这就是 Java 中不尽如人意的参数化类型的限制所带来的结果。鉴于兼容性的考虑，编译器在对类型转换进行检查之后，如果没有发现违反规则的现象，就将所有的类型化数组列表转换成原始 ArrayList 对象。在程序运行时，所有的数组列表都是一样的，即没有虚拟机中的类型参数。因此，类型转换（ArrayList）和（ArrayList<Employee>）将执行相同的运行时检查。

在这种情形下，不必做什么。只要在与遗留的代码进行交叉操作时，研究一下编译器的警告性提示，并确保这些警告不会造成太严重的后果就行了。

一旦能确保不会造成严重的后果，可以用 @SuppressWarnings("unchecked") 标注来标记这个变量能够接受类型转换，如下所示：

```
@SuppressWarnings("unchecked") ArrayList<Employee> result =
   (ArrayList<Employee>) employeeDB.find(query); // yields another warning
```

5.4 对象包装器与自动装箱

有时，需要将 int 这样的基本类型转换为对象。所有的基本类型都有一个与之对应的类。例如，Integer 类对应基本类型 int。通常，这些类称为包装器（wrapper）。这些对象包装器类拥有很明显的名字：Integer、Long、Float、Double、Short、Byte、Character、Void 和 Boolean（前 6 个类派生于公共的超类 Number）。对象包装器类是不可变的，即一旦构造了包装器，就不允许更改包装在其中的值。同时，对象包装器类还是 final，因此不能定义它们的子类。

假设想定义一个整型数组列表。而尖括号中的类型参数不允许是基本类型，也就是说，不允许写成 ArrayList<int>。这里就用到了 Integer 对象包装器类。我们可以声明一个 Integer 对象的数组列表。

```
ArrayList<Integer> list = new ArrayList<>();
```

◆ **警告：** 由于每个值分别包装在对象中，所以 ArrayList<Integer> 的效率远远低于 int[ ] 数组。因此，应该用它构造小型集合，其原因是此时程序员操作的方便性要比执行效率更加重要。

幸运的是，有一个很有用的特性，从而更加便于添加 int 类型的元素到 ArrayList<Integer> 中。下面这个调用

```
list.add(3);
```

将自动地变换成

```
list.add(Integer.valueOf(3));
```

这种变换被称为自动装箱（autoboxing）。

注释：大家可能认为自动打包（autowrapping）更加合适，而“装箱（boxing）”这个词源自于 C#。

相反地，当将一个 Integer 对象赋给一个 int 值时，将会自动地拆箱。也就是说，编译器将下列语句：

```
int n = list.get(i);
```

翻译成

```
int n = list.get(i).intValue();
```

甚至在算术表达式中也能够自动地装箱和拆箱。例如，可以将自增操作符应用于一个包装器引用：

```
Integer n = 3;
n++;
```

编译器将自动地插入一条对象拆箱的指令，然后进行自增计算，最后再将结果装箱。

大多数情况下，容易有一种假象，即基本类型与它们的对象包装器是一样的，只是它们的相等性不同。大家知道，== 运算符也可以应用于对象包装器对象，只不过检测的是对象是否指向同一个存储区域，因此，下面的比较通常不会成立：

```
Integer a = 1000;
Integer b = 1000;
if (a == b) . . .
```

然而，Java 实现却有可能（may）让它成立。如果将经常出现的值包装到同一个对象中，这种比较就有可能成立。这种不确定的结果并不是我们所希望的。解决这个问题的办法是在两个包装器对象比较时调用 equals 方法。

注释：自动装箱规范要求 boolean、byte、char ≤ 127，介于 –128 ~ 127 之间的 short 和 int 被包装到固定的对象中。例如，如果在前面的例子中将 a 和 b 初始化为 100，对它们进行比较的结果一定成立。

关于自动装箱还有几点需要说明。首先，由于包装器类引用可以为 null，所以自动装箱有可能会抛出一个 NullPointerException 异常：

```
Integer n = null;
System.out.println(2 * n); // Throws NullPointerException
```

另外，如果在一个条件表达式中混合使用 Integer 和 Double 类型，Integer 值就会拆箱，提升为 double，再装箱为 Double：

```
Integer n = 1;
Double x = 2.0;
System.out.println(true ? n : x); // Prints 1.0
```

最后强调一下，装箱和拆箱是编译器认可的，而不是虚拟机。编译器在生成类的字节码时，插入必要的方法调用。虚拟机只是执行这些字节码。

使用数值对象包装器还有另外一个好处。Java 设计者发现，可以将某些基本方法放置在包装器中，例如，将一个数字字符串转换成数值。

要想将字符串转换成整型，可以使用下面这条语句：

```
int x = Integer.parseInt(s);
```

这里与 Integer 对象没有任何关系，parseInt 是一个静态方法。但 Integer 类是放置这个方法的一个好地方。

API 注释说明了 Integer 类中包含的一些重要方法。其他数值类也实现了相应的方法。

警告：有些人认为包装器类可以用来实现修改数值参数的方法，然而这是错误的。在第 4 章中曾经讲到，由于 Java 方法都是值传递，所以不可能编写一个下面这样的能够增加整型参数值的 Java 方法。

```
public static void triple(int x) // won't work
{
   x = 3 * x; // modifies local variable
}
```

将 int 替换成 Integer 又会怎样呢？

```
public static void triple(Integer x) // won't work
{
   . . .
}
```

问题是 Integer 对象是不可变的：包含在包装器中的内容不会改变。不能使用这些包装器类创建修改数值参数的方法。

如果想编写一个修改数值参数值的方法，就需要使用在 org.omg.CORBA 包中定义的持有者（holder）类型，包括 IntHolder、BooleanHolder 等。每个持有者类型都包含一个公有（!）域值，通过它可以访问存储在其中的值。

```
public static void triple(IntHolder x)
{
   x.value = 3 * x.value;
}
```

API java.lang.Integer 1.0

- `int intValue()`

  以 int 的形式返回 Integer 对象的值（在 Number 类中覆盖了 intValue 方法）。
- `static String toString(int i)`

  以一个新 String 对象的形式返回给定数值 i 的十进制表示。
- `static String toString(int i,int radix)`

  返回数值 i 的基于给定 radix 参数进制的表示。
- `static int parseInt(String s)`
- `static int parseInt(String s,int radix)`

  返回字符串 s 表示的整型数值，给定字符串表示的是十进制的整数（第一种方法），或者是 radix 参数进制的整数（第二种方法）。

- `static Integer valueOf(String s)`
- `Static Integer value Of(String s, int  radix)`

  返回用 s 表示的整型数值进行初始化后的一个新 Integer 对象，给定字符串表示的是十进制的整数（第一种方法），或者是 radix 参数进制的整数（第二种方法）。

API java.text.NumberFormat 1.1

- `Number parse(String s)`

  返回数字值，假设给定的 String 表示了一个数值。

5.5 参数数量可变的方法

在 Java SE 5.0 以前的版本中，每个 Java 方法都有固定数量的参数。然而，现在的版本提供了可以用可变的参数数量调用的方法（有时称为“变参”方法）。

前面已经看到过这样的方法：printf。例如，下面的方法调用：

```
System.out.printf("%d", n);
```

和

```
System.out.printf("%d %s", n, "widgets");
```

在上面两条语句中，尽管一个调用包含两个参数，另一个调用包含三个参数，但它们调用的都是同一个方法。

printf 方法是这样定义的：

```
public class PrintStream
{
   public PrintStream printf(String fmt, Object... args) { return format(fmt, args); }
}
```

这里的省略号 . . . 是 Java 代码的一部分，它表明这个方法可以接收任意数量的对象（除 fmt 参数之外）。

实际上，printf 方法接收两个参数，一个是格式字符串，另一个是 Object[ ] 数组，其中保存着所有的参数（如果调用者提供的是整型数组或者其他基本类型的值，自动装箱功能将把它们转换成对象）。现在将扫描 fmt 字符串，并将第 i 个格式说明符与 args[i] 的值匹配起来。

换句话说，对于 printf 的实现者来说，Object. . . 参数类型与 Object[ ] 完全一样。

编译器需要对 printf 的每次调用进行转换，以便将参数绑定到数组上，并在必要的时候进行自动装箱：

```
System.out.printf("%d %s", new Object[] { new Integer(n), "widgets" } );
```

用户自己也可以定义可变参数的方法，并将参数指定为任意类型，甚至是基本类型。下面是一个简单的示例：其功能为计算若干个数值的最大值。

```
public static double max(double... values)
{
   double largest = Double.NEGATIVE_INFINITY;
   for (double v : values) if (v > largest) largest = v;
   return largest;
}
```

可以像下面这样调用这个方法：

```
double m = max(3.1, 40.4, -5);
```

编译器将 new double[ ] {3.1, 40.4, –5} 传递给 max 方法。

注释：允许将一个数组传递给可变参数方法的最后一个参数。例如：

```
System.out.printf("%d %s", new Object[] { new Integer(1), "widgets" } );
```

因此，可以将已经存在且最后一个参数是数组的方法重新定义为可变参数的方法，而不会破坏任何已经存在的代码。例如，MessageFormat.format 在 Java SE 5.0 就采用了这种方式。甚至可以将 main 方法声明为下列形式：

```
public static void main(String... args)
```

5.6 枚举类

读者在第 3 章已经看到如何定义枚举类型。下面是一个典型的例子：

```
public enum Size { SMALL, MEDIUM, LARGE, EXTRA_LARGE };
```

实际上，这个声明定义的类型是一个类，它刚好有 4 个实例，在此尽量不要构造新对象。

因此，在比较两个枚举类型的值时，永远不需要调用 equals，而直接使用“= =”就可以了。

如果需要的话，可以在枚举类型中添加一些构造器、方法和域。当然，构造器只是在构造枚举常量的时候被调用。下面是一个示例：

```
public enum Size
{
   SMALL("S"), MEDIUM("M"), LARGE("L"), EXTRA_LARGE("XL");

   private String abbreviation;

   private Size(String abbreviation) { this.abbreviation = abbreviation; }
   public String getAbbreviation() { return abbreviation; }
}
```

所有的枚举类型都是 Enum 类的子类。它们继承了这个类的许多方法。其中最有用的一个是 toString，这个方法能够返回枚举常量名。例如，Size.SMALL.toString( ) 将返回字符串“SMALL”。

toString 的逆方法是静态方法 valueOf。例如，语句：

```
Size s = Enum.valueOf(Size.class, "SMALL");
```

将 s 设置成 Size.SMALL。

每个枚举类型都有一个静态的 values 方法，它将返回一个包含全部枚举值的数组。例如，如下调用

```
Size[] values = Size.values();
```

返回包含元素 Size.SMALL,Size.MEDIUM,Size.LARGE 和 Size.EXTRA_LARGE 的数组。

ordinal 方法返回 enum 声明中枚举常量的位置，位置从 0 开始计数。例如：Size. MEDIUM. ordinal() 返回 1。

程序清单 5-12 演示了枚举类型的工作方式。

注释： 如同 Class 类一样，鉴于简化的考虑，Enum 类省略了一个类型参数。例如，实际上，应该将枚举类型 Size 扩展为 Enum<Size>。类型参数在 compareTo 方法中使用（comPareTo 方法在第 6 章中介绍，类型参数在第 8 章中介绍）。

程序清单 5-12 enums/EnumTest.java

```
1 package enums;
2 
3 import java.util.*;
4 
5 /**
6  * This program demonstrates enumerated types.
7  * @version 1.0 2004-05-24
8  * @author Cay Horstmann
9  */
10 public class EnumTest
11 {
12    public static void main(String[] args)
13    {
14       Scanner in = new Scanner(System.in);
15       System.out.print("Enter a size: (SMALL, MEDIUM, LARGE, EXTRA_LARGE) ");
16       String input = in.next().toUpperCase();
17       Size size = Enum.valueOf(Size.class, input);
18       System.out.println("size=" + size);
19       System.out.println("abbreviation=" + size.getAbbreviation());
20       if (size == Size.EXTRA_LARGE)
21          System.out.println("Good job--you paid attention to the _.");
22    }
23 }
24 
25 enum Size
26 {
27    SMALL("S"), MEDIUM("M"), LARGE("L"), EXTRA_LARGE("XL");
28 
29    private Size(String abbreviation) { this.abbreviation = abbreviation; }
30    public String getAbbreviation() { return abbreviation; }
31 
32    private String abbreviation;
33 }
```

API java.lang.Enum <E> 5.0

- `static Enum valueOf(Class enumClass,String name)`
  返回指定名字、给定类的枚举常量。
- `String toString( )`
  返回枚举常量名。
- `int ordinal()`
  返回枚举常量在 enum 声明中的位置，位置从 0 开始计数。
- `int compareTo(E other)`
  如果枚举常量出现在 other 之前，则返回一个负值；如果 this==other，则返回 0；否则，返回正值。枚举常量的出现次序在 enum 声明中给出。

5.7 反射

反射库（reflection library）提供了一个非常丰富且精心设计的工具集，以便编写能够动态操纵 Java 代码的程序。这项功能被大量地应用于 JavaBeans 中，它是 Java 组件的体系结构（有关 JavaBeans 的详细内容在卷 Ⅱ 中阐述）。使用反射，Java 可以支持 Visual Basic 用户习惯使用的工具。特别是在设计或运行中添加新类时，能够快速地应用开发工具动态地查询新添加类的能力。

能够分析类能力的程序称为反射（reflective）。反射机制的功能极其强大，在下面可以看到，反射机制可以用来：

- 在运行时分析类的能力。
- 在运行时查看对象，例如，编写一个 toString 方法供所有类使用。
- 实现通用的数组操作代码。
- 利用 Method 对象，这个对象很像 C++ 中的函数指针。

反射是一种功能强大且复杂的机制。使用它的主要人员是工具构造者，而不是应用程序员。如果仅对设计应用程序感兴趣，而对构造工具不感兴趣，可以跳过本章的剩余部分，稍后再返回来学习。

5.7.1 Class 类

在程序运行期间，Java 运行时系统始终为所有的对象维护一个被称为运行时的类型标识。这个信息跟踪着每个对象所属的类。虚拟机利用运行时类型信息选择相应的方法执行。

然而，可以通过专门的 Java 类访问这些信息。保存这些信息的类被称为 Class，这个名字很容易让人混淆。Object 类中的 getClass( ) 方法将会返回一个 Class 类型的实例。

```
Employee e;
. . .
Class cl = e.getClass();
```

如同用一个 Employee 对象表示一个特定的雇员属性一样，一个 Class 对象将表示一个特定类的属性。最常用的 Class 方法是 getName。这个方法将返回类的名字。例如，下面这条语句：

```
System.out.println(e.getClass().getName() + " " + e.getName());
```

如果 e 是一个雇员，则会打印输出：

```
Employee Harry Hacker
```

如果 e 是经理，则会打印输出：

```
Manager Harry Hacker
```

如果类在一个包里，包的名字也作为类名的一部分：

```
Random generator = new Random();
Class cl = generator.getClass();
String name = cl.getName(); // name is set to "java.util.Random"
```

还可以调用静态方法 forName 获得类名对应的 Class 对象。

```
String className = "java.util.Random";
Class cl = Class.forName(className);
```

如果类名保存在字符串中，并可在运行中改变，就可以使用这个方法。当然，这个方法只有在 className 是类名或接口名时才能够执行。否则，forName 方法将抛出一个 checked exception（已检查异常）。无论何时使用这个方法，都应该提供一个异常处理器（exception handler）。如何提供一个异常处理器，请参看下一节。

提示： 在启动时，包含 main 方法的类被加载。它会加载所有需要的类。这些被加载的类又要加载它们需要的类，以此类推。对于一个大型的应用程序来说，这将会消耗很多时间，用户会因此感到不耐烦。可以使用下面这个技巧给用户一种启动速度比较快的幻觉。不过，要确保包含 main 方法的类没有显式地引用其他的类。首先，显示一个启动画面；然后，通过调用 Class.forName 手工地加载其他的类。

获得 Class 类对象的第三种方法非常简单。如果 T 是任意的 Java 类型（或 void 关键字），T.class 将代表匹配的类对象。例如：

```
Class cl1 = Random.class; // if you import java.util.*;
Class cl2 = int.class;
Class cl3 = Double[].class;
```

请注意，一个 Class 对象实际上表示的是一个类型，而这个类型未必一定是一种类。例如，int 不是类，但 int.class 是一个 Class 类型的对象。

注释： Class 类实际上是一个泛型类。例如，Employee.class 的类型是 Class<Employee>。没有说明这个问题的原因是：它将已经抽象的概念更加复杂化了。在大多数实际问题中，可以忽略类型参数，而使用原始的 Class 类。有关这个问题更详细的论述请参看第 8 章。

警告：鉴于历史原因，getName 方法在应用于数组类型的时候会返回一个很奇怪的名字：

- Double[ ].class.getName( ) 返回“[Ljava.lang.Double;”。
- int[ ].class.getName( ) 返回“[I”。

虚拟机为每个类型管理一个 Class 对象。因此，可以利用 == 运算符实现两个类对象比较的操作。例如，

```
if (e.getClass() == Employee.class) . . .
```

还有一个很有用的方法 newInstance( )，可以用来动态地创建一个类的实例。例如，

```
e.getClass().newInstance();
```

创建了一个与 e 具有相同类类型的实例。newInstance 方法调用默认的构造器（没有参数的构造器）初始化新创建的对象。如果这个类没有默认的构造器，就会抛出一个异常。

将 forName 与 newInstance 配合起来使用，可以根据存储在字符串中的类名创建一个对象。

```
String s = "java.util.Random";
Object m = Class.forName(s).newInstance();
```

注释：如果需要以这种方式向希望按名称创建的类的构造器提供参数，就不要使用上面那条语句，而必须使用 Constructor 类中的 newInstance 方法。

C++ 注释：newInstance 方法对应 C++ 中虚拟构造器的习惯用法。然而，C++ 中的虚拟构造器不是一种语言特性，需要由专门的库支持。Class 类与 C++ 中的 type_info 类相似，getClass 方法与 C++ 中的 typeid 运算符等价。但 Java 中的 Class 比 C++ 中的 type_info 的功能强。C++ 中的 type_info 只能以字符串的形式显示一个类型的名字，而不能创建那个类型的对象。

5.7.2 捕获异常

我们将在第 7 章中全面地讲述异常处理机制，但现在时常遇到一些方法需要抛出异常。

当程序运行过程中发生错误时，就会“抛出异常”。抛出异常比终止程序要灵活得多，这是因为可以提供一个“捕获”异常的处理器（handler）对异常情况进行处理。

如果没有提供处理器，程序就会终止，并在控制台上打印出一条信息，其中给出了异常的类型。可能在前面已经看到过一些异常报告，例如，偶然使用了 null 引用或者数组越界等。

异常有两种类型：未检查异常和已检查异常。对于已检查异常，编译器将会检查是否提供了处理器。然而，有很多常见的异常，例如，访问 null 引用，都属于未检查异常。编译器不会查看是否为这些错误提供了处理器。毕竟，应该精心地编写代码来避免这些错误的发生，而不要将精力花在编写异常处理器上。

并不是所有的错误都是可以避免的。如果竭尽全力还是发生了异常，编译器就要求提供一个处理器。Class.forName 方法就是一个抛出已检查异常的例子。在第 7 章中，将会看到几种异常处理的策略。现在，只介绍一下如何实现最简单的处理器。

将可能抛出已检查异常的一个或多个方法调用代码放在 try 块中，然后在 catch 子句中提供处理器代码。

```
try
{
   statements that might throw exceptions
}
catch (Exception e)
{
   handler action
}
```

下面是一个示例：

```
try
{
   String name = . . .; // get class name
   Class cl = Class.forName(name); // might throw exception
   do something with cl
}
catch (Exception e)
{
   e.printStackTrace();
}
```

如果类名不存在，则将跳过 try 块中的剩余代码，程序直接进入 catch 子句（这里，利用 Throwable 类的 printStackTrace 方法打印出栈的轨迹。Throwable 是 Exception 类的超类）。如果 try 块中没有抛出任何异常，那么会跳过 catch 子句的处理器代码。

对于已检查异常，只需要提供一个异常处理器。可以很容易地发现会抛出已检查异常的方法。如果调用了一个抛出已检查异常的方法，而又没有提供处理器，编译器就会给出错误报告。

API java.lang.Class 1.0

- `static Class forName(String className)`

  返回描述类名为 className 的 Class 对象。

- `Object newInstance()`

  返回这个类的一个新实例。

API java.lang.reflect.Constructor 1.1

- `Object newInstance(Object[] args)`

  构造一个这个构造器所属类的新实例。

  参数：args 这是提供给构造器的参数。有关如何提供参数的详细情况请参看 5.7.6 节的论述。

API java.lang.Throwable 1.0

- `void printStackTrace()`

  将 Throwable 对象和栈的轨迹输出到标准错误流。

5.7.3 利用反射分析类的能力

下面简要地介绍一下反射机制最重要的内容——检查类的结构。

在 java.lang.reflect 包中有三个类 Field、Method 和 Constructor 分别用于描述类的域、方法和构造器。这三个类都有一个叫做 getName 的方法，用来返回项目的名称。Field 类有一个 getType 方法，用来返回描述域所属类型的 Class 对象。Method 和 Constructor 类有能够报告参数类型的方法，Method 类还有一个可以报告返回类型的方法。这三个类还有一个叫做 getModifiers 的方法，它将返回一个整型数值，用不同的位开关描述 public 和 static 这样的修饰符使用状况。另外，还可以利用 java.lang.reflect 包中的 Modifier 类的静态方法分析 getModifiers 返回的整型数值。例如，可以使用 Modifier 类中的 isPublic、isPrivate 或 isFinal 判断方法或构造器是否是 public、private 或 final。我们需要做的全部工作就是调用 Modifier 类的相应方法，并对返回的整型数值进行分析，另外，还可以利用 Modifier.toString 方法将修饰符打印出来。

Class 类中的 getFields、getMethods 和 getConstructors 方法将分别返回类提供的 public 域、方法和构造器数组，其中包括超类的公有成员。Class 类的 getDeclareFields、getDeclareMethods 和 getDeclaredConstructors 方法将分别返回类中声明的全部域、方法和构造器，其中包括私有和受保护成员，但不包括超类的成员。

程序清单 5-13 显示了如何打印一个类的全部信息的方法。这个程序将提醒用户输入类名，然后输出类中所有的方法和构造器的签名，以及全部域名。假如输入

```
java.lang.Double
```

程序将会输出：

```
public class java.lang.Double extends java.lang.Number
{
   public java.lang.Double(java.lang.String);
   public java.lang.Double(double);

   public int hashCode();
   public int compareTo(java.lang.Object);
   public int compareTo(java.lang.Double);
   public boolean equals(java.lang.Object);
   public java.lang.String toString();
   public static java.lang.String toString(double);
   public static java.lang.Double valueOf(java.lang.String);
   public static boolean isNaN(double);
   public boolean isNaN();
   public static boolean isInfinite(double);
   public boolean isInfinite();
   public byte byteValue();
   public short shortValue();
   public int intValue();
   public long longValue();
   public float floatValue();
   public double doubleValue();
   public static double parseDouble(java.lang.String);
   public static native long doubleToLongBits(double);
```

```
   public static native long doubleToRawLongBits(double);
   public static native double longBitsToDouble(long);

   public static final double POSITIVE_INFINITY;
   public static final double NEGATIVE_INFINITY;
   public static final double NaN;
   public static final double MAX_VALUE;
   public static final double MIN_VALUE;
   public static final java.lang.Class TYPE;
   private double value;
   private static final long serialVersionUID;
}
```

值得注意的是：这个程序可以分析 Java 解释器能够加载的任何类，而不仅仅是编译程序时可以使用的类。在下一章中，还将使用这个程序查看 Java 编译器自动生成的内部类。

程序清单 5-13 reflection/ReflectionTest.java

```
1  package reflection;
2
3  import java.util.*;
4  import java.lang.reflect.*;
5
6  /**
7   * This program uses reflection to print all features of a class.
8   * @version 1.1 2004-02-21
9   * @author Cay Horstmann
10  */
11 public class ReflectionTest
12 {
13    public static void main(String[] args)
14    {
15       // read class name from command line args or user input
16       String name;
17       if (args.length > 0) name = args[0];
18       else
19       {
20          Scanner in = new Scanner(System.in);
21          System.out.println("Enter class name (e.g. java.util.Date): ");
22          name = in.next();
23       }
24
25       try
26       {
27          // print class name and superclass name (if != Object)
28          Class cl = Class.forName(name);
29          Class supercl = cl.getSuperclass();
30          String modifiers = Modifier.toString(cl.getModifiers());
31          if (modifiers.length() > 0) System.out.print(modifiers + " ");
32          System.out.print("class " + name);
33          if (supercl != null && supercl != Object.class) System.out.print(" extends "
34                + supercl.getName());
35
36          System.out.print("\n{\n");
37          printConstructors(cl);
38          System.out.println();
39          printMethods(cl);
```

```
40          System.out.println();
41          printFields(cl);
42          System.out.println("}");
43       }
44       catch (ClassNotFoundException e)
45       {
46          e.printStackTrace();
47       }
48       System.exit(0);
49    }
50
51    /**
52     * Prints all constructors of a class
53     * @param cl a class
54     */
55    public static void printConstructors(Class cl)
56    {
57       Constructor[] constructors = cl.getDeclaredConstructors();
58
59       for (Constructor c : constructors)
60       {
61          String name = c.getName();
62          System.out.print("   ");
63          String modifiers = Modifier.toString(c.getModifiers());
64          if (modifiers.length() > 0) System.out.print(modifiers + " ");
65          System.out.print(name + "(");
66
67          // print parameter types
68          Class[] paramTypes = c.getParameterTypes();
69          for (int j = 0; j < paramTypes.length; j++)
70          {
71             if (j > 0) System.out.print(", ");
72             System.out.print(paramTypes[j].getName());
73          }
74          System.out.println(");");
75       }
76    }
77
78    /**
79     * Prints all methods of a class
80     * @param cl a class
81     */
82    public static void printMethods(Class cl)
83    {
84       Method[] methods = cl.getDeclaredMethods();
85
86       for (Method m : methods)
87       {
88          Class retType = m.getReturnType();
89          String name = m.getName();
90
91          System.out.print("   ");
92          // print modifiers, return type and method name
93          String modifiers = Modifier.toString(m.getModifiers());
94          if (modifiers.length() > 0) System.out.print(modifiers + " ");
95          System.out.print(retType.getName() + " " + name + "(");
96
```

```
97          // print parameter types
98          Class[] paramTypes = m.getParameterTypes();
99          for (int j = 0; j < paramTypes.length; j++)
100         {
101            if (j > 0) System.out.print(", ");
102            System.out.print(paramTypes[j].getName());
103         }
104         System.out.println(");");
105      }
106   }
107
108   /**
109    * Prints all fields of a class
110    * @param cl a class
111    */
112   public static void printFields(Class cl)
113   {
114      Field[] fields = cl.getDeclaredFields();
115
116      for (Field f : fields)
117      {
118         Class type = f.getType();
119         String name = f.getName();
120         System.out.print("   ");
121         String modifiers = Modifier.toString(f.getModifiers());
122         if (modifiers.length() > 0) System.out.print(modifiers + " ");
123         System.out.println(type.getName() + " " + name + ";");
124      }
125   }
126 }
```

API java.lang.Class 1.0

- `Field[] getFields()` 1.1
- `Filed[] getDeclaredFields()` 1.1

  getFields 方法将返回一个包含 Field 对象的数组，这些对象记录了这个类或其超类的公有域。getDeclaredField 方法也将返回包含 Field 对象的数组，这些对象记录了这个类的全部域。如果类中没有域，或者 Class 对象描述的是基本类型或数组类型，这些方法将返回一个长度为 0 的数组。
- `Method[] getMethods()` 1.1
- `Method[] getDeclareMethods()` 1.1

  返回包含 Method 对象的数组：getMethods 将返回所有的公有方法，包括从超类继承来的公有方法；getDeclaredMethods 返回这个类或接口的全部方法，但不包括由超类继承了的方法。
- `Constructor[] getConstructors()` 1.1
- `Constructor[] getDeclaredConstructors()` 1.1

  返回包含 Constructor 对象的数组，其中包含了 Class 对象所描述的类的所有公有构造器（getConstructors）或所有构造器（getDeclaredConstructors）。

API java.lang.reflect.Field 1.1

API java.lang.reflect.Method 1.1

API java.lang.reflect.Constructor 1.1

- `Class getDeclaringClass()`
  返回一个用于描述类中定义的构造器、方法或域的 Class 对象。
- `Class[] getExceptionTypes()`（在 Constructor 和 Method 类中）
  返回一个用于描述方法抛出的异常类型的 Class 对象数组。
- `int getModifiers()`
  返回一个用于描述构造器、方法或域的修饰符的整型数值。使用 Modifier 类中的这个方法可以分析这个返回值。
- `String getName()`
  返回一个用于描述构造器、方法或域名的字符串。
- `Class[] getParameterTypes()`（在 Constructor 和 Method 类中）
  返回一个用于描述参数类型的 Class 对象数组。
- `Class getReturnType()`（在 Method 类中）
  返回一个用于描述返回类型的 Class 对象。

API java.lang.reflect.Modifier 1.1

- `static String toString(int modifiers)`
  返回对应 modifiers 中位设置的修饰符的字符串表示。
- `static boolean isAbstract(int modifiers)`
- `static boolean isFinal(int modifiers)`
- `static boolean isInterface(int modifiers)`
- `static boolean isNative(int modifiers)`
- `static boolean isPrivate(int modifiers)`
- `static boolean isProtected(int modifiers)`
- `static boolean isPublic(int modifiers)`
- `static boolean isStatic(int modifiers)`
- `static boolean isStrict(int modifiers)`
- `static boolean isSynchronized(int modifiers)`
- `static boolean isVolatile(int modifiers)`
  这些方法将检测方法名中对应的修饰符在 modifiers 值中的位。

5.7.4 在运行时使用反射分析对象

从前面一节中，已经知道如何查看任意对象的数据域名称和类型：

- 获得对应的 Class 对象。
- 通过 Class 对象调用 getDeclaredFields。

本节将进一步查看数据域的实际内容。当然，在编写程序时，如果知道想要查看的域名和类型，查看指定的域是一件很容易的事情。而利用反射机制可以查看在编译时还不清楚的对象域。

查看对象域的关键方法是 Field 类中的 get 方法。如果 f 是一个 Field 类型的对象（例如，通过 getDeclaredFields 得到的对象），obj 是某个包含 f 域的类的对象，f.get(obj) 将返回一个对象，其值为 obj 域的当前值。这样说起来显得有点抽象，这里看一看下面这个示例的运行。

```
Employee harry = new Employee("Harry Hacker", 35000, 10, 1, 1989);
Class cl = harry.getClass();
  // the class object representing Employee
Field f = cl.getDeclaredField("name");
  // the name field of the Employee class
Object v = f.get(harry);
  // the value of the name field of the harry object, i.e., the String object "Harry Hacker"
```

实际上，这段代码存在一个问题。由于 name 是一个私有域，所以 get 方法将会抛出一个 IllegalAccessException。只有利用 get 方法才能得到可访问域的值。除非拥有访问权限，否则 Java 安全机制只允许查看任意对象有哪些域，而不允许读取它们的值。

反射机制的默认行为受限于 Java 的访问控制。然而，如果一个 Java 程序没有受到安全管理器的控制，就可以覆盖访问控制。为了达到这个目的，需要调用 Field、Method 或 Constructor 对象的 setAccessible 方法。例如，

```
f.setAccessible(true); // now OK to call f.get(harry);
```

setAccessible 方法是 AccessibleObject 类中的一个方法，它是 Field、Method 和 Constructor 类的公共超类。这个特性是为调试、持久存储和相似机制提供的。本书稍后将利用它编写一个通用的 toString 方法。

get 方法还有一个需要解决的问题。name 域是一个 String，因此把它作为 Object 返回没有什么问题。但是，假定我们想要查看 salary 域。它属于 double 类型，而 Java 中数值类型不是对象。要想解决这个问题，可以使用 Field 类中的 getDouble 方法，也可以调用 get 方法，此时，反射机制将会自动地将这个域值打包到相应的对象包装器中，这里将打包成 Double。

当然，可以获得就可以设置。调用 f.set(obj, value) 可以将 obj 对象的 f 域设置成新值。

程序清单 5-14 显示了如何编写一个可供任意类使用的通用 toString 方法。其中使用 getDeclaredFileds 获得所有的数据域，然后使用 setAccessible 将所有的域设置为可访问的。对于每个域，获得了名字和值。程序清单 5-14 递归调用 toString 方法，将每个值转换成字符串。

泛型 toString 方法需要解释几个复杂的问题。循环引用将有可能导致无限递归。因此，ObjectAnalyzer 将记录已经被访问过的对象。另外，为了能够查看数组内部，需要采用一种不同的方式。有关这种方式的具体内容将在下一节中详细论述。

可以使用 toString 方法查看任意对象的内部信息。例如，下面这个调用：

```
ArrayList<Integer> squares = new ArrayList<>();
for (int i = 1; i <= 5; i++) squares.add(i * i);
System.out.println(new ObjectAnalyzer().toString(squares));
```

将会产生下面的打印结果：

```
java.util.ArrayList[elementData=class java.lang.Object[]{java.lang.Integer[value=1][][],
java.lang.Integer[value=4][][],java.lang.Integer[value=9][][],java.lang.Integer[value=16][][],
java.lang.Integer[value=25][][],null,null,null,null,null},size=5][modCount=5][][]
```

还可以使用通用的 toString 方法实现自己类中的 toString 方法，如下所示：

```
public String toString()
{
   return new ObjectAnalyzer().toString(this);
}
```

这是一种公认的提供 toString 方法的手段，在编写程序时会发现，它是非常有用的。

程序清单 5-14　objectAnalyzer/ObjectAnalyzerTest.java

```
1 package objectAnalyzer;
2
3 import java.util.ArrayList;
4
5 /**
6  * This program uses reflection to spy on objects.
7  * @version 1.12 2012-01-26
8  * @author Cay Horstmann
9  */
10 public class ObjectAnalyzerTest
11 {
12    public static void main(String[] args)
13    {
14       ArrayList<Integer> squares = new ArrayList<>();
15       for (int i = 1; i <= 5; i++)
16          squares.add(i * i);
17       System.out.println(new ObjectAnalyzer().toString(squares));
18    }
19 }
```

程序清单 5-15　objectAnalyzer/ObjectAnalyzer.java

```
1 package objectAnalyzer;
2
3 import java.lang.reflect.AccessibleObject;
4 import java.lang.reflect.Array;
5 import java.lang.reflect.Field;
6 import java.lang.reflect.Modifier;
7 import java.util.ArrayList;
8
9 public class ObjectAnalyzer
10 {
11    private ArrayList<Object> visited = new ArrayList<>();
12
```

```
13      /**
14       * Converts an object to a string representation that lists all fields.
15       * @param obj an object
16       * @return a string with the object's class name and all field names and
17       * values
18       */
19      public String toString(Object obj)
20      {
21         if (obj == null) return "null";
22         if (visited.contains(obj)) return "...";
23         visited.add(obj);
24         Class cl = obj.getClass();
25         if (cl == String.class) return (String) obj;
26         if (cl.isArray())
27         {
28            String r = cl.getComponentType() + "[]{";
29            for (int i = 0; i < Array.getLength(obj); i++)
30            {
31               if (i > 0) r += ",";
32               Object val = Array.get(obj, i);
33               if (cl.getComponentType().isPrimitive()) r += val;
34               else r += toString(val);
35            }
36            return r + "}";
37         }
38
39         String r = cl.getName();
40         // inspect the fields of this class and all superclasses
41         do
42         {
43            r += "[";
44            Field[] fields = cl.getDeclaredFields();
45            AccessibleObject.setAccessible(fields, true);
46            // get the names and values of all fields
47            for (Field f : fields)
48            {
49               if (!Modifier.isStatic(f.getModifiers()))
50               {
51                  if (!r.endsWith("[")) r += ",";
52                  r += f.getName() + "=";
53                  try
54                  {
55                     Class t = f.getType();
56                     Object val = f.get(obj);
57                     if (t.isPrimitive()) r += val;
58                     else r += toString(val);
59                  }
60                  catch (Exception e)
61                  {
62                     e.printStackTrace();
63                  }
64               }
65            }
66            r += "]";
67            cl = cl.getSuperclass();
68         }
69         while (cl != null);
```

```
70
71         return r;
72     }
73 }
```

API java.lang.reflect.AccessibleObject 1.2

- `void setAccessible(boolean flag)`

  为反射对象设置可访问标志。flag 为 true 表明屏蔽 Java 语言的访问检查，使得对象的私有属性也可以被查询和设置。

- `boolean isAccessible()`

  返回反射对象的可访问标志的值。

- `static void setAccessible(AccessibleObject[] array,boolean flag)`

  是一种设置对象数组可访问标志的快捷方法。

API java.lang.Class 1.1

- `Field getField(String name)`
- `Field[] getField()`

  返回指定名称的公有域，或包含所有域的数组。

- `Field getDeclaredField(String name)`
- `Field[] getDeclaredFields()`

  返回类中声明的给定名称的域，或者包含声明的全部域的数组。

API java.lang.reflect.Field 1.1

- `Object get(Object obj)`

  返回 obj 对象中用 Field 对象表示的域值。

- `void set(Object obj,Object newValue)`

  用一个新值设置 Obj 对象中 Field 对象表示的域。

5.7.5 使用反射编写泛型数组代码

java.lang.reflect 包中的 Array 类允许动态地创建数组。例如，将这个特性应用到 Array 类中的 copyOf 方法实现中，应该记得这个方法可以用于扩展已经填满的数组。

```
Employee[] a = new Employee[100];
. . .
// array is full
a = Arrays.copyOf(a, 2 * a.length);
```

如何编写这样一个通用的方法呢？正好能够将 Employee[ ] 数组转换为 Object[ ] 数组，这让人感觉很有希望。下面进行第一次尝试。

```
public static Object[] badCopyOf(Object[] a, int newLength) // not useful
{
```

```
   Object[] newArray = new Object[newLength];
   System.arraycopy(a, 0, newArray, 0, Math.min(a.length, newLength));
   return newArray;
}
```

然而，在实际使用结果数组时会遇到一个问题。这段代码返回的数组类型是对象数组（Object[ ]）类型，这是由于使用下面这行代码创建的数组：

```
new Object[newLength]
```

一个对象数组不能转换成雇员数组（Employee[ ]）。如果这样做，则在运行时 Java 将会产生 ClassCastException 异常。前面已经看到，Java 数组会记住每个元素的类型，即创建数组时 new 表达式中使用的元素类型。将一个 Employee[ ] 临时地转换成 Object[ ] 数组，然后再把它转换回来是可以的，但一个从开始就是 Object[ ] 的数组却永远不能转换成 Employee[ ] 数组。为了编写这类通用的数组代码，需要能够创建与原数组类型相同的新数组。为此，需要 java.lang.reflect 包中 Array 类的一些方法。其中最关键的是 Array 类中的静态方法 newInstance，它能够构造新数组。在调用它时必须提供两个参数，一个是数组的元素类型，一个是数组的长度。

```
Object newArray = Array.newInstance(componentType, newLength);
```

为了能够实际地运行，需要获得新数组的长度和元素类型。

可以通过调用 Array.getLength(a) 获得数组的长度，也可以通过 Array 类的静态 getLength 方法的返回值得到任意数组的长度。而要获得新数组元素类型，就需要进行以下工作：

1）首先获得 a 数组的类对象。

2）确认它是一个数组。

3）使用 Class 类（只能定义表示数组的类对象）的 getComponentType 方法确定数组对应的类型。

为什么 getLength 是 Array 的方法，而 getComponentType 是 Class 的方法呢？我们也不清楚。反射方法的分类有时确实显得有点古怪。下面是这段代码：

```
public static Object goodCopyOf(Object a, int newLength)
{
   Class cl = a.getClass();
   if (!cl.isArray()) return null;
   Class componentType = cl.getComponentType();
   int length = Array.getLength(a);
   Object newArray = Array.newInstance(componentType, newLength);
   System.arraycopy(a, 0, newArray, 0, Math.min(length, newLength));
   return newArray;
}
```

请注意，这个 CopyOf 方法可以用来扩展任意类型的数组，而不仅是对象数组。

```
int[] a = { 1, 2, 3, 4, 5 };
a = (int[]) goodCopyOf(a, 10);
```

为了能够实现上述操作，应该将 goodCopyOf 的参数声明为 Object 类型，而不要声明为对象型数组（Object[]）。整型数组类型 int[] 可以被转换成 Object，但不能转换成对象数组。

程序清单 5-16 显示了两个扩展数组的方法。请注意，将 badCopyOf 的返回值进行类型转换将会抛出一个异常。

程序清单 5-16 arrays/CopyOfTest.java

```
1  package arrays;
2
3  import java.lang.reflect.*;
4  import java.util.*;
5
6  /**
7   * This program demonstrates the use of reflection for manipulating arrays.
8   * @version 1.2 2012-05-04
9   * @author Cay Horstmann
10  */
11 public class CopyOfTest
12 {
13    public static void main(String[] args)
14    {
15       int[] a = { 1, 2, 3 };
16       a = (int[]) goodCopyOf(a, 10);
17       System.out.println(Arrays.toString(a));
18
19       String[] b = { "Tom", "Dick", "Harry" };
20       b = (String[]) goodCopyOf(b, 10);
21       System.out.println(Arrays.toString(b));
22
23       System.out.println("The following call will generate an exception.");
24       b = (String[]) badCopyOf(b, 10);
25    }
26
27    /**
28     * This method attempts to grow an array by allocating a new array and copying all elements.
29     * @param a the array to grow
30     * @param newLength the new length
31     * @return a larger array that contains all elements of a. However, the returned array has
32     * type Object[], not the same type as a
33     */
34    public static Object[] badCopyOf(Object[] a, int newLength) // not useful
35    {
36       Object[] newArray = new Object[newLength];
37       System.arraycopy(a, 0, newArray, 0, Math.min(a.length, newLength));
38       return newArray;
39    }
40
41    /**
42     * This method grows an array by allocating a new array of the same type and
43     * copying all elements.
44     * @param a the array to grow. This can be an object array or a primitive
45     * type array
46     * @return a larger array that contains all elements of a.
47     */
48    public static Object goodCopyOf(Object a, int newLength)
49    {
50       Class cl = a.getClass();
51       if (!cl.isArray()) return null;
```

```
52        Class componentType = cl.getComponentType();
53        int length = Array.getLength(a);
54        Object newArray = Array.newInstance(componentType, newLength);
55        System.arraycopy(a, 0, newArray, 0, Math.min(length, newLength));
56        return newArray;
57     }
58  }
```

API java.lang.reflect.Array 1.1

- `static Object get(Object array,int index)`
- `static xxx getXxx(Object array,int index)`

  （xxx 是 boolean、byte、char、double、float、int、long、short 之中的一种基本类型。）这些方法将返回存储在给定位置上的给定数组的内容。
- `static void set(Object array,int index,Object newValue)`
- `static setXxx(Object array,int index,xxx newValue)`

  （xxx 是 boolean、byte、char、double、float、int、long、short 之中的一种基本类型。）这些方法将一个新值存储到给定位置上的给定数组中。
- `static int getLength(Object array)`

  返回数组的长度。
- `static Object newInstance(Class componentType,int length)`
- `static Object newInstance(Class componentType,int[] lengths)`

  返回一个具有给定类型、给定维数的新数组。

5.7.6 调用任意方法

在 C 和 C++ 中，可以从函数指针执行任意函数。从表面上看，Java 没有提供方法指针，即将一个方法的存储地址传给另外一个方法，以便第二个方法能够随后调用它。事实上，Java 的设计者曾说过：方法指针是很危险的，并且常常会带来隐患。他们认为 Java 提供的接口（interface）（将在下一章讨论）是一种更好的解决方案。然而，反射机制允许你调用任意方法。

注释： 微软公司为自己的非标准 Java 语言 J++（以及后来的 C#）增加了另一种被称为委托（delegate）的方法指针类型，它与本节讨论的 Method 类不同。然而，在下一章中讨论的内部类比委托更加有用。

为了能够看到方法指针的工作过程，先回忆一下利用 Field 类的 get 方法查看对象域的过程。与之类似，在 Method 类中有一个 invoke 方法，它允许调用包装在当前 Method 对象中的方法。invoke 方法的签名是：

```
Object invoke(Object obj, Object... args)
```

第一个参数是隐式参数，其余的对象提供了显式参数（在 Java SE 5.0 以前的版本中，必须传递一个对象数组，如果没有显式参数就传递一个null）。

对于静态方法，第一个参数可以被忽略，即可以将它设置为null。

例如，假设用ml代表Employee类的getName方法，下面这条语句显示了如何调用这个方法：

```
String n = (String) m1.invoke(harry);
```

如果返回类型是基本类型，invoke方法会返回其包装器类型。例如，假设m2表示Employee类的getSalary方法，那么返回的对象实际上是一个Double，必须相应地完成类型转换。可以使用自动拆箱将它转换为一个double：

```
double s = (Double) m2.invoke(harry);
```

如何得到Method对象呢？当然，可以通过调用getDeclareMethods方法，然后对返回的Method对象数组进行查找，直到发现想要的方法为止。也可以通过调用Class类中的getMethod方法得到想要的方法。它与getField方法类似。getField方法根据表示域名的字符串，返回一个Field对象。然而，有可能存在若干个相同名字的方法，因此要格外小心，以确保能够准确地得到想要的那个方法。有鉴于此，还必须提供想要的方法的参数类型。getMethod的签名是：

```
Method getMethod(String name, Class... parameterTypes)
```

例如，下面说明了如何获得Employee类的getName方法和raiseSalary方法的方法指针。

```
Method m1 = Employee.class.getMethod("getName");
Method m2 = Employee.class.getMethod("raiseSalary", double.class);
```

到此为止，读者已经学习了使用Method对象的规则。下面看一下如何将它们组织在一起。程序清单5-17是一个打印诸如Math.sqrt、Math.sin这样的数学函数值表的程序。打印的结果如下所示：

```
public static native double java.lang.Math.sqrt(double)
      1.0000 |      1.0000
      2.0000 |      1.4142
      3.0000 |      1.7321
      4.0000 |      2.0000
      5.0000 |      2.2361
      6.0000 |      2.4495
      7.0000 |      2.6458
      8.0000 |      2.8284
      9.0000 |      3.0000
     10.0000 |      3.1623
```

当然，这段打印数学函数表格的代码与具体打印的数学函数无关。

```
double dx = (to - from) / (n - 1);
for (double x = from; x <= to; x += dx)
{
   double y = (Double) f.invoke(null, x);
   System.out.printf("%10.4f | %10.4f%n", x, y);
}
```

在这里，f是一个Method类型的对象。由于正在调用的方法是一个静态方法，所以

invoke 的第一个参数是 null。

为了将 Math.sqrt 函数表格化，需要将 f 设置为：

```
Math.class.getMethod("sqrt", double.class)
```

这是 Math 类中的一个方法，通过参数向它提供了一个函数名 sqrt 和一个 double 类型的参数。

程序清单 5-17 给出了通用制表和两个测试程序的全部代码。

程序清单 5-17 methods/MethodTableTest.java

```
1  package methods;
2
3  import java.lang.reflect.*;
4
5  /**
6   * This program shows how to invoke methods through reflection.
7   * @version 1.2 2012-05-04
8   * @author Cay Horstmann
9   */
10 public class MethodTableTest
11 {
12    public static void main(String[] args) throws Exception
13    {
14       // get method pointers to the square and sqrt methods
15       Method square = MethodTableTest.class.getMethod("square", double.class);
16       Method sqrt = Math.class.getMethod("sqrt", double.class);
17
18       // print tables of x- and y-values
19
20       printTable(1, 10, 10, square);
21       printTable(1, 10, 10, sqrt);
22    }
23
24    /**
25     * Returns the square of a number
26     * @param x a number
27     * @return x squared
28     */
29    public static double square(double x)
30    {
31       return x * x;
32    }
33
34    /**
35     * Prints a table with x- and y-values for a method
36     * @param from the lower bound for the x-values
37     * @param to the upper bound for the x-values
38     * @param n the number of rows in the table
39     * @param f a method with a double parameter and double return value
40     */
41    public static void printTable(double from, double to, int n, Method f)
42    {
43       // print out the method as table header
44       System.out.println(f);
45
```

```
46          double dx = (to - from) / (n - 1);
47
48          for (double x = from; x <= to; x += dx)
49          {
50             try
51             {
52                double y = (Double) f.invoke(null, x);
53                System.out.printf("%10.4f | %10.4f%n", x, y);
54             }
55             catch (Exception e)
56             {
57                e.printStackTrace();
58             }
59          }
60       }
61    }
```

上述程序清楚地表明，可以使用 method 对象实现 C（或 C# 中的委派）语言中函数指针的所有操作。同 C 一样，这种程序设计风格并不太简便，出错的可能性也比较大。如果在调用方法的时候提供了一个错误的参数，那么 invoke 方法将会抛出一个异常。

另外，invoke 的参数和返回值必须是 Object 类型的。这就意味着必须进行多次的类型转换。这样做将会使编译器错过检查代码的机会。因此，等到测试阶段才会发现这些错误，找到并改正它们将会更加困难。不仅如此，使用反射获得方法指针的代码要比仅仅直接调用方法明显慢一些。

有鉴于此，建议仅在必要的时候才使用 Method 对象，而最好使用接口以及 Java SE 8 中的 lambda 表达式（第 6 章中介绍）。特别要重申：建议 Java 开发者不要使用 Method 对象的回调功能。使用接口进行回调会使得代码的执行速度更快，更易于维护。

API java.lang.reflect.Method 1.1

- `public Object invoke(Object implicitParameter,Object[] explicitParamenters)`
  调用这个对象所描述的方法，传递给定参数，并返回方法的返回值。对于静态方法，把 null 作为隐式参数传递。在使用包装器传递基本类型的值时，基本类型的返回值必须是未包装的。

5.8 继承的设计技巧

在本章的最后，给出一些对设计继承关系很有帮助的建议。

1. 将公共操作和域放在超类

这就是为什么将姓名域放在 Person 类中，而没有将它放在 Employee 和 Student 类中的原因。

2. 不要使用受保护的域

有些程序员认为，将大多数的实例域定义为 protected 是一个不错的主意，只有这样，子类才能够在需要的时候直接访问它们。然而，protected 机制并不能够带来更好的保护，其原因主要有两点。第一，子类集合是无限制的，任何一个人都能够由某个类派生一个子类，并编写代码以直接访问 protected 的实例域，从而破坏了封装性。第二，在 Java 程序设计语言中，在同一个包中的所有类都可以访问 proteced 域，而不管它是否为这个类的子类。

不过，protected 方法对于指示那些不提供一般用途而应在子类中重新定义的方法很有用。

3. 使用继承实现“is-a”关系

使用继承很容易达到节省代码的目的，但有时候也被人们滥用了。例如，假设需要定义一个钟点工类。钟点工的信息包含姓名和雇佣日期，但是没有薪水。他们按小时计薪，并且不会因为拖延时间而获得加薪。这似乎在诱导人们由 Employee 派生出子类 Contractor，然后再增加一个 hourlyWage 域。

```
public class Contractor extends Employee
{
   private double hourlyWage;
   . . .
}
```

这并不是一个好主意。因为这样一来，每个钟点工对象中都包含了薪水和计时工资这两个域。在实现打印支票或税单方法的时候，会带来无尽的麻烦，并且与不采用继承，会多写很多代码。

钟点工与雇员之间不属于“is-a”关系。钟点工不是特殊的雇员。

4. 除非所有继承的方法都有意义，否则不要使用继承

假设想编写一个 Holiday 类。毫无疑问，每个假日也是一日，并且一日可以用 Gregorian Calendar 类的实例表示，因此可以使用继承。

```
class Holiday extends GregorianCalendar { . . . }
```

很遗憾，在继承的操作中，假日集不是封闭的。在 GregorianCalendar 中有一个公有方法 add，可以将假日转换成非假日：

```
Holiday christmas;
christmas.add(Calendar.DAY_OF_MONTH, 12);
```

因此，继承对于这个例子来说并不太适宜。

需要指出，如果扩展 LocalDate 就不会出现这个问题。由于这个类是不可变的，所以没有任何方法会把假日变成非假日。

5. 在覆盖方法时，不要改变预期的行为

置换原则不仅应用于语法，而且也可以应用于行为，这似乎更加重要。在覆盖一个方法的时候，不应该毫无原由地改变行为的内涵。就这一点而言，编译器不会提供任何帮助，即编译器不会检查重新定义的方法是否有意义。例如，可以重定义 Holiday 类中 add 方法“修正”原方法的问题，或什么也不做，或抛出一个异常，或继续到下一个假日。

然而这些都违反了置换原则。语句序列

```
int d1 = x.get(Calendar.DAY_OF_MONTH);
x.add(Calendar.DAY_OF_MONTH, 1);
int d2 = x.get(Calendar.DAY_OF_MONTH);
System.out.println(d2 - d1);
```

不管 x 属于 GregorianCalendar 类，还是属于 Holiday 类，执行上述语句后都应该得到预期的行为。

当然，这样可能会引起某些争议。人们可能就预期行为的含义争论不休。例如，有些人争论说，置换原则要求 Manager.equals 不处理 bonus 域，因为 Employee.equals 没有它。实际上，凭空讨论这些问题毫无意义。关键在于，在覆盖子类中的方法时，不要偏离最初的设计想法。

6. 使用多态，而非类型信息

无论什么时候，对于下面这种形式的代码

```
if (x is of type 1)
   action1(x);
else if (x is of type 2)
   action2(x);
```

都应该考虑使用多态性。

$action_1$ 与 $action_2$ 表示的是相同的概念吗？如果是相同的概念，就应该为这个概念定义一个方法，并将其放置在两个类的超类或接口中，然后，就可以调用

```
x.action();
```

以便使用多态性提供的动态分派机制执行相应的动作。

使用多态方法或接口编写的代码比使用对多种类型进行检测的代码更加易于维护和扩展。

7. 不要过多地使用反射

反射机制使得人们可以通过在运行时查看域和方法，让人们编写出更具有通用性的程序。这种功能对于编写系统程序来说极其实用，但是通常不适于编写应用程序。反射是很脆弱的，即编译器很难帮助人们发现程序中的错误，因此只有在运行时才发现错误并导致异常。

现在你已经了解了 Java 支持面向对象编程的基础内容：类、继承和多态。下一章中我们将介绍两个高级主题：接口和 lambda 表达式，它们对于有效地使用 Java 非常重要。

第6章 接口、lambda表达式与内部类

▲ 接口
▲ 接口示例
▲ lambda表达式
▲ 内部类
▲ 代理

到目前为止，读者已经学习了Java面向对象程序设计的全部基本知识。本章将开始介绍几种常用的高级技术。这些内容可能不太容易理解，但一定要掌握它们，以便完善自己的Java工具箱。

首先，介绍一下接口（interface）技术，这种技术主要用来描述类具有什么功能，而并不给出每个功能的具体实现。一个类可以实现（implement）一个或多个接口，并在需要接口的地方，随时使用实现了相应接口的对象。了解接口以后，再继续介绍*lambda*表达式，这是一种表示可以在将来某个时间点执行的代码块的简洁方法。使用lambda表达式，可以用一种精巧而简洁的方式表示使用回调或变量行为的代码。

接下来，讨论内部类（inner class）机制。理论上讲，内部类有些复杂，内部类定义在另外一个类的内部，其中的方法可以访问包含它们的外部类的域。内部类技术主要用于设计具有相互协作关系的类集合。

在本章的最后还将介绍代理（proxy），这是一种实现任意接口的对象。代理是一种非常专业的构造工具，它可以用来构建系统级的工具。如果是第一次学习这本书，可以先跳过这个部分。

6.1 接口

在下面的小节中，你会了解Java接口是什么以及如何使用接口，另外还会了解Java SE 8中接口的功能有怎样的提升。

6.1.1 接口概念

在Java程序设计语言中，接口不是类，而是对类的一组需求描述，这些类要遵从接口描述的统一格式进行定义。

我们经常听到服务提供商这样说："如果类遵从某个特定接口，那么就履行这项服务"。下面给出一个具体的示例。Arrays类中的sort方法承诺可以对对象数组进行排序，但要求满足下列前提：对象所属的类必须实现了Comparable接口。

下面是Comparable接口的代码：

```
public interface Comparable
{
   int compareTo(Object other);
}
```

这就是说，任何实现 Comparable 接口的类都需要包含 compareTo 方法，并且这个方法的参数必须是一个 Object 对象，返回一个整型数值。

注释： 在 Java SE 5.0 中，Comparable 接口已经改进为泛型类型。

```
public interface Comparable<T>
{
   int compareTo(T other); // parameter has type T
}
```

例如，在实现 Comparable<Employee> 接口的类中，必须提供下列方法

```
int compareTo(Employee other)
```

还可以使用不带类型参数的“原始”Comparable 类型。这样一来，compareTo 方法就有一个 Object 类型的参数，必须手动将 compareTo 方法的这个参数强制转换为所希望的类型。稍后我们就会做这个工作，所以不用担心同时出现两个新概念。

接口中的所有方法自动地属于 public。因此，在接口中声明方法时，不必提供关键字 public。

当然，接口中还有一个没有明确说明的附加要求：在调用 x.compareTo(y) 的时候，这个 compareTo 方法必须确实比较两个对象的内容，并返回比较的结果。当 x 小于 y 时，返回一个负数；当 x 等于 y 时，返回 0；否则返回一个正数。

上面这个接口只有一个方法，而有些接口可能包含多个方法。稍后可以看到，在接口中还可以定义常量。然而，更为重要的是要知道接口不能提供哪些功能。接口绝不能含有实例域，在 Java SE 8 之前，也不能在接口中实现方法。(在 6.1.4 节和 6.1.5 节中可以看到，现在已经可以在接口中提供简单方法了。当然，这些方法不能引用实例域——接口没有实例。)

提供实例域和方法实现的任务应该由实现接口的那个类来完成。因此，可以将接口看成是没有实例域的抽象类。但是这两个概念还是有一定区别的，稍后将给出详细的解释。

现在，假设希望使用 Arrays 类的 sort 方法对 Employee 对象数组进行排序，Employee 类就必须实现 Comparable 接口。

为了让类实现一个接口，通常需要下面两个步骤：

1）将类声明为实现给定的接口。

2）对接口中的所有方法进行定义。

要将类声明为实现某个接口，需要使用关键字 implements：

```
class Employee implements Comparable
```

当然，这里的 Employee 类需要提供 compareTo 方法。假设希望根据雇员的薪水进行比较。

以下是 compareTo 方法的实现：

```
public int compareTo(Object otherObject)
{
   Employee other = (Employee) otherObject;
   return Double.compare(salary, other.salary);
}
```

在这里，我们使用了静态 Double.compare 方法，如果第一个参数小于第二个参数，它会返回一个负值；如果二者相等则返回 0；否则返回一个正值。

警告：在接口声明中，没有将 compareTo 方法声明为 public，这是因为在接口中的所有方法都自动地是 public。不过，在实现接口时，必须把方法声明为 public；否则，编译器将认为这个方法的访问属性是包可见性，即类的默认访问属性，之后编译器就会给出试图提供更严格的访问权限的警告信息。

我们可以做得更好一些。可以为泛型 Comparable 接口提供一个类型参数。

```
class Employee implements Comparable<Employee>
{
   public int compareTo(Employee other)
   {
      return Double.compare(salary, other.salary);
   }
   . . .
}
```

请注意，对 Object 参数进行类型转换总是让人感觉不太顺眼，但现在已经不见了。

提示：Comparable 接口中的 compareTo 方法将返回一个整型数值。如果两个对象不相等，则返回一个正值或者一个负值。在对两个整数域进行比较时，这点非常有用。例如，假设每个雇员都有一个唯一整数 id，并希望根据 ID 对雇员进行重新排序，那么就可以返回 id-other.id。如果第一个 ID 小于另一个 ID，则返回一个负值；如果两个 ID 相等，则返回 0；否则，返回一个正值。但有一点需要注意：整数的范围不能过大，以避免造成减法运算的溢出。如果能够确信 ID 为非负整数，或者它们的绝对值不会超过 (Integer.MAX_VALUE-1)/2，就不会出现问题。否则，调用静态 Integer.compare 方法。

当然，这里的相减技巧不适用于浮点值。因为在 salary 和 other.salary 很接近但又不相等的时候，它们的差经过四舍五入后有可能变成 0。x < y 时，Double.compare(x, y) 调用会返回 -1；如果 x > y 则返回 1。

现在，我们已经看到，要让一个类使用排序服务必须让它实现 compareTo 方法。这是理所当然的，因为要向 sort 方法提供对象的比较方式。但是为什么不能在 Employee 类直接提供一个 compareTo 方法，而必须实现 Comparable 接口呢？

主要原因在于 Java 程序设计语言是一种强类型（strongly typed）语言。在调用方法的时候，编译器将会检查这个方法是否存在。在 sort 方法中可能存在下面这样的语句：

```
if (a[i].compareTo(a[j]) > 0)
{
   // rearrange a[i] and a[j]
   . . .
}
```

为此，编译器必须确认 a[i] 一定有 compareTo 方法。如果 a 是一个 Comparable 对象的数组，就可以确保拥有 compareTo 方法，因为每个实现 Comparable 接口的类都必须提供这个方法的定义。

注释：有人认为，将 Arrays 类中的 sort 方法定义为接收一个 Comparable[ ] 数组就可以在使用元素类型没有实现 Comparable 接口的数组作为参数调用 sort 方法时，由编译器给出错误报告。但事实并非如此。在这种情况下，sort 方法可以接收一个 Object[ ] 数组，并对其进行笨拙的类型转换：

```
// Approach used in the standard library--not recommended
if (((Comparable) a[i]).compareTo(a[j]) > 0)
{
   // rearrange a[i] and a[j]
   . . .
}
```

如果 a[i] 不属于实现了 Comparable 接口的类，那么虚拟机就会抛出一个异常。

程序清单 6-1 给出了对一个 Employee 类（程序清单 6-2）实例数组进行排序的完整代码，用于对一个员工数组排序。

程序清单 6-1　interfaces/EmployeeSortTest.java

```
1  package interfaces;
2  
3  import java.util.*;
4  
5  /**
6   * This program demonstrates the use of the Comparable interface.
7   * @version 1.30 2004-02-27
8   * @author Cay Horstmann
9   */
10 public class EmployeeSortTest
11 {
12    public static void main(String[] args)
13    {
14       Employee[] staff = new Employee[3];
15 
16       staff[0] = new Employee("Harry Hacker", 35000);
17       staff[1] = new Employee("Carl Cracker", 75000);
18       staff[2] = new Employee("Tony Tester", 38000);
19 
20       Arrays.sort(staff);
21 
22       // print out information about all Employee objects
23       for (Employee e : staff)
24          System.out.println("name=" + e.getName() + ",salary=" + e.getSalary());
25    }
26 }
```

程序清单 6-2　interfaces/Employee.java

```
 1 package interfaces;
 2 
 3 public class Employee implements Comparable<Employee>
 4 {
 5    private String name;
 6    private double salary;
 7 
 8    public Employee(String name, double salary)
 9    {
10       this.name = name;
11       this.salary = salary;
12    }
13 
14    public String getName()
15    {
16       return name;
17    }
18 
19    public double getSalary()
20    {
21       return salary;
22    }
23 
24    public void raiseSalary(double byPercent)
25    {
26       double raise = salary * byPercent / 100;
27       salary += raise;
28    }
29 
30    /**
31     * Compares employees by salary
32     * @param other another Employee object
33     * @return a negative value if this employee has a lower salary than
34     * otherObject, 0 if the salaries are the same, a positive value otherwise
35     */
36    public int compareTo(Employee other)
37    {
38       return Double.compare(salary, other.salary);
39    }
40 }
```

API java.lang.Comparable<T> 1.0

- `int compareTo(T  other)`

  用这个对象与 other 进行比较。如果这个对象小于 other 则返回负值；如果相等则返回 0；否则返回正值。

API java.util.Arrays 1.2

- `static void sort(Object[] a)`

  使用 mergesort 算法对数组 a 中的元素进行排序。要求数组中的元素必须属于实现了 Comparable 接口的类，并且元素之间必须是可比较的。

API java.lang.Integer 1.0

- `static int compare(int x, int y) 7`

  如果 x < y 返回一个负整数；如果 x 和 y 相等，则返回 0；否则返回一个负整数。

API java.lang.Double 1.0

- `static int compare(double x, double y) 1.4`

  如果 x < y 返回一个负数；如果 x 和 y 相等则返回 0；否则返回一个负数。

注释： 语言标准规定：对于任意的 x 和 y，实现必须能够保证 sgn(x.compareTo(y)) = -sgn (y.compareTo(x))。（也就是说，如果 y.compareTo(x) 抛出一个异常，那么 x.compareTo (y) 也应该抛出一个异常。）这里的“sgn”是一个数值的符号：如果 n 是负值，sgn(n) 等于 -1；如果 n 是 0，sgn(n) 等于 0；如果 n 是正值，sgn(n) 等于 1。简单地讲，如果调换 compareTo 的参数，结果的符号也应该调换（而不是实际值）。

与 equals 方法一样，在继承过程中有可能会出现问题。

这是因为 Manager 扩展了 Employee，而 Employee 实现的是 Comparable<Employee>，而不是 Comparable<Manager>。如果 Manager 覆盖了 compareTo，就必须要有经理与雇员进行比较的思想准备，绝不能仅仅将雇员转换成经理。

```
class Manager extends Employee
{
   public int compareTo(Employee other)
   {
      Manager otherManager = (Manager) other; // NO
      . . .
   }
   . . .
}
```

这不符合“反对称”的规则。如果 x 是一个 Employee 对象，y 是一个 Manager 对象，调用 x.compareTo(y) 不会抛出异常，它只是将 x 和 y 都作为雇员进行比较。但是反过来，y.compareTo(x) 将会抛出一个 ClassCastException。

这种情况与第 5 章中讨论的 equals 方法一样，修改的方式也一样。有两种不同的情况。

如果子类之间的比较含义不一样，那就属于不同类对象的非法比较。每个 compareTo 方法都应该在开始时进行下列检测：

```
if (getClass() != other.getClass()) throw new ClassCastException();
```

如果存在这样一种通用算法，它能够对两个不同的子类对象进行比较，则应该在超类中提供一个 compareTo 方法，并将这个方法声明为 final。

例如，假设不管薪水的多少都想让经理大于雇员，像 Executive 和 Secretary 这样的子类又该怎么办呢？如果一定要按照职务排列的话，那就应该在 Employee 类中提供一个 rank 方法。每个子类覆盖 rank，并实现一个考虑 rank 值的 compareTo 方法。

6.1.2　接口的特性

接口不是类，尤其不能使用 new 运算符实例化一个接口：

```
x = new Comparable(. . .); // ERROR
```

然而，尽管不能构造接口的对象，却能声明接口的变量：

```
Comparable x; // OK
```

接口变量必须引用实现了接口的类对象：

```
x = new Employee(. . .); // OK provided Employee implements Comparable
```

接下来，如同使用 instanceof 检查一个对象是否属于某个特定类一样，也可以使用 instance 检查一个对象是否实现了某个特定的接口：

```
if (anObject instanceof Comparable) { . . . }
```

与可以建立类的继承关系一样，接口也可以被扩展。这里允许存在多条从具有较高通用性的接口到较高专用性的接口的链。例如，假设有一个称为 Moveable 的接口：

```
public interface Moveable
{
   void move(double x, double y);
}
```

然后，可以以它为基础扩展一个叫做 Powered 的接口：

```
public interface Powered extends Moveable
{
   double milesPerGallon();
}
```

虽然在接口中不能包含实例域或静态方法，但却可以包含常量。例如：

```
public interface Powered extends Moveable
{
   double milesPerGallon();
   double SPEED_LIMIT = 95; // a public static final constant
}
```

与接口中的方法都自动地被设置为 public 一样，接口中的域将被自动设为 public static final。

注释：可以将接口方法标记为 public，将域标记为 public static final。有些程序员出于习惯或提高清晰度的考虑，愿意这样做。但 Java 语言规范却建议不要书写这些多余的关键字，本书也采纳了这个建议。

有些接口只定义了常量，而没有定义方法。例如，在标准库中有一个 SwingConstants 就是这样一个接口，其中只包含 NORTH、SOUTH 和 HORIZONTAL 等常量。任何实现 SwingConstants 接口的类都自动地继承了这些常量，并可以在方法中直接地引用 NORTH，而不必采用 SwingConstants.NORTH 这样的繁琐书写形式。然而，这样应用接口似乎有点偏离了接口概念的初衷，最好不要这样使用它。

尽管每个类只能够拥有一个超类，但却可以实现多个接口。这就为定义类的行为提供了极大的灵活性。例如，Java 程序设计语言有一个非常重要的内置接口，称为 Cloneable（将在 6.2.3 节中给予详细的讨论）。如果某个类实现了这个 Cloneable 接口，Object 类中的 clone 方法就可以创建类对象的一个拷贝。如果希望自己设计的类拥有克隆和比较的能力，只要实现这两个接口就可以了。使用逗号将实现的各个接口分隔开。

```
class Employee implements Cloneable, Comparable
```

6.1.3 接口与抽象类

如果阅读了第 5 章中有关抽象类的内容，那就可能会产生这样一个疑问：为什么 Java 程序设计语言还要不辞辛苦地引入接口概念？为什么不将 Comparable 直接设计成如下所示的抽象类。

```
abstract class Comparable // why not?
{
   public abstract int compareTo(Object other);
}
```

然后，Employee 类再直接扩展这个抽象类，并提供 compareTo 方法的实现：

```
class Employee extends Comparable // why not?
{
   public int compareTo(Object other) { . . . }
}
```

非常遗憾，使用抽象类表示通用属性存在这样一个问题：每个类只能扩展于一个类。假设 Employee 类已经扩展于一个类，例如 Person，它就不能再像下面这样扩展第二个类了：

```
class Employee extends Person, Comparable // Error
```

但每个类可以像下面这样实现多个接口：

```
class Employee extends Person implements Comparable // OK
```

有些程序设计语言允许一个类有多个超类，例如 C++。我们将此特性称为多重继承（multiple inheritance）。而 Java 的设计者选择了不支持多继承，其主要原因是多继承会让语言本身变得非常复杂（如同 C++），效率也会降低（如同 Eiffel）。

实际上，接口可以提供多重继承的大多数好处，同时还能避免多重继承的复杂性和低效性。

C++ 注释： C++ 具有多重继承特性，随之带来了一些诸如虚基类、控制规则和横向指针类型转换等复杂特性。很少有 C++ 程序员使用多继承，甚至有些人说：就不应该使用多继承。也有些程序员建议只对“混合”风格的继承使用多继承。在“混合”风格中，一个主要的基类描述父对象，其他的基类（因此称为混合）扮演辅助的角色。这种风格类似于 Java 类中从一个基类派生，然后实现若干个辅助接口。

6.1.4 静态方法

在 Java SE 8 中，允许在接口中增加静态方法。理论上讲，没有任何理由认为这是不合法的。只是这有违于将接口作为抽象规范的初衷。

目前为止，通常的做法都是将静态方法放在伴随类中。在标准库中，你会看到成对出现的接口和实用工具类，如 Collection/Collections 或 Path/Paths。

下面来看 Paths 类，其中只包含两个工厂方法。可以由一个字符串序列构造一个文件或目录的路径，如 Paths.get("jdk1.8.0", "jre", "bin")。在 Java SE 8 中，可以为 Path 接口增加以下方法：

```
public interface Path
{
   public static Path get(String first, String... more) {
      return FileSystems.getDefault().getPath(first, more);
   }
   . . .
}
```

这样一来，Paths 类就不再是必要的了。

不过整个 Java 库都以这种方式重构也是不太可能的，但是实现你自己的接口时，不再需要为实用工具方法另外提供一个伴随类。

6.1.5 默认方法

可以为接口方法提供一个默认实现。必须用 default 修饰符标记这样一个方法。

```
public interface Comparable<T>
{
   default int compareTo(T other) { return 0; }
      // By default, all elements are the same
}
```

当然，这并没有太大用处，因为 Comparable 的每一个实际实现都要覆盖这个方法。不过有些情况下，默认方法可能很有用。例如，在第 11 章会看到，如果希望在发生鼠标点击事件时得到通知，就要实现一个包含 5 个方法的接口：

```
public interface MouseListener
{
   void mouseClicked(MouseEvent event);
   void mousePressed(MouseEvent event);
   void mouseReleased(MouseEvent event);
   void mouseEntered(MouseEvent event);
   void mouseExited(MouseEvent event);
}
```

大多数情况下，你只需要关心其中的 1、2 个事件类型。在 Java SE 8 中，可以把所有方法声明为默认方法，这些默认方法什么也不做。

```
public interface MouseListener
{
   default void mouseClicked(MouseEvent event) {}
   default void mousePressed(MouseEvent event) {}
   default void mouseReleased(MouseEvent event) {}
   default void mouseEntered(MouseEvent event) {}
   default void mouseExited(MouseEvent event) {}
}
```

这样一来，实现这个接口的程序员只需要为他们真正关心的事件覆盖相应的监听器。

默认方法可以调用任何其他方法。例如，Collection 接口可以定义一个便利方法：

```
public interface Collection
{
   int size(); // An abstract method
   default boolean isEmpty()
   {
       return size() == 0;
   }
   . . .
}
```

这样实现 Collection 的程序员就不用操心实现 isEmpty 方法了。

注释： 在 Java API 中，你会看到很多接口都有相应的伴随类，这个伴随类中实现了相应接口的部分或所有方法，如 Collection/AbstractCollection 或 MouseListener/MouseAdapter。在 Java SE 8 中，这个技术已经过时。现在可以直接在接口中实现方法。

默认方法的一个重要用法是“接口演化”（*interface evolution*）。以 Collection 接口为例，这个接口作为 Java 的一部分已经有很多年了。假设很久以前你提供了这样一个类：

```
public class Bag implements Collection
```

后来，在 Java SE 8 中，又为这个接口增加了一个 stream 方法。

假设 stream 方法不是一个默认方法。那么 Bag 类将不能编译，因为它没有实现这个新方法。为接口增加一个非默认方法不能保证“源代码兼容”（*source compatible*）。

不过，假设不重新编译这个类，而只是使用原先的一个包含这个类的 JAR 文件。这个类仍能正常加载，尽管没有这个新方法。程序仍然可以正常构造 Bag 实例，不会有意外发生。（为接口增加方法可以保证“二进制兼容”）。不过，如果程序在一个 Bag 实例上调用 stream 方法，就会出现一个 AbstractMethodError。

将方法实现为一个默认方法就可以解决这两个问题。Bag 类又能正常编译了。另外如果没有重新编译而直接加载这个类，并在一个 Bag 实例上调用 stream 方法，将调用 Collection.stream 方法。

6.1.6 解决默认方法冲突

如果先在一个接口中将一个方法定义为默认方法，然后又在超类或另一个接口中定义了同样的方法，会发生什么情况？诸如 Scala 和 C++ 等语言对于解决这种二义性有一些复杂的规则。幸运的是，Java 的相应规则要简单得多。规则如下：

1）超类优先。如果超类提供了一个具体方法，同名而且有相同参数类型的默认方法会被忽略。

2）接口冲突。如果一个超接口提供了一个默认方法，另一个接口提供了一个同名而且参数类型（不论是否是默认参数）相同的方法，必须覆盖这个方法来解决冲突。

下面来看第二个规则。考虑另一个包含 getName 方法的接口：

```
interface Named
{
   default String getName() { return getClass().getName() + "_" + hashCode(); }
}
```

如果有一个类同时实现了这两个接口会怎么样呢？

```
class Student implements Person, Named
{
   . . .
}
```

类会继承 Person 和 Named 接口提供的两个不一致的 getName 方法。并不是从中选择一个，Java 编译器会报告一个错误，让程序员来解决这个二义性。只需要在 Student 类中提供一个 getName 方法。在这个方法中，可以选择两个冲突方法中的一个，如下所示：

```
class Student implements Person, Named
{
   public String getName() { return Person.super.getName(); }
   . . .
}
```

现在假设 Named 接口没有为 getName 提供默认实现：

```
interface Named
{
   String getName();
}
```

Student 类会从 Person 接口继承默认方法吗？这好像挺有道理，不过，Java 设计者更强调一致性。两个接口如何冲突并不重要。如果至少有一个接口提供了一个实现，编译器就会报告错误，而程序员就必须解决这个二义性。

注释：当然，如果两个接口都没有为共享方法提供默认实现，那么就与 Java SE 8 之前的情况一样，这里不存在冲突。实现类可以有两个选择：实现这个方法，或者干脆不实现。如果是后一种情况，这个类本身就是抽象的。

我们只讨论了两个接口的命名冲突。现在来考虑另一种情况，一个类扩展了一个超类，同时实现了一个接口，并从超类和接口继承了相同的方法。例如，假设 Person 是一个类，Student 定义为：

```
class Student extends Person implements Named { . . . }
```

在这种情况下，只会考虑超类方法，接口的所有默认方法都会被忽略。在我们的例子中，Student 从 Person 继承了 getName 方法，Named 接口是否为 getName 提供了默认实现并不会带来什么区别。这正是“类优先”规则。

“类优先”规则可以确保与 Java SE 7 的兼容性。如果为一个接口增加默认方法，这对于有这个默认方法之前能正常工作的代码不会有任何影响。

◆ **警告：** 千万不要让一个默认方法重新定义 Object 类中的某个方法。例如，不能为 toString 或 equals 定义默认方法，尽管对于 List 之类的接口这可能很有吸引力。由于"类优先"规则，这样的方法绝对无法超越 Object.toString 或 Objects.equals。

6.2 接口示例

接下来的 3 节中，我们将给出接口的另外一些示例，可以从中了解接口的实际使用。

6.2.1 接口与回调

回调（callback）是一种常见的程序设计模式。在这种模式中，可以指出某个特定事件发生时应该采取的动作。例如，可以指出在按下鼠标或选择某个菜单项时应该采取什么行动。然而，由于至此还没有介绍如何实现用户接口，所以只能讨论一些与上述操作类似，但比较简单的情况。

在 java.swing 包中有一个 Timer 类，可以使用它在到达给定的时间间隔时发出通告。例如，假如程序中有一个时钟，就可以请求每秒钟获得一个通告，以便更新时钟的表盘。

在构造定时器时，需要设置一个时间间隔，并告之定时器，当到达时间间隔时需要做些什么操作。

如何告之定时器做什么呢？在很多程序设计语言中，可以提供一个函数名，定时器周期性地调用它。但是，在 Java 标准类库中的类采用的是面向对象方法。它将某个类的对象传递给定时器，然后，定时器调用这个对象的方法。由于对象可以携带一些附加的信息，所以传递一个对象比传递一个函数要灵活得多。

当然，定时器需要知道调用哪一个方法，并要求传递的对象所属的类实现了 java.awt.event 包的 ActionListener 接口。下面是这个接口：

```
public interface ActionListener
{
   void actionPerformed(ActionEvent event);
}
```

当到达指定的时间间隔时，定时器就调用 actionPerformed 方法。

假设希望每隔 10 秒钟打印一条信息"At the tone, the time is . . ."，然后响一声，就应该定义一个实现 ActionListener 接口的类，然后将需要执行的语句放在 actionPerformed 方法中。

```
class TimePrinter implements ActionListener
{
   public void actionPerformed(ActionEvent event)
   {
      System.out.println("At the tone, the time is " + new Date());
      Toolkit.getDefaultToolkit().beep();
   }
}
```

需要注意 actionPerformed 方法的 ActionEvent 参数。这个参数提供了事件的相关信息，例如，产生这个事件的源对象。有关这方面的详细内容请参看第 8 章。在这个程序中，事件的详细信息并不重要，因此，可以放心地忽略这个参数。

接下来，构造这个类的一个对象，并将它传递给 Timer 构造器。

```
ActionListener listener = new TimePrinter();
Timer t = new Timer(10000, listener);
```

Timer 构造器的第一个参数是发出通告的时间间隔，它的单位是毫秒。这里希望每隔 10 秒钟通告一次。第二个参数是监听器对象。

最后，启动定时器：

```
t.start();
```

每隔 10 秒钟，下列信息显示一次，然后响一声铃。

```
At the tone, the time is Wed Apr 13 23:29:08 PDT 2016
```

程序清单 6-3 给出了定时器和监听器的操作行为。在定时器启动以后，程序将弹出一个消息对话框，并等待用户点击 Ok 按钮来终止程序的执行。在程序等待用户操作的同时，每隔 10 秒显示一次当前的时间。

运行这个程序时要有一些耐心。程序启动后，将会立即显示一个包含“ Quit program?”字样的对话框，10 秒钟之后，第 1 条定时器消息才会显示出来。

需要注意，这个程序除了导入 javax.swing.* 和 java.util.* 外，还通过类名导入了 javax.swing.Timer。这就消除了 javax.swing.Timer 与 java.util.Timer 之间产生的二义性。这里的 java. util.Timer 是一个与本例无关的类，它主要用于调度后台任务。

程序清单 6-3 timer/TimerTest.java

```
1  package timer;
2
3  /**
4     @version 1.01 2015-05-12
5     @author Cay Horstmann
6  */
7
8  import java.awt.*;
9  import java.awt.event.*;
10 import java.util.*;
11 import javax.swing.*;
12 import javax.swing.Timer;
13 // to resolve conflict with java.util.Timer
14
15 public class TimerTest
16 {
17    public static void main(String[] args)
18    {
19       ActionListener listener = new TimePrinter();
20
21       // construct a timer that calls the listener
22       // once every 10 seconds
23       Timer t = new Timer(10000, listener);
24       t.start();
```

```
25
26          JOptionPane.showMessageDialog(null, "Quit program?");
27          System.exit(0);
28       }
29 }
30
31 class TimePrinter implements ActionListener
32 {
33    public void actionPerformed(ActionEvent event)
34    {
35       System.out.println("At the tone, the time is " + new Date());
36       Toolkit.getDefaultToolkit().beep();
37    }
38 }
```

API javax.swing.JOptionPane 1.2

- `static void showMessageDialog(Component parent, Object message)`

  显示一个包含一条消息和 OK 按钮的对话框。这个对话框将位于其 parent 组件的中央。如果 parent 为 null，对话框将显示在屏幕的中央。

API javax.swing.Timer 1.2

- `Timer(int interval, ActionListener listener)`

  构造一个定时器，每隔 interval 毫秒通告 listener 一次。
- `void start()`

  启动定时器。一旦启动成功，定时器将调用监听器的 actionPerformed。
- `void stop()`

  停止定时器。一旦停止成功，定时器将不再调用监听器的 actionPerformed。

API java.awt.Toolkit 1.0

- `static Toolkit getDefaultToolkit()`

  获得默认的工具箱。工具箱包含有关 GUI 环境的信息。
- `void beep()`

  发出一声铃响。

6.2.2 Comparator 接口

6.1.1 节中，我们已经了解了如何对一个对象数组排序，前提是这些对象是实现了 Comparable 接口的类的实例。例如，可以对一个字符串数组排序，因为 String 类实现了 Comparable<String>，而且 String.compareTo 方法可以按字典顺序比较字符串。

现在假设我们希望按长度递增的顺序对字符串进行排序，而不是按字典顺序进行排序。肯定不能让 String 类用两种不同的方式实现 compareTo 方法——更何况，String 类也不应由我们来修改。

要处理这种情况，Arrays.sort 方法还有第二个版本，有一个数组和一个比较器（*comparator*）

作为参数，比较器是实现了 Comparator 接口的类的实例。

```
public interface Comparator<T>
{
   int compare(T first, T second);
}
```

要按长度比较字符串，可以如下定义一个实现 Comparator<String> 的类：

```
class LengthComparator implements Comparator<String>
{
   public int compare(String first, String second) {
      return first.length() - second.length();
   }
}
```

具体完成比较时，需要建立一个实例：

```
Comparator<String> comp = new LengthComparator();
if (comp.compare(words[i], words[j]) > 0) . . .
```

将这个调用与 words[i].compareTo(words[j]) 做比较。这个 compare 方法要在比较器对象上调用，而不是在字符串本身上调用。

注释： 尽管 LengthComparator 对象没有状态，不过还是需要建立这个对象的一个实例。我们需要这个实例来调用 compare 方法——它不是一个静态方法。

要对一个数组排序，需要为 Arrays.sort 方法传入一个 LengthComparator 对象：

```
String[] friends = { "Peter", "Paul", "Mary" };
Arrays.sort(friends, new LengthComparator());
```

现在这个数组可能是 ["Paul", "Mary", "Peter"] 或 ["Mary", "Paul", "Peter"]。

在 6.3 节中我们会了解，利用 lambda 表达式可以更容易地使用 Comparator。

6.2.3 对象克隆

本节我们会讨论 Cloneable 接口，这个接口指示一个类提供了一个安全的 clone 方法。由于克隆并不太常见，而且有关的细节技术性很强，你可能只是想稍做了解，等真正需要时再深入学习。

要了解克隆的具体含义，先来回忆为一个包含对象引用的变量建立副本时会发生什么。原变量和副本都是同一个对象的引用（见图 6-1）。这说明，任何一个变量改变都会影响另一个变量。

```
Employee original = new Employee("John Public", 50000);
Employee copy = original;
copy.raiseSalary(10); // oops--also changed original
```

如果希望 copy 是一个新对象，它的初始状态与 original 相同，但是之后它们各自会有自己不同的状态，这种情况下就可以使用 clone 方法。

```
Employee copy = original.clone();
copy.raiseSalary(10); // OK--original unchanged
```

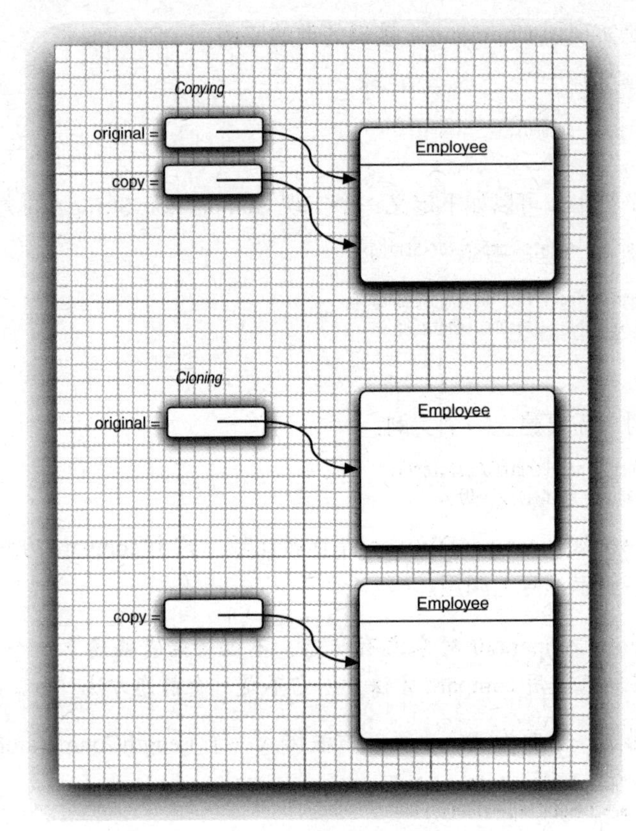

图 6-1 拷贝和克隆

不过并没有这么简单。clone 方法是 Object 的一个 protected 方法，这说明你的代码不能直接调用这个方法。只有 Employee 类可以克隆 Employee 对象。这个限制是有原因的。想想看 Object 类如何实现 clone。它对于这个对象一无所知，所以只能逐个域地进行拷贝。如果对象中的所有数据域都是数值或其他基本类型，拷贝这些域没有任何问题。但是如果对象包含子对象的引用，拷贝域就会得到相同子对象的另一个引用，这样一来，原对象和克隆的对象仍然会共享一些信息。

为了更直观地说明这个问题，考虑第 4 章介绍过的 Employee 类。图 6-2 显示了使用 Object 类的 clone 方法克隆这样一个 Employee 对象会发生什么。可以看到，默认的克隆操作是"浅拷贝"，并没有克隆对象中引用的其他对象。（这个图显示了一个共享的 Date 对象。出于某种原因（稍后就会解释这个原因），这个例子使用了 Employee 类的老版本，其中的雇用日期仍用 Date 表示。）

浅拷贝会有什么影响吗？这要看具体情况。如果原对象和浅克隆对象共享的子对象是不可变的，那么这种共享就是安全的。如果子对象属于一个不可变的类，如 String，就是这种情况。或者在对象的生命期中，子对象一直包含不变的常量，没有更改器方法会改变它，也没有方法会生成它的引用，这种情况下同样是安全的。

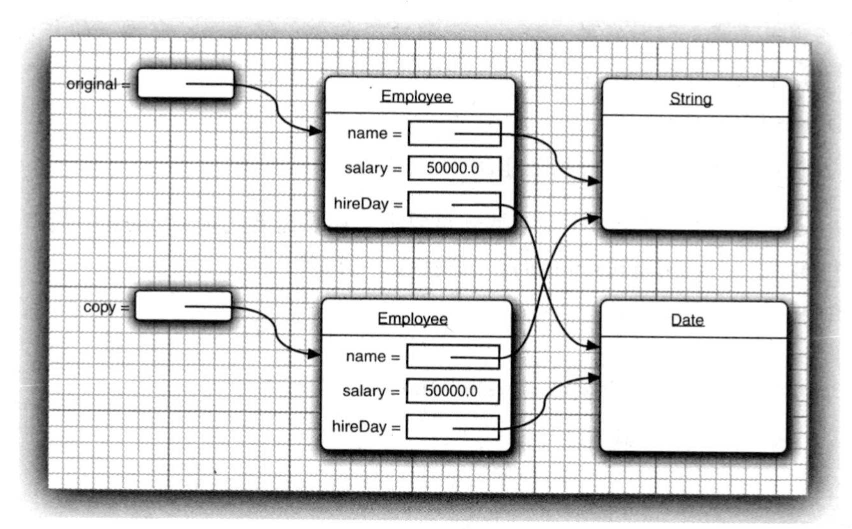

图 6-2　浅拷贝

不过，通常子对象都是可变的，必须重新定义 clone 方法来建立一个深拷贝，同时克隆所有子对象。在这个例子中，hireDay 域是一个 Date，这是可变的，所以它也需要克隆。（出于这个原因，这个例子使用 Date 类型的域而不是 LocalDate 来展示克隆过程。如果 hireDay 是不可变的 LocalDate 类的一个实例，就无需我们做任何处理了。）

对于每一个类，需要确定：

1）默认的 clone 方法是否满足要求；

2）是否可以在可变的子对象上调用 clone 来修补默认的 clone 方法；

3）是否不该使用 clone。

实际上第 3 个选项是默认选项。如果选择第 1 项或第 2 项，类必须：

1）实现 Cloneable 接口；

2）重新定义 clone 方法，并指定 public 访问修饰符。

注释：Object 类中 clone 方法声明为 protected，所以你的代码不能直接调用 anObject.clone()。但是，不是所有子类都能访问受保护方法吗？不是所有类都是 Object 的子类吗？幸运的是，受保护访问的规则比较微妙（见第 5 章）。子类只能调用受保护的 clone 方法来克隆它自己的对象。必须重新定义 clone 为 public 才能允许所有方法克隆对象。

在这里，Cloneable 接口的出现与接口的正常使用并没有关系。具体来说，它没有指定 clone 方法，这个方法是从 Object 类继承的。这个接口只是作为一个标记，指示类设计者了解克隆过程。对象对于克隆很“偏执”，如果一个对象请求克隆，但没有实现这个接口，就会生成一个受查异常。

注释：Cloneable 接口是 Java 提供的一组标记接口（*tagging interface*）之一。（有些程序员称之为记号接口（*marker interface*））。应该记得，Comparable 等接口的通常用途是确保一个类实现一个或一组特定的方法。标记接口不包含任何方法；它唯一的作用就是允许在类型查询中使用 instanceof：

```
if (obj instanceof Cloneable) . . .
```

建议你自己的程序中不要使用标记接口。

即使 clone 的默认（浅拷贝）实现能够满足要求，还是需要实现 Cloneable 接口，将 clone 重新定义为 public，再调用 super.clone()。下面给出一个例子：

```
class Employee implements Cloneable
{
   // raise visibility level to public, change return type
   public Employee clone() throws CloneNotSupportedException
   {
      return (Employee) super.clone();
   }
   . . .
}
```

注释：在 Java SE 1.4 之前，clone 方法的返回类型总是 Object，而现在可以为你的 clone 方法指定正确的返回类型。这是协变返回类型的一个例子（见第 5 章）。

与 Object.clone 提供的浅拷贝相比，前面看到的 clone 方法并没有为它增加任何功能。这里只是让这个方法是公有的。要建立深拷贝，还需要做更多工作，克隆对象中可变的实例域。

下面来看创建深拷贝的 clone 方法的一个例子：

```
class Employee implements Cloneable
{
   . . .
   public Employee clone() throws CloneNotSupportedException
   {
      // call Object.clone()
      Employee cloned = (Employee) super.clone();

      // clone mutable fields
      cloned.hireDay = (Date) hireDay.clone();

      return cloned;
   }
}
```

如果在一个对象上调用 clone，但这个对象的类并没有实现 Cloneable 接口，Object 类的 clone 方法就会抛出一个 CloneNotSupportedException。当然，Employee 和 Date 类实现了 Cloneable 接口，所以不会抛出这个异常。不过，编译器并不了解这一点，因此，我们声明了这个异常：

```
public Employee clone() throws CloneNotSupportedException
```

捕获这个异常是不是更好一些？

```
public Employee clone()
{
```

```
   try
   {
      Employee cloned = (Employee) super.clone();
      . . .
   }
   catch (CloneNotSupportedException e) { return null; }
   // this won't happen, since we are Cloneable
}
```

这非常适用于 final 类。否则，最好还是保留 throws 说明符。这样就允许子类在不支持克隆时选择抛出一个 CloneNotSupportedException。

必须当心子类的克隆。例如，一旦为 Employee 类定义了 clone 方法，任何人都可以用它来克隆 Manager 对象。Employee 克隆方法能完成工作吗？这取决于 Manager 类的域。在这里是没有问题的，因为 bonus 域是基本类型。但是 Manager 可能会有需要深拷贝或不可克隆的域。不能保证子类的实现者一定会修正 clone 方法让它正常工作。出于这个原因，在 Object 类中 clone 方法声明为 protected。不过，如果你希望类用户调用 clone，就不能这样做。

要不要在自己的类中实现 clone 呢？如果你的客户需要建立深拷贝，可能就需要实现这个方法。有些人认为应该完全避免使用 clone，而实现另一个方法来达到同样的目的。clone 相当笨拙，这一点我们也同意，不过如果让另一个方法来完成这个工作，还是会遇到同样的问题。毕竟，克隆没有你想象中那么常用。标准库中只有不到 5% 的类实现了 clone。

程序清单 6-4 中的程序克隆了 Employee 类（程序清单 6-5）的一个实例，然后调用两个更改器方法。raiseSalary 方法会改变 salary 域的值，而 setHireDay 方法改变 hireDay 域的状态。这两个更改器方法都不会影响原来的对象，因为 clone 定义为建立一个深拷贝。

注释：所有数组类型都有一个 public 的 clone 方法，而不是 protected。可以用这个方法建立一个新数组，包含原数组所有元素的副本。例如：

```
int[] luckyNumbers = { 2, 3, 5, 7, 11, 13 };
int[] cloned = luckyNumbers.clone();
cloned[5] = 12; // doesn't change luckyNumbers[5]
```

注释：卷 II 的第 2 章将展示另一种克隆对象的机制，其中使用了 Java 的对象串行化特性。这个机制很容易实现，而且很安全，但效率不高。

程序清单 6-4　clone/CloneTest.java

```
1  package clone;
2  
3  /**
4   * This program demonstrates cloning.
5   * @version 1.10 2002-07-01
6   * @author Cay Horstmann
7   */
8  public class CloneTest
9  {
10    public static void main(String[] args)
11    {
12       try
```

```
13       {
14          Employee original = new Employee("John Q. Public", 50000);
15          original.setHireDay(2000, 1, 1);
16          Employee copy = original.clone();
17          copy.raiseSalary(10);
18          copy.setHireDay(2002, 12, 31);
19          System.out.println("original=" + original);
20          System.out.println("copy=" + copy);
21       }
22       catch (CloneNotSupportedException e)
23       {
24          e.printStackTrace();
25       }
26    }
27 }
```

程序清单 6-5 clone/Employee.java

```
1 package clone;
2 
3 import java.util.Date;
4 import java.util.GregorianCalendar;
5 
6 public class Employee implements Cloneable
7 {
8    private String name;
9    private double salary;
10   private Date hireDay;
11 
12   public Employee(String name, double salary)
13   {
14      this.name = name;
15      this.salary = salary;
16      hireDay = new Date();
17   }
18 
19   public Employee clone() throws CloneNotSupportedException
20   {
21      // call Object.clone()
22      Employee cloned = (Employee) super.clone();
23 
24      // clone mutable fields
25      cloned.hireDay = (Date) hireDay.clone();
26 
27      return cloned;
28   }
29 
30   /**
31    * Set the hire day to a given date.
32    * @param year the year of the hire day
33    * @param month the month of the hire day
34    * @param day the day of the hire day
35    */
36   public void setHireDay(int year, int month, int day)
37   {
38      Date newHireDay = new GregorianCalendar(year, month - 1, day).getTime();
```

```
39
40        // Example of instance field mutation
41        hireDay.setTime(newHireDay.getTime());
42     }
43
44     public void raiseSalary(double byPercent)
45     {
46        double raise = salary * byPercent / 100;
47        salary += raise;
48     }
49
50     public String toString()
51     {
52        return "Employee[name=" + name + ",salary=" + salary + ",hireDay=" + hireDay + "]";
53     }
54  }
```

6.3 lambda 表达式

现在可以来学习 lambda 表达式，这是这些年来 Java 语言最让人激动的一个变化。你会了解如何使用 lambda 表达式采用一种简洁的语法定义代码块，以及如何编写处理 lambda 表达式的代码。

6.3.1 为什么引入 lambda 表达式

lambda 表达式是一个可传递的代码块，可以在以后执行一次或多次。具体介绍语法（以及解释这个让人好奇的名字）之前，下面先退一步，观察一下我们在 Java 中的哪些地方用过这种代码块。

在 6.2.1 节中，你已经了解了如何按指定时间间隔完成工作。将这个工作放在一个 ActionListener 的 actionPerformed 方法中：

```
class Worker implements ActionListener
{
   public void actionPerformed(ActionEvent event)
   {
      // do some work
   }
}
```

想要反复执行这个代码时，可以构造 Worker 类的一个实例。然后把这个实例提交到一个 Timer 对象。这里的重点是 actionPerformed 方法包含希望以后执行的代码。

或者可以考虑如何用一个定制比较器完成排序。如果想按长度而不是默认的字典顺序对字符串排序，可以向 sort 方法传入一个 Comparator 对象：

```
class LengthComparator implements Comparator<String>
{
   public int compare(String first, String second)
   {
      return first.length() - second.length();
```

```
    }
  }
  . . .
  Arrays.sort(strings, new LengthComparator());
```

compare方法不是立即调用。实际上，在数组完成排序之前，sort方法会一直调用compare方法，只要元素的顺序不正确就会重新排列元素。将比较元素所需的代码段放在sort方法中，这个代码将与其余的排序逻辑集成（你可能并不打算重新实现其余的这部分逻辑）。

这两个例子有一些共同点，都是将一个代码块传递到某个对象（一个定时器，或者一个sort方法）。这个代码块会在将来某个时间调用。

到目前为止，在Java中传递一个代码段并不容易，不能直接传递代码段。Java是一种面向对象语言，所以必须构造一个对象，这个对象的类需要有一个方法能包含所需的代码。

在其他语言中，可以直接处理代码块。Java设计者很长时间以来一直拒绝增加这个特性。毕竟，Java的强大之处就在于其简单性和一致性。如果只要一个特性能够让代码稍简洁一些，就把这个特性增加到语言中，这个语言很快就会变得一团糟，无法管理。不过，在另外那些语言中，并不只是创建线程或注册按钮点击事件处理器更容易；它们的大部分API都更简单、更一致而且更强大。在Java中，也可以编写类似的API利用类对象实现特定的功能，不过这种API使用可能很不方便。

就现在来说，问题已经不是是否增强Java来支持函数式编程，而是要如何做到这一点。设计者们做了多年的尝试，终于找到一种适合Java的设计。下一节中，你会了解Java SE 8中如何处理代码块。

6.3.2 lambda表达式的语法

再来考虑上一节讨论的排序例子。我们传入代码来检查一个字符串是否比另一个字符串短。这里要计算：

```
first.length() - second.length()
```

first和second是什么？它们都是字符串。Java是一种强类型语言，所以我们还要指定它们的类型：

```
(String first, String second)
  -> first.length() - second.length()
```

这就是你看到的第一个*lambda*表达式。lambda表达式就是一个代码块，以及必须传入代码的变量规范。

为什么起这个名字呢？很多年前，那时还没有计算机，逻辑学家Alonzo Church想要形式化地表示能有效计算的数学函数。（奇怪的是，有些函数已经知道是存在的，但是没有人知道该如何计算这些函数的值。）他使用了希腊字母lambda（λ）来标记参数。如果他知道Java API，可能就会写为

```
λfirst.λsecond.first.length() - second.length()
```

注释： 为什么是字母 λ？Church 已经把字母表里的所有其他字母都用完了吗？实际上，权威的《数学原理》一书中就使用重音符 ^ 来表示自由变量，受此启发，Church 使用大写 lambda（Λ）表示参数。不过，最后他还是改为使用小写的 lambda(λ)。从那以后，带参数变量的表达式就被称为 lambda 表达式。

你已经见过 Java 中的一种 lambda 表达式形式：参数，箭头（->）以及一个表达式。如果代码要完成的计算无法放在一个表达式中，就可以像写方法一样，把这些代码放在 {} 中，并包含显式的 return 语句。例如：

```
(String first, String second) ->
   {
      if (first.length() < second.length()) return -1;
      else if (first.length() > second.length()) return 1;
      else return 0;
   }
```

即使 lambda 表达式没有参数，仍然要提供空括号，就像无参数方法一样：

```
() -> { for (int i = 100; i >= 0; i--) System.out.println(i); }
```

如果可以推导出一个 lambda 表达式的参数类型，则可以忽略其类型。例如：

```
Comparator<String> comp
   = (first, second) // Same as (String first, String second)
      -> first.length() - second.length();
```

在这里，编译器可以推导出 first 和 second 必然是字符串，因为这个 lambda 表达式将赋给一个字符串比较器。（下一节会更详细地分析这个赋值。）

如果方法只有一个参数，而且这个参数的类型可以推导得出，那么甚至还可以省略小括号：

```
ActionListener listener = event ->
   System.out.println("The time is " + new Date()");
      // Instead of (event) -> . . . or (ActionEvent event) -> . . .
```

无需指定 lambda 表达式的返回类型。lambda 表达式的返回类型总是会由上下文推导得出。例如，下面的表达式

```
(String first, String second) -> first.length() - second.length()
```

可以在需要 int 类型结果的上下文中使用。

注释： 如果一个 lambda 表达式只在某些分支返回一个值，而在另外一些分支不返回值，这是不合法的。例如，(int x) -> { if (x >= 0) return 1; } 就不合法。

程序清单 6-6 中的程序显示了如何在一个比较器和一个动作监听器中使用 lambda 表达式。

程序清单 6-6　lambda/LambdaTest.java

```
1 package lambda;
2
3 import java.util.*;
4
5 import javax.swing.*;
```

```
6 import javax.swing.Timer;
7
8 /**
9  * This program demonstrates the use of lambda expressions.
10  * @version 1.0 2015-05-12
11  * @author Cay Horstmann
12  */
13 public class LambdaTest
14 {
15    public static void main(String[] args)
16    {
17       String[] planets = new String[] { "Mercury", "Venus", "Earth", "Mars",
18             "Jupiter", "Saturn", "Uranus", "Neptune" };
19       System.out.println(Arrays.toString(planets));
20       System.out.println("Sorted in dictionary order:");
21       Arrays.sort(planets);
22       System.out.println(Arrays.toString(planets));
23       System.out.println("Sorted by length:");
24       Arrays.sort(planets, (first, second) -> first.length() - second.length());
25       System.out.println(Arrays.toString(planets));
26
27       Timer t = new Timer(1000, event ->
28          System.out.println("The time is " + new Date()));
29       t.start();
30
31       // keep program running until user selects "Ok"
32       JOptionPane.showMessageDialog(null, "Quit program?");
33       System.exit(0);
34    }
35 }
```

6.3.3 函数式接口

前面已经讨论过，Java 中已经有很多封装代码块的接口，如 ActionListener 或 Comparator。lambda 表达式与这些接口是兼容的。

对于只有一个抽象方法的接口，需要这种接口的对象时，就可以提供一个 lambda 表达式。这种接口称为*函数式接口*（functional interface）。

注释：你可能想知道为什么函数式接口必须有一个抽象方法。不是接口中的所有方法都是抽象的吗？实际上，接口完全有可能重新声明 Object 类的方法，如 toString 或 clone，这些声明有可能会让方法不再是抽象的。（Java API 中的一些接口会重新声明 Object 方法来附加 javadoc 注释。Comparator API 就是这样一个例子。）更重要的是，正如 6.1.5 节所述，在 Java SE 8 中，接口可以声明非抽象方法。

为了展示如何转换为函数式接口，下面考虑 Arrays.sort 方法。它的第二个参数需要一个 Comparator 实例，Comparator 就是只有一个方法的接口，所以可以提供一个 lambda 表达式：

```
Arrays.sort(words,
   (first, second) -> first.length() - second.length());
```

在底层，Arrays.sort 方法会接收实现了 Comparator<String> 的某个类的对象。在这个对象上调用 compare 方法会执行这个 lambda 表达式的体。这些对象和类的管理完全取决于具体实现，与使用传统的内联类相比，这样可能要高效得多。最好把 lambda 表达式看作是一个函数，而不是一个对象，另外要接受 lambda 表达式可以传递到函数式接口。

lambda 表达式可以转换为接口，这一点让 lambda 表达式很有吸引力。具体的语法很简短。下面再来看一个例子：

```
Timer t = new Timer(1000, event ->
   {
      System.out.println("At the tone, the time is " + new Date());
      Toolkit.getDefaultToolkit().beep();
   });
```

与使用实现了 ActionListener 接口的类相比，这个代码可读性要好得多。

实际上，在 Java 中，对 lambda 表达式所能做的也只是能转换为函数式接口。在其他支持函数字面量的程序设计语言中，可以声明函数类型（如 (String, String) -> int）、声明这些类型的变量，还可以使用变量保存函数表达式。不过，Java 设计者还是决定保持我们熟悉的接口概念，没有为 Java 语言增加函数类型。

注释： 甚至不能把 lambda 表达式赋给类型为 Object 的变量，Object 不是一个函数式接口。

Java API 在 java.util.function 包中定义了很多非常通用的函数式接口。其中一个接口 BiFunction<T, U, R> 描述了参数类型为 T 和 U 而且返回类型为 R 的函数。可以把我们的字符串比较 lambda 表达式保存在这个类型的变量中：

```
BiFunction<String, String, Integer> comp
   = (first, second) -> first.length() - second.length();
```

不过，这对于排序并没有帮助。没有哪个 Arrays.sort 方法想要接收一个 BiFunction。如果你之前用过某种函数式程序设计语言，可能会发现这很奇怪。不过，对于 Java 程序员而言，这非常自然。类似 Comparator 的接口往往有一个特定的用途，而不只是提供一个有指定参数和返回类型的方法。Java SE 8 沿袭了这种思路。想要用 lambda 表达式做某些处理，还是要谨记表达式的用途，为它建立一个特定的函数式接口。

java.util.function 包中有一个尤其有用的接口 Predicate：

```
public interface Predicate<T>
{
   boolean test(T t);
   // Additional default and static methods
}
```

ArrayList 类有一个 removeIf 方法，它的参数就是一个 Predicate。这个接口专门用来传递 lambda 表达式。例如，下面的语句将从一个数组列表删除所有 null 值：

```
list.removeIf(e -> e == null);
```

6.3.4 方法引用

有时，可能已经有现成的方法可以完成你想要传递到其他代码的某个动作。例如，假设你希望只要出现一个定时器事件就打印这个事件对象。当然，为此也可以调用：

```
Timer t = new Timer(1000, event -> System.out.println(event));
```

但是，如果直接把 println 方法传递到 Timer 构造器就更好了。具体做法如下：

```
Timer t = new Timer(1000, System.out::println);
```

表达式 System.out::println 是一个方法引用（*method reference*），它等价于 lambda 表达式 x -> System.out.println(x)。

再来看一个例子，假设你想对字符串排序，而不考虑字母的大小写。可以传递以下方法表达式：

```
Arrays.sort(strings, String::compareToIgnoreCase)
```

从这些例子可以看出，要用 :: 操作符分隔方法名与对象或类名。主要有 3 种情况：

- *object*::*instanceMethod*
- *Class*::*staticMethod*
- *Class*::*instanceMethod*

在前 2 种情况中，方法引用等价于提供方法参数的 lambda 表达式。前面已经提到，System.out::println 等价于 x -> System.out.println(x)。类似地，Math::pow 等价于 (x, y) -> Math.pow(x, y)。

对于第 3 种情况，第 1 个参数会成为方法的目标。例如，String::compareToIgnoreCase 等同于 (x, y) -> x.compareToIgnoreCase(y)。

注释： 如果有多个同名的重载方法，编译器就会尝试从上下文中找出你指的那一个方法。例如，Math.max 方法有两个版本，一个用于整数，另一个用于 double 值。选择哪一个版本取决于 Math::max 转换为哪个函数式接口的方法参数。类似于 lambda 表达式，方法引用不能独立存在，总是会转换为函数式接口的实例。

可以在方法引用中使用 this 参数。例如，this::equals 等同于 x -> this.equals(x)。使用 super 也是合法的。下面的方法表达式

```
super::instanceMethod
```

使用 this 作为目标，会调用给定方法的超类版本。

为了展示这一点，下面给出一个假想的例子：

```
class Greeter
{
   public void greet()
   {
      System.out.println("Hello, world!");
   }
}

class TimedGreeter extends Greeter
{
   public void greet()
```

```
    {
        Timer t = new Timer(1000, super::greet);
        t.start();
    }
}
```

TimedGreeter.greet 方法开始执行时，会构造一个 Timer，它会在每次定时器滴答时执行 super::greet 方法。这个方法会调用超类的 greet 方法。

6.3.5　构造器引用

构造器引用与方法引用很类似，只不过方法名为 new。例如，Person::new 是 Person 构造器的一个引用。哪一个构造器呢？这取决于上下文。假设你有一个字符串列表。可以把它转换为一个 Person 对象数组，为此要在各个字符串上调用构造器，调用如下：

```
ArrayList<String> names = . . .;
Stream<Person> stream = names.stream().map(Person::new);
List<Person> people = stream.collect(Collectors.toList());
```

我们将在卷 Ⅱ 的第 1 章讨论 stream、map 和 collect 方法的详细内容。就现在来说，重点是 map 方法会为各个列表元素调用 Person(String) 构造器。如果有多个 Person 构造器，编译器会选择有一个 String 参数的构造器，因为它从上下文推导出这是在对一个字符串调用构造器。

可以用数组类型建立构造器引用。例如，int[]::new 是一个构造器引用，它有一个参数：即数组的长度。这等价于 lambda 表达式 x -> new int[x]。

Java 有一个限制，无法构造泛型类型 T 的数组。数组构造器引用对于克服这个限制很有用。表达式 new T[n] 会产生错误，因为这会改为 new Object[n]。对于开发类库的人来说，这是一个问题。例如，假设我们需要一个 Person 对象数组。Stream 接口有一个 toArray 方法可以返回 Object 数组：

```
Object[] people = stream.toArray();
```

不过，这并不让人满意。用户希望得到一个 Person 引用数组，而不是 Object 引用数组。流库利用构造器引用解决了这个问题。可以把 Person[]::new 传入 toArray 方法：

```
Person[] people = stream.toArray(Person[]::new);
```

toArray 方法调用这个构造器来得到一个正确类型的数组。然后填充这个数组并返回。

6.3.6　变量作用域

通常，你可能希望能够在 lambda 表达式中访问外围方法或类中的变量。考虑下面这个例子：

```
public static void repeatMessage(String text, int delay)
{
    ActionListener listener = event ->
        {
            System.out.println(text);
```

```
         Toolkit.getDefaultToolkit().beep();
      };
   new Timer(delay, listener).start();
}
```

来看这样一个调用：

```
repeatMessage("Hello", 1000); // Prints Hello every 1,000 milliseconds
```

现在来看 lambda 表达式中的变量 text。注意这个变量并不是在这个 lambda 表达式中定义的。实际上，这是 repeatMessage 方法的一个参数变量。

如果再想想看，这里好像会有问题，尽管不那么明显。lambda 表达式的代码可能会在 repeatMessage 调用返回很久以后才运行，而那时这个参数变量已经不存在了。如何保留 text 变量呢？

要了解到底会发生什么，下面来巩固我们对 lambda 表达式的理解。lambda 表达式有 3 个部分：

1）一个代码块；

2）参数；

3）自由变量的值，这是指非参数而且不在代码中定义的变量。

在我们的例子中，这个 lambda 表达式有 1 个自由变量 text。表示 lambda 表达式的数据结构必须存储自由变量的值，在这里就是字符串 "Hello"。我们说它被 lambda 表达式捕获（*captured*）。（下面来看具体的实现细节。例如，可以把一个 lambda 表达式转换为包含一个方法的对象，这样自由变量的值就会复制到这个对象的实例变量中。）

注释： 关于代码块以及自由变量值有一个术语：闭包（*closure*）。如果有人吹嘘他们的语言有闭包，现在你也可以自信地说 Java 也有闭包。在 Java 中，lambda 表达式就是闭包。

可以看到，lambda 表达式可以捕获外围作用域中变量的值。在 Java 中，要确保所捕获的值是明确定义的，这里有一个重要的限制。在 lambda 表达式中，只能引用值不会改变的变量。例如，下面的做法是不合法的：

```
public static void countDown(int start, int delay)
{
   ActionListener listener = event ->
      {
         start--; // Error: Can't mutate captured variable
         System.out.println(start);
      };
   new Timer(delay, listener).start();
}
```

之所以有这个限制是有原因的。如果在 lambda 表达式中改变变量，并发执行多个动作时就会不安全。对于目前为止我们看到的动作不会发生这种情况，不过一般来讲，这确实是一个严重的问题。关于这个重要问题的更多内容参见第 14 章。

另外如果在 lambda 表达式中引用变量，而这个变量可能在外部改变，这也是不合法的。例如，下面就是不合法的：

```
public static void repeat(String text, int count)
{
   for (int i = 1; i <= count; i++)
   {
      ActionListener listener = event ->
         {
            System.out.println(i + ": " + text);
               // Error: Cannot refer to changing i
         };
      new Timer(1000, listener).start();
   }
}
```

这里有一条规则：lambda 表达式中捕获的变量必须实际上是最终变量（*effectively final*）。实际上的最终变量是指，这个变量初始化之后就不会再为它赋新值。在这里，text 总是指示同一个 String 对象，所以捕获这个变量是合法的。不过，i 的值会改变，因此不能捕获 i。

lambda 表达式的体与嵌套块有相同的作用域。这里同样适用命名冲突和遮蔽的有关规则。在 lambda 表达式中声明与一个局部变量同名的参数或局部变量是不合法的。

```
Path first = Paths.get("/usr/bin");
Comparator<String> comp =
   (first, second) -> first.length() - second.length();
   // Error: Variable first already defined
```

在方法中，不能有两个同名的局部变量，因此，lambda 表达式中同样也不能有同名的局部变量。

在一个 lambda 表达式中使用 this 关键字时，是指创建这个 lambda 表达式的方法的 this 参数。例如，考虑下面的代码：

```
public class Application()
{
   public void init()
   {
      ActionListener listener = event ->
         {
            System.out.println(this.toString());
            . . .
         }
      . . .
   }
}
```

表达式 this.toString() 会调用 Application 对象的 toString 方法，而不是 ActionListener 实例的方法。在 lambda 表达式中，this 的使用并没有任何特殊之处。lambda 表达式的作用域嵌套在 init 方法中，与出现在这个方法中的其他位置一样，lambda 表达式中 this 的含义并没有变化。

6.3.7　处理 lambda 表达式

到目前为止，你已经了解了如何生成 lambda 表达式，以及如何把 lambda 表达式传递到需要一个函数式接口的方法。下面来看如何编写方法处理 lambda 表达式。

使用 lambda 表达式的重点是延迟执行（*deferred execution*）。毕竟，如果想要立即执行代码，完全可以直接执行，而无需把它包装在一个 lambda 表达式中。之所以希望以后再执行代码，这有很多原因，如：

- 在一个单独的线程中运行代码；
- 多次运行代码；
- 在算法的适当位置运行代码（例如，排序中的比较操作）；
- 发生某种情况时执行代码（如，点击了一个按钮，数据到达，等等）；
- 只在必要时才运行代码。

下面来看一个简单的例子。假设你想要重复一个动作 n 次。将这个动作和重复次数传递到一个 repeat 方法：

```
repeat(10, () -> System.out.println("Hello, World!"));
```

要接受这个 lambda 表达式，需要选择（偶尔可能需要提供）一个函数式接口。表 6-1 列出了 Java API 中提供的最重要的函数式接口。在这里，我们可以使用 Runnable 接口：

```
public static void repeat(int n, Runnable action)
{
   for (int i = 0; i < n; i++) action.run();
}
```

需要说明，调用 action.run() 时会执行这个 lambda 表达式的主体。

表 6-1　常用函数式接口

函数式接口	参数类型	返回类型	抽象方法名	描　　述	其他方法
Runnable	无	void	run	作为无参数或返回值的动作运行	
Supplier<T>	无	T	get	提供一个 T 类型的值	
Consumer<T>	T	void	accept	处理一个 T 类型的值	andThen
BiConsumer<T, U>	T, U	void	accept	处理 T 和 U 类型的值	andThen
Function<T, R>	T	R	apply	有一个 T 类型参数的函数	compose, andThen, identity
BiFunction<T, U, R>	T, U	R	apply	有 T 和 U 类型参数的函数	andThen
UnaryOperator<T>	T	T	apply	类型 T 上的一元操作符	compose, andThen, identity
BinaryOperator<T>	T, T	T	apply	类型 T 上的二元操作符	andThen, maxBy, minBy
Predicate<T>	T	boolean	test	布尔值函数	and, or, negate, isEqual
BiPredicate<T, U>	T, U	boolean	test	有两个参数的布尔值函数	and, or, negate

现在让这个例子更复杂一些。我们希望告诉这个动作它出现在哪一次迭代中。为此，需要选择一个合适的函数式接口，其中要包含一个方法，这个方法有一个 int 参数而且返回类型为 void。处理 int 值的标准接口如下：

```
public interface IntConsumer
{
   void accept(int value);
}
```

下面给出 repeat 方法的改进版本：

```
public static void repeat(int n, IntConsumer action)
{
    for (int i = 0; i < n; i++) action.accept(i);
}
```

可以如下调用它：

```
repeat(10, i -> System.out.println("Countdown: " + (9 - i)));
```

表 6-2 列出了基本类型 int、long 和 double 的 34 个可能的规范。最好使用这些特殊化规范来减少自动装箱。出于这个原因，我在上一节的例子中使用了 IntConsumer 而不是 Consumer<Integer>。

表 6-2　基本类型的函数式接口

函数式接口	参数类型	返回类型	抽象方法名
BooleanSupplier	none	boolean	getAsBoolean
*P*Supplier	none	*p*	getAs*P*
*P*Consumer	*p*	void	accept
Obj*P*Consumer<T>	T, *p*	void	accept
*P*Function<T>	*p*	T	apply
*P*To*Q*Function	*p*	*q*	applyAs*Q*
To*P*Function<T>	T	*p*	applyAs*P*
To*P*BiFunction<T, U>	T, U	*p*	applyAs*P*
*P*UnaryOperator	*p*	*p*	applyAs*P*
*P*BinaryOperator	*p*, *p*	*p*	applyAs*P*
*P*Predicate	*p*	boolean	test

注：*p*, *q* 为 int, long, double; *P*, *Q* 为 Int, Long, Double

提示：最好使用表 6-1 或表 6-2 中的接口。例如，假设要编写一个方法来处理满足某个特定条件的文件。对此有一个遗留接口 java.io.FileFilter，不过最好使用标准的 Predicate<File>。只有一种情况下可以不这么做，那就是你已经有很多有用的方法可以生成 FileFilter 实例。

注释：大多数标准函数式接口都提供了非抽象方法来生成或合并函数。例如，Predicate.isEqual(a) 等同于 a::equals，不过如果 a 为 null 也能正常工作。已经提供了默认方法 and、or 和 negate 来合并谓词。例如，Predicate.isEqual(a).or(Predicate.isEqual(b)) 就等同于 x -> a.equals(x) || b.equals(x)。

注释：如果设计你自己的接口，其中只有一个抽象方法，可以用 @FunctionalInterface 注解来标记这个接口。这样做有两个优点。如果你无意中增加了另一个非抽象方法，编译器会产生一个错误消息。另外 javadoc 页里会指出你的接口是一个函数式接口。

并不是必须使用注解。根据定义，任何有一个抽象方法的接口都是函数式接口。不过使用 @FunctionalInterface 注解确实是一个很好的做法。

6.3.8 再谈 Comparator

Comparator 接口包含很多方便的静态方法来创建比较器。这些方法可以用于 lambda 表达式或方法引用。

静态 comparing 方法取一个"键提取器"函数，它将类型 T 映射为一个可比较的类型（如 String）。对要比较的对象应用这个函数，然后对返回的键完成比较。例如，假设有一个 Person 对象数组，可以如下按名字对这些对象排序：

```
Arrays.sort(people, Comparator.comparing(Person::getName));
```

与手动实现一个 Comparator 相比，这当然要容易得多。另外，代码也更为清晰，因为显然我们都希望按人名来进行比较。

可以把比较器与 thenComparing 方法串起来。例如，

```
Arrays.sort(people,
   Comparator.comparing(Person::getLastName)
   .thenComparing(Person::getFirstName));
```

如果两个人的姓相同，就会使用第二个比较器。

这些方法有很多变体形式。可以为 comparing 和 thenComparing 方法提取的键指定一个比较器。例如，可以如下根据人名长度完成排序：

```
Arrays.sort(people, Comparator.comparing(Person::getName,
   (s, t) -> Integer.compare(s.length(), t.length())));
```

另外，comparing 和 thenComparing 方法都有变体形式，可以避免 int、long 或 double 值的装箱。要完成前一个操作，还有一种更容易的做法：

```
Arrays.sort(people, Comparator.comparingInt(p -> p.getName().length()));
```

如果键函数可以返回 null，可能就要用到 nullsFirst 和 nullsLast 适配器。这些静态方法会修改现有的比较器，从而在遇到 null 值时不会抛出异常，而是将这个值标记为小于或大于正常值。例如，假设一个人没有中名时 getMiddleName 会返回一个 null，就可以使用 Comparator.comparing(Person::getMiddleName(), Comparator.nullsFirst(...))。

nullsFirst 方法需要一个比较器，在这里就是比较两个字符串的比较器。naturalOrder 方法可以为任何实现了 Comparable 的类建立一个比较器。在这里，Comparator.<String>naturalOrder() 正是我们需要的。下面是一个完整的调用，可以按可能为 null 的中名进行排序。这里使用了一个静态导入 java.util.Comparator.*，以便理解这个表达式。注意 naturalOrder 的类型可以推导得出。

```
Arrays.sort(people, comparing(Person::getMiddleName, nullsFirst(naturalOrder())));
```

静态 reverseOrder 方法会提供自然顺序的逆序。要让比较器逆序比较，可以使用 reversed 实例方法。例如 naturalOrder().reversed() 等同于 reverseOrder()。

6.4 内部类

内部类（inner class）是定义在另一个类中的类。为什么需要使用内部类呢？其主要原因

有以下三点：

- 内部类方法可以访问该类定义所在的作用域中的数据，包括私有的数据。
- 内部类可以对同一个包中的其他类隐藏起来。
- 当想要定义一个回调函数且不想编写大量代码时，使用匿名（anonymous）内部类比较便捷。

我们将这个比较复杂的内容分几部分介绍。

- 在 6.4.1 节中，给出一个简单的内部类，它将访问外围类的实例域。
- 在 6.4.2 节中，给出内部类的特殊语法规则。
- 在 6.4.3 节中，领略一下内部类的内部，探讨一下如何将其转换成常规类。过于拘谨的读者可以跳过这一节。
- 在 6.4.4 节中，讨论局部内部类，它可以访问外围作用域中的局部变量。
- 在 6.4.5 节中，介绍匿名内部类，说明在 Java 有 lambda 表达式之前用于实现回调的基本方法。
- 最后在 6.4.6 节中，介绍如何将静态内部类嵌套在辅助类中。

C++ 注释：C++ 有嵌套类。一个被嵌套的类包含在外围类的作用域内。下面是一个典型的例子，一个链表类定义了一个存储结点的类和一个定义迭代器位置的类。

```
class LinkedList
{
public:
   class Iterator // a nested class
   {
   public:
      void insert(int x);
      int erase();
      . . .
   };
   . . .
private:
   class Link // a nested class
   {
   public:
      Link* next;
      int data;
   };
   . . .
};
```

嵌套是一种类之间的关系，而不是对象之间的关系。一个 LinkedList 对象并不包含 Iterator 类型或 Link 类型的子对象。

嵌套类有两个好处：命名控制和访问控制。由于名字 Iterator 嵌套在 LinkedList 类的内部，所以在外部被命名为 LinkedList::Iterator，这样就不会与其他名为 Iterator 的类发生冲突。在 Java 中这个并不重要，因为 Java 包已经提供了相同的命名控制。需要注意的是，Link 类位于 LinkedList 类的私有部分，因此，Link 对其他的代码均不可见。鉴于此情况，可以将 Link 的数据域设计为公有的，它仍然是安全的。这些数据域只能被 LinkedList 类（具有访问这些数据域的合理需要）中的方法访问，而不会暴露给其他的代码。在 Java 中，只有内部类能够实现这样的控制。

然而，Java 内部类还有另外一个功能，这使得它比 C++ 的嵌套类更加丰富，用途更加广泛。内部类的对象有一个隐式引用，它引用了实例化该内部对象的外围类对象。通过这个指针，可以访问外围类对象的全部状态。在本章后续内容中，我们将会看到有关这个 Java 机制的详细介绍。

在 Java 中，static 内部类没有这种附加指针，这样的内部类与 C++ 中的嵌套类很相似。

6.4.1 使用内部类访问对象状态

内部类的语法比较复杂。鉴于此情况，我们选择一个简单但不太实用的例子说明内部类的使用方式。下面将进一步分析 TimerTest 示例，并抽象出一个 TalkingClock 类。构造一个语音时钟时需要提供两个参数：发布通告的间隔和开关铃声的标志。

```
public class TalkingClock
{
   private int interval;
   private boolean beep;

   public TalkingClock(int interval, boolean beep) { . . . }
   public void start() { . . . }

   public class TimePrinter implements ActionListener
      // an inner class
   {
      . . .
   }
}
```

需要注意，这里的 TimePrinter 类位于 TalkingClock 类内部。这并不意味着每个 TalkingClock 都有一个 TimePrinter 实例域。如前所示，TimePrinter 对象是由 TalkingClock 类的方法构造。

下面是 TimePrinter 类的详细内容。需要注意一点，actionPerformed 方法在发出铃声之前检查了 beep 标志。

```
public class TimePrinter implements ActionListener
{
   public void actionPerformed(ActionEvent event)
   {
      System.out.println("At the tone, the time is " + new Date());
      if (beep) Toolkit.getDefaultToolkit().beep();
   }
}
```

令人惊讶的事情发生了。TimePrinter 类没有实例域或者名为 beep 的变量，取而代之的是 beep 引用了创建 TimePrinter 的 TalkingClock 对象的域。这是一种创新的想法。从传统意义上讲，一个方法可以引用调用这个方法的对象数据域。内部类既可以访问自身的数据域，也可以访问创建它的外围类对象的数据域。

为了能够运行这个程序，内部类的对象总有一个隐式引用，它指向了创建它的外部类对象。如图6-3所示。

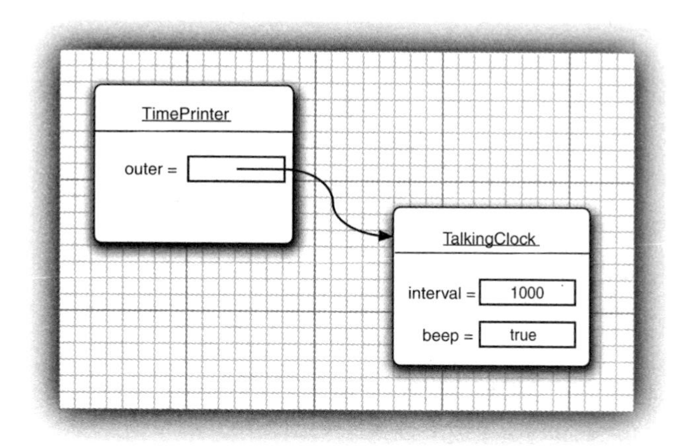

图6-3 内部类对象拥有一个对外围类对象的引用

这个引用在内部类的定义中是不可见的。然而，为了说明这个概念，我们将外围类对象的引用称为outer。于是actionPerformed方法将等价于下列形式：

```
public void actionPerformed(ActionEvent event)
{
   System.out.println("At the tone, the time is " + new Date());
   if (outer.beep) Toolkit.getDefaultToolkit().beep();
}
```

外围类的引用在构造器中设置。编译器修改了所有的内部类的构造器，添加一个外围类引用的参数。因为TimePrinter类没有定义构造器，所以编译器为这个类生成了一个默认的构造器，其代码如下所示：

```
public TimePrinter(TalkingClock clock) // automatically generated code
{
   outer = clock;
}
```

请再注意一下，outer不是Java的关键字。我们只是用它说明内部类中的机制。

当在start方法中创建了TimePrinter对象后，编译器就会将this引用传递给当前的语音时钟的构造器：

```
ActionListener listener = new TimePrinter(this); // parameter automatically added
```

程序清单6-7给出了一个测试内部类的完整程序。下面我们再看一下访问控制。如果有一个TimePrinter类是一个常规类，它就需要通过TalkingClock类的公有方法访问beep标志，而使用内部类可以给予改进，即不必提供仅用于访问其他类的访问器。

注释： TimePrinter类声明为私有的。这样一来，只有TalkingClock的方法才能够构造TimePrinter对象。只有内部类可以是私有类，而常规类只可以具有包可见性，或公有可见性。

程序清单 6-7 innerClass/InnerClassTest.java

```
1 package innerClass;
2
3 import java.awt.*;
4 import java.awt.event.*;
5 import java.util.*;
6 import javax.swing.*;
7 import javax.swing.Timer;
8
9 /**
10  * This program demonstrates the use of inner classes.
11  * @version 1.11 2015-05-12
12  * @author Cay Horstmann
13  */
14 public class InnerClassTest
15 {
16    public static void main(String[] args)
17    {
18       TalkingClock clock = new TalkingClock(1000, true);
19       clock.start();
20
21       // keep program running until user selects "Ok"
22       JOptionPane.showMessageDialog(null, "Quit program?");
23       System.exit(0);
24    }
25 }
26
27 /**
28  * A clock that prints the time in regular intervals.
29  */
30 class TalkingClock
31 {
32    private int interval;
33    private boolean beep;
34
35    /**
36     * Constructs a talking clock
37     * @param interval the interval between messages (in milliseconds)
38     * @param beep true if the clock should beep
39     */
40    public TalkingClock(int interval, boolean beep)
41    {
42       this.interval = interval;
43       this.beep = beep;
44    }
45
46    /**
47     * Starts the clock.
48     */
49    public void start()
50    {
51       ActionListener listener = new TimePrinter();
52       Timer t = new Timer(interval, listener);
53       t.start();
54    }
55
```

```
56    public class TimePrinter implements ActionListener
57    {
58       public void actionPerformed(ActionEvent event)
59       {
60          System.out.println("At the tone, the time is " + new Date());
61          if (beep) Toolkit.getDefaultToolkit().beep();
62       }
63    }
64 }
```

6.4.2 内部类的特殊语法规则

在上一节中，已经讲述了内部类有一个外围类的引用 outer。事实上，使用外围类引用的正规语法还要复杂一些。表达式

OuterClass.this

表示外围类引用。例如，可以像下面这样编写 TimePrinter 内部类的 actionPerformed 方法：

```
public void actionPerformed(ActionEvent event)
{
   . . .
   if (TalkingClock.this.beep) Toolkit.getDefaultToolkit().beep();
}
```

反过来，可以采用下列语法格式更加明确地编写内部对象的构造器：

outerObject.new *InnerClass*(*construction parameters*)

例如，

```
ActionListener listener = this.new TimePrinter();
```

在这里，最新构造的 TimePrinter 对象的外围类引用被设置为创建内部类对象的方法中的 this 引用。这是一种最常见的情况。通常，this 限定词是多余的。不过，可以通过显式地命名将外围类引用设置为其他的对象。例如，如果 TimePrinter 是一个公有内部类，对于任意的语音时钟都可以构造一个 TimePrinter：

```
TalkingClock jabberer = new TalkingClock(1000, true);
TalkingClock.TimePrinter listener = jabberer.new TimePrinter();
```

需要注意，在外围类的作用域之外，可以这样引用内部类：

OuterClass.*InnerClass*

注释： 内部类中声明的所有静态域都必须是 final。原因很简单。我们希望一个静态域只有一个实例，不过对于每个外部对象，会分别有一个单独的内部类实例。如果这个域不是 final，它可能就不是唯一的。

内部类不能有 static 方法。Java 语言规范对这个限制没有做任何解释。也可以允许有静态方法，但只能访问外围类的静态域和方法。显然，Java 设计者认为相对于这种复杂性来说，它带来的好处有些得不偿失。

6.4.3 内部类是否有用、必要和安全

当在 Java 1.1 的 Java 语言中增加内部类时，很多程序员都认为这是一项很主要的新特性，但这却违背了 Java 要比 C++ 更加简单的设计理念。内部类的语法很复杂（可以看到，稍后介绍的匿名内部类更加复杂）。它与访问控制和安全性等其他的语言特性的没有明显的关联。

由于增加了一些看似优美有趣，实属没必要的特性，似乎 Java 也开始走上了许多语言饱受折磨的毁灭性道路上。

我们并不打算就这个问题给予一个完整的答案。内部类是一种编译器现象，与虚拟机无关。编译器将会把内部类翻译成用 $（美元符号）分隔外部类名与内部类名的常规类文件，而虚拟机则对此一无所知。

例如，在 TalkingClock 类内部的 TimePrinter 类将被翻译成类文件 TalkingClock$TimePrinter.class。为了能够看到执行的效果，可以做一下这个实验：运行第 5 章中的程序 ReflectionTest，并将类 TalkingClock$TimePrinter 传递给它进行反射。也可以选择简单地使用 javap，如下所示：

```
javap -private ClassName
```

注释： 如果使用 UNIX，并以命令行的方式提供类名，就需要记住将 $ 字符进行转义。也就是说，应该按照下面这种格式或 javap 程序运行 ReflectionTest 程序：

```
java reflection.ReflectionTest innerClass.TalkingClock\$TimePrinter
```

或

```
javap -private innerClass.TalkingClock\$TimePrinter
```

这时会看到下面的输出结果：

```
public class TalkingClock$TimePrinter
{
   public TalkingClock$TimePrinter(TalkingClock);

   public void actionPerformed(java.awt.event.ActionEvent);

   final TalkingClock this$0;
}
```

可以清楚地看到，编译器为了引用外围类，生成了一个附加的实例域 this$0（名字 this$0 是由编译器合成的，在自己编写的代码中不能够引用它）。另外，还可以看到构造器的 TalkingClock 参数。

如果编译器能够自动地进行转换，那么能不能自己编写程序实现这种机制呢？让我们试试看。将 TimePrinter 定义成一个常规类，并把它置于 TalkingClock 类的外部。在构造 TimePrinter 对象的时候，将创建该对象的 this 指针传递给它。

```
class TalkingClock
{
   . . .
   public void start()
```

```
    {
        ActionListener listener = new TimePrinter(this);
        Timer t = new Timer(interval, listener);
        t.start();
    }
}

class TimePrinter implements ActionListener
{
    private TalkingClock outer;
    . . .
    public TimePrinter(TalkingClock clock)
    {
        outer = clock;
    }
}
```

现在，看一下 actionPerformed 方法，它需要访问 outer.beep。

```
if (outer.beep) . . . // Error
```

这就遇到了一个问题。内部类可以访问外围类的私有数据，但这里的 TimePrinter 类则不行。

可见，由于内部类拥有访问特权，所以与常规类比较起来功能更加强大。

可能有人会好奇，既然内部类可以被翻译成名字很古怪的常规类（而虚拟机对此一点也不了解），内部类如何管理那些额外的访问特权呢？为了揭开这个谜团，让我们再次利用 ReflectTest 程序查看一下 TalkingClock 类：

```
class TalkingClock
{
    private int interval;
    private boolean beep;

    public TalkingClock(int, boolean);

    static boolean access$0(TalkingClock);
    public void start();
}
```

请注意编译器在外围类添加静态方法 access$0。它将返回作为参数传递给它的对象域 beep。（方法名可能稍有不同，如 access$000，这取决于你的编译器。）

内部类方法将调用那个方法。在 TimePrinter 类的 actionPerformed 方法中编写语句：

```
if (beep)
```

将会提高下列调用的效率：

```
if (TalkingClock.access$0(outer))
```

这样做不是存在安全风险吗？这种担心是很有道理的。任何人都可以通过调用 access$0 方法很容易地读取到私有域 beep。当然，access$0 不是 Java 的合法方法名。但熟悉类文件结构的黑客可以使用十六进制编辑器轻松地创建一个用虚拟机指令调用那个方法的类文件。由于隐秘地访问方法需要拥有包可见性，所以攻击代码需要与被攻击类放在同一个包中。

总而言之，如果内部类访问了私有数据域，就有可能通过附加在外围类所在包中的其他类访问它们，但做这些事情需要高超的技巧和极大的决心。程序员不可能无意之中就获得对类的访问权限，而必须刻意地构建或修改类文件才有可能达到这个目的。

注释：合成构造器和方法是复杂令人费解的（如果过于注重细节，可以跳过这个注释）。假设将 TimePrinter 转换为一个内部类。在虚拟机中不存在私有类，因此编译器将会利用私有构造器生成一个包可见的类：

```
private TalkingClock$TimePrinter(TalkingClock);
```

当然，没有人可以调用这个构造器，因此，存在第二个包可见构造器

```
TalkingClock$TimePrinter(TalkingClock, TalkingClock$1);
```

它将调用第一个构造器。

编译器将 TalkingClock 类 start 方法中的构造器调用翻译为：

```
new TalkingClock$TimePrinter(this, null)
```

6.4.4 局部内部类

如果仔细地阅读一下 TalkingClock 示例的代码就会发现，TimePrinter 这个类名字只在 start 方法中创建这个类型的对象时使用了一次。

当遇到这类情况时，可以在一个方法中定义局部类。

```
public void start()
{
   class TimePrinter implements ActionListener
   {
      public void actionPerformed(ActionEvent event)
      {
         System.out.println("At the tone, the time is " + new Date());
         if (beep) Toolkit.getDefaultToolkit().beep();
      }
   }

   ActionListener listener = new TimePrinter();
   Timer t = new Timer(interval, listener);
   t.start();
}
```

局部类不能用 public 或 private 访问说明符进行声明。它的作用域被限定在声明这个局部类的块中。

局部类有一个优势，即对外部世界可以完全地隐藏起来。即使 TalkingClock 类中的其他代码也不能访问它。除 start 方法之外，没有任何方法知道 TimePrinter 类的存在。

6.4.5 由外部方法访问变量

与其他内部类相比较，局部类还有一个优点。它们不仅能够访问包含它们的外部类，还可以访问局部变量。不过，那些局部变量必须事实上为 final。这说明，它们一旦赋值就绝不会改变。

下面是一个典型的示例。这里，将 TalkingClock 构造器的参数 interval 和 beep 移至 start 方法中。

```
public void start(int interval, boolean beep)
{
   class TimePrinter implements ActionListener
   {
      public void actionPerformed(ActionEvent event)
      {
         System.out.println("At the tone, the time is " + new Date());
               if (beep) Toolkit.getDefaultToolkit().beep();
      }
   }

   ActionListener listener = new TimePrinter();
   Timer t = new Timer(interval, listener);
   t.start();
}
```

请注意，TalkingClock 类不再需要存储实例变量 beep 了，它只是引用 start 方法中的 beep 参数变量。

这看起来好像没什么值得大惊小怪的。程序行

```
if (beep) . . .
```

毕竟在 start 方法内部，为什么不能访问 beep 变量的值呢？

为了能够清楚地看到内部的问题，让我们仔细地考查一下控制流程。

1）调用 start 方法。

2）调用内部类 TimePrinter 的构造器，以便初始化对象变量 listener。

3）将 listener 引用传递给 Timer 构造器，定时器开始计时，start 方法结束。此时，start 方法的 beep 参数变量不复存在。

4）然后，actionPerformed 方法执行 if (beep)...。

为了能够让 actionPerformed 方法工作，TimePrinter 类在 beep 域释放之前将 beep 域用 start 方法的局部变量进行备份。实际上也是这样做的。在我们列举的例子中，编译器为局部内部类构造了名字 TalkingClock$TimePrinter。如果再次运行 ReflectionTest 程序，查看 TalkingClock$Time- Printer 类，就会看到下列结果：

```
class TalkingClock$1TimePrinter
{
   TalkingClock$1TimePrinter(TalkingClock, boolean);

   public void actionPerformed(java.awt.event.ActionEvent);

   final boolean val$beep;
   final TalkingClock this$0;
}
```

请注意构造器的 boolean 参数和 val$beep 实例变量。当创建一个对象的时候，beep 就会被传递给构造器，并存储在 val$beep 域中。编译器必须检测对局部变量的访问，为每一个变

量建立相应的数据域，并将局部变量拷贝到构造器中，以便将这些数据域初始化为局部变量的副本。

从程序员的角度看，局部变量的访问非常容易。它减少了需要显式编写的实例域，从而使得内部类更加简单。

前面曾经提到，局部类的方法只可以引用定义为 final 的局部变量。鉴于此情况，在列举的示例中，将 beep 参数声明为 final，对它进行初始化后不能够再进行修改。因此，就使得局部变量与在局部类内建立的拷贝保持一致。

注释：在 Java SE 8 之前，必须把从局部类访问的局部变量声明为 final。例如，start 方法原本就应当这样声明，从而使内部类能够访问 beep 参数：

```
public void start(int interval, final boolean beep)
```

有时，final 限制显得并不太方便。例如，假设想更新在一个封闭作用域内的计数器。这里想要统计一下在排序过程中调用 compareTo 方法的次数。

```
int counter = 0;
Date[] dates = new Date[100];
for (int i = 0; i < dates.length; i++)
   dates[i] = new Date()
      {
         public int compareTo(Date other)
         {
            counter++; // Error
            return super.compareTo(other);
         }
      };
Arrays.sort(dates);
System.out.println(counter + " comparisons.");
```

由于清楚地知道 counter 需要更新，所以不能将 counter 声明为 final。由于 Integer 对象是不可变的，所以也不能用 Integer 代替它。补救的方法是使用一个长度为 1 的数组：

```
int[] counter = new int[1];
for (int i = 0; i < dates.length; i++)
   dates[i] = new Date()
      {
         public int compareTo(Date other)
         {
            counter[0]++;
            return super.compareTo(other);
         }
      };
```

在内部类被首次提出时，原型编译器对内部类中修改的局部变量自动地进行转换。不过，后来这种做法被废弃。毕竟，这里存在一个危险。同时在多个线程中执行内部类中的代码时，这种并发更新会导致竞态条件——有关内容参见第 14 章。

6.4.6 匿名内部类

将局部内部类的使用再深入一步。假如只创建这个类的一个对象，就不必命名了。这种类被称为匿名内部类（anonymous inner class）。

```
public void start(int interval, boolean beep)
{
   ActionListener listener = new ActionListener()
   {
      public void actionPerformed(ActionEvent event)
      {
          System.out.println("At the tone, the time is " + new Date());
          if (beep) Toolkit.getDefaultToolkit().beep();
      }
   };
   Timer t = new Timer(interval, listener);
   t.start();
}
```

这种语法确实有些难以理解。它的含义是：创建一个实现 ActionListener 接口的类的新对象，需要实现的方法 actionPerformed 定义在括号 {} 内。

通常的语法格式为：

```
new SuperType(construction parameters)
   {
      inner class methods and data
   }
```

其中，SuperType 可以是 ActionListener 这样的接口，于是内部类就要实现这个接口。SuperType 也可以是一个类，于是内部类就要扩展它。

由于构造器的名字必须与类名相同，而匿名类没有类名，所以，匿名类不能有构造器。取而代之的是，将构造器参数传递给超类（superclass）构造器。尤其是在内部类实现接口的时候，不能有任何构造参数。不仅如此，还要像下面这样提供一组括号：

```
new InterfaceType()
   {
     methods and data
   }
```

请仔细研究一下，看看构造一个类的新对象与构造一个扩展了那个类的匿名内部类的对象之间有什么差别。

```
Person queen = new Person("Mary");
   // a Person object
Person count = new Person("Dracula") { . . . };
   // an object of an inner class extending Person
```

如果构造参数的闭小括号后面跟一个开大括号，正在定义的就是匿名内部类。

程序清单 6-8 包含了用匿名内部类实现语音时钟程序的全部源代码。将这个程序与程序清单 6-7 相比较就会发现使用匿名内部类的解决方案比较简短、更切实际、更易于理解。

多年来，Java 程序员习惯的做法是用匿名内部类实现事件监听器和其他回调。如今最好还是使用 lambda 表达式。例如，这一节前面给出的 start 方法用 lambda 表达式来写会简洁得多，如下所示：

```
public void start(int interval, boolean beep)
{
   Timer t = new Timer(interval, event ->
      {
         System.out.println("At the tone, the time is " + new Date());
         if (beep) Toolkit.getDefaultToolkit().beep();
      });
   t.start();
}
```

程序清单 6-8 anonymousInnerClass/AnonymousInnerClassTest.java

```
1  package anonymousInnerClass;
2
3  import java.awt.*;
4  import java.awt.event.*;
5  import java.util.*;
6  import javax.swing.*;
7  import javax.swing.Timer;
8
9  /**
10  * This program demonstrates anonymous inner classes.
11  * @version 1.11 2015-05-12
12  * @author Cay Horstmann
13  */
14 public class AnonymousInnerClassTest
15 {
16    public static void main(String[] args)
17    {
18       TalkingClock clock = new TalkingClock();
19       clock.start(1000, true);
20
21       // keep program running until user selects "Ok"
22       JOptionPane.showMessageDialog(null, "Quit program?");
23       System.exit(0);
24    }
25 }
26
27 /**
28  * A clock that prints the time in regular intervals.
29  */
30 class TalkingClock
31 {
32    /**
33     * Starts the clock.
34     * @param interval the interval between messages (in milliseconds)
35     * @param beep true if the clock should beep
36     */
37    public void start(int interval, boolean beep)
38    {
39       ActionListener listener = new ActionListener()
40          {
41             public void actionPerformed(ActionEvent event)
42             {
43                System.out.println("At the tone, the time is " + new Date());
44                if (beep) Toolkit.getDefaultToolkit().beep();
45             }
```

```
46          };
47      Timer t = new Timer(interval, listener);
48      t.start();
49    }
50 }
```

注释：下面的技巧称为“双括号初始化”（double brace initialization），这里利用了内部类语法。假设你想构造一个数组列表，并将它传递到一个方法：

```
ArrayList<String> friends = new ArrayList<>();
friends.add("Harry");
friends.add("Tony");
invite(friends);
```

如果不再需要这个数组列表，最好让它作为一个匿名列表。不过作为一个匿名列表，该如何为它添加元素呢？方法如下：

```
invite(new ArrayList<String>() {{ add("Harry"); add("Tony"); }});
```

注意这里的双括号。外层括号建立了 ArrayList 的一个匿名子类。内层括号则是一个对象构造块（见第 4 章）。

警告：建立一个与超类大体类似（但不完全相同）的匿名子类通常会很方便。不过，对于 equals 方法要特别当心。第 5 章中，我们曾建议 equals 方法最好使用以下测试：

```
if (getClass() != other.getClass()) return false;
```

但是对匿名子类做这个测试时会失败。

提示：生成日志或调试消息时，通常希望包含当前类的类名，如：

```
System.err.println("Something awful happened in " + getClass());
```

不过，这对于静态方法不奏效。毕竟，调用 getClass 时调用的是 this.getClass()，而静态方法没有 this。所以应该使用以下表达式：

```
new Object(){}.getClass().getEnclosingClass() // gets class of static method
```

在这里，new Object(){} 会建立 Object 的一个匿名子类的一个匿名对象，getEnclosingClass 则得到其外围类，也就是包含这个静态方法的类。

6.4.7　静态内部类

有时候，使用内部类只是为了把一个类隐藏在另外一个类的内部，并不需要内部类引用外围类对象。为此，可以将内部类声明为 static，以便取消产生的引用。

下面是一个使用静态内部类的典型例子。考虑一下计算数组中最小值和最大值的问题。当然，可以编写两个方法，一个方法用于计算最小值，另一个方法用于计算最大值。在调用这两个方法的时候，数组被遍历两次。如果只遍历数组一次，并能够同时计算出最小值和最大值，那么就可以大大地提高效率了。

```
double min = Double.POSITIVE_INFINITY;
double max = Double.NEGATIVE_INFINITY;
for (double v : values)
{
   if (min > v) min = v;
   if (max < v) max = v;
}
```

然而，这个方法必须返回两个数值，为此，可以定义一个包含两个值的类 Pair：

```
class Pair
{
   private double first;
   private double second;

   public Pair(double f, double s)
   {
      first = f;
      second = s;
   }
   public double getFirst() { return first; }
   public double getSecond() {  return second; }
}
```

minmax 方法可以返回一个 Pair 类型的对象。

```
class ArrayAlg
{
   public static Pair minmax(double[] values)
   {
      . . .
      return new Pair(min, max);
   }
}
```

这个方法的调用者可以使用 getFirst 和 getSecond 方法获得答案：

```
Pair p = ArrayAlg.minmax(d);
System.out.println("min = " + p.getFirst());
System.out.println("max = " + p.getSecond());
```

当然，Pair 是一个十分大众化的名字。在大型项目中，除了定义包含一对字符串的 Pair 类之外，其他程序员也很可能使用这个名字。这样就会产生名字冲突。解决这个问题的办法是将 Pair 定义为 ArrayAlg 的内部公有类。此后，通过 ArrayAlg.Pair 访问它：

```
ArrayAlg.Pair p = ArrayAlg.minmax(d);
```

不过，与前面例子中所使用的内部类不同，在 Pair 对象中不需要引用任何其他的对象，为此，可以将这个内部类声明为 static：

```
class ArrayAlg
{
   public static class Pair
   {
      . . .
   }
   . . .
}
```

当然，只有内部类可以声明为 static。静态内部类的对象除了没有对生成它的外围类对象的引用特权外，与其他所有内部类完全一样。在我们列举的示例中，必须使用静态内部类，这是由于内部类对象是在静态方法中构造的：

```
public static Pair minmax(double[] d)
{
   . . .
   return new Pair(min, max);
}
```

如果没有将 Pair 类声明为 static，那么编译器将会给出错误报告：没有可用的隐式 ArrayAlg 类型对象初始化内部类对象。

注释：在内部类不需要访问外围类对象的时候，应该使用静态内部类。有些程序员用嵌套类（nested class）表示静态内部类。

注释：与常规内部类不同，静态内部类可以有静态域和方法。

注释：声明在接口中的内部类自动成为 static 和 public 类。

程序清单 6-9 包含 ArrayAlg 类和嵌套的 Pair 类的全部源代码。

程序清单 6-9　staticInnerClass/StaticInnerClassTest.java

```
1  package staticInnerClass;
2
3  /**
4   * This program demonstrates the use of static inner classes.
5   * @version 1.02 2015-05-12
6   * @author Cay Horstmann
7   */
8  public class StaticInnerClassTest
9  {
10    public static void main(String[] args)
11    {
12       double[] d = new double[20];
13       for (int i = 0; i < d.length; i++)
14          d[i] = 100 * Math.random();
15       ArrayAlg.Pair p = ArrayAlg.minmax(d);
16       System.out.println("min = " + p.getFirst());
17       System.out.println("max = " + p.getSecond());
18    }
19 }
20
21 class ArrayAlg
22 {
23    /**
24     * A pair of floating-point numbers
25     */
26    public static class Pair
27    {
28       private double first;
29       private double second;
30
```

```
31      /**
32       * Constructs a pair from two floating-point numbers
33       * @param f the first number
34       * @param s the second number
35       */
36      public Pair(double f, double s)
37      {
38         first = f;
39         second = s;
40      }
41
42      /**
43       * Returns the first number of the pair
44       * @return the first number
45       */
46      public double getFirst()
47      {
48         return first;
49      }
50
51      /**
52       * Returns the second number of the pair
53       * @return the second number
54       */
55      public double getSecond()
56      {
57         return second;
58      }
59   }
60
61   /**
62    * Computes both the minimum and the maximum of an array
63    * @param values an array of floating-point numbers
64    * @return a pair whose first element is the minimum and whose second element
65    * is the maximum
66    */
67   public static Pair minmax(double[] values)
68   {
69      double min = Double.POSITIVE_INFINITY;
70      double max = Double.NEGATIVE_INFINITY;
71      for (double v : values)
72      {
73         if (min > v) min = v;
74         if (max < v) max = v;
75      }
76      return new Pair(min, max);
77   }
78 }
```

6.5 代理

在本章的最后，讨论一下代理（proxy）。利用代理可以在运行时创建一个实现了一组给定接口的新类。这种功能只有在编译时无法确定需要实现哪个接口时才有必要使用。对于应用程序设计人员来说，遇到这种情况的机会很少。如果对这种高级技术不感兴趣，可以跳过本节内容。然而，对于系统程序设计人员来说，代理带来的灵活性却十分重要。

6.5.1　何时使用代理

假设有一个表示接口的 Class 对象（有可能只包含一个接口），它的确切类型在编译时无法知道。这确实有些难度。要想构造一个实现这些接口的类，就需要使用 newInstance 方法或反射找出这个类的构造器。但是，不能实例化一个接口，需要在程序处于运行状态时定义一个新类。

为了解决这个问题，有些程序将会生成代码；将这些代码放置在一个文件中；调用编译器；然后再加载结果类文件。很自然，这样做的速度会比较慢，并且需要将编译器与程序放在一起。而代理机制则是一种更好的解决方案。代理类可以在运行时创建全新的类。这样的代理类能够实现指定的接口。尤其是，它具有下列方法：

- 指定接口所需要的全部方法。
- Object 类中的全部方法，例如，toString、equals 等。

然而，不能在运行时定义这些方法的新代码。而是要提供一个*调用处理器*（invocation handler）。调用处理器是实现了 InvocationHandler 接口的类对象。在这个接口中只有一个方法：

```
Object invoke(Object proxy, Method method, Object[] args)
```

无论何时调用代理对象的方法，调用处理器的 invoke 方法都会被调用，并向其传递 Method 对象和原始的调用参数。调用处理器必须给出处理调用的方式。

6.5.2　创建代理对象

要想创建一个代理对象，需要使用 Proxy 类的 newProxyInstance 方法。这个方法有三个参数：

- 一个*类加载器*（class loader）。作为 Java 安全模型的一部分，对于系统类和从因特网上下载下来的类，可以使用不同的类加载器。有关类加载器的详细内容将在卷Ⅱ第 9 章中讨论。目前，用 null 表示使用默认的类加载器。
- 一个 Class 对象数组，每个元素都是需要实现的接口。
- 一个调用处理器。

还有两个需要解决的问题。如何定义一个处理器？能够用结果代理对象做些什么？当然，这两个问题的答案取决于打算使用代理机制解决什么问题。使用代理可能出于很多原因，例如：

- 路由对远程服务器的方法调用。
- 在程序运行期间，将用户接口事件与动作关联起来。
- 为调试，跟踪方法调用。

在示例程序中，使用代理和调用处理器跟踪方法调用，并且定义了一个 TraceHander 包装器类存储包装的对象。其中的 invoke 方法打印出被调用方法的名字和参数，随后用包装好的对象作为隐式参数调用这个方法。

```
class TraceHandler implements InvocationHandler
{
   private Object target;

   public TraceHandler(Object t)
   {
      target = t;
   }

   public Object invoke(Object proxy, Method m, Object[] args)
      throws Throwable
   {
      // print method name and parameters
      . . .
      // invoke actual method
      return m.invoke(target, args);
   }
}
```

下面说明如何构造用于跟踪方法调用的代理对象。

```
Object value = . . .;
// construct wrapper
InvocationHandler handler = new TraceHandler(value);
// construct proxy for one or more interfaces
Class[] interfaces = new Class[] { Comparable.class};
Object proxy = Proxy.newProxyInstance(null, interfaces, handler);
```

现在，无论何时用 proxy 调用某个方法，这个方法的名字和参数就会打印出来，之后再用 value 调用它。

在程序清单 6-10 给出的程序中，使用代理对象对二分查找进行跟踪。这里，首先将用 1 ~ 1000 整数的代理填充数组，然后调用 Arrays 类中的 binarySearch 方法在数组中查找一个随机整数。最后，打印出与之匹配的元素。

```
Object[] elements = new Object[1000];
// fill elements with proxies for the integers 1 . . . 1000
for (int i = 0; i < elements.length; i++)
{
   Integer value = i + 1;
   elements[i] = Proxy.newProxyInstance(. . .); // proxy for value;
}

// construct a random integer
Integer key = new Random().nextInt(elements.length) + 1;

// search for the key
int result = Arrays.binarySearch(elements, key);

// print match if found
if (result >= 0) System.out.println(elements[result]);
```

在上述代码中，Integer 类实现了 Comparable 接口。代理对象属于在运行时定义的类（它有一个名字，如 $Proxy0）。这个类也实现了 Comparable 接口。然而，它的 compareTo 方法调用了代理对象处理器的 invoke 方法。

注释： 前面已经讲过，在 Java SE 5.0 中，Integer 类实际上实现了 Comparable<Integer>。然而，在运行时，所有的泛型类都被取消，代理将它们构造为原 Comparable 类的类对象。

binarySearch 方法按下面这种方式调用：

```
if (elements[i].compareTo(key) < 0) . . .
```

由于数组中填充了代理对象，所以 compareTo 调用了 TraceHander 类中的 invoke 方法。这个方法打印出了方法名和参数，之后用包装好的 Integer 对象调用 compareTo。

最后，在示例程序的结尾调用：

```
System.out.println(elements[result]);
```

println 方法调用代理对象的 toString，这个调用也会被重定向到调用处理器上。

下面是程序运行的全部跟踪结果：

```
500.compareTo(288)
250.compareTo(288)
375.compareTo(288)
312.compareTo(288)
281.compareTo(288)
296.compareTo(288)
288.compareTo(288)
288.toString()
```

可以看出，二分查找算法查找关键字的过程，即每一步都将查找区间缩减一半。注意，即使不属于 Comparable 接口，toString 方法也被代理。在下一节中会看到，有相当一部分的 Object 方法都被代理。

程序清单 6-10　proxy/ProxyTest.java

```
 1 package proxy;
 2 
 3 import java.lang.reflect.*;
 4 import java.util.*;
 5 
 6 /**
 7  * This program demonstrates the use of proxies.
 8  * @version 1.00 2000-04-13
 9  * @author Cay Horstmann
10  */
11 public class ProxyTest
12 {
13    public static void main(String[] args)
14    {
15       Object[] elements = new Object[1000];
16 
17       // fill elements with proxies for the integers 1 ... 1000
18       for (int i = 0; i < elements.length; i++)
19       {
20          Integer value = i + 1;
21          InvocationHandler handler = new TraceHandler(value);
22          Object proxy = Proxy.newProxyInstance(null, new Class[] { Comparable.class } , handler);
```

```
23            elements[i] = proxy;
24         }
25
26         // construct a random integer
27         Integer key = new Random().nextInt(elements.length) + 1;
28
29         // search for the key
30         int result = Arrays.binarySearch(elements, key);
31
32         // print match if found
33         if (result >= 0) System.out.println(elements[result]);
34      }
35   }
36
37   /**
38    * An invocation handler that prints out the method name and parameters, then
39    * invokes the original method
40    */
41   class TraceHandler implements InvocationHandler
42   {
43      private Object target;
44
45      /**
46       * Constructs a TraceHandler
47       * @param t the implicit parameter of the method call
48       */
49      public TraceHandler(Object t)
50      {
51         target = t;
52      }
53
54      public Object invoke(Object proxy, Method m, Object[] args) throws Throwable
55      {
56         // print implicit argument
57         System.out.print(target);
58         // print method name
59         System.out.print("." + m.getName() + "(");
60         // print explicit arguments
61         if (args != null)
62         {
63            for (int i = 0; i < args.length; i++)
64            {
65               System.out.print(args[i]);
66               if (i < args.length - 1) System.out.print(", ");
67            }
68         }
69         System.out.println(")");
70
71         // invoke actual method
72         return m.invoke(target, args);
73      }
74   }
```

6.5.3 代理类的特性

现在，我们已经看到了代理类的应用，接下来了解它们的一些特性。需要记住，代理类是在程序运行过程中创建的。然而，一旦被创建，就变成了常规类，与虚拟机中的任何其他类没有什么区别。

所有的代理类都扩展于 Proxy 类。一个代理类只有一个实例域——调用处理器，它定义在 Proxy 的超类中。为了履行代理对象的职责，所需要的任何附加数据都必须存储在调用处理器中。例如，在程序清单 6-10 给出的程序中，代理 Comparable 对象时，TraceHandler 包装了实际的对象。

所有的代理类都覆盖了 Object 类中的方法 toString、equals 和 hashCode。如同所有的代理方法一样，这些方法仅仅调用了调用处理器的 invoke。Object 类中的其他方法（如 clone 和 getClass）没有被重新定义。

没有定义代理类的名字，Sun 虚拟机中的 Proxy 类将生成一个以字符串 $Proxy 开头的类名。

对于特定的类加载器和预设的一组接口来说，只能有一个代理类。也就是说，如果使用同一个类加载器和接口数组调用两次 newProxyInstance 方法的话，那么只能够得到同一个类的两个对象，也可以利用 getProxyClass 方法获得这个类：

```
Class proxyClass = Proxy.getProxyClass(null, interfaces);
```

代理类一定是 public 和 final。如果代理类实现的所有接口都是 public，代理类就不属于某个特定的包；否则，所有非公有的接口都必须属于同一个包，同时，代理类也属于这个包。

可以通过调用 Proxy 类中的 isProxyClass 方法检测一个特定的 Class 对象是否代表一个代理类。

API java.lang.reflect.InvocationHandler 1.3

- `Object invoke(Object proxy,Method method,Object[] args)`

  定义了代理对象调用方法时希望执行的动作。

API java.lang.reflect.Proxy 1.3

- `static Class<?> getProxyClass(ClassLoader loader, Class<?>... interfaces)`

  返回实现指定接口的代理类。
- `static Object newProxyInstance(ClassLoader loader, Class<?>[] interfaces, InvocationHandler handler)`

  构造实现指定接口的代理类的一个新实例。

  所有方法会调用给定处理器对象的 invoke 方法。
- `static boolean isProxyClass(Class<?> cl)`

  如果 cl 是一个代理类则返回 true。

到此为止，Java 程序设计语言的基础概念介绍完毕了。接口、lambda 表达式和内部类是经常使用的几个概念。然而，前面已经提到过，克隆和代理是库设计者和工具构造者感兴趣的高级技术，对应用程序员来说，它们并不十分重要。下面准备在第 7 章学习如何处理程序中的异常情况。

第7章　异常、断言和日志

▲ 处理错误　　　　　　▲ 使用断言
▲ 捕获异常　　　　　　▲ 记录日志
▲ 使用异常机制的技巧　▲ 调试技巧

在理想状态下，用户输入数据的格式永远都是正确的，选择打开的文件也一定存在，并且永远不会出现bug。迄今为止，本书呈现给大家的代码似乎都处在这样一个理想境界中。然而，在现实世界中却充满了不良的数据和带有问题的代码，现在是讨论Java程序设计语言处理这些问题的机制的时候了。

人们在遇到错误时会感觉不爽。如果一个用户在运行程序期间，由于程序的错误或一些外部环境的影响造成用户数据的丢失，用户就有可能不再使用这个程序了。为了避免这类事情的发生，至少应该做到以下几点：

- 向用户通告错误；
- 保存所有的工作结果；
- 允许用户以妥善的形式退出程序。

对于异常情况，例如，可能造成程序崩溃的错误输入，Java使用一种称为异常处理（exception handing）的错误捕获机制处理。Java中的异常处理与C++或Delphi中的异常处理十分类似。本章的第1部分先介绍Java的异常。

在测试期间，需要进行大量的检测以验证程序操作的正确性。然而，这些检测可能非常耗时，在测试完成后也不必保留它们，因此，可以将这些检测删掉，并在其他测试需要时将它们粘贴回来，这是一件很乏味的事情。本章的第2部分将介绍如何使用断言来有选择地启用检测。

当程序出现错误时，并不总是能够与用户或终端进行沟通。此时，可能希望记录下出现的问题，以备日后进行分析。本章的第3部分将讨论标准Java日志框架。

7.1　处理错误

假设在一个Java程序运行期间出现了一个错误。这个错误可能是由于文件包含了错误信息，或者网络连接出现问题造成的，也有可能是因为使用无效的数组下标，或者试图使用一个没有被赋值的对象引用而造成的。用户期望在出现错误时，程序能够采用一些理智的行为。如果由于出现错误而使得某些操作没有完成，程序应该：

- 返回到一种安全状态，并能够让用户执行一些其他的命令；或者
- 允许用户保存所有操作的结果，并以妥善的方式终止程序。

要做到这些并不是一件很容易的事情。其原因是检测（或引发）错误条件的代码通常离那些能够让数据恢复到安全状态，或者能够保存用户的操作结果，并正常地退出程序的代码很远。异常处理的任务就是将控制权从错误产生的地方转移给能够处理这种情况的错误处理器。为了能够在程序中处理异常情况，必须研究程序中可能会出现的错误和问题，以及哪类问题需要关注。

1. 用户输入错误

除了那些不可避免的键盘输入错误外，有些用户喜欢各行其是，不遵守程序的要求。例如，假设有一个用户请求连接一个 URL，而语法却不正确。在程序代码中应该对此进行检查，如果没有检查，网络层就会给出警告。

2. 设备错误

硬件并不总是让它做什么，它就做什么。打印机可能被关掉了。网页可能临时性地不能浏览。在一个任务的处理过程中，硬件经常出现问题。例如，打印机在打印过程中可能没有纸了。

3. 物理限制

磁盘满了，可用存储空间已被用完。

4. 代码错误

程序方法有可能无法正确执行。例如，方法可能返回了一个错误的答案，或者错误地调用了其他的方法。计算的数组索引不合法，试图在散列表中查找一个不存在的记录，或者试图让一个空栈执行弹出操作，这些都属于代码错误。

对于方法中的一个错误，传统的做法是返回一个特殊的错误码，由调用方法分析。例如，对于一个从文件中读取信息的方法来说，返回值通常不是标准字符，而是一个 –1，表示文件结束。这种处理方式对于很多异常状况都是可行的。还有一种表示错误状况的常用返回值是 null 引用。

遗憾的是，并不是在任何情况下都能够返回一个错误码。有可能无法明确地将有效数据与无效数据加以区分。一个返回整型的方法就不能简单地通过返回 –1 表示错误，因为 –1 很可能是一个完全合法的结果。

正如第 5 章中所叙述的那样，在 Java 中，如果某个方法不能够采用正常的途径完整它的任务，就可以通过另外一个路径退出方法。在这种情况下，方法并不返回任何值，而是*抛出*（throw）一个封装了错误信息的对象。需要注意的是，这个方法将会立刻退出，并不返回任何值。此外，调用这个方法的代码也将无法继续执行，取而代之的是，异常处理机制开始搜索能够处理这种异常状况的*异常处理器*（exception handler）。

异常具有自己的语法和特定的继承结构。下面首先介绍一下语法，然后再给出有效地使用这种语言功能的技巧。

7.1.1　异常分类

在 Java 程序设计语言中，异常对象都是派生于 Throwable 类的一个实例。稍后还可以看到，如果 Java 中内置的异常类不能够满足需求，用户可以创建自己的异常类。

图 7-1 是 Java 异常层次结构的一个简化示意图。

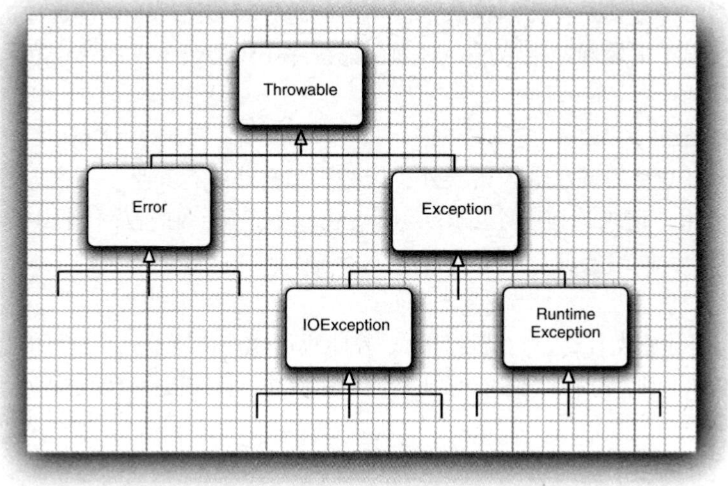

图 7-1　Java 中的异常层次结构

需要注意的是，所有的异常都是由 Throwable 继承而来，但在下一层立即分解为两个分支：Error 和 Exception。

Error 类层次结构描述了 Java 运行时系统的内部错误和资源耗尽错误。应用程序不应该抛出这种类型的对象。如果出现了这样的内部错误，除了通告给用户，并尽力使程序安全地终止之外，再也无能为力了。这种情况很少出现。

在设计 Java 程序时，需要关注 Exception 层次结构。这个层次结构又分解为两个分支：一个分支派生于 RuntimeException；另一个分支包含其他异常。划分两个分支的规则是：由程序错误导致的异常属于 RuntimeException；而程序本身没有问题，但由于像 I/O 错误这类问题导致的异常属于其他异常。

派生于 RuntimeException 的异常包含下面几种情况：

- 错误的类型转换。
- 数组访问越界。
- 访问 null 指针。

不是派生于 RuntimeException 的异常包括：

- 试图在文件尾部后面读取数据。
- 试图打开一个不存在的文件。
- 试图根据给定的字符串查找 Class 对象，而这个字符串表示的类并不存在。

"如果出现 RuntimeException 异常，那么就一定是你的问题"是一条相当有道理的规则。应该通过检测数组下标是否越界来避免 ArrayIndexOutOfBoundsException 异常；应该通过在使用变量之前检测是否为 null 来杜绝 NullPointerException 异常的发生。

如何处理不存在的文件呢？难道不能先检查文件是否存在再打开它吗？嗯，这个文件有可能在你检查它是否存在之前就已经被删除了。因此，“是否存在”取决于环境，而不只是取决于你的代码。

Java 语言规范将派生于 Error 类或 RuntimeException 类的所有异常称为非受查（unchecked）异常，所有其他的异常称为受查（checked）异常。这是两个很有用的术语，在后面还会用到。编译器将核查是否为所有的受查异常提供了异常处理器。

注释： RuntimeException 这个名字很容易让人混淆。实际上，现在讨论的所有错误都发生在运行时。

C++ 注释： 如果熟悉标准 C++ 类库中的异常层次结构，就一定会感到有些困惑。C++ 有两个基本的异常类，一个是 runtime_error；另一个是 logic_error。logic_error 类相当于 Java 中的 RuntimeException，它表示程序中的逻辑错误；runtime_error 类是所有由于不可预测的原因所引发的异常的基类。它相当于 Java 中的非 RuntimeException 异常。

7.1.2　声明受查异常

如果遇到了无法处理的情况，那么 Java 的方法可以抛出一个异常。这个道理很简单：一个方法不仅需要告诉编译器将要返回什么值，还要告诉编译器有可能发生什么错误。例如，一段读取文件的代码知道有可能读取的文件不存在，或者内容为空，因此，试图处理文件信息的代码就需要通知编译器可能会抛出 IOException 类的异常。

方法应该在其首部声明所有可能抛出的异常。这样可以从首部反映出这个方法可能抛出哪类受查异常。例如，下面是标准类库中提供的 FileInputStream 类的一个构造器的声明（有关输入和输出的更多信息请参看卷 Ⅱ 的第 2 章。）

```
public FileInputStream(String name) throws FileNotFoundException
```

这个声明表示这个构造器将根据给定的 String 参数产生一个 FileInputStream 对象，但也有可能抛出一个 FileNotFoundException 异常。如果发生了这种糟糕情况，构造器将不会初始化一个新的 FileInputStream 对象，而是抛出一个 FileNotFoundException 类对象。如果这个方法真的抛出了这样一个异常对象，运行时系统就会开始搜索异常处理器，以便知道如何处理 FileNotFoundException 对象。

在自己编写方法时，不必将所有可能抛出的异常都进行声明。至于什么时候需要在方法中用 throws 子句声明异常，什么异常必须使用 throws 子句声明，需要记住在遇到下面 4 种情况时应该抛出异常：

1）调用一个抛出受查异常的方法，例如，FileInputStream 构造器。

2）程序运行过程中发现错误，并且利用 throw 语句抛出一个受查异常（下一节将详细地介绍 throw 语句）。

3）程序出现错误，例如，a[-1]=0 会抛出一个 ArrayIndexOutOfBoundsException 这样的非受查异常。

4）Java虚拟机和运行时库出现的内部错误。

如果出现前两种情况之一，则必须告诉调用这个方法的程序员有可能抛出异常。为什么？因为任何一个抛出异常的方法都有可能是一个死亡陷阱。如果没有处理器捕获这个异常，当前执行的线程就会结束。

对于那些可能被他人使用的Java方法，应该根据异常规范（exception specification），在方法的首部声明这个方法可能抛出的异常。

```
class MyAnimation
{
   . . .
   public Image loadImage(String s) throws IOException
   {
      . . .
   }
}
```

如果一个方法有可能抛出多个受查异常类型，那么就必须在方法的首部列出所有的异常类。每个异常类之间用逗号隔开。如下面这个例子所示：

```
class MyAnimation
{
   . . .
   public Image loadImage(String s) throws FileNotFoundException, EOFException
   {
      . . .
   }
}
```

但是，不需要声明Java的内部错误，即从Error继承的错误。任何程序代码都具有抛出那些异常的潜能，而我们对其没有任何控制能力。

同样，也不应该声明从RuntimeException继承的那些非受查异常。

```
class MyAnimation
{
   . . .
   void drawImage(int i) throws ArrayIndexOutOfBoundsException // bad style
   {
      . . .
   }
}
```

这些运行时错误完全在我们的控制之下。如果特别关注数组下标引发的错误，就应该将更多的时间花费在修正程序中的错误上，而不是说明这些错误发生的可能性上。

总之，一个方法必须声明所有可能抛出的受查异常，而非受查异常要么不可控制（Error），要么就应该避免发生（RuntimeException）。如果方法没有声明所有可能发生的受查异常，编译器就会发出一个错误消息。

当然，从前面的示例中可以知道：除了声明异常之外，还可以捕获异常。这样会使异常不被抛到方法之外，也不需要throws规范。稍后，将会讨论如何决定一个异常是被捕获，还是被抛出让其他的处理器进行处理。

警告： 如果在子类中覆盖了超类的一个方法，子类方法中声明的受查异常不能比超类方法中声明的异常更通用（也就是说，子类方法中可以抛出更特定的异常，或者根本不抛出任何异常）。特别需要说明的是，如果超类方法没有抛出任何受查异常，子类也不能抛出任何受查异常。例如，如果覆盖 JComponent.paintComponent 方法，由于超类中这个方法没有抛出任何异常，所以，自定义的 paintComponent 也不能抛出任何受查异常。

如果类中的一个方法声明将会抛出一个异常，而这个异常是某个特定类的实例时，则这个方法就有可能抛出一个这个类的异常，或者这个类的任意一个子类的异常。例如，FileInputStream 构造器声明将有可能抛出一个 IOExcetion 异常，然而并不知道具体是哪种 IOException 异常。它既可能是 IOException 异常，也可能是其子类的异常，例如，FileNotFoundException。

C++ 注释： Java 中的 throws 说明符与 C++ 中的 throw 说明符基本类似，但有一点重要的区别。在 C++ 中，throw 说明符在运行时执行，而不是在编译时执行。也就是说，C++ 编译器将不处理任何异常规范。但是，如果函数抛出的异常没有出现在 throw 列表中，就会调用 unexpected 函数，这个函数的默认处理方式是终止程序的执行。

另外，在 C++ 中，如果没有给出 throw 说明，函数可能会抛出任何异常。而在 Java 中，没有 throws 说明符的方法将不能抛出任何受查异常。

7.1.3 如何抛出异常

假设在程序代码中发生了一些很糟糕的事情。一个名为 readData 的方法正在读取一个首部具有下列信息的文件：

```
Content-length: 1024
```

然而，读到 733 个字符之后文件就结束了。我们认为这是一种不正常的情况，希望抛出一个异常。

首先要决定应该抛出什么类型的异常。将上述异常归结为 IOException 是一种很好的选择。仔细地阅读 Java API 文档之后会发现：EOFException 异常描述的是"在输入过程中，遇到了一个未预期的 EOF 后的信号"。这正是我们要抛出的异常。下面是抛出这个异常的语句：

```
throw new EOFException();
```

或者

```
EOFException e = new EOFException();
throw e;
```

下面将这些代码放在一起：

```
String readData(Scanner in) throws EOFException
{
   . . .
   while (. . .)
   {
      if (!in.hasNext()) // EOF encountered
```

```
      {
         if (n < len)
            throw new EOFException();
      }
      . . .
   }
   return s;
}
```

EOFException 类还有一个含有一个字符串型参数的构造器。这个构造器可以更加细致的描述异常出现的情况。

```
String gripe = "Content-length: " + len + ", Received: " + n;
throw new EOFException(gripe);
```

在前面已经看到，对于一个已经存在的异常类，将其抛出非常容易。在这种情况下：

1）找到一个合适的异常类。

2）创建这个类的一个对象。

3）将对象抛出。

一旦方法抛出了异常，这个方法就不可能返回到调用者。也就是说，不必为返回的默认值或错误代码担忧。

C++ 注释：在 C++ 与 Java 中，抛出异常的过程基本相同，只有一点微小的差别。在 Java 中，只能抛出 Throwable 子类的对象，而在 C++ 中，却可以抛出任何类型的值。

7.1.4 创建异常类

在程序中，可能会遇到任何标准异常类都没有能够充分地描述清楚的问题。在这种情况下，创建自己的异常类就是一件顺理成章的事情了。我们需要做的只是定义一个派生于 Exception 的类，或者派生于 Exception 子类的类。例如，定义一个派生于 IOException 的类。习惯上，定义的类应该包含两个构造器，一个是默认的构造器；另一个是带有详细描述信息的构造器（超类 Throwable 的 toString 方法将会打印出这些详细信息，这在调试中非常有用）。

```
class FileFormatException extends IOException
{
   public FileFormatException() {}
   public FileFormatException(String gripe)
   {
      super(gripe);
   }
}
```

现在，就可以抛出自己定义的异常类型了。

```
String readData(BufferedReader in) throws FileFormatException
{
   . . .
   while (. . .)
   {
      if (ch == -1) // EOF encountered
```

```
        {
            if (n < len)
                throw new FileFormatException();
        }
        . . .
    }
    return s;
}
```

API java.lang.Throwable 1.0

- `Throwable()`

    构造一个新的 Throwable 对象，这个对象没有详细的描述信息。

- `Throwable(String message)`

    构造一个新的 throwable 对象，这个对象带有特定的详细描述信息。习惯上，所有派生的异常类都支持一个默认的构造器和一个带有详细描述信息的构造器。

- `String getMessage()`

    获得 Throwable 对象的详细描述信息。

7.2　捕获异常

到目前为止，已经知道如何抛出一个异常。这个过程十分容易。只要将其抛出就不用理睬了。当然，有些代码必须捕获异常。捕获异常需要进行周密的计划。这正是下面几节要介绍的内容。

7.2.1　捕获异常

如果某个异常发生的时候没有在任何地方进行捕获，那程序就会终止执行，并在控制台上打印出异常信息，其中包括异常的类型和堆栈的内容。对于图形界面程序（applet 和应用程序），在捕获异常之后，也会打印出堆栈的信息，但程序将返回到用户界面的处理循环中（在调试 GUI 程序时，最好保证控制台窗口可见，并且没有被最小化）。

要想捕获一个异常，必须设置 try/catch 语句块。最简单的 try 语句块如下所示：

```
try
{
    code
    more code
    more code
}
catch (ExceptionType e)
{
    handler for this type
}
```

如果在 try 语句块中的任何代码抛出了一个在 catch 子句中说明的异常类，那么

1）程序将跳过 try 语句块的其余代码。

2）程序将执行 catch 子句中的处理器代码。

如果在 try 语句块中的代码没有抛出任何异常，那么程序将跳过 catch 子句。

如果方法中的任何代码抛出了一个在 catch 子句中没有声明的异常类型，那么这个方法就会立刻退出（希望调用者为这种类型的异常设计了 catch 子句）。

为了演示捕获异常的处理过程，下面给出一个读取数据的典型程序代码：

```
public void read(String filename)
{
   try
   {
      InputStream in = new FileInputStream(filename);
      int b;
      while ((b = in.read()) != -1)
      {
         process input
      }
   }
   catch (IOException exception)
   {
      exception.printStackTrace();
   }
}
```

需要注意的是，try 语句中的大多数代码都很容易理解：读取并处理字节，直到遇到文件结束符为止。正如在 Java API 中看到的那样，read 方法有可能抛出一个 IOException 异常。在这种情况下，将跳出整个 while 循环，进入 catch 子句，并生成一个栈轨迹。对于一个普通的程序来说，这样处理异常基本上合乎情理。还有其他的选择吗？

通常，最好的选择是什么也不做，而是将异常传递给调用者。如果 read 方法出现了错误，就让 read 方法的调用者去操心！如果采用这种处理方式，就必须声明这个方法可能会抛出一个 IOException。

```
public void read(String filename) throws IOException
{
   InputStream in = new FileInputStream(filename);
   int b;
   while ((b = in.read()) != -1)
   {
      process input
   }
}
```

请记住，编译器严格地执行 throws 说明符。如果调用了一个抛出受查异常的方法，就必须对它进行处理，或者继续传递。

哪种方法更好呢？通常，应该捕获那些知道如何处理的异常，而将那些不知道怎样处理的异常继续进行传递。

如果想传递一个异常，就必须在方法的首部添加一个 throws 说明符，以便告知调用者这个方法可能会抛出异常。

仔细阅读一下 Java API 文档，以便知道每个方法可能会抛出哪种异常，然后再决定是自己处理，还是添加到 throws 列表中。对于后一种情况，也不必犹豫。将异常直接交给能够胜任的处理器进行处理要比压制对它的处理更好。

同时请记住，这个规则也有一个例外。前面曾经提到过：如果编写一个覆盖超类的方法，而这个方法又没有抛出异常（如 JComponent 中的 paintComponent），那么这个方法就必须捕获方法代码中出现的每一个受查异常。不允许在子类的 throws 说明符中出现超过超类方法所列出的异常类范围。

C++ 注释：在 Java 与 C++ 中，捕获异常的方式基本相同。严格地说，下列代码

```
catch (Exception e) // Java
```

与

```
catch (Exception& e) // C++
```

是一样的。

在 Java 中，没有与 C++ 中 catch() 对应的东西。由于 Java 中的所有异常类都派生于一个公共的超类，所以，没有必要使用这种机制。

7.2.2　捕获多个异常

在一个 try 语句块中可以捕获多个异常类型，并对不同类型的异常做出不同的处理。可以按照下列方式为每个异常类型使用一个单独的 catch 子句：

```
try
{
   code that might throw exceptions
}
catch (FileNotFoundException e)
{
   emergency action for missing files
}
catch (UnknownHostException e)
{
   emergency action for unknown hosts
}
catch (IOException e)
{
   emergency action for all other I/O problems
}
```

异常对象可能包含与异常本身有关的信息。要想获得对象的更多信息，可以试着使用

```
e.getMessage()
```

得到详细的错误信息（如果有的话），或者使用

```
e.getClass().getName()
```

得到异常对象的实际类型。

在 Java SE 7 中，同一个 catch 子句中可以捕获多个异常类型。例如，假设对应缺少文件和未知主机异常的动作是一样的，就可以合并 catch 子句：

```
try
{
   code that might throw exceptions
}
catch (FileNotFoundException | UnknownHostException e)
{
   emergency action for missing files and unknown hosts
}
catch (IOException e)
{
   emergency action for all other I/O problems
}
```

只有当捕获的异常类型彼此之间不存在子类关系时才需要这个特性。

注释： 捕获多个异常时，异常变量隐含为 final 变量。例如，不能在以下子句体中为 e 赋不同的值：

```
catch (FileNotFoundException | UnknownHostException e) { . . . }
```

注释： 捕获多个异常不仅会让你的代码看起来更简单，还会更高效。生成的字节码只包含一个对应公共 catch 子句的代码块。

7.2.3 再次抛出异常与异常链

在 catch 子句中可以抛出一个异常，这样做的目的是改变异常的类型。如果开发了一个供其他程序员使用的子系统，那么，用于表示子系统故障的异常类型可能会产生多种解释。ServletException 就是这样一个异常类型的例子。执行 servlet 的代码可能不想知道发生错误的细节原因，但希望明确地知道 servlet 是否有问题。

下面给出了捕获异常并将它再次抛出的基本方法：

```
try
{
   access the database
}
catch (SQLException e)
{
   throw new ServletException("database error: " + e.getMessage());
}
```

这里，ServleException 用带有异常信息文本的构造器来构造。

不过，可以有一种更好的处理方法，并且将原始异常设置为新异常的“原因”：

```
try
{
   access the database
}
catch (SQLException e)
{
   Throwable se = new ServletException("database error");
   se.initCause(e);
   throw se;
}
```

当捕获到异常时，就可以使用下面这条语句重新得到原始异常：

```
Throwable e = se.getCause();
```

强烈建议使用这种包装技术。这样可以让用户抛出子系统中的高级异常，而不会丢失原始异常的细节。

提示： 如果在一个方法中发生了一个受查异常，而不允许抛出它，那么包装技术就十分有用。我们可以捕获这个受查异常，并将它包装成一个运行时异常。

有时你可能只想记录一个异常，再将它重新抛出，而不做任何改变：

```
try
{
   access the database
}
catch (Exception e)
{
   logger.log(level, message, e);
   throw e;
}
```

在 Java SE 7 之前，这种方法存在一个问题。假设这个代码在以下方法中：

```
public void updateRecord() throws SQLException
```

Java 编译器查看 catch 块中的 throw 语句，然后查看 e 的类型，会指出这个方法可以抛出任何 Exception 而不只是 SQLException。现在这个问题已经有所改进。编译器会跟踪到 e 来自 try 块。假设这个 try 块中仅有的已检查异常是 SQLException 实例，另外，假设 e 在 catch 块中未改变，将外围方法声明为 throws SQLException 就是合法的。

7.2.4　finally 子句

当代码抛出一个异常时，就会终止方法中剩余代码的处理，并退出这个方法的执行。如果方法获得了一些本地资源，并且只有这个方法自己知道，又如果这些资源在退出方法之前必须被回收，那么就会产生资源回收问题。一种解决方案是捕获并重新抛出所有的异常。但是，这种解决方案比较乏味，这是因为需要在两个地方清除所分配的资源。一个在正常的代码中；另一个在异常代码中。

Java 有一种更好的解决方案，这就是 finally 子句。下面将介绍 Java 中如何恰当地关闭一个文件。如果使用 Java 编写数据库程序，就需要使用同样的技术关闭与数据库的连接。在卷 II 的第 4 章中可以看到更加详细的介绍。当发生异常时，恰当地关闭所有数据库的连接是非常重要的。

不管是否有异常被捕获，finally 子句中的代码都被执行。在下面的示例中，程序将在所有情况下关闭文件。

```
InputStream in = new FileInputStream(. . .);
try
{
```

```
   // 1
   code that might throw exceptions
   // 2
}
catch (IOException e)
{
   // 3
   show error message
   // 4
}
finally
{
   // 5
   in.close();
}
// 6
```

在上面这段代码中，有下列 3 种情况会执行 finally 子句：

1）代码没有抛出异常。在这种情况下，程序首先执行 try 语句块中的全部代码，然后执行 finally 子句中的代码。随后，继续执行 try 语句块之后的第一条语句。也就是说，执行标注的 1、2、5、6 处。

2）抛出一个在 catch 子句中捕获的异常。在上面的示例中就是 IOException 异常。在这种情况下，程序将执行 try 语句块中的所有代码，直到发生异常为止。此时，将跳过 try 语句块中的剩余代码，转去执行与该异常匹配的 catch 子句中的代码，最后执行 finally 子句中的代码。

如果 catch 子句没有抛出异常，程序将执行 try 语句块之后的第一条语句。在这里，执行标注 1、3、4、5、6 处的语句。

如果 catch 子句抛出了一个异常，异常将被抛回这个方法的调用者。在这里，执行标注 1、3、5 处的语句。

3）代码抛出了一个异常，但这个异常不是由 catch 子句捕获的。在这种情况下，程序将执行 try 语句块中的所有语句，直到有异常被抛出为止。此时，将跳过 try 语句块中的剩余代码，然后执行 finally 子句中的语句，并将异常抛给这个方法的调用者。在这里，执行标注 1、5 处的语句。

try 语句可以只有 finally 子句，而没有 catch 子句。例如，下面这条 try 语句：

```
InputStream in = . . .;
try
{
   code that might throw exceptions
}
finally
{
   in.close();
}
```

无论在 try 语句块中是否遇到异常，finally 子句中的 in.close() 语句都会被执行。当然，如果真的遇到一个异常，这个异常将会被重新抛出，并且必须由另一个 catch 子句捕获。

事实上，我们认为在需要关闭资源时，用这种方式使用 finally 子句是一种不错的选择。

下面的提示将给出具体的解释。

提示：这里，强烈建议解耦合 try/catch 和 try/finally 语句块。这样可以提高代码的清晰度。例如：

```
InputStream in = . . .;
try
{
   try
   {
      code that might throw exceptions
   }
   finally
   {
      in.close();
   }
}
catch (IOException e)
{
   show error message
}
```

内层的 try 语句块只有一个职责，就是确保关闭输入流。外层的 try 语句块也只有一个职责，就是确保报告出现的错误。这种设计方式不仅清楚，而且还具有一个功能，就是将会报告 finally 子句中出现的错误。

警告：当 finally 子句包含 return 语句时，将会出现一种意想不到的结果。假设利用 return 语句从 try 语句块中退出。在方法返回前，finally 子句的内容将被执行。如果 finally 子句中也有一个 return 语句，这个返回值将会覆盖原始的返回值。请看一个复杂的例子：

```
public static int f(int n)
{
   try
   {
      int r = n * n;
      return r;
   }
   finally
   {
      if (n == 2) return 0;
   }
}
```

如果调用 f(2)，那么 try 语句块的计算结果为 r = 4，并执行 return 语句。然而，在方法真正返回前，还要执行 finally 子句。finally 子句将使得方法返回 0，这个返回值覆盖了原始的返回值 4。

有时候，finally 子句也会带来麻烦。例如，清理资源的方法也有可能抛出异常。假设希望能够确保在流处理代码中遇到异常时将流关闭。

```
InputStream in = . . .;
try
{
```

```
   code that might throw exceptions
}
finally
{
   in.close();
}
```

现在，假设在 try 语句块中的代码抛出了一些非 IOException 的异常，这些异常只有这个方法的调用者才能够给予处理。执行 finally 语句块，并调用 close 方法。而 close 方法本身也有可能抛出 IOException 异常。当出现这种情况时，原始的异常将会丢失，转而抛出 close 方法的异常。

这会有问题，因为第一个异常很可能更有意思。如果你想做适当的处理，重新抛出原来的异常，代码会变得极其繁琐。如下所示：

```
InputStream in = . . .;
Exception ex = null;
try
{
   try
   {
      code that might throw exceptions
   }
   catch (Exception e)
   {
      ex = e;
      throw e;
   }
}
finally
{
   try
   {
      in.close();
   }
   catch (Exception e)
   {
      if (ex == null) throw e;
   }
}
```

幸运的是，下一节你将了解到，Java SE 7 中关闭资源的处理会容易得多。

7.2.5 带资源的 try 语句

对于以下代码模式：

```
open a resource
try
{
   work with the resource
}
finally
{
   close the resource
}
```

假设资源属于一个实现了AutoCloseable接口的类，Java SE 7为这种代码模式提供了一个很有用的快捷方式。AutoCloseable接口有一个方法：

```
void close() throws Exception
```

注释： 另外，还有一个Closeable接口。这是AutoCloseable的子接口，也包含一个close方法。不过，这个方法声明为抛出一个IOException。

带资源的try语句（try-with-resources）的最简形式为：

```
try (Resource res = . . .)
{
   work with res
}
```

try块退出时，会自动调用res.close()。下面给出一个典型的例子，这里要读取一个文件中的所有单词：

```
try (Scanner in = new Scanner(new FileInputStream("/usr/share/dict/words")), "UTF-8")
{
   while (in.hasNext())
      System.out.println(in.next());
}
```

这个块正常退出时，或者存在一个异常时，都会调用in.close()方法，就好像使用了finally块一样。

还可以指定多个资源。例如：

```
try (Scanner in = new Scanner(new FileInputStream("/usr/share/dict/words"), "UTF-8");
   PrintWriter out = new PrintWriter("out.txt"))
{
   while (in.hasNext())
      out.println(in.next().toUpperCase());
}
```

不论这个块如何退出，in和out都会关闭。如果你用常规方式手动编程，就需要两个嵌套的try/finally语句。

上一节已经看到，如果try块抛出一个异常，而且close方法也抛出一个异常，这就会带来一个难题。带资源的try语句可以很好地处理这种情况。原来的异常会重新抛出，而close方法抛出的异常会“被抑制”。这些异常将自动捕获，并由addSuppressed方法增加到原来的异常。如果对这些异常感兴趣，可以调用getSuppressed方法，它会得到从close方法抛出并被抑制的异常列表。

你肯定不想采用这种常规方式编程。只要需要关闭资源，就要尽可能使用带资源的try语句。

注释： 带资源的try语句自身也可以有catch子句和一个finally子句。这些子句会在关闭资源之后执行。不过在实际中，一个try语句中加入这么多内容可能不是一个好主意。

7.2.6 分析堆栈轨迹元素

堆栈轨迹（stack trace）是一个方法调用过程的列表，它包含了程序执行过程中方法调用的特定位置。前面已经看到过这种列表，当Java程序正常终止，而没有捕获异常时，这个列表就会显示出来。

可以调用Throwable类的printStackTrace方法访问堆栈轨迹的文本描述信息。

```
Throwable t = new Throwable();
StringWriter out = new StringWriter();
t.printStackTrace(new PrintWriter(out));
String description = out.toString();
```

一种更灵活的方法是使用getStackTrace方法，它会得到StackTraceElement对象的一个数组，可以在你的程序中分析这个对象数组。例如：

```
Throwable t = new Throwable();
StackTraceElement[] frames = t.getStackTrace();
for (StackTraceElement frame : frames)
   analyze frame
```

StackTraceElement类含有能够获得文件名和当前执行的代码行号的方法，同时，还含有能够获得类名和方法名的方法。toString方法将产生一个格式化的字符串，其中包含所获得的信息。

静态的Thread.getAllStackTrace方法，它可以产生所有线程的堆栈轨迹。下面给出使用这个方法的具体方式：

```
Map<Thread, StackTraceElement[]> map = Thread.getAllStackTraces();
for (Thread t : map.keySet())
{
   StackTraceElement[] frames = map.get(t);
   analyze frames
}
```

有关Map接口与线程的更加详细的信息请参看第9章和第14章。

程序清单7-1打印了递归阶乘函数的堆栈情况。例如，如果计算factorial(3)，将会打印下列内容：

```
factorial(3):
StackTraceTest.factorial(StackTraceTest.java:18)
StackTraceTest.main(StackTraceTest.java:34)
factorial(2):
StackTraceTest.factorial(StackTraceTest.java:18)
StackTraceTest.factorial(StackTraceTest.java:24)
StackTraceTest.main(StackTraceTest.java:34)
factorial(1):
StackTraceTest.factorial(StackTraceTest.java:18)
StackTraceTest.factorial(StackTraceTest.java:24)
StackTraceTest.factorial(StackTraceTest.java:24)
StackTraceTest.main(StackTraceTest.java:34)
return 1
return 2
return 6
```

程序清单 7-1　stackTrace/StackTraceTest.java

```
1  package stackTrace;
2  
3  import java.util.*;
4  
5  /**
6   * A program that displays a trace feature of a recursive method call.
7   * @version 1.01 2004-05-10
8   * @author Cay Horstmann
9   */
10 public class StackTraceTest
11 {
12    /**
13     * Computes the factorial of a number
14     * @param n a non-negative integer
15     * @return n! = 1 * 2 * . . . * n
16     */
17    public static int factorial(int n)
18    {
19       System.out.println("factorial(" + n + "):");
20       Throwable t = new Throwable();
21       StackTraceElement[] frames = t.getStackTrace();
22       for (StackTraceElement f : frames)
23          System.out.println(f);
24       int r;
25       if (n <= 1) r = 1;
26       else r = n * factorial(n - 1);
27       System.out.println("return " + r);
28       return r;
29    }
30 
31    public static void main(String[] args)
32    {
33       Scanner in = new Scanner(System.in);
34       System.out.print("Enter n: ");
35       int n = in.nextInt();
36       factorial(n);
37    }
38 }
```

API java.lang.Throwable 1.0

- `Throwable(Throwable cause) 1.4`
- `Throwable(String message, Throwable cause) 1.4`

  用给定的“原因”构造一个 Throwable 对象。
- `Throwable initCause(Throwable cause) 1.4`

  将这个对象设置为“原因”。如果这个对象已经被设置为“原因”，则抛出一个异常。返回 this 引用。
- `Throwable getCause() 1.4`

  获得设置为这个对象的“原因”的异常对象。如果没有设置“原因”，则返回 null。

- `StackTraceElement[] getStackTrace() 1.4`

  获得构造这个对象时调用堆栈的跟踪。
- `void addSuppressed(Throwable t) 7`

  为这个异常增加一个“抑制”异常。这出现在带资源的 try 语句中，其中 t 是 close 方法抛出的一个异常。
- `Throwable[] getSuppressed() 7`

  得到这个异常的所有“抑制”异常。一般来说，这些是带资源的 try 语句中 close 方法抛出的异常。

API java.lang.Exception 1.0

- `Exception(Throwable cause) 1.4`
- `Exception(String message, Throwable cause)`

  用给定的“原因”构造一个异常对象。

API java.lang.RuntimeException 1.0

- `RuntimeException(Throwable cause) 1.4`
- `RuntimeException(String message, Throwable cause) 1.4`

  用给定的“原因”构造一个 RuntimeException 对象。

API java.lang.StackTraceElement 1.4

- `String getFileName()`

  返回这个元素运行时对应的源文件名。如果这个信息不存在，则返回 null。
- `int getLineNumber()`

  返回这个元素运行时对应的源文件行数。如果这个信息不存在，则返回 –1。
- `String getClassName()`

  返回这个元素运行时对应的类的完全限定名。
- `String getMethodName()`

  返回这个元素运行时对应的方法名。构造器名是 <init>；静态初始化器名是 <clinit>。这里无法区分同名的重载方法。
- `boolean isNativeMethod()`

  如果这个元素运行时在一个本地方法中，则返回 true。
- `String toString()`

  如果存在的话，返回一个包含类名、方法名、文件名和行数的格式化字符串。

7.3 使用异常机制的技巧

目前，存在着大量有关如何恰当地使用异常机制的争论。有些程序员认为所有的已检查异常都很令人厌恶；还有一些程序员认为能够抛出的异常量不够。我们认为异常机制（甚至是已检查异常）有其用武之地。下面给出使用异常机制的几个技巧。

1. 异常处理不能代替简单的测试

作为一个示例，在这里编写了一段代码，试着上百万次地对一个空栈进行退栈操作。在实施退栈操作之前，首先要查看栈是否为空。

```
if (!s.empty()) s.pop();
```

接下来，强行进行退栈操作。然后，捕获 EmptyStackException 异常来告知我们不能这样做。

```
try
{
   s.pop();
}
catch (EmptyStackException e)
{
}
```

在测试的机器上，调用 isEmpty 的版本运行时间为 646 毫秒。捕获 EmptyStackException 的版本运行时间为 21 739 毫秒。

可以看出，与执行简单的测试相比，捕获异常所花费的时间大大超过了前者，因此使用异常的基本规则是：只在异常情况下使用异常机制。

2. 不要过分地细化异常

很多程序员习惯将每一条语句都分装在一个独立的 try 语句块中。

```
PrintStream out;
Stack s;
for (i = 0; i < 100; i++)
{
   try
   {
      n = s.pop();
   }
   catch (EmptyStackException e)
   {
      // stack was empty
   }
   try
   {
      out.writeInt(n);
   }
   catch (IOException e)
   {
      // problem writing to file
   }
}
```

这种编程方式将导致代码量的急剧膨胀。首先看一下这段代码所完成的任务。在这里，希望从栈中弹出 100 个数值，然后将它们存入一个文件中。（别考虑为什么，这只是一个“玩具”例子。）如果栈是空的，则不会变成非空状态；如果文件出现错误，则也很难给予排除。出现上述问题后，这种编程方式无能为力。因此，有必要将整个任务包装在一个 try 语句块中，这样，当任何一个操作出现问题时，整个任务都可以取消。

```
try
{
   for (i = 0; i < 100; i++)
   {
      n = s.pop();
      out.writeInt(n);
   }
}
catch (IOException e)
{
   // problem writing to file
}
catch (EmptyStackException e)
{
   // stack was empty
}
```

这段代码看起来清晰多了。这样也满足了异常处理机制的其中一个目标，将正常处理与错误处理分开。

3. 利用异常层次结构

不要只抛出 RuntimeException 异常。应该寻找更加适当的子类或创建自己的异常类。

不要只捕获 Thowable 异常，否则，会使程序代码更难读、更难维护。

考虑受查异常与非受查异常的区别。已检查异常本来就很庞大，不要为逻辑错误抛出这些异常。(例如，反射库的做法就不正确。调用者却经常需要捕获那些早已知道不可能发生的异常。)

将一种异常转换成另一种更加适合的异常时不要犹豫。例如，在解析某个文件中的一个整数时，捕获 NumberFormatException 异常，然后将它转换成 IOException 或 MySubsystemException 的子类。

4. 不要压制异常

在 Java 中，往往强烈地倾向关闭异常。如果编写了一个调用另一个方法的方法，而这个方法有可能 100 年才抛出一个异常，那么，编译器会因为没有将这个异常列在 throws 表中产生抱怨。而没有将这个异常列在 throws 表中主要出于编译器将会对所有调用这个方法的方法进行异常处理的考虑。因此，应该将这个异常关闭：

```
public Image loadImage(String s)
{
   try
   {
      // code that threatens to throw checked exceptions
   }
   catch (Exception e)
   {} // so there
}
```

现在，这段代码就可以通过编译了。除非发生异常，否则它将可以正常地运行。即使发生了异常也会被忽略。如果认为异常非常重要，就应该对它们进行处理。

5. 在检测错误时，“苛刻”要比放任更好

当检测到错误的时候，有些程序员担心抛出异常。在用无效的参数调用一个方法时，返回一个虚拟的数值，还是抛出一个异常，哪种处理方式更好？例如，当栈空时，Stack.pop 是返回一个 null，还是抛出一个异常？我们认为：在出错的地方抛出一个 EmptyStackException 异常要比在后面抛出一个 NullPointerException 异常更好。

6. 不要羞于传递异常

很多程序员都感觉应该捕获抛出的全部异常。如果调用了一个抛出异常的方法，例如，FileInputStream 构造器或 readLine 方法，这些方法就会本能地捕获这些可能产生的异常。其实，传递异常要比捕获这些异常更好：

```
public void readStuff(String filename) throws IOException // not a sign of shame!
{
   InputStream in = new FileInputStream(filename);
   . . .
}
```

让高层次的方法通知用户发生了错误，或者放弃不成功的命令更加适宜。

注释：规则 5、6 可以归纳为“早抛出，晚捕获”。

7.4　使用断言

在一个具有自我保护能力的程序中，断言很常用。在下面的小节中，你会了解如何有效地使用断言。

7.4.1　断言的概念

假设确信某个属性符合要求，并且代码的执行依赖于这个属性。例如，需要计算

```
double y = Math.sqrt(x);
```

我们确信，这里的 x 是一个非负数值。原因是：x 是另外一个计算的结果，而这个结果不可能是负值；或者 x 是一个方法的参数，而这个方法要求它的调用者只能提供一个正整数。然而，还是希望进行检查，以避免让“不是一个数”的数值参与计算操作。当然，也可以抛出一个异常：

```
if (x < 0) throw new IllegalArgumentException("x < 0");
```

但是这段代码会一直保留在程序中，即使测试完毕也不会自动地删除。如果在程序中含有大量的这种检查，程序运行起来会相当慢。

断言机制允许在测试期间向代码中插入一些检查语句。当代码发布时，这些插入的检测语句将会被自动地移走。

Java 语言引入了关键字 assert。这个关键字有两种形式：

```
assert 条件;
```

和

```
assert 条件：表达式；
```

这两种形式都会对条件进行检测，如果结果为 false，则抛出一个 AssertionError 异常。在第二种形式中，表达式将被传入 AssertionError 的构造器，并转换成一个消息字符串。

注释：“表达式”部分的唯一目的是产生一个消息字符串。AssertionError 对象并不存储表达式的值，因此，不可能在以后得到它。正如 JDK 文档所描述的那样：如果使用表达式的值，就会鼓励程序员试图从断言中恢复程序的运行，这不符合断言机制的初衷。

要想断言 x 是一个非负数值，只需要简单地使用下面这条语句

```
assert x >= 0;
```

或者将 x 的实际值传递给 AssertionError 对象，从而可以在后面显示出来。

```
assert x >= 0 : x;
```

C++ 注释：C 语言中的 assert 宏将断言中的条件转换成一个字符串。当断言失败时，这个字符串将会被打印出来。例如，若 assert(x>=0) 失败，那么将打印出失败条件“x>=0”。在 Java 中，条件并不会自动地成为错误报告中的一部分。如果希望看到这个条件，就必须将它以字符串的形式传递给 AssertionError 对象：assert x >= 0 : “x >= 0”。

7.4.2 启用和禁用断言

在默认情况下，断言被禁用。可以在运行程序时用 -enableassertions 或 -ea 选项启用：

```
java -enableassertions MyApp
```

需要注意的是，在启用或禁用断言时不必重新编译程序。启用或禁用断言是类加载器（class loader）的功能。当断言被禁用时，类加载器将跳过断言代码，因此，不会降低程序运行的速度。

也可以在某个类或整个包中使用断言，例如：

```
java -ea:MyClass -ea:com.mycompany.mylib... MyApp
```

这条命令将开启 MyClass 类以及在 com.mycompany.mylib 包和它的子包中的所有类的断言。选项 -ea 将开启默认包中的所有类的断言。

也可以用选项 -disableassertions 或 -da 禁用某个特定类和包的断言：

```
java -ea:... -da:MyClass MyApp
```

有些类不是由类加载器加载，而是直接由虚拟机加载。可以使用这些开关有选择地启用或禁用那些类中的断言。

然而，启用和禁用所有断言的 -ea 和 -da 开关不能应用到那些没有类加载器的“系统类”上。对于这些系统类来说，需要使用 -enablesystemassertions/-esa 开关启用断言。

在程序中也可以控制类加载器的断言状态。有关这方面的内容请参看本节末尾的 API 注释。

7.4.3　使用断言完成参数检查

在Java语言中，给出了3种处理系统错误的机制：

- 抛出一个异常
- 日志
- 使用断言

什么时候应该选择使用断言呢？请记住下面几点：

- 断言失败是致命的、不可恢复的错误。
- 断言检查只用于开发和测阶段（这种做法有时候被戏称为“在靠近海岸时穿上救生衣，但在海中央时就把救生衣抛掉吧”）。

因此，不应该使用断言向程序的其他部分通告发生了可恢复性的错误，或者，不应该作为程序向用户通告问题的手段。断言只应该用于在测试阶段确定程序内部的错误位置。

下面看一个十分常见的例子：检查方法的参数。是否应该使用断言来检查非法的下标值或null引用呢？要想回答这个问题，首先阅读一下这个方法的文档。假设实现一个排序方法。

```
/**
   Sorts the specified range of the specified array in ascending numerical order.
   The range to be sorted extends from fromIndex, inclusive, to toIndex, exclusive.
   @param a the array to be sorted.
   @param fromIndex the index of the first element (inclusive) to be sorted.
   @param toIndex the index of the last element (exclusive) to be sorted.
   @throws IllegalArgumentException if fromIndex > toIndex
   @throws ArrayIndexOutOfBoundsException if fromIndex < 0 or toIndex > a.length
*/
static void sort(int[] a, int fromIndex, int toIndex)
```

文档指出，如果方法中使用了错误的下标值，那么就会抛出一个异常。这是方法与调用者之间约定的处理行为。如果实现这个方法，那就必须要遵守这个约定，并抛出表示下标值有误的异常。因此，这里使用断言不太适宜。

是否应该断言a不是null呢？这也不太适宜。当a是null时，这个方法的文档没有指出应该采取什么行动。在这种情况下，调用者可以认为这个方法将会成功地返回，而不会抛出一个断言错误。

然而，假设对这个方法的约定做一点微小的改动：

```
@param a the array to be sorted (must not be null).
```

现在，这个方法的调用者就必须注意：不允许用null数组调用这个方法，并在这个方法的开头使用断言：

```
assert a != null;
```

计算机科学家将这种约定称为*前置条件*（Precondition）。最初的方法对参数没有前置条件，即承诺在任何条件下都能够给予正确的执行。修订后的方法有一个前置条件，即a非空。如果调用者在调用这个方法时没有提供满足这个前置条件的参数，所有的断言都会失败，并且这个方法可以执行它想做的任何操作。事实上，由于可以使用断言，当方法被非法调用时，将会出现难以预料的结果。有时候会抛出一个断言错误，有时候会产生一个 null 指针异常，这完全取决于类加载器的配置。

7.4.4 为文档假设使用断言

很多程序员使用注释说明假设条件。看一下 http://docs.oracle.com/javase/6/docs/technotes/guides/language/assert.html 上的一个示例：

```
if (i % 3 == 0)
   . . .
else if (i % 3 == 1)
   . . .
else // (i % 3 == 2)
   . . .
```

在这个示例中，使用断言会更好一些。

```
if (i % 3 == 0)
   . . .
else if (i % 3 == 1)
   . . .
else
{
   assert i % 3 == 2;
   . . .
}
```

当然，如果再仔细地考虑一下这个问题会发现一个更有意思的内容。i%3 会产生什么结果？如果 i 是正值，那余数肯定是 0、1 或 2。如果 i 是负值，则余数则可以是 –1 和 –2。然而，实际上都认为 i 是非负值，因此，最好在 if 语句之前使用下列断言：

```
assert i >= 0;
```

无论如何，这个示例说明了程序员如何使用断言来进行自我检查。前面已经知道，断言是一种测试和调试阶段所使用的战术性工具；而日志记录是一种在程序的整个生命周期都可以使用的策略性工具。下一节将介绍日志的相关知识。

API java.lang.ClassLoader 1.0

- `void setDefaultAssertionStatus(boolean b) 1.4`

  对于通过类加载器加载的所有类来说，如果没有显式地说明类或包的断言状态，就启用或禁用断言。

- `void setClassAssertionStatus(String className, boolean b) 1.4`

  对于给定的类和它的内部类，启用或禁用断言。

- `void setPackageAssertionStatus(String packageName, boolean b) 1.4`

  对于给定包和其子包中的所有类，启用或禁用断言。

- `void clearAssertionStatus() 1.4`

  移去所有类和包的显式断言状态设置，并禁用所有通过这个类加载器加载的类的断言。

7.5　记录日志

每个 Java 程序员都很熟悉在有问题的代码中插入一些 System.out.println 方法调用来帮助观察程序运行的操作过程。当然，一旦发现问题的根源，就要将这些语句从代码中删去。如果接下来又出现了问题，就需要再插入几个调用 System.out.println 方法的语句。记录日志 API 就是为了解决这个问题而设计的。下面先讨论这些 API 的优点。

- 可以很容易地取消全部日志记录，或者仅仅取消某个级别的日志，而且打开和关闭这个操作也很容易。
- 可以很简单地禁止日志记录的输出，因此，将这些日志代码留在程序中的开销很小。
- 日志记录可以被定向到不同的处理器，用于在控制台中显示，用于存储在文件中等。
- 日志记录器和处理器都可以对记录进行过滤。过滤器可以根据过滤实现器制定的标准丢弃那些无用的记录项。
- 日志记录可以采用不同的方式格式化，例如，纯文本或 XML。
- 应用程序可以使用多个日志记录器，它们使用类似包名的这种具有层次结构的名字，例如，com.mycompany.myapp。
- 在默认情况下，日志系统的配置由配置文件控制。如果需要的话，应用程序可以替换这个配置。

7.5.1　基本日志

要生成简单的日志记录，可以使用全局日志记录器（global logger）并调用其 info 方法：

```
Logger.getGlobal().info("File->Open menu item selected");
```

在默认情况下，这条记录将会显示以下内容：

```
May 10, 2013 10:12:15 PM LoggingImageViewer fileOpen
INFO: File->Open menu item selected
```

但是，如果在适当的地方（如 main 开始）调用

```
Logger.getGlobal().setLevel(Level.OFF);
```

将会取消所有的日志。

7.5.2　高级日志

从前面已经看到"虚拟日志"，下面继续看一下企业级（industrial-strength）日志。在一个专业的应用程序中，不要将所有的日志都记录到一个全局日志记录器中，而是可以自定义日志记录器。

可以调用 getLogger 方法创建或获取记录器：

```
private static final Logger myLogger = Logger.getLogger("com.mycompany.myapp");
```

提示：未被任何变量引用的日志记录器可能会被垃圾回收。为了防止这种情况发生，要像上面的例子中一样，用一个静态变量存储日志记录器的一个引用。

与包名类似，日志记录器名也具有层次结构。事实上，与包名相比，日志记录器的层次性更强。对于包来说，一个包的名字与其父包的名字之间没有语义关系，但是日志记录器的父与子之间将共享某些属性。例如，如果对 com.mycompany 日志记录器设置了日志级别，它的子记录器也会继承这个级别。

通常，有以下 7 个日志记录器级别：

- SEVERE
- WARNING
- INFO
- CONFIG
- FINE
- FINER
- FINEST

在默认情况下，只记录前三个级别。也可以设置其他的级别。例如，

```
logger.setLevel(Level.FINE);
```

现在，FINE 和更高级别的记录都可以记录下来。

另外，还可以使用 Level.ALL 开启所有级别的记录，或者使用 Level.OFF 关闭所有级别的记录。

对于所有的级别有下面几种记录方法：

```
logger.warning(message);
logger.fine(message);
```

同时，还可以使用 log 方法指定级别，例如：

```
logger.log(Level.FINE, message);
```

提示：默认的日志配置记录了 INFO 或更高级别的所有记录，因此，应该使用 CONFIG、FINE、FINER 和 FINEST 级别来记录那些有助于诊断，但对于程序员又没有太大意义的调试信息。

警告：如果将记录级别设计为 INFO 或者更低，则需要修改日志处理器的配置。默认的日志处理器不会处理低于 INFO 级别的信息。更加详细的内容请参看下一节。

默认的日志记录将显示包含日志调用的类名和方法名，如同堆栈所显示的那样。但是，如果虚拟机对执行过程进行了优化，就得不到准确的调用信息。此时，可以调用 logp 方法获得调用类和方法的确切位置，这个方法的签名为：

```
void logp(Level l, String className, String methodName, String message)
```

下面有一些用来跟踪执行流的方法：

```
void entering(String className, String methodName)
void entering(String className, String methodName, Object param)
void entering(String className, String methodName, Object[] params)
```

```
void exiting(String className, String methodName)
void exiting(String className, String methodName, Object result)
```

例如：

```
int read(String file, String pattern)
{
   logger.entering("com.mycompany.mylib.Reader", "read",
      new Object[] { file, pattern });
   . . .
   logger.exiting("com.mycompany.mylib.Reader", "read", count);
   return count;
}
```

这些调用将生成 FINER 级别和以字符串 ENTRY 和 RETURN 开始的日志记录。

注释： 在未来，带 Object[] 参数的日志记录方法可能会被重写，以便支持变量参数列表（“varargs”）。此后就可以用 logger.entering (“com.mycompany.mylib.Reader”，“read”，file, pattern) 格式调用这个方法了。

记录日志的常见用途是记录那些不可预料的异常。可以使用下面两个方法提供日志记录中包含的异常描述内容。

```
void throwing(String className, String methodName, Throwable t)
void log(Level l, String message, Throwable t)
```

典型的用法是：

```
if (. . .)
{
   IOException exception = new IOException(". . .");
   logger.throwing("com.mycompany.mylib.Reader", "read", exception);
   throw exception;
}
```

还有

```
try
{
   . . .
}
catch (IOException e)
{
   Logger.getLogger("com.mycompany.myapp").log(Level.WARNING, "Reading image", e);
}
```

调用 throwing 可以记录一条 FINER 级别的记录和一条以 THROW 开始的信息。

7.5.3　修改日志管理器配置

可以通过编辑配置文件来修改日志系统的各种属性。在默认情况下，配置文件存在于：

```
jre/lib/logging.properties
```

要想使用另一个配置文件，就要将 java.util.logging.config.file 特性设置为配置文件的存储位置，并用下列命令启动应用程序：

```
java -Djava.util.logging.config.file=configFile MainClass
```

警告：日志管理器在 VM 启动过程中初始化，这在 main 执行之前完成。如果在 main 中调用 System.setProperty("java.util.logging.config.file", file)，也会调用 LogManager.readConfiguration() 来重新初始化日志管理器。

要想修改默认的日志记录级别，就需要编辑配置文件，并修改以下命令行

```
.level=INFO
```

可以通过添加以下内容来指定自己的日志记录级别

```
com.mycompany.myapp.level=FINE
```

也就是说，在日志记录器名后面添加后缀 .level。

在稍后可以看到，日志记录并不将消息发送到控制台上，这是处理器的任务。另外，处理器也有级别。要想在控制台上看到 FINE 级别的消息，就需要进行下列设置

```
java.util.logging.ConsoleHandler.level=FINE
```

警告：在日志管理器配置的属性设置不是系统属性，因此，用 -Dcom.mycompany.myapp.level= FINE 启动应用程序不会对日志记录器产生任何影响。

警告：截止到 Java SE 7，Logmanager 类的 API 文档主张通过 Preferences API 设置 java.util.logging.config.class 和 java.util.logging.config.file 属性。这是不正确的，有关信息请参看 Javabug 数据库中的第 4691587 号 bug（http://bugs.sun.com/bugdatabase）。

注释：日志属性文件由 java.util.logging.LogManager 类处理。可以通过将 java.util.logging.manager 系统属性设置为某个子类的名字来指定一个不同的日志管理器。另外，在保存标准日志管理器的同时，还可以从日志属性文件跳过初始化。还有一种方式是将 java.util.logging.config.class 系统属性设置为某个类名，该类再通过其他方式设定日志管理器属性。有关 LogManager 类的详细内容请参看 API 文档。

在运行的程序中，使用 jconsole 程序也可以改变日志记录的级别。有关信息请参看 www.oracle.com/technetwork/articles/java/jconsole-1564139.html#LoggingControl。

7.5.4 本地化

我们可能希望将日志消息本地化，以便让全球的用户都可以阅读它。应用程序的国际化问题将在卷 II 的第 5 章中讨论。下面简要地说明一下在本地化日志消息时需要牢记的一些要点。

本地化的应用程序包含资源包（resource bundle）中的本地特定信息。资源包由各个地区（如美国或德国）的映射集合组成。例如，某个资源包可能将字符串“readingFile”映射成英文的“Reading file”或者德文的“Achtung! Datei wird eingelesen”。

一个程序可以包含多个资源包，一个用于菜单；其他用于日志消息。每个资源包都有一

个名字（如 com.mycompany.logmessages）。要想将映射添加到一个资源包中，需要为每个地区创建一个文件。英文消息映射位于 com/mycompany/logmessages_en.properties 文件中；德文消息映射位于 com/mycompany/logmessages_de.properties 文件中。（en 和 de 是语言编码）。可以将这些文件与应用程序的类文件放在一起，以便 ResourceBundle 类自动地对它们进行定位。这些文件都是纯文本文件，其组成如下所示：

```
readingFile=Achtung! Datei wird eingelesen
renamingFile=Datei wird umbenannt
. . .
```

在请求日志记录器时，可以指定一个资源包：

```
Logger logger = Logger.getLogger(loggerName, "com.mycompany.logmessages");
```

然后，为日志消息指定资源包的关键字，而不是实际的日志消息字符串。

```
logger.info("readingFile");
```

通常需要在本地化的消息中增加一些参数，因此，消息应该包括占位符 {0}、{1} 等。例如，要想在日志消息中包含文件名，就应该用下列方式包括占位符：

```
Reading file {0}.
Achtung! Datei {0} wird eingelesen.
```

然后，通过调用下面的一个方法向占位符传递具体的值：

```
logger.log(Level.INFO, "readingFile", fileName);
logger.log(Level.INFO, "renamingFile", new Object[] { oldName, newName });
```

7.5.5　处理器

在默认情况下，日志记录器将记录发送到 ConsoleHandler 中，并由它输出到 System.err 流中。特别是，日志记录器还会将记录发送到父处理器中，而最终的处理器（命名为“”）有一个 ConsoleHandler。

与日志记录器一样，处理器也有日志记录级别。对于一个要被记录的日志记录，它的日志记录级别必须高于日志记录器和处理器的阈值。日志管理器配置文件设置的默认控制台处理器的日志记录级别为

```
java.util.logging.ConsoleHandler.level=INFO
```

要想记录 FINE 级别的日志，就必须修改配置文件中的默认日志记录级别和处理器级别。另外，还可以绕过配置文件，安装自己的处理器。

```
Logger logger = Logger.getLogger("com.mycompany.myapp");
logger.setLevel(Level.FINE);
logger.setUseParentHandlers(false);
Handler handler = new ConsoleHandler();
handler.setLevel(Level.FINE);
logger.addHandler(handler);
```

在默认情况下，日志记录器将记录发送到自己的处理器和父处理器。我们的日志记录器是原始日志记录器（命名为“”）的子类，而原始日志记录器将会把所有等于或高于 INFO

级别的记录发送到控制台。然而，我们并不想两次看到这些记录。鉴于这个原因，应该将 useParentHandlers 属性设置为 false。

要想将日志记录发送到其他地方，就要添加其他的处理器。日志 API 为此提供了两个很有用的处理器，一个是 FileHandler；另一个是 SocketHandler。SocketHandler 将记录发送到特定的主机和端口。而更令人感兴趣的是 FileHandler，它可以收集文件中的记录。

可以像下面这样直接将记录发送到默认文件的处理器：

```
FileHandler handler = new FileHandler();
logger.addHandler(handler);
```

这些记录被发送到用户主目录的 javan.log 文件中，n 是文件名的唯一编号。如果用户系统没有主目录（例如，在 Windows95/98/Me），文件就存储在 C:\Window 这样的默认位置上。在默认情况下，记录被格式化为 XML。下面是一个典型的日志记录的形式：

```
<record>
  <date>2002-02-04T07:45:15</date>
  <millis>1012837515710</millis>
  <sequence>1</sequence>
  <logger>com.mycompany.myapp</logger>
  <level>INFO</level>
  <class>com.mycompany.mylib.Reader</class>
  <method>read</method>
  <thread>10</thread>
  <message>Reading file corejava.gif</message>
</record>
```

可以通过设置日志管理器配置文件中的不同参数（请参看表 7-1），或者利用其他的构造器（请参看本节后面给出的 API 注释）来修改文件处理器的默认行为。

表 7-1　文件处理器配置参数

配置属性	描　述	默　认　值
java.util.logging.FileHandler.level	处理器级别	Level.ALL
java.util.logging.FileHandler.append	控制处理器应该追加到一个已经存在的文件尾部；还是应该为每个运行的程序打开一个新文件	false
java.util.logging.FileHandler.limit	在打开另一个文件之前允许写入一个文件的近似最大字节数（0 表示无限制）	在 FileHandler 类中为 0（表示无限制）；在默认的日志管理器配置文件中为 50000
java.util.logging.FileHandler.pattern	日志文件名的模式。参看表 7-2 中的模式变量	%h/java%u.log
java.util.logging.FileHandler.count	在循环序列中的日志记录数量	1（不循环）
java.util.logging.FileHandler.filter	使用的过滤器类	没有使用过滤器
java.util.logging.FileHandler.encoding	使用的字符编码	平台的编码
java.util.logging.FileHandler.formatter	记录格式器	java.util.logging.XMLFormatter

也有可能不想使用默认的日志记录文件名，因此，应该使用另一种模式，例如，%h/myapp.log（有关模式变量的解释请参看表 7-2）。

表 7-2　日志记录文件模式变量

变量	描　述
%h	系统属性 user.home 的值
%t	系统临时目录
%u	用于解决冲突的唯一编号
%g	为循环日志记录生成的数值。(当使用循环功能且模式不包括 %g 时，使用后缀 %g)
%%	% 字符

如果多个应用程序（或者同一个应用程序的多个副本）使用同一个日志文件，就应该开启 append 标志。另外，应该在文件名模式中使用 %u，以便每个应用程序创建日志的唯一副本。

开启文件循环功能也是一个不错的主意。日志文件以 myapp.log.0，myapp.log.1，myapp.log.2，这种循环序列的形式出现。只要文件超出了大小限制，最旧的文件就会被删除，其他的文件将重新命名，同时创建一个新文件，其编号为 0。

提示： 很多程序员将日志记录作为辅助文档提供给技术支持员工。如果程序的行为有误，用户就可以返回查看日志文件以找到错误的原因。在这种情况下，应该开启“append”标志，或使用循环日志，也可以两个功能同时使用。

还可以通过扩展 Handler 类或 StreamHandler 类自定义处理器。在本节结尾的示例程序中就定义了这样一个处理器。这个处理器将在窗口中显示日志记录（如图 7-2 所示）。

这个处理器扩展于 StreamHandler 类，并安装了一个流。这个流的 write 方法将流显示输出到文本框中。

```
class WindowHandler extends StreamHandler
{
   public WindowHandler()
   {
      . . .
      final JTextArea output = new JTextArea();
      setOutputStream(new
         OutputStream()
         {
            public void write(int b) {} // not called
            public void write(byte[] b, int off, int len)
            {
               output.append(new String(b, off, len));
            }
         });
   }
   . . .
}
```

图 7-2　在窗口中显示记录的日志处理器

使用这种方式只存在一个问题，这就是处理器会缓存记录，并且只有在缓存满的时候才将它们写入流中，因此，需要覆盖 publish 方法，以便在处理器获得每个记录之后刷新缓冲区。

```
class WindowHandler extends StreamHandler
{
```

```
    . . .
    public void publish(LogRecord record)
    {
       super.publish(record);
       flush();
    }
 }
```

如果希望编写更加复杂的流处理器，就应该扩展 Handler 类，并自定义 publish、flush 和 close 方法。

7.5.6 过滤器

在默认情况下，过滤器根据日志记录的级别进行过滤。每个日志记录器和处理器都可以有一个可选的过滤器来完成附加的过滤。另外，可以通过实现 Filter 接口并定义下列方法来自定义过滤器。

```
boolean isLoggable(LogRecord record)
```

在这个方法中，可以利用自己喜欢的标准，对日志记录进行分析，返回 true 表示这些记录应该包含在日志中。例如，某个过滤器可能只对 entering 方法和 exiting 方法产生的消息感兴趣，这个过滤器可以调用 record.getMessage() 方法，并查看这个消息是否用 ENTRY 或 RETURN 开头。

要想将一个过滤器安装到一个日志记录器或处理器中，只需要调用 setFilter 方法就可以了。注意，同一时刻最多只能有一个过滤器。

7.5.7 格式化器

ConsoleHandler 类和 FileHandler 类可以生成文本和 XML 格式的日志记录。但是，也可以自定义格式。这需要扩展 Formatter 类并覆盖下面这个方法：

```
String format(LogRecord record)
```

可以根据自己的愿望对记录中的信息进行格式化，并返回结果字符串。在 format 方法中，有可能会调用下面这个方法

```
String formatMessage(LogRecord record)
```

这个方法对记录中的部分消息进行格式化、参数替换和本地化应用操作。

很多文件格式（如 XML）需要在已格式化的记录的前后加上一个头部和尾部。在这个例子中，要覆盖下面两个方法：

```
String getHead(Handler h)
String getTail(Handler h)
```

最后，调用 setFormatter 方法将格式化器安装到处理器中。

7.5.8 日志记录说明

面对日志记录如此之多的可选项，很容易让人忘记最基本的东西。下面的“日志说明书”

总结了一些最常用的操作。

1）为一个简单的应用程序，选择一个日志记录器，并把日志记录器命名为与主应用程序包一样的名字，例如，com.mycompany.myprog，这是一种好的编程习惯。另外，可以通过调用下列方法得到日志记录器。

```
Logger logger = Logger.getLogger("com.mycompany.myprog");
```

为了方便起见，可能希望利用一些日志操作将下面的静态域添加到类中：

```
private static final Logger logger = Logger.getLogger("com.mycompany.myprog");
```

2）默认的日志配置将级别等于或高于 INFO 级别的所有消息记录到控制台。用户可以覆盖默认的配置文件。但是正如前面所述，改变配置需要做相当多的工作。因此，最好在应用程序中安装一个更加适宜的默认配置。

下列代码确保将所有的消息记录到应用程序特定的文件中。可以将这段代码放置在应用程序的 main 方法中。

```
if (System.getProperty("java.util.logging.config.class") == null
      && System.getProperty("java.util.logging.config.file") == null)
{
   try
   {
      Logger.getLogger("").setLevel(Level.ALL);
      final int LOG_ROTATION_COUNT = 10;
      Handler handler = new FileHandler("%h/myapp.log", 0, LOG_ROTATION_COUNT);
      Logger.getLogger("").addHandler(handler);
   }
   catch (IOException e)
   {
      logger.log(Level.SEVERE, "Can't create log file handler", e);
   }
}
```

3）现在，可以记录自己想要的内容了。但需要牢记：所有级别为 INFO、WARNING 和 SEVERE 的消息都将显示到控制台上。因此，最好只将对程序用户有意义的消息设置为这几个级别。将程序员想要的日志记录，设定为 FINE 是一个很好的选择。

当调用 System.out.println 时，实际上生成了下面的日志消息：

```
logger.fine("File open dialog canceled");
```

记录那些不可预料的异常也是一个不错的想法，例如：

```
try
{
   . . .
}
catch (SomeException e)
{
   logger.log(Level.FINE, "explanation", e);
}
```

程序清单 7-2 利用上述说明可实现：日志记录消息也显示在日志窗口中。

程序清单 7-2 logging/LoggingImageViewer.java

```
1 package logging;
2
3 import java.awt.*;
4 import java.awt.event.*;
5 import java.io.*;
6 import java.util.logging.*;
7 import javax.swing.*;
8
9 /**
10  * A modification of the image viewer program that logs various events.
11  * @version 1.03 2015-08-20
12  * @author Cay Horstmann
13  */
14 public class LoggingImageViewer
15 {
16    public static void main(String[] args)
17    {
18       if (System.getProperty("java.util.logging.config.class") == null
19             && System.getProperty("java.util.logging.config.file") == null)
20       {
21          try
22          {
23             Logger.getLogger("com.horstmann.corejava").setLevel(Level.ALL);
24             final int LOG_ROTATION_COUNT = 10;
25             Handler handler = new FileHandler("%h/LoggingImageViewer.log", 0, LOG_ROTATION_COUNT);
26             Logger.getLogger("com.horstmann.corejava").addHandler(handler);
27          }
28          catch (IOException e)
29          {
30             Logger.getLogger("com.horstmann.corejava").log(Level.SEVERE,
31                   "Can't create log file handler", e);
32          }
33       }
34
35       EventQueue.invokeLater(() ->
36             {
37                Handler windowHandler = new WindowHandler();
38                windowHandler.setLevel(Level.ALL);
39                Logger.getLogger("com.horstmann.corejava").addHandler(windowHandler);
40
41                JFrame frame = new ImageViewerFrame();
42                frame.setTitle("LoggingImageViewer");
43                frame.setDefaultCloseOperation(JFrame.EXIT_ON_CLOSE);
44
45                Logger.getLogger("com.horstmann.corejava").fine("Showing frame");
46                frame.setVisible(true);
47             });
48    }
49 }
50
51 /**
52  * The frame that shows the image.
53  */
54 class ImageViewerFrame extends JFrame
55 {
```

```
56    private static final int DEFAULT_WIDTH = 300;
57    private static final int DEFAULT_HEIGHT = 400;
58
59    private JLabel label;
60    private static Logger logger = Logger.getLogger("com.horstmann.corejava");
61
62    public ImageViewerFrame()
63    {
64       logger.entering("ImageViewerFrame", "<init>");
65       setSize(DEFAULT_WIDTH, DEFAULT_HEIGHT);
66
67       // set up menu bar
68       JMenuBar menuBar = new JMenuBar();
69       setJMenuBar(menuBar);
70
71       JMenu menu = new JMenu("File");
72       menuBar.add(menu);
73
74       JMenuItem openItem = new JMenuItem("Open");
75       menu.add(openItem);
76       openItem.addActionListener(new FileOpenListener());
77
78       JMenuItem exitItem = new JMenuItem("Exit");
79       menu.add(exitItem);
80       exitItem.addActionListener(new ActionListener()
81          {
82             public void actionPerformed(ActionEvent event)
83             {
84                logger.fine("Exiting.");
85                System.exit(0);
86             }
87          });
88
89       // use a label to display the images
90       label = new JLabel();
91       add(label);
92       logger.exiting("ImageViewerFrame", "<init>");
93    }
94
95    private class FileOpenListener implements ActionListener
96    {
97       public void actionPerformed(ActionEvent event)
98       {
99          logger.entering("ImageViewerFrame.FileOpenListener", "actionPerformed", event);
100
101         // set up file chooser
102         JFileChooser chooser = new JFileChooser();
103         chooser.setCurrentDirectory(new File("."));
104
105         // accept all files ending with .gif
106         chooser.setFileFilter(new javax.swing.filechooser.FileFilter()
107            {
108               public boolean accept(File f)
109               {
110                  return f.getName().toLowerCase().endsWith(".gif") || f.isDirectory();
111               }
112
113               public String getDescription()
```

```
114                {
115                   return "GIF Images";
116                }
117             });
118 
119          // show file chooser dialog
120          int r = chooser.showOpenDialog(ImageViewerFrame.this);
121 
122          // if image file accepted, set it as icon of the label
123          if (r == JFileChooser.APPROVE_OPTION)
124          {
125             String name = chooser.getSelectedFile().getPath();
126             logger.log(Level.FINE, "Reading file {0}", name);
127             label.setIcon(new ImageIcon(name));
128          }
129          else logger.fine("File open dialog canceled.");
130          logger.exiting("ImageViewerFrame.FileOpenListener", "actionPerformed");
131       }
132    }
133 }
134 
135 /**
136  * A handler for displaying log records in a window.
137  */
138 class WindowHandler extends StreamHandler
139 {
140    private JFrame frame;
141 
142    public WindowHandler()
143    {
144       frame = new JFrame();
145       final JTextArea output = new JTextArea();
146       output.setEditable(false);
147       frame.setSize(200, 200);
148       frame.add(new JScrollPane(output));
149       frame.setFocusableWindowState(false);
150       frame.setVisible(true);
151       setOutputStream(new OutputStream()
152          {
153             public void write(int b)
154             {
155             } // not called
156 
157             public void write(byte[] b, int off, int len)
158             {
159                output.append(new String(b, off, len));
160             }
161          });
162    }
163 
164    public void publish(LogRecord record)
165    {
166       if (!frame.isVisible()) return;
167       super.publish(record);
168       flush();
169    }
170 }
```

API java.util.logging.Logger 1.4

- `Logger getLogger(String loggerName)`
- `Logger getLogger(String loggerName, String bundleName)`

  获得给定名字的日志记录器。如果这个日志记录器不存在，创建一个日志记录器。

  参数：loggerName　　具有层次结构的日志记录器名。例如，com.mycompany.myapp

  　　　bundleName　　用来查看本地消息的资源包名
- `void severe(String message)`
- `void warning(String message)`
- `void info(String message)`
- `void config(String message)`
- `void fine(String message)`
- `void finer(String message)`
- `void finest(String message)`

  记录一个由方法名和给定消息指示级别的日志记录。
- `void entering(String className, String methodName)`
- `void entering(String className, String methodName, Object param)`
- `void entering(String className, String methodName, Object[] param)`
- `void exiting(String className, String methodName)`
- `void exiting(String className, String methodName, Object result)`

  记录一个描述进入 / 退出方法的日志记录，其中应该包括给定参数和返回值。
- `void throwing(String className, String methodName, Throwable t)`

  记录一个描述抛出给定异常对象的日志记录。
- `void log(Level level, String message)`
- `void log(Level level, String message, Object obj)`
- `void log(Level level, String message, Object[] objs)`
- `void log(Level level, String message, Throwable t)`

  记录一个给定级别和消息的日志记录，其中可以包括对象或者可抛出对象。要想包括对象，消息中必须包含格式化占位符 {0}、{1} 等。
- `void logp(Level level, String className, String methodName, String message)`
- `void logp(Level level, String className, String methodName, String message, Object obj)`
- `void logp(Level level, String className, String methodName, String message, Object[] objs)`
- `void logp(Level level, String className, String methodName, String message, Throwable t)`

记录一个给定级别、准确的调用者信息和消息的日志记录，其中可以包括对象或可抛出对象。

- `void logrb(Level level, String className, String methodName, String bundleName, String message)`
- `void logrb(Level level, String className, String methodName, String bundleName, String message, Object obj)`
- `void logrb(Level level, String className, String methodName, String bundleName, String message, Object[] objs)`
- `void logrb(Level level, String className, String methodName, String bundleName, String message, Throwable t)`

  记录一个给定级别、准确的调用者信息、资源包名和消息的日志记录，其中可以包括对象或可抛出对象。

- `Level getLevel()`
- `void setLevel(Level l)`

  获得和设置这个日志记录器的级别。

- `Logger getParent()`
- `void setParent(Logger l)`

  获得和设置这个日志记录器的父日志记录器。

- `Handler[] getHandlers()`

  获得这个日志记录器的所有处理器。

- `void addHandler(Handler h)`
- `void removeHandler(Handler h)`

  增加或删除这个日志记录器中的一个处理器。

- `boolean getUseParentHandlers()`
- `void setUseParentHandlers(boolean b)`

  获得和设置“ use parent handler”属性。如果这个属性是 true，则日志记录器会将全部的日志记录转发给它的父处理器。

- `Filter getFilter()`
- `void setFilter(Filter f)`

  获得和设置这个日志记录器的过滤器。

API java.util.logging.Handler 1.4

- `abstract void publish(LogRecord record)`

  将日志记录发送到希望的目的地。

- `abstract void flush()`

  刷新所有已缓冲的数据。

- abstract void close()

  刷新所有已缓冲的数据，并释放所有相关的资源。
- Filter getFilter()
- void setFilter(Filter f)

  获得和设置这个处理器的过滤器。
- Formatter getFormatter()
- void setFormatter(Formatter f)

  获得和设置这个处理器的格式化器。
- Level getLevel()
- void setLevel(Level l)

  获得和设置这个处理器的级别。

API java.util.logging.ConsoleHandler 1.4

- ConsoleHandler()

  构造一个新的控制台处理器。

API java.util.logging.FileHandler 1.4

- FileHandler(String pattern)
- FileHandler(String pattern, boolean append)
- FileHandler(String pattern, int limit, int count)
- FileHandler(String pattern, int limit, int count, boolean append)

  构造一个文件处理器。

  参数：pattern　构造日志文件名的模式。参见表7-2列出的模式变量

  limit　在打开一个新日志文件之前，日志文件可以包含的近似最大字节数

  count　循环序列的文件数量

  append　新构造的文件处理器对象应该追加在一个已存在的日志文件尾部，则为true

API java.util.logging.LogRecord 1.4

- Level getLevel()

  获得这个日志记录的记录级别。
- String getLoggerName()

  获得正在记录这个日志记录的日志记录器的名字。
- ResourceBundle getresourceBundle()
- String getresourceBundleName()

  获得用于本地化消息的资源包或资源包的名字。如果没有获得，则返回null。
- String getMessage()

获得本地化和格式化之前的原始消息。

- `Object[] getParameters()`
  获得参数对象。如果没有获得，则返回 null。
- `Throwable getThrown()`
  获得被抛出的对象。如果不存在，则返回 null。
- `String getSourceClassName()`
- `String getSourceMethodName()`
  获得记录这个日志记录的代码区域。这个信息有可能是由日志记录代码提供的，也有可能是自动从运行时堆栈推测出来的。如果日志记录代码提供的值有误，或者运行时代码由于被优化而无法推测出确切的位置，这两个方法的返回值就有可能不准确。
- `long getMillis()`
  获得创建时间。以毫秒为单位（从 1970 年开始）。
- `long getSequenceNumber()`
  获得这个日志记录的唯一序列序号。
- `int getThreadID()`
  获得创建这个日志记录的线程的唯一 ID。这些 ID 是由 LogRecord 类分配的，并且与其他线程的 ID 无关。

API java.util.logging.Filter 1.4

- `boolean isLoggable(LogRecord record)`
  如果给定日志记录需要记录，则返回 true。

API java.util.logging.Formatter 1.4

- `abstract String format(LogRecord record)`
  返回对日志记录格式化后得到的字符串。
- `String getHead(Handler h)`
- `String getTail(Handler h)`
  返回应该出现在包含日志记录的文档的开头和结尾的字符串。超类 Formatter 定义了这些方法，它们只返回空字符串。如果必要的话，可以对它们进行覆盖。
- `String formatMessage(LogRecord record)`
  返回经过本地化和格式化后的日志记录的消息内容。

7.6 调试技巧

假设编写了一个程序，并对所有的异常进行了捕获和恰当的处理，然后，运行这个程序，但还是出现问题，现在该怎么办呢（如果从来没有遇到过这种情况，可以跳过本章的剩余部分）？

当然，如果有一个方便且功能强大的调试器就太好了。调试器是 Eclipse、NetBeans 这类专业集成开发环境的一部分。在启动调试器之前，本节先给出一些有价值的建议。

1）可以用下面的方法打印或记录任意变量的值：

```
System.out.println("x=" + x);
```

或

```
Logger.getGlobal().info("x=" + x);
```

如果 x 是一个数值，则会被转换成等价的字符串。如果 x 是一个对象，那么 Java 就会调用这个对象的 toString 方法。要想获得隐式参数对象的状态，就可以打印 this 对象的状态。

```
Logger.getGlobal().info("this=" + this);
```

Java 类库中的绝大多数类都覆盖了 toString 方法，以便能够提供有用的类信息。这样会使调试更加便捷。在自定义的类中，也应该这样做。

2）一个不太为人所知但却非常有效的技巧是在每一个类中放置一个单独的 main 方法。这样就可以对每一个类进行单元测试。

```
public class MyClass
{
   methods and fields
   . . .
   public static void main(String[] args)
   {
      test code
   }
}
```

利用这种技巧，只需要创建少量的对象，调用所有的方法，并检测每个方法是否能够正确地运行就可以了。另外，可以为每个类保留一个 main 方法，然后分别为每个文件调用 Java 虚拟机进行运行测试。在运行 applet 应用程序的时候，这些 main 方法不会被调用，而在运行应用程序的时候，Java 虚拟机只调用启动类的 main 方法。

3）如果喜欢使用前面所讲述的技巧，就应该到 http://junit.org 网站上查看一下 JUnit。JUnit 是一个非常常见的单元测试框架，利用它可以很容易地组织测试用例套件。只要修改类，就需要运行测试。在发现 bug 时，还要补充一些其他的测试用例。

4）日志代理（logging proxy）是一个子类的对象，它可以截获方法调用，并进行日志记录，然后调用超类中的方法。例如，如果在调用 Random 类的 nextDouble 方法时出现了问题，就可以按照下面的方式，以匿名子类实例的形式创建一个代理对象：

```
Random generator = new
   Random()
   {
      public double nextDouble()
      {
         double result = super.nextDouble();
         Logger.getGlobal().info("nextDouble: " + result);
         return result;
      }
   };
```

当调用 nextDouble 方法时，就会产生一个日志消息。要想知道谁调用了这个方法，就要生成一个堆栈轨迹。

5）利用 Throwable 类提供的 printStackTrace 方法，可以从任何一个异常对象中获得堆栈情况。下面的代码将捕获任何异常，打印异常对象和堆栈轨迹，然后，重新抛出异常，以便能够找到相应的处理器。

```
try
{
   . . .
}
catch (Throwable t)
{
   t.printStackTrace();
   throw t;
}
```

不一定要通过捕获异常来生成堆栈轨迹。只要在代码的任何位置插入下面这条语句就可以获得堆栈轨迹：

```
Thread.dumpStack();
```

6）一般来说，堆栈轨迹显示在 System.err 上。也可以利用 printStackTrace(PrintWriter s) 方法将它发送到一个文件中。另外，如果想记录或显示堆栈轨迹，就可以采用下面的方式，将它捕获到一个字符串中：

```
StringWriter out = new StringWriter();
new Throwable().printStackTrace(new PrintWriter(out));
String description = out.toString();
```

7）通常，将一个程序中的错误信息保存在一个文件中是非常有用的。然而，错误信息被发送到 System.err 中，而不是 System.out 中。因此，不能够通过运行下面的语句获取它们：

```
java MyProgram > errors.txt
```

而是采用下面的方式捕获错误流：

```
java MyProgram 2> errors.txt
```

要想在同一个文件中同时捕获 System.err 和 System.out，需要使用下面这条命令

```
java MyProgram 1> errors.txt 2>&1
```

这条命令将工作在 bash 和 Windows shell 中。

8）让非捕获异常的堆栈轨迹出现在 System.err 中并不是一个很理想的方法。如果在客户端偶然看到这些消息，则会感到迷惑，并且在需要的时候也无法实现诊断目的。比较好的方式是将这些内容记录到一个文件中。可以调用静态的 Thread.setDefaultUncaughtExceptionHandler 方法改变非捕获异常的处理器：

```
Thread.setDefaultUncaughtExceptionHandler(
      new Thread.UncaughtExceptionHandler()
      {
         public void uncaughtException(Thread t, Throwable e)
         {
```

```
        save information in log file
    };
});
```

9）要想观察类的加载过程，可以用 -verbose 标志启动 Java 虚拟机。这样就可以看到如下所示的输出结果：

```
[Opened /usr/local/jdk5.0/jre/lib/rt.jar]
[Opened /usr/local/jdk5.0/jre/lib/jsse.jar]
[Opened /usr/local/jdk5.0/jre/lib/jce.jar]
[Opened /usr/local/jdk5.0/jre/lib/charsets.jar]
[Loaded java.lang.Object from shared objects file]
[Loaded java.io.Serializable from shared objects file]
[Loaded java.lang.Comparable from shared objects file]
[Loaded java.lang.CharSequence from shared objects file]
[Loaded java.lang.String from shared objects file]
[Loaded java.lang.reflect.GenericDeclaration from shared objects file]
[Loaded java.lang.reflect.Type from shared objects file]
[Loaded java.lang.reflect.AnnotatedElement from shared objects file]
[Loaded java.lang.Class from shared objects file]
[Loaded java.lang.Cloneable from shared objects file]
. . .
```

有时候，这种方法有助于诊断由于类路径引发的问题。

10）-Xlint 选项告诉编译器对一些普遍容易出现的代码问题进行检查。例如，如果使用下面这条命令编译：

```
javac -Xlint:fallthrough
```

当 switch 语句中缺少 break 语句时，编译器就会给出报告（术语“lint”最初用来描述一种定位 C 程序中潜在问题的工具，现在通常用于描述查找可疑但不违背语法规则的代码问题的工具。）

下面列出了可以使用的选项：

-Xlint 或 -Xlint:all	执行所有的检查
-Xlint:deprecation	与 -deprecation 一样，检查废弃的方法
-Xlint:fallthrough	检查 switch 语句中是否缺少 break 语句
-Xlint:finally	警告 finally 子句不能正常地执行
-Xlint:none	不执行任何检查
-Xlint:path	检查类路径和源代码路径上的所有目录是否存在
-Xlint:serial	警告没有 serialVersionUID 的串行化类（请参看卷Ⅱ第 1 章）
-Xlint:unchecked	对通用类型与原始类型之间的危险转换给予警告（请参看第 8 章）

11）Java 虚拟机增加了对 Java 应用程序进行监控（monitoring）和管理（management）的支持。它允许利用虚拟机中的代理装置跟踪内存消耗、线程使用、类加载等情况。这个功能对于像应用程序服务器这样大型的、长时间运行的 Java 程序来说特别重要。下面是一个能够展示这种功能的例子：JDK 加载了一个称为 jconsole 的图形工具，可以用于显示虚拟机性能的统计结果，如图 7-3 所示。找出运行虚拟机的操作系统进程的 ID。在 UNIX/Linux 环境下，运行 ps 实用工具，在 Windows 环境下，使用任务管理器。然后运行 jconsole 程序：

```
jconsole processID
```

控制台给出了有关运行程序的大量信息。有关更加详细的信息参见 www.oracle.com/technetwork/articles/java/jconsole-1564139.html。

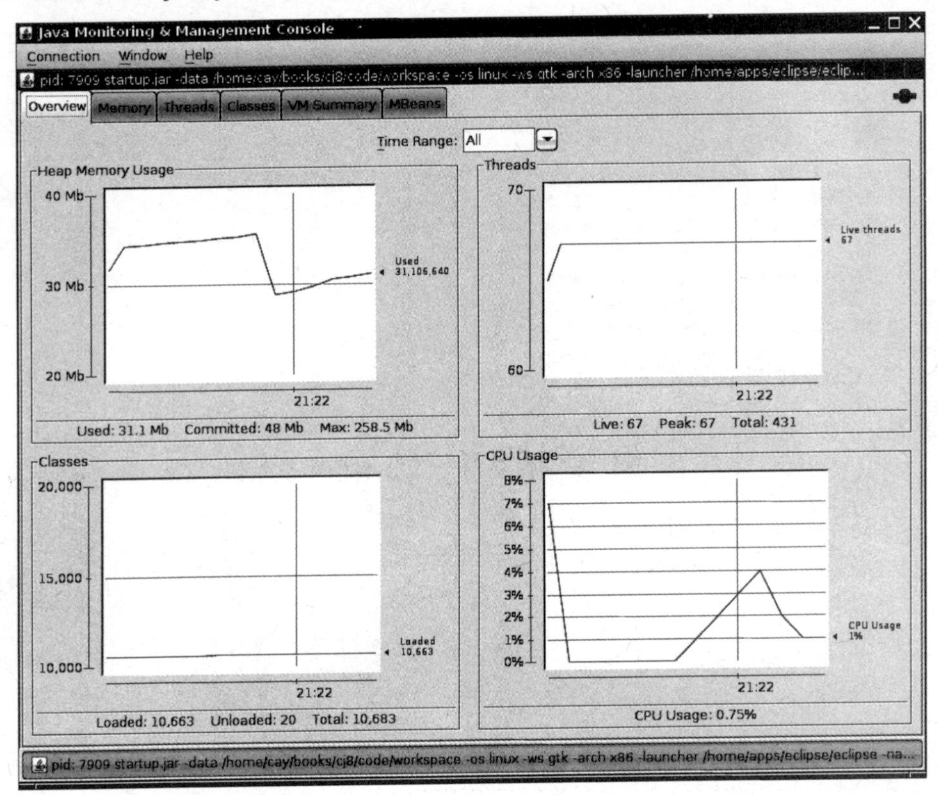

图 7-3 jconsole 程序

12）可以使用 jmap 实用工具获得一个堆的转储，其中显示了堆中的每个对象。使用命令如下：

```
jmap -dump:format=b,file=dumpFileName processID
jhat dumpFileName
```

然后，通过浏览器进入 localhost:7000，将会运行一个网络应用程序，借此探查转储对象时堆的内容。

13）如果使用 -Xprof 标志运行 Java 虚拟机，就会运行一个基本的剖析器来跟踪那些代码中经常被调用的方法。剖析信息将发送给 System.out。输出结果中还会显示哪些方法是由即时编译器编译的。

警告：编译器的 -X 选项并没有正式支持，而且在有些 JDK 版本中并不存在这个选项。可以运行命令 java -X 得到所有非标准选项的列表。

本章介绍了异常处理和日志，另外还讲解了关于测试和调试的一些有用的技巧。接下来两章会介绍泛型程序设计和它最重要的应用：Java 集合框架。

第 8 章　泛型程序设计

- ▲ 为什么要使用泛型程序设计
- ▲ 定义简单泛型类
- ▲ 泛型方法
- ▲ 类型变量的限定
- ▲ 泛型代码和虚拟机
- ▲ 约束与局限性
- ▲ 泛型类型的继承规则
- ▲ 通配符类型
- ▲ 反射和泛型

从 Java 程序设计语言 1.0 版发布以来，变化最大的部分就是泛型。致使 Java SE 5.0 中增加泛型机制的主要原因是为了满足在 1999 年制定的最早的 Java 规范需求之一（JSR 14）。专家组花费了 5 年左右的时间用来定义规范和测试实现。

泛型正是我们需要的程序设计手段。使用泛型机制编写的程序代码要比那些杂乱地使用 Object 变量，然后再进行强制类型转换的代码具有更好的安全性和可读性。泛型对于集合类尤其有用，例如，ArrayList 就是一个无处不在的集合类。

至少在表面上看来，泛型很像 C++ 中的模板。与 Java 一样，在 C++ 中，模板也是最先被添加到语言中支持强类型集合的。但是，多年之后人们发现模板还有其他的用武之地。学习完本章的内容可以发现 Java 中的泛型在程序中也有新的用途。

8.1　为什么要使用泛型程序设计

泛型程序设计（Generic programming）意味着编写的代码可以被很多不同类型的对象所重用。例如，我们并不希望为聚集 String 和 File 对象分别设计不同的类。实际上，也不需要这样做，因为一个 ArrayList 类可以聚集任何类型的对象。这是一个泛型程序设计的实例。

实际上，在 Java 增加泛型类之前已经有一个 ArrayList 类。下面来研究泛型程序设计的机制是如何演变的，另外还会讲解这对于用户和实现者来说意味着什么。

8.1.1　类型参数的好处

在 Java 中增加范型类之前，泛型程序设计是用继承实现的。ArrayList 类只维护一个 Object 引用的数组：

```
public class ArrayList // before generic classes
{
   private Object[] elementData;
   . . .
   public Object get(int i) { . . . }
   public void add(Object o) { . . . }
}
```

这种方法有两个问题。当获取一个值时必须进行强制类型转换。

```
ArrayList files = new ArrayList();
. . .
String filename = (String) files.get(0);
```

此外，这里没有错误检查。可以向数组列表中添加任何类的对象。

```
files.add(new File(". . ."));
```

对于这个调用，编译和运行都不会出错。然而在其他地方，如果将get的结果强制类型转换为String类型，就会产生一个错误。

泛型提供了一个更好的解决方案：*类型参数*（type parameters）。ArrayList类有一个类型参数用来指示元素的类型：

```
ArrayList<String> files = new ArrayList<String>();
```

这使得代码具有更好的可读性。人们一看就知道这个数组列表中包含的是String对象。

注释： *前面已经提到，在Java SE 7及以后的版本中，构造函数中可以省略泛型类型：*

```
ArrayList<String> files = new ArrayList<>();
```

省略的类型可以从变量的类型推断得出。

编译器也可以很好地利用这个信息。当调用get的时候，不需要进行强制类型转换，编译器就知道返回值类型为String，而不是Object：

```
String filename = files.get(0);
```

编译器还知道ArrayList<String>中add方法有一个类型为String的参数。这将比使用Object类型的参数安全一些。现在，编译器可以进行检查，避免插入错误类型的对象。例如：

```
files.add(new File(". . .")); // can only add String objects to an ArrayList<String>
```

是无法通过编译的。出现编译错误比类在运行时出现类的强制类型转换异常要好得多。

类型参数的魅力在于：使得程序具有更好的可读性和安全性。

8.1.2 谁想成为泛型程序员

使用像ArrayList的泛型类很容易。大多数Java程序员都使用ArrayList<String>这样的类型，就好像它们已经构建在语言之中，像String[]数组一样。（当然，数组列表比数组要好一些，因为它可以自动扩展。）

但是，实现一个泛型类并没有那么容易。对于类型参数，使用这段代码的程序员可能想要内置（plug in）所有的类。他们希望在没有过多的限制以及混乱的错误消息的状态下，做所有的事情。因此，一个泛型程序员的任务就是预测出所用类的未来可能有的所有用途。

这一任务难到什么程度呢？下面是标准类库的设计者们肯定产生争议的一个典型问题。ArrayList类有一个方法addAll用来添加另一个集合的全部元素。程序员可能想要将ArrayList<Manager>中的所有元素添加到ArrayList<Employee>中去。然而，反过来就不行了。如果只能允许前一个调用，而不能允许后一个调用呢？Java 语言的设计者发明了一个具有独创性的新概念，通配符类型（wildcard type），它解决了这个问题。通配符类型非常抽象，然而，它们能让库的构建者编写出尽可能灵活的方法。

泛型程序设计划分为 3 个能力级别。基本级别是，仅仅使用泛型类——典型的是像 ArrayList 这样的集合——不必考虑它们的工作方式与原因。大多数应用程序员将会停留在这一级别上，直到出现了什么问题。当把不同的泛型类混合在一起时，或是在与对类型参数一无所知的遗留的代码进行衔接时，可能会看到含混不清的错误消息。如果这样的话，就需要学习 Java 泛型来系统地解决这些问题，而不要胡乱地猜测。当然，最终可能想要实现自己的泛型类与泛型方法。

应用程序员很可能不喜欢编写太多的泛型代码。JDK 开发人员已经做出了很大的努力，为所有的集合类提供了类型参数。凭经验来说，那些原本涉及许多来自通用类型（如 Object 或 Comparable 接口）的强制类型转换的代码一定会因使用类型参数而受益。

本章介绍实现自己的泛型代码需要了解的各种知识。希望大多数读者可以利用这些知识解决一些疑难问题，并满足对于参数化集合类的内部工作方式的好奇心。

8.2　定义简单泛型类

一个泛型类（generic class）就是具有一个或多个类型变量的类。本章使用一个简单的 Pair 类作为例子。对于这个类来说，我们只关注泛型，而不会为数据存储的细节烦恼。下面是 Pair 类的代码：

```
public class Pair<T>
{
   private T first;
   private T second;

   public Pair() { first = null; second = null; }
   public Pair(T first, T second) { this.first = first; this.second = second; }

   public T getFirst() { return first; }
   public T getSecond() { return second; }

   public void setFirst(T newValue) { first = newValue; }
   public void setSecond(T newValue) { second = newValue; }
}
```

Pair 类引入了一个类型变量 T，用尖括号（< >）括起来，并放在类名的后面。泛型类可以有多个类型变量。例如，可以定义 Pair 类，其中第一个域和第二个域使用不同的类型：

```
public class Pair<T, U> { . . . }
```

类定义中的类型变量指定方法的返回类型以及域和局部变量的类型。例如，

```
private T first; // uses the type variable
```

注释：类型变量使用大写形式，且比较短，这是很常见的。在 Java 库中，使用变量 E 表

示集合的元素类型，K和V分别表示表的关键字与值的类型。T（需要时还可以用临近的字母U和S）表示“任意类型”。

用具体的类型替换类型变量就可以实例化泛型类型，例如：

```
Pair<String>
```

可以将结果想象成带有构造器的普通类：

```
Pair<String>()
Pair<String>(String, String)
```

和方法：

```
String getFirst()
String getSecond()
void setFirst(String)
void setSecond(String)
```

换句话说，泛型类可看作普通类的工厂。

程序清单8-1中的程序使用了Pair类。静态的minmax方法遍历了数组并同时计算出最小值和最大值。它用一个Pair对象返回了两个结果。回想一下compareTo方法比较两个字符串，如果字符串相同则返回0；如果按照字典顺序，第一个字符串比第二个字符串靠前，就返回负值，否则，返回正值。

C++注释： 从表面上看，Java的泛型类类似于C++的模板类。唯一明显的不同是Java没有专用的template关键字。但是，在本章中读者将会看到，这两种机制有着本质的区别。

程序清单8-1 pair1/PairTest1.java

```
1 package pair1;
2
3 /**
4  * @version 1.01 2012-01-26
5  * @author Cay Horstmann
6  */
7 public class PairTest1
8 {
9    public static void main(String[] args)
10   {
11      String[] words = { "Mary", "had", "a", "little", "lamb" };
12      Pair<String> mm = ArrayAlg.minmax(words);
13      System.out.println("min = " + mm.getFirst());
14      System.out.println("max = " + mm.getSecond());
15   }
16 }
17
18 class ArrayAlg
19 {
20    /**
21     * Gets the minimum and maximum of an array of strings.
22     * @param a an array of strings
23     * @return a pair with the min and max value, or null if a is null or empty
24     */
```

```
25    public static Pair<String> minmax(String[] a)
26    {
27       if (a == null || a.length == 0) return null;
28       String min = a[0];
29       String max = a[0];
30       for (int i = 1; i < a.length; i++)
31       {
32          if (min.compareTo(a[i]) > 0) min = a[i];
33          if (max.compareTo(a[i]) < 0) max = a[i];
34       }
35       return new Pair<>(min, max);
36    }
37 }
```

8.3 泛型方法

前面已经介绍了如何定义一个泛型类。实际上，还可以定义一个带有类型参数的简单方法。

```
class ArrayAlg
{
   public static <T> T getMiddle(T... a)
   {
      return a[a.length / 2];
   }
}
```

这个方法是在普通类中定义的，而不是在泛型类中定义的。然而，这是一个泛型方法，可以从尖括号和类型变量看出这一点。注意，类型变量放在修饰符（这里是 public static）的后面，返回类型的前面。

泛型方法可以定义在普通类中，也可以定义在泛型类中。

当调用一个泛型方法时，在方法名前的尖括号中放入具体的类型：

```
String middle = ArrayAlg.<String>getMiddle("John", "Q.", "Public");
```

在这种情况（实际也是大多数情况）下，方法调用中可以省略 <String> 类型参数。编译器有足够的信息能够推断出所调用的方法。它用 names 的类型（即 String[ ]）与泛型类型 T[ ] 进行匹配并推断出 T 一定是 String。也就是说，可以调用

```
String middle = ArrayAlg.getMiddle("John", "Q.", "Public");
```

几乎在大多数情况下，对于泛型方法的类型引用没有问题。偶尔，编译器也会提示错误，此时需要解译错误报告。看一看下面这个示例：

```
double middle = ArrayAlg.getMiddle(3.14, 1729, 0);
```

错误消息会以晦涩的方式指出（不同的编译器给出的错误消息可能有所不同）：解释这句代码有两种方法，而且这两种方法都是合法的。简单地说，编译器将会自动打包参数为 1 个 Double 和 2 个 Integer 对象，而后寻找这些类的共同超类型。事实上，找到 2 个这样的超类型：Number 和 Comparable 接口，其本身也是一个泛型类型。在这种情况下，可以采取的补

救措施是将所有的参数写为 double 值。

✔ **提示：** 如果想知道编译器对一个泛型方法调用最终推断出哪种类型，Peter von der Ahé 推荐了这样一个窍门：有目的地引入一个错误，并研究所产生的错误消息。例如，看一下调用 ArrayAlg.getMiddle("Hello",0,null)。将结果赋给 JButton，这不可能正确。将会得到一个错误报告：

```
found:
java.lang.Object&java.io.Serializable&java.lang.Comparable<? extends
java.lang.Object&java.io.Serializable&java.lang.Comparable<?>>
```

大致的意思是：可以将结果赋给 Object、Serialiable 或 Comparable。

C++ 注释： 在 C++ 中将类型参数放在方法名后面，有可能会导致语法分析的歧义。例如，g(f<a, b>(c)) 可以理解为"用 f<a, b>(c) 的结果调用 g"，或者理解为"用两个布尔值 f<a 和 b>(c) 调用 g"。

8.4 类型变量的限定

有时，类或方法需要对类型变量加以约束。下面是一个典型的例子。我们要计算数组中的最小元素：

```
class ArrayAlg
{
   public static <T> T min(T[] a) // almost correct
   {
      if (a == null || a.length == 0) return null;
      T smallest = a[0];
      for (int i = 1; i < a.length; i++)
         if (smallest.compareTo(a[i]) > 0) smallest = a[i];
      return smallest;
   }
}
```

但是，这里有一个问题。请看一下 min 方法的代码内部。变量 smallest 类型为 T，这意味着它可以是任何一个类的对象。怎么才能确信 T 所属的类有 compareTo 方法呢？

解决这个问题的方案是将 T 限制为实现了 Comparable 接口（只含一个方法 compareTo 的标准接口）的类。可以通过对类型变量 T 设置限定（bound）实现这一点：

```
public static <T extends Comparable> T min(T[] a) . . .
```

实际上 Comparable 接口本身就是一个泛型类型。目前，我们忽略其复杂性以及编译器产生的警告。第 8.8 节讨论了如何在 Comparable 接口中适当地使用类型参数。

现在，泛型的 min 方法只能被实现了 Comparable 接口的类（如 String、LocalDate 等）的数组调用。由于 Rectangle 类没有实现 Comparable 接口，所以调用 min 将会产生一个编译错误。

C++ 注释： 在 C++ 中不能对模板参数的类型加以限制。如果程序员用一个不适当的类型实例化一个模板，将会在模板代码中报告一个（通常是含糊不清的）错误消息。

读者或许会感到奇怪——在此为什么使用关键字 extends 而不是 implements？毕竟，Comparable 是一个接口。下面的记法

```
<T extends BoundingType>
```

表示 T 应该是绑定类型的子类型（subtype）。T 和绑定类型可以是类，也可以是接口。选择关键字 extends 的原因是更接近子类的概念，并且 Java 的设计者也不打算在语言中再添加一个新的关键字（如 sub）。

一个类型变量或通配符可以有多个限定，例如：

```
T extends Comparable & Serializable
```

限定类型用“&”分隔，而逗号用来分隔类型变量。

在 Java 的继承中，可以根据需要拥有多个接口超类型，但限定中至多有一个类。如果用一个类作为限定，它必须是限定列表中的第一个。

在程序清单 8-2 的程序中，重新编写了一个泛型方法 minmax。这个方法计算泛型数组的最大值和最小值，并返回 Pair<T>。

程序清单 8-2　pair2/PairTest2.java

```
1  package pair2;
2
3  import java.time.*;
4
5  /**
6   * @version 1.02 2015-06-21
7   * @author Cay Horstmann
8   */
9  public class PairTest2
10 {
11    public static void main(String[] args)
12    {
13       LocalDate[] birthdays =
14          {
15             LocalDate.of(1906, 12, 9), // G. Hopper
16             LocalDate.of(1815, 12, 10), // A. Lovelace
17             LocalDate.of(1903, 12, 3), // J. von Neumann
18             LocalDate.of(1910, 6, 22), // K. Zuse
19          };
20       Pair<LocalDate> mm = ArrayAlg.minmax(birthdays);
21       System.out.println("min = " + mm.getFirst());
22       System.out.println("max = " + mm.getSecond());
23    }
24 }
25
26 class ArrayAlg
27 {
28    /**
29       Gets the minimum and maximum of an array of objects of type T.
30       @param a an array of objects of type T
31       @return a pair with the min and max value, or null if a is
32       null or empty
33    */
```

```
34    public static <T extends Comparable> Pair<T> minmax(T[] a)
35    {
36       if (a == null || a.length == 0) return null;
37       T min = a[0];
38       T max = a[0];
39       for (int i = 1; i < a.length; i++)
40       {
41          if (min.compareTo(a[i]) > 0) min = a[i];
42          if (max.compareTo(a[i]) < 0) max = a[i];
43       }
44       return new Pair<>(min, max);
45    }
46 }
```

8.5 泛型代码和虚拟机

虚拟机没有泛型类型对象——所有对象都属于普通类。在泛型实现的早期版本中，甚至能够将使用泛型的程序编译为在 1.0 虚拟机上运行的类文件！这个向后兼容性在 Java 泛型开发的后期被放弃了。

8.5.1 类型擦除

无论何时定义一个泛型类型，都自动提供了一个相应的*原始类型*（raw type）。原始类型的名字就是删去类型参数后的泛型类型名。擦除（erased）类型变量，并替换为限定类型（无限定的变量用 Object）。

例如，Pair<T> 的原始类型如下所示：

```
public class Pair
{
   private Object first;
   private Object second;

   public Pair(Object first, Object second)
   {
      this.first = first;
      this.second = second;
   }

   public Object getFirst() { return first; }
   public Object getSecond() { return second; }

   public void setFirst(Object newValue) { first = newValue; }
   public void setSecond(Object newValue) { second = newValue; }
}
```

因为 T 是一个无限定的变量，所以直接用 Object 替换。

结果是一个普通的类，就好像泛型引入 Java 语言之前已经实现的那样。

在程序中可以包含不同类型的 Pair，例如，Pair<String> 或 Pair<LocalDate>。而擦除类型后就变成原始的 Pair 类型了。

C++ 注释： 就这点而言，Java 泛型与 C++ 模板有很大的区别。C++ 中每个模板的实例化产生不同的类型，这一现象称为“模板代码膨胀”。Java 不存在这个问题的困扰。

原始类型用第一个限定的类型变量来替换，如果没有给定限定就用 Object 替换。例如，类 Pair<T> 中的类型变量没有显式的限定，因此，原始类型用 Object 替换 T。假定声明了一个不同的类型。

```
public class Interval<T extends Comparable & Serializable> implements Serializable
{
   private T lower;
   private T upper;
   . . .
   public Interval(T first, T second)
   {
      if (first.compareTo(second) <= 0) { lower = first; upper = second; }
      else { lower = second; upper = first; }
   }
}
```

原始类型 Interval 如下所示：

```
public class Interval implements Serializable
{
   private Comparable lower;
   private Comparable upper;
   . . .
   public Interval(Comparable first, Comparable second) { . . . }
}
```

注释： 读者可能想要知道切换限定：class Interval<T extends Serializable & Comparable> 会发生什么。如果这样做，原始类型用 Serializable 替换 T，而编译器在必要时要向 Comparable 插入强制类型转换。为了提高效率，应该将标签（tagging）接口（即没有方法的接口）放在边界列表的末尾。

8.5.2 翻译泛型表达式

当程序调用泛型方法时，如果擦除返回类型，编译器插入强制类型转换。例如，下面这个语句序列

```
Pair<Employee> buddies = . . .;
Employee buddy = buddies.getFirst();
```

擦除 getFirst 的返回类型后将返回 Object 类型。编译器自动插入 Employee 的强制类型转换。也就是说，编译器把这个方法调用翻译为两条虚拟机指令：

- 对原始方法 Pair.getFirst 的调用。
- 将返回的 Object 类型强制转换为 Employee 类型。

当存取一个泛型域时也要插入强制类型转换。假设 Pair 类的 first 域和 second 域都是公有的（也许这不是一种好的编程风格，但在 Java 中是合法的）。表达式：

```
Employee buddy = buddies.first;
```

也会在结果字节码中插入强制类型转换。

8.5.3 翻译泛型方法

类型擦除也会出现在泛型方法中。程序员通常认为下述的泛型方法

```
public static <T extends Comparable> T min(T[] a)
```

是一个完整的方法族，而擦除类型之后，只剩下一个方法：

```
public static Comparable min(Comparable[] a)
```

注意，类型参数T已经被擦除了，只留下了限定类型Comparable。

方法的擦除带来了两个复杂问题。看一看下面这个示例：

```
class DateInterval extends Pair<LocalDate>
{
   public void setSecond(LocalDate second)
   {
      if (second.compareTo(getFirst()) >= 0)
         super.setSecond(second);
   }
   . . .
}
```

一个日期区间是一对LocalDate对象，并且需要覆盖这个方法来确保第二个值永远不小于第一个值。这个类擦除后变成

```
class DateInterval extends Pair // after erasure
{
   public void setSecond(LocalDate second) { . . . }
   . . .
}
```

令人感到奇怪的是，存在另一个从Pair继承的setSecond方法，即

```
public void setSecond(Object second)
```

这显然是一个不同的方法，因为它有一个不同类型的参数——Object，而不是LocalDate。然而，不应该不一样。考虑下面的语句序列：

```
DateInterval interval = new DateInterval(. . .);
Pair<LocalDate> pair = interval; // OK--assignment to superclass
pair.setSecond(aDate);
```

这里，希望对setSecond的调用具有多态性，并调用最合适的那个方法。由于pair引用DateInterval对象，所以应该调用DateInterval.setSecond。问题在于类型擦除与多态发生了冲突。要解决这个问题，就需要编译器在DateInterval类中生成一个桥方法（bridge method）：

```
public void setSecond(Object second) { setSecond((Date) second); }
```

要想了解它的工作过程，请仔细地跟踪下列语句的执行：

```
pair.setSecond(aDate)
```

变量pair已经声明为类型Pair<LocalDate>，并且这个类型只有一个简单的方法叫

setSecond，即 setSecond(Object)。虚拟机用 pair 引用的对象调用这个方法。这个对象是 DateInterval 类型的，因而将会调用 DateInterval.setSecond(Object) 方法。这个方法是合成的桥方法。它调用 DateInterval.setSecond(Date)，这正是我们所期望的操作效果。

桥方法可能会变得十分奇怪。假设 DateInterval 方法也覆盖了 getSecond 方法：

```
class DateInterval extends Pair<LocalDate>
{
   public LocalDate getSecond() { return (Date) super.getSecond().clone(); }
   . . .
}
```

在 DateInterval 类中，有两个 getSecond 方法：

```
LocalDate getSecond() // defined in DateInterval
Object getSecond() // overrides the method defined in Pair to call the first method
```

不能这样编写 Java 代码（在这里，具有相同参数类型的两个方法是不合法的）。它们都没有参数。但是，在虚拟机中，用参数类型和返回类型确定一个方法。因此，编译器可能产生两个仅返回类型不同的方法字节码，虚拟机能够正确地处理这一情况。

注释： 桥方法不仅用于泛型类型。第 5 章已经讲过，在一个方法覆盖另一个方法时可以指定一个更严格的返回类型。例如：

```
public class Employee implements Cloneable
{
   public Employee clone() throws CloneNotSupportedException { . . . }
}
```

Object.clone 和 Employee.clone 方法被说成具有协变的返回类型（covariant return types）。实际上，Employee 类有两个克隆方法：

```
Employee clone() // defined above
Object clone() // synthesized bridge method, overrides Object.clone
```

合成的桥方法调用了新定义的方法。

总之，需要记住有关 Java 泛型转换的事实：

- 虚拟机中没有泛型，只有普通的类和方法。
- 所有的类型参数都用它们的限定类型替换。
- 桥方法被合成来保持多态。
- 为保持类型安全性，必要时插入强制类型转换。

8.5.4 调用遗留代码

设计 Java 泛型类型时，主要目标是允许泛型代码和遗留代码之间能够互操作。

下面看一个具体的示例。要想设置一个 JSlider 标签，可以使用方法：

```
void setLabelTable(Dictionary table)
```

在这里，Dictionary 是一个原始类型，因为实现 JSlider 类时 Java 中还不存在泛型。不过，填充字典时，要使用泛型类型。

```
Dictionary<Integer, Component> labelTable = new Hashtable<>();
labelTable.put(0, new JLabel(new ImageIcon("nine.gif")));
labelTable.put(20, new JLabel(new ImageIcon("ten.gif")));
. . .
```

将 Dictionary<Integer, Component> 对象传递给 setLabelTable 时，编译器会发出一个警告。

```
slider.setLabelTable(labelTable); // Warning
```

毕竟，编译器无法确定 setLabelTable 可能会对 Dictionary 对象做什么操作。这个方法可能会用字符串替换所有的关键字。这就打破了关键字类型为整型（Integer）的承诺，未来的操作有可能会产生强制类型转换的异常。

这个警告对操作不会产生什么影响，最多考虑一下 JSlider 有可能用 Dictionary 对象做什么就可以了。在这里十分清楚，JSlider 只阅读这个信息，因此可以忽略这个警告。

现在，看一个相反的情形，由一个遗留的类得到一个原始类型的对象。可以将它赋给一个参数化的类型变量，当然，这样做会看到一个警告。例如：

```
Dictionary<Integer, Components> labelTable = slider.getLabelTable(); // Warning
```

这就行了。再看一看警告，确保标签表已经包含了 Integer 和 Component 对象。当然，从来也不会有绝对的承诺。恶意的编码者可能会在滑块中设置不同的 Dictionary。然而，这种情况并不会比有泛型之前的情况更糟糕。最差的情况就是程序抛出一个异常。

在查看了警告之后，可以利用注解（annotation）使之消失。注释必须放在生成这个警告的代码所在的方法之前，如下：

```
@SuppressWarnings("unchecked")
Dictionary<Integer, Components> labelTable = slider.getLabelTable(); // No warning
```

或者，可以标注整个方法，如下所示：

```
@SuppressWarnings("unchecked")
public void configureSlider() { . . . }
```

这个注解会关闭对方法中所有代码的检查。

8.6 约束与局限性

在下面几节中，将阐述使用 Java 泛型时需要考虑的一些限制。大多数限制都是由类型擦除引起的。

8.6.1 不能用基本类型实例化类型参数

不能用类型参数代替基本类型。因此，没有 Pair<double>，只有 Pair<Double>。当然，其原因是类型擦除。擦除之后，Pair 类含有 Object 类型的域，而 Object 不能存储 double 值。

这的确令人烦恼。但是，这样做与 Java 语言中基本类型的独立状态相一致。这并不是一个致命的缺陷——只有 8 种基本类型，当包装器类型（wrapper type）不能接受替换时，可以使用独立的类和方法处理它们。

8.6.2 运行时类型查询只适用于原始类型

虚拟机中的对象总有一个特定的非泛型类型。因此，所有的类型查询只产生原始类型。例如：

```
if (a instanceof Pair<String>) // Error
```

实际上仅仅测试 a 是否是任意类型的一个 Pair。下面的测试同样如此：

```
if (a instanceof Pair<T>) // Error
```

或强制类型转换：

```
Pair<String> p = (Pair<String>) a; // Warning--can only test that a is a Pair
```

为提醒这一风险，试图查询一个对象是否属于某个泛型类型时，倘若使用 instanceof 会得到一个编译器错误，如果使用强制类型转换会得到一个警告。

同样的道理，getClass 方法总是返回原始类型。例如：

```
Pair<String> stringPair = . . .;
Pair<Employee> employeePair = . . .;
if (stringPair.getClass() == employeePair.getClass()) // they are equal
```

其比较的结果是 true，这是因为两次调用 getClass 都将返回 Pair.class。

8.6.3 不能创建参数化类型的数组

不能实例化参数化类型的数组，例如：

```
Pair<String>[] table = new Pair<String>[10]; // Error
```

这有什么问题呢？擦除之后，table 的类型是 Pair[]。可以把它转换为 Object[]：

```
Object[] objarray = table;
```

数组会记住它的元素类型，如果试图存储其他类型的元素，就会抛出一个 Array-StoreException 异常：

```
objarray[0] = "Hello"; // Error--component type is Pair
```

不过对于泛型类型，擦除会使这种机制无效。以下赋值：

```
objarray[0] = new Pair<Employee>();
```

能够通过数组存储检查，不过仍会导致一个类型错误。出于这个原因，不允许创建参数化类型的数组。

需要说明的是，只是不允许创建这些数组，而声明类型为 Pair<String>[] 的变量仍是合法的。不过不能用 new Pair<String>[10] 初始化这个变量。

注释： 可以声明通配类型的数组，然后进行类型转换：

```
Pair<String>[] table = (Pair<String>[]) new Pair<?>[10];
```

结果将是不安全的。如果在 table[0] 中存储一个 Pair<Employee>，然后对 table[0].getFirst() 调用一个 String 方法，会得到一个 ClassCastException 异常。

✔ **提示：**如果需要收集参数化类型对象，只有一种安全而有效的方法：使用 ArrayList:ArrayList<Pair<String>>。

8.6.4 Varargs 警告

上一节中已经了解到，Java 不支持泛型类型的数组。这一节中我们再来讨论一个相关的问题：向参数个数可变的方法传递一个泛型类型的实例。

考虑下面这个简单的方法，它的参数个数是可变的：

```
public static <T> void addAll(Collection<T> coll, T... ts)
{
   for (t : ts) coll.add(t);
}
```

应该记得，实际上参数 ts 是一个数组，包含提供的所有实参。

现在考虑以下调用：

```
Collection<Pair<String>> table = . . .;
Pair<String> pair1 = . . .;
Pair<String> pair2 = . . .;
addAll(table, pair1, pair2);
```

为了调用这个方法，Java 虚拟机必须建立一个 Pair<String> 数组，这就违反了前面的规则。不过，对于这种情况，规则有所放松，你只会得到一个警告，而不是错误。

可以采用两种方法来抑制这个警告。一种方法是为包含 addAll 调用的方法增加注解 @SuppressWarnings("unchecked")。或者在 Java SE 7 中，还可以用 @SafeVarargs 直接标注 addAll 方法：

```
@SafeVarargs
public static <T> void addAll(Collection<T> coll, T... ts)
```

现在就可以提供泛型类型来调用这个方法了。对于只需要读取参数数组元素的所有方法，都可以使用这个注解，这仅限于最常见的用例。

注释：可以使用 @SafeVarargs 标注来消除创建泛型数组的有关限制，方法如下：

```
@SafeVarargs static <E> E[] array(E... array) { return array; }
```

现在可以调用：

```
Pair<String>[] table = array(pair1, pair2);
```

这看起来很方便，不过隐藏着危险。以下代码：

```
Object[] objarray = table;
objarray[0] = new Pair<Employee>();
```

能顺利运行而不会出现 ArrayStoreException 异常（因为数组存储只会检查擦除的类型），但在处理 table[0] 时你会在别处得到一个异常。

8.6.5　不能实例化类型变量

不能使用像 new T(...)，new T[...] 或 T.class 这样的表达式中的类型变量。例如，下面的 Pair<T> 构造器就是非法的：

```
public Pair() { first = new T(); second = new T(); } // Error
```

类型擦除将 T 改变成 Object，而且，本意肯定不希望调用 new Object()。在 Java SE 8 之后，最好的解决办法是让调用者提供一个构造器表达式。例如：

```
Pair<String> p = Pair.makePair(String::new);
```

makePair 方法接收一个 Supplier<T>，这是一个函数式接口，表示一个无参数而且返回类型为 T 的函数：

```
public static <T> Pair<T> makePair(Supplier<T> constr)
{
   return new Pair<>(constr.get(), constr.get());
}
```

比较传统的解决方法是通过反射调用 Class.newInstance 方法来构造泛型对象。

遗憾的是，细节有点复杂。不能调用：

```
first = T.class.newInstance(); // Error
```

表达式 T.class 是不合法的，因为它会擦除为 Object.class。必须像下面这样设计 API 以便得到一个 Class 对象：

```
public static <T> Pair<T> makePair(Class<T> cl)
{
   try { return new Pair<>(cl.newInstance(), cl.newInstance()); }
   catch (Exception ex) { return null; }
}
```

这个方法可以按照下列方式调用：

```
Pair<String> p = Pair.makePair(String.class);
```

注意，Class 类本身是泛型。例如，String.class 是一个 Class<String> 的实例（事实上，它是唯一的实例）。因此，makePair 方法能够推断出 pair 的类型。

8.6.6　不能构造泛型数组

就像不能实例化一个泛型实例一样，也不能实例化数组。不过原因有所不同，毕竟数组会填充 null 值，构造时看上去是安全的。不过，数组本身也有类型，用来监控存储在虚拟机中的数组。这个类型会被擦除。例如，考虑下面的例子：

```
public static <T extends Comparable> T[] minmax(T[] a) { T[] mm = new T[2]; . . . } // Error
```

类型擦除会让这个方法永远构造 Comparable[2] 数组。

如果数组仅仅作为一个类的私有实例域，就可以将这个数组声明为 Object[]，并且在获取元素时进行类型转换。例如，ArrayList 类可以这样实现：

```
public class ArrayList<E>
{
   private Object[] elements;
   . . .
   @SuppressWarnings("unchecked") public E get(int n) { return (E) elements[n]; }
   public void set(int n, E e) { elements[n] = e; } // no cast needed
}
```

实际的实现没有这么清晰：

```
public class ArrayList<E>
{
   private E[] elements;
   . . .
   public ArrayList() { elements = (E[]) new Object[10]; }
}
```

这里，强制类型转换 E[ ] 是一个假象，而类型擦除使其无法察觉。

由于 minmax 方法返回 T[ ] 数组，使得这一技术无法施展，如果掩盖这个类型会有运行时错误结果。假设实现代码：

```
public static <T extends Comparable> T[] minmax(T... a)
{
   Object[] mm = new Object[2];
   . . .
   return (T[]) mm; // compiles with warning
}
```

调用

```
String[] ss = ArrayAlg.minmax("Tom", "Dick", "Harry");
```

编译时不会有任何警告。当 Object[] 引用赋给 Comparable[] 变量时，将会发生 ClassCastException 异常。

在这种情况下，最好让用户提供一个数组构造器表达式：

```
String[] ss = ArrayAlg.minmax(String[]::new, "Tom", "Dick", "Harry");
```

构造器表达式 String::new 指示一个函数，给定所需的长度，会构造一个指定长度的 String 数组。

minmax 方法使用这个参数生成一个有正确类型的数组：

```
public static <T extends Comparable> T[] minmax(IntFunction<T[]> constr, T... a)
{
   T[] mm = constr.apply(2);
   . . .
}
```

比较老式的方法是利用反射，调用 Array.newInstance：

```
public static <T extends Comparable> T[] minmax(T... a)
{
   T[] mm = (T[]) Array.newInstance(a.getClass().getComponentType(), 2);
   . . .
}
```

ArrayList 类的 toArray 方法就没有这么幸运。它需要生成一个 T[] 数组，但没有成分类型。因此，有下面两种不同的形式：

```
Object[] toArray()
T[] toArray(T[] result)
```

第二个方法接收一个数组参数。如果数组足够大，就使用这个数组。否则，用 result 的成分类型构造一个足够大的新数组。

8.6.7　泛型类的静态上下文中类型变量无效

不能在静态域或方法中引用类型变量。例如，下列高招将无法施展：

```
public class Singleton<T>
{
   private static T singleInstance; // Error

   public static T getSingleInstance() // Error
   {
      if (singleInstance == null) construct new instance of T
      return singleInstance;
   }
}
```

如果这个程序能够运行，就可以声明一个 Singleton<Random> 共享随机数生成器，声明一个 Singleton<JFileChooser> 共享文件选择器对话框。但是，这个程序无法工作。类型擦除之后，只剩下 Singleton 类，它只包含一个 singleInstance 域。因此，禁止使用带有类型变量的静态域和方法。

8.6.8　不能抛出或捕获泛型类的实例

既不能抛出也不能捕获泛型类对象。实际上，甚至泛型类扩展 Throwable 都是不合法的。例如，以下定义就不能正常编译：

```
public class Problem<T> extends Exception { /* . . . */ } // Error--can't extend Throwable
```

catch 子句中不能使用类型变量。例如，以下方法将不能编译：

```
public static <T extends Throwable> void doWork(Class<T> t)
{
   try
   {
      do work
   }
   catch (T e) // Error--can't catch type variable
   {
      Logger.global.info(...)
   }
}
```

不过，在异常规范中使用类型变量是允许的。以下方法是合法的：

```
public static <T extends Throwable> void doWork(T t) throws T // OK
{
   try
```

```
   {
      do work
   }
   catch (Throwable realCause)
   {
      t.initCause(realCause);
      throw t;
   }
}
```

8.6.9 可以消除对受查异常的检查

Java异常处理的一个基本原则是，必须为所有受查异常提供一个处理器。不过可以利用泛型消除这个限制。关键在于以下方法：

```
@SuppressWarnings("unchecked")
public static <T extends Throwable> void throwAs(Throwable e) throws T
{
   throw (T) e;
}
```

假设这个方法包含在类Block中，如果调用

```
Block.<RuntimeException>throwAs(t);
```

编译器就会认为t是一个非受查异常。以下代码会把所有异常都转换为编译器所认为的非受查异常：

```
try
{
   do work
}
catch (Throwable t)
{
   Block.<RuntimeException>throwAs(t);
}
```

下面把这个代码包装在一个抽象类中。用户可以覆盖body方法来提供一个具体的动作。调用toThread时，会得到Thread类的一个对象，它的run方法不会介意受查异常。

```
public abstract class Block
{
   public abstract void body() throws Exception;

   public Thread toThread()
   {
      return new Thread()
         {
            public void run()
            {
               try
               {
                  body();
               }
               catch (Throwable t)
               {
```

```
                Block.<RuntimeException>throwAs(t);
            }
         }
      };
   }

   @SuppressWarnings("unchecked")
   public static <T extends Throwable> void throwAs(Throwable e) throws T
   {
      throw (T) e;
   }
}
```

例如，以下程序运行了一个线程，它会抛出一个受查异常。

```
public class Test
{
   public static void main(String[] args)
   {
      new Block()
         {
            public void body() throws Exception
            {
               Scanner in = new Scanner(new File("ququx"), "UTF-8");
               while (in.hasNext())
                  System.out.println(in.next());
            }
         }
      .toThread().start();
   }
}
```

运行这个程序时，会得到一个栈轨迹，其中包含一个 FileNotFoundException（当然，假设你没有提供一个名为 ququx 的文件）。

这有什么意义呢？正常情况下，你必须捕获线程 run 方法中的所有受查异常，把它们“包装”到非受查异常中，因为 run 方法声明为不抛出任何受查异常。

不过在这里并没有做这种“包装”。我们只是抛出异常，并“哄骗”编译器，让它认为这不是一个受查异常。

通过使用泛型类、擦除和 @SuppressWarnings 注解，就能消除 Java 类型系统的部分基本限制。

8.6.10　注意擦除后的冲突

当泛型类型被擦除时，无法创建引发冲突的条件。下面是一个示例。假定像下面这样将 equals 方法添加到 Pair 类中：

```
public class Pair<T>
{
   public boolean equals(T value) { return first.equals(value) && second.equals(value); }
   . . .
}
```

考虑一个 Pair<String>。从概念上讲，它有两个 equals 方法：

```
boolean equals(String) // defined in Pair<T>
boolean equals(Object) // inherited from Object
```

但是，直觉把我们引入歧途。方法擦除

```
boolean equals(T)
```

就是

```
boolean equals(Object)
```

与 Object.equals 方法发生冲突。

当然，补救的办法是重新命名引发错误的方法。

泛型规范说明还提到另外一个原则："要想支持擦除的转换，就需要强行限制一个类或类型变量不能同时成为两个接口类型的子类，而这两个接口是同一接口的不同参数化。"例如，下述代码是非法的：

```
class Employee implements Comparable<Employee> { . . . }
class Manager extends Employee implements Comparable<Manager>
  { . . . } // Error
```

Manager 会实现 Comparable<Employee> 和 Comparable<Manager>，这是同一接口的不同参数化。

这一限制与类型擦除的关系并不十分明确。毕竟，下列非泛型版本是合法的。

```
class Employee implements Comparable { . . . }
class Manager extends Employee implements Comparable { . . . }
```

其原因非常微妙，有可能与合成的桥方法产生冲突。实现了 Comparable<X> 的类可以获得一个桥方法：

```
public int compareTo(Object other) { return compareTo((X) other); }
```

对于不同类型的 X 不能有两个这样的方法。

8.7 泛型类型的继承规则

在使用泛型类时，需要了解一些有关继承和子类型的准则。下面先从许多程序员感觉不太直观的情况开始。考虑一个类和一个子类，如 Employee 和 Manager。Pair<Manager> 是 Pair<Employee> 的一个子类吗？答案是"不是"，或许人们会感到奇怪。例如，下面的代码将不能编译成功：

```
Manager[] topHonchos = . . .;
Pair<Employee> result = ArrayAlg.minmax(topHonchos); // Error
```

minmax 方法返回 Pair<Manager>，而不是 Pair<Employee>，并且这样的赋值是不合法的。

无论 S 与 T 有什么联系（如图 8-1 所示），通常，Pair<S> 与 Pair<T> 没有什么联系。

这一限制看起来过于严格，但对于类型安全非常必要。假设允许将 Pair<Manager> 转换为 Pair<Employee>。考虑下面代码：

```
Pair<Manager> managerBuddies = new Pair<>(ceo, cfo);
Pair<Employee> employeeBuddies = managerBuddies; // illegal, but suppose it wasn't
employeeBuddies.setFirst(lowlyEmployee);
```

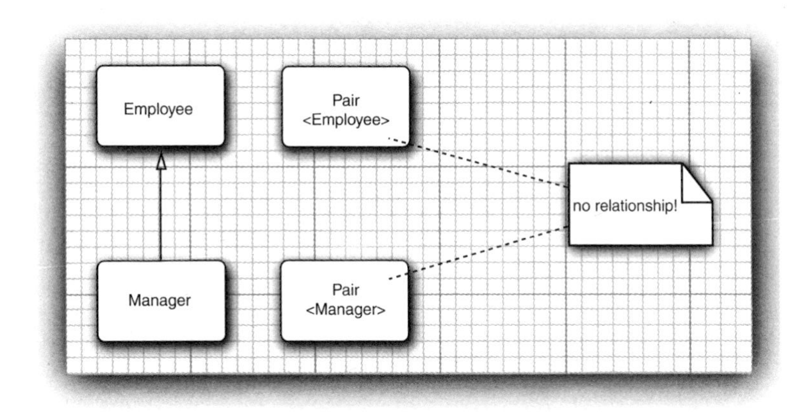

图 8-1 pair 类之间没有继承关系

显然，最后一句是合法的。但是 employeeBuddies 和 managerBuddies 引用了同样的对象。现在将 CFO 和一个普通员工组成一对，这对于 Pair<Manager> 来说应该是不可能的。

注释： *必须注意泛型与 Java 数组之间的重要区别。可以将一个 Manager[] 数组赋给一个类型为 Employee[] 的变量：*

```
Manager[] managerBuddies = { ceo, cfo };
Employee[] employeeBuddies = managerBuddies; // OK
```

然而，数组带有特别的保护。如果试图将一个低级别的雇员存储到 employeeBuddies[0]，虚拟机将会抛出 ArrayStoreException 异常。

永远可以将参数化类型转换为一个原始类型。例如，Pair<Employee> 是原始类型 Pair 的一个子类型。在与遗留代码衔接时，这个转换非常必要。

转换成原始类型之后会产生类型错误吗？很遗憾，会！看一看下面这个示例：

```
Pair<Manager> managerBuddies = new Pair<>(ceo, cfo);
Pair rawBuddies = managerBuddies; // OK
rawBuddies.setFirst(new File(". . .")); // only a compile-time warning
```

听起来有点吓人。但是，请记住现在的状况不会再比旧版 Java 的情况糟糕。虚拟机的安全性还没有到生死攸关的程度。当使用 getFirst 获得外来对象并赋给 Manager 变量时，与通常一样，会抛出 ClassCastException 异常。这里失去的只是泛型程序设计提供的附加安全性。

最后，泛型类可以扩展或实现其他的泛型类。就这一点而言，与普通的类没有什么区别。例如，ArrayList<T> 类实现 List<T> 接口。这意味着，一个 ArrayList<Manager> 可以被转换为一个 List<Manager>。但是，如前面所见，一个 ArrayList<Manager> 不是一个 ArrayList <Employee> 或 List<Employee>。图 8-2 展示了它们之间的联系。

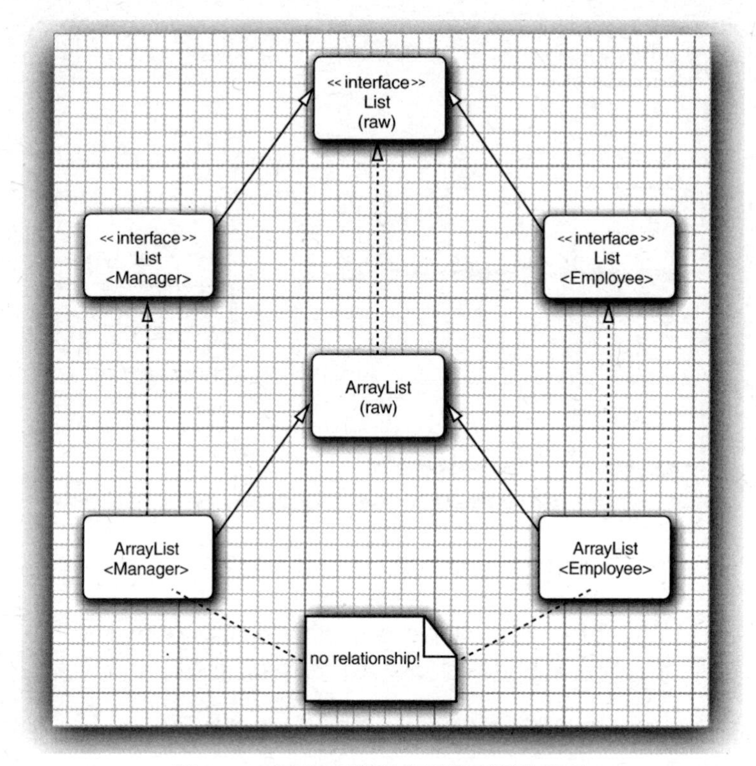

图 8-2 泛型列表类型中子类型间的联系

8.8 通配符类型

固定的泛型类型系统使用起来并没有那么令人愉快，类型系统的研究人员知道这一点已经有一段时间了。Java 的设计者发明了一种巧妙的（仍然是安全的）“解决方案”：通配符类型。下面几小节会介绍如何处理通配符。

8.8.1 通配符概念

通配符类型中，允许类型参数变化。例如，通配符类型

```
Pair<? extends Employee>
```

表示任何泛型 Pair 类型，它的类型参数是 Employee 的子类，如 Pair<Manager>，但不是 Pair<String>。

假设要编写一个打印雇员对的方法，像这样：

```
public static void printBuddies(Pair<Employee> p)
{
   Employee first = p.getFirst();
   Employee second = p.getSecond();
   System.out.println(first.getName() + " and " + second.getName() + " are buddies.");
}
```

正如前面讲到的，不能将 Pair<Manager> 传递给这个方法，这一点很受限制。解决的方法很简单：使用通配符类型：

```
public static void printBuddies(Pair<? extends Employee> p)
```

类型 Pair<Manager> 是 Pair<? extends Employee> 的子类型（如图 8-3 所示）。

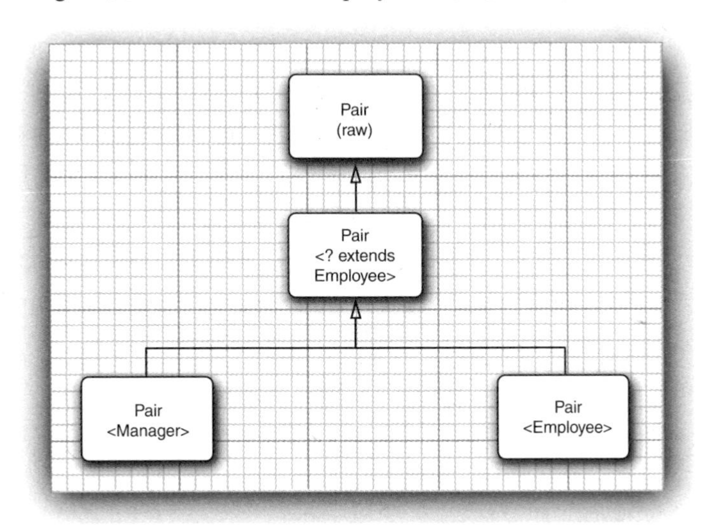

图 8-3　使用通配符的子类型关系

使用通配符会通过 Pair<? extends Employee> 的引用破坏 Pair<Manager> 吗？

```
Pair<Manager> managerBuddies = new Pair<>(ceo, cfo);
Pair<? extends Employee> wildcardBuddies = managerBuddies; // OK
wildcardBuddies.setFirst(lowlyEmployee); // compile-time error
```

这可能不会引起破坏。对 setFirst 的调用有一个类型错误。要了解其中的缘由，请仔细看一看类型 Pair<? extends Employee>。其方法似乎是这样的：

```
? extends Employee getFirst()
void setFirst(? extends Employee)
```

这样将不可能调用 setFirst 方法。编译器只知道需要某个 Employee 的子类型，但不知道具体是什么类型。它拒绝传递任何特定的类型。毕竟 ? 不能用来匹配。

使用 getFirst 就不存在这个问题：将 getFirst 的返回值赋给一个 Employee 的引用完全合法。

这就是引入有限定的通配符的关键之处。现在已经有办法区分安全的访问器方法和不安全的更改器方法了。

8.8.2　通配符的超类型限定

通配符限定与类型变量限定十分类似，但是，还有一个附加的能力，即可以指定一个超类型限定（supertype bound），如下所示：

```
? super Manager
```

这个通配符限制为 Manager 的所有超类型。（已有的 super 关键字十分准确地描述了这种联系，这一点令人感到非常欣慰。）

为什么要这样做呢？带有超类型限定的通配符的行为与 8.8 节介绍的相反。可以为方法提供参数，但不能使用返回值。例如，Pair<? super Manager> 有方法

```
void setFirst(? super Manager)
? super Manager getFirst()
```

这不是真正的 Java 语法，但是可以看出编译器知道什么。编译器无法知道 setFirst 方法的具体类型，因此调用这个方法时不能接受类型为 Employee 或 Object 的参数。只能传递 Manager 类型的对象，或者某个子类型（如 Executive）对象。另外，如果调用 getFirst，不能保证返回对象的类型。只能把它赋给一个 Object。

下面是一个典型的示例。有一个经理的数组，并且想把奖金最高和最低的经理放在一个 Pair 对象中。Pair 的类型是什么？在这里，Pair<Employee> 是合理的，Pair<Object> 也是合理的（如图 8-4 所示）。下面的方法将可以接受任何适当的 Pair：

```
public static void minmaxBonus(Manager[] a, Pair<? super Manager> result)
{
   if (a.length == 0) return;
   Manager min = a[0];
   Manager max = a[0];
   for (int i = 1; i < a.length; i++)
   {
      if (min.getBonus() > a[i].getBonus()) min = a[i];
      if (max.getBonus() < a[i].getBonus()) max = a[i];
   }
   result.setFirst(min);
   result.setSecond(max);
}
```

直观地讲，带有超类型限定的通配符可以向泛型对象写入，带有子类型限定的通配符可以从泛型对象读取。

下面是超类型限定的另一种应用。Comparable 接口本身就是一个泛型类型。声明如下：

```
public interface Comparable<T>
{
   public int compareTo(T other);
}
```

在此，类型变量指示了 other 参数的类型。例如，String 类实现 Comparable <String>，它的 compareTo 方法被声明为

```
public int compareTo(String other)
```

很好，显式的参数有一个正确的类型。接口是一个泛型接口之前，other 是一个 Object，并且这个方法的实现需要强制类型转换。

由于 Comparable 是一个泛型类型，也许可以把 ArrayAlg 类的 min 方法做得更好一些？可以这样声明：

```
public static <T extends Comparable<T>> T min(T[] a)
```

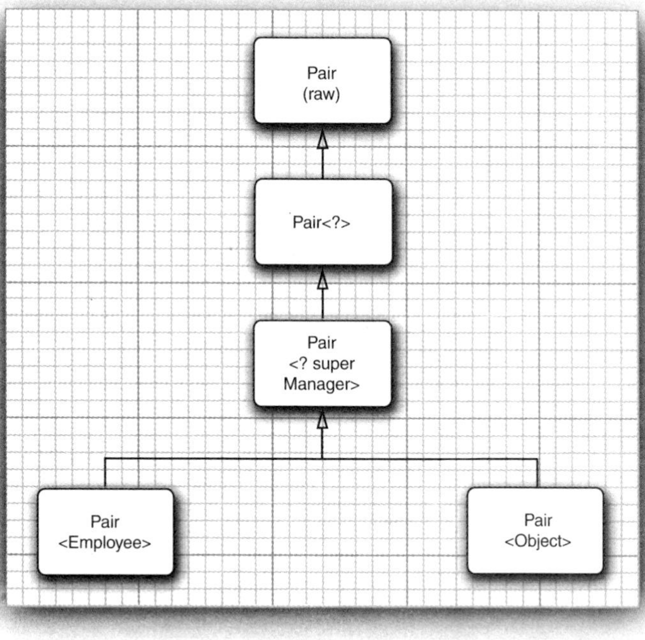

图 8-4　带有超类型限定的通配符

看起来，这样写比只使用 T extents Comparable 更彻底，并且对许多类来讲，工作得更好。例如，如果计算一个 String 数组的最小值，T 就是 String 类型的，而 String 是 Comparable<String> 的子类型。但是，处理一个 LocalDate 对象的数组时，会出现一个问题。LocalDate 实现了 ChronoLocalDate，而 ChronoLocalDate 扩展了 Comparable<ChronoLocalDate>。因此，LocalDate 实现的是 Comparable<ChronoLocalDate> 而不是 Comparable<LocalDate>。

在这种情况下，超类型可以用来进行救助：

```
public static <T extends Comparable<? super T>> T min(T[] a) . . .
```

现在 compareTo 方法写成

```
int compareTo(? super T)
```

有可能被声明为使用类型 T 的对象，也有可能使用 T 的超类型（如当 T 是 LocalDate，T 的一个子类型）。无论如何，传递一个 T 类型的对象给 compareTo 方法都是安全的。

对于初学者来说，<T extends Comparable<? super T>> 这样的声明看起来有点吓人。很遗憾，因为这一声明的意图在于帮助应用程序员排除调用参数上的不必要的限制。对泛型没有兴趣的应用程序员很可能很快就学会掩盖这些声明，想当然地认为库程序员做的都是正确的。如果是一名库程序员，一定要习惯于通配符，否则，就会受到用户的责备，还要在代码中随意地添加强制类型转换直至代码可以编译。

注释： 子类型限定的另一个常见的用法是作为一个函数式接口的参数类型。例如，

Collection 接口有一个方法：

```
default boolean removeIf(Predicate<? super E> filter)
```

这个方法会删除所有满足给定谓词条件的元素。例如，如果你不喜欢有奇怪散列码的员工，就可以如下将他们删除：

```
ArrayList<Employee> staff = . . .;
Predicate<Object> oddHashCode = obj -> obj.hashCode() %2 != 0;
staff.removeIf(oddHashCode);
```

你希望传入一个 Predicate<Object>，而不只是 Predicate<Employee>。Super 通配符可以使这个愿望成真。

8.8.3 无限定通配符

还可以使用无限定的通配符，例如，Pair<?>。初看起来，这好像与原始的 Pair 类型一样。实际上，有很大的不同。类型 Pair<?> 有以下方法：

```
? getFirst()
void setFirst(?)
```

getFirst 的返回值只能赋给一个 Object。setFirst 方法不能被调用，甚至不能用 Object 调用。Pair<?> 和 Pair 本质的不同在于：可以用任意 Object 对象调用原始 Pair 类的 setObject 方法。

注释： 可以调用 setFirst(null)。

为什么要使用这样脆弱的类型？它对于许多简单的操作非常有用。例如，下面这个方法将用来测试一个 pair 是否包含一个 null 引用，它不需要实际的类型。

```
public static boolean hasNulls(Pair<?> p)
{
   return p.getFirst() == null || p.getSecond() == null;
}
```

通过将 hasNulls 转换成泛型方法，可以避免使用通配符类型：

```
public static <T> boolean hasNulls(Pair<T> p)
```

但是，带有通配符的版本可读性更强。

8.8.4 通配符捕获

编写一个交换成对元素的方法：

```
public static void swap(Pair<?> p)
```

通配符不是类型变量，因此，不能在编写代码中使用“？”作为一种类型。也就是说，下述代码是非法的：

```
? t = p.getFirst(); // Error
p.setFirst(p.getSecond());
p.setSecond(t);
```

这是一个问题，因为在交换的时候必须临时保存第一个元素。幸运的是，这个问题有一个有趣的解决方案。我们可以写一个辅助方法 swapHelper，如下所示：

```
public static <T> void swapHelper(Pair<T> p)
{
   T t = p.getFirst();
   p.setFirst(p.getSecond());
   p.setSecond(t);
}
```

注意，swapHelper 是一个泛型方法，而 swap 不是，它具有固定的 Pair<?> 类型的参数。

现在可以由 swap 调用 swapHelper：

```
public static void swap(Pair<?> p) { swapHelper(p); }
```

在这种情况下，swapHelper 方法的参数 T 捕获通配符。它不知道是哪种类型的通配符，但是，这是一个明确的类型，并且 <T>swapHelper 的定义只有在 T 指出类型时才有明确的含义。

当然，在这种情况下，并不是一定要使用通配符。我们已经直接实现了没有通配符的泛型方法 <T> void swap(Pair<T> p)。然而，下面看一个通配符类型出现在计算中间的示例：

```
public static void maxminBonus(Manager[] a, Pair<? super Manager> result)
{
   minmaxBonus(a, result);
   PairAlg.swap(result); // OK--swapHelper captures wildcard type
}
```

在这里，通配符捕获机制是不可避免的。

通配符捕获只有在有许多限制的情况下才是合法的。编译器必须能够确信通配符表达的是单个、确定的类型。例如，ArrayList<Pair<T>> 中的 T 永远不能捕获 ArrayList<Pair<?>> 中的通配符。数组列表可以保存两个 Pair<?>，分别针对 ? 的不同类型。

程序清单 8-3 中的测试程序将前几节讨论的各种方法综合在一起，读者从中可以看到它们彼此之间的关联。

程序清单 8-3　pair3/PairTest3.java

```
1  package pair3;
2
3  /**
4   * @version 1.01 2012-01-26
5   * @author Cay Horstmann
6   */
7  public class PairTest3
8  {
9     public static void main(String[] args)
10    {
11       Manager ceo = new Manager("Gus Greedy", 800000, 2003, 12, 15);
12       Manager cfo = new Manager("Sid Sneaky", 600000, 2003, 12, 15);
13       Pair<Manager> buddies = new Pair<>(ceo, cfo);
14       printBuddies(buddies);
15
16       ceo.setBonus(1000000);
17       cfo.setBonus(500000);
```

```
18         Manager[] managers = { ceo, cfo };
19 
20         Pair<Employee> result = new Pair<>();
21         minmaxBonus(managers, result);
22         System.out.println("first: " + result.getFirst().getName()
23            + ", second: " + result.getSecond().getName());
24         maxminBonus(managers, result);
25         System.out.println("first: " + result.getFirst().getName()
26            + ", second: " + result.getSecond().getName());
27      }
28 
29      public static void printBuddies(Pair<? extends Employee> p)
30      {
31         Employee first = p.getFirst();
32         Employee second = p.getSecond();
33         System.out.println(first.getName() + " and " + second.getName() + " are buddies.");
34      }
35 
36      public static void minmaxBonus(Manager[] a, Pair<? super Manager> result)
37      {
38         if (a.length == 0) return;
39         Manager min = a[0];
40         Manager max = a[0];
41         for (int i = 1; i < a.length; i++)
42         {
43            if (min.getBonus() > a[i].getBonus()) min = a[i];
44            if (max.getBonus() < a[i].getBonus()) max = a[i];
45         }
46         result.setFirst(min);
47         result.setSecond(max);
48      }
49 
50      public static void maxminBonus(Manager[] a, Pair<? super Manager> result)
51      {
52         minmaxBonus(a, result);
53         PairAlg.swapHelper(result); // OK--swapHelper captures wildcard type
54      }
55   }
56 
57   class PairAlg
58   {
59      public static boolean hasNulls(Pair<?> p)
60      {
61         return p.getFirst() == null || p.getSecond() == null;
62      }
63 
64      public static void swap(Pair<?> p) { swapHelper(p); }
65 
66      public static <T> void swapHelper(Pair<T> p)
67      {
68         T t = p.getFirst();
69         p.setFirst(p.getSecond());
70         p.setSecond(t);
71      }
72   }
```

8.9　反射和泛型

反射允许你在运行时分析任意的对象。如果对象是泛型类的实例，关于泛型类型参数则得不到太多信息，因为它们会被擦除。在下面的小节中，可以了解利用反射可以获得泛型类的什么信息。

8.9.1　泛型 Class 类

现在，Class 类是泛型的。例如，String.class 实际上是一个 Class<String> 类的对象（事实上，是唯一的对象）。

类型参数十分有用，这是因为它允许 Class<T> 方法的返回类型更加具有针对性。下面 Class<T> 中的方法就使用了类型参数：

```
T newInstance()
T cast(Object obj)
T[] getEnumConstants()
Class<? super T> getSuperclass()
Constructor<T> getConstructor(Class... parameterTypes)
Constructor<T> getDeclaredConstructor(Class... parameterTypes)
```

newInstance 方法返回一个实例，这个实例所属的类由默认的构造器获得。它的返回类型目前被声明为 T，其类型与 Class<T> 描述的类相同，这样就免除了类型转换。

如果给定的类型确实是 T 的一个子类型，cast 方法就会返回一个现在声明为类型 T 的对象，否则，抛出一个 BadCastException 异常。

如果这个类不是 enum 类或类型 T 的枚举值的数组，getEnumConstants 方法将返回 null。

最后，getConstructor 与 getdeclaredConstructor 方法返回一个 Constructor<T> 对象。Constructor 类也已经变成泛型，以便 newInstance 方法有一个正确的返回类型。

API java.lang.Class<T> 1.0

- T newInstance()
  返回无参数构造器构造的一个新实例。
- T cast(Object obj)
  如果 obj 为 null 或有可能转换成类型 T，则返回 obj；否则抛出 BadCastException 异常。
- T[ ] getEnumConstants( ) 5.0
  如果 T 是枚举类型，则返回所有值组成的数组，否则返回 null。
- Class<? super T> getSuperclass( )
  返回这个类的超类。如果 T 不是一个类或 Object 类，则返回 null。
- Constructor<T> getConstructor(Class. . . parameterTypes) 1.1
- Constructor<T> getDeclaredConstructor(Class. . . parameterTypes) 1.1
  获得公有的构造器，或带有给定参数类型的构造器。

API java.lang.reflect.Constructor<T> 1.1

- `T newInstance(Object... parameters)`

  返回用指定参数构造的新实例。

8.9.2 使用 Class<T> 参数进行类型匹配

有时，匹配泛型方法中的 Class<T> 参数的类型变量很有实用价值。下面是一个标准的示例：

```
public static <T> Pair<T> makePair(Class<T> c) throws InstantiationException,
     IllegalAccessException
{
   return new Pair<>(c.newInstance(), c.newInstance());
}
```

如果调用

```
makePair(Employee.class)
```

Employee.class 是类型 Class<Employee> 的一个对象。makePair 方法的类型参数 T 同 Employee 匹配，并且编译器可以推断出这个方法将返回一个 Pair<Employee>。

8.9.3 虚拟机中的泛型类型信息

Java 泛型的卓越特性之一是在虚拟机中泛型类型的擦除。令人感到奇怪的是，擦除的类仍然保留一些泛型祖先的微弱记忆。例如，原始的 Pair 类知道源于泛型类 Pair<T>，即使一个 Pair 类型的对象无法区分是由 Pair<String> 构造的还是由 Pair<Employee> 构造的。

类似地，看一下方法

```
public static Comparable min(Comparable[] a)
```

这是一个泛型方法的擦除

```
public static <T extends Comparable<? super T>> T min(T[] a)
```

可以使用反射 API 来确定：

- 这个泛型方法有一个叫做 T 的类型参数。
- 这个类型参数有一个子类型限定，其自身又是一个泛型类型。
- 这个限定类型有一个通配符参数。
- 这个通配符参数有一个超类型限定。
- 这个泛型方法有一个泛型数组参数。

换句话说，需要重新构造实现者声明的泛型类以及方法中的所有内容。但是，不会知道对于特定的对象或方法调用，如何解释类型参数。

为了表达泛型类型声明，使用 java.lang.reflect 包中提供的接口 Type。这个接口包含下列子类型：

- Class 类，描述具体类型。
- TypeVariable 接口，描述类型变量（如 T extends Comparable<? super T>）。

- WildcardType 接口，描述通配符（如 ? super T）。
- ParameterizedType 接口，描述泛型类或接口类型（如 Comparable<? super T>）。
- GenericArrayType 接口，描述泛型数组（如 T[ ]）。

图 8-5 给出了继承层次。注意，最后 4 个子类型是接口，虚拟机将实例化实现这些接口的适当的类。

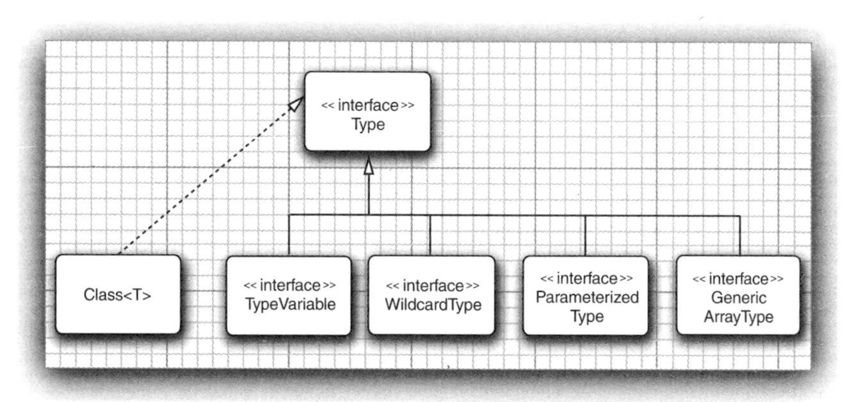

图 8-5　Type 类和它的后代

程序清单 8-4 中使用泛型反射 API 打印出给定类的有关内容。如果用 Pair 类运行，将会得到下列报告：

```
class Pair<T> extends java.lang.Object
public T getFirst()
public T getSecond()
public void setFirst(T)
public void setSecond(T)
```

如果使用 PairTest2 目录下的 ArrayAlg 运行，将会得到下列报告：

```
public static <T extends java.lang.Comparable> Pair<T> minmax(T[])
```

本节末尾的 API 注释描述了示例程序中使用的这些方法。

程序清单 8-4　genericReflection/GenericReflectionTest.java

```
1  package genericReflection;
2  
3  import java.lang.reflect.*;
4  import java.util.*;
5  
6  /**
7   * @version 1.10 2007-05-15
8   * @author Cay Horstmann
9   */
10 public class GenericReflectionTest
11 {
12    public static void main(String[] args)
13    {
14       // read class name from command line args or user input
```

```
15         String name;
16         if (args.length > 0) name = args[0];
17         else
18         {
19            try (Scanner in = new Scanner(System.in))
20            {
21               System.out.println("Enter class name (e.g. java.util.Collections): ");
22               name = in.next();
23            }
24         }
25 
26         try
27         {
28            // print generic info for class and public methods
29            Class<?> cl = Class.forName(name);
30            printClass(cl);
31            for (Method m : cl.getDeclaredMethods())
32               printMethod(m);
33         }
34         catch (ClassNotFoundException e)
35         {
36            e.printStackTrace();
37         }
38      }
39 
40      public static void printClass(Class<?> cl)
41      {
42         System.out.print(cl);
43         printTypes(cl.getTypeParameters(), "<", ", ", ">", true);
44         Type sc = cl.getGenericSuperclass();
45         if (sc != null)
46         {
47            System.out.print(" extends ");
48            printType(sc, false);
49         }
50         printTypes(cl.getGenericInterfaces(), " implements ", ", ", "", false);
51         System.out.println();
52      }
53 
54      public static void printMethod(Method m)
55      {
56         String name = m.getName();
57         System.out.print(Modifier.toString(m.getModifiers()));
58         System.out.print(" ");
59         printTypes(m.getTypeParameters(), "<", ", ", "> ", true);
60 
61         printType(m.getGenericReturnType(), false);
62         System.out.print(" ");
63         System.out.print(name);
64         System.out.print("(");
65         printTypes(m.getGenericParameterTypes(), "", ", ", "", false);
66         System.out.println(")");
67      }
68 
69      public static void printTypes(Type[] types, String pre, String sep, String suf,
70            boolean isDefinition)
71      {
```

```
72        if (pre.equals(" extends ") && Arrays.equals(types, new Type[] { Object.class })) return;
73        if (types.length > 0) System.out.print(pre);
74        for (int i = 0; i < types.length; i++)
75        {
76           if (i > 0) System.out.print(sep);
77           printType(types[i], isDefinition);
78        }
79        if (types.length > 0) System.out.print(suf);
80     }
81
82     public static void printType(Type type, boolean isDefinition)
83     {
84        if (type instanceof Class)
85        {
86           Class<?> t = (Class<?>) type;
87           System.out.print(t.getName());
88        }
89        else if (type instanceof TypeVariable)
90        {
91           TypeVariable<?> t = (TypeVariable<?>) type;
92           System.out.print(t.getName());
93           if (isDefinition)
94              printTypes(t.getBounds(), " extends ", " & ", "", false);
95        }
96        else if (type instanceof WildcardType)
97        {
98           WildcardType t = (WildcardType) type;
99           System.out.print("?");
100          printTypes(t.getUpperBounds(), " extends ", " & ", "", false);
101          printTypes(t.getLowerBounds(), " super ", " & ", "", false);
102       }
103       else if (type instanceof ParameterizedType)
104       {
105          ParameterizedType t = (ParameterizedType) type;
106          Type owner = t.getOwnerType();
107          if (owner != null)
108          {
109             printType(owner, false);
110             System.out.print(".");
111          }
112          printType(t.getRawType(), false);
113          printTypes(t.getActualTypeArguments(), "<", ", ", ">", false);
114       }
115       else if (type instanceof GenericArrayType)
116       {
117          GenericArrayType t = (GenericArrayType) type;
118          System.out.print("");
119          printType(t.getGenericComponentType(), isDefinition);
120          System.out.print("[]");
121       }
122    }
123 }
```

API java.lang.Class<T> 1.0

- `TypeVariable[ ] getTypeParameters( ) 5.0`

如果这个类型被声明为泛型类型，则获得泛型类型变量，否则获得一个长度为 0 的数组。

- `Type getGenericSuperclass( ) 5.0`

  获得被声明为这一类型的超类的泛型类型；如果这个类型是 Object 或不是一个类类型（class type），则返回 null。

- `Type[ ] getGenericInterfaces( ) 5.0`

  获得被声明为这个类型的接口的泛型类型（以声明的次序），否则，如果这个类型没有实现接口，返回长度为 0 的数组。

API java.lang.reflect.Method 1.1

- `TypeVariable[ ] getTypeParameters( ) 5.0`

  如果这个方法被声明为泛型方法，则获得泛型类型变量，否则返回长度为 0 的数组。

- `Type getGenericReturnType( ) 5.0`

  获得这个方法被声明的泛型返回类型。

- `Type[ ] getGenericParameterTypes( ) 5.0`

  获得这个方法被声明的泛型参数类型。如果这个方法没有参数，返回长度为 0 的数组。

API java.lang.reflect.TypeVariable 5.0

- `String getName( )`

  获得类型变量的名字。

- `Type[ ] getBounds( )`

  获得类型变量的子类限定，否则，如果该变量无限定，则返回长度为 0 的数组。

API java.lang.reflect.WildcardType 5.0

- `Type[ ] getUpperBounds( )`

  获得这个类型变量的子类（extends）限定，否则，如果没有子类限定，则返回长度为 0 的数组。

- `Type[ ] getLowerBounds( )`

  获得这个类型变量的超类（super）限定，否则，如果没有超类限定，则返回长度为 0 的数组。

API java.lang.reflect.ParameterizedType 5.0

- `Type getRawType( )`

  获得这个参数化类型的原始类型。

- `Type[ ] getActualTypeArguments( )`

  获得这个参数化类型声明时所使用的类型参数。

- `Type getOwnerType( )`

  如果是内部类型，则返回其外部类型，如果是一个顶级类型，则返回 null。

API java.lang.reflect.GenericArrayType 5.0

- `Type getGenericComponentType( )`

  获得声明该数组类型的泛型组件类型。

现在已经学习了如何使用泛型类以及在必要时如何自定义泛型类和泛型方法。同样重要的是，学习了如何解译在 API 文档和错误消息中遇到的泛型类型声明。要想了解有关 Java 泛型更加详尽的信息，可以到 http://angelikalanger.com/GenericsFAQ/JavaGenericsFAQ.html 上求助。那里有一个很好的常见问题解答列表（也有一些不太常见的问题）。

在下一章中，将学习 Java 集合框架如何使用泛型。

第9章 集　　合

▲ Java 集合框架
▲ 具体的集合
▲ 映射
▲ 视图与包装器
▲ 算法
▲ 遗留的集合

在实现方法时，选择不同的数据结构会导致其实现风格以及性能存在着很大差异。需要快速地搜索成千上万个（甚至上百万）有序的数据项吗？需要快速地在有序的序列中间插入元素或删除元素吗？需要建立键与值之间的关联吗？

本章将讲述如何利用 Java 类库帮助我们在程序设计中实现传统的数据结构。在大学的计算机科学课程中，有一门叫做*数据结构*（Data Structures）的课程，通常要讲授一个学期，因此，有许许多多专门探讨这个重要主题的书籍。与大学课程所讲述的内容不同，这里，将跳过理论部分，仅介绍如何使用标准库中的集合类。

9.1 Java 集合框架

Java 最初版本只为最常用的数据结构提供了很少的一组类：Vector、Stack、Hashtable、BitSet 与 Enumeration 接口，其中的 Enumeration 接口提供了一种用于访问任意容器中各个元素的抽象机制。这是一种很明智的选择，但要想建立一个全面的集合类库还需要大量的时间和高超的技能。

随着 Java SE 1.2 的问世，设计人员感到是推出一组功能完善的数据结构的时机了。面对一大堆相互矛盾的设计策略，他们希望让类库规模小且易于学习，而不希望像 C++ 的“标准模版库”（即 STL）那样复杂，但却又希望能够得到 STL 率先推出的“泛型算法”所具有的优点。他们希望将传统的类融入新的框架中。与所有的集合类库设计者一样，他们必须做出一些艰难的选择，于是，在整个设计过程中，他们做出了一些独具特色的设计决定。本节将介绍 Java 集合框架的基本设计，展示使用它们的方法，并解释一些颇具争议的特性背后的考虑。

9.1.1 将集合的接口与实现分离

与现代的数据结构类库的常见情况一样，Java 集合类库也将*接口*（interface）与*实现*（implementation）分离。首先，看一下人们熟悉的数据结构——*队列*（queue）是如何分离的。

*队列接口*指出可以在队列的尾部添加元素，在队列的头部删除元素，并且可以查找队列中元素的个数。当需要收集对象，并按照“先进先出”的规则检索对象时就应该使用队列（见图 9-1）。

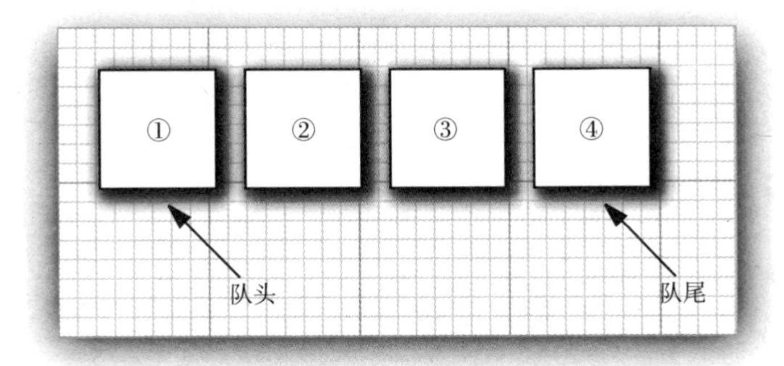

图 9-1　队列

队列接口的最简形式可能类似下面这样：

```
public interface Queue<E> // a simplified form of the interface in the standard library
{
   void add(E element);
   E remove();
   int size();
}
```

这个接口并没有说明队列是如何实现的。队列通常有两种实现方式：一种是使用循环数组；另一种是使用链表（见图 9-2）。

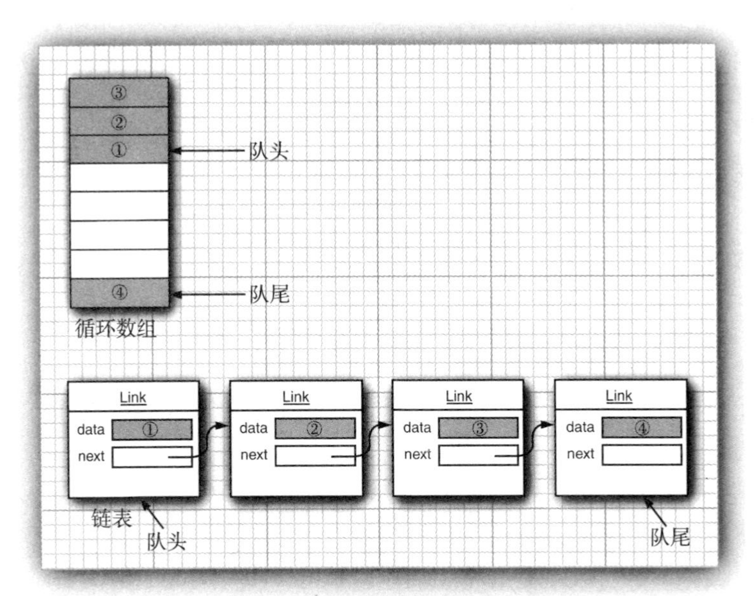

图 9-2　队列的实现

每一个实现都可以通过一个实现了 Queue 接口的类表示。

```
public class CircularArrayQueue<E> implements Queue<E> // not an actual library class
{
   private int head;
```

```
    private int tail;

    CircularArrayQueue(int capacity) { . . . }
    public void add(E element) { . . . }
    public E remove() { . . . }
    public int size() { . . . }
    private E[] elements;
}

public class LinkedListQueue<E> implements Queue<E> // not an actual library class
{
    private Link head;
    private Link tail;

    LinkedListQueue() { . . . }
    public void add(E element) { . . . }
    public E remove() { . . . }
    public int size() { . . . }
}
```

注释：实际上，Java 类库没有名为 CircularArrayQueue 和 LinkedListQueue 的类。这里，只是以这些类作为示例，解释一下集合接口与实现在概念上的不同。如果需要一个循环数组队列，就可以使用 ArrayDeque 类。如果需要一个链表队列，就直接使用 LinkedList 类，这个类实现了 Queue 接口。

当在程序中使用队列时，一旦构建了集合就不需要知道究竟使用了哪种实现。因此，只有在构建集合对象时，使用具体的类才有意义。可以使用接口类型存放集合的引用。

```
Queue<Customer> expressLane = new CircularArrayQueue<>(100);
expressLane.add(new Customer("Harry"));
```

利用这种方式，一旦改变了想法，可以轻松地使用另外一种不同的实现。只需要对程序的一个地方做出修改，即调用构造器的地方。如果觉得 LinkedListQueue 是个更好的选择，就将代码修改为：

```
Queue<Customer> expressLane = new LinkedListQueue<>();
expressLane.add(new Customer("Harry"));
```

为什么选择这种实现，而不选择那种实现呢？接口本身并不能说明哪种实现的效率究竟如何。循环数组要比链表更高效，因此多数人优先选择循环数组。然而，通常这样做也需要付出一定的代价。

循环数组是一个有界集合，即容量有限。如果程序中要收集的对象数量没有上限，就最好使用链表来实现。

在研究 API 文档时，会发现另外一组名字以 Abstract 开头的类，例如，AbstractQueue。这些类是为类库实现者而设计的。如果想要实现自己的队列类（也许不太可能），会发现扩展 AbstractQueue 类要比实现 Queue 接口中的所有方法轻松得多。

9.1.2 Collection 接口

在 Java 类库中，集合类的基本接口是 Collection 接口。这个接口有两个基本方法：

```
public interface Collection<E>
{
   boolean add(E element);
   Iterator<E> iterator();
   . . .
}
```

除了这两个方法之外，还有几个方法，将在稍后介绍。

add 方法用于向集合中添加元素。如果添加元素确实改变了集合就返回 true，如果集合没有发生变化就返回 false。例如，如果试图向集中添加一个对象，而这个对象在集中已经存在，这个添加请求就没有实效，因为集中不允许有重复的对象。

iterator 方法用于返回一个实现了 Iterator 接口的对象。可以使用这个迭代器对象依次访问集合中的元素。下一节讨论迭代器。

9.1.3 迭代器

Iterator 接口包含 4 个方法：

```
public interface Iterator<E>
{
   E next();
   boolean hasNext();
   void remove();
   default void forEachRemaining(Consumer<? super E> action);
}
```

通过反复调用 next 方法，可以逐个访问集合中的每个元素。但是，如果到达了集合的末尾，next 方法将抛出一个 NoSuchElementException。因此，需要在调用 next 之前调用 hasNext 方法。如果迭代器对象还有多个供访问的元素，这个方法就返回 true。如果想要查看集合中的所有元素，就请求一个迭代器，并在 hasNext 返回 true 时反复地调用 next 方法。例如：

```
Collection<String> c = . . .;
Iterator<String> iter = c.iterator();
while (iter.hasNext())
{
   String element = iter.next();
   do something with element
}
```

用 “for each” 循环可以更加简练地表示同样的循环操作：

```
for (String element : c)
{
   do something with element
}
```

编译器简单地将 “for each” 循环翻译为带有迭代器的循环。

“for each” 循环可以与任何实现了 Iterable 接口的对象一起工作，这个接口只包含一个抽象方法：

```
public interface Iterable<E>
{
```

```
    Iterator<E> iterator();
    . . .
}
```

Collection 接口扩展了 Iterable 接口。因此，对于标准类库中的任何集合都可以使用“for each”循环。

在 Java SE 8 中，甚至不用写循环。可以调用 forEachRemaining 方法并提供一个 lambda 表达式（它会处理一个元素）。将对迭代器的每一个元素调用这个 lambda 表达式，直到再没有元素为止。

```
iterator.forEachRemaining(element -> do something with element);
```

元素被访问的顺序取决于集合类型。如果对 ArrayList 进行迭代，迭代器将从索引 0 开始，每迭代一次，索引值加 1。然而，如果访问 HashSet 中的元素，每个元素将会按照某种随机的次序出现。虽然可以确定在迭代过程中能够遍历到集合中的所有元素，但却无法预知元素被访问的次序。这对于计算总和或统计符合某个条件的元素个数这类与顺序无关的操作来说，并不是什么问题。

注释： 编程老手会注意到：Iterator 接口的 next 和 hasNext 方法与 Enumeration 接口的 nextElement 和 hasMoreElements 方法的作用一样。Java 集合类库的设计者可以选择使用 Enumeration 接口。但是，他们不喜欢这个接口累赘的方法名，于是引入了具有较短方法名的新接口。

Java 集合类库中的迭代器与其他类库中的迭代器在概念上有着重要的区别。在传统的集合类库中，例如，C++ 的标准模版库，迭代器是根据数组索引建模的。如果给定这样一个迭代器，就可以查看指定位置上的元素，就像知道数组索引 i 就可以查看数组元素 a[i] 一样。不需要查找元素，就可以将迭代器向前移动一个位置。这与不需要执行查找操作就可以通过 i++ 将数组索引向前移动一样。但是，Java 迭代器并不是这样操作的。查找操作与位置变更是紧密相连的。查找一个元素的唯一方法是调用 next，而在执行查找操作的同时，迭代器的位置随之向前移动。

因此，应该将 Java 迭代器认为是位于两个元素之间。当调用 next 时，迭代器就越过下一个元素，并返回刚刚越过的那个元素的引用（见图 9-3）。

注释： 这里还有一个有用的推论。可以将 Iterator.next 与 InputStream.read 看作为等效的。从数据流中读取一个字节，就会自动地“消耗掉”这个字节。下一次调用 read 将会消耗并返回输入的下一个字节。用同样的方式，反复地调用 next 就可以读取集合中所有元素。

Iterator 接口的 remove 方法将会删除上次调用 next 方法时返回的元素。在大多数情况下，在决定删除某个元素之前应该先看一下这个元素是很具有实际意义的。然而，如果想要删除指定位置上的元素，仍然需要越过这个元素。例如，下面是如何删除字符串集合中第一个元素的方法：

```
Iterator<String> it = c.iterator();
```

```
it.next(); // skip over the first element
it.remove(); // now remove it
```

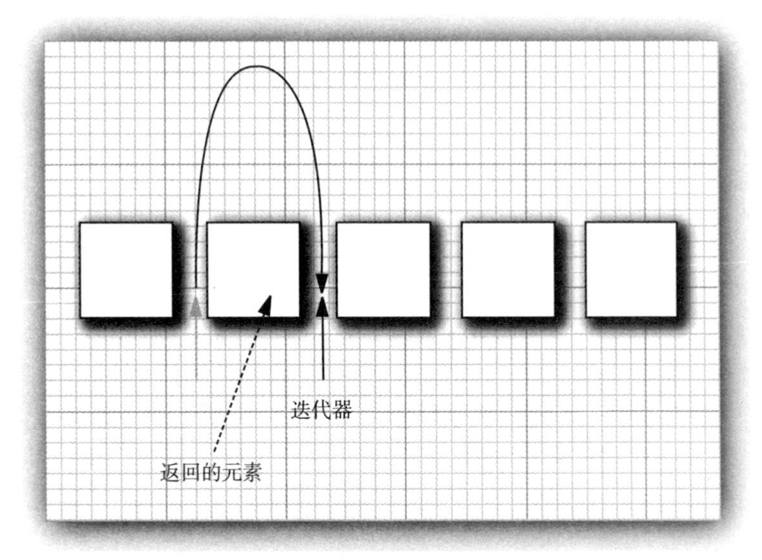

图 9-3　向前移动迭代器

更重要的是，对 next 方法和 remove 方法的调用具有互相依赖性。如果调用 remove 之前没有调用 next 将是不合法的。如果这样做，将会抛出一个 IllegalStateException 异常。

如果想删除两个相邻的元素，不能直接地这样调用：

```
it.remove();
it.remove(); // Error!
```

相反地，必须先调用 next 越过将要删除的元素。

```
it.remove();
it.next();
it.remove(); // OK
```

9.1.4　泛型实用方法

由于 Collection 与 Iterator 都是泛型接口，可以编写操作任何集合类型的实用方法。例如，下面是一个检测任意集合是否包含指定元素的泛型方法：

```
public static <E> boolean contains(Collection<E> c, Object obj)
{
   for (E element : c)
      if (element.equals(obj))
         return true;
   return false;
}
```

Java 类库的设计者认为：这些实用方法中的某些方法非常有用，应该将它们提供给用户使用。这样，类库的使用者就不必自己重新构建这些方法了。contains 就是这样一个实用方法。

事实上，Collection 接口声明了很多有用的方法，所有的实现类都必须提供这些方法。下面列举了其中的一部分：

```
int size()
boolean isEmpty()
boolean contains(Object obj)
boolean containsAll(Collection<?> c)
boolean equals(Object other)
boolean addAll(Collection<? extends E> from)
boolean remove(Object obj)
boolean removeAll(Collection<?> c)
void clear()
boolean retainAll(Collection<?> c)
Object[] toArray()
<T> T[] toArray(T[] arrayToFill)
```

在这些方法中，有许多方法的功能非常明确，不需要过多的解释。在本节末尾的 API 注释中可以找到有关它们的完整文档说明。

当然，如果实现 Collection 接口的每一个类都要提供如此多的例行方法将是一件很烦人的事情。为了能够让实现者更容易地实现这个接口，Java 类库提供了一个类 AbstractCollection，它将基础方法 size 和 iterator 抽象化了，但是在此提供了例行方法。例如：

```
public abstract class AbstractCollection<E>
   implements Collection<E>
{
   . . .
   public abstract Iterator<E> iterator();

   public boolean contains(Object obj)
   {
      for (E element : this) // calls iterator()
         if (element.equals(obj))
            return = true;
      return false;
   }
   . . .
}
```

此时，一个具体的集合类可以扩展 AbstractCollection 类了。现在要由具体的集合类提供 iterator 方法，而 contains 方法已由 AbstractCollection 超类提供了。然而，如果子类有更加有效的方式实现 contains 方法，也可以由子类提供，就这点而言，没有什么限制。

对于 Java SE 8，这种方法有些过时了。如果这些方法是 Collection 接口的默认方法会更好。但实际上并不是这样。不过，确实已经增加了很多默认方法。其中大部分方法都与流的处理有关（有关内容将在卷 II 中讨论）。另外，还有一个很有用的方法：

```
default boolean removeIf(Predicate<? super E> filter)
```

这个方法用于删除满足某个条件的元素。

API java.util.Collection<E> 1.2

- `Iterator<E> iterator()`

  返回一个用于访问集合中每个元素的迭代器。

- `int size()`

  返回当前存储在集合中的元素个数。

- `boolean isEmpty()`

  如果集合中没有元素，返回 true。

- `boolean contains(Object obj)`

  如果集合中包含了一个与 obj 相等的对象，返回 true。

- `boolean containsAll(Collection<?> other)`

  如果这个集合包含 other 集合中的所有元素，返回 true。

- `boolean add(Object element)`

  将一个元素添加到集合中。如果由于这个调用改变了集合，返回 true。

- `boolean addAll(Collection<? extends E> other)`

  将 other 集合中的所有元素添加到这个集合。如果由于这个调用改变了集合，返回 true。

- `boolean remove(Object obj)`

  从这个集合中删除等于 obj 的对象。如果有匹配的对象被删除，返回 true。

- `boolean removeAll(Collection<?> other)`

  从这个集合中删除 other 集合中存在的所有元素。如果由于这个调用改变了集合，返回 true。

- `default boolean removeIf(Predicate<? super E> filter) 8`

  从这个集合删除 filter 返回 true 的所有元素。如果由于这个调用改变了集合，则返回 true。

- `void clear()`

  从这个集合中删除所有的元素。

- `boolean retainAll(Collection<?> other)`

  从这个集合中删除所有与 other 集合中的元素不同的元素。如果由于这个调用改变了集合，返回 true。

- `Object[] toArray()`

  返回这个集合的对象数组。

- `<T> T[] toArray(T[] arrayToFill)`

  返回这个集合的对象数组。如果 arrayToFill 足够大，就将集合中的元素填入这个数组中。剩余空间填补 null；否则，分配一个新数组，其成员类型与 arrayToFill 的成员类型相同，其长度等于集合的大小，并填充集合元素。

API java.util.Iterator<E> 1.2

- `boolean hasNext()`

  如果存在可访问的元素，返回 true。

- `E next()`

  返回将要访问的下一个对象。如果已经到达了集合的尾部，将抛出一个 NoSuchElementException。

- `void remove()`

  删除上次访问的对象。这个方法必须紧跟在访问一个元素之后执行。如果上次访问之后，集合已经发生了变化，这个方法将抛出一个 IllegalStateException。

9.1.5 集合框架中的接口

Java 集合框架为不同类型的集合定义了大量接口，如图 9-4 所示。

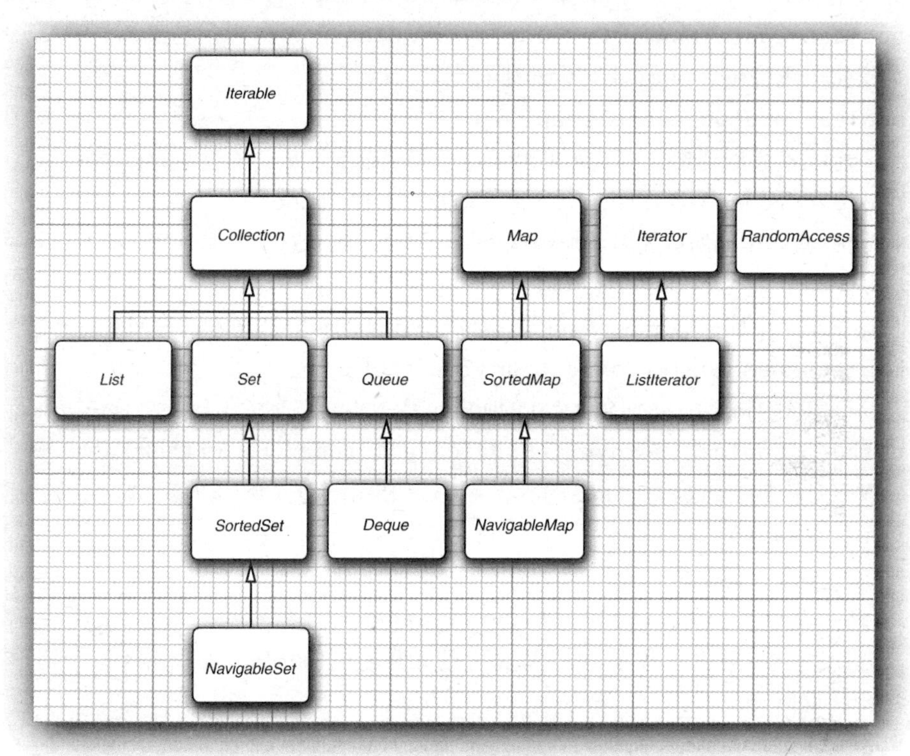

图 9-4 集合框架的接口

集合有两个基本接口：Collection 和 Map。我们已经看到，可以用以下方法在集合中插入元素：

```
boolean add(E element)
```

不过，由于映射包含键 / 值对，所以要用 put 方法来插入：

```
V put(K key, V value)
```

要从集合读取元素，可以用迭代器访问元素。不过，从映射中读取值则要使用 get 方法：

```
V get(K key)
```

List 是一个有序集合（*ordered collection*）。元素会增加到容器中的特定位置。可以采用两种方式访问元素：使用迭代器访问，或者使用一个整数索引来访问。后一种方法称为随机访问（*random access*），因为这样可以按任意顺序访问元素。与之不同，使用迭代器访问时，必须顺序地访问元素。

List 接口定义了多个用于随机访问的方法：

```
void add(int index, E element)
void remove(int index)
E get(int index)
E set(int index, E element)
```

ListIterator 接口是 Iterator 的一个子接口。它定义了一个方法用于在迭代器位置前面增加一个元素：

```
void add(E element)
```

坦率地讲，集合框架的这个方面设计得很不好。实际中有两种有序集合，其性能开销有很大差异。由数组支持的有序集合可以快速地随机访问，因此适合使用 List 方法并提供一个整数索引来访问。与之不同，链表尽管也是有序的，但是随机访问很慢，所以最好使用迭代器来遍历。如果原先提供两个接口就会容易一些了。

注释： 为了避免对链表完成随机访问操作，Java SE 1.4 引入了一个标记接口 RandomAccess。这个接口不包含任何方法，不过可以用它来测试一个特定的集合是否支持高效的随机访问：

```
if (c instanceof RandomAccess)
{
   use random access algorithm
}
else
{
   use sequential access algorithm
}
```

Set 接口等同于 Collection 接口，不过其方法的行为有更严谨的定义。集（set）的 add 方法不允许增加重复的元素。要适当地定义集的 equals 方法：只要两个集包含同样的元素就认为是相等的，而不要求这些元素有同样的顺序。hashCode 方法的定义要保证包含相同元素的两个集会得到相同的散列码。

既然方法签名是一样的，为什么还要建立一个单独的接口呢？从概念上讲，并不是所有集合都是集。建立一个 Set 接口可以让程序员编写只接受集的方法。

SortedSet 和 SortedMap 接口会提供用于排序的比较器对象，这两个接口定义了可以得到集合子集视图的方法。有关内容将在 9.4 节讨论。

最后，Java SE 6 引入了接口 NavigableSet 和 NavigableMap，其中包含一些用于搜索和遍历有序集和映射的方法。（理想情况下，这些方法本应当直接包含在 SortedSet 和 SortedMap 接口中。）TreeSet 和 TreeMap 类实现了这些接口。

9.2 具体的集合

表 9-1 展示了 Java 类库中的集合，并简要描述了每个集合类的用途（为简单起见，省略了将在第 14 章中介绍的线程安全集合）。在表 9-1 中，除了以 Map 结尾的类之外，其他类都实现了 Collection 接口，而以 Map 结尾的类实现了 Map 接口。映射的内容将在 9.3 节介绍。

表 9-1 Java 库中的具体集合

集合类型	描述
ArrayList	一种可以动态增长和缩减的索引序列
LinkedList	一种可以在任何位置进行高效地插入和删除操作的有序序列
ArrayDeque	一种用循环数组实现的双端队列
HashSet	一种没有重复元素的无序集合
TreeSet	一种有序集
EnumSet	一种包含枚举类型值的集
LinkedHashSet	一种可以记住元素插入次序的集
PriorityQueue	一种允许高效删除最小元素的集合
HashMap	一种存储键 / 值关联的数据结构
TreeMap	一种键值有序排列的映射表
EnumMap	一种键值属于枚举类型的映射表
LinkedHashMap	一种可以记住键 / 值项添加次序的映射表
WeakHashMap	一种其值无用武之地后可以被垃圾回收器回收的映射表
IdentityHashMap	一种用 == 而不是用 equals 比较键值的映射表

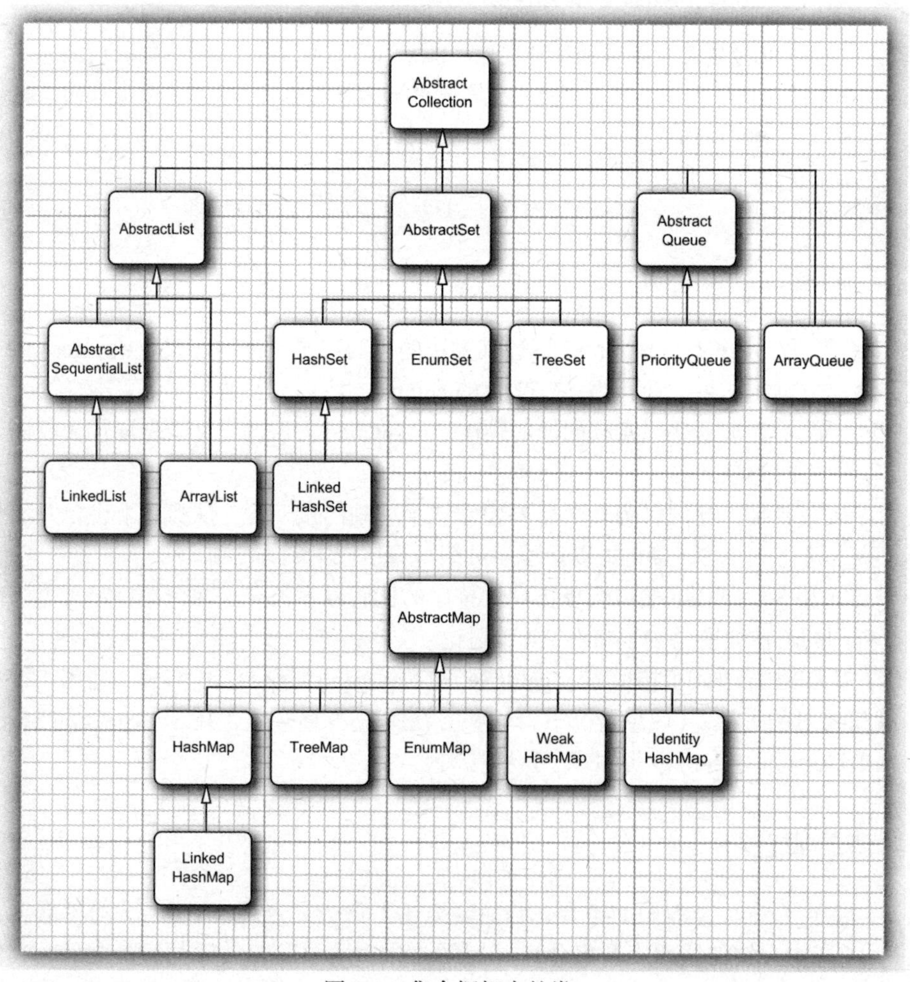

图 9-5 集合框架中的类

9.2.1 链表

在本书中，有很多示例已经使用了数组以及动态的 ArrayList 类。然而，数组和数组列表都有一个重大的缺陷。这就是从数组的中间位置删除一个元素要付出很大的代价，其原因是数组中处于被删除元素之后的所有元素都要向数组的前端移动（见图 9-6）。在数组中间的位置上插入一个元素也是如此。

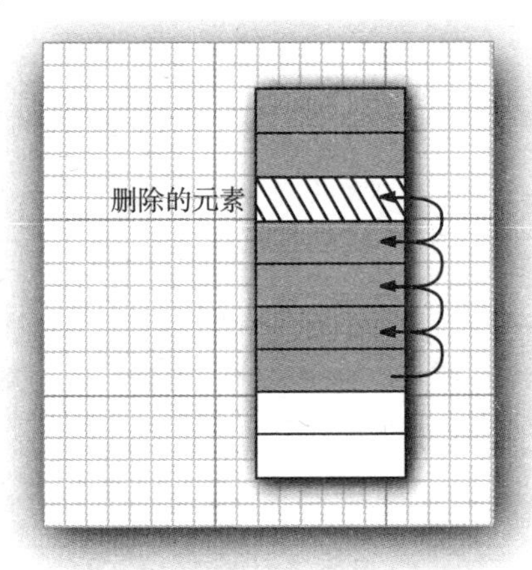

图 9-6 从数组中删除一个元素

另外一个大家非常熟悉的数据结构——链表（linked list）解决了这个问题。尽管数组在连续的存储位置上存放对象引用，但链表却将每个对象存放在独立的结点中。每个结点还存放着序列中下一个结点的引用。在 Java 程序设计语言中，所有链表实际上都是双向链接的（doubly linked）——即每个结点还存放着指向前驱结点的引用（见图 9-7）。

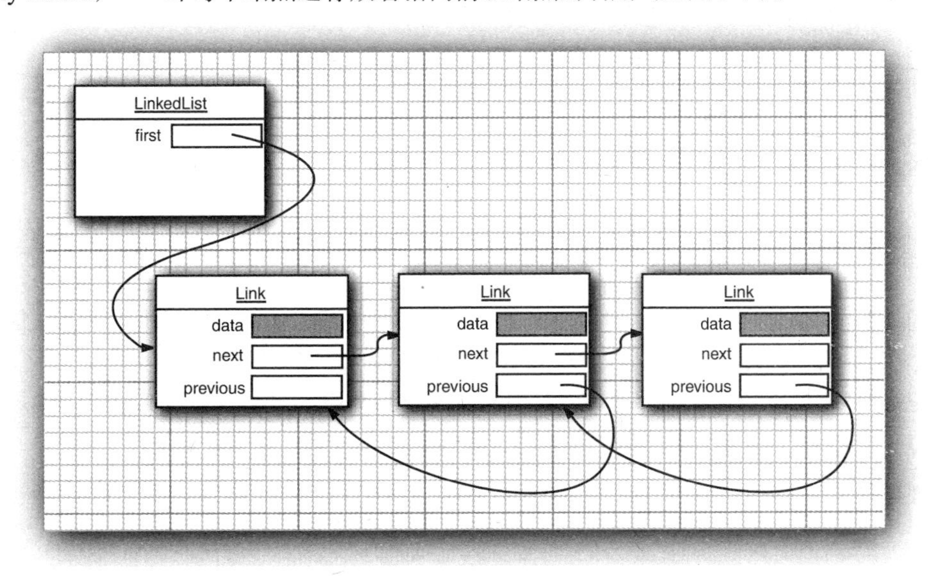

图 9-7 双向链表

从链表中间删除一个元素是一个很轻松的操作，即需要更新被删除元素附近的链接（见图 9-8）。

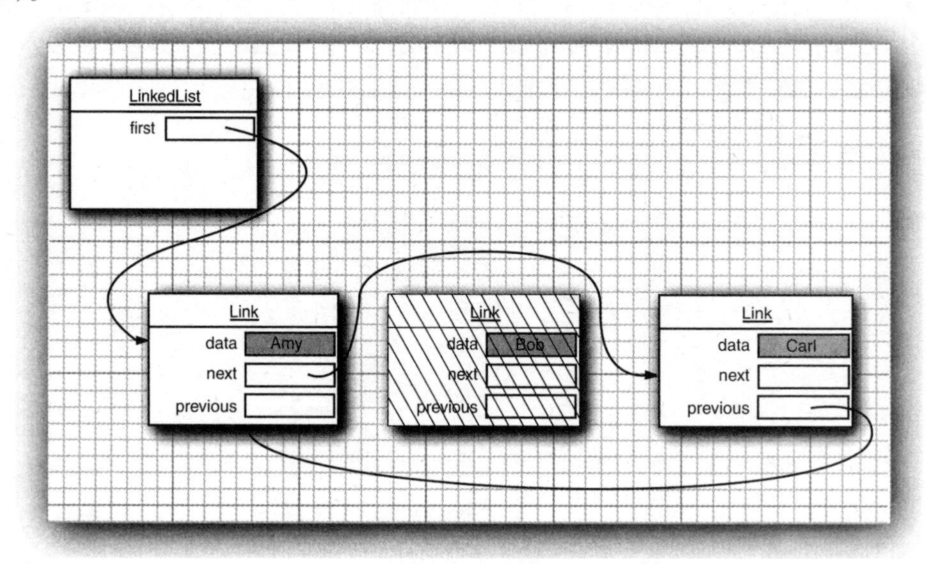

图 9-8　从链表中删除一个元素

你也许曾经在数据结构课程中学习过如何实现链表的操作。在链表中添加或删除元素时，绕来绕去的指针可能已经给人们留下了极坏的印象。如果真是如此的话，就会为 Java 集合类库提供一个类 LinkedList 而感到拍手称快。

在下面的代码示例中，先添加 3 个元素，然后再将第 2 个元素删除：

```
List<String> staff = new LinkedList<>(); // LinkedList implements List
staff.add("Amy");
staff.add("Bob");
staff.add("Carl");
Iterator iter = staff.iterator();
String first = iter.next(); // visit first element
String second = iter.next(); // visit second element
iter.remove(); // remove last visited element
```

但是，链表与泛型集合之间有一个重要的区别。链表是一个有序集合（ordered collection），每个对象的位置十分重要。LinkedList.add 方法将对象添加到链表的尾部。但是，常常需要将元素添加到链表的中间。由于迭代器是描述集合中位置的，所以这种依赖于位置的 add 方法将由迭代器负责。只有对自然有序的集合使用迭代器添加元素才有实际意义。例如，下一节将要讨论的集（set）类型，其中的元素完全无序。因此，在 Iterator 接口中就没有 add 方法。相反地，集合类库提供了子接口 ListIterator，其中包含 add 方法：

```
interface ListIterator<E> extends Iterator<E>
{
   void add(E element);
   . . .
}
```

与 Collection.add 不同，这个方法不返回 boolean 类型的值，它假定添加操作总会改变链表。

另外，ListIterator 接口有两个方法，可以用来反向遍历链表。

```
E previous()
boolean hasPrevious()
```

与 next 方法一样，previous 方法返回越过的对象。

LinkedList 类的 listIterator 方法返回一个实现了 ListIterator 接口的迭代器对象。

```
ListIterator<String> iter = staff.listIterator();
```

Add 方法在迭代器位置之前添加一个新对象。例如，下面的代码将越过链表中的第一个元素，并在第二个元素之前添加“Juliet”(见图 9-9)：

```
List<String> staff = new LinkedList<>();
staff.add("Amy");
staff.add("Bob");
staff.add("Carl");
ListIterator<String> iter = staff.listIterator();
iter.next(); // skip past first element
iter.add("Juliet");
```

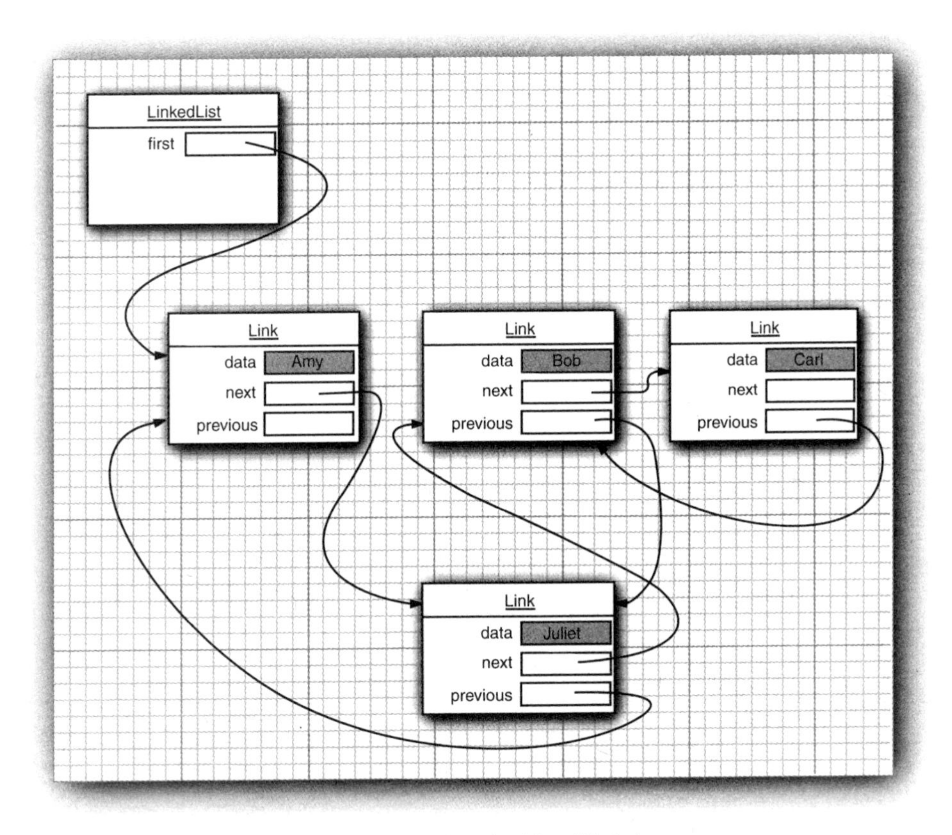

图 9-9 将一个元素添加到链表中

如果多次调用 add 方法，将按照提供的次序把元素添加到链表中。它们被依次添加到迭代器当前位置之前。

当用一个刚刚由 Iterator 方法返回，并且指向链表表头的迭代器调用 add 操作时，新添加的元素将变成列表的新表头。当迭代器越过链表的最后一个元素时（即 hasNext 返回 false），添加的元素将变成列表的新表尾。如果链表有 n 个元素，有 n+1 个位置可以添加新元素。这些位置与迭代器的 n+1 个可能的位置相对应。例如，如果链表包含 3 个元素，A、B、C，就有 4 个位置（标有 |）可以插入新元素：

```
|ABC
A|BC
AB|C
ABC|
```

注释： 在用“光标”类比时要格外小心。remove 操作与 BACKSPACE 键的工作方式不太一样。在调用 next 之后，remove 方法确实与 BACKSPACE 键一样删除了迭代器左侧的元素。但是，如果调用 previous 就会将右侧的元素删除掉，并且不能连续调用两次 remove。

add 方法只依赖于迭代器的位置，而 remove 方法依赖于迭代器的状态。

最后需要说明，set 方法用一个新元素取代调用 next 或 previous 方法返回的上一个元素。例如，下面的代码将用一个新值取代链表的第一个元素：

```
ListIterator<String> iter = list.listIterator();
String oldValue = iter.next(); // returns first element
iter.set(newValue); // sets first element to newValue
```

可以想象，如果在某个迭代器修改集合时，另一个迭代器对其进行遍历，一定会出现混乱的状况。例如，一个迭代器指向另一个迭代器刚刚删除的元素前面，现在这个迭代器就是无效的，并且不应该再使用。链表迭代器的设计使它能够检测到这种修改。如果迭代器发现它的集合被另一个迭代器修改了，或是被该集合自身的方法修改了，就会抛出一个 ConcurrentModificationException 异常。例如，看一看下面这段代码：

```
List<String> list = . . .;
ListIterator<String> iter1 = list.listIterator();
ListIterator<String> iter2 = list.listIterator();
iter1.next();
iter1.remove();
iter2.next(); // throws ConcurrentModificationException
```

由于 iter2 检测出这个链表被从外部修改了，所以对 iter2.next 的调用抛出了一个 Concurrent ModificationException 异常。

为了避免发生并发修改的异常，请遵循下述简单规则：可以根据需要给容器附加许多的迭代器，但是这些迭代器只能读取列表。另外，再单独附加一个既能读又能写的迭代器。

有一种简单的方法可以检测到并发修改的问题。集合可以跟踪改写操作（诸如添加或删除元素）的次数。每个迭代器都维护一个独立的计数值。在每个迭代器方法的开始处检查自己改写操作的计数值是否与集合的改写操作计数值一致。如果不一致，抛出一个 Concurrent ModificationException 异常。

注释：对于并发修改列表的检测有一个奇怪的例外。链表只负责跟踪对列表的结构性修改，例如，添加元素、删除元素。set 方法不被视为结构性修改。可以将多个迭代器附加给一个链表，所有的迭代器都调用 set 方法对现有结点的内容进行修改。在本章后面所介绍的 Collections 类的许多算法都需要使用这个功能。

现在已经介绍了 LinkedList 类的各种基本方法。可以使用 ListIterator 类从前后两个方向遍历链表中的元素，并可以添加、删除元素。

在上一节已经看到，Collection 接口中声明了许多用于对链表操作的有用方法。其中大部分方法都是在 LinkedList 类的超类 AbstractCollection 中实现的。例如，toString 方法调用了所有元素的 toString，并产生了一个很长的格式为 [A,B, C] 的字符串。这为调试工作提供了便利。可以使用 contains 方法检测某个元素是否出现在链表中。例如，如果链表中包含一个等于“Harry”的字符串，调用 staff.contains(“Harry”) 后将会返回 true。

在 Java 类库中，还提供了许多在理论上存在一定争议的方法。链表不支持快速地随机访问。如果要查看链表中第 *n* 个元素，就必须从头开始，越过 *n*–1 个元素。没有捷径可走。鉴于这个原因，在程序需要采用整数索引访问元素时，程序员通常不选用链表。

尽管如此，LinkedList 类还是提供了一个用来访问某个特定元素的 get 方法：

```
LinkedList<String> list = . . .;
String obj = list.get(n);
```

当然，这个方法的效率并不太高。如果发现自己正在使用这个方法，说明有可能对于所要解决的问题使用了错误的数据结构。

绝对不应该使用这种让人误解的随机访问方法来遍历链表。下面这段代码的效率极低：

```
for (int i = 0; i < list.size(); i++)
   do something with list.get(i);
```

每次查找一个元素都要从列表的头部重新开始搜索。LinkedList 对象根本不做任何缓存位置信息的操作。

注释：get 方法做了微小的优化：如果索引大于 size() / 2 就从列表尾端开始搜索元素。

列表迭代器接口还有一个方法，可以告之当前位置的索引。实际上，从概念上讲，由于 Java 迭代器指向两个元素之间的位置，所以可以同时产生两个索引：nextIndex 方法返回下一次调用 next 方法时返回元素的整数索引；previousIndex 方法返回下一次调用 previous 方法时返回元素的整数索引。当然，这个索引只比 nextIndex 返回的索引值小 1。这两个方法的效率非常高，这是因为迭代器保持着当前位置的计数值。最后需要说一下，如果有一个整数索引 n，list.listIterator(n) 将返回一个迭代器，这个迭代器指向索引为 n 的元素前面的位置。也就是说，调用 next 与调用 list.get(n) 会产生同一个元素，只是获得这个迭代器的效率比较低。

如果链表中只有很少几个元素，就完全没有必要为 get 方法和 set 方法的开销而烦恼。但是，为什么要优先使用链表呢？使用链表的唯一理由是尽可能地减少在列表中间插入或删除元素所付出的代价。如果列表只有少数几个元素，就完全可以使用 ArrayList。

我们建议避免使用以整数索引表示链表中位置的所有方法。如果需要对集合进行随机访问，就使用数组或 ArrayList，而不要使用链表。

程序清单 9-1 中的程序使用的就是链表。它简单地创建了两个链表，将它们合并在一起，然后从第二个链表中每间隔一个元素删除一个元素，最后测试 removeAll 方法。建议跟踪一下程序流程，并要特别注意迭代器。从这里会发现绘制一个下面这样的迭代器位置示意图是非常有用的：

```
|ACE  |BDFG
A|CE  |BDFG
AB|CE B|DFG
. . .
```

注意调用

```
System.out.println(a);
```

通过调用 AbstractCollection 类中的 toString 方法打印出链表 a 中的所有元素。

程序清单 9-1　linkedList/LinkedListTest.java

```
1  package linkedList;
2
3  import java.util.*;
4
5  /**
6   * This program demonstrates operations on linked lists.
7   * @version 1.11 2012-01-26
8   * @author Cay Horstmann
9   */
10 public class LinkedListTest
11 {
12    public static void main(String[] args)
13    {
14       List<String> a = new LinkedList<>();
15       a.add("Amy");
16       a.add("Carl");
17       a.add("Erica");
18
19       List<String> b = new LinkedList<>();
20       b.add("Bob");
21       b.add("Doug");
22       b.add("Frances");
23       b.add("Gloria");
24
25       // merge the words from b into a
26
27       ListIterator<String> aIter = a.listIterator();
28       Iterator<String> bIter = b.iterator();
29
30       while (bIter.hasNext())
31       {
```

```
32          if (aIter.hasNext()) aIter.next();
33          aIter.add(bIter.next());
34       }
35
36       System.out.println(a);
37
38       // remove every second word from b
39
40       bIter = b.iterator();
41       while (bIter.hasNext())
42       {
43          bIter.next(); // skip one element
44          if (bIter.hasNext())
45          {
46             bIter.next(); // skip next element
47             bIter.remove(); // remove that element
48          }
49       }
50
51       System.out.println(b);
52
53       // bulk operation: remove all words in b from a
54
55       a.removeAll(b);
56
57       System.out.println(a);
58    }
59 }
```

API java.util.List<E> 1.2

- `ListIterator<E> listIterator()`

  返回一个列表迭代器，以便用来访问列表中的元素。
- `ListIterator<E> listIterator(int index)`

  返回一个列表迭代器，以便用来访问列表中的元素，这个元素是第一次调用 next 返回的给定索引的元素。
- `void add(int i, E element)`

  在给定位置添加一个元素。
- `void addAll(int i, Collection<? extends E> elements)`

  将某个集合中的所有元素添加到给定位置。
- `E remove(int i)`

  删除给定位置的元素并返回这个元素。
- `E get(int i)`

  获取给定位置的元素。
- `E set(int i, E element)`

  用新元素取代给定位置的元素，并返回原来那个元素。
- `int indexOf(Object element)`

返回与指定元素相等的元素在列表中第一次出现的位置，如果没有这样的元素将返回 –1。

- `int lastIndexOf(Object element)`

  返回与指定元素相等的元素在列表中最后一次出现的位置，如果没有这样的元素将返回 –1。

API java.util.ListIterator<E> 1.2

- `void add(E newElement)`

  在当前位置前添加一个元素。

- `void set(E newElement)`

  用新元素取代 next 或 previous 上次访问的元素。如果在 next 或 previous 上次调用之后列表结构被修改了，将抛出一个 IllegalStateException 异常。

- `boolean hasPrevious()`

  当反向迭代列表时，还有可供访问的元素，返回 true。

- `E previous()`

  返回前一个对象。如果已经到达了列表的头部，就抛出一个 NoSuchElementException 异常。

- `int nextIndex()`

  返回下一次调用 next 方法时将返回的元素索引。

- `int previousIndex()`

  返回下一次调用 previous 方法时将返回的元素索引。

API java.util.LinkedList<E> 1.2

- `LinkedList()`

  构造一个空链表。

- `LinkedList(Collection<? extends E> elements)`

  构造一个链表，并将集合中所有的元素添加到这个链表中。

- `void addFirst(E element)`
- `void addLast(E element)`

  将某个元素添加到列表的头部或尾部。

- `E getFirst()`
- `E getLast()`

  返回列表头部或尾部的元素。

- `E removeFirst()`
- `E removeLast()`

  删除并返回列表头部或尾部的元素。

9.2.2 数组列表

在上一节中，介绍了 List 接口和实现了这个接口的 LinkedList 类。List 接口用于描述一个有序集合，并且集合中每个元素的位置十分重要。有两种访问元素的协议：一种是用迭代器，另一种是用 get 和 set 方法随机地访问每个元素。后者不适用于链表，但对数组却很有用。集合类库提供了一种大家熟悉的 ArrayList 类，这个类也实现了 List 接口。ArrayList 封装了一个动态再分配的对象数组。

注释： 对于一个经验丰富的 Java 程序员来说，在需要动态数组时，可能会使用 Vector 类。为什么要用 ArrayList 取代 Vector 呢？原因很简单：Vector 类的所有方法都是同步的。可以由两个线程安全地访问一个 Vector 对象。但是，如果由一个线程访问 Vector，代码要在同步操作上耗费大量的时间。这种情况还是很常见的。而 ArrayList 方法不是同步的，因此，建议在不需要同步时使用 ArrayList，而不要使用 Vector。

9.2.3 散列集

链表和数组可以按照人们的意愿排列元素的次序。但是，如果想要查看某个指定的元素，却又忘记了它的位置，就需要访问所有元素，直到找到为止。如果集合中包含的元素很多，将会消耗很多时间。如果不在意元素的顺序，可以有几种能够快速查找元素的数据结构。其缺点是无法控制元素出现的次序。它们将按照有利于其操作目的的原则组织数据。

有一种众所周知的数据结构，可以快速地查找所需要的对象，这就是散列表（hash table）。散列表为每个对象计算一个整数，称为散列码（hash code）。散列码是由对象的实例域产生的一个整数。更准确地说，具有不同数据域的对象将产生不同的散列码。表 9-2 列出了几个散列码的示例，它们是由 String 类的 hashCode 方法产生的。

表 9-2 由 hashCode 函数得出的散列码

串	散列码
"Lee"	76268
"lee"	107020
"eel"	100300

如果自定义类，就要负责实现这个类的 hashCode 方法。有关 hashCode 方法的详细内容请参看第 5 章。注意，自己实现的 hashCode 方法应该与 equals 方法兼容，即如果 a.equals(b) 为 true，a 与 b 必须具有相同的散列码。

现在，最重要的问题是散列码要能够快速地计算出来，并且这个计算只与要散列的对象状态有关，与散列表中的其他对象无关。

在 Java 中，散列表用链表数组实现。每个列表被称为桶（bucket）（参看图 9-10）。要想查找表中对象的位置，就要先计算它的散列码，然后与桶的总数取余，所得到的结果就是保存这个元素的桶的索引。例如，如果某个对象的散列码为 76268，并且有 128 个桶，对象应该保存在第 108 号桶中（76268 除以 128 余 108）。或许会很幸运，在这个桶中没有其他元素，此时将元素直接插入到桶中就可以了。

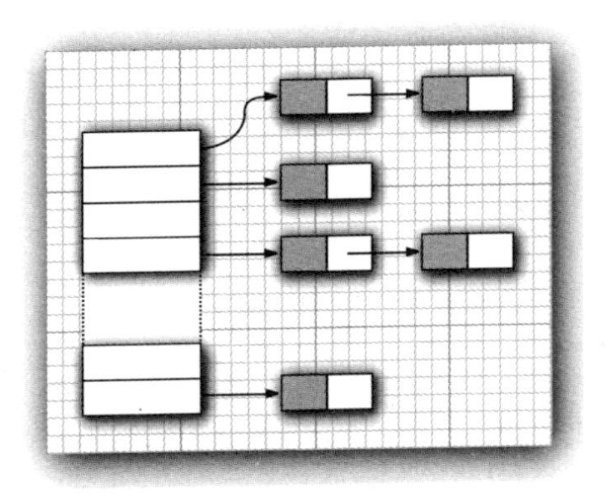

图 9-10 散列表

当然，有时候会遇到桶被占满的情况，这也是不可避免的。这种现象被称为散列冲突（hash collision）。这时，需要用新对象与桶中的所有对象进行比较，查看这个对象是否已经存在。如果散列码是合理且随机分布的，桶的数目也足够大，需要比较的次数就会很少。

注释：在 Java SE 8 中，桶满时会从链表变为平衡二叉树。如果选择的散列函数不当，会产生很多冲突，或者如果有恶意代码试图在散列表中填充多个有相同散列码的值，这样就能提高性能。

如果想更多地控制散列表的运行性能，就要指定一个初始的桶数。桶数是指用于收集具有相同散列值的桶的数目。如果要插入到散列表中的元素太多，就会增加冲突的可能性，降低运行性能。

如果大致知道最终会有多少个元素要插入到散列表中，就可以设置桶数。通常，将桶数设置为预计元素个数的 75% ~ 150%。有些研究人员认为：尽管还没有确凿的证据，但最好将桶数设置为一个素数，以防键的集聚。标准类库使用的桶数是 2 的幂，默认值为 16（为表大小提供的任何值都将被自动地转换为 2 的下一个幂）。

当然，并不是总能够知道需要存储多少个元素的，也有可能最初的估计过低。如果散列表太满，就需要再散列（rehashed）。如果要对散列表再散列，就需要创建一个桶数更多的表，并将所有元素插入到这个新表中，然后丢弃原来的表。装填因子（load factor）决定何时对散列表进行再散列。例如，如果装填因子为 0.75（默认值），而表中超过 75% 的位置已经填入元素，这个表就会用双倍的桶数自动地进行再散列。对于大多数应用程序来说，装填因子为 0.75 是比较合理的。

散列表可以用于实现几个重要的数据结构。其中最简单的是 set 类型。set 是没有重复元素的元素集合。set 的 add 方法首先在集中查找要添加的对象，如果不存在，就将这个对象添加进去。

Java 集合类库提供了一个 HashSet 类，它实现了基于散列表的集。可以用 add 方法添加元素。contains 方法已经被重新定义，用来快速地查看是否某个元素已经出现在集中。它只在某个桶中查找元素，而不必查看集合中的所有元素。

散列集迭代器将依次访问所有的桶。由于散列将元素分散在表的各个位置上，所以访问它们的顺序几乎是随机的。只有不关心集合中元素的顺序时才应该使用 HashSet。

本节末尾的示例程序（程序清单 9-2）将从 System.in 读取单词，然后将它们添加到集中，最后，再打印出集中的所有单词。例如，可以将 *Alice in Wonderland*（可以从 http://www.gutenberg.org 找到）的文本输入到这个程序中，并从命令行 shell 运行：

```
java SetTest < alice30.txt
```

这个程序将读取输入的所有单词，并且将它们添加到散列集中。然后遍历散列集中的不同单词，最后打印出单词的数量（*Alice in Wonderland* 共有 5909 个不同的单词，包括开头的版权声明）。单词以随机的顺序出现。

警告： 在更改集中的元素时要格外小心。如果元素的散列码发生了改变，元素在数据结构中的位置也会发生变化。

程序清单 9-2 set/SetTest.java

```
1  package set;
2
3  import java.util.*;
4
5  /**
6   * This program uses a set to print all unique words in System.in.
7   * @version 1.12 2015-06-21
8   * @author Cay Horstmann
9   */
10 public class SetTest
11 {
12    public static void main(String[] args)
13    {
14       Set<String> words = new HashSet<>(); // HashSet implements Set
15       long totalTime = 0;
16
17       try (Scanner in = new Scanner(System.in))
18       {
19          while (in.hasNext())
20          {
21             String word = in.next();
22             long callTime = System.currentTimeMillis();
23             words.add(word);
24             callTime = System.currentTimeMillis() - callTime;
25             totalTime += callTime;
26          }
27       }
28
29       Iterator<String> iter = words.iterator();
30       for (int i = 1; i <= 20 && iter.hasNext(); i++)
31          System.out.println(iter.next());
32       System.out.println(". . .");
33       System.out.println(words.size() + " distinct words. " + totalTime + " milliseconds.");
34    }
35 }
```

API java.util.HashSet<E> 1.2

- `HashSet()`

  构造一个空散列表。
- `HashSet(Collection<? extends E> elements)`

  构造一个散列集，并将集合中的所有元素添加到这个散列集中。
- `HashSet(int initialCapacity)`

  构造一个空的具有指定容量（桶数）的散列集。
- `HashSet(int initialCapacity, float loadFactor)`

  构造一个具有指定容量和装填因子（一个 0.0 ~ 1.0 之间的数值，确定散列表填充的百分比，当大于这个百分比时，散列表进行再散列）的空散列集。

API java.lang.Object 1.0

- `int hashCode()`

  返回这个对象的散列码。散列码可以是任何整数，包括正数或负数。equals 和 hashCode 的定义必须兼容，即如果 x.equals(y) 为 true，x.hashCode() 必须等于 y.hashCode()。

9.2.4 树集

TreeSet 类与散列集十分类似，不过，它比散列集有所改进。树集是一个有序集合（sorted collection）。可以以任意顺序将元素插入到集合中。在对集合进行遍历时，每个值将自动地按照排序后的顺序呈现。例如，假设插入 3 个字符串，然后访问添加的所有元素。

```
SortedSet<String> sorter = new TreeSet<>(); // TreeSet implements SortedSet
sorter.add("Bob");
sorter.add("Amy");
sorter.add("Carl");
for (String s : sorter) System.println(s);
```

这时，每个值将按照顺序打印出来：Amy Bob Carl。正如 TreeSet 类名所示，排序是用树结构完成的（当前实现使用的是红黑树（red-black tree）。有关红黑树的详细介绍请参看《Introduction to Algorithms》，作者是 Thomas Cormen、Charles Leiserson、Ronald Rivest 和 Clifford Stein [The MIT Press, 2009]）[⊖]每次将一个元素添加到树中时，都被放置在正确的排序位置上。因此，迭代器总是以排好序的顺序访问每个元素。

将一个元素添加到树中要比添加到散列表中慢，参见表 9-3 中的比较，但是，与检查数组或链表中的重复元素相比还是快很多。如果树中包含 n 个元素，查找新元素的正确位置平均需要 $\log_2 n$ 次比较。例如，如果一棵树包含了 1000 个元素，添加一个新元素大约需要比较 10 次。

表 9-3 将元素添加到散列集和树集

文　档	单词总数	不同的单词个数	HashSet	TreeSet
Alice in Wonderland	28195	5909	5 秒	7 秒
The Count of Monte Cristo	466300	37545	75 秒	98 秒

> **注释：** 要使用树集，必须能够比较元素。这些元素必须实现 Comparable 接口（参见 6.1.1 节），或者构造集时必须提供一个 Comparator（参见 6.2.2 节和 6.3.8 节）。

回头看一看表 9-3 可能会有疑虑：是否总是应该用树集取代散列集。毕竟，添加一个元素所花费的时间看上去并不很长，而且元素是自动排序的。到底应该怎样做将取决于所要收集的数据。如果不需要对数据进行排序，就没有必要付出排序的开销。更重要的是，对于某

⊖ 本书中文版《算法导论》已由机械工业出版社出版。——编辑注

些数据来说，对其排序要比散列函数更加困难。散列函数只是将对象适当地打乱存放，而比较却要精确地判别每个对象。

要想具体地了解它们之间的差异，还需要研究一个收集矩形集的任务。如果使用TreeSet，就需要提供Comparator<Rectangle>。如何比较两个矩形呢？比较面积吗？这行不通。可能会有两个不同的矩形，它们的坐标不同，但面积却相同。树的排序必须是全序。也就是说，任意两个元素必须是可比的，并且只有在两个元素相等时结果才为0。确实，有一种矩形的排序（按照坐标的词典顺序排列）方式，但它的计算很牵强且很繁琐。相反地，Rectangle类已经定义了散列函数，它直接对坐标进行散列。

注释： 从Java SE 6起，TreeSet类实现了NavigableSet接口。这个接口增加了几个便于定位元素以及反向遍历的方法。详细信息请参看API注释。

在程序清单9-3的程序中创建了两个Item对象的树集。第一个按照部件编号排序，这是Item对象的默认顺序。第二个通过使用一个定制的比较器来按照描述信息排序。

程序清单9-3 treeSet/TreeSetTest.java

```
1 package treeSet;
2
3 import java.util.*;
4
5 /**
6  * This program sorts a set of item by comparing their descriptions.
7  * @version 1.12 2015-06-21
8  * @author Cay Horstmann
9  */
10 public class TreeSetTest
11 {
12    public static void main(String[] args)
13    {
14       SortedSet<Item> parts = new TreeSet<>();
15       parts.add(new Item("Toaster", 1234));
16       parts.add(new Item("Widget", 4562));
17       parts.add(new Item("Modem", 9912));
18       System.out.println(parts);
19
20       NavigableSet<Item> sortByDescription = new TreeSet<>(
21             Comparator.comparing(Item::getDescription));
22
23       sortByDescription.addAll(parts);
24       System.out.println(sortByDescription);
25    }
26 }
```

程序清单9-4 treeSet/Item.java

```
1 package treeSet;
2
3 import java.util.*;
4
5 /**
```

```
 6   * An item with a description and a part number.
 7   */
 8  public class Item implements Comparable<Item>
 9  {
10     private String description;
11     private int partNumber;
12
13     /**
14      * Constructs an item.
15      *
16      * @param aDescription
17      *            the item's description
18      * @param aPartNumber
19      *            the item's part number
20      */
21     public Item(String aDescription, int aPartNumber)
22     {
23        description = aDescription;
24        partNumber = aPartNumber;
25     }
26
27     /**
28      * Gets the description of this item.
29      *
30      * @return the description
31      */
32     public String getDescription()
33     {
34        return description;
35     }
36
37     public String toString()
38     {
39        return "[descripion=" + description + ", partNumber=" + partNumber + "]";
40     }
41
42     public boolean equals(Object otherObject)
43     {
44        if (this == otherObject) return true;
45        if (otherObject == null) return false;
46        if (getClass() != otherObject.getClass()) return false;
47        Item other = (Item) otherObject;
48        return Objects.equals(description, other.description) && partNumber == other.partNumber;
49     }
50
51     public int hashCode()
52     {
53        return Objects.hash(description, partNumber);
54     }
55
56     public int compareTo(Item other)
57     {
58        int diff = Integer.compare(partNumber, other.partNumber);
59        return diff != 0 ? diff : description.compareTo(other.description);
60     }
61  }
```

API java.util.TreeSet<E> 1.2

- `TreeSet()`
- `TreeSet(Comparator<? super E> comparator)`

  构造一个空树集。
- `TreeSet(Collection<? extends E> elements)`
- `TreeSet(SortedSet<E> s)`

  构造一个树集，并增加一个集合或有序集中的所有元素（对于后一种情况，要使用同样的顺序）。

API java.util.SortedSet<E> 1.2

- `Comparator<? super E> comparator()`

  返回用于对元素进行排序的比较器。如果元素用 Comparable 接口的 compareTo 方法进行比较则返回 null。
- `E first()`
- `E last()`

  返回有序集中的最小元素或最大元素。

API java.util.NavigableSet<E> 6

- `E higher(E value)`
- `E lower(E value)`

  返回大于 value 的最小元素或小于 value 的最大元素，如果没有这样的元素则返回 null。
- `E ceiling(E value)`
- `E floor(E value)`

  返回大于等于 value 的最小元素或小于等于 value 的最大元素，如果没有这样的元素则返回 null。
- `E pollFirst()`
- `E pollLast`

  删除并返回这个集中的最大元素或最小元素，这个集为空时返回 null。
- `Iterator<E> descendingIterator()`

  返回一个按照递减顺序遍历集中元素的迭代器。

9.2.5 队列与双端队列

前面已经讨论过，队列可以让人们有效地在尾部添加一个元素，在头部删除一个元素。有两个端头的队列，即*双端队列*，可以让人们有效地在头部和尾部同时添加或删除元素。不支持在队列中间添加元素。在 Java SE 6 中引入了 Deque 接口，并由 ArrayDeque 和 LinkedList 类实现。这两个类都提供了双端队列，而且在必要时可以增加队列的长度。在第 14 章将会看到有限队列和有限双端队列。

java.util.Queue<E> 5.0

- `boolean add(E element)`
- `boolean offer(E element)`

  如果队列没有满，将给定的元素添加到这个双端队列的尾部并返回 true。如果队列满了，第一个方法将抛出一个 IllegalStateException，而第二个方法返回 false。

- `E remove()`
- `E poll()`

  假如队列不空，删除并返回这个队列头部的元素。如果队列是空的，第一个方法抛出 NoSuchElementException，而第二个方法返回 null。

- `E element()`
- `E peek()`

  如果队列不空，返回这个队列头部的元素，但不删除。如果队列空，第一个方法将抛出一个 NoSuchElementException，而第二个方法返回 null。

java.util.Deque<E> 6

- `void addFirst(E element)`
- `void addLast(E element)`
- `boolean offerFirst(E element)`
- `boolean offerLast(E element)`

  将给定的对象添加到双端队列的头部或尾部。如果队列满了，前面两个方法将抛出一个 IllegalStateException，而后面两个方法返回 false。

- `E removeFirst()`
- `E removeLast()`
- `E pollFirst()`
- `E pollLast()`

  如果队列不空，删除并返回队列头部的元素。如果队列为空，前面两个方法将抛出一个 NoSuchElementException，而后面两个方法返回 null。

- `E getFirst()`
- `E getLast()`
- `E peekFirst()`
- `E peekLast()`

  如果队列非空，返回队列头部的元素，但不删除。如果队列空，前面两个方法将抛出一个 NoSuchElementException，而后面两个方法返回 null。

java.util.ArrayDeque<E> 6

- `ArrayDeque()`
- `ArrayDeque(int initialCapacity)`

用初始容量 16 或给定的初始容量构造一个无限双端队列。

9.2.6 优先级队列

优先级队列（priority queue）中的元素可以按照任意的顺序插入，却总是按照排序的顺序进行检索。也就是说，无论何时调用 remove 方法，总会获得当前优先级队列中最小的元素。然而，优先级队列并没有对所有的元素进行排序。如果用迭代的方式处理这些元素，并不需要对它们进行排序。优先级队列使用了一个优雅且高效的数据结构，称为堆（heap）。堆是一个可以自我调整的二叉树，对树执行添加（add）和删除（remore）操作，可以让最小的元素移动到根，而不必花费时间对元素进行排序。

与 TreeSet 一样，一个优先级队列既可以保存实现了 Comparable 接口的类对象，也可以保存在构造器中提供的 Comparator 对象。

使用优先级队列的典型示例是任务调度。每一个任务有一个优先级，任务以随机顺序添加到队列中。每当启动一个新的任务时，都将优先级最高的任务从队列中删除（由于习惯上将 1 设为“最高”优先级，所以会将最小的元素删除）。

程序清单 9-5 显示了一个正在运行的优先级队列。与 TreeSet 中的迭代不同，这里的迭代并不是按照元素的排列顺序访问的。而删除却总是删掉剩余元素中优先级数最小的那个元素。

程序清单 9-5　priorityQueue/PriorityQueueTest.java

```
1  package priorityQueue;
2
3  import java.util.*;
4  import java.time.*;
5
6  /**
7   * This program demonstrates the use of a priority queue.
8   * @version 1.01 2012-01-26
9   * @author Cay Horstmann
10  */
11 public class PriorityQueueTest
12 {
13    public static void main(String[] args)
14    {
15       PriorityQueue<LocalDate> pq = new PriorityQueue<>();
16       pq.add(LocalDate.of(1906, 12, 9)); // G. Hopper
17       pq.add(LocalDate.of(1815, 12, 10)); // A. Lovelace
18       pq.add(LocalDate.of(1903, 12, 3)); // J. von Neumann
19       pq.add(LocalDate.of(1910, 6, 22)); // K. Zuse
20
21       System.out.println("Iterating over elements...");
22       for (LocalDate date : pq)
23          System.out.println(date);
24       System.out.println("Removing elements...");
25       while (!pq.isEmpty())
26          System.out.println(pq.remove());
27    }
28 }
```

API java.util.PriorityQueue 5.0

- `PriorityQueue()`
- `PriorityQueue(int initialCapacity)`

  构造一个用于存放 Comparable 对象的优先级队列。
- `PriorityQueue(int initialCapacity, Comparator<? super E> c)`

  构造一个优先级队列，并用指定的比较器对元素进行排序。

9.3 映射

集是一个集合，它可以快速地查找现有的元素。但是，要查看一个元素，需要有要查找元素的精确副本。这不是一种非常通用的查找方式。通常，我们知道某些键的信息，并想要查找与之对应的元素。映射（map）数据结构就是为此设计的。映射用来存放键 / 值对。如果提供了键，就能够查找到值。例如，有一张关于员工信息的记录表，键为员工 ID，值为 Employee 对象。在下面的小节中，我们会学习如何使用映射。

9.3.1 基本映射操作

Java 类库为映射提供了两个通用的实现：HashMap 和 TreeMap。这两个类都实现了 Map 接口。

散列映射对键进行散列，树映射用键的整体顺序对元素进行排序，并将其组织成搜索树。散列或比较函数只能作用于键。与键关联的值不能进行散列或比较。

应该选择散列映射还是树映射呢？与集一样，散列稍微快一些，如果不需要按照排列顺序访问键，就最好选择散列。

下列代码将为存储的员工信息建立一个散列映射：

```
Map<String, Employee> staff = new HashMap<>(); // HashMap implements Map
Employee harry = new Employee("Harry Hacker");
staff.put("987-98-9996", harry);
. . .
```

每当往映射中添加对象时，必须同时提供一个键。在这里，键是一个字符串，对应的值是 Employee 对象。

要想检索一个对象，必须使用（因而，必须记住）一个键。

```
String id = "987-98-9996";
e = staff.get(id); // gets harry
```

如果在映射中没有与给定键对应的信息，get 将返回 null。

null 返回值可能并不方便。有时可以有一个好的默认值，用作为映射中不存在的键。然后使用 getOrDefault 方法。

```
Map<String, Integer> scores = . . .;
int score = scores.get(id, 0); // Gets 0 if the id is not present
```

键必须是唯一的。不能对同一个键存放两个值。如果对同一个键两次调用 put 方法，第二个值就会取代第一个值。实际上，put 将返回用这个键参数存储的上一个值。

remove 方法用于从映射中删除给定键对应的元素。size 方法用于返回映射中的元素数。

要迭代处理映射的键和值，最容易的方法是使用 forEach 方法。可以提供一个接收键和值的 lambda 表达式。映射中的每一项会依序调用这个表达式。

```
scores.forEach((k, v) ->
   System.out.println("key=" + k + ", value=" + v));
```

程序清单 9-6 显示了映射的操作过程。首先将键 / 值对添加到映射中。然后，从映射中删除一个键，同时与之对应的值也被删除了。接下来，修改与某一个键对应的值，并调用 get 方法查看这个值。最后，迭代处理条目集。

程序清单 9-6　map/MapTest.java

```
 1 package map;
 2 
 3 import java.util.*;
 4 
 5 /**
 6  * This program demonstrates the use of a map with key type String and value type Employee.
 7  * @version 1.11 2012-01-26
 8  * @author Cay Horstmann
 9  */
10 public class MapTest
11 {
12    public static void main(String[] args)
13    {
14       Map<String, Employee> staff = new HashMap<>();
15       staff.put("144-25-5464", new Employee("Amy Lee"));
16       staff.put("567-24-2546", new Employee("Harry Hacker"));
17       staff.put("157-62-7935", new Employee("Gary Cooper"));
18       staff.put("456-62-5527", new Employee("Francesca Cruz"));
19 
20       // print all entries
21 
22       System.out.println(staff);
23 
24       // remove an entry
25 
26       staff.remove("567-24-2546");
27 
28       // replace an entry
29 
30       staff.put("456-62-5527", new Employee("Francesca Miller"));
31 
32       // look up a value
33 
34       System.out.println(staff.get("157-62-7935"));
35 
36       // iterate through all entries
37 
38       staff.forEach((k, v) ->
39          System.out.println("key=" + k + ", value=" + v));
40    }
41 }
```

API java.util.Map<K, V> 1.2

- `V get(Object key)`

  获取与键对应的值；返回与键对应的对象，如果在映射中没有这个对象则返回 null。键可以为 null。

- `default V getOrDefault(Object key, V defaultValue)`

  获得与键关联的值；返回与键关联的对象，或者如果未在映射中找到这个键，则返回 defaultValue。

- `V put(K key, V value)`

  将键与对应的值关系插入到映射中。如果这个键已经存在，新的对象将取代与这个键对应的旧对象。这个方法将返回键对应的旧值。如果这个键以前没有出现过则返回 null。键可以为 null，但值不能为 null。

- `void putAll(Map<? extends K, ? extends V> entries)`

  将给定映射中的所有条目添加到这个映射中。

- `boolean containsKey(Object key)`

  如果在映射中已经有这个键，返回 true。

- `boolean containsValue(Object value)`

  如果映射中已经有这个值，返回 true。

- `default void forEach(BiConsumer<? super K,? super V> action) 8`

  对这个映射中的所有键 / 值对应用这个动作。

API java.util.HashMap<K, V> 1.2

- `HashMap()`
- `HashMap(int initialCapacity)`
- `HashMap(int initialCapacity, float loadFactor)`

  用给定的容量和装填因子构造一个空散列映射（装填因子是一个 0.0 ~ 1.0 之间的数值。这个数值决定散列表填充的百分比。一旦到了这个比例，就要将其再散列到更大的表中）。默认的装填因子是 0.75。

API java.util.TreeMap<K,V> 1.2

- `TreeMap()`

  为实现 Comparable 接口的键构造一个空的树映射。

- `TreeMap(Comparator<? super K> c)`

  构造一个树映射，并使用一个指定的比较器对键进行排序。

- `TreeMap(Map<? extends K, ? extends V> entries)`

  构造一个树映射，并将某个映射中的所有条目添加到树映射中。

- `TreeMap(SortedMap<? extends K, ? extends V> entries)`

  构造一个树映射，将某个有序映射中的所有条目添加到树映射中，并使用与给定的有序映射相同的比较器。

API java.util.SortedMap<K, V> 1.2

- `Comparator<? super K> comparator()`

  返回对键进行排序的比较器。如果键是用 Comparable 接口的 compareTo 方法进行比较的，返回 null。

- `K firstKey()`
- `K lastKey()`

  返回映射中最小元素和最大元素。

9.3.2 更新映射项

处理映射时的一个难点就是更新映射项。正常情况下，可以得到与一个键关联的原值，完成更新，再放回更新后的值。不过，必须考虑一个特殊情况，即键第一次出现。下面来看一个例子，使用一个映射统计一个单词在文件中出现的频度。看到一个单词（word）时，我们将计数器增 1，如下所示：

```
counts.put(word, counts.get(word) + 1);
```

这是可以的，不过有一种情况除外：就是第一次看到 word 时。在这种情况下，get 会返回 null，因此会出现一个 NullPointerException 异常。

作为一个简单的补救，可以使用 getOrDefault 方法：

```
counts.put(word, counts.getOrDefault(word, 0) + 1);
```

另一种方法是首先调用 putIfAbsent 方法。只有当键原先存在时才会放入一个值。

```
counts.putIfAbsent(word, 0);
counts.put(word, counts.get(word) + 1); // Now we know that get will succeed
```

不过还可以做得更好。merge 方法可以简化这个常见的操作。如果键原先不存在，下面的调用：

```
counts.merge(word, 1, Integer::sum);
```

将把 word 与 1 关联，否则使用 Integer::sum 函数组合原值和 1（也就是将原值与 1 求和）。

API 注释还描述了另外一些更新映射项的方法，不过这些方法不太常用。

API java.util.Map<K, V> 1.2

- `default V merge(K key, V value, BiFunction<? super V,? super V,? extends V> remappingFunction) 8`

  如果 key 与一个非 null 值 v 关联，将函数应用到 v 和 value，将 key 与结果关联，或者如果结果为 null，则删除这个键。否则，将 key 与 value 关联，返回 get(key)。

- `default V compute(K key, BiFunction<? super K,? super V,? extends V> remappingFunction) 8`

将函数应用到 key 和 get(key)。将 key 与结果关联，或者如果结果为 null，则删除这个键。返回 get(key)。

- `default V computeIfPresent(K key, BiFunction<? super K,? super V,? extends V> remappingFunction) 8`

  如果 key 与一个非 null 值 v 关联，将函数应用到 key 和 v，将 key 与结果关联，或者如果结果为 null，则删除这个键。返回 get(key)。

- `default V computeIfAbsent(K key, Function<? super K,? extends V> mappingFunction) 8`

  将函数应用到 key，除非 key 与一个非 null 值关联。将 key 与结果关联，或者如果结果为 null，则删除这个键。返回 get(key)。

- `default void replaceAll(BiFunction<? super K,? super V,? extends V> function) 8`

  在所有映射项上应用函数。将键与非 null 结果关联，对于 null 结果，则将相应的键删除。

9.3.3 映射视图

集合框架不认为映射本身是一个集合。(其他数据结构框架认为映射是一个键 / 值对集合，或者是由键索引的值集合。) 不过，可以得到映射的视图（*view*）——这是实现了 Collection 接口或某个子接口的对象。

有 3 种视图：键集、值集合（不是一个集）以及键 / 值对集。键和键 / 值对可以构成一个集，因为映射中一个键只能有一个副本。下面的方法：

```
Set<K> keySet()
Collection<V> values()
Set<Map.Entry<K, V>> entrySet()
```

会分别返回这 3 个视图。(条目集的元素是实现 Map.Entry 接口的类的对象。)

需要说明的是，keySet 不是 HashSet 或 TreeSet，而是实现了 Set 接口的另外某个类的对象。Set 接口扩展了 Collection 接口。因此，可以像使用集合一样使用 keySet。

例如，可以枚举一个映射的所有键：

```
Set<String> keys = map.keySet();
for (String key : keys)
{
   do something with key
}
```

如果想同时查看键和值，可以通过枚举条目来避免查找值。使用以下代码：

```
for (Map.Entry<String, Employee> entry : staff.entrySet())
{
   String k = entry.getKey();
   Employee v = entry.getValue();
   do something with k, v
}
```

✔ **提示：** 原先这是访问所有映射条目的最高效的方法。如今，只需要使用 forEach 方法：

```
counts.forEach((k, v) -> {
    do something with k, v
});
```

如果在键集视图上调用迭代器的 remove 方法，实际上会从映射中删除这个键和与它关联的值。不过，不能向键集视图增加元素。另外，如果增加一个键而没有同时增加值也是没有意义的。如果试图调用 add 方法，它会抛出一个 UnsupportedOperationException。条目集视图有同样的限制，尽管理论上增加一个新的键 / 值对好像是有意义的。

API java.util.Map<K, V> 1.2

- `Set<Map.Entry<K, V>> entrySet()`

  返回 Map.Entry 对象（映射中的键 / 值对）的一个集视图。可以从这个集中删除元素，它们将从映射中删除，但是不能增加任何元素。
- `Set<K> keySet()`

  返回映射中所有键的一个集视图。可以从这个集中删除元素，键和相关联的值将从映射中删除，但是不能增加任何元素。
- `Collection<V> values()`

  返回映射中所有值的一个集合视图。可以从这个集合中删除元素，所删除的值及相应的键将从映射中删除，不过不能增加任何元素。

API java.util.Map.Entry<K, V> 1.2

- `K getKey()`
- `V getValue()`

  返回这一条目的键或值。
- `V setValue(V newValue)`

  将相关映射中的值改为新值，并返回原来的值。

9.3.4 弱散列映射

在集合类库中有几个专用的映射类，本节对它们做简要介绍。

设计 WeakHashMap 类是为了解决一个有趣的问题。如果有一个值，对应的键已经不再使用了，将会出现什么情况呢？假定对某个键的最后一次引用已经消亡，不再有任何途径引用这个值的对象了。但是，由于在程序中的任何部分没有再出现这个键，所以，这个键 / 值对无法从映射中删除。为什么垃圾回收器不能够删除它呢？难道删除无用的对象不是垃圾回收器的工作吗？

遗憾的是，事情没有这样简单。垃圾回收器跟踪*活动的对象*。只要映射对象是活动的，其中的所有桶也是活动的，它们不能被回收。因此，需要由程序负责从长期存活的映射表中删除那些无用的值。或者使用 WeakHashMap 完成这件事情。当对键的唯一引用来自散列条目时，这一数据结构将与垃圾回收器协同工作一起删除键 / 值对。

下面是这种机制的内部运行情况。WeakHashMap 使用*弱引用*（weak references）保存键。WeakReference 对象将引用保存到另外一个对象中，在这里，就是散列键。对于这种类型的对象，垃圾回收器用一种特有的方式进行处理。通常，如果垃圾回收器发现某个特定的对象已经没有他人引用了，就将其回收。然而，如果某个对象只能由 WeakReference 引用，垃圾回收器仍然回收它，但要将引用这个对象的弱引用放入队列中。WeakHashMap 将周期性地检查队列，以便找出新添加的弱引用。一个弱引用进入队列意味着这个键不再被他人使用，并且已经被收集起来。于是，WeakHashMap 将删除对应的条目。

9.3.5 链接散列集与映射

LinkedHashSet 和 LinkedHashMap 类用来记住插入元素项的顺序。这样就可以避免在散列表中的项从表面上看是随机排列的。当条目插入到表中时，就会并入到双向链表中（见图 9-11）。

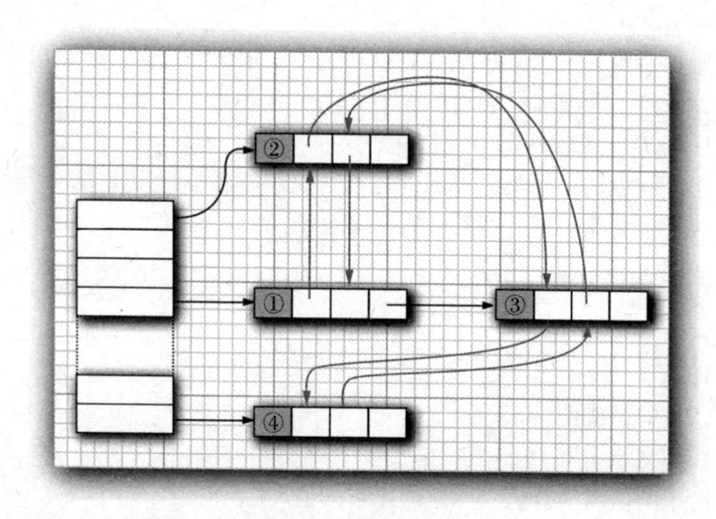

图 9-11 链接散列表

例如，在程序清单 9-6 中包含下列映射表插入的处理：

```
Map<String, Employee> staff = new LinkedHashMap<>();
staff.put("144-25-5464", new Employee("Amy Lee"));
staff.put("567-24-2546", new Employee("Harry Hacker"));
staff.put("157-62-7935", new Employee("Gary Cooper"));
staff.put("456-62-5527", new Employee("Francesca Cruz"));
```

然后，staff.keySet().iterator() 以下面的次序枚举键：

```
144-25-5464
567-24-2546
157-62-7935
456-62-5527
```

并且 staff.values().iterator() 以下列顺序枚举这些值：

```
Amy Lee
Harry Hacker
Gary Cooper
Francesca Cruz
```

链接散列映射将用访问顺序，而不是插入顺序，对映射条目进行迭代。每次调用get或put，受到影响的条目将从当前的位置删除，并放到条目链表的尾部（只有条目在链表中的位置会受影响，而散列表中的桶不会受影响。一个条目总位于与键散列码对应的桶中）。要项构造这样一个的散列映射表，请调用

```
LinkedHashMap<K, V>(initialCapacity, loadFactor, true)
```

访问顺序对于实现高速缓存的“最近最少使用”原则十分重要。例如，可能希望将访问频率高的元素放在内存中，而访问频率低的元素则从数据库中读取。当在表中找不到元素项且表又已经满时，可以将迭代器加入到表中，并将枚举的前几个元素删除掉。这些是近期最少使用的几个元素。

甚至可以让这一过程自动化。即构造一个LinkedHashMap的子类，然后覆盖下面这个方法：

```
protected boolean removeEldestEntry(Map.Entry<K, V> eldest)
```

每当方法返回true时，就添加一个新条目，从而导致删除eldest条目。例如，下面的高速缓存可以存放100个元素：

```
Map<K, V> cache = new
   LinkedHashMap<>(128, 0.75F, true)
   {
      protected boolean removeEldestEntry(Map.Entry<K, V> eldest)
      {
         return size() > 100;
      }
   }();
```

另外，还可以对eldest条目进行评估，以此决定是否应该将它删除。例如，可以检查与这个条目一起存在的时间戳。

9.3.6 枚举集与映射

EnumSet是一个枚举类型元素集的高效实现。由于枚举类型只有有限个实例，所以EnumSet内部用位序列实现。如果对应的值在集中，则相应的位被置为1。

EnumSet类没有公共的构造器。可以使用静态工厂方法构造这个集：

```
enum Weekday { MONDAY, TUESDAY, WEDNESDAY, THURSDAY, FRIDAY, SATURDAY, SUNDAY };
EnumSet<Weekday> always = EnumSet.allOf(Weekday.class);
EnumSet<Weekday> never = EnumSet.noneOf(Weekday.class);
EnumSet<Weekday> workday = EnumSet.range(Weekday.MONDAY, Weekday.FRIDAY);
EnumSet<Weekday> mwf = EnumSet.of(Weekday.MONDAY, Weekday.WEDNESDAY, Weekday.FRIDAY);
```

可以使用Set接口的常用方法来修改EnumSet。

EnumMap是一个键类型为枚举类型的映射。它可以直接且高效地用一个值数组实现。在使用时，需要在构造器中指定键类型：

```
EnumMap<Weekday, Employee> personInCharge = new EnumMap<>(Weekday.class);
```

注释：在 EnumSet 的 API 文档中，将会看到 E extends Enum<E> 这样奇怪的类型参数。简单地说，它的意思是“E 是一个枚举类型。”所有的枚举类型都扩展于泛型 Enum 类。例如，Weekday 扩展 Enum<Weekday>。

9.3.7 标识散列映射

类 IdentityHashMap 有特殊的作用。在这个类中，键的散列值不是用 hashCode 函数计算的，而是用 System.identityHashCode 方法计算的。这是 Object.hashCode 方法根据对象的内存地址来计算散列码时所使用的方式。而且，在对两个对象进行比较时，IdentityHashMap 类使用 ==，而不使用 equals。

也就是说，不同的键对象，即使内容相同，也被视为是不同的对象。在实现对象遍历算法（如对象串行化）时，这个类非常有用，可以用来跟踪每个对象的遍历状况。

API java.util.WeakHashMap<K, V>1.2

- `WeakHashMap()`
- `WeakHashMap(int initialCapacity)`
- `WeakHashMap(int initialCapacity, float loadFactor)`

  用给定的容量和填充因子构造一个空的散列映射表。

API java.util.LinkedHashSet<E> 1.4

- `LinkedHashSet()`
- `LinkedHashSet(int initialCapacity)`
- `LinkedHashSet(int initialCapacity, float loadFactor)`

  用给定的容量和填充因子构造一个空链接散列集。

API java.util.LinkedHashMap<K, V> 1.4

- `LinkedHashMap()`
- `LinkedHashMap(int initialCapacity)`
- `LinkedHashMap(int initialCapacity, float loadFactor)`
- `LinkedHashMap(int initialCapacity, float loadFactor, boolean accessOrder)`

  用给定的容量、填充因子和顺序构造一个空的链接散列映射表。accessOrder 参数为 true 时表示访问顺序，为 false 时表示插入顺序。
- `protected boolean removeEldestEntry(Map.Entry<K, V> eldest)`

  如果想删除 eldest 元素，并同时返回 true，就应该覆盖这个方法。eldest 参数是预期要删除的条目。这个方法将在条目添加到映射中之后调用。其默认的实现将返回 false。即在默认情况下，旧元素没有被删除。然而，可以重新定义这个方法，以便有选择地返回 true。例如，如果最旧的条目符合一个条件，或者映射超过了一定大小，则返回 true。

API java.util.EnumSet<E extends Enum<E>> 5.0

- `static <E extends Enum<E>> EnumSet<E> allOf(Class<E> enumType)`
  返回一个包含给定枚举类型的所有值的集。
- `static <E extends Enum<E>> EnumSet<E> noneOf(Class<E> enumType)`
  返回一个空集，并有足够的空间保存给定的枚举类型所有的值。
- `static <E extends Enum<E>> EnumSet<E> range(E from, E to)`
  返回一个包含 from ~ to 之间的所有值（包括两个边界元素）的集。
- `static <E extends Enum<E>> EnumSet<E> of(E value)`
- `static <E extends Enum<E>> EnumSet<E> of(E value, E... values)`
  返回包括给定值的集。

API java.util.EnumMap<K extends Enum<K>, V> 5.0

- `EnumMap(Class<K> keyType)`
  构造一个键为给定类型的空映射。

API java.util.IdentityHashMap<K, V> 1.4

- `IdentityHashMap()`
- `IdentityHashMap(int expectedMaxSize)`
  构造一个空的标识散列映射集，其容量是大于 1.5 * expectedMaxSize 的 2 的最小次幂（expectedMaxSize 的默认值是 21）。

API java.lang.System 1.0

- `static int identityHashCode(Object obj) 1.1`
  返回 Object.hashCode 计算出来的相同散列码（根据对象的内存地址产生），即使 obj 所属的类已经重新定义了 hashCode 方法也是如此。

9.4 视图与包装器

看一下图 9-4 和图 9-5 可能会感觉：用如此多的接口和抽象类来实现数量并不多的具体集合类似乎没有太大必要。然而，这两张图并没有展示出全部的情况。通过使用视图（views）可以获得其他的实现了 Collection 接口和 Map 接口的对象。映射类的 keySet 方法就是一个这样的示例。初看起来，好像这个方法创建了一个新集，并将映射中的所有键都填进去，然后返回这个集。但是，情况并非如此。取而代之的是：keySet 方法返回一个实现 Set 接口的类对象，这个类的方法对原映射进行操作。这种集合称为视图。

视图技术在集框架中有许多非常有用的应用。下面将讨论这些应用。

9.4.1 轻量级集合包装器

Arrays 类的静态方法 asList 将返回一个包装了普通 Java 数组的 List 包装器。这个方法可以将数组传递给一个期望得到列表或集合参数的方法。例如：

```
Card[] cardDeck = new Card[52];
. . .
List<Card> cardList = Arrays.asList(cardDeck);
```

返回的对象不是 ArrayList。它是一个视图对象，带有访问底层数组的 get 和 set 方法。改变数组大小的所有方法（例如，与迭代器相关的 add 和 remove 方法）都会抛出一个 Unsupported OperationException 异常。

asList 方法可以接收可变数目的参数。例如：

```
List<String> names = Arrays.asList("Amy", "Bob", "Carl");
```

这个方法调用

```
Collections.nCopies(n, anObject)
```

将返回一个实现了 List 接口的不可修改的对象，并给人一种包含 *n* 个元素，每个元素都像是一个 anObject 的错觉。

例如，下面的调用将创建一个包含 100 个字符串的 List，每个串都被设置为“DEFAULT”：

```
List<String> settings = Collections.nCopies(100, "DEFAULT");
```

存储代价很小。这是视图技术的一种巧妙应用。

注释： Collections 类包含很多实用方法，这些方法的参数和返回值都是集合。不要将它与 Collection 接口混淆起来。

如果调用下列方法

```
Collections.singleton(anObject)
```

则将返回一个视图对象。这个对象实现了 Set 接口（与产生 List 的 ncopies 方法不同）。返回的对象实现了一个不可修改的单元素集，而不需要付出建立数据结构的开销。singletonList 方法与 singletonMap 方法类似。

类似地，对于集合框架中的每一个接口，还有一些方法可以生成空集、列表、映射，等等。特别是，集的类型可以推导得出：

```
Set<String> deepThoughts = Collections.emptySet();
```

9.4.2 子范围

可以为很多集合建立子范围（subrange）视图。例如，假设有一个列表 staff，想从中取出第 10 个 ~ 第 19 个元素。可以使用 subList 方法来获得一个列表的子范围视图。

```
List group2 = staff.subList(10, 20);
```

第一个索引包含在内，第二个索引则不包含在内。这与 String 类的 substring 操作中的参数情况相同。

可以将任何操作应用于子范围，并且能够自动地反映整个列表的情况。例如，可以删除整个子范围：

```
group2.clear(); // staff reduction
```

现在，元素自动地从 staff 列表中清除了，并且 group2 为空。

对于有序集和映射，可以使用排序顺序而不是元素位置建立子范围。SortedSet 接口声明了 3 个方法：

```
SortedSet<E> subSet(E from, E to)
SortedSet<E> headSet(E to)
SortedSet<E> tailSet(E from)
```

这些方法将返回大于等于 from 且小于 to 的所有元素子集。有序映射也有类似的方法：

```
SortedMap<K, V> subMap(K from, K to)
SortedMap<K, V> headMap(K to)
SortedMap<K, V> tailMap(K from)
```

返回映射视图，该映射包含键落在指定范围内的所有元素。

Java SE 6 引入的 NavigableSet 接口赋予子范围操作更多的控制能力。可以指定是否包括边界：

```
NavigableSet<E> subSet(E from, boolean fromInclusive, E to, boolean toInclusive)
NavigableSet<E> headSet(E to, boolean toInclusive)
NavigableSet<E> tailSet(E from, boolean fromInclusive)
```

9.4.3 不可修改的视图

Collections 还有几个方法，用于产生集合的不可修改视图（unmodifiable views）。这些视图对现有集合增加了一个运行时的检查。如果发现试图对集合进行修改，就抛出一个异常，同时这个集合将保持未修改的状态。

可以使用下面 8 种方法获得不可修改视图：

```
Collections.unmodifiableCollection
Collections.unmodifiableList
Collections.unmodifiableSet
Collections.unmodifiableSortedSet
Collections.unmodifiableNavigableSet
Collections.unmodifiableMap
Collections.unmodifiableSortedMap
Collections.unmodifiableNavigableMap
```

每个方法都定义于一个接口。例如，Collections.unmodifiableList 与 ArrayList、LinkedList 或者任何实现了 List 接口的其他类一起协同工作。

例如，假设想要查看某部分代码，但又不触及某个集合的内容，就可以进行下列操作：

```
List<String> staff = new LinkedList<>();
. . .
lookAt(Collections.unmodifiableList(staff));
```

Collections.unmodifiableList 方法将返回一个实现 List 接口的类对象。其访问器方法将从 staff 集合中获取值。当然，lookAt 方法可以调用 List 接口中的所有方法，而不只是访问器。但是所有的更改器方法（例如，add）已经被重新定义为抛出一个 UnsupportedOperationException 异常，而不是将调用传递给底层集合。

不可修改视图并不是集合本身不可修改。仍然可以通过集合的原始引用（在这里是 staff）对集合进行修改。并且仍然可以让集合的元素调用更改器方法。

由于视图只是包装了接口而不是实际的集合对象，所以只能访问接口中定义的方法。例如，LinkedList 类有一些非常方便的方法，addFirst 和 addLast，它们都不是 List 接口的方法，不能通过不可修改视图进行访问。

警告：unmodifiableCollection 方法（与本节稍后讨论的 synchronizedCollection 和 checked Collection 方法一样）将返回一个集合，它的 equals 方法不调用底层集合的 equals 方法。相反，它继承了 Object 类的 equals 方法，这个方法只是检测两个对象是否是同一个对象。如果将集或列表转换成集合，就再也无法检测其内容是否相同了。视图就是以这种方式运行的，因为内容是否相等的检测在分层结构的这一层上没有定义妥当。视图将以同样的方式处理 hashCode 方法。

然而，unmodifiableSet 类和 unmodifiableList 类却使用底层集合的 equals 方法和 hashCode 方法。

9.4.4 同步视图

如果由多个线程访问集合，就必须确保集不会被意外地破坏。例如，如果一个线程试图将元素添加到散列表中，同时另一个线程正在对散列表进行再散列，其结果将是灾难性的。

类库的设计者使用视图机制来确保常规集合的线程安全，而不是实现线程安全的集合类。例如，Collections 类的静态 synchronizedMap 方法可以将任何一个映射表转换成具有同步访问方法的 Map：

```
Map<String, Employee> map = Collections.synchronizedMap(new HashMap<String, Employee>());
```

现在，就可以由多线程访问 map 对象了。像 get 和 put 这类方法都是同步操作的，即在另一个线程调用另一个方法之前，刚才的方法调用必须彻底完成。第 14 章将会详细地讨论数据结构的同步访问。

9.4.5 受查视图

“受查”视图用来对泛型类型发生问题时提供调试支持。如同第 8 章中所述，实际上将错误类型的元素混入泛型集合中的问题极有可能发生。例如：

```
ArrayList<String> strings = new ArrayList<>();
ArrayList rawList = strings; // warning only, not an error, for compatibility with legacy code
rawList.add(new Date()); // now strings contains a Date object!
```

这个错误的 add 命令在运行时检测不到。相反，只有在稍后的另一部分代码中调用 get

方法，并将结果转化为String时，这个类才会抛出异常。

受查视图可以探测到这类问题。下面定义了一个安全列表：

```
List<String> safeStrings = Collections.checkedList(strings, String.class);
```

视图的add方法将检测插入的对象是否属于给定的类。如果不属于给定的类，就立即抛出一个ClassCastException。这样做的好处是错误可以在正确的位置得以报告：

```
ArrayList rawList = safeStrings;
rawList.add(new Date()); // checked list throws a ClassCastException
```

警告：受查视图受限于虚拟机可以运行的运行时检查。例如，对于ArrayList <Pair <String>>，由于虚拟机有一个单独的“原始”Pair类，所以，无法阻止插入Pair <Date>。

9.4.6 关于可选操作的说明

通常，视图有一些局限性，即可能只可以读、无法改变大小、只支持删除而不支持插入，这些与映射的键视图情况相同。如果试图进行不恰当的操作，受限制的视图就会抛出一个UnsupportedOperationException。

在集合和迭代器接口的API文档中，许多方法描述为“可选操作”。这看起来与接口的概念有所抵触。毕竟，接口的设计目的难道不是负责给出一个类必须实现的方法吗？确实，从理论的角度看，在这里给出的方法很难令人满意。一个更好的解决方案是为每个只读视图和不能改变集合大小的视图建立各自独立的两个接口。不过，这将会使接口的数量成倍增长，这让类库设计者无法接受。

是否应该将“可选”方法这一技术扩展到用户的设计中呢？我们认为不应该。尽管集合被频繁地使用，其实现代码的风格也未必适用于其他问题领域。集合类库的设计者必须解决一组特别严格且又相互冲突的需求。用户希望类库应该易于学习、使用方便，彻底泛型化，面向通用性，同时又与手写算法一样高效。要同时达到所有目标的要求，或者尽量兼顾所有目标完全是不可能的。但是，在自己的编程问题中，很少遇到这样极端的局限性。应该能够找到一种不必依靠极端衡量“可选的”接口操作来解决这类问题的方案。

API java.util.Collections 1.2

- `static <E> Collection unmodifiableCollection(Collection<E> c)`
- `static <E> List unmodifiableList(List<E> c)`
- `static <E> Set unmodifiableSet(Set<E> c)`
- `static <E> SortedSet unmodifiableSortedSet(SortedSet<E> c)`
- `static <E> SortedSet unmodifiableNavigableSet(NavigableSet<E> c)` 8
- `static <K, V> Map unmodifiableMap(Map<K, V> c)`
- `static <K, V> SortedMap unmodifiableSortedMap(SortedMap<K, V> c)`
- `static <K, V> SortedMap unmodifiableNavigableMap(NavigableMap<K, V> c)` 8

  构造一个集合视图；视图的更改器方法抛出一个UnsupportedOperationException。

- static <E> Collection<E> synchronizedCollection(Collection<E> c)
- static <E> List synchronizedList(List<E> c)
- static <E> Set synchronizedSet(Set<E> c)
- static <E> SortedSet synchronizedSortedSet(SortedSet<E> c)
- static <E> NavigableSet synchronizedNavigableSet(NavigableSet<E> c) 8
- static <K, V> Map<K, V> synchronizedMap(Map<K, V> c)
- static <K, V> SortedMap<K, V> synchronizedSortedMap(SortedMap<K, V> c)
- static <K, V> NavigableMap<K, V> synchronizedNavigableMap(NavigableMap<K, V> c) 8

  构造一个集合视图；视图的方法同步。
- static <E> Collection checkedCollection(Collection<E> c, Class<E> elementType)
- static <E> List checkedList(List<E> c, Class<E> elementType)
- static <E> Set checkedSet(Set<E> c, Class<E> elementType)
- static <E> SortedSet checkedSortedSet(SortedSet<E> c, Class<E> elementType)
- static <E> NavigableSet checkedNavigableSet(NavigableSet<E> c, Class<E> elementType) 8
- static <K, V> Map checkedMap(Map<K, V> c, Class<K> keyType, Class<V> valueType)
- static <K, V> SortedMap checkedSortedMap(SortedMap<K, V> c, Class<K> keyType, Class<V> valueType)
- static <K, V> NavigableMap checkedNavigableMap(NavigableMap<K, V> c, Class<K> keyType, Class<V> valueType) 8
- static <E> Queue<E> checkedQueue(Queue<E> queue, Class<E> elementType) 8

  构造一个集合视图；如果插入一个错误类型的元素，视图的方法抛出一个 ClassCastException。
- static <E> List<E> nCopies(int n, E value)
- static <E> Set<E> singleton(E value)
- static <E> List<E> singletonList(E value)
- static <K, V> Map<K, V> singletonMap(K key, V value)

  构造一个对象视图，可以是一个包含 n 个相同元素的不可修改列表，也可以是一个单元素集、列表或映射。
- static <E> List<E> emptyList()
- static <T> Set<T> emptySet()
- static <E> SortedSet<E> emptySortedSet()

- static NavigableSet<E> emptyNavigableSet()
- static <K,V> Map<K,V> emptyMap()
- static <K,V> SortedMap<K,V> emptySortedMap()
- static <K,V> NavigableMap<K,V> emptyNavigableMap()
- static <T> Enumeration<T> emptyEnumeration()
- static <T> Iterator<T> emptyIterator()
- static <T> ListIterator<T> emptyListIterator()

  生成一个空集合、映射或迭代器。

API java.util.Arrays 1.2

- static <E> List<E> asList(E... array)

  返回一个数组元素的列表视图。这个数组是可修改的，但其大小不可变。

API java.util.List<E> 1.2

- List<E> subList(int firstIncluded, int firstExcluded)

  返回给定位置范围内的所有元素的列表视图。

API java.util.SortedSet<E> 1.2

- SortedSet<E> subSet(E firstIncluded, E firstExcluded)
- SortedSet<E> headSet(E firstExcluded)
- SortedSet<E> tailSet(E firstIncluded)

  返回给定范围内的元素视图。

API java.util.NavigableSet<E> 6

- NavigableSet<E> subSet(E from, boolean fromIncluded, E to, boolean toIncluded)
- NavigableSet<E> headSet(E to, boolean toIncluded)
- NavigableSet<E> tailSet(E from, boolean fromIncluded)

  返回给定范围内的元素视图。boolean 标志决定视图是否包含边界。

API java.util.SortedMap<K, V> 1.2

- SortedMap<K, V> subMap(K firstIncluded, K firstExcluded)
- SortedMap<K, V> headMap(K firstExcluded)
- SortedMap<K, V> tailMap(K firstIncluded)

  返回在给定范围内的键条目的映射视图。

API java.util.NavigableMap<K, V> 6

- NavigableMap<K, V> subMap(K from, boolean fromIncluded, K to, boolean toIncluded)

- NavigableMap<K, V> headMap(K from, boolean fromIncluded)
- NavigableMap<K, V> tailMap(K to, boolean toIncluded)

  返回在给定范围内的键条目的映射视图。boolean 标志决定视图是否包含边界。

9.5 算法

泛型集合接口有一个很大的优点，即算法只需要实现一次。例如，考虑一下计算集合中最大元素这样一个简单的算法。使用传统方式，程序设计人员可能会用循环实现这个算法。下面就是找出数组中最大元素的代码。

```
if (a.length == 0) throw new NoSuchElementException();
T largest = a[0];
for (int i = 1; i < a.length; i++)
   if (largest.compareTo(a[i]) < 0)
      largest = a[i];
```

当然，为找出数组列表中的最大元素所编写的代码会与此稍有差别。

```
if (v.size() == 0) throw new NoSuchElementException();
T largest = v.get(0);
for (int i = 1; i < v.size(); i++)
   if (largest.compareTo(v.get(i)) < 0)
      largest = v.get(i);
```

链表应该怎么做呢？对于链表来说，无法实施高效的随机访问，但却可以使用迭代器。

```
if (l.isEmpty()) throw new NoSuchElementException();
Iterator<T> iter = l.iterator();
T largest = iter.next();
while (iter.hasNext())
{
   T next = iter.next();
   if (largest.compareTo(next) < 0)
      largest = next;
}
```

编写这些循环代码有些乏味，并且也很容易出错。是否存在严重错误吗？对于空容器循环能正常工作吗？对于只含有一个元素的容器又会发生什么情况呢？我们不希望每次都测试和调试这些代码，也不想实现下面这一系列的方法：

```
static <T extends Comparable> T max(T[] a)
static <T extends Comparable> T max(ArrayList<T> v)
static <T extends Comparable> T max(LinkedList<T> l)
```

这正是集合接口的用武之地。仔细考虑一下，为了高效地使用这个算法所需要的最小集合接口。采用 get 和 set 方法进行随机访问要比直接迭代层次高。在计算链表中最大元素的过程中已经看到，这项任务并不需要进行随机访问。直接用迭代器遍历每个元素就可以计算最大元素。因此，可以将 max 方法实现为能够接收任何实现了 Collection 接口的对象。

```
public static <T extends Comparable> T max(Collection<T> c)
{
```

```
    if (c.isEmpty()) throw new NoSuchElementException();
    Iterator<T> iter = c.iterator();
    T largest = iter.next();
    while (iter.hasNext())
    {
       T next = iter.next();
       if (largest.compareTo(next) < 0)
          largest = next;
    }
    return largest;
}
```

现在就可以使用一个方法计算链表、数组列表或数组中最大元素了。

这是一个非常重要的概念。事实上，标准的 C++ 类库已经有几十种非常有用的算法，每个算法都是在泛型集合上操作的。Java 类库中的算法没有如此丰富，但是，也包含了基本的排序、二分查找等实用算法。

9.5.1 排序与混排

计算机行业的前辈们有时会回忆起他们当年不得不使用穿孔卡片以及手工地编写排序算法的情形。当然，如今排序算法已经成为大多数编程语言标准库中的一个组成部分，Java 程序设计语言也不例外。

Collections 类中的 sort 方法可以对实现了 List 接口的集合进行排序。

```
List<String> staff = new LinkedList<>();
fill collection
Collections.sort(staff);
```

这个方法假定列表元素实现了 Comparable 接口。如果想采用其他方式对列表进行排序，可以使用 List 接口的 sort 方法并传入一个 Comparator 对象。可以如下按工资对一个员工列表排序：

```
staff.sort(Comparator.comparingDouble(Employee::getSalary));
```

如果想按照降序对列表进行排序，可以使用一种非常方便的静态方法 Collections.reverse-Order()。这个方法将返回一个比较器，比较器则返回 b.compareTo(a)。例如，

```
staff.sort(Comparator.reverseOrder())
```

这个方法将根据元素类型的 compareTo 方法给定排序顺序，按照逆序对列表 staff 进行排序。同样，

```
staff.sort(Comparator.comparingDouble(Employee::getSalary).reversed())
```

将按工资逆序排序。

人们可能会对 sort 方法所采用的排序手段感到好奇。通常，在翻阅有关算法书籍中的排序算法时，会发觉介绍的都是有关数组的排序算法，而且使用的是随机访问方式。但是，对列表进行随机访问的效率很低。实际上，可以使用归并排序对列表进行高效的排序。然而，Java 程序设计语言并不是这样实现的。它直接将所有元素转入一个数组，对数组进行排序，然后，再将排序后的序列复制回列表。

集合类库中使用的排序算法比快速排序要慢一些，快速排序是通用排序算法的传统选择。但是，归并排序有一个主要的优点：稳定，即不需要交换相同的元素。为什么要关注相同元素的顺序呢？下面是一种常见的情况。假设有一个已经按照姓名排列的员工列表。现在，要按照工资再进行排序。如果两个雇员的工资相等发生什么情况呢？如果采用稳定的排序算法，将会保留按名字排列的顺序。换句话说，排序的结果将会产生这样一个列表，首先按照工资排序，工资相同者再按照姓名排序。

因为集合不需要实现所有的“可选”方法，因此，所有接受集合参数的方法必须描述什么时候可以安全地将集合传递给算法。例如，显然不能将 unmodifiableList 列表传递给排序算法。可以传递什么类型的列表呢？根据文档说明，列表必须是可修改的，但不必是可以改变大小的。

下面是有关的术语定义：

- 如果列表支持 set 方法，则是可修改的。
- 如果列表支持 add 和 remove 方法，则是可改变大小的。

Collections 类有一个算法 shuffle，其功能与排序刚好相反，即随机地混排列表中元素的顺序。例如：

```
ArrayList<Card> cards = . . .;
Collections.shuffle(cards);
```

如果提供的列表没有实现 RandomAccess 接口，shuffle 方法将元素复制到数组中，然后打乱数组元素的顺序，最后再将打乱顺序后的元素复制回列表。

程序清单 9-7 中的程序用 1 ~ 49 之间的 49 个 Integer 对象填充数组。然后，随机地打乱列表，并从打乱后的列表中选前 6 个值。最后再将选择的数值进行排序和打印。

程序清单 9-7　shuffle/ShuffleTest.java

```
1 package shuffle;
2 
3 import java.util.*;
4 
5 /**
6  * This program demonstrates the random shuffle and sort algorithms.
7  * @version 1.11 2012-01-26
8  * @author Cay Horstmann
9  */
10 public class ShuffleTest
11 {
12    public static void main(String[] args)
13    {
14       List<Integer> numbers = new ArrayList<>();
15       for (int i = 1; i <= 49; i++)
16          numbers.add(i);
17       Collections.shuffle(numbers);
18       List<Integer> winningCombination = numbers.subList(0, 6);
19       Collections.sort(winningCombination);
20       System.out.println(winningCombination);
21    }
22 }
```

API java.util.Collections 1.2

- `static <T extends Comparable<? super T>> void sort(List<T> elements)`
  使用稳定的排序算法，对列表中的元素进行排序。这个算法的时间复杂度是 O(n log n)，其中 n 为列表的长度。
- `static void shuffle(List<?> elements)`
- `static void shuffle(List<?> elements, Random r)`
  随机地打乱列表中的元素。这个算法的时间复杂度是 O(n a(n))，n 是列表的长度，a (n) 是访问元素的平均时间。

API java.util.List<E> 1.2

- `default void sort(Comparator<? super T> comparator) 8`
  使用给定比较器对列表排序。

API java.util.Comparator<T> 1.2

- `static <T extends Comparable<? super T>> Comparator<T> reverseOrder() 8`
  生成一个比较器，将逆置 Comparable 接口提供的顺序。
- `default Comparator<T> reversed() 8`
  生成一个比较器，将逆置这个比较器提供的顺序。

9.5.2 二分查找

要想在数组中查找一个对象，通常要依次访问数组中的每个元素，直到找到匹配的元素为止。然而，如果数组是有序的，就可以直接查看位于数组中间的元素，看一看是否大于要查找的元素。如果是，用同样的方法在数组的前半部分继续查找；否则，用同样的方法在数组的后半部分继续查找。这样就可以将查找范围缩减一半。一直用这种方式查找下去。例如，如果数组中有 1024 个元素，可以在 10 次比较后定位所匹配的元素（或者可以确认在数组中不存在这样的元素），而使用线性查找，如果元素存在，平均需要 512 次比较；如果元素不存在，需要 1024 次比较才可以确认。

Collections 类的 binarySearch 方法实现了这个算法。注意，集合必须是排好序的，否则算法将返回错误的答案。要想查找某个元素，必须提供集合（这个集合要实现 List 接口，下面还要更加详细地介绍这个问题）以及要查找的元素。如果集合没有采用 Comparable 接口的 compareTo 方法进行排序，就还要提供一个比较器对象。

```
i = Collections.binarySearch(c, element);
i = Collections.binarySearch(c, element, comparator);
```

如果 binarySearch 方法返回的数值大于等于 0，则表示匹配对象的索引。也就是说，c.get(i) 等于在这个比较顺序下的 element。如果返回负值，则表示没有匹配的元素。但是，可以利用返回值计算应该将 element 插入到集合的哪个位置，以保持集合的有序性。插入的位置是

```
insertionPoint = -i - 1;
```

这并不是简单的 –i，因为 0 值是不确定的。也就是说，下面这个操作：

```
if (i < 0)
   c.add(-i - 1, element);
```

将把元素插入到正确的位置上。

只有采用随机访问，二分查找才有意义。如果必须利用迭代方式一次次地遍历链表的一半元素来找到中间位置的元素，二分查找就完全失去了优势。因此，如果为 binarySearch 算法提供一个链表，它将自动地变为线性查找。

API java.util.Collections 1.2

- `static <T extends Comparable<? super T>> int binarySearch(List<T> elements, T key)`
- `static <T> int binarySearch(List<T> elements, T key, Comparator<? super T> c)`

  从有序列表中搜索一个键，如果元素扩展了 AbstractSequentialList 类，则采用线性查找，否则将采用二分查找。这个方法的时间复杂度为 O (a(n) log n)，n 是列表的长度，a(n) 是访问一个元素的平均时间。这个方法将返回这个键在列表中的索引，如果在列表中不存在这个键将返回负值 i。在这种情况下，应该将这个键插入到列表索引—i—1 的位置上，以保持列表的有序性。

9.5.3 简单算法

在 Collections 类中包含了几个简单且很有用的算法。前面介绍的查找集合中最大元素的示例就在其中。另外还包括：将一个列表中的元素复制到另外一个列表中；用一个常量值填充容器；逆置一个列表的元素顺序。

为什么会在标准库中提供这些简单算法呢？大多数程序员肯定可以很容易地采用循环实现这些算法。我们之所以喜欢这些算法是因为：它们可以让程序员阅读算法变成一件轻松的事情。当阅读由别人实现的循环时，必须要揣摩编程者的意图。而在看到诸如 Collections.max 这样的方法调用时，一定会立刻明白其用途。例如，请看下面这个循环：

```
for (int i = 0; i < words.size(); i++)
   if (words.get(i).equals("C++")) words.set(i, "Java");
```

现在将这个循环与以下调用比较：

```
Collections.replaceAll("C++", "Java");
```

看到这个方法调用时，你马上就能知道这个代码要做什么。

本节最后的 API 注释描述了 Collections 类中的简单算法。

Java SE 8 增加了默认方法 Collection.removeIf 和 List.replaceAll，这两个方法稍有些复杂。要提供一个 lambda 表达式来测试或转换元素。例如，下面的代码将删除所有短词，并把其余单词改为小写：

```
words.removeIf(w -> w.length() <= 3);
words.replaceAll(String::toLowerCase);
```

API java.util.Collections 1.2

- `static <T extends Comparable<? super T>> T min(Collection<T> elements)`
- `static <T extends Comparable<? super T>> T max(Collection<T> elements)`
- `static <T> min(Collection<T> elements, Comparator<? super T> c)`
- `static <T> max(Collection<T> elements, Comparator<? super T> c)`

  返回集合中最小的或最大的元素（为清楚起见，参数的边界被简化了）。
- `static <T> void copy(List<? super T> to, List<T> from)`

  将原列表中的所有元素复制到目标列表的相应位置上。目标列表的长度至少与原列表一样。
- `static <T> void fill(List<? super T> l, T value)`

  将列表中所有位置设置为相同的值。
- `static <T> boolean addAll(Collection<? super T> c, T... values) 5.0`

  将所有的值添加到集合中。如果集合改变了，则返回 true。
- `static <T> boolean replaceAll(List<T> l, T oldValue, T newValue) 1.4`

  用 newValue 取代所有值为 oldValue 的元素。
- `static int indexOfSubList(List<?> l, List<?> s) 1.4`
- `static int lastIndexOfSubList(List<?> l, List<?> s) 1.4`

  返回 l 中第一个或最后一个等于 s 子列表的索引。如果 l 中不存在等于 s 的子列表，则返回 –1。例如，l 为 [s, t, a, r]，s 为 [t, a, r]，两个方法都将返回索引 1。
- `static void swap(List<?> l, int i, int j) 1.4`

  交换给定偏移量的两个元素。
- `static void reverse(List<?> l)`

  逆置列表中元素的顺序。例如，逆置列表 [t, a, r] 后将得到列表 [r, a, t]。这个方法的时间复杂度为 O (n)，n 为列表的长度。
- `static void rotate(List<?> l, int d) 1.4`

  旋转列表中的元素，将索引 i 的条目移动到位置 (i + d) % l.size()。例如，将列表 [t, a, r] 旋转移 2 个位置后得到 [a, r, t]。这个方法的时间复杂度为 O(n)，n 为列表的长度。
- `static int frequency(Collection<?> c, Object o) 5.0`

  返回 c 中与对象 o 相同的元素个数。
- `boolean disjoint(Collection<?> c1, Collection<?> c2) 5.0`

  如果两个集合没有共同的元素，则返回 true。

API java.util.Collection<T> 1.2

- `default boolean removeIf(Predicate<? super E> filter) 8`

  删除所有匹配的元素。

API java.util.List<E> 1.2

- `default void replaceAll(UnaryOperator<E> op) 8`

  对这个列表的所有元素应用这个操作。

9.5.4 批操作

很多操作会“成批”复制或删除元素。以下调用

```
coll1.removeAll(coll2);
```

将从 coll1 中删除 coll2 中出现的所有元素。与之相反，

```
coll1.retainAll(coll2);
```

会从 coll1 中删除所有未在 coll2 中出现的元素。下面是一个典型的应用。

假设希望找出两个集的交集（*intersection*），也就是两个集中共有的元素。首先，建立一个新集来存放结果：

```
Set<String> result = new HashSet<>(a);
```

在这里，我们利用了一个事实：每一个集合都有这样一个构造器，其参数是包含初始值的另一个集合。

现在来使用 retainAll 方法：

```
result.retainAll(b);
```

这会保留恰好也在 b 中出现的所有元素。这样就构成了交集，而无需编写循环。

可以把这个思路更进一步，对视图应用一个批操作。例如，假设有一个映射，将员工 ID 映射到员工对象，而且建立了一个将不再聘用的所有员工的 ID。

```
Map<String, Employee> staffMap = . . .;
Set<String> terminatedIDs = . . .;
```

直接建立一个键集，并删除终止聘用关系的所有员工的 ID。

```
staffMap.keySet().removeAll(terminatedIDs);
```

由于键集是映射的一个视图，所以键和相关联的员工名会自动从映射中删除。

通过使用一个子范围视图，可以把批操作限制在子列表和子集上。例如，假设希望把一个列表的前 10 个元素增加到另一个容器，可以建立一个子列表选出前 10 个元素：

```
relocated.addAll(staff.subList(0, 10));
```

这个子范围还可以完成更改操作。

```
staff.subList(0, 10).clear();
```

9.5.5 集合与数组的转换

由于 Java 平台 API 的大部分内容都是在集合框架创建之前设计的，所以，有时候需要在传统的数组和比较现代的集合之间进行转换。

如果需要把一个数组转换为集合，Arrays.asList 包装器可以达到这个目的。例如：

```
String[] values = . . .;
HashSet<String> staff = new HashSet<>(Arrays.asList(values));
```

从集合得到数组会更困难一些。当然，可以使用 toArray 方法：

```
Object[] values = staff.toArray();
```

不过，这样做的结果是一个对象数组。尽管你知道集合中包含一个特定类型的对象，但不能使用强制类型转换：

```
String[] values = (String[]) staff.toArray(); // Error!
```

toArray 方法返回的数组是一个 Object[] 数组，不能改变它的类型。实际上，必须使用 toArray 方法的一个变体形式，提供一个所需类型而且长度为 0 的数组。这样一来，返回的数组就会创建为相同的数组类型：

```
String[] values = staff.toArray(new String[0]);
```

如果愿意，可以构造一个指定大小的数组：

```
staff.toArray(new String[staff.size()]);
```

在这种情况下，不会创建新数组。

注释：你可能奇怪为什么不能直接将一个 Class 对象（如 String.class）传递到 toArray 方法。原因是这个方法有“双重职责”，不仅要填充一个已有的数组（如果它足够长），还要创建一个新数组。

9.5.6　编写自己的算法

如果编写自己的算法（实际上，是以集合作为参数的任何方法），应该尽可能地使用**接口**，而不要使用具体的实现。例如，假设想用一组菜单项填充 JMenu。传统上，这种方法可能会按照下列方式实现：

```
void fillMenu(JMenu menu, ArrayList<JMenuItem> items)
{
   for (JMenuItem item : items)
      menu.add(item);
}
```

但是，这样会限制方法的调用程序，即调用程序必须在 ArrayList 中提供选项。如果这些选项需要放在另一个容器中，首先必须对它们重新包装，因此，最好接受一个更加通用的集合。

什么是完成这项工作的最通用的集合接口？在这里，只需要访问所有的元素，这是 Collection 接口的基本功能。下面代码说明了如何重新编写 fillMenu 方法使之接受任意类型的集合。

```
void fillMenu(JMenu menu, Collection<JMenuItem> items)
{
   for (JMenuItem item : items)
      menu.add(item);
}
```

现在，任何人都可以用 ArrayList 或 LinkedList，甚至用 Arrays.asList 包装器包装的数组调用这个方法。

注释： 既然将集合接口作为方法参数是个很好的想法，为什么 Java 类库不更多地这样做呢？例如，JComboBox 有两个构造器：

```
JComboBox(Object[] items)
JComboBox(Vector<?> items)
```

之所以没有这样做，原因很简单：时间问题。Swing 类库是在集合类库之前创建的。

如果编写了一个返回集合的方法，可能还想要一个返回接口，而不是返回类的方法，因为这样做可以在日后改变想法，并用另一个集合重新实现这个方法。

例如，编写一个返回所有菜单项的方法 getAllItems。

```
List<JMenuItem> getAllItems(JMenu menu)
{
   List<JMenuItem> items = new ArrayList<>()
   for (int i = 0; i < menu.getItemCount(); i++)
      items.add(menu.getItem(i));
   return items;
}
```

日后，可以做出这样的决定：不复制所有的菜单项，而仅仅提供这些菜单项的视图。要做到这一点，只需要返回 AbstractList 的匿名子类。

```
List<JMenuItem> getAllItems(final JMenu menu)
{
   return new
      AbstractList<>()
      {
         public JMenuItem get(int i)
         {
            return menu.getItem(i);
         }
         public int size()
         {
            return menu.getItemCount();
         }
      };
}
```

当然，这是一项高级技术。如果使用它，就应该将它支持的那些“可选”操作准确地记录在文档中。在这种情况下，必须提醒调用者返回的对象是一个不可修改的列表。

9.6 遗留的集合

从 Java 第 1 版问世以来，在集合框架出现之前已经存在大量“遗留的”容器类。

这些类已经集成到集合框架中，如图 9-12 所示。下面各节将简要介绍这些遗留的集合类。

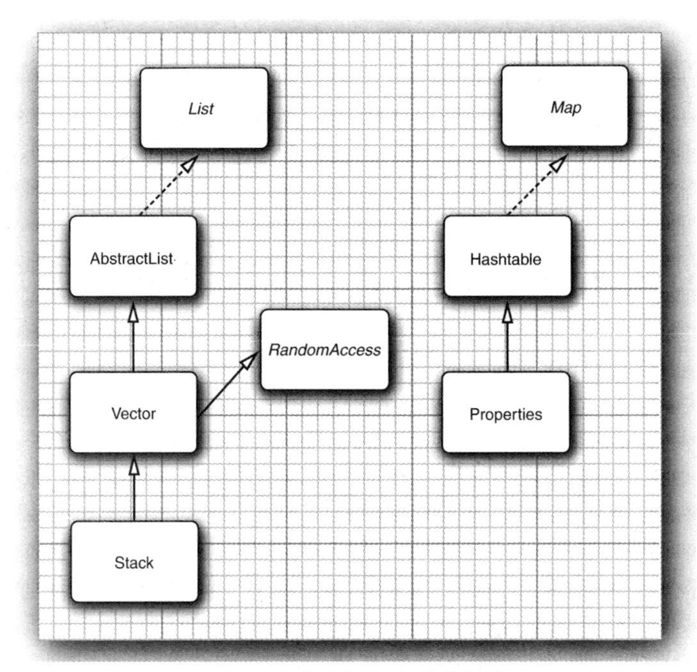

图 9-12　集合框架中的遗留类

9.6.1　Hashtable 类

Hashtable 类与 HashMap 类的作用一样，实际上，它们拥有相同的接口。与 Vector 类的方法一样。Hashtable 的方法也是同步的。如果对同步性或与遗留代码的兼容性没有任何要求，就应该使用 HashMap。如果需要并发访问，则要使用 ConcurrentHashMap，参见第 14 章。

9.6.2　枚举

遗留集合使用 Enumeration 接口对元素序列进行遍历。Enumeration 接口有两个方法，即 hasMoreElements 和 nextElement。这两个方法与 Iterator 接口的 hasNext 方法和 next 方法十分类似。

例如，Hashtable 类的 elements 方法将产生一个用于描述表中各个枚举值的对象：

```
Enumeration<Employee> e = staff.elements();
while (e.hasMoreElements())
{
   Employee e = e.nextElement();
   . . .
}
```

有时还会遇到遗留的方法，其参数是枚举类型的。静态方法 Collections.enumeration 将产生一个枚举对象，枚举集合中的元素。例如：

```
List<InputStream> streams = . . .;
SequenceInputStream in = new SequenceInputStream(Collections.enumeration(streams));
   // the SequenceInputStream constructor expects an enumeration
```

注释： 在 C++ 中，用迭代器作为参数十分普遍。幸好，在 Java 的编程平台中，只有极少的程序员沿用这种习惯。传递集合要比传递迭代器更为明智。集合对象的用途更大。当接受方如果需要时，总是可以从集合中获得迭代器，而且，还可以随时地使用集合的所有方法。不过，可能会在某些遗留代码中发现枚举接口，因为这是在 Java SE 1.2 的集合框架出现之前，它们是泛型集合唯一可以使用的机制。

API java.util.Enumeration<E> 1.0

- `boolean hasMoreElements()`

  如果还有更多的元素可以查看，则返回 true。
- `E nextElement()`

  返回被检测的下一个元素。如果 hasMoreElements() 返回 false，则不要调用这个方法。

API java.util.Hashtable<K, V> 1.0

- `Enumeration<K> keys()`

  返回一个遍历散列表中键的枚举对象。
- `Enumeration<V> elements()`

  返回一个遍历散列表中元素的枚举对象。

API java.util.Vector<E> 1.0

- `Enumeration<E> elements()`

  返回遍历向量中元素的枚举对象。

9.6.3 属性映射

属性映射（property map）是一个类型非常特殊的映射结构。它有下面 3 个特性：

- 键与值都是字符串。
- 表可以保存到一个文件中，也可以从文件中加载。
- 使用一个默认的辅助表。

实现属性映射的 Java 平台类称为 Properties。

属性映射通常用于程序的特殊配置选项，参见第 13 章。

API java.util.Properties 1.0

- `Properties()`

  创建一个空的属性映射。
- `Properties(Properties defaults)`

  创建一个带有一组默认值的空的属性映射。
- `String getProperty(String key)`

  获得属性的对应关系；返回与键对应的字符串。如果在映射中不存在，返回默认表中与这个键对应的字符串。

- `String getProperty(String key, String defaultValue)`
  获得在键没有找到时具有的默认值属性；它将返回与键对应的字符串，如果在映射中不存在，就返回默认的字符串。
- `void load(InputStream in)`
  从 InputStream 加载属性映射。
- `void store(OutputStream out, String commentString)`
  把属性映射存储到 OutputStream。

9.6.4 栈

从 1.0 版开始，标准类库中就包含了 Stack 类，其中有大家熟悉的 push 方法和 pop 方法。但是，Stack 类扩展为 Vector 类，从理论角度看，Vector 类并不太令人满意，它可以让栈使用不属于栈操作的 insert 和 remove 方法，即可以在任何地方进行插入或删除操作，而不仅仅是在栈顶。

API java.util.Stack<E> 1.0

- `E push(E item)`
  将 item 压入栈并返回 item。
- `E pop()`
  弹出并返回栈顶的 item。如果栈为空，请不要调用这个方法。
- `E peek()`
  返回栈顶元素，但不弹出。如果栈为空，请不要调用这个方法。

9.6.5 位集

Java 平台的 BitSet 类用于存放一个位序列（它不是数学上的集，称为位向量或位数组更为合适）。如果需要高效地存储位序列（例如，标志）就可以使用位集。由于位集将位包装在字节里，所以，使用位集要比使用 Boolean 对象的 ArrayList 更加高效。

BitSet 类提供了一个便于读取、设置或清除各个位的接口。使用这个接口可以避免屏蔽和其他麻烦的位操作。如果将这些位存储在 int 或 long 变量中就必须进行这些繁琐的操作。

例如，对于一个名为 bucketOfBits 的 BitSet，

```
bucketOfBits.get(i)
```

如果第 i 位处于“开”状态，就返回 true；否则返回 false。同样地，

```
bucketOfBits.set(i)
```

将第 i 位置为“开”状态。最后，

```
bucketOfBits.clear(i)
```

将第 i 位置为“关”状态。

C++ 注释：C++ 中的 bitset 模板与 Java 平台的 BitSet 功能一样。

API java.util.BitSet 1.0

- `BitSet(int initialCapacity)`
  创建一个位集。
- `int length()`
  返回位集的“逻辑长度”，即 1 加上位集的最高设置位的索引。
- `boolean get(int bit)`
  获得一个位。
- `void set(int bit)`
  设置一个位。
- `void clear(int bit)`
  清除一个位。
- `void and(BitSet set)`
  这个位集与另一个位集进行逻辑“AND”。
- `void or(BitSet set)`
  这个位集与另一个位集进行逻辑“OR”。
- `void xor(BitSet set)`
  这个位集与另一个位集进行逻辑“XOR”。
- `void andNot(BitSet set)`
  清除这个位集中对应另一个位集中设置的所有位。

作为位集应用的一个示例，这里给出一个采用“Eratosthenes 筛子”算法查找素数的实现（素数是指只能被 1 和本身整除的数，例如 2、3 或 5，“Eratosthenes 筛子”算法是最早发现的用来枚举这些基本数字的方法之一）。这并不是一种查找素数的最好方法，但是由于某种原因，它已经成为测试编译程序性能的一种流行的基准。（这也不是一种最好的基准测试方法，它主要用于测试位操作。）

在此，将尊重这个传统，并给出实现。其程序将计算 2 ~ 2 000 000 之间的所有素数（一共有 148 933 个素数，或许不打算把它们全部打印出来吧）。

这里并不想深入程序的细节，关键是要遍历一个拥有 200 万个位的位集。首先将所有的位置为“开”状态，然后，将已知素数的倍数所对应的位都置为“关”状态。经过这个操作保留下来的位对应的就是素数。程序清单 9-8 是用 Java 程序设计语言实现的这个算法程序，而程序清单 9-9 是用 C++ 实现的这个算法程序。

注释：尽管筛选并不是一种好的基准测试方法，这里还是对这个算法的两个算法的运行时间进行了测试。下面是在 2.9 GHz 双核 ThinkPad 计算机上运行时间的结果，这台计算机内存为 8 GB，操作系统为 Ubuntu 14.04。

- C++ (g++ 4.6.3): 390 毫秒
- Java (Java SE 8): 119 毫秒

我们已经对《Java核心技术》9个版本进行了这项测试，在最后的5个版本中，Java轻松地战胜了C++。公平地说，如果有人改变C++编译器的优化级别，将可以用33毫秒的时间战胜Java。如果程序运行的时间长到触发Hotspot即时编译器时，Java只与C++打个平手。

程序清单 9-8 sieve/Sieve.java

```
1 package sieve;
2 
3 import java.util.*;
4 
5 /**
6  * This program runs the Sieve of Erathostenes benchmark. It computes all primes up to 2,000,000.
7  * @version 1.21 2004-08-03
8  * @author Cay Horstmann
9  */
10 public class Sieve
11 {
12    public static void main(String[] s)
13    {
14       int n = 2000000;
15       long start = System.currentTimeMillis();
16       BitSet b = new BitSet(n + 1);
17       int count = 0;
18       int i;
19       for (i = 2; i <= n; i++)
20          b.set(i);
21       i = 2;
22       while (i * i <= n)
23       {
24          if (b.get(i))
25          {
26             count++;
27             int k = 2 * i;
28             while (k <= n)
29             {
30                b.clear(k);
31                k += i;
32             }
33          }
34          i++;
35       }
36       while (i <= n)
37       {
38          if (b.get(i)) count++;
39          i++;
40       }
41       long end = System.currentTimeMillis();
42       System.out.println(count + " primes");
43       System.out.println((end - start) + " milliseconds");
44    }
45 }
```

程序清单 9-9 sieve/Sieve.cpp

```
/**
   @version 1.21 2004-08-03
   @author Cay Horstmann
*/

#include <bitset>
#include <iostream>
#include <ctime>

using namespace std;

int main()
{
   const int N = 2000000;
   clock_t cstart = clock();

   bitset<N + 1> b;
   int count = 0;
   int i;
   for (i = 2; i <= N; i++)
      b.set(i);
   i = 2;
   while (i * i <= N)
   {
      if (b.test(i))
      {
         count++;
         int k = 2 * i;
         while (k <= N)
         {
            b.reset(k);
            k += i;
         }
      }
      i++;
   }
   while (i <= N)
   {
      if (b.test(i))
         count++;
      i++;
   }

   clock_t cend = clock();
   double millis = 1000.0 * (cend - cstart) / CLOCKS_PER_SEC;

   cout << count << " primes\n" << millis << " milliseconds\n";

   return 0;
}
```

到此为止，Java 集合框架的旅程就结束了。正如所看到的，Java 类库提供了大量的集合类以适应程序设计的需要。在下一章中，我们要学习如何编写图形用户界面。

第 10 章　图形程序设计

- ▲ Swing 概述
- ▲ 创建框架
- ▲ 框架定位
- ▲ 在组件中显示信息
- ▲ 处理 2D 图形
- ▲ 使用颜色
- ▲ 文本使用特殊字体
- ▲ 显示图像

到目前为止，我们编写的程序都是通过键盘接收输入，在控制台屏幕上显示结果。绝大多数用户并不喜欢这种交互方式。现代的程序早已不采用这种操作方法了，Web 页面更是如此。从本章开始，将介绍如何编写使用图形用户界面（GUI）的 Java 程序。本章主要讲述如何编写定义屏幕上的窗口大小和位置的程序；如何在窗口中采用多种字体显示文本；如何显示图像等。这些都是需要掌握的编程技能，在后续各章中，将会使用这些技术编写一些很有趣味的程序。

随后的两章，将介绍如何处理按键，点击鼠标这样的事件，以及如何在应用程序中添加菜单和按钮这样的界面元素。学习完这三章之后，读者就应该能够掌握编写独立运行的图形应用程序的要素了。有关更加复杂的图形程序设计技巧请参看卷Ⅱ。

另外，如果只希望用 Java 编写服务器端的应用程序，并且对 GUI 编程又不感兴趣，那么就可以跳过这几章。

10.1　Swing 概述

在 Java 1.0 刚刚出现的时候，包含了一个用于基本 GUI 程序设计的类库，Sun 将它称为抽象窗口工具箱（Abstract Window Toolkit，AWT）。基本 AWT 库采用将处理用户界面元素的任务委派给每个目标平台（Windows、Solaris、Macintosh 等）的本地 GUI 工具箱的方式，由本地 GUI 工具箱负责用户界面元素的创建和动作。例如，如果使用最初的 AWT 在 Java 窗口中放置一个文本框，就会有一个低层的“对等体”文本框，用来真正地处理文本输入。从理论上说，结果程序可以运行在任何平台上，但观感（look and feel）的效果却依赖于目标平台，因此，Sun 公司的口号是“一次编写，随处使用”。

对于简单的应用程序来说，基于对等体方法的效果还是不错的。但是，要想编写依赖于本地用户界面元素的高质量、可移植的图形库就会暴露出一些缺陷。例如，菜单、滚动条和文本域这些用户界面元素，在不同的平台上，操作行为存在着一些微妙的差别。因此，要想给予用户一致的、可预见性的界面操作方式是相当困难的。而且，有些图形环境（如 X11/Motif）并没有像 Windows 或 Macintosh 这样丰富的用户界面组件集合。这也就将基于对等体的可移植库限制在了“最小公分母”的范围内。其结果使AWT构建的GUI应用程序看起来没有Windows或Macintosh应用程序显示的那么漂亮，也没有提供那些平台用户所认知的功能。更加糟糕的是，在不同平台上的AWT用户界面库中存在着不同的bug。研发人员必须在每一个平台上测试应用程序，因此人们嘲弄地将AWT称为“一次编写，随处调试”。

在1996年，Netscape创建了一种称为IFC（Internet Foundation Class）的GUI库，它采用了与AWT完全不同的工作方式。它将按钮、菜单这样的用户界面元素绘制在空白窗口上，而对等体只需要创建和绘制窗口。因此，Netscape的IFC组件在程序运行的所有平台上的外观和动作都一样。Sun与Netscape合作完善了这种方式，创建了一个名为Swing的用户界面库。Swing可作为Java 1.1的扩展部分使用，现已成为Java SE 1.2标准库的一部分。

就像Duke Ellington所说的那样：“如果没有Swing，Java图形界面就没有任何意义”。现在，Swing是不对等基于GUI工具箱的正式名字。它已是Java基础类库（Java Foundation Class，JFC）的一部分。完整的JFC十分庞大，其中包含的内容远远大于Swing GUI工具箱。JFC特性不仅仅包含了Swing组件，而且还包含了一个可访问性API、一个2D API和一个可拖放API。

注释： Swing没有完全替代AWT，而是基于AWT架构之上。Swing仅仅提供了能力更加强大的用户界面组件。尤其在采用Swing编写的程序中，还需要使用基本的AWT处理事件。从现在开始，Swing是指“被绘制的”用户界面类；AWT是指像事件处理这样的窗口工具箱的底层机制。

当然，在用户屏幕上显示基于Swing用户界面的元素要比显示AWT的基于对等体组件的速度慢一些。鉴于以往的经验，对于任何一台现代的计算机来说，微小的速度差别无妨大碍。另外，由于下列几点无法抗拒的原因，人们选择Swing：

- Swing拥有一个丰富、便捷的用户界面元素集合。
- Swing对底层平台依赖的很少，因此与平台相关的bug很少。
- Swing给予不同平台的用户一致的感觉。

不过，上面第三点存在着一个潜在的问题：如果在所有平台上用户界面元素看起来都一样，那么它们就有可能与本地控件不一样，而这些平台的用户对此可能并不熟悉。

Swing采用了一种很巧妙的方式来解决这个问题。在程序员编写Swing程序时，可以为程序指定专门的“观感”。例如，图10-1和图10-2展示了同一个程序在Windows和GTK平台下运行的观感。

此外，Sun开发了一种称为Metal的独立于平台的观感。现在，市场上人们将它称为“Java观感”。不过，绝大多数程序员还继续沿用Metal这个术语，在本书中也将这样称呼。

有些人批评Metal有点笨重，而在Java SE 5.0中看起来却焕然一新（参见图10-3）。现在，Metal外观支持多种主题，每一种主题的颜色和字体都有微小的变化。默认的主题叫做Ocean。

在Java SE 6中，Sun改进了对Windows和GTK本地观感的支持。Swing应用程序将会支持色彩主题的个性化设置，逼真地表现着动态按钮和变得十分时尚的滚动条。

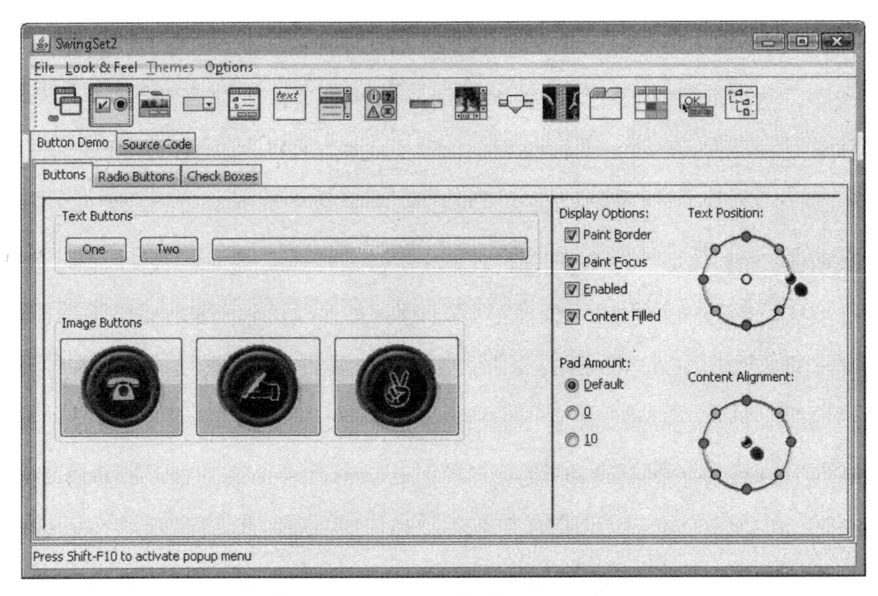

图 10-1 Swing 的 Window 观感

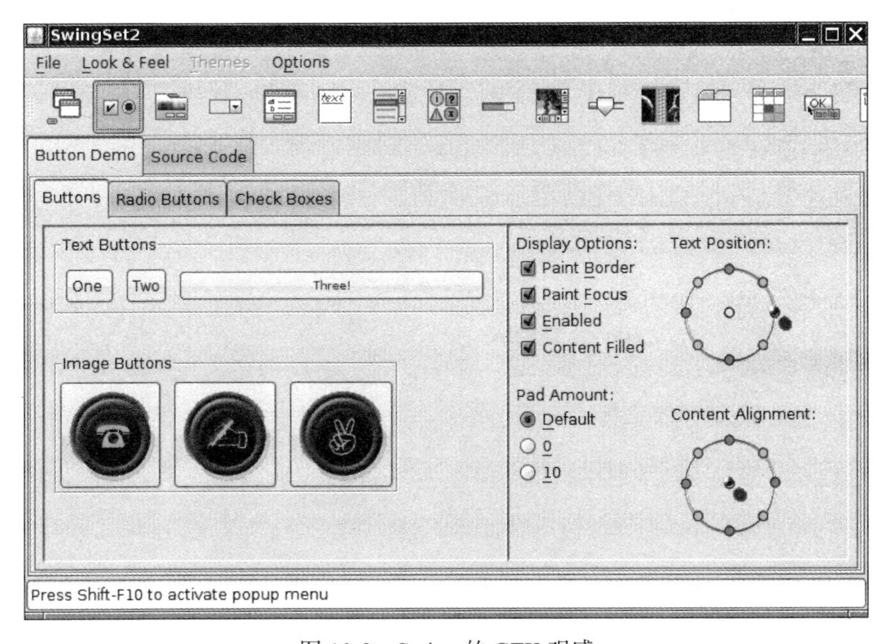

图 10-2 Swing 的 GTK 观感

Java 7 提供了一个新观感，称为 Nimbus（见图 10-4），不过默认情况下不可用。Nimbus 使用了矢量绘图而不是位图绘图，所以它不依赖于屏幕分辨率。

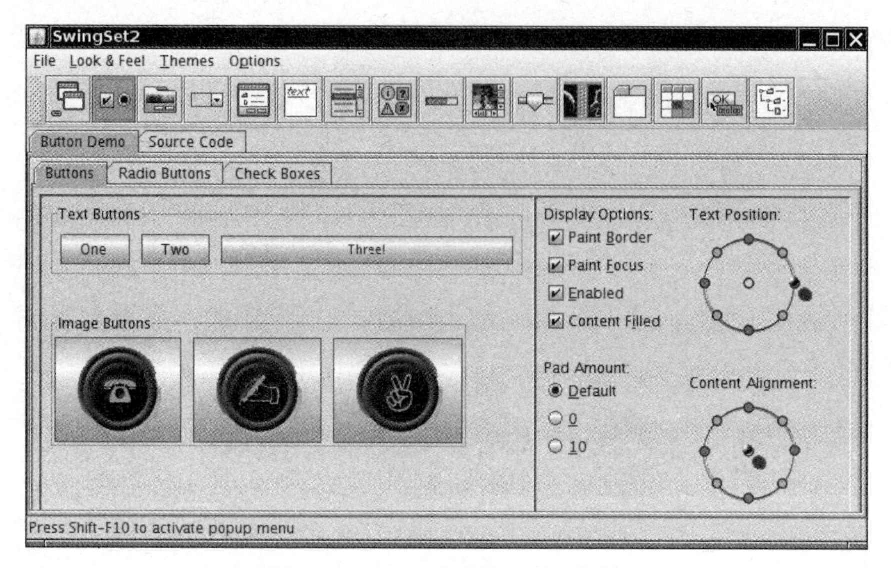

图 10-3 Metal 观感的 Ocean 主题

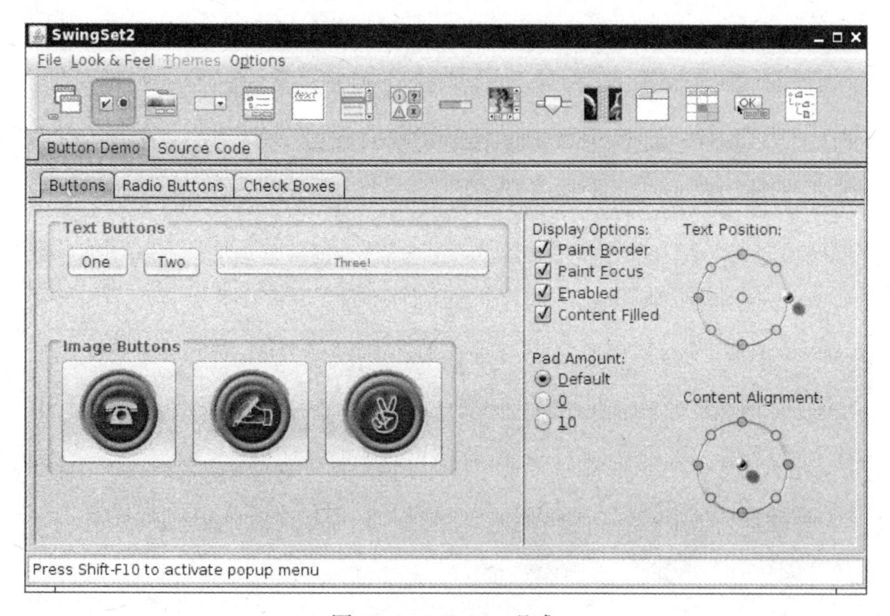

图 10-4 Nimbus 观感

有些用户希望 Java 应用使用其平台的本地观感，但另外一些用户可能更喜欢 Metal 或某种第三方观感。在第 11 章中你会了解到，让用户选择他们喜欢的观感非常容易。

注释： Java 程序员可以扩展已有的观感，或者甚至还可以设计一个全新的观感，不过我们无法在本书中留出篇幅来介绍具体如何做到。这是一个很麻烦的过程，需要指定各个 Swing 组件如何绘制。有些开发人员已经做过这个工作，特别是将 Java 移植到某些非传统平台上时（如 kiosk 终端或手持设备）。可以访问 www.javootoo.com，其中给出了一组很有意思的观感实现。

Java SE 5.0 引入了一种称为 Synth 的观感，可以更容易地实现这一过程。在 Synth 中，可以提供图像文件和 XML 描述文件来定义新的观感，而无须进行任何编程。

提示：Napkin 观感（http://napkinlaf.sourceforge.net）为所有用户界面元素提供了一种手绘外观。在向客户展示原型时非常有用，它会向客户发出一个清楚的信号，指示你提供的并非最终的产品。

注释：绝大多数 Java 用户界面程序设计都采用 Swing，但有一个特别的例外。Eclipse 集成开发环境使用了一种与 AWT 类似称为 SWT 的图形工具箱，它可以映射到不同平台的本地组件上。有关 SWT 的描述可以在网站 www.eclipse.org/ articles/ 找到。

Oracle 正在开发一种替代技术，称为 JavaFX，将来某个时间可能会取代 Swing。本书中不会讨论 JavaFX。有关的更多信息请访问 http://docs.oracle.com/javase/8/javafx/get-started-tutorial/jfx-overview.htm。

如果使用过 Visual Baisc 或 C# 编写 Microsoft Windows 应用程序，就应该了解这些产品提供的图形布局工具和资源编辑器带来的便利。这些工具可以用来设计应用程序的外观，然后生成大部分（通常是全部）GUI 代码。尽管也有一些 Java 程序设计的 GUI 构造器，但要想有效地使用这些工具，需要知道如何手工地创建用户界面。本章剩余的部分将介绍关于显示一个窗口及绘制内容的基本知识。

10.2 创建框架

在 Java 中，顶层窗口（就是没有包含在其他窗口中的窗口）被称为框架（frame）。在 AWT 库中有一个称为 Frame 的类，用于描述顶层窗口。这个类的 Swing 版本名为 JFrame，它扩展于 Frame 类。JFrame 是极少数几个不绘制在画布上的 Swing 组件之一。因此，它的修饰部件（按钮、标题栏、图标等）由用户的窗口系统绘制，而不是由 Swing 绘制。

警告：绝大多数 Swing 组件类都以“J”开头，例如，JButton、JFrame 等。在 Java 中有 Button 和 Frame 这样的类，但它们属于 AWT 组件。如果偶然地忘记书写“J”，程序仍然可以进行编译和运行，但是将 Swing 和 AWT 组件混合在一起使用将会导致视觉和行为的不一致。

在本节中，将介绍有关 Swing 的 JFrame 的常用方法。程序清单 10-1 给出了一个在屏幕中显示一个空框架的简单程序，如图 10-5 所示。

程序清单 10-1 simpleframe/SimpleFrameTest.java

```
1 package simpleFrame;
2
```

```
 3 import java.awt.*;
 4 import javax.swing.*;
 5
 6 /**
 7  * @version 1.33 2015-05-12
 8  * @author Cay Horstmann
 9  */
10 public class SimpleFrameTest
11 {
12    public static void main(String[] args)
13    {
14       EventQueue.invokeLater(() ->
15          {
16             SimpleFrame frame = new SimpleFrame();
17             frame.setDefaultCloseOperation(JFrame.EXIT_ON_CLOSE);
18             frame.setVisible(true);
19          });
20    }
21 }
22
23 class SimpleFrame extends JFrame
24 {
25    private static final int DEFAULT_WIDTH = 300;
26    private static final int DEFAULT_HEIGHT = 200;
27
28    public SimpleFrame()
29    {
30       setSize(DEFAULT_WIDTH, DEFAULT_HEIGHT);
31    }
32 }
```

下面逐行地讲解一下这个程序。

Swing 类位于 javax.swing 包中。包名 javax 表示这是一个 Java 扩展包，而不是核心包。出于历史原因 Swing 类被认为是一个扩展。不过从 1.2 版本开始，在每个 Java SE 实现中都包含它。

在默认情况下，框架的大小为 0×0 像素，这种框架没有什么实际意义。这里定义了一个子类 SimpleFrame，它的构造器将框架大小设置为 300×200 像素。这是 SimpleFrame 和 JFrame 之间唯一的差别。

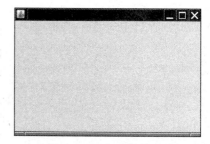

图 10-5　最简单的可见框架

在 SimpleFrameTest 类的 main 方法中，我们构造了一个 SimpleFrame 对象使它可见。

在每个 Swing 程序中，有两个技术问题需要强调。

首先，所有的 Swing 组件必须由事件分派线程（event dispatch thread）进行配置，线程将鼠标点击和按键控制转移到用户接口组件。下面的代码片断是事件分派线程中的执行代码：

```
EventQueue.invokeLater(() ->
   {
      statements
   });
```

这一内容将在 14 章中详细讨论。现在，只需要简单地将其看作启动一个 Swing 程序的神奇代码即可。

注释： 许多 Swing 程序并没有在事件分派线程中初始化用户界面。在主线程中完成初始化是通常采用的方式。遗憾的是，由于 Swing 组件十分复杂，JDK 的程序员无法保证这种方式的安全性。虽然发生错误的概率非常小，但任何人不愿意成为遭遇这个问题的不幸者之一。即使代码看起来有些神秘，也最好能够保证其正确性。

接下来，定义一个用户关闭这个框架时的响应动作。对于这个程序而言，只让程序简单地退出即可。选择这个响应动作的语句是

```
frame.setDefaultCloseOperation(JFrame.EXIT_ON_CLOSE);
```

在包含多个框架的程序中，不能在用户关闭其中的一个框架时就让程序退出。在默认情况下，用户关闭窗口时只是将框架隐藏起来，而程序并没有终止（在最后一个框架不可见之后，程序再终止，这样处理比较合适，而 Swing 却不是这样工作的）。

简单地构造框架是不会自动地显示出来的，框架起初是不可见的。这就给程序员了一个机会，可以在框架第一次显示之前往其中添加组件。为了显示框架，main 方法需要调用框架的 setVisible 方法。

注释： 在 Java SE 5.0 以前的版本中，可以使用 JFrame 类从超类 Window 继承 show 方法。Window 类的超类是 Component，其中也有一个 show 方法。在 Java SE 1.2 中不提倡使用 Component.show。如果想要显示一个组件，建议调用 setVisible(true)。然而，Java SE 1.4 以前的版本，并没有反对使用 Window.show 方法。事实上，这个方法很实用，它可以让窗口可见，且置于其他窗口的前面。遗憾的是，由于不提倡使用它，随之也失去了这一好处，Java SE 5.0 也不赞成使用 show 显示窗口。

在初始化语句结束后，main 方法退出。需要注意，退出 main 并没有终止程序，终止的只是主线程。事件分派线程保持程序处于激活状态，直到关闭框架或调用 System.exit 方法终止程序。

图 10-5 中显示的是运行程序清单 10-1 的结果，它只是一个很枯燥的顶层窗口。在这个图中看到的标题栏和外框装饰（比如，重置窗口大小的拐角）都是由操作系统绘制的，而不是 Swing 库。在 Windows、GTK 或 Mac 下运行同样的程序，将会得到不同的框架装饰。Swing 库负责绘制框架内的所有内容。在这个程序中，只用默认的背景色填充了框架。

注释： 可以调用 frame.setUndecorated(true) 关闭所有框架装饰。

10.3　框架定位

JFrame 类本身只包含若干个改变框架外观的方法。当然，通过继承，从 JFrame 的各个超类中继承了许多用于处理框架大小和位置的方法。其中最重要的有下面几个：

- setLocation 和 setBounds 方法用于设置框架的位置。
- setIconImage 用于告诉窗口系统在标题栏、任务切换窗口等位置显示哪个图标。
- setTitle 用于改变标题栏的文字。
- setResizable 利用一个 boolean 值确定框架的大小是否允许用户改变。

图 10-6 给出了 JFrame 类的继承层次。

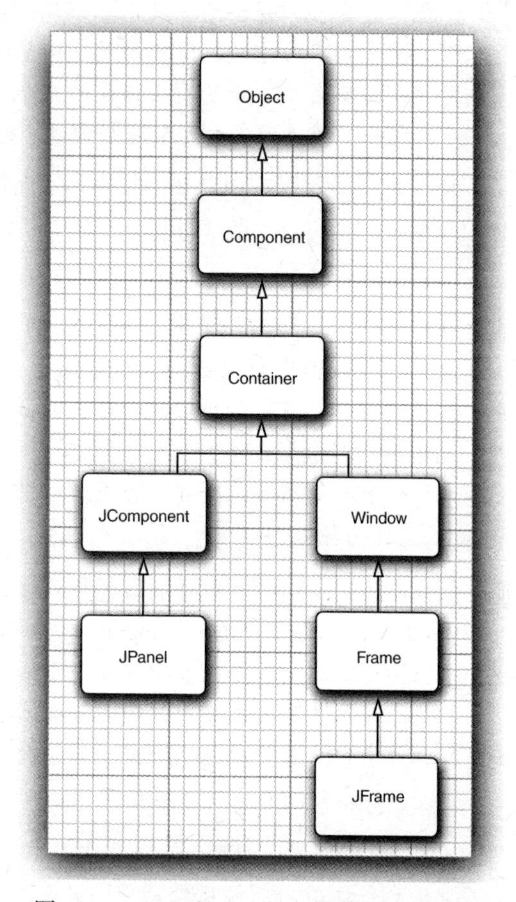

图 10-6 AWT 和 Swing 中框架和组件类的继承层次

提示：本节 API 注解给出了一些最为重要的用于设置框架适当观感的方法。其中一些定义在 JFrame 类中，而另一些来自 JFrame 的各个超类。因此，可能需要查阅 API 文档，以便确定是否存在能够实现某个特定目的的方法。遗憾的是，在文档中查阅一个类继承的方法是一件比较令人烦恼的事情。对于子类来说，API 文档只解释了覆盖的方法。例如，可以应用于 JFrame 类对象的 toFront 方法，由于它是从 Window 类继承而来的，所以 JFrame 文档没有对它进行解释。如果认为应该有一个能够完成某项操作的方法，而在处理的类文档中又没有解释，就应该查看这个类的超类 API 文档。每页 API 上面都有一个对超类的超链接，继承方法被列在新方法和覆盖方法的汇总下面。

正像 API 注解中所说的，对 Component 类（是所有 GUI 对象的祖先）和 Window 类（是 Frame 类的超类）需要仔细地研究一下，从中找到缩放和改变框架的方法。例如，在 Component 类中的 setLocation 方法是重定位组件的一个方法。如果调用

```
setLocation(x, y)
```

则窗口将放置在左上角水平 x 像素，垂直 y 像素的位置，坐标（0，0）位于屏幕的左上角。同样地，Component 中的 setBounds 方法可以实现一步重定位组件（特别是 JFrame）大小和位置的操作，例如：

```
setBounds(x, y, width, height)
```

可以让窗口系统控制窗口的位置，如果在显示窗口之前调用

```
setLocationByPlatform(true);
```

窗口系统会选用窗口的位置（而不是大小），通常是距最后一个显示窗口很少偏移量的位置。

注释：对于框架来说，setLocation 和 setBounds 中的坐标均相对于整个屏幕。在第12章中将会看到，在容器中包含的组件所指的坐标均相对于容器。

10.3.1 框架属性

组件类的很多方法是以获取/设置方法对形式出现的，例如，Frame 类的下列方法：

```
public String getTitle()
public void setTitle(String title)
```

这样的一个获取/设置方法对被称为一种属性。属性包含属性名和类型。将 get 或 set 之后的第一个字母改为小写字母就可以得到相应的属性名。例如，Frame 类有一个名为 title 且类型为 String 的属性。

从概念上讲，title 是框架的一个属性。当设置这个属性时，希望这个标题能够改变用户屏幕上的显示。当获取这个属性时，希望能够返回已经设置的属性值。

我们并不清楚（也不关心）Frame 类是如何实现这个属性的。或许只是简单的利用对等框架存储标题。或许有一个实例域：

```
private String title; // not required for property
```

如果类没有匹配的实例域，我们将不清楚（也不关心）如何实现获取和设置方法。或许只是读、写实例域，或许还执行了很多其他的操作。例如，当标题发生变化时，通知给窗口系统。

针对 get/set 约定有一个例外：对于类型为 boolean 的属性，获取方法由 is 开头。例如，下面两个方法定义了 locationByPlatform 属性：

```
public boolean isLocationByPlatform()
public void setLocationByPlatform(boolean b)
```

10.3.2 确定合适的框架大小

要记住：如果没有明确地指定框架的大小，所有框架的默认值为 0×0 像素。为了让示例程序尽可能地简单，这里将框架的大小重置为大多数情况下都可以接受的显示尺寸。然而，对于专业应用程序来说，应该检查屏幕的分辨率，并根据其分辨率编写代码重置框架的大小，如在膝上型电脑的屏幕上，正常显示的窗口在高分辨率屏幕上可能会变成一张邮票的大小。

为了得到屏幕的大小，需要按照下列步骤操作。调用 Toolkit 类的静态方法 getDefaultToolkit 得到一个 Toolkit 对象（Toolkit 类包含很多与本地窗口系统打交道的方法）。然后，调用 getScreenSize 方法，这个方法以 Dimension 对象的形式返回屏幕的大小。Dimension 对象同时用公有实例变量 width 和 height 保存着屏幕的宽度和高度。下面是相关的代码：

```
Toolkit kit = Toolkit.getDefaultToolkit();
Dimension screenSize = kit.getScreenSize();
int screenWidth = screenSize.width;
int screenHeight = screenSize.height;
```

下面，将框架大小设定为上面取值的 50%，然后，告知窗口系统定位框架：

```
setSize(screenWidth / 2, screenHeight / 2);
setLocationByPlatform(true);
```

另外，还提供一个图标。由于图像的描述与系统有关，所以需要再次使用工具箱加载图像。然后，将这个图像设置为框架的图标。

```
Image img = new ImageIcon("icon.gif").getImage();
setIconImage(img);
```

对于不同的操作系统，所看到的图标显示位置有可能不同。例如，在 Windows 中，图标显示在窗口的左上角，按下 ALT+TAB，可以在活动任务的列表中看到相应程序的图标。

程序清单 10-2 是完整的程序。当运行程序时，请注意看“Core Java”图标。

下面是为了处理框架给予的一些提示：

- 如果框架中只包含标准的组件，如按钮和文本框，那么可以通过调用 pack 方法设置框架大小。框架将被设置为刚好能够放置所有组件的大小。在通常情况下，将程序的主框架尺寸设置为最大。可以通过调用下列方法将框架设置为最大。

  ```
  frame.setExtendedState(Frame.MAXIMIZED_BOTH);
  ```

- 牢记用户定位应用程序的框架位置、重置框架大小，并且在应用程序再次启动时恢复这些内容是一个不错的想法。在第 13 章中将会介绍如何运用 API 的参数选择达到这个目的。
- GraphicsDevice 类还允许以全屏模式执行应用。

程序清单 10-2 sizedFrame/SizedFrameTest.java

```
1  package sizedFrame;
2
3  import java.awt.*;
4  import javax.swing.*;
5
6  /**
7   * @version 1.33 2007-05-12
8   * @author Cay Horstmann
9   */
10 public class SizedFrameTest
11 {
12    public static void main(String[] args)
13    {
14       EventQueue.invokeLater(() ->
15          {
16             JFrame frame = new SizedFrame();
17             frame.setTitle("SizedFrame");
18             frame.setDefaultCloseOperation(JFrame.EXIT_ON_CLOSE);
19             frame.setVisible(true);
20          });
21    }
22 }
23
24 class SizedFrame extends JFrame
```

```
25 {
26    public SizedFrame()
27    {
28       // get screen dimensions
29
30       Toolkit kit = Toolkit.getDefaultToolkit();
31       Dimension screenSize = kit.getScreenSize();
32       int screenHeight = screenSize.height;
33       int screenWidth = screenSize.width;
34
35       // set frame width, height and let platform pick screen location
36
37       setSize(screenWidth / 2, screenHeight / 2);
38       setLocationByPlatform(true);
39
40       // set frame icon
41
42       Image img = new ImageIcon("icon.gif").getImage();
43       setIconImage(img);
44    }
45 }
```

API java.awt.Component 1.0

- `boolean isVisible()`
- `void setVisible(boolean b)`

  获取或设置 visible 属性。组件最初是可见的，但 JFrame 这样的顶层组件例外。

- `void setSize(int width, int height) 1.1`

  使用给定的宽度和高度，重新设置组件的大小。

- `void setLocation(int x,int y) 1.1`

  将组件移到一个新的位置上。如果这个组件不是顶层组件，x 和 y 坐标（或者 p.x 和 p.y）是容器坐标；否则是屏幕坐标（例如：JFrame）。

- `void setBounds(int x, int y, int width, int height) 1.1`

  移动并重新设置组件的大小。

- `Dimension getSize() 1.1`
- `void setSize(Dimension d) 1.1`

  获取或设置当前组件的 size 属性。

API java.awt.Window 1.0

- `void toFront()`

  将这个窗口显示在其他窗口前面。

- `void toBack()`

  将这个窗口移到桌面窗口栈的后面，并相应地重新排列所有的可见窗口。

- `boolean isLocationByPlatform() 5.0`
- `void setLocationByPlatform(boolean b) 5.0`

获取或设置 locationByPlatform 属性。这个属性在窗口显示之前被设置，由平台选择一个合适的位置。

API java.awt.Frame 1.0

- `boolean isResizable()`
- `void setResizable(boolean b)`

  获取或设置 resizable 属性。这个属性设置后，用户可以重新设置框架的大小。
- `String getTitle()`
- `void setTitle(String s)`

  获取或设置 title 属性，这个属性确定框架标题栏中的文字。
- `Image getIconImage()`
- `void setIconImage(Image image)`

  获取或设置 iconImage 属性，这个属性确定框架的图标。窗口系统可能会将图标作为框架装饰或其他部位的一部分显示。
- `boolean isUndecorated() 1.4`
- `void setUndecorated(boolean b) 1.4`

  获取或设置 undecorated 属性。这个属性设置后，框架显示中将没有标题栏或关闭按钮这样的装饰。在框架显示之前，必须调用这个方法。
- `int getExtendedState() 1.4`
- `void setExtendedState(int state) 1.4`

  获取或设置窗口状态。状态是下列值之一。

  ```
  Frame.NORMAL
  Frame.ICONIFIED
  Frame.MAXIMIZED_HORIZ
  Frame.MAXIMIZED_VERT
  Frame.MAXIMIZED_BOTH
  ```

API java.awt.Toolkit 1.0

- `static Toolkit getDefaultToolkit()`

  返回默认的工具箱。
- `Dimension getScreenSize()`

  返回用户屏幕的尺寸。

API javax.swing.ImageIcon 1.2

- `ImageIcon(String filename)`

  构造一个图标，其图像存储在一个文件中。
- `Image getImage()`

  获得该图标的图像。

10.4 在组件中显示信息

本节将论述如何在框架内显示信息。例如，我们不再像第 3 章那样，采用文本方式将“ Not a Hello, World program” 显示在控制台窗口中，而是在框架中显示这个消息，如图 10-7 所示。

图 10-7　一个显示消息的框架

可以将消息字符串直接绘制在框架中，但这并不是一种好的编程习惯。在 Java 中，框架被设计为放置组件的容器，可以将菜单栏和其他的用户界面元素放置在其中。在通常情况下，应该在另一组件上绘制信息，并将这个组件添加到框架中。

JFrame 的结构相当复杂。在图 10-8 中给出了 JFrame 的结构。可以看到，在 JFrame 中有四层面板。其中的根面板、层级面板和玻璃面板人们并不太关心；它们是用来组织菜单栏和内容窗格以及实现观感的。Swing 程序员最关心的是内容窗格（content pane）。在设计框架的时候，要使用下列代码将所有的组件添加到内容窗格中：

```
Container contentPane = frame.getContentPane();
Component c = . . .;
contentPane.add(c);
```

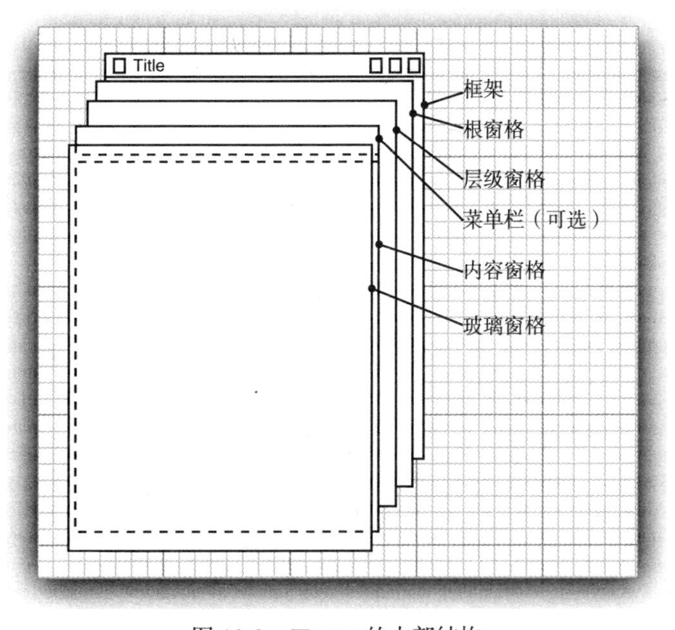

图 10-8　JFrame 的内部结构

在 Java SE 1.4 及以前的版本中，JFrame 类中的 add 方法抛出了一个异常信息“ Do not use JFrame.add().Use JFrame.getContentPane().add instead”。如今，JFrame.add 方法不再显示

这些提示信息，只是简单地调用内容窗格的 add。

因此，可以直接调用

```
frame.add(c);
```

在这里，打算将一个绘制消息的组件添加到框架中。绘制一个组件，需要定义一个扩展 JComponent 的类，并覆盖其中的 paintComponent 方法。

paintComponent 方法有一个 Graphics 类型的参数，这个参数保存着用于绘制图像和文本的设置，例如，设置的字体或当前的颜色。在 Java 中，所有的绘制都必须使用 Graphics 对象，其中包含了绘制图案、图像和文本的方法。

注释： Graphics 参数与 Windows 中的设备环境或 X11 程序设计中的图形环境基本类似。

下列代码给出了如何创建一个能够进行绘制的组件：

```
class MyComponent extends JComponent
{
   public void paintComponent(Graphics g)
   {
      code for drawing
   }
}
```

无论何种原因，只要窗口需要重新绘图，事件处理器就会通告组件，从而引发执行所有组件的 paintComponent 方法。

一定不要自己调用 paintComponent 方法。在应用程序需要重新绘图的时候，这个方法将被自动地调用，不要人为地干预这个自动的处理过程。

何种类别的动作会触发这个自动响应过程呢？例如，在用户扩大窗口或极小化窗口，然后又恢复窗口的大小时会引发重新绘图。如果用户弹出了另外一个窗口，并且这个窗口覆盖了一个已经存在的窗口，使得覆盖的窗口不可见，则此时被覆盖的应用程序窗口被破坏，需要重新绘制（图形系统不保存下面的像素）。当然，窗口第一次显示时，需要处理一些代码，主要包含确定绘制最初元素的方式以及位置。

提示： 如果需要强制刷新屏幕，就需要调用 repaint 方法，而不是 paintComponent 方法。它将引发采用相应配置的 Graphics 对象调用所有组件的 paintComponent 方法。

从上述代码片段中可以看到，paintComponent 方法只有一个 Graphics 类型的参数。对于屏幕显示来说，Graphics 对象的度量单位是像素。坐标（0,0）指出所绘制组件表面的左上角。

显示文本是一种特殊的绘图。在 Graphics 类中有一个 drawString 方法，调用的语法格式为：

```
g.drawString(text, x, y)
```

在这里，打算在原始窗口大约水平 1/4，垂直 1/2 的位置显示字符串 “Not a Hello, World program”。现在，尽管不知道应该如何度量这个字符串的大小，但可以将字符串的开始位置定义在坐标（75，100）。这就意味着字符串中的第一个字符位于从左向右 75 个像素，从上向下 100 个像素的位置（实际上，文本的基线位于像素 100 的位置，有关文本的度量方式将在稍后阐述）。因此，paintComponent 方法的书写内容如下所示：

```
public class NotHelloWorldComponent extends JComponent
{
   public static final int MESSAGE_X = 75;
   public static final int MESSAGE_Y = 100;

   public void paintComponent(Graphics g)
   {
      g.drawString("Not a Hello World program", MESSAGE_X, MESSAGE_Y);
   }
   . . .
}
```

最后，组件要告诉用户它应该有多大。覆盖 getPreferredSize 方法，返回一个有首选宽度和高度的 Dimension 类对象：

```
public class NotHelloWorldComponent extends JComponent
{
   private static final int DEFAULT_WIDTH = 300;
   private static final int DEFAULT_HEIGHT = 200;
   . . .
   public Dimension getPreferredSize() { return new Dimension(DEFAULT_WIDTH, DEFAULT_HEIGHT); }
}
```

在框架中填入一个或多个组件时，如果你只想使用它们的首选大小，可以调用 pack 方法而不是 setSize 方法：

```
class NotHelloWorldFrame extends JFrame
{
   public NotHelloWorldFrame()
   {
      add(new NotHelloWorldComponent());
      pack();
   }
}
```

程序清单 10-3 给出了完整的代码。

注释： 有些程序员更喜欢扩展 JPanel，而不是 JComponent。JPanel 是一个可以包含其他组件的容器（container），但同样也可以在其上面进行绘制。有一点不同之处是，面板不透明，这意味着需要在面板的边界内绘制所有的像素。最容易实现的方法是，在每个面板子类的 paintComponent 方法中调用 super.paintComponent 来用背景色绘制面板：

```
class NotHelloWorldPanel extends JPanel
{
   public void paintComponent(Graphics g)
   {
      super.paintComponent(g);

      code for drawing
   }
}
```

程序清单 10-3 notHelloWorld/NotHelloWorld.java

```
1  package notHelloWorld;
2
3  import javax.swing.*;
4  import java.awt.*;
5
6  /**
7   * @version 1.33 2015-05-12
8   * @author Cay Horstmann
9   */
10 public class NotHelloWorld
11 {
12    public static void main(String[] args)
13    {
14       EventQueue.invokeLater(() ->
15          {
16             JFrame frame = new NotHelloWorldFrame();
17             frame.setTitle("NotHelloWorld");
18             frame.setDefaultCloseOperation(JFrame.EXIT_ON_CLOSE);
19             frame.setVisible(true);
20          });
21    }
22 }
23
24 /**
25  * A frame that contains a message panel
26  */
27 class NotHelloWorldFrame extends JFrame
28 {
29    public NotHelloWorldFrame()
30    {
31       add(new NotHelloWorldComponent());
32       pack();
33    }
34 }
35
36 /**
37  * A component that displays a message.
38  */
39 class NotHelloWorldComponent extends JComponent
40 {
41    public static final int MESSAGE_X = 75;
42    public static final int MESSAGE_Y = 100;
43
44    private static final int DEFAULT_WIDTH = 300;
45    private static final int DEFAULT_HEIGHT = 200;
46
47    public void paintComponent(Graphics g)
48    {
49       g.drawString("Not a Hello, World program", MESSAGE_X, MESSAGE_Y);
50    }
51
52    public Dimension getPreferredSize() { return new Dimension(DEFAULT_WIDTH, DEFAULT_HEIGHT); }
53 }
```

API javax.swing.JFrame 1.2

- `Container getContentPane()`
  返回这个 JFrame 的内容窗格对象。
- `Component add(Component c)`
  将一个给定的组件添加到该框架的内容窗格中（在 Java SE 5.0 以前的版本中，这个方法将抛出一个异常）。

API java.awt.Component 1.0

- `void repaint()`
  “尽可能快地”重新绘制组件。
- `Dimension getPreferredSize()`
  要覆盖这个方法，返回这个组件的首选大小。

API javax.swing.JComponent 1.2

- `void paintComponent(Grphics g)`
  覆盖这个方法来描述应该如何绘制自己的组件。

API java.awt.Window 1.0

- `void pack()`
  调整窗口大小，要考虑到其组件的首选大小。

10.5　处理 2D 图形

自从 Java 版本 1.0 以来，Graphics 类就包含绘制直线、矩形和椭圆等方法。但是，这些绘制图形的操作能力非常有限。例如，不能改变线的粗细，不能旋转这些图形。

Java SE 1.2 引入了 Java 2D 库，这个库实现了一组功能强大的图形操作。在本章中，只介绍 Java 2D 库的基础部分，有关高级功能的详细内容请参看卷Ⅱ的第 7 章。

要想使用 Java 2D 库绘制图形，需要获得一个 Graphics2D 类对象。这个类是 Graphics 类的子类。自从 Java SE 2 版本以来，paintComponent 方法就会自动地获得一个 Graphics2D 类对象，我们只需要进行一次类型转换就可以了。如下所示：

```
public void paintComponent(Graphics g)
{
   Graphics2D g2 = (Graphics2D) g;
   . . .
}
```

Java 2D 库采用面向对象的方式将几何图形组织起来。包含描述直线、矩形的椭圆的类：

```
Line2D
Rectangle2D
Ellipse2D
```

这些类全部实现了 Shape 接口。

注释：Java 2D 库支持更加复杂的图形，例如圆弧、二次曲线、三次曲线和通用路径。有关更详细的内容请参看卷Ⅱ第 7 章。

要想绘制图形，首先要创建一个实现了 Shape 接口的类的对象，然后调用 Graphics2D 类中的 draw 方法。例如，

```
Rectangle2D rect = . . .;
g2.draw(rect);
```

注释：在 Java 2D 库出现之前，程序员使用 Grpahics 类中的 drawRectangle 方法绘制图形。从表面上看，老式风格的方法调用起来好像更加简单一点。然而，使用 Java 2D 库，可以选择 Java 2D 库中提供的一些工具提高绘制能力。

使用 Java 2D 图形类或许会增加一些复杂度。在 1.0 的绘制方法中，采用的是整型像素坐标，而 Java 2D 图形采用的是浮点坐标。在很多情况下，用户可以使用更有意义的形式（例如，微米或英寸）指定图形的坐标，然后再将其转换成像素，这样做很方便。在 Java 2D 库中，内部的很多浮点计算都采用单精度 float。毕竟，几何计算的最终目的是要设置屏幕或打印机的像素，所以单精度完全可以满足要求了。只要舍入误差限制在一个像素的范围内，视觉效果就不会受到任何影响。

然而，有时候程序员处理 float 并不太方便，这是因为 Java 程序设计语言在将 double 值转换成 float 值时必须进行类型转换。例如，考虑下列的语句：

```
float f = 1.2; // Error
```

这条语句无法通过编译，因为常量 1.2 属于 double 类型，而编译器不允许丢失精度。解决的方法是给浮点常量添加一个后缀 F：

```
float f = 1.2F; // Ok
```

现在，看一下这条语句：

```
Rectangle2D r = . . .
float f = r.getWidth(); // Error
```

这条语句也无法通过编译，其原因与前面一样。由于 getWidth 方法的返回类型是 double，所以需要进行类型强制转换：

```
float f = (float) r.getWidth(); // OK
```

由于后缀和类型转换都有点麻烦，所以 2D 库的设计者决定为每个图形类提供两个版本：一个是为那些节省空间的程序员提供的 float 类型的坐标；另一个是为那些懒惰的程序员提供的 double 类型的坐标（本书主要采用的是第二个版本，即 double 类型的坐标）。

这个库的设计者选择了一种古怪且在最初看起来还有些混乱的方式进行了打包。看一下 Rectangle2D 类，这是一个拥有两个具体子类的抽象类，这两个具体子类也是静态内部类：

```
Rectangle2D.Float
```

```
Rectangle2D.Double
```

图 10-9 显示了它们之间的继承示意图。

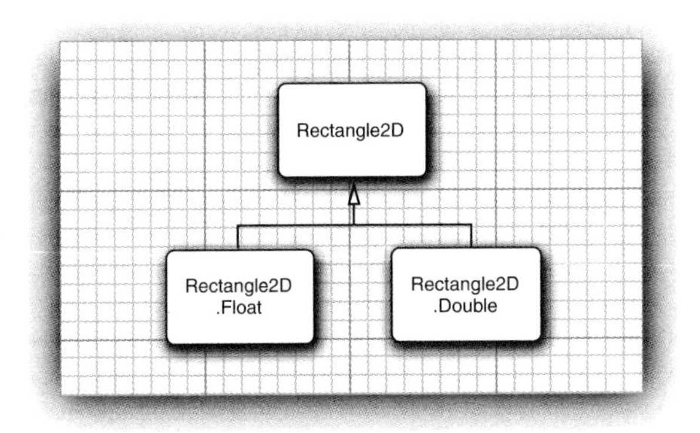

图 10-9 2D 矩形类

最好淡化这两个具体类是静态内部类，这样做只是为了避免使用 FloatRectangle2D 和 DoubleRectangle2D 这样的名字（有关静态内部类更详细的信息请参看第 6 章）。

当创建一个 Rectangle2D.Float 对象时，应该提供 float 型数值的坐标。而创建 Rectangle2D. Double 对象时，应该提供 double 型数值的坐标。

```
Rectangle2D.Float floatRect = new Rectangle2D.Float(10.0F, 25.0F, 22.5F, 20.0F);
Rectangle2D.Double doubleRect = new Rectangle2D.Double(10.0, 25.0, 22.5, 20.0);
```

实际上，由于 Rectangle2D.Float 和 Rectangle2D.Double 都扩展于 Rectangle2D 类，并且子类只覆盖了 Rectangle2D 超类中的方法，所以没有必要记住图形类型。可以直接使用 Rectangle2D 变量保存矩形的引用。

```
Rectangle2D floatRect = new Rectangle2D.Float(10.0F, 25.0F, 22.5F, 20.0F);
Rectangle2D doubleRect = new Rectangle2D.Double(10.0, 25.0, 22.5, 20.0);
```

也就是说，只有在构造图形对象时，才需要使用烦人的内部类。

构造参数表示矩形的左上角位置、宽和高。

注释： 实际上，Rectangle2D.Float 类包含了一个不是由 Rectangle2D 继承而来的附加方法 setRect(float x, float y, float h, float w)。如果将 Rectangle2D.Float 的引用存储在 Rectangle2D 变量中，那就会失去这个方法。但是，这也没有太大关系，因为在 Rectangle2D 中有一个参数为 double 类型的 setRect 方法。

Rectangle2D 方法的参数和返回值均为 double 类型。例如，即使 Rectangle2D.Float 对象存储 float 类型的宽度，getWidth 方法也返回一个 double 值。

提示： 直接使用 Double 图形类可以避免处理 float 类型的值，然而如果需要创建上千个图形对象，还是应该考虑使用 Float 类，这样可以节省存储空间。

前面对 Rectangle2D 类的论述也适用于其他图形类。另外，Point2D 类也有两个子类

Point2D.Float 和 Point2D.Double。下面是构造一个点对象的方法：

```
Point2D p = new Point2D.Double(10, 20);
```

提示：Point2D 类是很有用的。使用 Point2D 对象比使用单独的 x 和 y 更加具有面向对象的风格。许多构造器和方法都接收 Point2D 型参数，我们建议在可能的情况下使用 Point2D 对象。这样会使几何计算更容易理解。

Rectangle2D 和 Ellipse2D 类都是由公共超类 RectangularShape 继承来的。无可非议，椭圆不是矩形，但它们都有着矩形边界，如图 10-10 所示。

RectangularShape 类定义了 20 多个有关图形操作的通用方法，其中比较常用的方法有 getWidth、getHeight、getCenterX、getCenterY 等（但在写本书时，getCenter 方法还不能以 Point2D 对象的形式返回中心位置）。

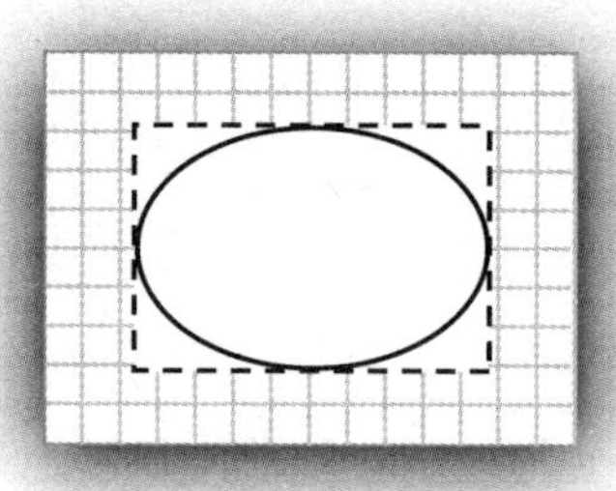

图 10-10　椭圆的矩形边界

最后，从 Java 1.0 遗留下来的两个类也被放置在图形类的继承层次中。它们是 Rectangle 和 Point 类，分别扩展于 Rectangle2D 和 Point2D 类，并用整型坐标存储矩形和点。

图 10-11 给出了图形类之间的关系。不过，省略了 Double 和 Float 子类。图中的遗留类采用填充灰色的方式标记。

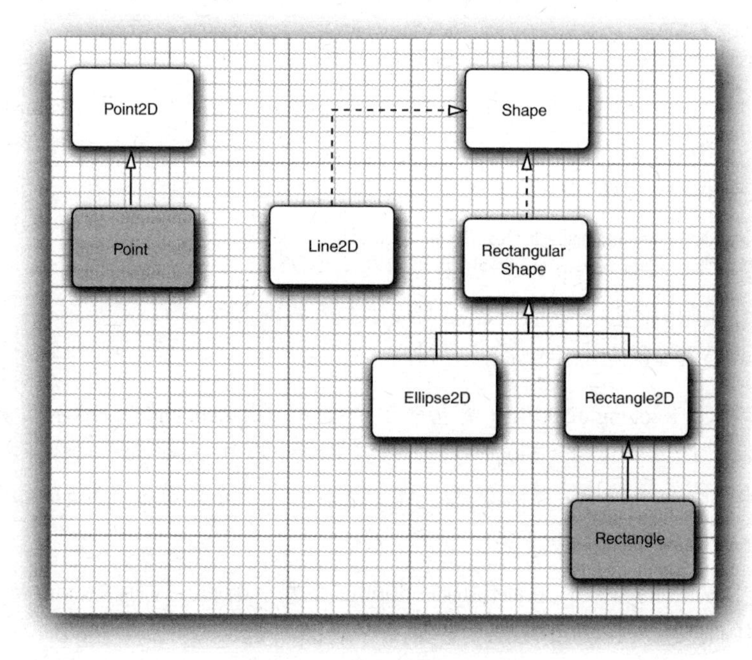

图 10-11　图形类之间的关系

Rectangle2D 和 Ellipse2D 对象很容易构造。需要给出

- 左上角的 x 和 y 坐标；

- 宽和高。

对于椭圆，这些内容代表外接矩形。例如，

```
Ellipse2D e = new Ellipse2D.Double(150, 200, 100, 50);
```

用左上角位于（150，200）、宽 100、高 50 的外接矩形构造一个椭圆。

然而，有时候并不知道左上角的位置。经常得到的是矩形的两个对角点，而这两个对角不一定是左上角和右下角。不能直接这样构造一个矩形：

```
Rectangle2D rect = new Rectangle2D.Double(px, py, qx - px, qy - py); // Error
```

如果 p 不是左上角，两个坐标之差就为负，矩形就为空。在这种情况下，首先创建一个空矩形，然后调用 setFrameFromDiagonal 方法，如下所示：

```
Rectangle2D rect = new Rectangle2D.Double();
rect.setFrameFromDiagonal(px, py, qx, qy);
```

或者，如果已知的顶点分别用 Point2D 类型的两个对象 p 和 q 表示，就应该这样调用：

```
rect.setFrameFromDiagonal(p, q);
```

在构造椭圆（这种情况还出现在构造其他图形时）时，通常可以知道椭圆的中心、宽和高，而不是外接矩形的顶点。setFrameFromCenter 方法使用中心点，但仍然要给出四个顶点中的一个。因此，通常采用下列方式构造椭圆：

```
Ellipse2D ellipse = new Ellipse2D.Double(centerX - width / 2, centerY - height / 2, width, height);
```

要想构造一条直线，需要提供起点和终点。这两个点既可以使用 Point2D 对象表示，也可以使用一对数值表示：

```
Line2D line = new Line2D.Double(start, end);
```

或者

```
Line2D line = new Line2D.Double(startX, startY, endX, endY);
```

程序清单 10-4 中的程序绘制了一个矩形；这个矩形的内接椭圆；矩形的对角线以及以矩形中心为圆点的圆。图 10-12 显示了结果。

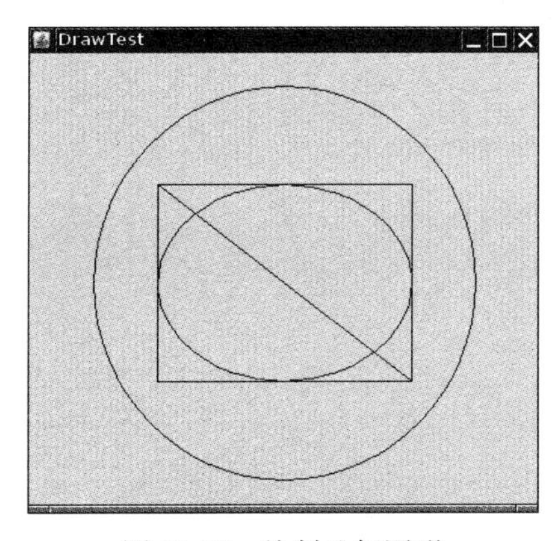

图 10-12　绘制几何图形

程序清单 10-4 draw/DrawTest.java

```
1 package draw;
2
3 import java.awt.*;
4 import java.awt.geom.*;
5 import javax.swing.*;
6
7 /**
8  * @version 1.33 2007-05-12
9  * @author Cay Horstmann
10  */
11 public class DrawTest
12 {
13    public static void main(String[] args)
14    {
15       EventQueue.invokeLater(() ->
16          {
17             JFrame frame = new DrawFrame();
18             frame.setTitle("DrawTest");
19             frame.setDefaultCloseOperation(JFrame.EXIT_ON_CLOSE);
20             frame.setVisible(true);
21          });
22    }
23 }
24
25 /**
26  * A frame that contains a panel with drawings
27  */
28 class DrawFrame extends JFrame
29 {
30    public DrawFrame()
31    {
32       add(new DrawComponent());
33       pack();
34    }
35 }
36
37 /**
38  * A component that displays rectangles and ellipses.
39  */
40 class DrawComponent extends JComponent
41 {
42    private static final int DEFAULT_WIDTH = 400;
43    private static final int DEFAULT_HEIGHT = 400;
44
45    public void paintComponent(Graphics g)
46    {
47       Graphics2D g2 = (Graphics2D) g;
48
49       // draw a rectangle
50
51       double leftX = 100;
52       double topY = 100;
53       double width = 200;
54       double height = 150;
55
```

```
56         Rectangle2D rect = new Rectangle2D.Double(leftX, topY, width, height);
57         g2.draw(rect);
58 
59         // draw the enclosed ellipse
60 
61         Ellipse2D ellipse = new Ellipse2D.Double();
62         ellipse.setFrame(rect);
63         g2.draw(ellipse);
64 
65         // draw a diagonal line
66 
67         g2.draw(new Line2D.Double(leftX, topY, leftX + width, topY + height));
68 
69         // draw a circle with the same center
70 
71         double centerX = rect.getCenterX();
72         double centerY = rect.getCenterY();
73         double radius = 150;
74 
75         Ellipse2D circle = new Ellipse2D.Double();
76         circle.setFrameFromCenter(centerX, centerY, centerX + radius, centerY + radius);
77         g2.draw(circle);
78     }
79 
80     public Dimension getPreferredSize() { return new Dimension(DEFAULT_WIDTH, DEFAULT_HEIGHT); }
81 }
```

API java.awt.geom.RectangularShape 1.2

- `double getCenterX()`
- `double getCenterY()`
- `double getMinX()`
- `double getMinY()`
- `double getMaxX()`
- `double getMaxY()`

  返回闭合矩形的中心，以及最小、最大 x 和 y 坐标值。
- `double getWidth()`
- `double getHeight()`

  返回闭合矩形的宽和高。
- `double getX()`
- `double getY()`

  返回闭合矩形左上角的 x 和 y 坐标。

API java.awt.geom.Rectangle2D.Double 1.2

- `Rectangle2D.Double(double x,double y,double w,double h)`

  利用给定的左上角、宽和高，构造一个矩形。

API java.awt.geom.Rectangle2D.Float 1.2

- `Rectangle2D.Float(float x,float y,float w,float h)`

  利用给定的左上角、宽和高，构造一个矩形。

API java.awt.geom.Ellipse2D.Double 1.2

- `Ellipse2D.Double(double x,double y,double w,double h)`

  利用给定的左上角、宽和高的外接矩形，构造一个椭圆。

API java.awt.geom.Point2D.Double 1.2

- `Point2D.Double(double x, double y)`

  利用给定坐标构造一个点。

API java.awt.geom.Line2D.Double 1.2

- `Line2D.Double(Point2D start, Point2D end)`
- `Line2D.Double(double startX, double startY, double endX, double endY)`

  使用给定的起点和终点，构造一条直线。

10.6 使用颜色

使用 Graphics2D 类的 setPaint 方法可以为图形环境上的所有后续的绘制操作选择颜色。例如：

```
g2.setPaint(Color.RED);
g2.drawString("Warning!", 100, 100);
```

只需要将调用 draw 替换为调用 fill 就可以用一种颜色填充一个封闭图形（例如：矩形或椭圆）的内部：

```
Rectangle2D rect = . . .;
g2.setPaint(Color.RED);
g2.fill(rect); // fills rect with red
```

要想绘制多种颜色，就需要按照选择颜色、绘制图形、再选择另外一种颜色、再绘制图形的过程实施。

注释： fill 方法会在右侧和下方少绘制一个像素。例如，如果绘制一个 new Rectangle2D.Double(0, 0, 10, 20)，绘制的矩形将包括 x = 10 和 y = 20 的像素。如果填充这个矩形，则不会绘制 x = 10 和 y = 20 的像素。

Color 类用于定义颜色。在 java.awt.Color 类中提供了 13 个预定义的常量，它们分别表示 13 种标准颜色。

```
BLACK, BLUE, CYAN, DARK_GRAY, GRAY, GREEN, LIGHT_GRAY, MAGENTA, ORANGE, PINK, RED, WHITE, YELLOW
```

注释： 在 Java SE 1.4 之前的版本中，颜色常量的名字为小写形式，例如，Color.red。这似乎有些超出寻常，因为标准编码的惯例是采用大写形式书写常量。现在可以采用大写的形式书写标准颜色的名字，不过，为了向后兼容，也可以用小写形式书写。

可以通过提供红、绿和蓝三色成分来创建一个 Color 对象，以达到定制颜色的目的。三种颜色都是用 0 ~ 255（也就是一个字节）之间的整型数值表示，调用 Color 的构造器格式为：

```
Color(int redness, int greenness, int blueness)
```

下面是一个定制颜色的例子：

```
g2.setPaint(new Color(0, 128, 128)); // a dull blue-green
g2.drawString("Welcome!", 75, 125);
```

注释：除了纯色以外，还可以选择更复杂的“颜料”设置，例如，改变色调（hue）或者图像。有关这方面更加详细的内容请参看卷 Ⅱ 中的高级 AWT 章节。如果使用 Graphics 对象，而不是 Graphics2D 对象，就需要使用 setColor 方法设置颜色。

要想设置背景颜色，就需要使用 Component 类中的 setBackground 方法。Component 类是 JComponent 类的祖先。

```
MyComponent p = new MyComponent();
p.setBackground(Color.PINK);
```

另外，还有一个 setForeground 方法，它是用来设定在组件上进行绘制时使用的默认颜色。

提示：从名字就可以看出，Color 类中的 brighter( ) 方法和 darker( ) 方法的功能，它们分别加亮或变暗当前的颜色。使用 brighter 方法也是加亮条目的好办法。实际上，brighter() 只微微地加亮一点。要达到耀眼的效果，需要调用三次这个方法：c.brighter( ). brighter( ). brighter( )。

Java 在 SystemColor 类中预定义了很多颜色的名字。在这个类中的常量，封装了用户系统的各个元素的颜色。例如，

```
p.setBackground(SystemColor.window)
```

它将把面板的背景颜色设定为用户桌面上所有窗口使用的默认颜色。（无论何时重新绘制窗口，都会填充背景颜色。）当希望让绘制的用户界面元素与用户桌面上已经存在的其他元素的颜色匹配时，使用 SystemColor 类中的颜色非常有用。表 10-1 列出了系统颜色的名字和它们的含义。

表 10-1 系统颜色

desktop	桌面的背景颜色	window	窗口的背景
activeCaption	标题的背景颜色	windowBorder	窗口边框的颜色
activeCaptionText	标题的文本颜色	windowText	窗口内的文本颜色
activeCaptionBorder	标题文本的边框颜色	menu	菜单的背景颜色
inactiveCaption	非活动标题的背景颜色	menuText	菜单的文本颜色
inactiveCaptionText	非活动标题的文本颜色	text	文本的背景颜色
inactiveCaptionBorder	非活动标题的边框颜色	textText	文本的前景颜色

（续）

textInactiveText	非活动控件的文本颜色	controlHighlight	控件的高亮度颜色
textHighlight	高亮度文本的背景颜色	controlShadow	控件的阴影颜色
textHighlightText	高亮度文本的文本颜色	controlDkShadow	控件的暗阴影颜色
control	控件的背景颜色	scrollbar	滚动条的背景颜色
controlText	控件的文本颜色	info	帮助区文本的颜色
controlLtHighlight	控件的浅高亮度颜色	infoText	帮助区的文本颜色

API java.awt.Color 1.0

- `Color(int r,int g,int b)`

  创建一个颜色对象。

  参数：r　　红色值（0-255）

  　　　g　　绿色值（0-255）

  　　　b　　蓝色值（0-255）

API java.awt.Graphics 1.0

- `Color getColor()`
- `void setColor(Color c)`

  获取或改变当前的颜色。所有后续的绘图操作都使用这个新颜色。

  参数：c　　新颜色

API java.awt.Graphics2D 1.2

- `Paint getPaint()`
- `void setPaint(Paint p)`

  获取或设置这个图形环境的绘制属性。Color 类实现了 Paint 接口。因此，可以使用这个方法将绘制属性设置为纯色。

- `void fill(Shape s)`

  用当前的颜料填充该图形。

API java.awt.Component 1.0

- `Color getBackground()`
- `void setBackground(Color c)`

  获取或设置背景颜色。

  参数：c　　新背景颜色

- `Color getForeground()`
- `void setForeground(Color c)`

  获取或设置前景颜色。

  参数：c　　新前景颜色

10.7 文本使用特殊字体

在本章开始的“Not a Hello, World”程序中用默认字体显示了一个字符串。实际上，经常希望选用不同的字体显示文本。人们可以通过字体名（font face name）指定一种字体。字体名由“Helvetica”这样的字体家族名（font family name）和一个可选的“Bold”后缀组成。例如，“Helvetica”和“Helvetica Bold”属于“Helvetica”家族的字体。

要想知道某台特定计算机上允许使用的字体，就需要调用 GraphicsEnvironment 类中的 getAvailableFontFamilyNames 方法。这个方法将返回一个字符型数组，其中包含了所有可用的字体名。GraphicsEnvironment 类描述了用户系统的图形环境，为了得到这个类的对象，需要调用静态的 getLocalGraphicsEnvironment 方法。下面这个程序将打印出系统上的所有字体名：

```
import java.awt.*;

public class ListFonts
{
   public static void main(String[] args)
   {
      String[] fontNames = GraphicsEnvironment
         .getLocalGraphicsEnvironment()
         .getAvailableFontFamilyNames();
      for (String fontName : fontNames)
         System.out.println(fontName);
   }
}
```

在某个系统上，输出的结果为：

```
Abadi MT Condensed Light
Arial
Arial Black
Arial Narrow
Arioso
Baskerville
Binner Gothic
. . .
```

后面还有 70 种左右的字体。

字体名可以商标化，字体设计在一些权限内可以版权化。因此，字体的分发需要向字体的创始者付版税。当然，像名牌香水有廉价仿制品一样，字体也有外观相似的。例如，Helvetica 的仿制品就是 Windows 中称为 Arial 的字体。

为了创建一个公共基准，AWT 定义了五个逻辑（logical）字体名：

```
SansSerif
Serif
Monospaced
Dialog
DialogInput
```

这些字体将被映射到客户机上的实际字体。例如，在 Windows 系统中，SansSerif 将被映射到 Arial。

另外，Oracle JDK包含3种字体，它们是“Lucida Sans”，“Lucida Bright”和“Lucida Sans Typewriter”。

要想使用某种字体绘制字符，必须首先利用指定的字体名、字体风格和字体大小来创建一个Font类对象。下面是构造一个Font对象的例子：

```
Font sansbold14 = new Font("SansSerif", Font.BOLD, 14);
```

第三个参数是以点数目计算的字体大小。点数目是排版中普遍使用的表示字体大小的单位，每英寸包含72个点。

在Font构造器中，提供字体名的位置也可以给出逻辑字体名称。另外，利用Font构造器的第二个参数可以指定字体的风格（常规、加粗、斜体或加粗斜体），下面是几个字体风格的值：

```
Font.PLAIN
Font.BOLD
Font.ITALIC
Font.BOLD + Font.ITALIC
```

注释： 字体映射定义在Java安装的jre/lib子目录中的fontconfig.properties文件中。有关这个文件的详细内容请参看http://docs.oracle.com/javase/8/docs/technotes/guides/intl/fontconfig.html。

可以读取TrueType或PostScriot Type 1格式的字体文件。这需要一个字体输入流——通常从磁盘文件或者URL读取（有关流的更详细信息请参看卷Ⅱ第1章）。然后调用静态方法Font.createFont：

```
URL url = new URL("http://www.fonts.com/Wingbats.ttf");
InputStream in = url.openStream();
Font f1 = Font.createFont(Font.TRUETYPE_FONT, in);
```

上面定义的字体为常规字体，大小为1。可以使用deriveFont方法得到希望大小的字体：

```
Font f = f1.deriveFont(14.0F);
```

警告： deriveFont方法有两个重载版本。一个（有一个float参数）设置字体的大小；另一个（有一个int参数）设置字体风格。所以f.deriveFont(14)设置的是字体风格，而不是大小（其结果为斜体，因为14的二进制表示的是ITALIC，而不是BOLD）。

Java字体包含了通用的ASCII字符和符号。例如，如果用Dialog字体打印字符‘\u2297’，那么就会看到⊗字符。只有在Unicode字符集中定义的符号才能够使用。

下面这段代码将使用系统中14号加粗的标准sans serif字体显示字符串“Hello,World”：

```
Font sansbold14 = new Font("SansSerif", Font.BOLD, 14);
g2.setFont(sansbold14);
String message = "Hello, World!";
g2.drawString(message, 75, 100);
```

接下来，将字符串绘制在面板的中央，而不是任意位置。因此，需要知道字符串占据的宽和高的像素数量。这两个值取决于下面三个因素：

- 使用的字体（在前面列举的例子中为sans serif，加粗，14号）；

- 字符串（在前面列举的例子中为“Hello,World”）；
- 绘制字体的设备（在前面列举的例子中为用户屏幕）。

要想得到屏幕设备字体属性的描述对象，需要调用 Graphics2D 类中的 getFontRender-Context 方法。它将返回一个 FontRenderContext 类对象。可以直接将这个对象传递给 Font 类的 getStringBounds 方法：

```
FontRenderContext context = g2.getFontRenderContext();
Rectangle2D bounds = sansbold14..getStringBounds(message, context);
```

getStringBounds 方法将返回包围字符串的矩形。

为了解释这个矩形的大小，需要清楚几个排版的相关术语。如图 10-13 所示。基线（baseline）是一条虚构的线，例如，字母“e”所在的底线。上坡度（ascent）是从基线到坡顶（ascenter）的距离。例如，“b”和“k”以及大写字母的上面部分。下坡度（descent）是从基线到坡底（descenter）的距离，坡底是“p”和“g”这种字母的底线。

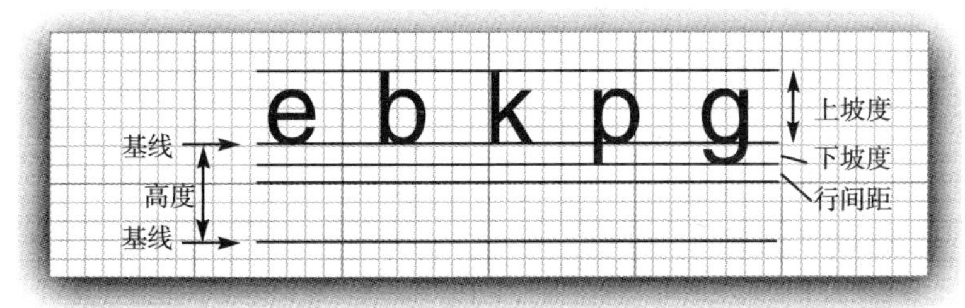

图 10-13　排版术语解释

行间距（leading）是某一行的坡底与其下一行的坡顶之间的空隙（这个术语源于排字机分隔行的间隔带）。字体的高度是连续两个基线之间的距离，它等于下坡度 + 行间距 + 上坡度。

getStringBounds 方法返回的矩形宽度是字符串水平方向的宽度。矩形的高度是上坡度、下坡度、行间距的总和。这个矩形始于字符串的基线，矩形顶部的 y 坐标为负值。因此，可以采用下面的方法获得字符串的宽度、高度和上坡度：

```
double stringWidth = bounds.getWidth();
double stringHeight = bounds.getHeight();
double ascent = -bounds.getY();
```

如果需要知道下坡度或行间距，可以使用 Font 类的 getLineMetrics 方法。这个方法将返回一个 LineMetrics 类对象，获得下坡度和行间距的方法是：

```
LineMetrics metrics = f.getLineMetrics(message, context);
float descent = metrics.getDescent();
float leading = metrics.getLeading();
```

下面这段代码使用了所有这些信息，将字符串显示在包围它的组件中央：

```
FontRenderContext context = g2.getFontRenderContext();
Rectangle2D bounds = f.getStringBounds(message, context);

// (x,y) = top left corner of text
double x = (getWidth() - bounds.getWidth()) / 2;
```

```
double y = (getHeight() - bounds.getHeight()) / 2;

// add ascent to y to reach the baseline
double ascent = -bounds.getY();
double baseY = y + ascent;
g2.drawString(message, (int) x, (int) baseY);
```

为了能够获得中央的位置，可以使用 getWidth( ) 得到组件的宽度。使用 bounds.getWidth( ) 得到字符串的宽度。前者减去后者就是两侧应该剩余的空间。因此，每侧剩余的空间应该是这个差值的一半。高度也是一样。

注释： 如果需要在 paintComponent 方法外部计算布局图的尺度，不能从 Graphics2D 对象得到字体绘制环境。换作调用 JComponent 类的 getFontMetrics 方法，而后紧接着调用 getFontRenderContext：

```
FontRenderContext context = getFontMetrics(f).getFontRenderContext();
```

为了说明位置是正确的，示例程序绘制了基线和包围这个字符串的矩形。图 10-14 给出了屏幕显示结果。程序清单 10-5 中是相应的代码。

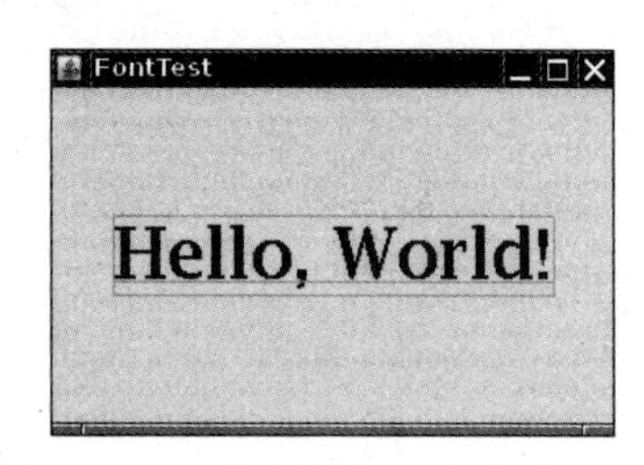

图 10-14 绘制基线和字符串边框

程序清单 10-5 font/FontTest.java

```
1  package font;
2
3  import java.awt.*;
4  import java.awt.font.*;
5  import java.awt.geom.*;
6  import javax.swing.*;
7
8  /**
9   * @version 1.34 2015-05-12
10  * @author Cay Horstmann
11  */
12 public class FontTest
13 {
14    public static void main(String[] args)
15    {
16       EventQueue.invokeLater(() ->
17          {
18             JFrame frame = new FontFrame();
19             frame.setTitle("FontTest");
20             frame.setDefaultCloseOperation(JFrame.EXIT_ON_CLOSE);
21             frame.setVisible(true);
22          });
23    }
24 }
25
26 /**
27  * A frame with a text message component
28  */
29 class FontFrame extends JFrame
30 {
```

```
31     public FontFrame()
32     {
33        add(new FontComponent());
34        pack();
35     }
36  }
37
38  /**
39   * A component that shows a centered message in a box.
40   */
41  class FontComponent extends JComponent
42  {
43     private static final int DEFAULT_WIDTH = 300;
44     private static final int DEFAULT_HEIGHT = 200;
45
46     public void paintComponent(Graphics g)
47     {
48        Graphics2D g2 = (Graphics2D) g;
49
50        String message = "Hello, World!";
51
52        Font f = new Font("Serif", Font.BOLD, 36);
53        g2.setFont(f);
54
55        // measure the size of the message
56
57        FontRenderContext context = g2.getFontRenderContext();
58        Rectangle2D bounds = f.getStringBounds(message, context);
59
60        // set (x,y) = top left corner of text
61
62        double x = (getWidth() - bounds.getWidth()) / 2;
63        double y = (getHeight() - bounds.getHeight()) / 2;
64
65        // add ascent to y to reach the baseline
66
67        double ascent = -bounds.getY();
68        double baseY = y + ascent;
69
70        // draw the message
71
72        g2.drawString(message, (int) x, (int) baseY);
73
74        g2.setPaint(Color.LIGHT_GRAY);
75
76        // draw the baseline
77
78        g2.draw(new Line2D.Double(x, baseY, x + bounds.getWidth(), baseY));
79
80        // draw the enclosing rectangle
81
82        Rectangle2D rect = new Rectangle2D.Double(x, y, bounds.getWidth(), bounds.getHeight());
83        g2.draw(rect);
84     }
85
86     public Dimension getPreferredSize() { return new Dimension(DEFAULT_WIDTH, DEFAULT_HEIGHT); }
87  }
```

API java.awt.Font 1.0

- `Font(String name, int style, int size)`

  创建一个新字体对象。

  参数：name　字体名。不是字体名（例如，“Helvetica Bold”），就是逻辑字体名（例如，“Serif”、“SansSerif”）

  style　字体风格（Font.PLAIN、Font.BOLD、Font.ITALIC 或 Font.BOLD+Font.ITALIC）

  size　字体大小（例如，12）
- `String getFontName()`

  返回字体名，例如，“Helvetica Bold”。
- `String getFamily()`

  返回字体家族名，例如，“Helvetica”。
- `String getName()`

  如果采用逻辑字体名创建字体，将返回逻辑字体，例如，“SansSerif”；否则，返回字体名。
- `Rectangle2D getStringBounds(String s, FontRenderContext context) 1.2`

  返回包围这个字符串的矩形。矩形的起点为基线。矩形顶端的 y 坐标等于上坡度的负值。矩形的高度等于上坡度、下坡度和行间距之和。宽度等于字符串的宽度。
- `LineMetrics getLineMetrics(String s, FontRenderContext context) 1.2`

  返回测定字符串宽度的一个线性 metrics 对象。
- `Font deriveFont(int style) 1.2`
- `Font deriveFont(float size) 1.2`
- `Font deriveFont(int style, float size) 1.2`

  返回一个新字体，除给定大小和字体风格外，其余与原字体一样。

API java.awt.font.LineMetrics 1.2

- `float getAscent()`

  返回字体的上坡度——从基线到大写字母顶端的距离。
- `float getDescent()`

  返回字体的下坡度——从基线到坡底的距离。
- `float getLeading()`

  返回字体的行间距——从一行文本底端到下一行文本顶端之间的空隙。
- `float getHeight()`

  返回字体的总高度——两条文本基线之间的距离（下坡度 + 行间距 + 上坡度）。

API java.awt.Graphics 1.0

- `Font getFont()`

- `void setFont(Font font)`

  获取或设置当前的字体。这种字体将被应用于后续的文本绘制操作中。

  参数：font　　一种字体

- `void drawString(String str, int x, int y)`

  采用当前字体和颜色绘制一个字符串。

  参数：str　　将要绘制的字符串

  　　　x　　字符串开始的 x 坐标

  　　　y　　字符串基线的 y 坐标

API java.awt.Graphics2D 1.2

- `FontRenderContext getFontRenderContext()`

  返回这个图形文本中，指定字体特征的字体绘制环境。

- `void drawString(String str, float x, float y)`

  采用当前的字体和颜色绘制一个字符串。

  参数：str　　将要绘制的字符串

  　　　x　　字符串开始的 x 坐标

  　　　y　　字符串基线的 y 坐标

API javax.swing.JComponent 1.2

- `FontMetrics getFontMetrics(Font f) 5.0`

  获取给定字体的度量。FontMetrics 类是 LineMetrics 类的早先版。

API java.awt.FontMetrics 1.0

- `FontRenderContext getFontRenderContext() 1.2`

  返回字体的字体绘制环境。

10.8　显示图像

到目前为止，我们已经看到了如何通过绘制直线和图形创建一个简单的图像。而对于照片这样的复杂图像来说，通常都是由扫描仪或特殊的图像处理软件生成的（正像在卷Ⅱ中将看到的，逐像素地生成图像。

一旦图像保存在本地文件或因特网的某个位置上，就可以将它们读到 Java 应用程序中，并在 Graphics 对象上进行显示。读取图像有很多方法。在这里我们使用你之前已经见过的 ImageIcon 类：

```
Image image = new ImageIcon(filename).getImage();
```

这里的变量 image 包含了一个封装图像数据的对象引用。可以使用 Graphics 类的 drawImage 方法将图像显示出来。

```
public void paintComponent(Graphics g)
{
   . . .
   g.drawImage(image, x, y, null);
}
```

程序清单 10-6 又前进了一步，它在一个窗口中平铺显示了一幅图像。屏幕显示的结果如图 10-15 所示。这里采用 paintComponent 方法来实现平铺显示。它的基本过程为：先在左上角显示图像的一个拷贝，然后使用 copyArea 将其拷贝到整个窗口：

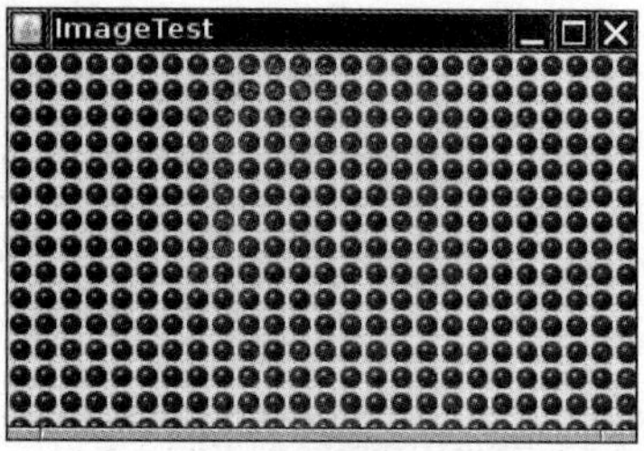

图 10-15　平铺图像的窗口

```
for (int i = 0; i * imageWidth <= getWidth(); i++)
  for (int j = 0; j * imageHeight <= getHeight(); j++)
     if (i + j > 0)
        g.copyArea(0, 0, imageWidth, imageHeight, i * imageWidth, j * imageHeight);
```

程序清单 10-6 列出了图像显示程序的完整代码。

程序清单 10-6　image/ImageTest.java

```
1 package image;
2 
3 import java.awt.*;
4 import javax.swing.*;
5 
6 /**
7  * @version 1.34 2015-05-12
8  * @author Cay Horstmann
9  */
10 public class ImageTest
11 {
12    public static void main(String[] args)
13    {
14       EventQueue.invokeLater(() ->
15          {
16             JFrame frame = new ImageFrame();
17             frame.setTitle("ImageTest");
18             frame.setDefaultCloseOperation(JFrame.EXIT_ON_CLOSE);
19             frame.setVisible(true);
20          });
21    }
22 }
23 
24 /**
25  * A frame with an image component
26  */
27 class ImageFrame extends JFrame
28 {
29    public ImageFrame()
30    {
31       add(new ImageComponent());
32       pack();
33    }
34 }
```

```
35
36 /**
37  * A component that displays a tiled image
38  */
39 class ImageComponent extends JComponent
40 {
41    private static final int DEFAULT_WIDTH = 300;
42    private static final int DEFAULT_HEIGHT = 200;
43
44    private Image image;
45
46    public ImageComponent()
47    {
48       image = new ImageIcon("blue-ball.gif").getImage();
49    }
50
51    public void paintComponent(Graphics g)
52    {
53       if (image == null) return;
54
55       int imageWidth = image.getWidth(this);
56       int imageHeight = image.getHeight(this);
57
58       // draw the image in the upper-left corner
59
60       g.drawImage(image, 0, 0, null);
61
62       // tile the image across the component
63
64       for (int i = 0; i * imageWidth <= getWidth(); i++)
65          for (int j = 0; j * imageHeight <= getHeight(); j++)
66             if (i + j > 0)
67                g.copyArea(0, 0, imageWidth, imageHeight, i * imageWidth, j * imageHeight);
68    }
69
70    public Dimension getPreferredSize() { return new Dimension(DEFAULT_WIDTH, DEFAULT_HEIGHT); }
71 }
```

API java.awt.Graphics 1.0

- `boolean drawImage(Image img, int x, int y, ImageObserver observer)`

  绘制一幅非比例图像。注意：这个调用可能会在图像还没有绘制完毕就返回。

  参数：img　　将要绘制的图像

  　　　x　　左上角的 x 坐标

  　　　y　　左上角的 y 坐标

  　　　observer　　绘制进程中以通告为目的的对象（可能为 null）。

- `boolean drawImage(Image img,int x,int y,int width,int height,ImageObserver observer)`

  绘制一幅比例图像。系统按照比例将图像放入给定宽和高的区域。注意：这个调用可能会在图像还没有绘制完毕就返回。

参数：img　　将要绘制的图像
　　x　　左上角的 x 坐标
　　y　　左上角的 y 坐标
　　width　　描述图像的宽度
　　height　　描述图像的高度
　　observer　　绘制进程中以通告为目的的对象（可能为 null）

- `void copyArea(int x,int y,int width,int height,int dx,int dy)`

拷贝屏幕的一块区域。

参数：x　　原始区域左上角的 x 坐标
　　y　　原始区域左上角的 y 坐标
　　width　　原始区域的宽度
　　height　　原始区域的高度
　　dx　　原始区域到目标区域的水平距离
　　dy　　原始区域到目标区域的垂直距离

以上完成了有关 Java 图形编程的内容介绍。关于更高级的技术，可以参看卷Ⅱ中有关 2D 图形和图像管理的讨论。在下一章，读者将学习如何让程序对用户的输入进行响应。

第 11 章　事件处理

▲ 事件处理基础　　▲ 鼠标事件
▲ 动作　　▲ AWT 事件继承层次

对于图形用户界面的程序来说，事件处理是十分重要的。要想实现用户界面，必须掌握 Java 事件处理的基本方法。本章将讲解 Java AWT 事件模型的工作机制，从中可以看到如何捕获用户界面组件和输入设备产生的事件。另外，本章还介绍如何以更加结构化的方式处理动作（actions）事件。

11.1　事件处理基础

任何支持 GUI 的操作环境都要不断地监视按键或点击鼠标这样的事件。操作环境将这些事件报告给正在运行的应用程序。如果有事件产生，每个应用程序将决定如何对它们做出响应。在 Visual Basic 这样的语言中，事件与代码之间有着明确的对应关系。程序员对相关的特定事件编写代码，并将这些代码放置在过程中，通常人们将它们称为事件过程（event procedure）。例如，有一个名为 HelpButton 的 Visual Basic 按钮有一个与之关联的 HelpButton_Click 事件过程。这个过程中的代码将在点击按钮后执行。每个 Visual Basic 的 GUI 组件都响应一个固定的事件集，不可能改变 Visual Basic 组件响应的事件集。

另一方面，如果使用像原始的 C 这样的语言进行事件驱动的程序设计，那就需要编写代码来不断地检查事件队列，以便查询操作环境报告的内容（通常这些代码被放置在包含很多 switch 语句的循环体中）。显然，这种方式编写的程序可读性很差，而且在有些情况下，编码的难度也非常大。它的好处在于响应的事件不受限制，而不像 Visual Basic 这样的语言，将事件队列对程序员隐藏起来。

Java 程序设计环境折中了 Visual Basic 与原始 C 的事件处理方式，因此，它既有着强大的功能，又具有一定的复杂性。在 AWT 所知的事件范围内，完全可以控制事件从事件源（event source）例如，按钮或滚动条，到事件监听器（event listener）的传递过程，并将任何对象指派给事件监听器。不过事实上，应该选择一个能够便于响应事件的对象。这种事件委托模型（event delegation model）与 Visual Basic 那种预定义监听器模型比较起来更加灵活。

事件源有一些向其注册事件监听器的方法。当某个事件源产生事件时，事件源会向为事件注册的所有事件监听器对象发送一个通告。

像 Java 这样的面向对象语言，都将事件的相关信息封装在一个事件对象（event object）中。在 Java 中，所有的事件对象都最终派生于 java.util.EventObject 类。当然，每个事件类型还有子类，例如，ActionEvent 和 WindowEvent。

不同的事件源可以产生不同类别的事件。例如，按钮可以发送一个 ActionEvent 对象，而窗口可以发送 WindowEvent 对象。

综上所述，下面给出 AWT 事件处理机制的概要：

- 监听器对象是一个实现了特定监听器接口（listener interface）的类的实例。
- 事件源是一个能够注册监听器对象并发送事件对象的对象。
- 当事件发生时，事件源将事件对象传递给所有注册的监听器。
- 监听器对象将利用事件对象中的信息决定如何对事件做出响应。

图 11-1 显示了事件处理类和接口之间的关系。

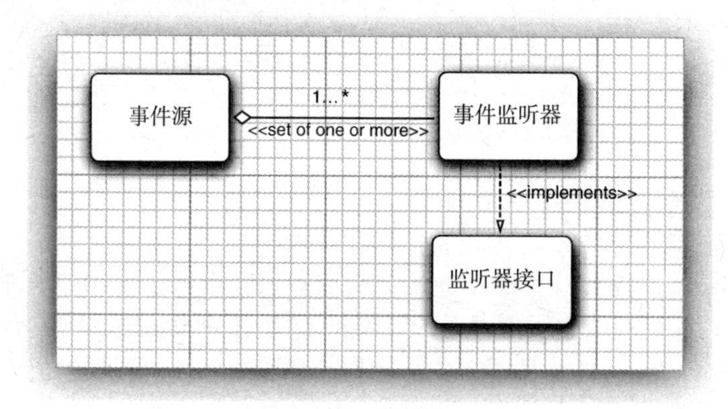

图 11-1　事件源和监听器之间的关系

下面是监听器的一个示例：

```
ActionListener listener = . . .;
JButton button = new JButton("OK");
button.addActionListener(listener);
```

现在，只要按钮产生了一个"动作事件"，listener 对象就会得到通告。对于按钮来说，正像我们所想到的，动作事件就是点击按钮。

为了实现 ActionListener 接口，监听器类必须有一个被称为 actionPerformed 的方法，该方法接收一个 ActionEvent 对象参数。

```
class MyListener implements ActionListener
{
   . . .
   public void actionPerformed(ActionEvent event)
   {
      // reaction to button click goes here
      . . .
   }
}
```

只要用户点击按钮，JButton 对象就会创建一个 ActionEvent 对象，然后调用 listener.action Performed (event) 传递事件对象。可以将多个监听器对象添加到一个像按钮这样的事件源中。这样一来，只要用户点击按钮，按钮就会调用所有监听器的 actionPerformed 方法。

图 11-2 显示了事件源、事件监听器和事件对象之间的协作关系。

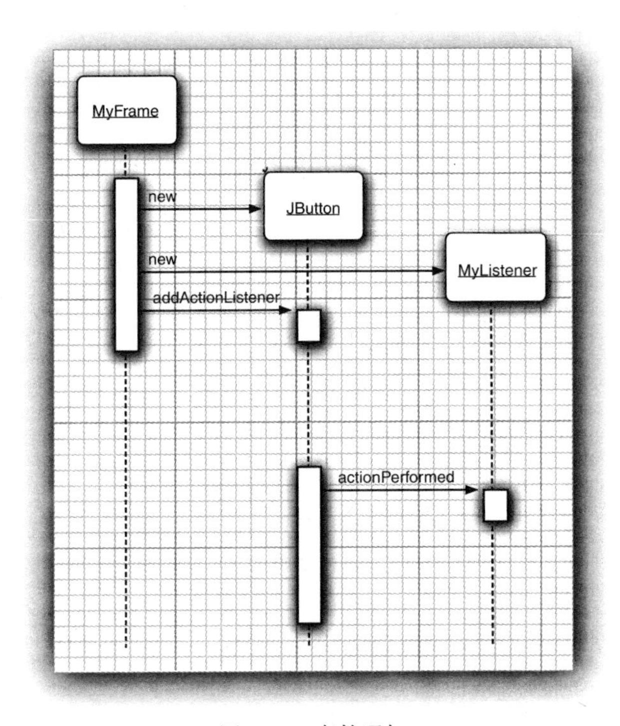

图 11-2 事件通知

11.1.1 实例：处理按钮点击事件

为了加深对事件委托模型的理解，下面以一个响应按钮点击事件的简单示例来说明所需要知道的所有细节。在这个示例中，想要在一个面板中放置三个按钮，添加三个监听器对象用来作为按钮的动作监听器。

在这个情况下，只要用户点击面板上的任何一个按钮，相关的监听器对象就会接收到一个 Action Event 对象，它表示有个按钮被点击了。在示例程序中，监听器对象将改变面板的背景颜色。

在演示如何监听按钮点击事件之前，首先需要解释如何创建按钮以及如何将它们添加到面板中（有关 GUI 元素更加详细的内容请参看第 12 章）。

可以通过在按钮构造器中指定一个标签字符串、一个图标或两项都指定来创建一个按钮。下面是两个示例：

```
JButton yellowButton = new JButton("Yellow");
JButton blueButton = new JButton(new ImageIcon("blue-ball.gif"));
```

将按钮添加到面板中需要调用 add 方法：

```
JButton yellowButton = new JButton("Yellow");
JButton blueButton = new JButton("Blue");
JButton redButton = new JButton("Red");

buttonPanel.add(yellowButton);
buttonPanel.add(blueButton);
buttonPanel.add(redButton);
```

图 11-3 显示了结果。

接下来需要增加让面板监听这些按钮的代码。这需要一个实现了 ActionListener 接口的类。如前所述，应该包含一个 actionPerformed 方法，其签名为：

```
public void actionPerformed(ActionEvent event)
```

注释： 在按钮示例中，使用的 ActionListener 接口并不仅限于按钮点击事件。它可以应用于很多情况：

- 当采用鼠标双击的方式选择了列表框中的一个选项时；
- 当选择一个菜单项时；
- 当在文本域中按回车键时；
- 对于一个 Timer 组件来说，当达到指定的时间间隔时。

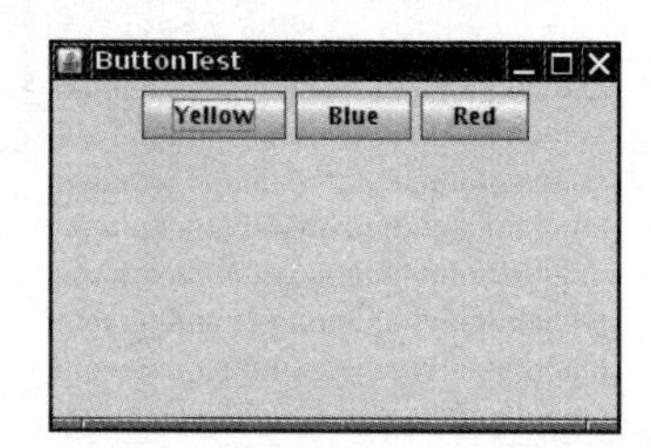

图 11-3 填充按钮的面板

在本章和下一章中，读者将会看到更加详细的内容。

在所有这些情况下，使用 ActionListener 接口的方式都是一样的：actionPerformed 方法（ActionListener 中的唯一方法）将接收一个 ActionEvent 类型的对象作为参数。这个事件对象包含了事件发生时的相关信息。

当按钮被点击时，希望将面板的背景颜色设置为指定的颜色。这个颜色存储在监听器类中：

```
class ColorAction implements ActionListener
{
   private Color backgroundColor;

   public ColorAction(Color c)
   {
      backgroundColor = c;
   }

   public void actionPerformed(ActionEvent event)
   {
      // set panel background color
      . . .
   }
}
```

然后，为每种颜色构造一个对象，并将这些对象设置为按钮监听器。

```
ColorAction yellowAction = new ColorAction(Color.YELLOW);
ColorAction blueAction = new ColorAction(Color.BLUE);
ColorAction redAction = new ColorAction(Color.RED);

yellowButton.addActionListener(yellowAction);
blueButton.addActionListener(blueAction);
redButton.addActionListener(redAction);
```

例如，如果一个用户在标有“Yellow”的按钮上点击了一下，yellowAction对象的action Performed方法就会被调用。这个对象的backgroundColor实例域被设置为Color.YELLOW，现在就将面板的背景色设置为黄色了。

这里还有一个需要考虑的问题。ColorAction对象不能访问buttonpanel变量。可以采用两种方式解决这个问题。一个是将面板存储在ColorAction对象中，并在ColorAction的构造器中设置它；另一个是将ColorAction作为ButtonFrame类的内部类，这样一来，它的方法就自动地拥有访问外部面板的权限了（有关内部类的详细介绍请参看第6章）。

这里使用第二种方法。下面说明一下如何将ColorAction类放置在ButtonFrame类内。

```
class ButtonFrame extends JFrame
{
   private JPanel buttonPanel;
   . . .
   private class ColorAction implements ActionListener
   {
      private Color backgroundColor;
      . . .
      public void actionPerformed(ActionEvent event)
      {
         buttonPanel.setBackground(backgroundColor);
      }
   }
}
```

下面仔细地研究actionPerformed方法。在ColorAction类中没有buttonPanel域，但在外部ButtonFrame类中却有。

这种情形经常会遇到。事件监听器对象通常需要执行一些对其他对象可能产生影响的操作。可以策略性地将监听器类放置在需要修改状态的那个类中。

程序清单11-1包含了完整的框架类。无论何时点击任何一个按钮，对应的动作监听器就会修改面板的背景颜色。

程序清单 11-1　button/ButtonFrame.java

```
1 package button;
2
3 import java.awt.*;
4 import java.awt.event.*;
5 import javax.swing.*;
6
7 /**
8  * A frame with a button panel
9  */
10 public class ButtonFrame extends JFrame
11 {
12    private JPanel buttonPanel;
13    private static final int DEFAULT_WIDTH = 300;
14    private static final int DEFAULT_HEIGHT = 200;
15
16    public ButtonFrame()
17    {
```

```
18        setSize(DEFAULT_WIDTH, DEFAULT_HEIGHT);
19
20        // create buttons
21        JButton yellowButton = new JButton("Yellow");
22        JButton blueButton = new JButton("Blue");
23        JButton redButton = new JButton("Red");
24
25        buttonPanel = new JPanel();
26
27        // add buttons to panel
28        buttonPanel.add(yellowButton);
29        buttonPanel.add(blueButton);
30        buttonPanel.add(redButton);
31
32        // add panel to frame
33        add(buttonPanel);
34
35        // create button actions
36        ColorAction yellowAction = new ColorAction(Color.YELLOW);
37        ColorAction blueAction = new ColorAction(Color.BLUE);
38        ColorAction redAction = new ColorAction(Color.RED);
39
40        // associate actions with buttons
41        yellowButton.addActionListener(yellowAction);
42        blueButton.addActionListener(blueAction);
43        redButton.addActionListener(redAction);
44     }
45
46     /**
47      * An action listener that sets the panel's background color.
48      */
49     private class ColorAction implements ActionListener
50     {
51        private Color backgroundColor;
52
53        public ColorAction(Color c)
54        {
55           backgroundColor = c;
56        }
57
58        public void actionPerformed(ActionEvent event)
59        {
60           buttonPanel.setBackground(backgroundColor);
61        }
62     }
63  }
```

API javax.swing.JButton 1.2

- `JButton(String label)`
- `JButton(Icon icon)`
- `JButton(String label,Icon icon)`

  构造一个按钮。标签可以是常规的文本，从 Java SE 1.3 开始，也可以是 HTML。例如，“<html><b>Ok</b></html>”。

API java.awt.Container 1.0

- `Component add(Component c)`

  将组件 c 添加到这个容器中。

11.1.2 简洁地指定监听器

在上一节中，我们为事件监听器定义了一个类并构造了这个类的 3 个对象。一个监听器类有多个实例的情况并不多见。更常见的情况是：每个监听器执行一个单独的动作。在这种情况下，没有必要分别建立单独的类。只需要使用一个 lambda 表达式：

```
exitButton.addActionListener(event -> System.exit(0));
```

现在考虑这样一种情况：有多个相互关联的动作，如上一节中的彩色按钮。在这种情况下，可以实现一个辅助方法：

```
public void makeButton(String name, Color backgroundColor)
{
   JButton button = new JButton(name);
   buttonPanel.add(button);
   button.addActionListener(event ->
      buttonPanel.setBackground(backgroundColor));
}
```

需要说明，lambda 表达式指示参数变量 backgroundColor。

然后只需要调用：

```
makeButton("yellow", Color.YELLOW);
makeButton("blue", Color.BLUE);
makeButton("red", Color.RED);
```

在这里，我们构造了 3 个监听器对象，分别对应一种颜色，但并没有显式定义一个类。每次调用这个辅助方法时，它会建立实现了 ActionListener 接口的一个类的实例。它的 actionPerformed 动作会引用实际上随监听器对象存储的 backGroundColor 值。不过，所有这些会自动完成，而无需显式定义监听器类、实例变量或设置这些变量的构造器。

注释： 在较老的代码中，通常可能会看到使用匿名类：

```
exitButton.addActionListener(new ActionListener()
   {
      public void actionPerformed(new ActionEvent)
      {
         System.exit(0);
      }
   });
```

当然，已经不再需要这种繁琐的代码。使用 lambda 表达式更简单，也更简洁。

注释： 有些程序员不习惯使用内部类或 lambda 表达式，而更喜欢创建实现了 ActionListener 接口的事件源容器。然后这个容器再设置自身作为监听器。如下所示：

```
yellowButton.addActionListener(this);
blueButton.addActionListener(this);
redButton.addActionListener(this);
```

现在这 3 个按钮不再有单独的监听器。它们共享一个监听器对象，具体来讲就是框架（frame）。因此，actionPerformed 方法必须明确点击了哪个按钮。

```
class ButtonFrame extends JFrame implements ActionListener
{
    . . .
    public void actionPerformed(ActionEvent event)
    {
       Object source = event.getSource();
       if (source == yellowButton) . . .
       else if (source == blueButton) . . .
       else if (source == redButton ) . . .
       else . . .
    }
}
```

我们并不建议采用这种策略。

注释： lambda 表达式出现之前，还可以采用一种机制来指定事件监听器，其事件处理器包含一个方法调用。例如，假设一个按钮监听器需要执行以下调用：

```
frame.loadData();
```

EventHandler 类可以用下面的调用创建这样一个监听器：

```
EventHandler.create(ActionListener.class, frame, "loadData")
```

这种方法现在已经成为历史。利用 lambda 表达式，可以更容易地使用以下调用：

```
event -> frame.loadData();
```

EventHandler 机制的效率也不高，而且比较容易出错。它使用反射来调用方法。出于这个原因，EventHandler.create 调用的第二个参数必须属于一个公有类。否则，反射机制就无法确定和调用目标方法。

API java.awt.event.ActionEvent 1.1

- `String getActionCommand()`

  返回与这个动作事件关联的命令字符串。如果这个动作事件源自一个按钮，命令字符串就等于按钮标签，除非已经用 setActionCommand 方法改变了命令字符串。

API java.beans.EventHandler 1.4

- `static <T> T create(Class<T> listenerInterface, Object target, String action)`
- `static <T> T create(Class<T> listenerInterface, Object target, String action, String eventProperty)`
- `static <T> T create(Class<T> listenerInterface, Object target, String action, String eventProperty, String listenerMethod)`

  构造实现给定接口的一个代理类的对象。接口的指定方法或所有方法会在目标对象上执行给定的动作。

这个动作可以是一个方法名，或者是目标的一个属性。如果这是一个属性，则执行它的设置方法。例如，动作 "text" 会转换为一个 setText 方法调用。

事件属性由一个或多个由点号（.）分隔的属性名组成。第一个属性从监听器方法的参数读取，第二个属性由得到的对象读取，依此类推。最终结果会成为动作的参数。例如，属性 "source.text" 会转换为 getSource 和 getText 方法调用。

API java.util.EventObject 1.1

- `Object getSource()`

  返回发生这个事件的对象的一个引用。

11.1.3 实例：改变观感

在默认情况下，Swing 程序使用 Metal 观感，可以采用两种方式改变观感。第一种方式是在 Java 安装的子目录 jre/lib 下有一个文件 swing.properties。在这个文件中，将属性 swing.defaultlaf 设置为所希望的观感类名。例如，

```
swing.defaultlaf=com.sun.java.swing.plaf.motif.MotifLookAndFeel
```

注意，Metal 和 Nimbus 观感位于 javax.swing 包中。其他的观感包位于 com.sun.java 包中，并且不是在每个 Java 实现中都提供。现在，鉴于版权的原因，Windows 和 Macintosh 的观感包只与 Windows 和 Macintosh 版本的 Java 运行时环境一起发布。

提示： 由于属性文件中以 # 字符开始的行被忽略，所以，可以在 swing.properties 文件中提供几种观感选择，并通过增删 # 字符来切换选择：

```
#swing.defaultlaf=javax.swing.plaf.metal.MetalLookAndFeel
swing.defaultlaf=com.sun.java.swing.plaf.motif.MotifLookAndFeel
#swing.defaultlaf=com.sun.java.swing.plaf.windows.WindowsLookAndFeel
```

采用这种方式开启观感时必须重新启动程序。Swing 程序只在启动时读取一次 swing.properties 文件。

第二种方式是动态地改变观感。这需要调用静态的 UIManager.setLookAndFeel 方法，并提供所想要的观感类名，然后再调用静态方法 SwingUtilities.updateComponentTreeUI 来刷新全部的组件集。这里需要向这个方法提供一个组件，并由此找到其他的所有组件。

下面是一个示例，它显示了如何用程序切换至 Motif 观感：

```
String className = "com.sun.java.swing.plaf.motif.MotifLookAndFeel";
try
{
   UIManager.setLookAndFeel(className);
   SwingUtilities.updateComponentTreeUI(frame);
   pack();
}
catch(Exception e) { e.printStackTrace(); }
```

为了列举安装的所有观感实现，可以调用

```
UIManager.LookAndFeelInfo[] infos = UIManager.getInstalledLookAndFeels();
```

然后采用下列方式得到每一种观感的名字和类名

```
String name = infos[i].getName();
String className = infos[i].getClassName();
```

程序清单 11-2 是一个完整的程序，它演示了如何切换观感（如图 11-4 所示）的方式。这个程序与程序清单 11-1 十分相似。我们遵循前一节的建议，使用辅助方法 makeButton 和匿名内部类指定按钮动作，即切换观感。

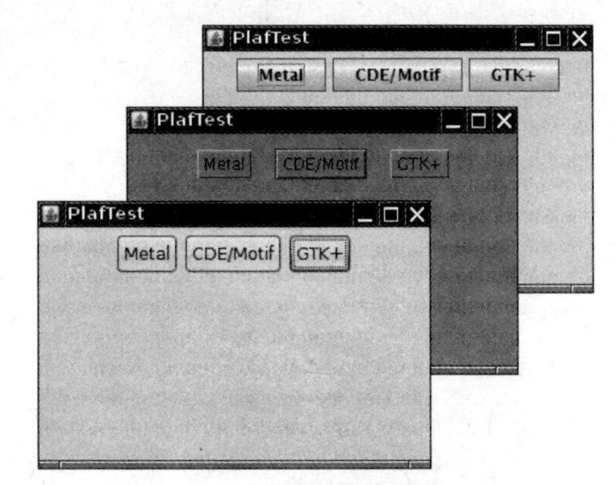

图 11-4　切换观感

```
public class PlafFrame extends JFrame
{
   . . .
   private void makeButton(String name, String className)
   {
      JButton button = new JButton(name);
      buttonPanel.add(button);
      button.addActionListener(event -> {
         . . .
         UIManager.setLookAndFeel(className);
         SwingUtilities.updateComponentTreeUI(this);
         . . .
      });
   }
}
```

注释：在本书之前的版本中，我们使用了一个内部匿名类来定义这个监听器。那时，我们要特别注意向 SwingUtilities.updateComponentTreeUI 传递 PlafFrame.this（而不是内部类的 this 引用）：

```
public class PlafFrame extends JFrame
{
   . . .
   private void makeButton(String name, final String className)
   {
      . . .
      button.addActionListener(new ActionListener()
         {
            public void actionPerformed(ActionEvent event)
            {
               . . .
               SwingUtilities.updateComponentTreeUI(PlafFrame.this);
               . . .
            }
         });
   }
}
```

有了 lambda 表达式之后，就不存在这个问题了。在一个 lambda 表达式中，this 就指示外围的对象。

程序清单 11-2 plaf/PlafFrame.java

```
1  package plaf;
2
3  import javax.swing.JButton;
4  import javax.swing.JFrame;
5  import javax.swing.JPanel;
6  import javax.swing.SwingUtilities;
7  import javax.swing.UIManager;
8
9  /**
10  * A frame with a button panel for changing look-and-feel
11  */
12 public class PlafFrame extends JFrame
13 {
14    private JPanel buttonPanel;
15
16    public PlafFrame()
17    {
18       buttonPanel = new JPanel();
19
20       UIManager.LookAndFeelInfo[] infos = UIManager.getInstalledLookAndFeels();
21       for (UIManager.LookAndFeelInfo info : infos)
22          makeButton(info.getName(), info.getClassName());
23
24       add(buttonPanel);
25       pack();
26    }
27
28    /**
29     * Makes a button to change the pluggable look-and-feel.
30     * @param name the button name
31     * @param className the name of the look-and-feel class
32     */
33    private void makeButton(String name, String className)
34    {
35       // add button to panel
36
37       JButton button = new JButton(name);
38       buttonPanel.add(button);
39
40       // set button action
41
42       button.addActionListener(event -> {
43          // button action: switch to the new look-and-feel
44          try
45          {
46             UIManager.setLookAndFeel(className);
47             SwingUtilities.updateComponentTreeUI(this);
48             pack();
49          }
50          catch (Exception e)
51          {
52             e.printStackTrace();
53          }
54       });
55    }
56 }
```

API javax.swing.UIManager 1.2

- `static UIManager.LookAndFeelInfo[] getInstalledLookAndFeels()`
  获得一个用于描述已安装的观感实现的对象数组。
- `static setLookAndFeel(String className)`
  利用给定的类名设置当前的观感。例如，javax.swing.plaf.metal.MetalLookAndFeel

API javax.swing.UIManager.LookAndFeelInfo 1.2

- `String getName()`
  返回观感的显示名称。
- `String getClassName()`
  返回观感实现类的名称。

11.1.4 适配器类

并不是所有的事件处理都像按钮点击那样简单。在正规的程序中，往往希望用户在确认没有丢失所做工作之后再关闭程序。当用户关闭框架时，可能希望弹出一个对话框来警告用户没有保存的工作有可能会丢失，只有在用户确认之后才退出程序。

当程序用户试图关闭一个框架窗口时，JFrame 对象就是 WindowEvent 的事件源。如果希望捕获这个事件，就必须有一个合适的监听器对象，并将它添加到框架的窗口监听器列表中。

```
WindowListener listener = . . .;
frame.addWindowListener(listener);
```

窗口监听器必须是实现 WindowListener 接口的类的一个对象。在 WindowListener 接口中包含 7 个方法。当发生窗口事件时，框架将调用这些方法响应 7 个不同的事件。从它们的名字就可以得知其作用，唯一的例外是在 Windows 下，通常将 iconified（图标化）称为 minimized（最小化）。下面是完整的 WindowListener 接口：

```
public interface WindowListener
{
   void windowOpened(WindowEvent e);
   void windowClosing(WindowEvent e);
   void windowClosed(WindowEvent e);
   void windowIconified(WindowEvent e);
   void windowDeiconified(WindowEvent e);
   void windowActivated(WindowEvent e);
   void windowDeactivated(WindowEvent e);
}
```

注释： 为了能够查看窗口是否被最大化，需要安装 WindowStateListener 并覆盖 windowStateChanged 方法。

正像前面曾经说过的那样，在 Java 中，实现一个接口的任何类都必须实现其中的所有方法；在这里，意味着需要实现 7 个方法。然而只对名为 windowClosing 的方法感兴趣。

当然，可以这样定义实现这个接口的类：在 windowClosing 方法中增加一个对 System.exit(0) 的调用，其他 6 个方法不做任何事情：

```
class Terminator implements WindowListener
{
   public void windowClosing(WindowEvent e)
   {
      if (user agrees)
         System.exit(0);
   }

   public void windowOpened(WindowEvent e) {}
   public void windowClosed(WindowEvent e) {}
   public void windowIconified(WindowEvent e) {}
   public void windowDeiconified(WindowEvent e) {}
   public void windowActivated(WindowEvent e) {}
   public void windowDeactivated(WindowEvent e) {}
}
```

书写 6 个没有任何操作的方法代码显然是一种乏味的工作。鉴于简化的目的，每个含有多个方法的 AWT 监听器接口都配有一个适配器（adapter）类，这个类实现了接口中的所有方法，但每个方法没有做任何事情。这意味着适配器类自动地满足了 Java 实现相关监听器接口的技术需求。可以通过扩展适配器类来指定对某些事件的响应动作，而不必实现接口中的每个方法（ActionListener 这样的接口只有一个方法，因此没必要提供适配器类）。

下面使用窗口适配器。首先定义一个 WindowAdapter 类的扩展类，其中包含继承的 6 个没有做任何事情的方法和一个覆盖的方法 windowClosing：

```
class Terminator extends WindowAdapter
{
   public void windowClosing(WindowEvent e)
   {
      if (user agrees)
         System.exit(0);
   }
}
```

现在，可以将一个 Terminator 对象注册为事件监听器：

```
WindowListener listener = new Terminator();
frame.addWindowListener(listener);
```

只要框架产生了窗口事件，就会通过调用 7 个方法之中的一个方法将事件传递给 listener 对象（如图 11-5 所示），其中 6 个方法没有做任何事情；windowClosing 方法调用 System.exit(0) 终止应用程序的执行。

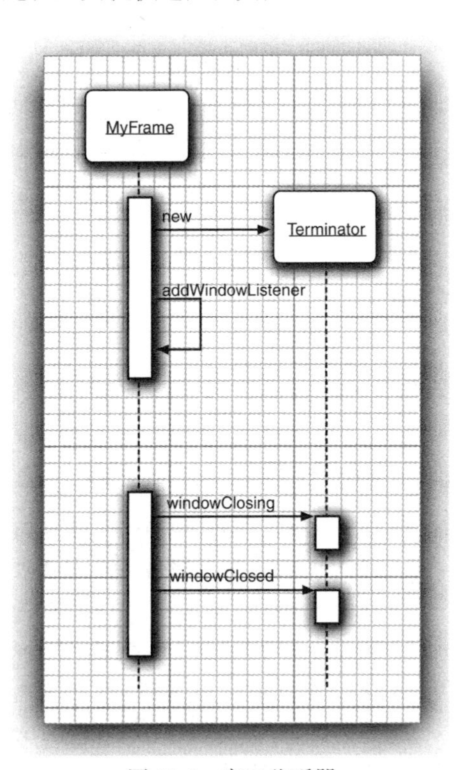

图 11-5 窗口监听器

警告：如果在扩展适配器类时将方法名拼写错了，编译器不会捕获到这个错误。例如，如果在 WindowAdapter 类中定义一个 windowIsClosing 方法，就会得到一个包含 8 个方法的类，并且 windowClosing 方法没有做任何事情。可以使用 @Override 注角（在第 5 章已经介绍过）避免这种错误。

创建一个扩展于 WindowAdapter 的监听器类是一个很好的改进，但是还可以继续改进。事实上，没有必要为 listener 对象命名。只需写成：

```
frame.addWindowListener(new Terminator());
```

不要就此止步！我们可以将监听器类定义为框架的匿名内部类。

```
frame.addWindowListener(new
   WindowAdapter()
   {
      public void windowClosing(WindowEvent e)
      {
         if (user agrees)
            System.exit(0);
      }
   });
```

这段代码具有下列作用：

- 定义了一个扩展于 WindowAdapter 类的无名类。
- 将 windowClosing 方法添加到匿名类中（与前面一样，这个方法将退出程序）。
- 从 WindowAdapter 继承 6 个没有做任何事情的方法。
- 创建这个类的一个对象，这个对象没有名字。
- 将这个对象传递给 addWindowListener 方法。

这里重申一次，匿名内部类的语法需要人们适应一段时间，但得到的是更加简练的代码。

注释：如今，可能有人会把 WindowListener 接口中什么也不做的方法实现为默认方法。不过，Swing 早在有默认方法很多年之前就已经问世了。

API java.awt.event.WindowListener 1.1

- `void windowOpened(WindowEvent e)`
  窗口打开后调用这个方法。
- `void windowClosing(WindowEvent e)`
  在用户发出窗口管理器命令关闭窗口时调用这个方法。需要注意的是，仅当调用 hide 或 dispose 方法后窗口才能够关闭。
- `void windowClosed(WindowEvent e)`
  窗口关闭后调用这个方法。
- `void windowIconified(WindowEvent e)`
  窗口图标化后调用这个方法。

- `void windowDeiconified(WindowEvent e)`
  窗口非图标化后调用这个方法。
- `void windowActivated(WindowEvent e)`
  激活窗口后调用这个方法。只有框架或对话框可以被激活。通常，窗口管理器会对活动窗口进行修饰，比如，高亮度标题栏。
- `void windowDeactivated(WindowEvent e)`
  窗口变为未激活状态后调用这个方法。

API java.awt.event.WindowStateListener 1.4

- `void windowStateChanged(WindowEvent event)`
  窗口被最大化、图标化或恢复为正常大小时调用这个方法。

API java.awt.event.WindowEvent 1.1

- `int getNewState()` 1.4
- `int getOldState()` 1.4
  返回窗口状态改变事件中窗口的新、旧状态。返回的整型数值是下列数值之一：

```
Frame.NORMAL
Frame.ICONIFIED
Frame.MAXIMIZED_HORIZ
Frame.MAXIMIZED_VERT
Frame.MAXIMIZED_BOTH
```

11.2 动作

通常，激活一个命令可以有多种方式。用户可以通过菜单、击键或工具栏上的按钮选择特定的功能。在 AWT 事件模型中实现这些非常容易：将所有事件连接到同一个监听器上。例如，假设 blueAction 是一个动作监听器，它的 actionPerformed 方法可以将背景颜色改变成蓝色。将一个监听器对象加到下面几个事件源上：

- 标记为 Blue 的工具栏按钮
- 标记为 Blue 的菜单项
- 按键 CTRL+B

然后，无论改变背景颜色的命令是通过哪种方式下达的，是点击按钮、菜单选择，还是按键，其处理都是一样的。

Swing 包提供了一种非常实用的机制来封装命令，并将它们连接到多个事件源，这就是 Action 接口。一个动作是一个封装下列内容的对象：

- 命令的说明（一个文本字符串和一个可选图标）；
- 执行命令所需要的参数（例如，在列举的例子中请求改变的颜色）。

Action 接口包含下列方法：

```
void actionPerformed(ActionEvent event)
void setEnabled(boolean b)
boolean isEnabled()
void putValue(String key, Object value)
Object getValue(String key)
void addPropertyChangeListener(PropertyChangeListener listener)
void removePropertyChangeListener(PropertyChangeListener listener)
```

第一个方法是 ActionListener 接口中很熟悉的一个：实际上，Action 接口扩展于 Action Listener 接口，因此，可以在任何需要 ActionListener 对象的地方使用 Action 对象。

接下来的两个方法允许启用或禁用这个动作，并检查这个动作当前是否启用。当一个连接到菜单或工具栏上的动作被禁用时，这个选项就会变成灰色。

putValue 和 getvalue 方法允许存储和检索动作对象中的任意名 / 值。有两个重要的预定义字符串：Action.NAME 和 Action.SMALL_ICON，用于将动作的名字和图标存储到一个动作对象中：

```
action.putValue(Action.NAME, "Blue");
action.putValue(Action.SMALL_ICON, new ImageIcon("blue-ball.gif"));
```

表 11-1 给出了所有预定义的动作表名称。

表 11-1 预定义动作表名称

名　称	值
NAME	动作名称，显示在按钮和菜单上
SMALL_ICON	存储小图标的地方；显示在按钮、菜单项或工具栏中
SHORT_DESCRIPTION	图标的简要说明；显示在工具提示中
LONG_DESCRIPTION	图标的详细说明；使用在在线帮助中。没有 Swing 组件使用这个值
MNEMONIC_KEY	快捷键缩写；显示在菜单项中（请参看第 12 章）
ACCELERATOR_KEY	存储加速击键的地方；Swing 组件不使用这个值
ACTION_COMMAND_KEY	历史遗留；仅在旧版本的 registerKeyboardAction 方法中使用
DEFAULT	可能有用的综合属性；Swing 组件不使用这个值

如果动作对象添加到菜单或工具栏上，它的名称和图标就会被自动地提取出来，并显示在菜单项或工具栏项中。SHORT_DESCRIPTION 值变成了工具提示。

Action 接口的最后两个方法能够让其他对象在动作对象的属性发生变化时得到通告，尤其是菜单或工具栏触发的动作。例如，如果增加一个菜单，作为动作对象的属性变更监听器，而这个动作对象随后被禁用，菜单就会被调用，并将动作名称变为灰色。属性变更监听器是一种常用的构造形式，它是 JavaBeans 组件模型的一部分。有关这方面更加详细的信息请参看卷Ⅱ。

需要注意，Action 是一个*接口*，而不是一个类。实现这个接口的所有类都必须实现刚才讨论的 7 个方法。庆幸的是，有一个类实现了这个接口除 actionPerformed 方法之外的所有方法，它就是 AbstractAction。这个类存储了所有名 / 值对，并管理着属性变更监听器。我们可以直接扩展 AbstractAction 类，并在扩展类中实现 actionPerformed 方法。

下面构造一个用于执行改变颜色命令的动作对象。首先存储这个命令的名称、图标和需要的颜色。将颜色存储在 AsbstractAction 类提供的名 / 值对表中。下面是 ColorAction 类的代码。构造器设置名 / 值对，而 actionPerformed 方法执行改变颜色的动作。

```
public class ColorAction extends AbstractAction
{
   public ColorAction(String name, Icon icon, Color c)
   {
      putValue(Action.NAME, name);
      putValue(Action.SMALL_ICON, icon);
      putValue("color", c);
      putValue(Action.SHORT_DESCRIPTION, "Set panel color to " + name.toLowerCase());
   }

   public void actionPerformed(ActionEvent event)
   {
      Color c = (Color) getValue("color");
      buttonPanel.setBackground(c);
   }
}
```

在测试程序中，创建了这个类的三个对象，如下所示：

```
Action blueAction = new ColorAction("Blue", new ImageIcon("blue-ball.gif"), Color.BLUE);
```

接下来，将这个动作与一个按钮关联起来。由于 JButton 有一个用 Action 对象作为参数的构造器，所以实现这项操作很容易。

```
JButton blueButton = new JButton(blueAction);
```

构造器读取动作的名称和图标，为工具提示设置简要说明，将动作设置为监听器。从图 11-6 中可以看到图标和工具提示。

图 11-6　按钮显示来自动作对象的图标

在下一章中将会看到，将这个动作添加到菜单中也非常容易。

最后，想要将这个动作对象添加到击键中，以便让用户敲击键盘命令来执行这项动作。为了将动作与击键关联起来，首先需要生成 KeyStroke 类对象。这是一个很有用的类，它封装了对键的说明。要想生成一个 KeyStroke 对象，不要调用构造器，而是调用 KeyStroke 类中的静态 getKeyStroke 方法：

```
KeyStroke ctrlBKey = KeyStroke.getKeyStroke("ctrl B");
```

为了能够理解下一个步骤，需要知道 *keyboard focus* 的概念。用户界面中可以包含许多按钮、菜单、滚动栏以及其他的组件。当用户敲击键盘时，这个动作会被发送给拥有焦点的组件。通常具有焦点的组件可以明显地察觉到（但并不总是这样），例如，在 Java 观感中，具有焦点的按钮在按钮文本周围有一个细的矩形边框。用户可以使用 TAB 键在组件之间移动焦点。当按下 SPACE 键时，就点击了拥有焦点的按钮。还有一些键执行一些其他的动作，例如，按下箭头键可以移动滚动条。

然而，在这里的示例中，并不希望将击键发送给拥有焦点的组件。否则，每个按钮都需要知道如何处理 CTRL+Y、CTRL+B 和 CTRL+R 这些组合键。

这是一个常见的问题，Swing 设计者给出了一种很便捷的解决方案。每个 JComponent 有三个输入映射（imput map），每一个映射的 KeyStroke 对象都与动作关联。三个输入映射对应着三个不同的条件（请参看表 11-2）。

表 11-2　输入映射条件

标　　志	激活动作
WHEN_FOCUSED	当这个组件拥有键盘焦点时
WHEN_ANCESTOR_OF_FOCUSED_COMPONENT	当这个组件包含了拥有键盘焦点的组件时
WHEN_IN_FOCUSED_WINDOW	当这个组件被包含在一个拥有键盘焦点组件的窗口中时

按键处理将按照下列顺序检查这些映射：

1）检查具有输入焦点组件的 WHEN_FOCUSED 映射。如果这个按键存在，将执行对应的动作。如果动作已启用，则停止处理。

2）从具有输入焦点的组件开始，检查其父组件的 WHEN_ANCESTOR_OF_FOCUSED_COMPONENT 映射。一旦找到按键对应的映射，就执行对应的动作。如果动作已启用，将停止处理。

3）查看具有输入焦点的窗口中的所有可视的和启用的组件，这个按键被注册到 WHEN_IN_FOCUSED_WINDOW 映射中。给这些组件（按照按键注册的顺序）一个执行对应动作的机会。一旦第一个启用的动作被执行，就停止处理。如果一个按键在多个 WHEN_IN_FOCUSED_WINDOW 映射中出现，这部分处理就可能会出现问题。

可以使用 getInputMap 方法从组件中得到输入映射。例如：

```
InputMap imap = panel.getInputMap(JComponent.WHEN_FOCUSED);
```

WHEN_FOCUSED 条件意味着在当前组件拥有键盘焦点时会查看这个映射。在这里的示例中，并不想使用这个映射。是某个按钮拥有输入焦点，而不是面板。其他的两个映射都能够很好地完成增加颜色改变按键的任务。在示例程序中使用的是 WHEN_ANCESTOR_OF_FOCUSED_COMPONENT。

InputMap 不能直接地将 KeyStroke 对象映射到 Action 对象。而是先映射到任意对象上，然后由 ActionMap 类实现将对象映射到动作上的第 2 个映射。这样很容易实现来自不同输入映射的按键共享一个动作的目的。

因而，每个组件都可以有三个输入映射和一个动作映射。为了将它们组合起来，需要为动作命名。下面是将键与动作关联起来的方式：

```
imap.put(KeyStroke.getKeyStroke("ctrl Y"), "panel.yellow");
ActionMap amap = panel.getActionMap();
amap.put("panel.yellow", yellowAction);
```

习惯上，使用字符串 none 表示空动作。这样可以轻松地取消一个按键动作：

```
imap.put(KeyStroke.getKeyStroke("ctrl C"), "none");
```

警告： JDK 文档提倡使用动作名作为动作键。我们并不认为这是一个好建议。在按钮和菜单项上显示的动作名，UI 设计者可以随心所欲地进行更改，也可以将其翻译成多种语言。使用这种不牢靠的字符串作为查询键不是一种好的选择。建议将动作名与显示的名字分开。

下面总结一下用同一个动作响应按钮、菜单项或按键的方式：

1）实现一个扩展于 AbstractAction 类的类。多个相关的动作可以使用同一个类。

2）构造一个动作类的对象。

3）使用动作对象创建按钮或菜单项。构造器将从动作对象中读取标签文本和图标。

4）为了能够通过按键触发动作，必须额外地执行几步操作。首先定位顶层窗口组件，例如，包含所有其他组件的面板。

5）然后，得到顶层组件的 WHEN_ANCESTOR_OF_FOCUS_COMPONENT 输入映射。为需要的按键创建一个 KeyStrike 对象。创建一个描述动作字符串这样的动作键对象。将（按键，动作键）对添加到输入映射中。

6）最后，得到顶层组件的动作映射。将（动作键，动作对象）添加到映射中。

程序清单 11-3 给出了将按钮和按键映射到动作对象的完整程序代码。试试看，点击按钮或按下 CTRL+Y、CTRL+B 或 CTRL+R 来改变面板颜色。

程序清单 11-3 action/ActionFrame.java

```
1  package action;
2
3  import java.awt.*;
4  import java.awt.event.*;
5  import javax.swing.*;
6
7  /**
8   * A frame with a panel that demonstrates color change actions.
9   */
10 public class ActionFrame extends JFrame
11 {
12    private JPanel buttonPanel;
13    private static final int DEFAULT_WIDTH = 300;
14    private static final int DEFAULT_HEIGHT = 200;
15
16    public ActionFrame()
17    {
18       setSize(DEFAULT_WIDTH, DEFAULT_HEIGHT);
19       buttonPanel = new JPanel();
20
21       // define actions
22       Action yellowAction = new ColorAction("Yellow", new ImageIcon("yellow-ball.gif"),
23             Color.YELLOW);
24       Action blueAction = new ColorAction("Blue", new ImageIcon("blue-ball.gif"), Color.BLUE);
25       Action redAction = new ColorAction("Red", new ImageIcon("red-ball.gif"), Color.RED);
26
27       // add buttons for these actions
```

```
28         buttonPanel.add(new JButton(yellowAction));
29         buttonPanel.add(new JButton(blueAction));
30         buttonPanel.add(new JButton(redAction));
31 
32         // add panel to frame
33         add(buttonPanel);
34 
35         // associate the Y, B, and R keys with names
36         InputMap imap = buttonPanel.getInputMap(JComponent.WHEN_ANCESTOR_OF_FOCUSED_COMPONENT);
37         imap.put(KeyStroke.getKeyStroke("ctrl Y"), "panel.yellow");
38         imap.put(KeyStroke.getKeyStroke("ctrl B"), "panel.blue");
39         imap.put(KeyStroke.getKeyStroke("ctrl R"), "panel.red");
40 
41         // associate the names with actions
42         ActionMap amap = buttonPanel.getActionMap();
43         amap.put("panel.yellow", yellowAction);
44         amap.put("panel.blue", blueAction);
45         amap.put("panel.red", redAction);
46      }
47 
48      public class ColorAction extends AbstractAction
49      {
50         /**
51          * Constructs a color action.
52          * @param name the name to show on the button
53          * @param icon the icon to display on the button
54          * @param c the background color
55          */
56         public ColorAction(String name, Icon icon, Color c)
57         {
58            putValue(Action.NAME, name);
59            putValue(Action.SMALL_ICON, icon);
60            putValue(Action.SHORT_DESCRIPTION, "Set panel color to " + name.toLowerCase());
61            putValue("color", c);
62         }
63 
64         public void actionPerformed(ActionEvent event)
65         {
66            Color c = (Color) getValue("color");
67            buttonPanel.setBackground(c);
68         }
69      }
70   }
```

API javax.swing.Action 1.2

- `boolean isEnalbled()`
- `void setEnabled(boolean b)`

  获得或设置这个动作的 enabled 属性。

- `void putValue(String key,Object value)`

  将名 / 值对放置在动作对象内。

  参数：key　　用动作对象存储性能的名字。它可以是一个字符串，但预定义了几个名字，其含义参看表 11-1。

value　　与名字关联的对象。

- `Object getValue(String key)`

  返回被存储的名 / 值对的值。

API javax.swing.KeyStroke 1.2

- `static KeyStroke getKeyStroke(String description)`

  根据一个便于人们阅读的说明创建一个按键（由空格分隔的字符串序列）。这个说明以 0 个或多个修饰符 shift control ctrl meta alt altGraph 开始，以由 typed 和单个字符构成的字符串（例如："typed a"）或者一个可选的事件说明符（pressed 默认，或 released）紧跟一个键码结束。以 VK_ 前缀开始的键码应该对应一个 KeyEvent 常量，例如，"INSERT" 对应 KeyEvent.VK_INSERT。

API javax.swing.JComponent 1.2

- `ActionMap getActionMap()`　1.3

  返回关联动作映射键（可以是任意的对象）和动作对象的映射。

- `InputMap getInputMap(int flag)`　1.3

  获得将按键映射到动作键的输入映射。

  参数：flag　　触发动作的键盘焦点条件。具体的值请参看表 11-2。

11.3　鼠标事件

如果只希望用户能够点击按钮或菜单，那么就不需要显式地处理鼠标事件。鼠标操作将由用户界面中的各种组件内部处理。然而，如果希望用户使用鼠标画图，就需要捕获鼠标移动点击和拖动事件。

在本节中，将展示一个简单的图形编辑器应用程序，它允许用户在画布上（如图 11-7 所示）放置、移动和擦除方块。

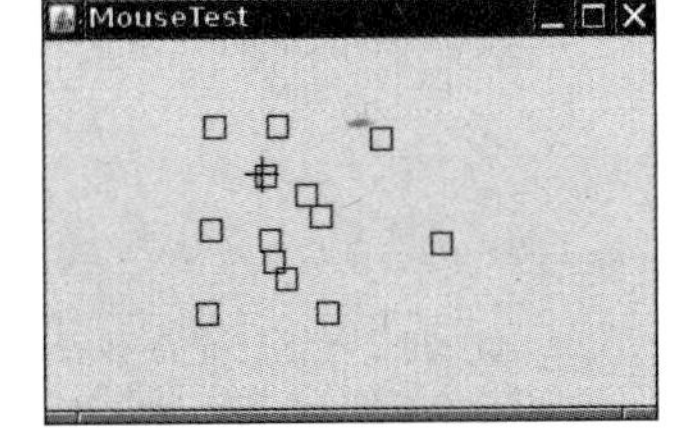

图 11-7　鼠标测试程序

当用户点击鼠标按钮时，将会调用三个监听器方法：鼠标第一次被按下时调用 mousePressed；鼠标被释放时调用 mouseReleased；最后调用 mouseClicked。如果只对最终的点击事件感兴趣，就可以忽略前两个方法。用 MouseEvent 类对象作为参数，调用 getX 和 getY 方法可以获得鼠标被按下时鼠标指针所在的 x 和 y 坐标。要想区分单击、双击和三击（!），需要使用 getClickCount 方法。

有些用户界面设计者喜欢让用户采用鼠标点击与键盘修饰符组合（例如，CONTROL+SHIFT+CLICK）的方式进行操作。我们感觉这并不是一种值得赞许的方式。如果对此持有不同的观点，可以看一看同时检测鼠标按键和键盘修饰符所带来的混乱。

可以采用位掩码来测试已经设置了哪个修饰符。在最初的 API 中，有两个按钮的掩码与

两个键盘修饰符的掩码一样，即

```
BUTTON2_MASK == ALT_MASK
BUTTON3_MASK == META_MASK
```

这样做是为了能够让用户使用仅有一个按钮的鼠标通过按下修饰符键来模拟按下其他鼠标键的操作。然而，在 Java SE 1.4 中，建议使用一种不同的方式。有下列掩码：

```
BUTTON1_DOWN_MASK
BUTTON2_DOWN_MASK
BUTTON3_DOWN_MASK
SHIFT_DOWN_MASK
CTRL_DOWN_MASK
ALT_DOWN_MASK
ALT_GRAPH_DOWN_MASK
META_DOWN_MASK
```

getModifiersEx 方法能够准确地报告鼠标事件的鼠标按钮和键盘修饰符。

需要注意，在 Windows 环境下，使用 BUTTON3_DOWN_MASK 检测鼠标右键（非主要的）的状态。例如，可以使用下列代码检测鼠标右键是否被按下：

```
if ((event.getModifiersEx() & InputEvent.BUTTON3_DOWN_MASK) != 0)
   . . . // code for right click
```

在列举的简单示例中，提供了 mousePressed 和 mouseClicked 方法。当鼠标点击在所有小方块的像素之外时，就会绘制一个新的小方块。这个操作是在 mousePressed 方法中实现的，这样可以让用户的操作立即得到响应，而不必等到释放鼠标按键。如果用户在某个小方块中双击鼠标，就会将它擦除。由于需要知道点击次数，所以这个操作将在 mouseClicked 方法中实现。

```
public void mousePressed(MouseEvent event)
{
   current = find(event.getPoint());
   if (current == null) // not inside a square
      add(event.getPoint());
}

public void mouseClicked(MouseEvent event)
{
   current = find(event.getPoint());
   if (current != null && event.getClickCount() >= 2)
      remove(current);
}
```

当鼠标在窗口上移动时，窗口将会收到一连串的鼠标移动事件。请注意：有两个独立的接口 MouseListener 和 MouseMotionListener。这样做有利于提高效率。当用户移动鼠标时，只关心鼠标点击（*clicks*）的监听器就不会被多余的鼠标移动（*moves*）所困扰。

这里给出的测试程序将捕获鼠标动作事件，以便在光标位于一个小方块之上时变成另外一种形状（十字）。实现这项操作需要使用 Cursor 类中的 getPredefinedCursor 方法。表 11-3 列出了在 Windows 环境下鼠标的形状和方法对应的常量。

表 11-3　光标形状样例

图标	常　量	图标	常　量
	DEFAULT_CURSOR		NE_RESIZE_CURSOR
+	CROSSHAIR_CURSOR	↔	E_RESIZE_CURSOR
	HAND_CURSOR		SE_RESIZE_CURSOR
	MOVE_CURSOR	↕	S_RESIZE_CURSOR
I	TEXT_CURSOR		SW_RESIZE_CURSOR
	WAIT_CURSOR	↔	W_RESIZE_CURSOR
↕	N_RESIZE_CURSOR		NW_RESIZE_CURSOR

下面是示例程序中 MouseMotionListener 类的 mouseMoved 方法：

```
public void mouseMoved(MouseEvent event)
{
   if (find(event.getPoint()) == null)
      setCursor(Cursor.getDefaultCursor());
   else
      setCursor(Cursor.getPredefinedCursor(Cursor.CROSSHAIR_CURSOR));
}
```

注释：还可以利用 Toolkit 类中的 createCustomCursor 方法自定义光标类型：

```
Toolkit tk = Toolkit.getDefaultToolkit();
Image img = tk.getImage("dynamite.gif");
Cursor dynamiteCursor = tk.createCustomCursor(img, new Point(10, 10), "dynamite stick");
```

createCustomCursor 的第一个参数指向光标图像。第二个参数给出了光标的“热点”偏移。第三个参数是一个描述光标的字符串。这个字符串可以用于访问性支持，例如，可以将光标形式读给视力受损或没有在屏幕前面的人。

如果用户在移动鼠标的同时按下鼠标，就会调用 mouseMoved 而不是调用 mouseDragged。在测试应用程序中，用户可以用光标拖动小方块。在程序中，仅仅用拖动的矩形更新当前光标位置。然后，重新绘制画布，以显示新的鼠标位置。

```
public void mouseDragged(MouseEvent event)
{
   if (current != null)
   {
      int x = event.getX();
      int y = event.getY();

      current.setFrame(x - SIDELENGTH / 2, y - SIDELENGTH / 2, SIDELENGTH, SIDELENGTH);
      repaint();
   }
}
```

注释：只有鼠标在一个组件内部停留才会调用 mouseMoved 方法。然而，即使鼠标拖动到组件外面，mouseDragged 方法也会被调用。

还有两个鼠标事件方法：mouseEntered 和 mouseExited。这两个方法是在鼠标进入或移出组件时被调用。

最后，解释一下如何监听鼠标事件。鼠标点击由 mouseClicked 过程报告，它是 MouseListener 接口的一部分。由于大部分应用程序只对鼠标点击感兴趣，而对鼠标移动并不感兴趣，但鼠标移动事件发生的频率又很高，因此将鼠标移动事件与拖动事件定义在一个称为 MouseMotionListener 的独立接口中。

在示例程序中，对两种鼠标事件类型都感兴趣。这里定义了两个内部类：MouseHandler 和 MouseMotionHandler。MouseHandler 类扩展于 MouseAdapter 类，这是因为它只定义了 5 个 MouseListener 方法中的两个方法。MouseMotionHandler 实现了 MouseMotionListener 接口，并定义了这个接口中的两个方法。程序清单 11-4 是这个程序的清单。

程序清单 11-4 mouse/MouseFrame.java

```
1 package mouse;
2
3 import javax.swing.*;
4
5 /**
6  * A frame containing a panel for testing mouse operations
7  */
8 public class MouseFrame extends JFrame
9 {
10    public MouseFrame()
11    {
12       add(new MouseComponent());
13       pack();
14    }
15 }
```

程序清单 11-5 mouse/MouseComponent.java

```
1 package mouse;
2
3 import java.awt.*;
4 import java.awt.event.*;
5 import java.awt.geom.*;
6 import java.util.*;
7 import javax.swing.*;
8
9 /**
10  * A component with mouse operations for adding and removing squares.
11  */
12 public class MouseComponent extends JComponent
13 {
14    private static final int DEFAULT_WIDTH = 300;
15    private static final int DEFAULT_HEIGHT = 200;
16
17    private static final int SIDELENGTH = 10;
18    private ArrayList<Rectangle2D> squares;
19    private Rectangle2D current; // the square containing the mouse cursor
20
21    public MouseComponent()
22    {
```

```
23         squares = new ArrayList<>();
24         current = null;
25 
26         addMouseListener(new MouseHandler());
27         addMouseMotionListener(new MouseMotionHandler());
28      }
29 
30      public Dimension getPreferredSize() { return new Dimension(DEFAULT_WIDTH, DEFAULT_HEIGHT); }
31 
32      public void paintComponent(Graphics g)
33      {
34         Graphics2D g2 = (Graphics2D) g;
35 
36         // draw all squares
37         for (Rectangle2D r : squares)
38            g2.draw(r);
39      }
40 
41      /**
42       * Finds the first square containing a point.
43       * @param p a point
44       * @return the first square that contains p
45       */
46      public Rectangle2D find(Point2D p)
47      {
48         for (Rectangle2D r : squares)
49         {
50            if (r.contains(p)) return r;
51         }
52         return null;
53      }
54 
55      /**
56       * Adds a square to the collection.
57       * @param p the center of the square
58       */
59      public void add(Point2D p)
60      {
61         double x = p.getX();
62         double y = p.getY();
63 
64         current = new Rectangle2D.Double(x - SIDELENGTH / 2, y - SIDELENGTH / 2, SIDELENGTH,
65               SIDELENGTH);
66         squares.add(current);
67         repaint();
68      }
69 
70      /**
71       * Removes a square from the collection.
72       * @param s the square to remove
73       */
74      public void remove(Rectangle2D s)
75      {
76         if (s == null) return;
77         if (s == current) current = null;
78         squares.remove(s);
79         repaint();
80      }
```

```
 81
 82    private class MouseHandler extends MouseAdapter
 83    {
 84       public void mousePressed(MouseEvent event)
 85       {
 86          // add a new square if the cursor isn't inside a square
 87          current = find(event.getPoint());
 88          if (current == null) add(event.getPoint());
 89       }
 90
 91       public void mouseClicked(MouseEvent event)
 92       {
 93          // remove the current square if double clicked
 94          current = find(event.getPoint());
 95          if (current != null && event.getClickCount() >= 2) remove(current);
 96       }
 97    }
 98
 99    private class MouseMotionHandler implements MouseMotionListener
100    {
101       public void mouseMoved(MouseEvent event)
102       {
103          // set the mouse cursor to cross hairs if it is inside
104          // a rectangle
105
106          if (find(event.getPoint()) == null) setCursor(Cursor.getDefaultCursor());
107          else setCursor(Cursor.getPredefinedCursor(Cursor.CROSSHAIR_CURSOR));
108       }
109
110       public void mouseDragged(MouseEvent event)
111       {
112          if (current != null)
113          {
114             int x = event.getX();
115             int y = event.getY();
116
117             // drag the current rectangle to center it at (x, y)
118             current.setFrame(x - SIDELENGTH / 2, y - SIDELENGTH / 2, SIDELENGTH, SIDELENGTH);
119             repaint();
120          }
121       }
122    }
123 }
```

API java.awt.event.MouseEvent 1.1

- `int getX()`
- `int getY()`
- `Point getPoint()`

  返回事件发生时，事件源组件左上角的坐标 x（水平）和 y（竖直），或点信息。
- `int getClickCount()`

  返回与事件关联的鼠标连击次数（“连击”所指定的时间间隔与具体系统有关）。

java awt.event.InputEvent 1.1

- `int getModifiersEx() 1.4`

  返回事件扩展的或“按下”(down) 的修饰符。使用下面的掩码值检测返回值：

  ```
  BUTTON1_DOWN_MASK
  BUTTON2_DOWN_MASK
  BUTTON3_DOWN_MASK
  SHIFT_DOWN_MASK
  CTRL_DOWN_MASK
  ALT_DOWN_MASK
  ALT_GRAPH_DOWN_MASK
  META_DOWN_MASK
  ```

- `static String getModifiersExText(int modifiers) 1.4`

  返回用给定标志集描述的扩展或“按下”（down）的修饰符字符串，例如“Shift+Button1”。

java.awt.Toolkit 1.0

- `public Cursor createCustomCursor(Image image,Point hotSpot,String name) 1.2`

  创建一个新的定制光标对象。

  参数：image　　光标活动时显示的图像

  　　　hotSpot　光标热点（箭头的顶点或十字中心）

  　　　name　　光标的描述，用来支持特殊的访问环境

java.awt.Component 1.0

- `public void setCursor(Cursor cursor)  1.1`

  用光标图像设置给定光标。

11.4　AWT 事件继承层次

弄清了事件处理的工作过程之后，作为本章的结束，总结一下 AWT 事件处理的体系架构。

前面已经提到，Java 事件处理采用的是面向对象方法，所有的事件都是由 java.util 包中的 EventObject 类扩展而来的（公共超类不是 Event，它是旧事件模型中的事件类名。尽管现在不赞成使用旧的事件模型，但这些类仍然保留在 Java 库中）。

EventObject 类有一个子类 AWTEvent，它是所有 AWT 事件类的父类。图 11-8 显示了 AWT 事件的继承关系图。

有些 Swing 组件将生成其他事件类型的事件对象；它们都直接扩展于 EventObject，而不是 AWTEvent。

事件对象封装了事件源与监听器彼此通信的事件信息。在必要的时候，可以对传递给监听器对象的事件对象进行分析。在按钮例子中，是借助 getSource 和 getActionCommand 方法实现对象分析的。

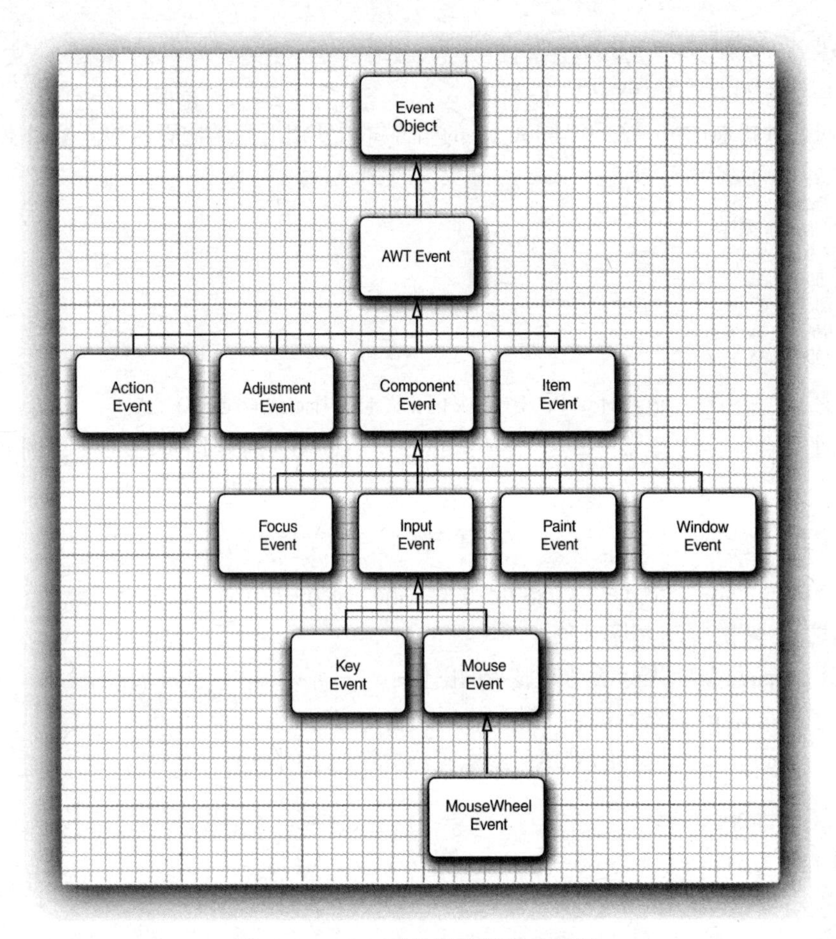

图 11-8　AWT 事件类的继承关系图

对于有些 AWT 事件类来说，Java 程序员并不会实际地使用它们。例如，AWT 将会把 PaintEvent 对象插入事件队列中，但这些对象并没有传递给监听器。Java 程序员并不监听绘图事件，如果希望控制重新绘图操作，就需要覆盖 paintComponent 方法。另外，AWT 还可以生成许多只对系统程序员有用的事件，用于提供表义语言的输入系统以及自动检测机器人等。在此，将不讨论这些特殊的事件类型。

11.4.1　语义事件和底层事件

AWT 将事件分为*底层*（low-level）事件和*语义*（semantic）事件。语义事件是表示用户动作的事件，例如，点击按钮；因此，ActionEvent 是一种语义事件。底层事件是形成那些事件的事件。在点击按钮时，包含了按下鼠标、连续移动鼠标、抬起鼠标（只有鼠标在按钮区中抬起才引发）事件。或者在用户利用 TAB 键选择按钮，并利用空格键激活它时，发生的敲击键盘事件。同样，调节滚动条是一种语义事件，但拖动鼠标是底层事件。

下面是 java.awt.event 包中最常用的语义事件类：

- ActionEvent（对应按钮点击、菜单选择、选择列表项或在文本框中 ENTER）；
- AdjustmentEvent（用户调节滚动条）；
- ItemEvent（用户从复选框或列表框中选择一项）。

常用的 5 个底层事件类是：

- KeyEvent（一个键被按下或释放）；
- MouseEvent（鼠标键被按下、释放、移动或拖动）；
- MouseWheelEvent（鼠标滚轮被转动）；
- FocusEvent（某个组件获得焦点或失去焦点）；
- WindowEvent（窗口状态被改变）。

下列接口将监听这些事件。

```
ActionListener            MouseMotionListener
AdjustmentListener        MouseWheelListener
FocusListener             WindowListener
ItemListener              WindowFocusListener
KeyListener               WindowStateListener
MouseListener
```

有几个 AWT 监听器接口包含多个方法，它们都配有一个适配器类，在这个类中实现了相应接口中的所有方法，但每个方法没有做任何事情（有些接口只包含一个方法，因此，就没有必要为它们定义适配器类了）。下面是常用的适配器类：

```
FocusAdapter            MouseMotionAdapter
KeyAdapter              WindowAdapter
MouseAdapter
```

表 11-4 显示了最重要的 AWT 监听器接口、事件和事件源。

表 11-4　事件处理总结

接　　口	方　　法	参数 / 访问方法	事件源
ActionListener	actionPerformed	ActionEvent • getActionCommand • getModifiers	AbstractButton JComboBox JTextField Timer
AdjustmentListener	adjustmentValueChanged	AdjustmentEvent • getAdjustable • getAdjustmentType • getValue	JScrollbar
ItemListener	itemStateChanged	ItemEvent • getItem • getItemSelectable • getStateChange	AbstractButton JComboBox
FocusListener	focusGained focusLost	FocusEvent • isTemporary	Component

（续）

接　口	方　法	参数 / 访问方法	事件源
KeyListener	keyPressed keyReleased keyTyped	KeyEvent • getKeyChar • getKeyCode • getKeyModifiersText • getKeyText • isActionKey	Component
MouseListener	mousePressed mouseReleased mouseEntered mouseExited mouseClicked	MouseEvent • getClickCount • getX • getY • getPoint • translatePoint	Component
MouseMotionListener	mouseDragged mouseMoved	MouseEvent	Component
MouseWheelListener	mouseWheelMoved	MouseWheelEvent • getWheelRotation • getScrollAmount	Component
WindowListener	windowClosing windowOpened windowIconified windowDeiconified windowClosed windowActivated windowDeactivated	WindowEvent • getWindow	Window
WindowFocusListener	windowGainedFocus windowLostFocus	WindowEvent • getOppositeWindow	Window
WindowStateListener	windowStateChanged	WindowEvent • getOldState • getNewState	Window

javax.swing.event 包中包含了许多专门用于 Swing 组件的附加事件，下一章中将介绍其中的一部分。

AWT 事件处理的讨论到此结束。在下一章中，我们将学习 Swing 提供的更多的常用组件，并详细地介绍它们所产生的事件。

第 12 章　Swing 用户界面组件

- ▲ Swing 与模型 – 视图 – 控制器设计模式
- ▲ 布局管理概述
- ▲ 文本输入
- ▲ 选择组件
- ▲ 菜单
- ▲ 复杂的布局管理
- ▲ 对话框
- ▲ GUI 程序排错

上一章主要介绍了如何使用 Java 中的事件模式。通过学习读者已经初步知道了构造图形用户界面的基本方法。本章将介绍构造功能更加齐全的图形用户界面（GUI）所需要的一些重要工具。

下面，首先介绍 Swing 的基本体系结构。要想弄清如何有效地使用一些更高级的组件，必须了解底层的东西。然后，再讲述 Swing 中各种常用的用户界面组件，如文本框、单选按钮以及菜单等。接下来，介绍在不考虑特定的用户界面观感时，如何使用 Java 中的布局管理器排列在窗口中的这些组件。最后，介绍如何在 Swing 中实现对话框。

本章囊括了基本的 Swing 组件，如文本组件、按钮和滑块等，这些都是基本的用户界面组件，使用十分频繁。Swing 中的高级组件将在卷 Ⅱ 中讨论。

12.1　Swing 和模型 – 视图 – 控制器设计模式

前面说过，本章将从 Swing 组件的体系结构开始。首先，我们讨论设计模式的概念，然后再看一下 Swing 框架中最具影响力的“模型 – 视图 – 控制器”模式。

12.1.1　设计模式

在解决一个问题时，不需要从头做起，而是借鉴过去的经验，或者向做过相关工作的专家请教。设计模式就是一种方法，这种方法以一种结构化的方式展示专家们的心血。

近几年来，软件工程师们开始对这些模式进行汇总分类。这个领域的先驱者的灵感来源于建筑师 Christopher Alexander 的设计模式。他在《The Timeless Way of Building》（1979 年，牛津大学出版）一书中，为公共和私人居住空间的建筑设计模式进行了分类。下面是一个典型的例子：

窗户位置

每个人都喜欢靠窗户的座位，可以画上凸出去的窗户、低窗台的大窗户以及放在这里的舒适椅子。如果一个房间中没有这样一个地方，很少有人会感到舒服和安逸。

如果房间中没有像这样“位置”的一个窗户，房间里的人就有可能要做出下列抉择：（1）舒适地坐下；(2) 要充足的阳光。

显然，舒适的地方是房间中最想坐的地方，但它们远离窗户，这种冲突不可避免。

因此，对于白天长时间逗留的房间，至少要将一个窗户开在“窗户位置”处（见图 12-1）。

在 Alexander 的模式分类和软件模式的分类中，每种模式都遵循一种特定的格式。这些模式首先描述背景，即引发设计问题的情形；接着解释问题，通常这里会有几个冲突的因素；最终，权衡这些冲突，给出问题的解决方案。

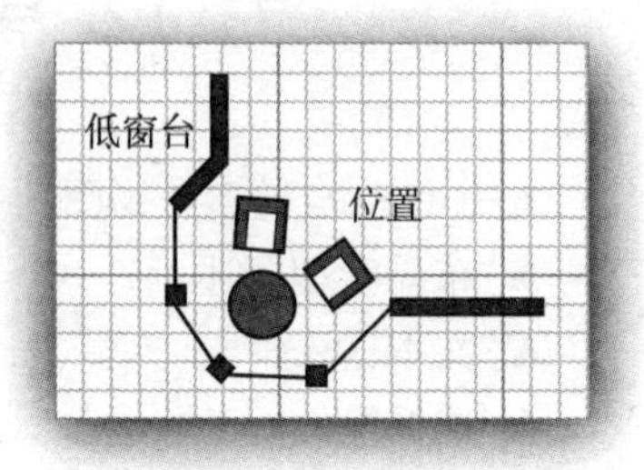

图 12-1　窗户位置

在“窗户位置”模式中，背景是在白天逗留时间较长的房间。冲突因素就是既想舒适地坐下，又想拥有充足的光线。解决方案是找到一个“窗户位置”。

在“模型 – 视图 – 控制器”模式中，背景是显示信息和接收用户输入的用户界面系统。有关“模型 – 视图 – 控制器”模式将在接下来的章节中讲述。这里有几个冲突因素。对于同一数据来说，可能需要同时更新多个可视化表示。例如，为了适应各种观感标准，可能需要改变可视化表示形式；又例如，为了支持语音命令，可能需要改变交互机制。解决方案是将这些功能分布到三个独立的交互组件：模型、视图和控制器。

模型 – 视图 – 控制器模式并不是 AWT 和 Swing 设计中使用的唯一模式。下列是应用的另外几种模式：

- 容器和组件是“组合 (composite)”模式
- 带滚动条的面板是“装饰器 (decorator)”模式
- 布局管理器是“策略 (strategy)”模式

设计模式的另外一个最重要的特点是它们已经成为文化的一部分。只要谈论起模型 – 视图 – 控制器或“装饰器”模式，遍及世界各地的程序员就会明白。因此，模式已经成为探讨设计方案的一种有效方法。

读者可以在 Erich Gamma 等编著的《Design Patterns——Elements of Reusable Object-Oriented Software》(Addison-Wesley 出版社，1995 年出版[⊖]) 一书中找到大量的实用软件模式的规范描述，这是一本研究模式运动的书籍。这里再强烈地推荐一本由 Frank Buschmann 等编著的《A System of Patterns》, John Wiley & Sons 出版社于 1996 出版。这是一本不错的书籍，相对前一本，这本书更容易读懂。

12.1.2 模型 – 视图 – 控制器模式

让我们稍稍停顿一会儿，回想一下构成用户界面组件的各个组成部分，例如，按钮、复选框、文本框或者复杂的树形组件等。每个组件都有三个要素：

- 内容，如：按钮的状态（是否按下），或者文本框的文本。

⊖ 本书中文版《设计模式——可复用面向对象软件的基础》已由机械工业出版社出版。——编辑注

- 外观（颜色，大小等）。
- 行为（对事件的反应）。

这三个要素之间的关系是相当复杂的，即使对于最简单的组件（如：按钮）来说也是如此。很明显，按钮的外观显示取决于它的观感。Metal 按钮的外观与 Windows 按钮或者 Motif 按钮的外观就不一样。另外，外观显示还要取决于按钮的状态：当按钮被按下时，按钮需要被重新绘制成另一种不同的外观。而状态取决于按钮接收到的事件。当用户在按钮上点击时，按钮就被按下。

当然，在程序中使用按钮时，只需要简单地把它看成是一个按钮，而不需要考虑它的内部工作和特性。毕竟，这些是实现按钮的程序员的工作。无论怎样，实现按钮的程序员就要对这些按钮考虑得细致一些了。毕竟，无论观感如何，他们必须实现这些按钮和其他用户界面组件，以便让这些组件正常地工作。

为了实现这样的需求，Swing 设计者采用了一种很有名的设计模式（design pattern）：模型 - 视图 - 控制器（model-view-controller）模式。这种设计模式同其他许多设计模式一样，都遵循第 5 章介绍过的面向对象设计中的一个基本原则：限制一个对象拥有的功能数量。不要用一个按钮类完成所有的事情，而是应该让一个对象负责组件的观感，另一个对象负责存储内容。模型 - 视图 - 控制器（MVC）模式告诉我们如何实现这种设计，实现三个独立的类：

- 模型（model）：存储内容。
- 视图（view）：显示内容。
- 控制器（controller）：处理用户输入。

这个模式明确地规定了三个对象如何进行交互。模型存储内容，它没有用户界面。按钮的内容非常简单，只有几个用来表示当前按钮是否按下，是否处于活动状态的标志等。文本框内容稍稍复杂一些，它是保存当前文本的字符串对象。这与视图显示的内容并不一致——如果内容的长度大于文本框的显示长度，用户就只能看到文本框可以显示的那一部分，如图 12-2 所示。

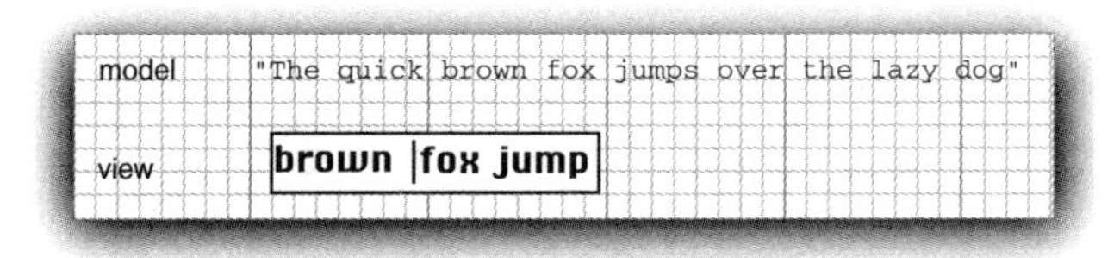

图 12-2 文本框的模型和视图

模型必须实现改变内容和查找内容的方法。例如，一个文本模型中的方法有：在当前文本中添加或者删除字符以及把当前文本作为一个字符串返回等。记住：模型是完全不可见的。显示存储在模型中的数据是视图的工作。

注释：“模式”这个术语可能不太贴切，因为人们通常把模式视为一个抽象概念的具体表示。汽车和飞机的设计者构造模式来模拟真实的汽车和飞机。但这种类比可能会使你对模型 - 视图 - 控制器模式产生错误的理解。在设计模式中，模型存储完整的内容，视图给出了内容的可视化显示（完整或者不完整）。一个更恰当的比喻应当是模特为画家摆好姿势。

此时，就要看画家如何看待模特，并由此来画一张画了。那张画是一幅规矩的肖像画，或是一幅印象派作品，还是一幅立体派作品（以古怪的曲线来描绘四肢）完全取决于画家。

模型 – 视图 – 控制器模式的一个优点是一个模型可以有多个视图，其中每个视图可以显示全部内容的不同部分或不同形式。例如，一个 HTML 编辑器常常为同一内容在同一时刻提供两个视图：一个 WYSIWYG（所见即所得）视图和一个“原始标记”视图（见图 12-3）。当通过某一个视图的控制器对模型进行更新时，模式会把这种改变通知给两个视图。视图得到通知以后就会自动地刷新。当然，对于一个简单的用户界面组件来说，如按钮，不需要为同一模型提供多个视图。

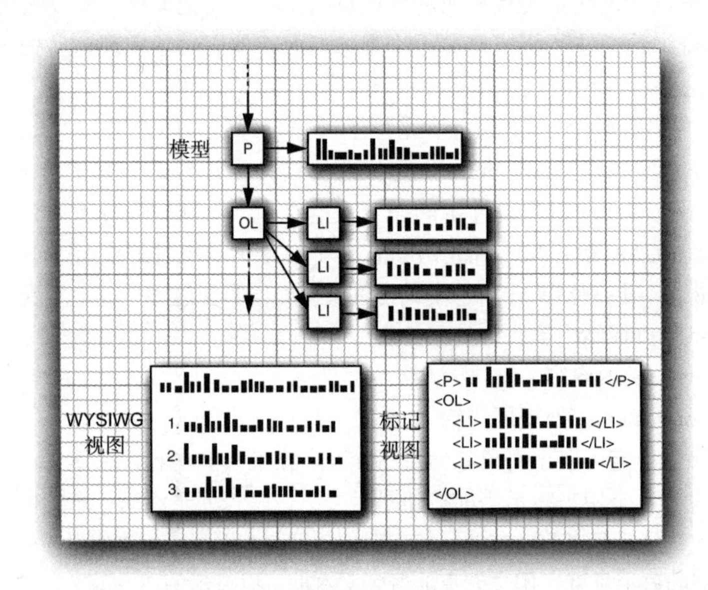

图 12-3 同一模型的两个不同视图

控制器负责处理用户输入事件，如点击鼠标和敲击键盘。然后决定是否把这些事件转化成对模型或视图的改变。例如，如果用户在一个文本框中按下了一个字符键，控制器调用模型中的“插入字符”命令，然后模型告诉视图进行更新，而视图永远不会知道文本为什么改变了。但是如果用户按下了一个光标键，那么控制器会通知视图进行卷屏。卷动视图对实际文本不会有任何影响，因此模型永远不会知道这个事件的发生。

图 12-4 给出了模型、视图和控制器对象之间的交互。

在程序员使用 Swing 组件时，通常不需要考虑模型 – 视图 – 控制器体系结构。每个用户界面元素都有一个包装器类（如 JButton 或 JTextField）来保存模型和视图。当需要查询内容（如文本域中的文本）时，包装器类会向模型询问并且返回所要的结果。当想改变视图时（例如，在一个文本域中移动光标位置），包装器类会把此请求转发给视图。然而，有时候包装器转发命令并不得力。在这种情况下，就必须直接地与模型打交道（不必直接操作视图——这是观感代码的任务）。

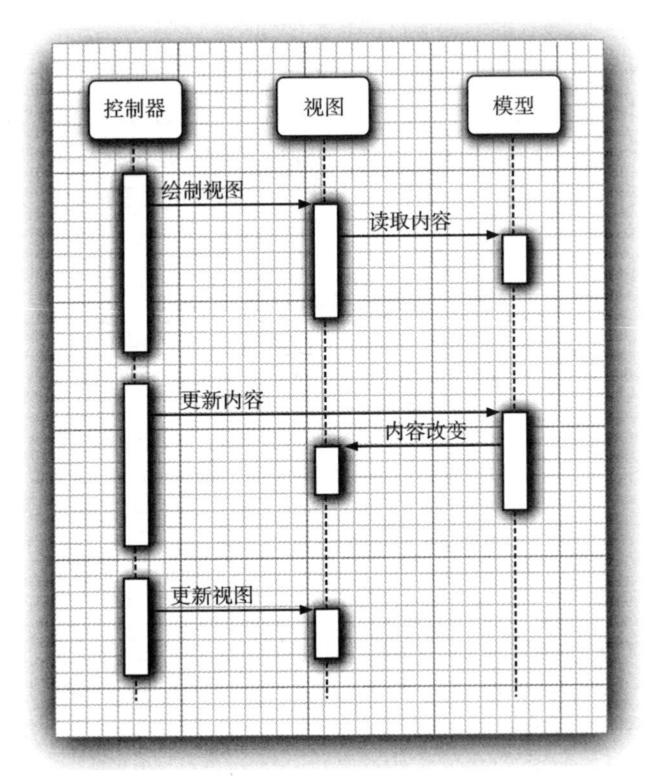

图 12-4　模型、视图、控制器对象之间的交互

除了“本职工作”外，模型 – 视图 – 控制器模式吸引 Swing 设计者的主要原因是这种模式允许实现可插观感。每个按钮或者文本域的模型是独立于观感的。当然可视化表示完全依赖于特殊观感的用户界面设计，且控制器可以改变它。例如，在一个语音控制设备中，控制器需要处理的各种事件与使用键盘和鼠标的标准计算机完全不同。通过把底层模型与用户界面分离开，Swing 设计者就能够重用模型的代码，甚至在程序运行时对观感进行切换。

当然，模式只能作为一种指导性的建议而并没有严格的戒律。没有一种模式能够适用于所有情况。例如，使用“窗户位置”模式（设计模式中并非主要成分）来安排小卧室就不太合适。同样地，Swing 设计者发现对于可插观感实现来说，使用模型 – 视图 – 控制器模式并非都是完美的。模型容易分离开，每个用户界面组件都有一个模型类。但是，视图和控制器的职责分工有时就不很明显，这样将会导致产生很多不同的类。当然，作为这些类的使用者来说，不必为这些细节费心。前面已经说过，这些类的使用者根本无需为模型操心，仅使用组件包装器类即可。

12.1.3　Swing 按钮的模型 – 视图 – 控制器分析

前一章已经介绍了如何使用按钮，当时没有考虑模型、视图和控制器。按钮是最简单的用户界面元素，所以我们从按钮开始学习模型 – **视图** – 控制器模式会感觉容易些。对于更复杂的 Swing 组件来说，所遇到的类和接口都是类似的。

对于大多数组件来说，模型类将实现一个名字以 Model 结尾的接口，例如，按钮就实现了 ButtonModel 接口。实现了此接口的类可以定义各种按钮的状态。实际上，按钮并不复杂，在 Swing 库中有一个名为 DefaultButtonModel 的类就实现了这个接口。

读者可以通过查看 ButtonModel 接口中的特征来了解按钮模型所维护的数据类别。表 12-1 列出了这些特征。

表 12-1 ButtonModel 接口的属性

属性名	值
actionCommand	与按钮关联的动作命令字符串
mnemonic	按钮的快捷键
armed	如果按钮被按下且鼠标仍在按钮上则为 true
enabled	如果按钮是可选择的则为 true
pressed	如果按钮被按下且鼠标按键没有释放则为 true
rollover	如果鼠标在按钮之上则为 true
selected	如果按钮已经被选择（用于复选框和单选钮）则为 true

每个 JButton 对象都存储了一个按钮模型对象，可以用下列方式得到它的引用。

```
JButton button = new JButton("Blue");
ButtonModel model = button.getModel();
```

实际上，不必关注按钮状态的零散信息，只有绘制它的视图才对此感兴趣。诸如按钮是否可用这样的重要信息完全可以通过 JButton 类得到（当然，JButton 类也通过向它的模型询问来获得这些信息）。

下面查看 ButtonModel 接口中不包含的信息。模型不存储按钮标签或者图标。对于一个按钮来说，仅凭模型无法知道它的外观（实际上，在有关单选钮的 12.4.2 节中将会看到，这种纯粹的设计会给程序员带来一些麻烦）。

需要注意的是，同样的模型（即 DefaultButtonModel）可用于下压按钮、单选按钮、复选框、甚至是菜单项。当然，这些按钮都有各自不同的视图和控制器。当使用 Metal 观感时，JButton 类用 BasicButtonUI 类作为其视图；用 ButtonUIListener 类作为其控制器。通常，每个 Swing 组件都有一个相关的后缀为 UI 的视图对象，但并不是所有的 Swing 组件都有专门的控制器对象。

在阅读 JButton 底层工作的简介之后可能会想到：JButton 究竟是什么？事实上，它仅仅是一个继承了 JComponent 的包装器类，JComponent 包含了一个 DefaultButtonModel 对象，一些视图数据（例如按钮标签和图标）和一个负责按钮视图的 BasicButtonUI 对象。

12.2 布局管理概述

在讨论每个 Swing 组件（例如：文本域和单选按钮）之前，首先介绍一下如何把这些组件排列在一个框架内。与 Visual Basic 不同，由于在 JDK 中没有表单设计器，所以需要通过编写代码来定制（布局）用户界面组件所在的位置。

当然，如果有支持 Java 的开发环境，就可能有某种布局工具来部分自动地或全部自动地完成这些布局任务。然而，弄清底层的实现方式是非常重要的，因为即使最好的工具有时也需要手工编码。

回顾上一章的程序，我们设计了几个按钮，点击这些按钮可以改变框架的背景颜色。如图 12-5 所示。

这几个按钮被放置在一个 JPanel 对象中，且用流布局管理器（flow layout manager）管理，这是面板的默认布局管理器。图 12-6 展示了向面板中添加多个按钮后的效果。正如读者所看到的，当一行的空间不够时，会将显示在新的一行上。

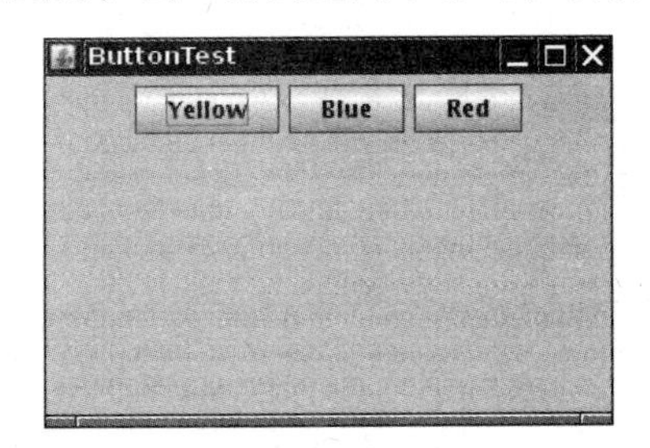

图 12-5 包含三个按钮的面板

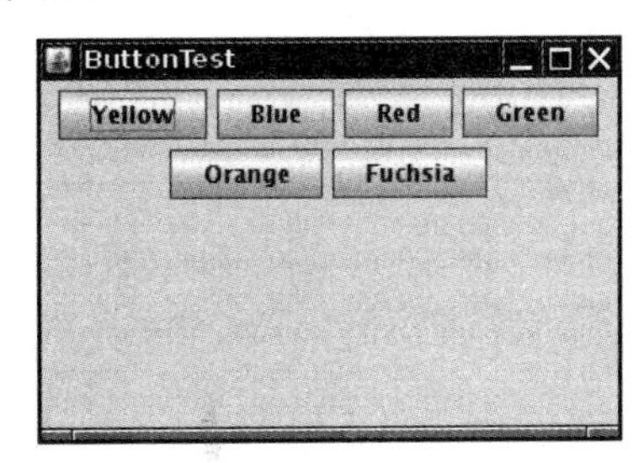

图 12-6 用流布局管理六个按钮的面板

另外，按钮总是位于面板的中央，即使用户对框架进行缩放也是如此。如图 12-7 所示。

图 12-7 改变面板尺寸后自动重新安排按钮

通常，组件放置在容器中，布局管理器决定容器中的组件具体放置的位置和大小。

按钮、文本域和其他的用户界面元素都继承于 Component 类，组件可以放置在面板这样的容器中。由于 Container 类继承于 Component 类，所以容器也可以放置在另一个容器中。图 12-8 给出了 Component 的类层次结构。

注释： 可惜的是，继承层次有两点显得有点混乱。首先，像 JFrame 这样的顶层窗口是 Container 的子类，所以也是 Component 的子类，但却不能放在其他容器内。另外，JComponent 是 Container 的子类，但不直接继承 Component，因此，可以将其他组件添置到 JButton 中。（但无论如何，这些组件无法显示出来）。

每个容器都有一个默认的布局管理器，但可以重新进行设置。例如，使用下列语句：

```
panel.setLayout(new GridLayout(4, 4));
```

这个面板将用 GridLayout 类布局组件。可以往容器中添加组件。容器的 add 方法将把组件和放置的方位传递给布局管理器。

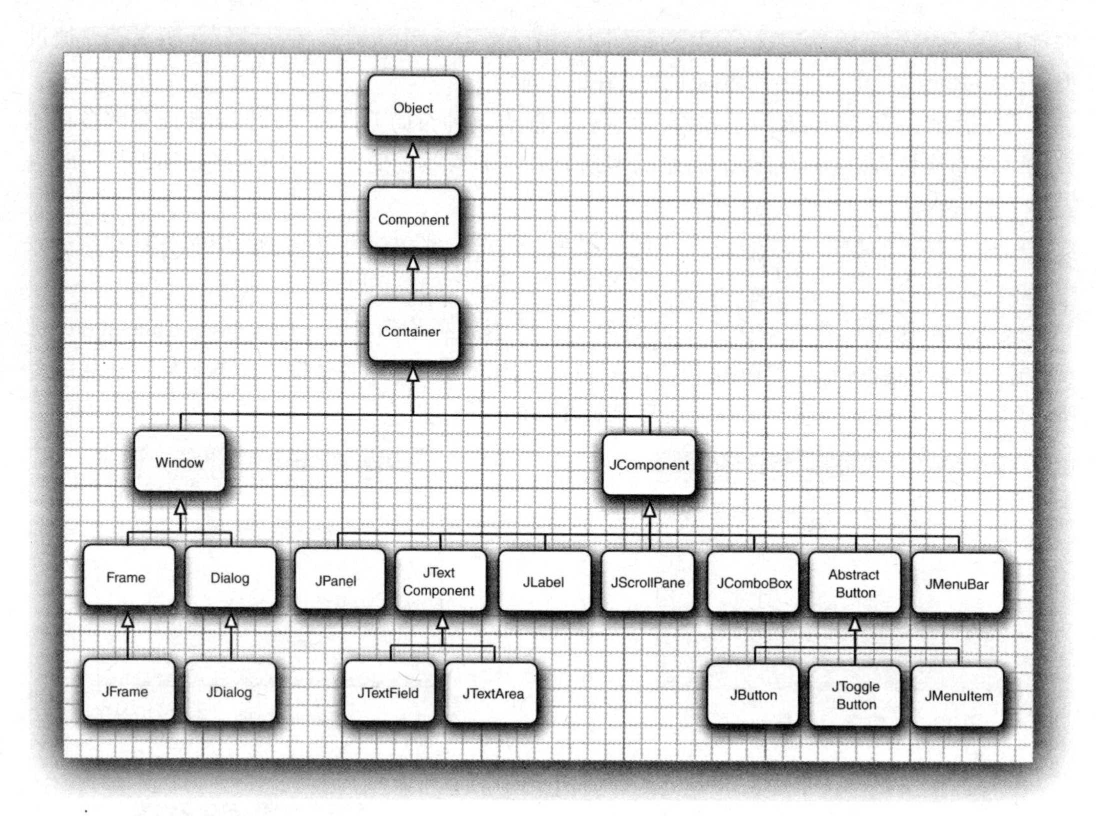

图 12-8 Component 的类层次结构

API java.awt.Container 1.0

- `Void SetLayout (LayoutManager m)`

  为容器设置布局管理器

- `Component add(Component c)`
- `Component add(Component c, Object constraints) 1.1`

  将组件添加到容器中，并返回组件的引用。

  参数：c　　　　　　要添加的组件

  　　　constraints　　布局管理器理解的标识符

API java.awt.FlowLayout 1.0

- `FlowLayout ()`
- `FlowLayout (int align)`
- `FlowLayout (int align, int hgap, int vgap)`

  构造一个新的 FlowLayout 对象。

  参数：align　　　　LEFT、CENTER 或者 RIGHT

hgap	以像素为单位的水平间距（如果为负值，则强行重叠）
vgap	以像素为单位的垂直间距（如果为负值，则强行重叠）

12.2.1 边框布局

边框布局管理器（border layout manager）是每个 JFrame 的内容窗格的默认布局管理器。流布局管理器完全控制每个组件的放置位置，边框布局管理器则不然，它允许为每个组件选择一个放置位置。可以选择把组件放在内容窗格的中部、北部、南部、东部或者西部。如图 12-9 所示。

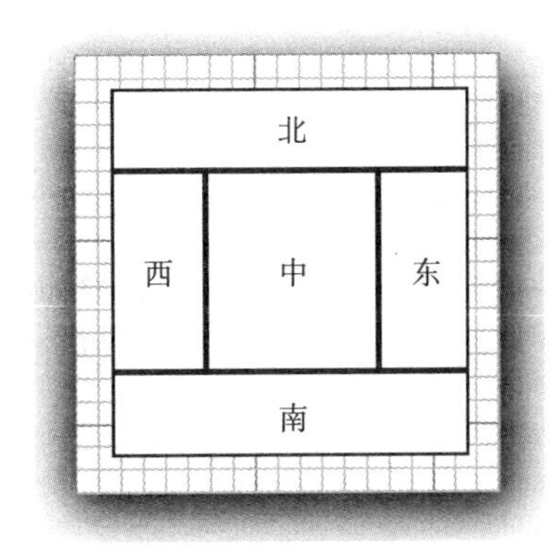

图 12-9 边框布局

例如：

```
frame.add(component, BorderLayout.SOUTH);
```

先放置边缘组件，剩余的可用空间由中间组件占据。当容器被缩放时，边缘组件的尺寸不会改变，而中部组件的大小会发生变化。在添加组件时可以指定 BorderLayout 类中的 CENTER、NORTH、SOUTH、EAST 和 WEST 常量。并非需要占用所有的位置，如果没有提供任何值，系统默认为 CENTER。

注释： BorderLayout 常量定义为字符串。例如：BorderLayout.SOUTH 定义为字符串 “SOUTH”。很多程序员喜欢直接使用字符串，因为这些字符串比较简短，例如，frame.add (component, “SOUTH”)。然而，如果字符串拼写有误，编译器不会捕获错误。

与流布局不同，边框布局会扩展所有组件的尺寸以便填满可用空间（流布局将维持每个组件的最佳尺寸）。当将一个按钮添加到容器中时会出现问题：

```
frame.add(yellowButton, BorderLayout.SOUTH); // don't
```

图 12-10 给出了执行上述语句的显示效果。按钮扩展至填满框架的整个南部区域。而且，如果再将另外一个按钮添加到南部区域，就会取代第一个按钮。

解决这个问题的常见方法是使用另外一个面板（panel）。例如，如图 12-11 所示。屏幕底部的三个按钮全部包含在一个面板中。这个面板被放置在内容窗格的南部。

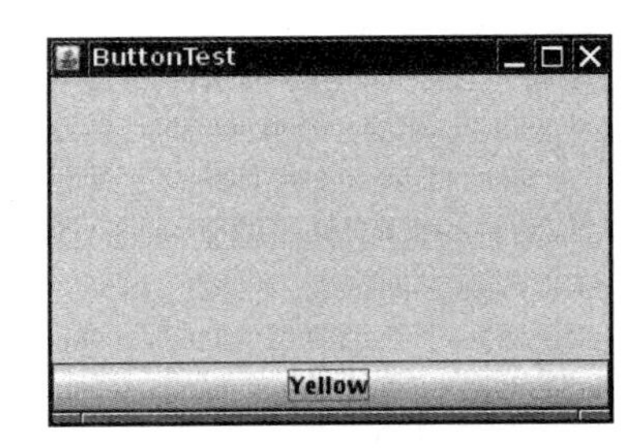

图 12-10 边框布局管理一个按钮

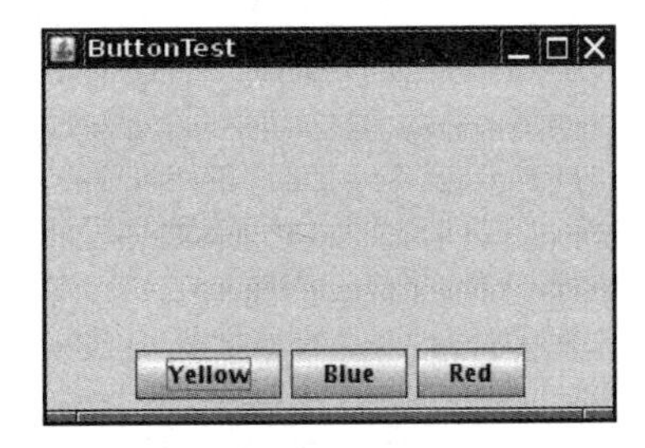

图 12-11 面板放置在框架的南部区域

要想得到这种配置效果，首先需要创建一个新的 JPanel 对象，然后逐一将按钮添加到面板中。面板的默认布局管理器是 FlowLayout，这恰好符合我们的需求。随后使用在前面已经看到的 add 方法将每个按钮添加到面板中。每个按钮的放置位置和尺寸完全处于 FlowLayout 布局管理器的控制之下。这意味着这些按钮将置于面板的中央，并且不会扩展至填满整个面板区域。最后，将这个面板添加到框架的内容窗格中。

```
JPanel panel = new JPanel();
panel.add(yellowButton);
panel.add(blueButton);
panel.add(redButton);
frame.add(panel, BorderLayout.SOUTH);
```

边框布局管理器将会扩展面板大小，直至填满整个南部区域。

API java.awt.BorderLayout 1.0

- `BorderLayout()`
- `BorderLayout( int hgap, int vgap)`

  构造一个新的 BorderLayout 对象。

  参数：hgap　以像素为单位的水平间距（如果为负值，则强行重叠）

  　　　vgap　以像素为单位的垂直间距（如果为负值，则强行重叠）

12.2.2 网格布局

网格布局像电子数据表一样，按行列排列所有的组件。不过，它的每个单元大小都是一样的。图 12-12 显示的计算器程序就使用了网格布局来排列计算器按钮。当缩放窗口时，计算器按钮将随之变大或变小，但所有的按钮尺寸始终保持一致。

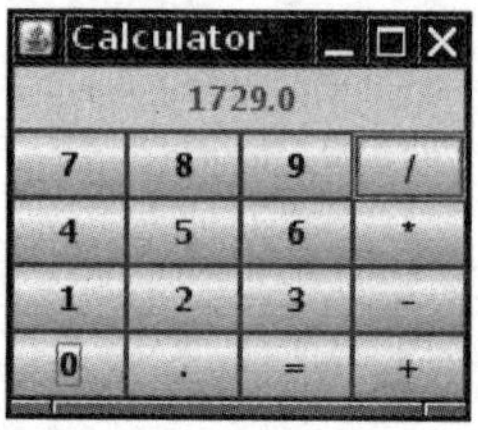

Calculator
1729.0
7 8 9 /
4 5 6 *
1 2 3 -
0 . = +

图 12-12　计算器

在网格布局对象的构造器中，需要指定行数和列数：

```
panel.setLayout(new GridLayout(4, 4));
```

添加组件，从第一行的第一列开始，然后是第一行的第二列，以此类推。

```
panel.add(new JButton("1"));
panel.add(new JButton("2"));
```

程序清单 12-1 是计算器程序的源代码。这是一个常规的计算器，而不像 Java 指南中所提到的"逆波兰"那样古怪。在这个程序中，在将组件添加到框架之后，调用了 pack 方法。这个方法使用所有组件的最佳大小来计算框架的高度和宽度。

当然，极少有像计算器这样整齐的布局。实际上，在组织窗口的布局时小网格（通常只有一行或者一列）比较有用。例如，如果想放置一行尺寸都一样的按钮，就可以将这些按钮放置在一个面板里，这个面板使用只有一行的网格布局进行管理。

程序清单 12-1　calculator/CalculatorPanel.java

```
1 package calculator;
2 
3 import java.awt.*;
```

```
4 import java.awt.event.*;
5 import javax.swing.*;
6
7 /**
8  * A panel with calculator buttons and a result display.
9  */
10 public class CalculatorPanel extends JPanel
11 {
12    private JButton display;
13    private JPanel panel;
14    private double result;
15    private String lastCommand;
16    private boolean start;
17
18    public CalculatorPanel()
19    {
20       setLayout(new BorderLayout());
21
22       result = 0;
23       lastCommand = "=";
24       start = true;
25
26       // add the display
27
28       display = new JButton("0");
29       display.setEnabled(false);
30       add(display, BorderLayout.NORTH);
31
32       ActionListener insert = new InsertAction();
33       ActionListener command = new CommandAction();
34       // add the buttons in a 4 x 4 grid
35
36       panel = new JPanel();
37       panel.setLayout(new GridLayout(4, 4));
38
39       addButton("7", insert);
40       addButton("8", insert);
41       addButton("9", insert);
42       addButton("/", command);
43
44       addButton("4", insert);
45       addButton("5", insert);
46       addButton("6", insert);
47       addButton("*", command);
48
49       addButton("1", insert);
50       addButton("2", insert);
51       addButton("3", insert);
52       addButton("-", command);
53
54       addButton("0", insert);
55       addButton(".", insert);
56       addButton("=", command);
57       addButton("+", command);
58
59       add(panel, BorderLayout.CENTER);
60    }
```

```
61
62      /**
63       * Adds a button to the center panel.
64       * @param label the button label
65       * @param listener the button listener
66       */
67      private void addButton(String label, ActionListener listener)
68      {
69         JButton button = new JButton(label);
70         button.addActionListener(listener);
71         panel.add(button);
72      }
73
74      /**
75       * This action inserts the button action string to the end of the display text.
76       */
77      private class InsertAction implements ActionListener
78      {
79         public void actionPerformed(ActionEvent event)
80         {
81            String input = event.getActionCommand();
82            if (start)
83            {
84               display.setText("");
85               start = false;
86            }
87            display.setText(display.getText() + input);
88         }
89      }
90
91      /**
92       * This action executes the command that the button action string denotes.
93       */
94      private class CommandAction implements ActionListener
95      {
96         public void actionPerformed(ActionEvent event)
97         {
98            String command = event.getActionCommand();
99
100           if (start)
101           {
102              if (command.equals("-"))
103              {
104                 display.setText(command);
105                 start = false;
106              }
107              else lastCommand = command;
108           }
109           else
110           {
111              calculate(Double.parseDouble(display.getText()));
112              lastCommand = command;
113              start = true;
114           }
115        }
116     }
117
```

```
118    /**
119     * Carries out the pending calculation.
120     * @param x the value to be accumulated with the prior result.
121     */
122    public void calculate(double x)
123    {
124       if (lastCommand.equals("+")) result += x;
125       else if (lastCommand.equals("-")) result -= x;
126       else if (lastCommand.equals("*")) result *= x;
127       else if (lastCommand.equals("/")) result /= x;
128       else if (lastCommand.equals("=")) result = x;
129       display.setText("" + result);
130    }
131 }
```

API java.awt.GridLayout 1.0

- `GridLayout(int rows, int columns)`
- `GridLayout(int rows, int columns, int hgap, int vgap)`

  构造一个新的 GridLayout 对象。rows 或者 columns 可以为零，但不能同时为零，指定的每行或每列的组件数量可以任意的。

  参数：rows　　网格的行数

  　　　columns　网格的列数

  　　　hgap　　以像素为单位的水平间距（如果为负值，则强行重叠）

  　　　vgap　　以像素为单位的垂直间距（如果为负值，则强行重叠）

12.3 文本输入

现在终于可以开始介绍 Swing 用户界面组件了。首先，介绍具有用户输入和编辑文本功能的组件。文本域（JTextField）和文本区（JTextArea）组件用于获取文本输入。文本域只能接收单行文本的输入，而文本区能够接收多行文本的输入。JPassword 也只能接收单行文本的输入，但不会将输入的内容显示出来。

这三个类都继承于 JTextComponent 类。由于 JTextComponent 是一个抽象类，所以不能够构造这个类的对象。另外，在 Java 中常会看到这种情况。在查看 API 文档时，发现自己正在寻找的方法实际上来自父类 JTextComponent，而不是来自派生类自身。例如，在一个文本域和文本区内获取（get）、设置（set）文本的方法实际上都是 JTextComponent 类中的方法。

API javax.swing.text.JTextComponent 1.2

- `String getText()`
- `void setText(String text)`

  获取或设置文本组件中的文本。

- `boolean isEditable()`

- `void setEditable(boolean b)`

  获取或设置 editable 特性，这个特性决定了用户是否可以编辑文本组件中的内容。

12.3.1 文本域

把文本域添加到窗口的常用办法是将它添加到面板或者其他容器中，这与添加按钮完全一样：

```
JPanel panel = new JPanel();
JTextField textField = new JTextField("Default input", 20);
panel.add(textField);
```

这段代码将添加一个文本域，同时通过传递字符串“Default input”进行初始化。构造器的第二个参数设置了文本域的宽度。在这个示例中，宽度值为 20“列”。但是，这里所说的列不是一个精确的测量单位。一列就是在当前使用的字体下一个字符的宽度。如果希望文本域最多能够输入 n 个字符，就应该把宽度设置为 n 列。在实际中，这样做效果并不理想，应该将最大输入长度再多设 1 ~ 2 个字符。列数只是给 AWT 设定首选（preferred）大小的一个提示。如果布局管理器需要缩放这个文本域，它会调整文本域的大小。在 JTextField 的构造器中设定的宽度并不是用户能输入的字符个数的上限。用户可以输入一个更长的字符串，但是当文本长度超过文本域长度时输入就会滚动。用户通常不喜欢滚动文本域，因此应该尽量把文本域设置的宽一些。如果需要在运行时重新设置列数，可以使用 setColumns 方法。

提示：使用 setColumns 方法改变了一个文本域的大小之后，需要调用包含这个文本框的容器的 revalidate 方法。

```
textField.setColumns(10);
panel.revalidate();
```

revalidate 方法会重新计算容器内所有组件的大小，并且对它们重新进行布局。调用 revalidate 方法以后，布局管理器会重新设置容器的大小，然后就可以看到改变尺寸后的文本域了。

revalidate 方法是 JComponent 类中的方法。它并不是马上就改变组件大小，而是给这个组件加一个需要改变大小的标记。这样就避免了多个组件改变大小时带来的重复计算。但是，如果想重新计算一个 JFrame 中的所有组件，就必须调用 validate 方法——JFrame 没有扩展 JComponent。

通常情况下，希望用户在文本域中键入文本（或者编辑已经存在的文本）。文本域一般初始为空白。只要不为 JTextField 构造器提供字符串参数，就可以构造一个空白文本域：

```
JTextField textField = new JTextField(20);
```

可以在任何时候调用 setText 方法改变文本域中的内容。这个方法是从前面提到的 JTextComponent 中继承而来的。例如：

```
textField.setText("Hello!");
```

并且，在前面已经提到，可以调用 getText 方法来获取用户键入的文本。这个方法返回用户输入的文本。如果想要将 getText 方法返回的文本域中的内容的前后空格去掉，就应该调用 trim 方法：

```
String text = textField.getText().trim();
```

如果想要改变显示文本的字体，就调用 setFont 方法。

API javax.swing.JTextField 1.2

- `JTextField(int cols)`
  构造一个给定列数的空 JTextField 对象。
- `JTextField(String text, int cols)`
  构造一个给定列数、给定初始字符串的 JTextField 对象。
- `int getColumns()`
- `void setColumns(int cols)`
  获取或设置文本域使用的列数。

API javax.swing.JComponent 1.2

- `void revalidate()`
  重新计算组件的位置和大小。
- `void setFont(Font f)`
  设置组件的字体。

API java.awt.Component 1.0

- `void validate()`
  重新计算组件的位置和大小。如果组件是容器，容器中包含的所有组件的位置和大小也被重新计算。
- `Font getFont()`
  获取组件的字体。

12.3.2 标签和标签组件

标签是容纳文本的组件，它们没有任何的修饰（例如没有边缘），也不能响应用户输入。可以利用标签标识组件。例如：与按钮不同，文本域没有标识它们的标签。要想用标识符标识这种不带标签的组件，应该

1）用相应的文本构造一个 JLabel 组件。

2）将标签组件放置在距离需要标识的组件足够近的地方，以便用户可以知道标签所标识的组件。

JLabel 的构造器允许指定初始文本和图标，也可以选择内容的排列方式。可以用 Swing Constants 接口中的常量来指定排列方式。在这个接口中定义了几个很有用的常量，如 LEFT、RIGHT、CENTER、NORTH、EAST 等。JLabel 是实现这个接口的一个 Swing 类。因此，可

以指定右对齐标签：

```
JLabel label = new JLabel("User name: ", SwingConstants.RIGHT);
```

或者

```
JLabel label = new JLabel("User name: ", JLabel.RIGHT);
```

利用 setText 和 setIcon 方法可以在运行期间设置标签的文本和图标。

提示： 可以在按钮、标签和菜单项上使用无格式文本或 HTML 文本。我们不推荐在按钮上使用 HTML 文本——这样会影响观感。但是 HTML 文本在标签中是非常有效的。只要简单地将标签字符串放置在 <html>...</html> 中即可：

```
label = new JLabel("<html><b>Required</b> entry:</html>");
```

需要说明的是包含 HTML 标签的第一个组件需要延迟一段时间才能显示出来，这是因为需要加载相当复杂的 HTML 显示代码。

与其他组件一样，标签也可以放置在容器中。这就是说，可以利用前面介绍的技巧将标签放置在任何需要的地方。

API javax.swing.JLabel 1.2

- `JLabel(String text)`
- `JLabel(Icon icon)`
- `JLabel(String text, int align)`
- `JLabel(String text, Icon icon, int align)`

  构造一个标签。

  参数：text　　标签中的文本

  　　　icon　　标签中的图标

  　　　align　　一个 SwingConstants 的常量 LEFT（默认）、CENTER 或者 RIGHT

- `String getText()`
- `void setText(String text)`

  获取或设置标签的文本。

- `Icon getIcon()`
- `void setIcon(Icon icon)`

  获取或设置标签的图标。

12.3.3 密码域

密码域是一种特殊类型的文本域。为了避免有不良企图的人看到密码，用户输入的字符不显示出来。每个输入的字符都用回显字符（echo character）表示，典型的回显字符是星号（*）。Swing 提供了 JPasswordField 类来实现这样的文本域。

密码域是另一个应用模型 - 视图 - 控制器体系模式的例子。密码域采用与常规的文本域相同的模型来存储数据，但是，它的视图却改为显示回显字符，而不是实际的字符。

API javax.swing.JPasswordField 1.2

- `JPasswordField(String text, int columns)`

  构造一个新的密码域对象。

- `void setEchoChar(char echo)`

  为密码域设置回显字符。注意：独特的观感可以选择自己的回显字符。0 表示重新设置为默认的回显字符。

- `char[ ] getPassword()`

  返回密码域中的文本。为了安全起见，在使用之后应该覆写返回的数组内容（密码并不是以 String 的形式返回，这是因为字符串在被垃圾回收器回收之前会一直驻留在虚拟机中）。

12.3.4 文本区

有时，用户的输入超过一行。正像前面提到的，需要使用 JTextArea 组件来接收这样的输入。当在程序中放置一个文本区组件时，用户就可以输入多行文本，并用 ENTER 键换行。每行都以一个 “\n” 结尾。图 12-13 显示了一个工作的文本区。

图 12-13 文本组件

在 JTextArea 组件的构造器中，可以指定文本区的行数和列数。例如：

```
textArea = new JTextArea(8, 40); // 8 lines of 40 columns each
```

与文本域一样。出于稳妥的考虑，参数 columns 应该设置得大一些。另外，用户并不受限于输入指定的行数和列数。当输入过长时，文本会滚动。还可以用 setColumns 方法改变列数，用 setRows 方法改变行数。这些数值只是首选大小——布局管理器可能会对文本区进行缩放。

如果文本区的文本超出显示的范围，那么剩下的文本就会被剪裁掉。可以通过开启换行特性来避免裁剪过长的行：

```
textArea.setLineWrap(true); // long lines are wrapped
```

换行只是视觉效果；文档中的文本没有改变，在文本中并没有插入 “\n” 字符。

12.3.5 滚动窗格

在 Swing 中，文本区没有滚动条。如果需要滚动条，可以将文本区插入到滚动窗格（scroll pane）中。

```
textArea = new JTextArea(8, 40);
JScrollPane scrollPane = new JScrollPane(textArea);
```

现在滚动窗格管理文本区的视图。如果文本超出了文本区可以显示的范围，滚动条就会自动地出现，并且在删除部分文本后，当文本能够显示在文本区范围内时，滚动条会再次自动地消失。滚动是由滚动窗格内部处理的，编写程序时无需处理滚动事件。

这是一种为任意组件添加滚动功能的通用机制，而不是文本区特有的。也就是说，要想为组件添加滚动条，只需将它们放入一个滚动窗格中即可。

程序清单 12-2 展示了各种文本组件。这个程序只是简单地显示了一个文本域、一个密码域和一个带滚动条的文本区。文本域和密码域都使用了标签。点击“ Insert”会将组件中的内容插入到文本区中。

注释： JTextArea 组件只显示无格式的文本，没有特殊字体或者格式设置。如果想要显示格式化文本（如 HTML），就需要使用 JEditorPane 类。在卷 II 将详细讨论。

程序清单 12-2 text/TextComponentFrame.java

```
1 package text;
2
3 import java.awt.BorderLayout;
4 import java.awt.GridLayout;
5
6 import javax.swing.JButton;
7 import javax.swing.JFrame;
8 import javax.swing.JLabel;
9 import javax.swing.JPanel;
10 import javax.swing.JPasswordField;
11 import javax.swing.JScrollPane;
12 import javax.swing.JTextArea;
13 import javax.swing.JTextField;
14 import javax.swing.SwingConstants;
15
16 /**
17  * A frame with sample text components.
18  */
19 public class TextComponentFrame extends JFrame
20 {
21    public static final int TEXTAREA_ROWS = 8;
22    public static final int TEXTAREA_COLUMNS = 20;
23
24    public TextComponentFrame()
25    {
26       JTextField textField = new JTextField();
27       JPasswordField passwordField = new JPasswordField();
28
29       JPanel northPanel = new JPanel();
30       northPanel.setLayout(new GridLayout(2, 2));
31       northPanel.add(new JLabel("User name: ", SwingConstants.RIGHT));
32       northPanel.add(textField);
33       northPanel.add(new JLabel("Password: ", SwingConstants.RIGHT));
34       northPanel.add(passwordField);
35
36       add(northPanel, BorderLayout.NORTH);
37
38       JTextArea textArea = new JTextArea(TEXTAREA_ROWS, TEXTAREA_COLUMNS);
```

```
39        JScrollPane scrollPane = new JScrollPane(textArea);
40
41        add(scrollPane, BorderLayout.CENTER);
42
43        // add button to append text into the text area
44
45        JPanel southPanel = new JPanel();
46
47        JButton insertButton = new JButton("Insert");
48        southPanel.add(insertButton);
49        insertButton.addActionListener(event ->
50           textArea.append("User name: " + textField.getText() + " Password: "
51              + new String(passwordField.getPassword()) + "\n"));
52
53        add(southPanel, BorderLayout.SOUTH);
54        pack();
55     }
56  }
```

API javax.swing.JTextArea 1.2

- `JTextArea()`
- `JTextArea(int rows, int cols)`
- `JTextArea(String text, int rows, int cols)`

  构造一个新的文本区对象。
- `void setColumns(int cols)`

  设置文本区应该使用的首选列数。
- `void setRows(int rows)`

  设置文本区应该使用的首选行数。
- `void append(String newText)`

  将给定的文本追加到文本区中已有文本的尾部。
- `void setLineWrap(boolean wrap)`

  打开或关闭换行。
- `void setWrapStyleWord(boolean word)`

  如果 word 是 true，超长的行会在字边框处换行。如果为 false，超长的行被截断而不考虑字边框。
- `void setTabSize(int c)`

  将制表符（tab stop）设置为 c 列。注意，制表符不会被转化为空格，但可以让文本对齐到下一个制表符处。

API javax.swing.JScrollPane 1.2

- `JScrollPane(Component c)`

  创建一个滚动窗格，用来显示指定组件的内容。当组件内容超过显示范围时，滚动条会自动地出现。

12.4 选择组件

前面已经讲述了如何获取用户输入的文本。然而，在很多情况下，可能更加愿意给用户几种选项，而不让用户在文本组件中输入数据。使用一组按钮或者选项列表让用户做出选择（这样也免去了检查错误的麻烦）。在本节中，将介绍如何编写程序来实现复选框、单选按钮、选项列表以及滑块。

12.4.1 复选框

如果想要接收的输入只是“是”或“非”，就可以使用复选框组件。复选框自动地带有标识标签。用户通过点击某个复选框来选择相应的选项，再点击则取消选取。当复选框获得焦点时，用户也可以通过按空格键来切换选择。

图12-14所示的程序中有两个复选框，其中一个用于打开或关闭字体倾斜属性，而另一个用于控制加粗属性。注意，第二个复选框有焦点，这一点可以由它周围的矩形框看出。只要用户点击某个复选框，程序就会刷新屏幕以便应用新的字体属性。

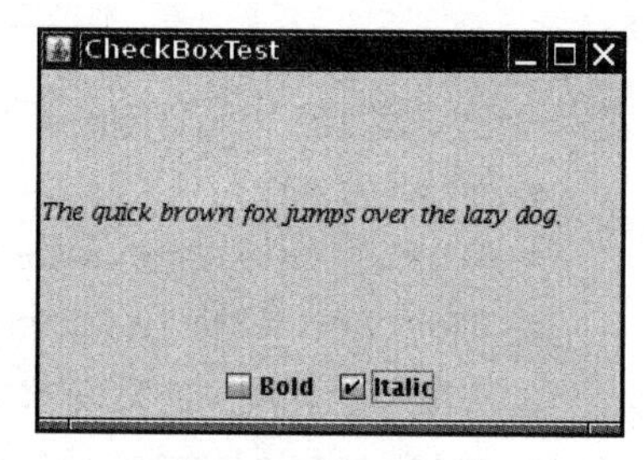

图12-14 复选框

复选框需要一个紧邻它的标签来说明其用途。在构造器中指定标签文本。

```
bold = new JCheckBox("Bold");
```

可以使用setSelected方法来选定或取消选定复选框。例如：

```
bold.setSelected(true);
```

isSelected方法将返回每个复选框的当前状态。如果没有选取则为false，否则为true。

当用户点击复选框时将触发一个动作事件。通常，可以为复选框设置一个动作监听器。在下面程序中，两个复选框使用了同一个动作监听器。

```
ActionListener listener = . . .
bold.addActionListener(listener);
italic.addActionListener(listener);
```

actionPerformed方法查询bold和italic两个复选框的状态，并且把面板中的字体设置为常规、加粗、倾斜或者粗斜体。

```
ActionListener listener = event -> {
   int mode = 0;
   if (bold.isSelected()) mode += Font.BOLD;
   if (italic.isSelected()) mode += Font.ITALIC;
   label.setFont(new Font(Font.SERIF, mode, FONTSIZE));
};
```

程序清单12-3给出了复选框例子的全部代码。

程序清单 12-3 checkBox/CheckBoxTest.java

```
1 package checkBox;
2 
3 import java.awt.*;
4 import java.awt.event.*;
5 import javax.swing.*;
6 
7 /**
8  * A frame with a sample text label and check boxes for selecting font
9  * attributes.
10  */
11 public class CheckBoxFrame extends JFrame
12 {
13    private JLabel label;
14    private JCheckBox bold;
15    private JCheckBox italic;
16    private static final int FONTSIZE = 24;
17 
18    public CheckBoxFrame()
19    {
20       // add the sample text label
21 
22       label = new JLabel("The quick brown fox jumps over the lazy dog.");
23       label.setFont(new Font("Serif", Font.BOLD, FONTSIZE));
24       add(label, BorderLayout.CENTER);
25 
26       // this listener sets the font attribute of
27       // the label to the check box state
28 
29       ActionListener listener = event -> {
30          int mode = 0;
31          if (bold.isSelected()) mode += Font.BOLD;
32          if (italic.isSelected()) mode += Font.ITALIC;
33          label.setFont(new Font("Serif", mode, FONTSIZE));
34       };
35 
36       // add the check boxes
37 
38       JPanel buttonPanel = new JPanel();
39 
40       bold = new JCheckBox("Bold");
41       bold.addActionListener(listener);
42       bold.setSelected(true);
43       buttonPanel.add(bold);
44 
45       italic = new JCheckBox("Italic");
46       italic.addActionListener(listener);
47       buttonPanel.add(italic);
48 
49       add(buttonPanel, BorderLayout.SOUTH);
50       pack();
51    }
52 }
```

API javax.swing.JCheckBox 1.2

- `JCheckBox(String label)`
- `JCheckBox(String label, Icon icon)`

  构造一个复选框，初始没有被选择。
- `JCheckBox(String label, boolean state)`

  用给定的标签和初始化状态构造一个复选框。
- `boolean isSelected ()`
- `void setSelected(boolean state)`

  获取或设置复选框的选择状态。

12.4.2 单选钮

在前一个例子中，对于两个复选框，用户既可以选择一个、两个，也可以两个都不选。在很多情况下，我们需要用户只选择几个选项当中的一个。当用户选择另一项的时候，前一项就自动地取消选择。这样一组选框通常称为*单选钮组*（Radio Button Group），这是因为这些按钮的工作很像收音机上的电台选择按钮。当按下一个按钮时，前一个按下的按钮就会自动弹起。图12-15给出了一个典型的例子。这里允许用户在多个选择中选择字体的大小，即小、中、大和超大，但是，每次用户只能选择一个。

在Swing中，实现单选钮组非常简单。为单选钮组构造一个ButtonGroup的对象。然后，再将JRadioButton类型的对象添加到按钮组中。按钮组负责在新按钮被按下时，取消前一个被按下的按钮的选择状态。

```
ButtonGroup group = new ButtonGroup();

JRadioButton smallButton = new JRadioButton("Small", false);
group.add(smallButton);

JRadioButton mediumButton = new JRadioButton("Medium", true);
group.add(mediumButton);
. . .
```

图12-15 单选钮组

构造器的第二个参数为true表明这个按钮初始状态是被选择，其他按钮构造器的这个参数为false。注意，按钮组仅仅控制按钮的行为，如果想把这些按钮组织在一起布局，需要把它们添加到容器中，如JPanel。

如果再看一下图12-14和图12-15则会发现，单选钮与复选框的外观是不一样的。复选框为正方形，并且如果被选择，这个正方形中会出现一个对钩的符号。单选钮是圆形，选择以后圈内出现一个圆点。

单选钮的事件通知机制与其他按钮一样。当用户点击一个单选钮时，这个按钮将产生一个动作事件。在示例中，定义了一个动作监听器用来把字体大小设置为特定值：

```
ActionListener listener = event ->
   label.setFont(new Font("Serif", Font.PLAIN, size));
```

用这个监听器与复选框中的监听器做一个对比。每个单选钮都对应一个不同的监听器对象。每个监听器都非常清楚所要做的事情——把字体尺寸设置为一个特定值。在复选框示例中，使用的是一种不同的方法，两个复选框共享一个动作监听器。这个监听器调用一个方法来检查两个复选框的当前状态。

对于单选钮可以使用同一个方法吗？可以试一下使用一个监听器来计算尺寸，如：

```
if (smallButton.isSelected()) size = 8;
else if (mediumButton.isSelected()) size = 12;
. . .
```

然而，更愿意使用各自独立的动作监听器，因为这样可以将尺寸值与按钮紧密地绑定在一起。

注释： 如果有一组单选钮，并知道它们之中只选择了一个。要是能够不查询组内所有的按钮就可以很快地知道哪个按钮被选择的话就好了。由于 ButtonGroup 对象控制着所有的按钮，所以如果这个对象能够给出被选择的按钮的引用就方便多了。事实上，ButtonGroup 类中有一个 getSelection 方法，但是这个方法并不返回被选择的单选钮，而是返回附加在那个按钮上的模型 ButtonModel 的引用。对于我们来说，ButtonModel 中的方法没有什么实际的应用价值。ButtonModel 接口从 ItemSelectable 接口继承了一个 getSelectedObject 方法，但是这个方法没有用，它返回 null。getActionCommand 方法看起来似乎可用，这是因为一个单选钮的“动作命令”是它的文本标签，但是它的模型的动作命令是 null。只有在通过 setActionCommand 命令明确地为所有单选钮设定动作命令后，才能够通过调用方法 buttonGroup.getSelection().getActionCommand() 获得当前选择的按钮的动作命令。

程序清单 12-4 是一个用于选择字体大小的完整程序，它演示了单选钮的工作过程。

程序清单 12-4　radioButton/RadioButtonFrame.java

```
1 package radioButton;
2 
3 import java.awt.*;
4 import java.awt.event.*;
5 import javax.swing.*;
6 
7 /**
8  * A frame with a sample text label and radio buttons for selecting font sizes.
9  */
10 public class RadioButtonFrame extends JFrame
11 {
12    private JPanel buttonPanel;
13    private ButtonGroup group;
14    private JLabel label;
15    private static final int DEFAULT_SIZE = 36;
16 
17    public RadioButtonFrame()
18    {
19       // add the sample text label
```

```
20
21          label = new JLabel("The quick brown fox jumps over the lazy dog.");
22          label.setFont(new Font("Serif", Font.PLAIN, DEFAULT_SIZE));
23          add(label, BorderLayout.CENTER);
24
25          // add the radio buttons
26
27          buttonPanel = new JPanel();
28          group = new ButtonGroup();
29
30          addRadioButton("Small", 8);
31          addRadioButton("Medium", 12);
32          addRadioButton("Large", 18);
33          addRadioButton("Extra large", 36);
34
35          add(buttonPanel, BorderLayout.SOUTH);
36          pack();
37       }
38
39       /**
40        * Adds a radio button that sets the font size of the sample text.
41        * @param name the string to appear on the button
42        * @param size the font size that this button sets
43        */
44       public void addRadioButton(String name, int size)
45       {
46          boolean selected = size == DEFAULT_SIZE;
47          JRadioButton button = new JRadioButton(name, selected);
48          group.add(button);
49          buttonPanel.add(button);
50
51          // this listener sets the label font size
52
53          ActionListener listener = event -> label.setFont(new Font("Serif", Font.PLAIN, size));
54
55          button.addActionListener(listener);
56       }
57    }
```

API javax.swing.JRadioButton 1.2

- `JRadioButton(String label, Icon icon)`

  构造一个单选钮，初始没有被选择。

- `JRadioButton(String label, boolean state)`

  用给定的标签和初始状态构造一个单选钮。

API javax.swing.ButtonGroup 1.2

- `void add(AbstractButton b)`

  将按钮添加到组中。

- `ButtonModel getSelection()`

  返回被选择的按钮的按钮模型。

API javax.swing.ButtonModel 1.2

- `String getActionCommand()`
  返回按钮模型的动作命令。

API javax.swing.AbstractButton 1.2

- `void setActionCommand(String s)`
  设置按钮及其模型的动作命令。

12.4.3 边框

如果在一个窗口中有多组单选按钮，就需要用可视化的形式指明哪些按钮属于同一组。Swing 提供了一组很有用的边框（borders）来解决这个问题。可以在任何继承了 JComponent 的组件上应用边框。最常用的用途是在一个面板周围放置一个边框，然后用其他用户界面元素（如单选钮）填充面板。

有几种不同的边框可供选择，但是使用它们的步骤完全一样。

1）调用 BorderFactory 的静态方法创建边框。下面是几种可选的风格（如图 12-16 所示）：

- 凹斜面
- 凸斜面
- 蚀刻
- 直线
- 蒙版
- 空（只是在组件外围创建一些空白空间）

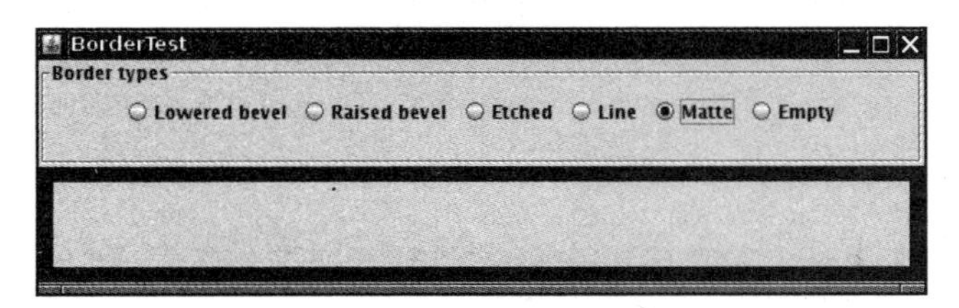

图 12-16 测试边框类型

2）如果愿意的话，可以给边框添加标题，具体的实现方法是将边框传递给 BroderFactory.createTitledBorder。

3）如果确实想把一切凸显出来，可以调用下列方法将几种边框组合起来使用：BorderFactory.createCompoundBorder。

4）调用 JComponent 类中 setBorder 方法将结果边框添加到组件中。

例如，下面代码说明了如何把一个带有标题的蚀刻边框添加到一个面板上：

```
Border etched = BorderFactory.createEtchedBorder();
Border titled = BorderFactory.createTitledBorder(etched, "A Title");
panel.setBorder(titled);
```

运行程序清单 12-5 中的程序可以看到各种边框的外观。

不同的边框有不同的用于设置边框的宽度和颜色的选项。详情请参看 API 注释。偏爱使用边框的人都很欣赏这一点，SoftBevelBorder 类用于构造具有柔和拐角的斜面边框，LineBorder 类也能够构造圆拐角。这些边框只能通过类中的某个构造器构造，而没有 BorderFactory 方法。

程序清单 12-5　border/BorderFrame.java

```
1  package border;
2
3  import java.awt.*;
4  import javax.swing.*;
5  import javax.swing.border.*;
6
7  /**
8   * A frame with radio buttons to pick a border style.
9   */
10 public class BorderFrame extends JFrame
11 {
12    private JPanel demoPanel;
13    private JPanel buttonPanel;
14    private ButtonGroup group;
15
16    public BorderFrame()
17    {
18       demoPanel = new JPanel();
19       buttonPanel = new JPanel();
20       group = new ButtonGroup();
21
22       addRadioButton("Lowered bevel", BorderFactory.createLoweredBevelBorder());
23       addRadioButton("Raised bevel", BorderFactory.createRaisedBevelBorder());
24       addRadioButton("Etched", BorderFactory.createEtchedBorder());
25       addRadioButton("Line", BorderFactory.createLineBorder(Color.BLUE));
26       addRadioButton("Matte", BorderFactory.createMatteBorder(10, 10, 10, 10, Color.BLUE));
27       addRadioButton("Empty", BorderFactory.createEmptyBorder());
28
29       Border etched = BorderFactory.createEtchedBorder();
30       Border titled = BorderFactory.createTitledBorder(etched, "Border types");
31       buttonPanel.setBorder(titled);
32
33       setLayout(new GridLayout(2, 1));
34       add(buttonPanel);
35       add(demoPanel);
36       pack();
37    }
38
39    public void addRadioButton(String buttonName, Border b)
40    {
41       JRadioButton button = new JRadioButton(buttonName);
42       button.addActionListener(event -> demoPanel.setBorder(b));
43       group.add(button);
44       buttonPanel.add(button);
45    }
46 }
```

API javax.swing.BorderFactory 1.2

- `static Border createLineBorder(Color color)`
- `static Border createLineBorder(Color color, int thickness)`

  创建一个简单的直线边框。
- `static MatteBorder createMatteBorder(int top, int left, int bottom, int right, Color color)`
- `static MatteBorder createMatteBorder(int top, int left, int bottom, int right, Icon tileIcon)`

  创建一个用 color 颜色或一个重复（repeating）图标填充的粗的边框。
- `static Border createEmptyBorder()`
- `static Border createEmptyBorder(int top, int left, int bottom, int right)`

  创建一个空边框。
- `static Border createEtchedBorder()`
- `static Border createEtchedBorder(Color highlight, Color shadow)`
- `static Border createEtchedBorder(int type)`
- `static Border createEtchedBorder(int type, Color highlight, Color shadow)`

  创建一个具有 3D 效果的直线边框。

  参数：highlight, shadow　用于 3D 效果的颜色

  　　　type　EtchedBorder.RAISED 和 EtchedBorder.LOWERED 之一
- `static Border createBevelBorder (int type)`
- `static Border createBevelBorder(int type, Color highlight, Color shadow)`
- `static Border createLoweredBevelBorder()`
- `static Border createRaisedBevelBorder()`

  创建一个具有凹面或凸面效果的边框。

  参数：type　BevelBorder.LOWERED 和 BevelBorder.RAISED 之一

  　　　highlight, shadow　用于 3D 效果的颜色
- `static TitledBorder createTitledBorder(String title)`
- `static TitledBorder createTitledBorder(Border border)`
- `static TitledBorder createTitledBorder(Border border, String title)`
- `static TitledBorder createTitledBorder(Border border, String title, int justification, int position)`
- `static TitledBorder createTitledBorder(Border border, String title, int justification, int position, Font font)`

- `static TitledBorder createTitledBorder(Border border, String title, int justification, int position, Font font, Color color)`

  创建一个具有给定特性的带标题的边框。

参数：	
title	标题字符串
border	用标题装饰的边框
justification	TitledBorder 常量 LEFT、CENTER、RIGHT、LEADING、TRAILING 或 DEFAULT_JUSTIFICATION (left) 之一
position	TitledBorder 常量 ABOVE_TOP、TOP、BELOW_TOP、ABOVE_BOTTOM、BOTTOM、BELOW_BOTTOM 或 DEFAULT_POSITION (top) 之一
font	标题的字体
color	标题的颜色

- `static CompoundBorder createCompoundBorder(Border outsideBorder, Border insideBorder)`

  将两个边框组合成一个新的边框。

API javax.swing.border.SoftBevelBorder 1.2

- `SoftBevelBorder(int type)`
- `SoftBevelBorder(int type, Color highlight, Color shadow)`

  创建一个带有柔和边角的斜面边框。

参数：	
type	BevelBorder.LOWERED 和 BevelBorder.RAISED 之一
highlight, shadow	用于 3D 效果的颜色

API javax.swing.border.LineBorder 1.2

- `public LineBorder(Color color, int thickness, boolean roundedCorners)`

  用指定的颜色和粗细创建一个直线边框。如果 roundedCorners 为 true，则边框有圆角。

API javax.swing.JComponent 1.2

- `void setBorder(Border border)`

  设置这个组件的边框。

12.4.4 组合框

如果有多个选择项，使用单选按钮就不太适宜了，其原因是占据的屏幕空间太大。这时就可以选择组合框。当用户点击这个组件时，选择列表就会下拉出来，用户可以从中选择一项（见图 12-17）。

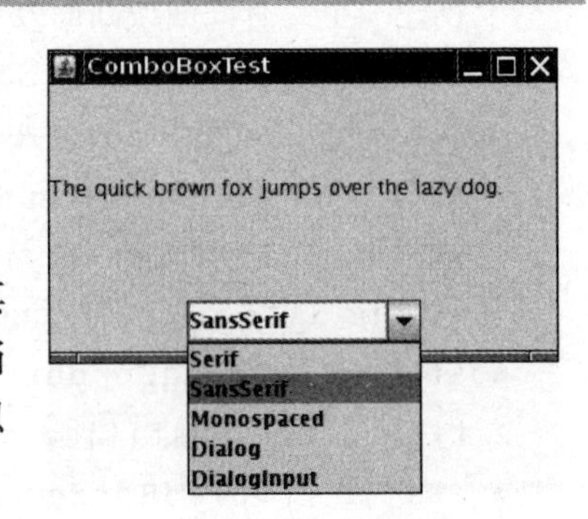

图 12-17 组合框

如果下拉列表框被设置成可编辑（editable），就可以像编辑文本一样编辑当前的选项内容。鉴于这个原因，这种组件被称为组合框（combo box），它将文本域的灵活性与一组预定义的选项组合起来。JComboBox 类提供了组合框的组件。

在 Java SE 7 中，JComboBox 类是一个泛型类。例如，JComboBox<String> 包含 String 类型的对象，JComboBox<Integer> 包含整数。

调用 setEditable 方法可以让组合框可编辑。注意，编辑只会影响当前项，而不会改变列表内容。

可以调用 getSelectedItem 方法获取当前的选项，如果组合框是可编辑的，当前选项则是可以编辑的。不过，对于可编辑组合框，其中的选项可以是任何类型，这取决于编辑器（即由编辑器获取用户输入并将结果转换为一个对象）。关于编辑器的讨论请参见卷Ⅱ中的第 6 章。如果你的组合框不是可编辑的，最好调用

```
combo.getItemAt(combo.getSelectedIndex())
```

这会为所选选项提供正确的类型。

在示例程序中，用户可以从字体列表（Serif, SansSerif, Monospaced 等）中选择一种字体，用户也可以键入其他的字体。

可以调用 addItem 方法增加选项。在示例程序中，只在构造器中调用了 addItem 方法，实际上，可以在任何地方调用它。

```
JComboBox<String> faceCombo = new JComboBox<>();
faceCombo.addItem("Serif");
faceCombo.addItem("SansSerif");
. . .
```

这个方法将字符串添加到列表的尾部。可以利用 insertItemAt 方法在列表的任何位置插入一个新选项：

```
faceCombo.insertItemAt("Monospaced", 0); // add at the beginning
```

可以增加任何类型的选项，组合框可以调用每个选项的 toString 方法显示其内容。

如果需要在运行时删除某些选项，可以使用 removeItem 或者 removeItemAt 方法，使用哪个方法将取决于参数提供的是想要删除的选项内容，还是选项位置。

```
faceCombo.removeItem("Monospaced");
faceCombo.removeItemAt(0); // remove first item
```

调用 removeAllItems 方法将立即移除所有的选项。

✔ **提示：**如果需要往组合框中添加大量的选项，addItem 方法的性能就显得很差了。取而代之的是构造一个 DefaultComboBoxModel，并调用 addElement 方法进行加载，然后再调用 JComboBox 中的 setModel 方法。

当用户从组合框中选择一个选项时，组合框就将产生一个动作事件。为了判断哪个选项被选择，可以通过事件参数调用 getSource 方法来得到发送事件的组合框引用，接着调用 getSelectedItem 方法获取当前选择的选项。需要把这个方法的返回值转化为相应的类型，通常是 String 型。

```
ActionListener listener = event ->
   label.setFont(new Font(
      faceCombo.getItemAt(faceCombo.setSelectedIndex()),
      Font.PLAIN,
      DEFAULT_SIZE));
```

程序清单 12-6 给出了完整的代码。

注释：如果希望持久地显示列表，而不是下拉列表，就应该使用 JList 组件。在卷 II 的第 6 章中将介绍 JList。

程序清单 12-6　comboBox/ComboBoxFrame.java

```
1  package comboBox;
2  
3  import java.awt.BorderLayout;
4  import java.awt.Font;
5  
6  import javax.swing.JComboBox;
7  import javax.swing.JFrame;
8  import javax.swing.JLabel;
9  import javax.swing.JPanel;
10 
11 /**
12  * A frame with a sample text label and a combo box for selecting font faces.
13  */
14 public class ComboBoxFrame extends JFrame
15 {
16    private JComboBox<String> faceCombo;
17    private JLabel label;
18    private static final int DEFAULT_SIZE = 24;
19 
20    public ComboBoxFrame()
21    {
22       // add the sample text label
23 
24       label = new JLabel("The quick brown fox jumps over the lazy dog.");
25       label.setFont(new Font("Serif", Font.PLAIN, DEFAULT_SIZE));
26       add(label, BorderLayout.CENTER);
27 
28       // make a combo box and add face names
29 
30       faceCombo = new JComboBox<>();
31       faceCombo.addItem("Serif");
32       faceCombo.addItem("SansSerif");
33       faceCombo.addItem("Monospaced");
34       faceCombo.addItem("Dialog");
35       faceCombo.addItem("DialogInput");
36 
37       // the combo box listener changes the label font to the selected face name
38 
39       faceCombo.addActionListener(event ->
40          label.setFont(
41             new Font(faceCombo.getItemAt(faceCombo.getSelectedIndex()),
42                Font.PLAIN, DEFAULT_SIZE)));
43 
```

```
44        // add combo box to a panel at the frame's southern border
45
46        JPanel comboPanel = new JPanel();
47        comboPanel.add(faceCombo);
48        add(comboPanel, BorderLayout.SOUTH);
49        pack();
50     }
51  }
```

API javax.swing.JComboBox 1.2

- `boolean isEditable()`
- `void setEditable(boolean b)`

  获取或设置组合框的可编辑特性。
- `void addItem(Object item)`

  把一个选项添加到选项列表中。
- `void insertItemAt(Object item, int index)`

  将一个选项添加到选项列表的指定位置。
- `void removeItem(Object item)`

  从选项列表中删除一个选项。
- `void removeItemAt(int index)`

  删除指定位置的选项。
- `void removeAllItems()`

  从选项列表中删除所有选项。
- `Object getSelectedItem()`

  返回当前选择的选项。

12.4.5 滑动条

组合框可以让用户从一组离散值中进行选择。滑动条允许进行连续值的选择，例如，从 1 ~ 100 之间选择任意数值。

通常，可以使用下列方式构造滑动条：

```
JSlider slider = new JSlider(min, max, initialValue);
```

如果省略最小值、最大值和初始值，其默认值分别为 0、100 和 50。

或者如果需要垂直滑动条，可以按照下列方式调用构造器：

```
JSlider slider = new JSlider(SwingConstants.VERTICAL, min, max, initialValue);
```

这些构造器构造了一个无格式的滑动条，如图 12-18 最上面的滑动条所示。下面看一下如何为滑动条添加装饰。

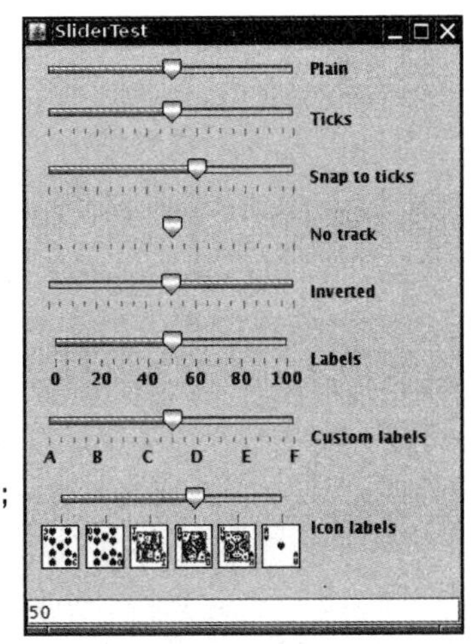

图 12-18 滑动条

当用户滑动滑动条时，滑动条的值就会在最小值和最大值之间变化。当值发生变化时，ChangeEvent 就会发送给所有变化的监听器。为了得到这些改变的通知，需要调用 addChangeListener 方法并且安装一个实现了 ChangeListener 接口的对象。这个接口只有一个方法 StateChanged。在这个方法中，可以获取滑动条的当前值：

```
ChangeListener listener = event -> {
   JSlider slider = (JSlider) event.getSource();
   int value = slider.getValue();
   . . .
};
```

可以通过显示标尺（tick）对滑动条进行修饰。例如，在示例程序中，第二个滑动条使用了下面的设置：

```
slider.setMajorTickSpacing(20);
slider.setMinorTickSpacing(5);
```

上述滑动条在每 20 个单位的位置显示一个大标尺标记，每 5 个单位的位置显示一个小标尺标记。所谓单位是指滑动条值，而不是像素。

这些代码只设置了标尺标记，要想将它们显示出来，还需要调用：

```
slider.setPaintTicks(true);
```

大标尺和小标尺标记是相互独立的。例如，可以每 20 个单位设置一个大标尺标记，同时每 7 个单位设置一个小标尺标记，但是这样设置，滑动条看起来会显得非常凌乱。

可以强制滑动条对齐标尺。这样一来，只要用户完成拖放滑动条的操作，滑动条就会立即自动地移到最接近的标尺处。激活这种操作方式需要调用：

```
slider.setSnapToTicks(true);
```

注释：“对齐标尺”的行为与想象的工作过程并不太一样。在滑动条真正对齐之前，改变监听器报告的滑动条值并不是对应的标尺值。如果点击了滑动条附近，滑动条将会向点击的方向移动一小段距离，“对齐标尺”的滑块并不移动到下一个标尺处。

可以调用下列方法为大标尺添加标尺标记标签（tick mark labels）：

```
slider.setPaintLabels(true);
```

例如，对于一个范围为 0 到 100 的滑动条，如果大标尺的间距是 20，每个大标尺的标签就应该分别是 0、20、40、60、80 和 100。

还可以提供其他形式的标尺标记，如字符串或者图标（见图 12-18）。这样做有些烦琐。首先需要填充一个键为 Integer 类型且值为 Component 类型的散列表。然后再调用 setLabelTable 方法，组件就会放置在标尺标记处。通常组件使用的是 JLabel 对象。下面代码说明了如何将标尺标签设置为 A、B、C、D、E 和 F。

```
Hashtable<Integer, Component> labelTable = new Hashtable<Integer, Component>();
labelTable.put(0, new JLabel("A"));
labelTable.put(20, new JLabel("B"));
. . .
labelTable.put(100, new JLabel("F"));
slider.setLabelTable(labelTable);
```

关于散列表的详细介绍，参考第 9 章。

程序清单 12-7 显示了如何创建用图标作为标尺标签的滑动条。

提示：如果标尺的标记或者标签不显示，请检查一下是否调用了 setPaintTicks(true) 和 setPaintLabels(true)。

在图 12-18 中，第 4 个滑动条没有轨迹。要想隐藏滑动条移动的轨迹，可以调用：

```
slider.setPaintTrack(false);
```

图 12-18 中第 5 个滑动条是逆向的，调用下列方法可以实现这个效果：

```
slider.setInverted(true);
```

示例程序演示了所有不同视觉效果的滑动条。每个滑动条都安装了一个改变事件监听器，它负责把当前的滑动条值显示到框架底部的文本域中。

程序清单 12-7 slider/SliderFrame.java

```
1  package slider;
2
3  import java.awt.*;
4  import java.util.*;
5  import javax.swing.*;
6  import javax.swing.event.*;
7
8  /**
9   * A frame with many sliders and a text field to show slider values.
10  */
11 public class SliderFrame extends JFrame
12 {
13    private JPanel sliderPanel;
14    private JTextField textField;
15    private ChangeListener listener;
16
17    public SliderFrame()
18    {
19       sliderPanel = new JPanel();
20       sliderPanel.setLayout(new GridBagLayout());
21
22       // common listener for all sliders
23       listener = event -> {
24          // update text field when the slider value changes
25          JSlider source = (JSlider) event.getSource();
26          textField.setText("" + source.getValue());
27       };
28
29       // add a plain slider
30
31       JSlider slider = new JSlider();
32       addSlider(slider, "Plain");
33
34       // add a slider with major and minor ticks
35
36       slider = new JSlider();
37       slider.setPaintTicks(true);
```

```
38         slider.setMajorTickSpacing(20);
39         slider.setMinorTickSpacing(5);
40         addSlider(slider, "Ticks");
41
42         // add a slider that snaps to ticks
43
44         slider = new JSlider();
45         slider.setPaintTicks(true);
46         slider.setSnapToTicks(true);
47         slider.setMajorTickSpacing(20);
48         slider.setMinorTickSpacing(5);
49         addSlider(slider, "Snap to ticks");
50
51         // add a slider with no track
52
53         slider = new JSlider();
54         slider.setPaintTicks(true);
55         slider.setMajorTickSpacing(20);
56         slider.setMinorTickSpacing(5);
57         slider.setPaintTrack(false);
58         addSlider(slider, "No track");
59
60         // add an inverted slider
61
62         slider = new JSlider();
63         slider.setPaintTicks(true);
64         slider.setMajorTickSpacing(20);
65         slider.setMinorTickSpacing(5);
66         slider.setInverted(true);
67         addSlider(slider, "Inverted");
68
69         // add a slider with numeric labels
70
71         slider = new JSlider();
72         slider.setPaintTicks(true);
73         slider.setPaintLabels(true);
74         slider.setMajorTickSpacing(20);
75         slider.setMinorTickSpacing(5);
76         addSlider(slider, "Labels");
77
78         // add a slider with alphabetic labels
79
80         slider = new JSlider();
81         slider.setPaintLabels(true);
82         slider.setPaintTicks(true);
83         slider.setMajorTickSpacing(20);
84         slider.setMinorTickSpacing(5);
85
86         Dictionary<Integer, Component> labelTable = new Hashtable<>();
87         labelTable.put(0, new JLabel("A"));
88         labelTable.put(20, new JLabel("B"));
89         labelTable.put(40, new JLabel("C"));
90         labelTable.put(60, new JLabel("D"));
91         labelTable.put(80, new JLabel("E"));
92         labelTable.put(100, new JLabel("F"));
93
94         slider.setLabelTable(labelTable);
```

```
95          addSlider(slider, "Custom labels");
96
97          // add a slider with icon labels
98
99          slider = new JSlider();
100         slider.setPaintTicks(true);
101         slider.setPaintLabels(true);
102         slider.setSnapToTicks(true);
103         slider.setMajorTickSpacing(20);
104         slider.setMinorTickSpacing(20);
105
106         labelTable = new Hashtable<Integer, Component>();
107
108         // add card images
109
110         labelTable.put(0, new JLabel(new ImageIcon("nine.gif")));
111         labelTable.put(20, new JLabel(new ImageIcon("ten.gif")));
112         labelTable.put(40, new JLabel(new ImageIcon("jack.gif")));
113         labelTable.put(60, new JLabel(new ImageIcon("queen.gif")));
114         labelTable.put(80, new JLabel(new ImageIcon("king.gif")));
115         labelTable.put(100, new JLabel(new ImageIcon("ace.gif")));
116
117         slider.setLabelTable(labelTable);
118         addSlider(slider, "Icon labels");
119
120         // add the text field that displays the slider value
121
122         textField = new JTextField();
123         add(sliderPanel, BorderLayout.CENTER);
124         add(textField, BorderLayout.SOUTH);
125         pack();
126      }
127
128      /**
129       * Adds a slider to the slider panel and hooks up the listener
130       * @param s the slider
131       * @param description the slider description
132       */
133      public void addSlider(JSlider s, String description)
134      {
135         s.addChangeListener(listener);
136         JPanel panel = new JPanel();
137         panel.add(s);
138         panel.add(new JLabel(description));
139         panel.setAlignmentX(Component.LEFT_ALIGNMENT);
140         GridBagConstraints gbc = new GridBagConstraints();
141         gbc.gridy = sliderPanel.getComponentCount();
142         gbc.anchor = GridBagConstraints.WEST;
143         sliderPanel.add(panel, gbc);
144      }
145 }
```

API javax.swing.JSlider 1.2

- `JSlider()`
- `JSlider(int direction)`

- `JSlider(int min, int max)`
- `JSlider(int min, int max, int initialValue)`
- `JSlider(int direction, int min, int max, int initialValue)`

  用给定的方向、最大值、最小值和初始化值构造一个水平滑动条。

  参数：direction　　SwingConstants.HORIZONTAL 或 SwingConstants.VERTICAL 之一。默认为水平。

  　　　min, max　　滑动条的最大值、最小值。默认值为 0 到 100。

  　　　initialValue　　滑动条的初始化值。默认值为 50。
- `void setPaintTicks(boolean b)`

  如果 b 为 true，显示标尺。
- `void setMajorTickSpacing(int units)`
- `void setMinorTickSpacing(int units)`

  用给定的滑动条单位的倍数设置大标尺和小标尺。
- `void setPaintLabels(boolean b)`

  如果 b 是 true，显示标尺标签。
- `void setLabelTable(Dictionary table)`

  设置用于作为标尺标签的组件。表中的每一个键 / 值对都采用 new Integer(value)/component 的格式。
- `void setSnapToTicks(boolean b)`

  如果 b 是 true，每一次调整后滑块都要对齐到最接近的标尺处。
- `void setPaintTrack(boolean b)`

  如果 b 是 true，显示滑动条滑动的轨迹。

12.5 菜单

前面介绍了几种最常用的可以放到窗口内的组件，如：各种按钮、文本域以及组合框等。Swing 还提供了一些其他种类的用户界面元素，下拉式菜单就是 GUI 应用程序中很常见的一种。

位于窗口顶部的菜单栏（menu bar）包括了下拉菜单的名字。点击一个名字就可以打开包含菜单项（menu items）和子菜单（submenus）的菜单。当用户点击菜单项时，所有的菜单都会被关闭并且将一条消息发送给程序。图 12-19 显示了一个带子菜单的典型菜单。

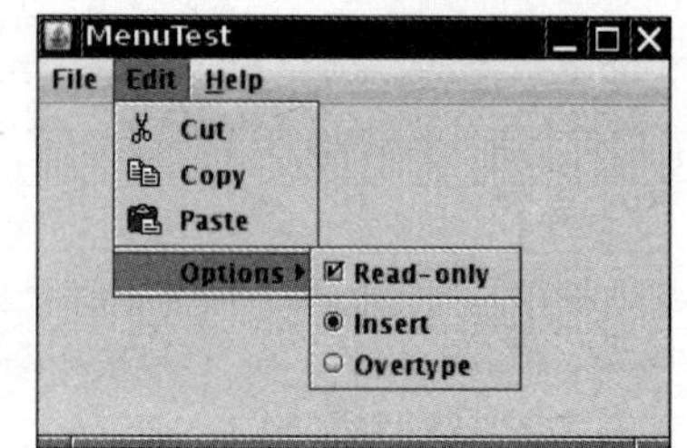

图 12-19　带有子菜单的菜单

12.5.1 菜单创建

创建菜单是一件非常容易的事情。首先要创建一个菜单栏：

```
JMenuBar menuBar = new JMenuBar();
```

菜单栏是一个可以添加到任何位置的组件。通常放置在框架的顶部。可以调用 setJMenuBar 方法将菜单栏添加到框架上：

```
frame.setJMenuBar(menuBar);
```

需要为每个菜单建立一个菜单对象：

```
JMenu editMenu = new JMenu("Edit");
```

然后将顶层菜单添加到菜单栏中：

```
menuBar.add(editMenu);
```

向菜单对象中添加菜单项、分隔符和子菜单：

```
JMenuItem pasteItem = new JMenuItem("Paste");
editMenu.add(pasteItem);
editMenu.addSeparator();
JMenu optionsMenu = . . .; // a submenu
editMenu.add(optionsMenu);
```

可以看到图 12-19 中分隔符位于 Paste 和 Read-only 菜单项之间。

当用户选择菜单时，将触发一个动作事件。这里需要为每个菜单项安装一个动作监听器。

```
ActionListener listener = . . .;
pasteItem.addActionListener(listener);
```

可以使用 JMenu.add(String s) 方法将菜单项插入到菜单的尾部，例如：

```
editMenu.add("Paste");
```

Add 方法返回创建的子菜单项。可以采用下列方式获取它，并添加监听器：

```
JMenuItem pasteItem = editMenu.add("Paste");
pasteItem.addActionListener(listener);
```

在通常情况下，菜单项触发的命令也可以通过其他用户界面元素（如工具栏上的按钮）激活。在第 11 章中，已经看到了如何通过 Action 对象来指定命令。通常，采用扩展抽象类 AbstractAction 来定义一个实现 Action 接口的类。这里需要在 AbstractAction 对象的构造器中指定菜单项标签并且覆盖 actionPerformed 方法来获得菜单动作处理器。例如：

```
Action exitAction = new AbstractAction("Exit") // menu item text goes here
   {
      public void actionPerformed(ActionEvent event)
      {
         // action code goes here
         System.exit(0);
      }
   };
```

然后将动作添加到菜单中：

```
JMenuItem exitItem = fileMenu.add(exitAction);
```

这个命令利用动作名将一个菜单项添加到菜单中。这个动作对象将作为它的监听器。上面这条语句是下面两条语句的快捷形式：

```
JMenuItem exitItem = new JMenuItem(exitAction);
fileMenu.add(exitItem);
```

API javax.swing.JMenu 1.2

- `JMenu(String label)`
  用给定标签构造一个菜单。
- `JMenuItem add(JMenuItem item)`
  添加一个菜单项（或一个菜单）。
- `JMenuItem add(String label)`
  用给定标签将一个菜单项添加到菜单中，并返回这个菜单项。
- `JMenuItem add(Action a)`
  用给定动作将一个菜单项添加到菜单中，并返回这个菜单项。
- `void addSeparator()`
  将一个分隔符行（separator line）添加到菜单中。
- `JMenuItem insert(JMenuItem menu, int index)`
  将一个新菜单项（或子菜单）添加到菜单的指定位置。
- `JMenuItem insert(Action a, int index)`
  用给定动作在菜单的指定位置添加一个新菜单项。
- `void insertSeparator(int index)`
  将一个分隔符添加到菜单中。
  参数：index　　添加分隔符的位置
- `void remove(int index)`
- `void remove(JMenuItem item)`
  从菜单中删除指定的菜单项。

API javax.swing.JMenuItem 1.2

- `JMenuItem(String label)`
  用给定标签构造一个菜单项。
- `JMenuItem(Action a) 1.3`
  为给定动作构造一个菜单项。

API javax.swing.AbstractButton 1.2

- `void setAction(Action a) 1.3`
  为这个按钮或菜单项设置动作。

API javax.swing.JFrame 1.2

- `void setJMenuBar(JMenuBar menubar)`
  为这个框架设置菜单栏。

12.5.2　菜单项中的图标

菜单项与按钮很相似。实际上，JMenuItem 类扩展了 AbstractButton 类。与按钮一样，菜单可以包含文本标签、图标，也可以两者都包含。既可以利用 JMenuItem(String, Icon) 或者 JMenuItem(Icon) 构造器为菜单指定一个图标，也可以利用 JMenuItem 类中的 setIcon 方法（继承自 AbstractButton 类）指定一个图标。例如：

```
JMenuItem cutItem = new JMenuItem("Cut", new ImageIcon("cut.gif"));
```

图 12-19 展示了具有图标的菜单项。正如所看到的，在默认情况下，菜单项的文本被放置在图标的右侧。如果喜欢将文本放置在左侧，可以调用 JMenuItem 类中的 setHorizontalTextPosition 方法（继承自 AbstractButton 类）设置。例如：

```
cutItem.setHorizontalTextPosition(SwingConstants.LEFT);
```

这个调用把菜单项文本移动到图标的左侧。

也可以将一个图标添加到一个动作上：

```
cutAction.putValue(Action.SMALL_ICON, new ImageIcon("cut.gif"));
```

当使用动作构造菜单项时，Action.NAME 值将会作为菜单项的文本，而 Action.SMALL_ICON 将会作为图标。

另外，可以利用 AbstractAction 构造器设置图标：

```
cutAction = new
   AbstractAction("Cut", new ImageIcon("cut.gif"))
   {
      public void actionPerformed(ActionEvent event)
      {
         . . .
      }
   };
```

API javax.swing.JMenuItem 1.2

- `JMenuItem(String label, Icon icon)`

  用给定的标签和图标构造一个菜单项。

API javax.swing.AbstractButton 1.2

- `void setHorizontalTextPosition(int pos)`

  设置文本对应图标的水平位置。

  参数：pos　　SwingConstants.RIGHT（文本在图标的右侧）或 SwingConstants.LEFT

API javax.swing.AbstractAction 1.2

- `AbstractAction(String name, Icon smallIcon)`

  用给定的名字和图标构造一个抽象的动作。

12.5.3 复选框和单选钮菜单项

复选框和单选钮菜单项在文本旁边显示了一个复选框或一个单选钮（参见图 12-19）。当用户选择一个菜单项时，菜单项就会自动地在选择和未选择间进行切换。

除了按钮装饰外，同其他菜单项的处理一样。例如，下面是创建复选框菜单项的代码：

```
JCheckBoxMenuItem readonlyItem = new JCheckBoxMenuItem("Read-only");
optionsMenu.add(readonlyItem);
```

单选钮菜单项与普通单选钮的工作方式一样，必须将它们加入到按钮组中。当按钮组中的一个按钮被选中时，其他按钮都自动地变为未选择项。

```
ButtonGroup group = new ButtonGroup();
JRadioButtonMenuItem insertItem = new JRadioButtonMenuItem("Insert");
insertItem.setSelected(true);
JRadioButtonMenuItem overtypeItem = new JRadioButtonMenuItem("Overtype");
group.add(insertItem);
group.add(overtypeItem);
optionsMenu.add(insertItem);
optionsMenu.add(overtypeItem);
```

使用这些菜单项，不需要立刻得到用户选择菜单项的通知。而是使用 isSelected 方法来测试菜单项的当前状态（当然，这意味着应该保留一个实例域保存这个菜单项的引用）。使用 setSelected 方法设置状态。

API javax.swing.JCheckBoxMenuItem 1.2

- `JCheckBoxMenuItem(String label)`

  用给定的标签构造一个复选框菜单项。

- `JCheckBoxMenuItem(String label, boolean state)`

  用给定的标签和给定的初始状态（true 为选定）构造一个复选框菜单。

API javax.swing.JRadioButtonMenuItem 1.2

- `JRadioButtonMenuItem(String label)`

  用给定的标签构造一个单选钮菜单项。

- `JRadioButtonMenuItem(String label, boolean state)`

  用给定的标签和给定的初始状态（true 为选定）构造一个单选钮菜单项。

API javax.swing.AbstractButton 1.2

- `boolean isSelected()`
- `void setSelected(boolean state)`

  获取或设置这个菜单项的选择状态（true 为选定）。

12.5.4 弹出菜单

弹出菜单（pop-up menu）是不固定在菜单栏中随处浮动的菜单（参见图 12-20）。

创建一个弹出菜单与创建一个常规菜单的方法类似，但是弹出菜单没有标题。

```
JPopupMenu popup = new JPopupMenu();
```

然后用常规的方法添加菜单项：

```
JMenuItem item = new JMenuItem("Cut");
item.addActionListener(listener);
popup.add(item);
```

弹出菜单并不像常规菜单栏那样总是显示在框架的顶部，必须调用 show 方法菜单才能显示出来。调用时需要给出父组件以及相对父组件坐标的显示位置。例如：

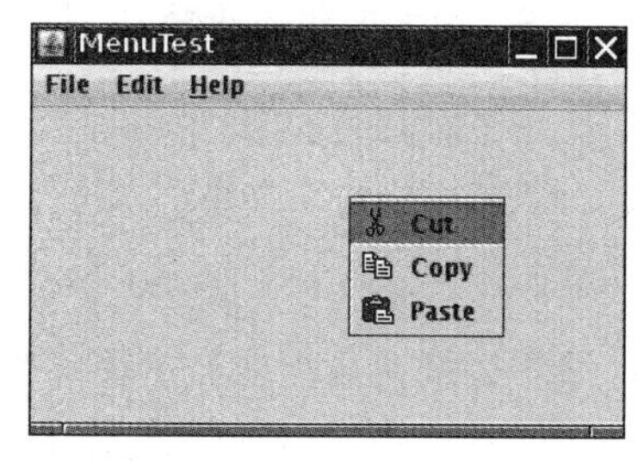

图 12-20 弹出菜单

```
popup.show(panel, x, y);
```

通常，当用户点击某个鼠标键时弹出菜单。这就是所谓的弹出式触发器（pop-up trigger）。在 Windows 或者 Linux 中，弹出式触发器是鼠标右键。要想在用户点击某一个组件时弹出菜单，需要按照下列方式调用方法：

```
component.setComponentPopupMenu(popup);
```

偶尔会遇到在一个含有弹出菜单的组件中放置一个组件的情况。这个子组件可以调用下列方法继承父组件的弹出菜单。调用：

```
child.setInheritsPopupMenu(true);
```

API javax.swing.JPopupMenu 1.2

- `void show(Component c, int x, int y)`

  显示一个弹出菜单。

  参数：c　　显示弹出菜单的组件

  　　　x, y　　弹出菜单左上角的坐标（c 的坐标空间内）

- `boolean isPopupTrigger(MouseEvent event) 1.3`

  如果鼠标事件是弹出菜单触发器，则返回 true。

API java.awt.event.MouseEvent 1.1

- `boolean isPopupTrigger()`

  如果鼠标事件是弹出菜单触发器，则返回 true 。

API javax.swing.JComponent 1.2

- `JPopupMenu getComponentPopupMenu() 5.0`
- `void setComponentPopupMenu(JPopupMenu popup) 5.0`

  获取或设置用于这个组件的弹出菜单。

- `boolean getInheritsPopupMenu() 5.0`
- `void setInheritsPopupMenu(boolean b) 5.0`

  获取或设置 inheritsPopupMenu 特性。如果这个特性被设置或这个组件的弹出菜单为

null，则应用上一级弹出菜单。

12.5.5 快捷键和加速器

对于有经验的用户来说，通过快捷键来选择菜单项会感觉更加便捷。可以通过在菜单项的构造器中指定一个快捷字母来为菜单项设置快捷键：

```
JMenuItem aboutItem = new JMenuItem("About", 'A');
```

快捷键会自动地显示在菜单项中，并带有一条下划线（如图 12-21 所示）。例如，在上面的例子中，菜单项中的标签为“About”，字母 A 带有一个下划线。当显示菜单时，用户只需要按下“A”键就可以这个选择菜单项（如果快捷字母没有出现在菜单项标签字符串中，同样可以按下快捷键选择菜单项，只是快捷键没有显示出来。很自然，这种不可见的快捷键没有提示效果）。

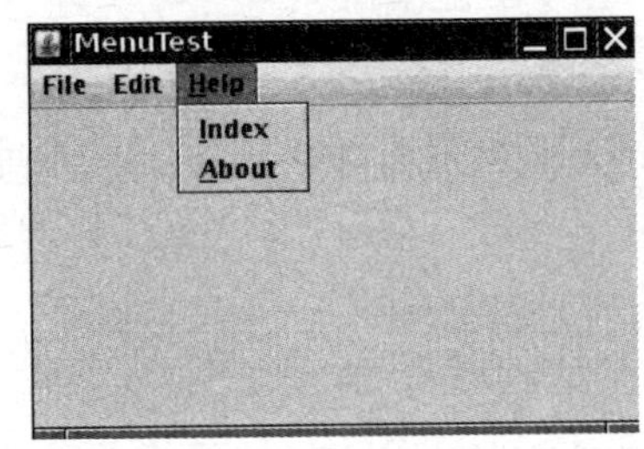

图 12-21 键盘快捷键

有时候不希望在菜单项的第一个快捷键字母下面加下划线。例如，如果在菜单项“Save As”中使用快捷键“A”，则在第二个“A”（Save As）下面加下划线更为合理。可以调用 setDisplayedMnemonicIndex 方法指定希望加下划线的字符。

如果有一个 Action 对象，就可以把快捷键作为 Action. MNEMONIC_KEY 的键值添加到对象中。如：

```
cutAction.putValue(Action.MNEMONIC_KEY, new Integer('A'));
```

只能在菜单项的构造器中设定快捷键字母，而不是在菜单构造器中。如果想为菜单设置快捷键，需要调用 setMnemonic 方法：

```
JMenu helpMenu = new JMenu("Help");
helpMenu.setMnemonic('H');
```

可以同时按下 ALT 键和菜单的快捷键来实现在菜单栏中选择一个顶层菜单的操作。例如：按下 ALT+H 可以从菜单中选择 Help 菜单项。

可以使用快捷键从当前打开的菜单中选择一个子菜单或者菜单项。而加速器是在不打开菜单的情况下选择菜单项的快捷键。例如：很多程序把加速器 CTRL+O 和 CTRL+S 关联到 File 菜单中的 Open 和 Save 菜单项。可以使用 setAccelerator 将加速器键关联到一个菜单项上。这个方法使用 KeyStroke 类型的对象作为参数。例如：下面的调用将加速器 CTRL+O 关联到 OpenItem 菜单项。

```
openItem.setAccelerator(KeyStroke.getKeyStroke("ctrl O"));
```

当用户按下加速器组合键时，就会自动地选择相应的菜单项，同时激活一个动作事件，这与手工地选择这个菜单项一样。

加速器只能关联到菜单项上，不能关联到菜单上。加速器键并不实际打开菜单。它将直接地激活菜单关联的动作事件。

从概念上讲，把加速器添加到菜单项与把加速器添加到 Swing 组件上所使用的技术十分类似（在第 11 章中讨论了这个技术）。但是，当加速器添加到菜单项时，对应的组合键就会自动地显示在相应的菜单上（见图 12-22）。

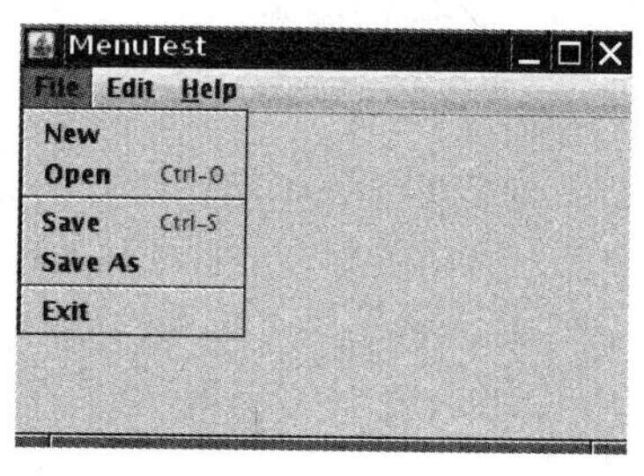

图 12-22　加速键

> **注释**：在 Windows 下，ALT+F4 用于关闭窗口。但这不是 Java 程序设定的加速键。这是操作系统定义的快捷键。这个组合键总会触发活动窗口的 WindowClosing 事件，而不管菜单上是否有 Close 菜单项。

API　javax.swing.JMenuItem 1.2

- `JMenuItem(String label, int mnemonic)`

  用给定的标签和快捷键字符构造一个菜单项。

  参数：label　　　菜单项的标签

  　　　mnemonic 菜单项的快捷键字符，在标签中这个字符下面会有一个下划线。

- `void setAccelerator(KeyStroke k)`

  将 k 设置为这个菜单项的加速器。加速器显示在标签的旁边。

API　javax.swing.AbstractButton 1.2

- `void setMnemonic(int mnemonic)`

  设置按钮的快捷字符。该字符会在标签中以下划线的形式显示。

- `void setDisplayedMnemonicIndex(int index) 1.4`

  将按钮文本中的 index 字符设定为带下划线。如果不希望第一个出现的快捷键字符带下划线，就可以使用这个方法。

12.5.6　启用和禁用菜单项

在有些时候，某个特定的菜单项可能只能够在某种特定的环境下才可用。例如，当文档以只读方式打开时，Save 菜单项就没有意义。当然，可以使用 JMenu.remove 方法将这个菜单项从菜单中删掉，但用户会对菜单内容的不断变化感到奇怪。然而，可以将这个菜单项设为禁用状态，以便屏蔽掉这些暂时不适用的命令。被禁用的菜单项被显示为灰色，不能被选择它（见图 12-23）。

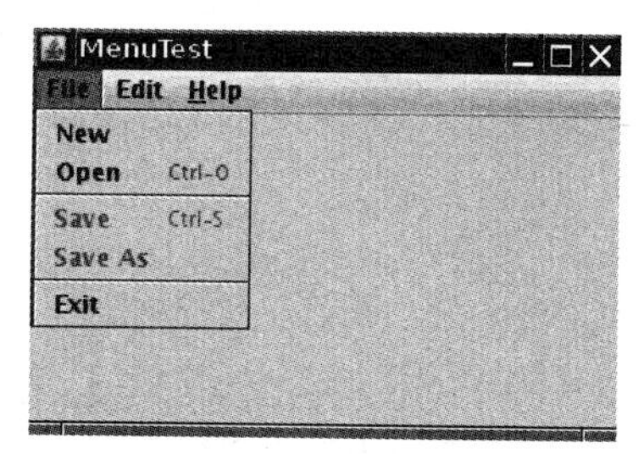

图 12-23　禁用菜单项

启用或禁用菜单项需要调用 setEnabled 方法：

```
saveItem.setEnabled(false);
```

启用和禁用菜单项有两种策略。每次环境发生变化就对相关的菜单项或动作调用 setEnabled。例如：只要当文档以只读方式打开，就禁用 Save 和 Save As 菜单项。另一种方法是在显示菜单之前禁用这些菜单项。这里必须为“菜单选中”事件注册监听器。javax.swing.event包定义了MenuListener接口，它包含三个方法：

```
void menuSelected(MenuEvent event)
void menuDeselected(MenuEvent event)
void menuCanceled(MenuEvent event)
```

由于在菜单显示之前调用menuSelected方法，所以可以在这个方法中禁用或启用菜单项。下面代码显示了只读复选框菜单项被选择以后，如何禁用Save和Save As动作。

```
public void menuSelected(MenuEvent event)
{
   saveAction.setEnabled(!readonlyItem.isSelected());
   saveAsAction.setEnabled(!readonlyItem.isSelected());
}
```

警告： 在显示菜单之前禁用菜单项是一种明智的选择，但这种方式不适用于带有加速键的菜单项。这是因为在按下加速键时并没有打开菜单，因此动作没有被禁用，致使加速键还会触发这个行为。

API javax.swing.JMenuItem 1.2

- `void setEnabled(boolean b)`

  启用或禁用菜单项。

API javax.swing.event.MenuListener 1.2

- `void menuSelected(MenuEvent e)`

  在菜单被选择但尚未打开之前调用。

- `void menuDeselected(MenuEvent e)`

  在菜单被取消选择并且已经关闭之后被调用。

- `void menuCanceled(MenuEvent e)`

  当菜单被取消时被调用。例如，用户点击菜单以外的区域。

程序清单12-8是创建一组菜单的示例程序。这个程序演示了本节介绍的所有特性，包括：嵌套菜单、禁用菜单项、复选框和单选钮菜单项、弹出菜单以及快捷键和加速器。

程序清单12-8 menu/MenuFrame.java

```
1 package menu;
2 
3 import java.awt.event.*;
4 import javax.swing.*;
5 
6 /**
7  * A frame with a sample menu bar.
8  */
9 public class MenuFrame extends JFrame
10 {
11    private static final int DEFAULT_WIDTH = 300;
12    private static final int DEFAULT_HEIGHT = 200;
13    private Action saveAction;
14    private Action saveAsAction;
```

```
15      private JCheckBoxMenuItem readonlyItem;
16      private JPopupMenu popup;
17
18      /**
19       * A sample action that prints the action name to System.out
20       */
21      class TestAction extends AbstractAction
22      {
23         public TestAction(String name)
24         {
25            super(name);
26         }
27
28         public void actionPerformed(ActionEvent event)
29         {
30            System.out.println(getValue(Action.NAME) + " selected.");
31         }
32      }
33
34      public MenuFrame()
35      {
36         setSize(DEFAULT_WIDTH, DEFAULT_HEIGHT);
37
38         JMenu fileMenu = new JMenu("File");
39         fileMenu.add(new TestAction("New"));
40
41         // demonstrate accelerators
42
43         JMenuItem openItem = fileMenu.add(new TestAction("Open"));
44         openItem.setAccelerator(KeyStroke.getKeyStroke("ctrl O"));
45
46         fileMenu.addSeparator();
47
48         saveAction = new TestAction("Save");
49         JMenuItem saveItem = fileMenu.add(saveAction);
50         saveItem.setAccelerator(KeyStroke.getKeyStroke("ctrl S"));
51
52         saveAsAction = new TestAction("Save As");
53         fileMenu.add(saveAsAction);
54         fileMenu.addSeparator();
55
56         fileMenu.add(new AbstractAction("Exit")
57            {
58               public void actionPerformed(ActionEvent event)
59               {
60                  System.exit(0);
61               }
62            });
63
64         // demonstrate checkbox and radio button menus
65
66         readonlyItem = new JCheckBoxMenuItem("Read-only");
67         readonlyItem.addActionListener(new ActionListener()
68            {
69               public void actionPerformed(ActionEvent event)
70               {
71                  boolean saveOk = !readonlyItem.isSelected();
```

```
72                  saveAction.setEnabled(saveOk);
73                  saveAsAction.setEnabled(saveOk);
74               }
75            });
76
77         ButtonGroup group = new ButtonGroup();
78
79         JRadioButtonMenuItem insertItem = new JRadioButtonMenuItem("Insert");
80         insertItem.setSelected(true);
81         JRadioButtonMenuItem overtypeItem = new JRadioButtonMenuItem("Overtype");
82
83         group.add(insertItem);
84         group.add(overtypeItem);
85
86         // demonstrate icons
87
88         Action cutAction = new TestAction("Cut");
89         cutAction.putValue(Action.SMALL_ICON, new ImageIcon("cut.gif"));
90         Action copyAction = new TestAction("Copy");
91         copyAction.putValue(Action.SMALL_ICON, new ImageIcon("copy.gif"));
92         Action pasteAction = new TestAction("Paste");
93         pasteAction.putValue(Action.SMALL_ICON, new ImageIcon("paste.gif"));
94
95         JMenu editMenu = new JMenu("Edit");
96         editMenu.add(cutAction);
97         editMenu.add(copyAction);
98         editMenu.add(pasteAction);
99
100        // demonstrate nested menus
101
102        JMenu optionMenu = new JMenu("Options");
103
104        optionMenu.add(readonlyItem);
105        optionMenu.addSeparator();
106        optionMenu.add(insertItem);
107        optionMenu.add(overtypeItem);
108
109        editMenu.addSeparator();
110        editMenu.add(optionMenu);
111
112        // demonstrate mnemonics
113
114        JMenu helpMenu = new JMenu("Help");
115        helpMenu.setMnemonic('H');
116
117        JMenuItem indexItem = new JMenuItem("Index");
118        indexItem.setMnemonic('I');
119        helpMenu.add(indexItem);
120
121        // you can also add the mnemonic key to an action
122        Action aboutAction = new TestAction("About");
123        aboutAction.putValue(Action.MNEMONIC_KEY, new Integer('A'));
124        helpMenu.add(aboutAction);
125
126        // add all top-level menus to menu bar
127
128        JMenuBar menuBar = new JMenuBar();
129        setJMenuBar(menuBar);
```

```
130
131         menuBar.add(fileMenu);
132         menuBar.add(editMenu);
133         menuBar.add(helpMenu);
134
135         // demonstrate pop-ups
136
137         popup = new JPopupMenu();
138         popup.add(cutAction);
139         popup.add(copyAction);
140         popup.add(pasteAction);
141
142         JPanel panel = new JPanel();
143         panel.setComponentPopupMenu(popup);
144         add(panel);
145     }
146 }
```

12.5.7 工具栏

工具栏是在程序中提供的快速访问常用命令的按钮栏，如图 12-24 所示。

工具栏的特殊之处在于可以将它随处移动。可以将它拖拽到框架的四个边框上，如图 12-25 所示。释放鼠标按钮后，工具栏将会停靠在新的位置上，如图 12-26 所示。

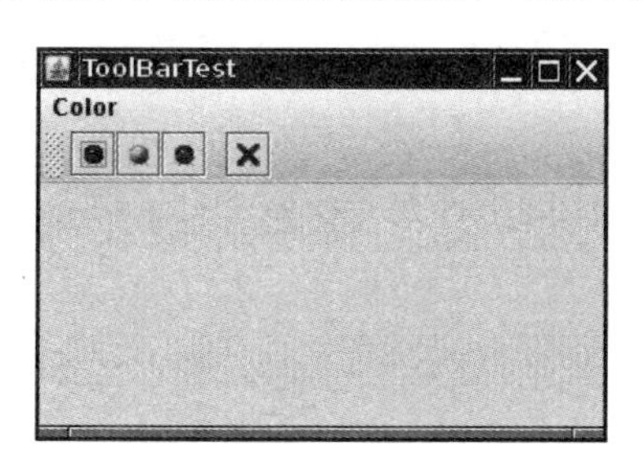

图 12-24 工具栏

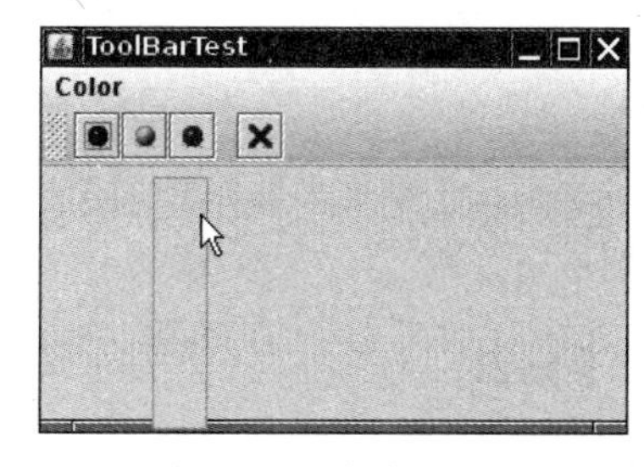

图 12-25 拖拽工具栏

注释： 工具栏只有位于采用边框布局或者任何支持 North、East、South 和 West 约束布局管理器的容器内才能够被拖拽。

工具栏可以完全脱离框架。这样的工具栏将包含在自己的框架中，如图 12-27 所示。当关闭包含工具栏的框架时，它会回到原始的框架中。

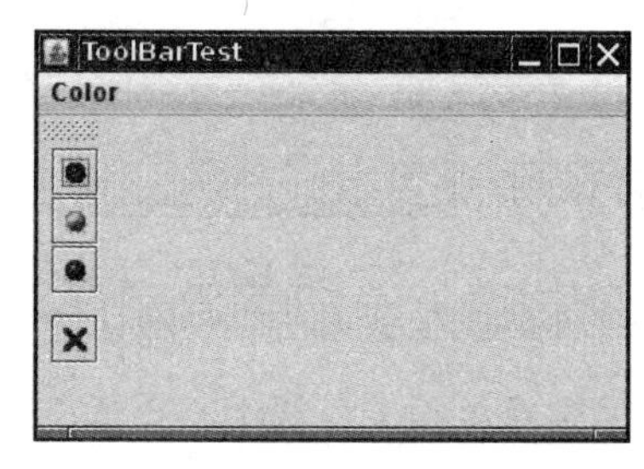

图 12-26 将工具栏拖拽到另一边框

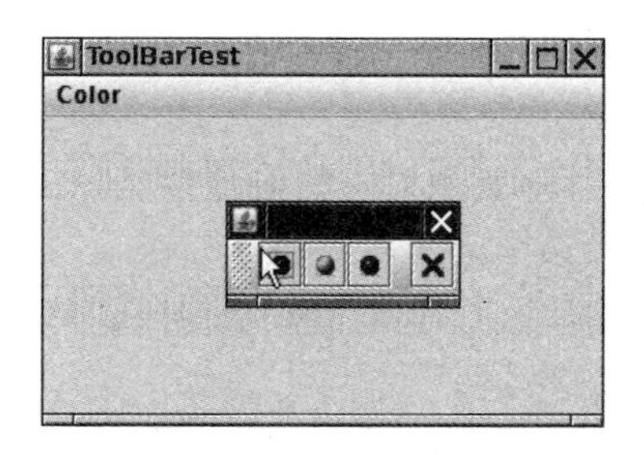

图 12-27 脱离的工具栏

编写创建工具栏的代码非常容易，并且可以将组件添加到工具栏中：

```
JToolBar bar = new JToolBar();
bar.add(blueButton);
```

JToolBar 类还有一个用来添加 Action 对象的方法，可以用 Action 对象填充工具栏：

```
bar.add(blueAction);
```

这个动作的小图标将会出现在工具栏中。

可以用分隔符将按钮分组：

```
bar.addSeparator();
```

例如，图 12-24 中的工具栏有一个分隔符，它位于第三个按钮和第四个按钮之间。

然后，将工具栏添加到框架中：

```
add(bar, BorderLayout.NORTH);
```

当工具栏没有停靠时，可以指定工具栏的标题：

```
bar = new JToolBar(titleString);
```

在默认情况下，工具栏最初为水平的。如果想要将工具栏垂直放置，可以使用下列代码：

```
bar = new JToolBar(SwingConstants.VERTICAL)
```

或者

```
bar = new JToolBar(titleString, SwingConstants.VERTICAL)
```

按钮是工具栏中最常见的组件类型。然而工具栏中的组件并不仅限如此。例如，可以往工具栏中加入组合框。

12.5.8 工具提示

工具栏有一个缺点，这就是用户常常需要猜测按钮上小图标按钮的含义。为了解决这个问题，用户界面设计者发明了*工具提示*（tooltips）。当光标停留在某个按钮上片刻时，工具提示就会被激活。工具提示文本显示在一个有颜色的矩形里。当用户移开鼠标时，工具提示就会自动地消失。如图 12-28 所示。

图 12-28 工具提示

在 Swing 中，可以调用 setToolText 方法将工具提示添加到 JComponent 上：

```
exitButton.setToolTipText("Exit");
```

还有一种方法是，如果使用 Action 对象，就可以用 SHORT_DESCRIPTION 关联工具提示：

```
exitAction.putValue(Action.SHORT_DESCRIPTION, "Exit");
```

程序清单 12-9 说明了如何将一个 Action 对象添加到菜单和工具栏中。注意，动作名在菜单中就是菜单项名，而在工具栏中就是简短的说明。

程序清单 12-9　toolBar/ToolBarFrame.java

```
1  package toolBar;
2
3  import java.awt.*;
4  import java.awt.event.*;
5  import javax.swing.*;
6
7  /**
8   * A frame with a toolbar and menu for color changes.
9   */
10 public class ToolBarFrame extends JFrame
11 {
12    private static final int DEFAULT_WIDTH = 300;
13    private static final int DEFAULT_HEIGHT = 200;
14    private JPanel panel;
15
16    public ToolBarFrame()
17    {
18       setSize(DEFAULT_WIDTH, DEFAULT_HEIGHT);
19
20       // add a panel for color change
21
22       panel = new JPanel();
23       add(panel, BorderLayout.CENTER);
24
25       // set up actions
26
27       Action blueAction = new ColorAction("Blue", new ImageIcon("blue-ball.gif"), Color.BLUE);
28       Action yellowAction = new ColorAction("Yellow", new ImageIcon("yellow-ball.gif"),
29             Color.YELLOW);
30       Action redAction = new ColorAction("Red", new ImageIcon("red-ball.gif"), Color.RED);
31
32       Action exitAction = new AbstractAction("Exit", new ImageIcon("exit.gif"))
33          {
34             public void actionPerformed(ActionEvent event)
35             {
36                System.exit(0);
37             }
38          };
39       exitAction.putValue(Action.SHORT_DESCRIPTION, "Exit");
40
41       // populate toolbar
42
43       JToolBar bar = new JToolBar();
44       bar.add(blueAction);
45       bar.add(yellowAction);
46       bar.add(redAction);
47       bar.addSeparator();
48       bar.add(exitAction);
49       add(bar, BorderLayout.NORTH);
50
51       // populate menu
52
53       JMenu menu = new JMenu("Color");
54       menu.add(yellowAction);
55       menu.add(blueAction);
```

```
56         menu.add(redAction);
57         menu.add(exitAction);
58         JMenuBar menuBar = new JMenuBar();
59         menuBar.add(menu);
60         setJMenuBar(menuBar);
61      }
62
63      /**
64       * The color action sets the background of the frame to a given color.
65       */
66      class ColorAction extends AbstractAction
67      {
68         public ColorAction(String name, Icon icon, Color c)
69         {
70            putValue(Action.NAME, name);
71            putValue(Action.SMALL_ICON, icon);
72            putValue(Action.SHORT_DESCRIPTION, name + " background");
73            putValue("Color", c);
74         }
75
76         public void actionPerformed(ActionEvent event)
77         {
78            Color c = (Color) getValue("Color");
79            panel.setBackground(c);
80         }
81      }
82   }
```

API javax.swing.JToolBar 1.2

- `JToolBar()`
- `JToolBar(String titleString)`
- `JToolBar(int orientation)`
- `JToolBar(String titleString, int orientation)`

  用给定的标题字符串和方向构造一个工具栏。Orientation 可以是 SwingConstants.HORIZONTAL（默认）或 SwingConstants.VERTICAL。
- `JButton add(Action a)`

  用给定的动作名、图标、简要的说明和动作回调构造一个工具栏中的新按钮。
- `void addSeparator()`

  将一个分隔符添加到工具栏的尾部。

API javax.swing.JComponent 1.2

- `void setToolTipText(String text)`

  设置当鼠标停留在组件上时显示在工具提示中的文本。

12.6 复杂的布局管理

迄今为止，在前面的示例应用程序所使用的用户界面组件中，只使用了边框布局、流布局和网格布局。对于复杂的问题而言，只使用这四种布局显然不够。本节将详细地讨论高级布局管理器。

Windows 程序员可能会为 Java 对布局管理器如此兴师动众而感到奇怪。毕竟，在 Windows 中，布局管理不是一个太大的问题：首先，可以用对话框编辑器将组件拖放到对话框的表面上。然后，再使用编辑器工具完成组件对齐、均衡间隔、中心定位等工作。如果正在开发的是一个大型项目，可能根本就不必担心组件如何布局，技术娴熟的用户界面设计师会完成所有这些任务。

使用这种方法布局会出现这样的问题：如果组件的大小发生改变，必须手工进行更新。为什么组件的大小会发生改变呢？通常有两种可能。第一种可能是为按钮标签和其他对话框文本选择了一种较大的字体。如果在 Windows 里试验一下就会发现很多应用程序没有解决好这个问题。按钮的尺寸不增大，大字体被紧缩在原来的空间里。当应用程序中的字符串翻译成其他语言时也有可能出现同样的问题，例如，“Cancel”在德语中为“Abbrechen”。如果一个按钮的大小被设计成刚好能够显示字符串“Cancel”，那么德语版显示就会出现问题了，字符串将会被剪掉一部分。

为什么 Windows 中的按钮不能动态地增大以适应标签呢？这是因为用户界面设计师没有给出应该在哪个方向增大的指令。每个组件拖放或排列之后，对话框编辑器只保存其像素位置和尺寸大小。至于组件为什么以这种方式排列并没有记录下来。

Java 布局管理器是一种用于组件布局的好方法。应用布局管理器，布局就可以使用组件间关系的指令来完成布局操作。对于最初的 AWT 来说，这一点特别重要，这是因为 AWT 使用的是本地用户界面元素。在 Motif、Windows 和 Macintosh 中，按钮和列表框的大小各不相同，而且应用程序或 applet 不会预先知道它们将在哪个平台上显示。在某种程度上，可变性在 Swing 中就没有那么重要。如果应用程序强制使用特定的观感，如 Metal 观感，那么这个程序在所有平台上显示的结果都一样。但是，如果允许应用程序的用户随意地选择观感，则需要依据布局管理器的灵活性调整组件的排列了。

自从 Java 1.0 以来，AWT 就含有*网格组布局*（grid bag layout），这种布局将组件按行和列排列。行和列的大小可以灵活改变，并且组件可以横跨多行多列。这种布局管理器非常灵活，但也非常复杂。仅仅提及“网格组布局”一词就会吓住一些 Java 程序员。

Swing 设计者有一个失败的尝试：为了能够将程序员从使用网格组布局的困难中解脱出来，提出了一种被称为*箱式布局*（box layout）的布局管理器。在 BoxLayout 类的 JDK 文档中写道：“采用水平和垂直 [sic] 的不同组合内嵌多个面板将可以获得与 GridBagLayout 类似的效果，而且降低了复杂度。”然而，由于每个箱子是独立布局的，所以不能使用箱式布局排列水平和垂直方向都相邻的组件。

Java SE 1.4 还做了一个尝试：设计一种代替网格组组件的布局——（spring layout）。这种布局使用一个虚构的弹簧将同一个容器中的所有组件连接起来。当容器改变大小时，弹簧可以伸展或收缩，以便调节组件的位置。这听起来似乎感觉枯燥且不可思议，其实也确实如此。弹簧布局很快就会陷入含糊不清的境地。

在 2005 年，NetBeans 开发队伍发明了 Matisse 技术，这种技术将布局工具与布局管理器结合起来。用户界面设计者可以使用工具将组件拖拽到容器中，并指出组件的排列方式。工具将设计者的意图转换成组布局管理器的可以理解的指令，与手工地编写布局管理的代码相比，这样做要便捷得多。组布局管理器现在是 Java SE 6 中的一部分。即使没有用 NetBeans 作为 IDE，也应该考虑使用它的 GUI 生成工具。可以用 NetBeans 设计 GUI，然后再将得到的代码粘贴到所选择的 IDE 中。

接下来，将讲述网格组布局。这是因为这种布局在早期的 Java 版本中，使用的最普遍，且也是产生布局代码的最简单方式。下面的策略可以让网格组布局的使用相对简单些。

随后，介绍 Matisse 工具和组布局管理器。我们需要了解组布局管理器的工作过程，以便能够在用可视化方式将组件放置在某个位置时能够查看 Matisse 记录的指令是否正确。

最后，将演示如何完全绕开布局管理，手工地放置组件，以及如何编写自己的布局管理器。

12.6.1 网格组布局

网格组布局是所有布局管理器之母。可以将网格组布局看成是没有任何限制的网格布局。在网格组布局中，行和列的尺寸可以改变。可以将相邻的单元合并以适应较大的组件（很多字处理器以及 HTML 都利用这个功能编辑表格：一旦需要就合并相邻的单元格）。组件不需要填充整个单元格区域，并可以指定它们在单元格内的对齐方式。

请看图 12-29 中所示的字体选择对话框，其中包含下面的组件：

- 两个用于指定字体外观和大小的组合框
- 两个组合框的标签
- 两个用于选择粗体和斜体的复选框
- 一个用于显示示例字符串的文本区

现在，将容器分解为网格单元，如图 12-30 所示（行和列的尺寸不需要相同）。每个复选框横跨两列，文本区跨四行。

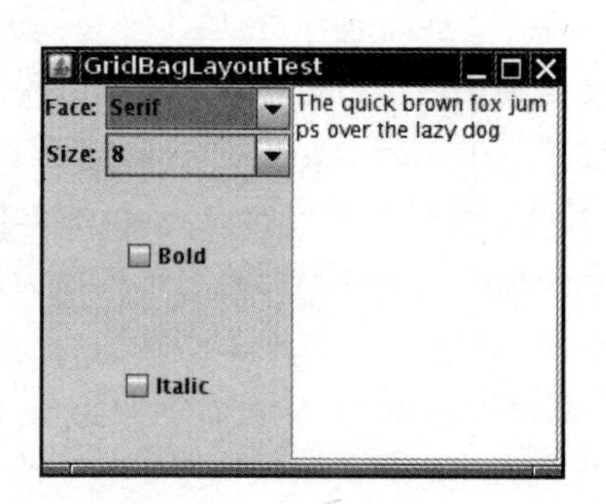

图 12-29 字体选择器

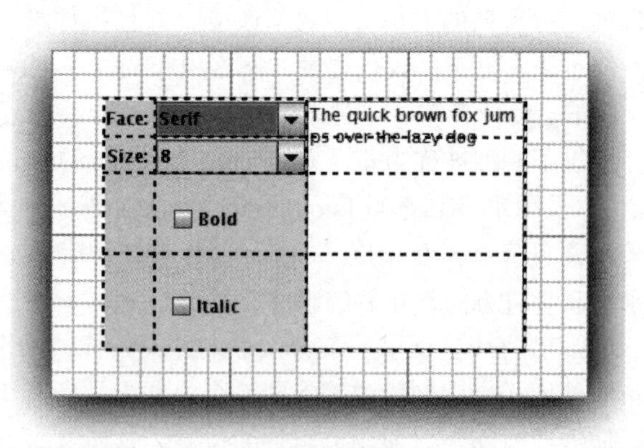

图 12-30 设计中使用的对话框网格

要想使用网格组管理器进行布局，必须经过下列过程：

1）建立一个 GridBagLayout 的对象。不需要指定网格的行数和列数。布局管理器会根据后面所给的信息猜测出来。

2）将 GridBagLayout 对象设置成组件的布局管理器。

3）为每个组件建立一个 GridBagConstraints 对象。设置 GridBagConstraints 对象的域以便指出组件在网格组中的布局方案。

4）最后，通过下面的调用添加组件的约束：

```
add(component, constraints);
```

下面给出了相应的代码（稍后将更加详细地介绍各种约束。如果现在不明白约束的作用，不必担心）。

```
GridBagLayout layout = new GridBagLayout();
panel.setLayout(layout);
GridBagConstraints constraints = new GridBagConstraints();
constraints.weightx = 100;
constraints.weighty = 100;
constraints.gridx = 0;
constraints.gridy = 2;
constraints.gridwidth = 2;
constraints.gridheight = 1;
panel.add(component, constraints);
```

知道如何设置 GridBagConstraints 对象的状态是非常困难的。下面将详细地介绍几个最重要的约束。

12.6.1.1　gridx、gridy、gridwidth 和 gridheight 参数

这些约束定义了组件在网格中的位置。gridx 和 gridy 指定了被添加组件左上角的行、列位置。gridwidth 和 gridheight 指定了组件占据的行数和列数。

网格的坐标从 0 开始。gridx=0 和 gridy=0 代表最左上角。例如，示例程序中，文本区的 gridx=2，gridy=0。这是因为这个文本区起始于 0 行 2 列（即第 3 列），girdwidth=1，gridheight=4 因为它横跨了 4 行 1 列。

12.6.1.2　增量域

在网格布局中，需要为每个区域设置增量域（weightx 和 weighty）。如果将增量设置为 0，则这个区域将永远为初始尺寸。在如图 12-29 所示的网格布局中，由于将标签的 weightx 设置为 0，所以在窗口缩放时，标签大小始终保持不变。另一方面，如果将所有区域的增量都设置为 0，容器就会集聚在为它分配的区域中间，而不是通过拉伸来填充它。

从概念上讲，增量参数属于行和列的属性，而不属于某个单独的单元格。但却需要在单元格上指定它们，这是因为网格组布局并不暴露行和列。行和列的增量等于每行或每列单元格的增量最大值。因此，如果想让一行或一列的大小保持不变，就需要将这行、这列的所有组件的增量都设置为 0。

注意，增量并不实际给出列的相对大小。当容器超过首选大小时，增量表示分配给每个区域的扩展比例值。这么说并不太直观。这里建议将所有的增量设置为 100，运行程序，查

看一下布局情况。缩放对话框，查看一下行和列是如何调整的。如果发现某行或某列不应该扩大，就将那行或那列中的所有组件的增量设置为0。也可以使用其他的增量值进行修补，但是这么做的意义并不大。

12.6.1.3 fill和anchor参数

如果不希望组件拉伸至整个区域，就需要设置fill约束。它有四个有效值：GridBag Constraints.NONE、GridBagConstraints.HORIZONTAL、GridBagConstraints. VERTICAL和GridBagConstraints.BOTH.。

如果组件没有填充整个区域，可以通过设置anchor域指定其位置。有效值为GridBag Constraints.CENTER（默认值）、GridBagConstraints.NORTH、GridBagConstraints. NORTHEAST和GridBagConstraints.EAST等。

12.6.1.4 填充

可以通过设置GridBagLayout的insets域在组件周围增加附加的空白区域。通过设置Insets对象的left、top、right和bottom指定组件周围的空间量。这被称作外部填充（或外边距）(external padding)。

通过设置ipadx和ipady指定内部填充（或内外距）(internal padding)。这两个值被加到组件的最小宽度和最小高度上。这样可以保证组件不会收缩至最小尺寸之下。

12.6.1.5 指定gridx, gridy, gridwidth和gridheight参数的另一种方法

AWT文档建议不要将gridx和gridy设置为绝对位置，应该将它们设置为常量GridBag Constraints.RELATIVE。然后，按照标准的顺序，将组件添加到网格组布局中。即第一行从左向右，然后再开始新的一行，以此类推。

还需要通过为gridheight和gridwidth域指定一个适当的值来设置组件横跨的行数和列数。除此之外，如果组件扩展至最后一行或最后一列，则不要给出一个实际的数值，而是用常量GridBagConstraints.REMAINDER替代，这样会告诉布局管理器这个组件是本行上的最后一个组件。

这种方案看起来能起作用，但似乎显得有点笨拙。这是因为这样做会将实际位置信息对布局管理器隐藏起来，而日后又希望它能够重新发现这些信息。

这些事情看起来都很麻烦和复杂，但实际上，下面的策略可以让网格组布局的使用相对简单一些：

1）在纸上画出组件布局草图。

2）找出一种网格，小组件被放置在一个单元格内，大组件将横跨多个单元格。

3）用0，1，2……标识网格的行和列。现在可以读取gridx, gridy, gridwidth和gridheight的值。

4）对于每个组件，需要考虑下列问题：是否需要水平或者垂直填充它所在的单元格？如果不需要，希望如何排列？这些就是fill和anchor参数的设置。

5）将所有的增量设置为100。如果需要某行或某列始终保持默认的大小，就将这行或这列中所有组件的weightx和weighty设置为0。

6）编写代码。仔细地检查 GridBagConstraints 的设置。错误的约束可能会破坏整个布局。

7）编译、运行。

有些 GUI 构造者使用工具来可视化地指定约束。如图 12-31 就是 NetBeans 中的配置对话框。

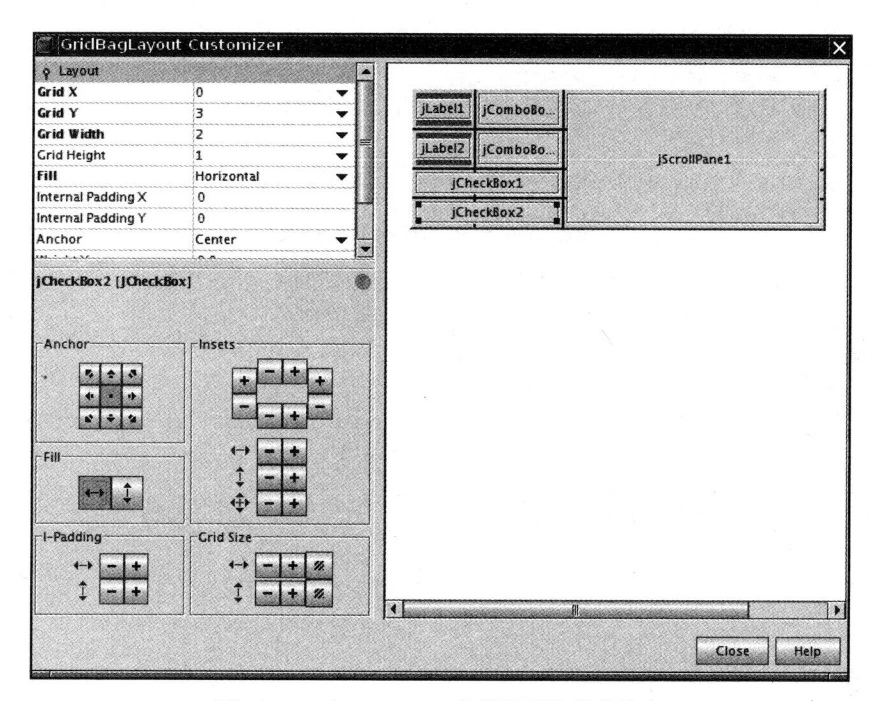

图 12-31 在 NetBeans 中指定网格组的约束

12.6.1.6 使用帮助类来管理网格组约束

网格组布局最乏味的工作就是为设置约束编写代码。为此，很多程序员编写帮助函数或者帮助类来满足上面的目的。下面是为字体对话框示例编写的帮助类。这个类有下列特性：

- 名字简短：GBC 代替 GridBagConstraints。
- 扩展于 GridBagConstraints，因此可以使用约束的缩写，如 GBC.EAST。
- 当添加组件时，使用 GBC 对象，如：

```
add(component, new GBC(1, 2));
```

- 有两个构造器可以用来设置最常用的参数：gridx 和 gridy，或者 gridx、gridy、gridwidth 和 gridheight。

```
add(component, new GBC(1, 2, 1, 4));
```

- 域有很便捷的设置方法，采用 x/y 值对形式：

```
add(component, new GBC(1, 2).setWeight(100, 100));
```

- 设置方法将返回 this，所以可以链接它们：

```
add(component, new GBC(1, 2).setAnchor(GBC.EAST).setWeight(100, 100));
```

- setInsets 方法将构造 Inset 对象。要想获取 1 个像素的 insets，可以调用：

```
add(component, new GBC(1, 2).setAnchor(GBC.EAST).setInsets(1));
```

程序清单 12-10 显示了字体对话框示例的框架类。GBC 帮助类见程序清单 12-11。下面是将组件添加到网格组中的代码：

```
add(faceLabel, new GBC(0, 0).setAnchor(GBC.EAST));
add(face, new GBC(1, 0).setFill(GBC.HORIZONTAL).setWeight(100, 0).setInsets(1));
add(sizeLabel, new GBC(0, 1).setAnchor(GBC.EAST));
add(size, new GBC(1, 1).setFill(GBC.HORIZONTAL).setWeight(100, 0).setInsets(1));
add(bold, new GBC(0, 2, 2, 1).setAnchor(GBC.CENTER).setWeight(100, 100));
add(italic, new GBC(0, 3, 2, 1).setAnchor(GBC.CENTER).setWeight(100, 100));
add(sample, new GBC(2, 0, 1, 4).setFill(GBC.BOTH).setWeight(100, 100));
```

一旦理解了网格组约束，就会觉得这些代码十分易于阅读且便于调试。

注释：http://docs.oracle.com/javase/tutorial/uiswing/layout/gridbag.html 的教程中建议：对于所有的组件重用同一个 GridBagConstraints 对象。我们发现这样做将会使代码难于阅读并易于发生错误。例如，请看 http://docs.oracle.com/javase/tutorial/uiswing/events/containerlistener.html 的演示。按钮真的被水平拉伸吗？还是程序员忘记了关闭 fill 约束？

程序清单 12-10 gridbag/FontFrame.java

```
1 package gridbag;
2
3 import java.awt.Font;
4 import java.awt.GridBagLayout;
5 import java.awt.event.ActionListener;
6
7 import javax.swing.BorderFactory;
8 import javax.swing.JCheckBox;
9 import javax.swing.JComboBox;
10 import javax.swing.JFrame;
11 import javax.swing.JLabel;
12 import javax.swing.JTextArea;
13
14 /**
15  * A frame that uses a grid bag layout to arrange font selection components.
16  */
17 public class FontFrame extends JFrame
18 {
19    public static final int TEXT_ROWS = 10;
20    public static final int TEXT_COLUMNS = 20;
21
22    private JComboBox<String> face;
23    private JComboBox<Integer> size;
24    private JCheckBox bold;
25    private JCheckBox italic;
26    private JTextArea sample;
27
28    public FontFrame()
29    {
30       GridBagLayout layout = new GridBagLayout();
```

```
31          setLayout(layout);
32
33          ActionListener listener = event -> updateSample();
34
35          // construct components
36
37          JLabel faceLabel = new JLabel("Face: ");
38
39          face = new JComboBox<>(new String[] { "Serif", "SansSerif", "Monospaced",
40                "Dialog", "DialogInput" });
41
42          face.addActionListener(listener);
43
44          JLabel sizeLabel = new JLabel("Size: ");
45
46          size = new JComboBox<>(new Integer[] { 8, 10, 12, 15, 18, 24, 36, 48 });
47
48          size.addActionListener(listener);
49
50          bold = new JCheckBox("Bold");
51          bold.addActionListener(listener);
52
53          italic = new JCheckBox("Italic");
54          italic.addActionListener(listener);
55
56          sample = new JTextArea(TEXT_ROWS, TEXT_COLUMNS);
57          sample.setText("The quick brown fox jumps over the lazy dog");
58          sample.setEditable(false);
59          sample.setLineWrap(true);
60          sample.setBorder(BorderFactory.createEtchedBorder());
61
62          // add components to grid, using GBC convenience class
63
64          add(faceLabel, new GBC(0, 0).setAnchor(GBC.EAST));
65          add(face, new GBC(1, 0).setFill(GBC.HORIZONTAL).setWeight(100, 0)
66                .setInsets(1));
67          add(sizeLabel, new GBC(0, 1).setAnchor(GBC.EAST));
68          add(size, new GBC(1, 1).setFill(GBC.HORIZONTAL).setWeight(100, 0)
69                .setInsets(1));
70          add(bold, new GBC(0, 2, 2, 1).setAnchor(GBC.CENTER).setWeight(100, 100));
71          add(italic, new GBC(0, 3, 2, 1).setAnchor(GBC.CENTER).setWeight(100, 100));
72          add(sample, new GBC(2, 0, 1, 4).setFill(GBC.BOTH).setWeight(100, 100));
73          pack();
74          updateSample();
75       }
76
77       public void updateSample()
78       {
79          String fontFace = (String) face.getSelectedItem();
80          int fontStyle = (bold.isSelected() ? Font.BOLD : 0)
81                + (italic.isSelected() ? Font.ITALIC : 0);
82          int fontSize = size.getItemAt(size.getSelectedIndex());
83          Font font = new Font(fontFace, fontStyle, fontSize);
84          sample.setFont(font);
85          sample.repaint();
86       }
87    }
```

程序清单 12-11 gridbag/GBC.java

```
1  package gridbag;
2
3  import java.awt.*;
4
5  /**
6   * This class simplifies the use of the GridBagConstraints class.
7   * @version 1.01 2004-05-06
8   * @author Cay Horstmann
9   */
10 public class GBC extends GridBagConstraints
11 {
12    /**
13     * Constructs a GBC with a given gridx and gridy position and all other grid
14     * bag constraint values set to the default.
15     * @param gridx the gridx position
16     * @param gridy the gridy position
17     */
18    public GBC(int gridx, int gridy)
19    {
20       this.gridx = gridx;
21       this.gridy = gridy;
22    }
23
24    /**
25     * Constructs a GBC with given gridx, gridy, gridwidth, gridheight and all
26     * other grid bag constraint values set to the default.
27     * @param gridx the gridx position
28     * @param gridy the gridy position
29     * @param gridwidth the cell span in x-direction
30     * @param gridheight the cell span in y-direction
31     */
32    public GBC(int gridx, int gridy, int gridwidth, int gridheight)
33    {
34       this.gridx = gridx;
35       this.gridy = gridy;
36       this.gridwidth = gridwidth;
37       this.gridheight = gridheight;
38    }
39
40    /**
41     * Sets the anchor.
42     * @param anchor the anchor value
43     * @return this object for further modification
44     */
45    public GBC setAnchor(int anchor)
46    {
47       this.anchor = anchor;
48       return this;
49    }
50
51    /**
52     * Sets the fill direction.
53     * @param fill the fill direction
54     * @return this object for further modification
55     */
```

```
56     public GBC setFill(int fill)
57     {
58        this.fill = fill;
59        return this;
60     }
61 
62     /**
63      * Sets the cell weights.
64      * @param weightx the cell weight in x-direction
65      * @param weighty the cell weight in y-direction
66      * @return this object for further modification
67      */
68     public GBC setWeight(double weightx, double weighty)
69     {
70        this.weightx = weightx;
71        this.weighty = weighty;
72        return this;
73     }
74 
75     /**
76      * Sets the insets of this cell.
77      * @param distance the spacing to use in all directions
78      * @return this object for further modification
79      */
80     public GBC setInsets(int distance)
81     {
82        this.insets = new Insets(distance, distance, distance, distance);
83        return this;
84     }
85 
86     /**
87      * Sets the insets of this cell.
88      * @param top the spacing to use on top
89      * @param left the spacing to use to the left
90      * @param bottom the spacing to use on the bottom
91      * @param right the spacing to use to the right
92      * @return this object for further modification
93      */
94     public GBC setInsets(int top, int left, int bottom, int right)
95     {
96        this.insets = new Insets(top, left, bottom, right);
97        return this;
98     }
99 
100    /**
101     * Sets the internal padding
102     * @param ipadx the internal padding in x-direction
103     * @param ipady the internal padding in y-direction
104     * @return this object for further modification
105     */
106    public GBC setIpad(int ipadx, int ipady)
107    {
108       this.ipadx = ipadx;
109       this.ipady = ipady;
110       return this;
111    }
112 }
```

java.awt.GridBagConstraints 1.0

- `int gridx, gridy`

  指定单元格的起始行和列。默认值为 0。
- `int gridwidth, gridheight`

  指定单元格的行和列的范围。默认值为 1。
- `double weightx, weighty`

  指定单元格扩大时的容量。默认值为 0。
- `int anchor`

  表示组件在单元格内的对齐方式。可以选择的绝对位置有：

NORTHWEST	NORTH	NORTHEAST
WEST	CENTER	EAST
SOUTHWEST	SOUTH	SOUTHEAST

  或者各个方向上的相对位置：

FIRST_LINE_START	LINE_START	FIRST_LINE_ENO
PAGE_START	CENTER	PAGE_END
LAST_LINE_START	LINE_END	LAST_LINE_END

  如果应用程序有可能从右向左，或者自顶至底排列文本，就应该使用后者。默认值为 CENTER。
- `int fill`

  指定组件在单元格内的填充行为，取值为 NONE、BOTH、HORIZONTAL，或者 VERTICAL。默认值为 NONE。
- `int ipadx, ipady`

  指定组件周围的“内部”填充。默认值为 0。
- `Insets insets`

  指定组件边框周围的“外部”填充。默认为不填充。
- `GridBagConstraints(int gridx, int gridy, int gridwidth, int gridheight, double weightx, double weighty, int anchor, int fill, Insets insets, int ipadx, int ipady) 1.2`

  用参数中给定的所有域值构造 GridBagConstraints。Sun 建议这个构造器只用在自动代码生成器中，因为它会使得代码非常难于阅读。

12.6.2 组布局

在讨论 GroupLayout 类的 API 之前，先快速地浏览一下 NetBeans 中的 Matisse GUI 构造器。这里并没有讲述 Matisse 全部的使用方法，有关更加详细的信息请参看网站 http://netbeans.org/ kb/docs/java/quickstart-gui.html。

下面是布局如图 12-13 所示的对话框的工作流程。创建一个新项目，并添加一个新的 JFrame 表单。拖拽一个标签，直到出现了两条分离于容器边框的引导线：

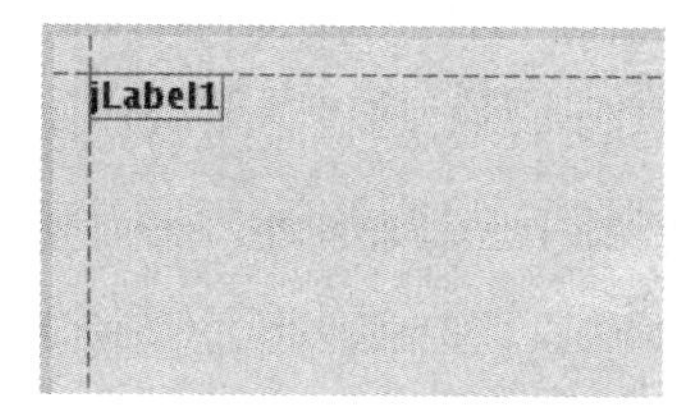

在第一行下面放置另一个标签：

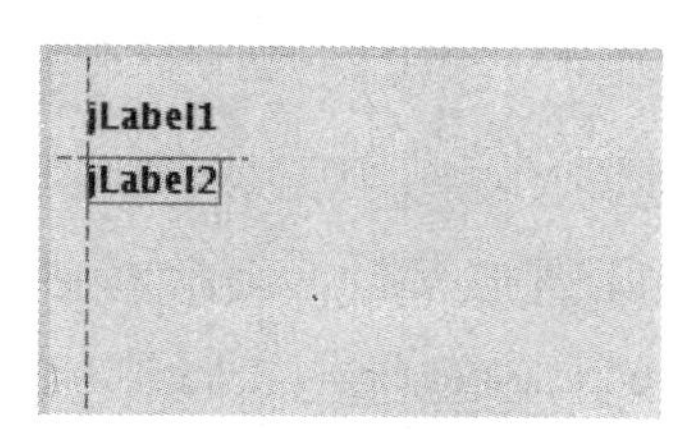

拖拽一个文本域，让文本域的基线与第一个标签的基线对齐。再次注意引导线：

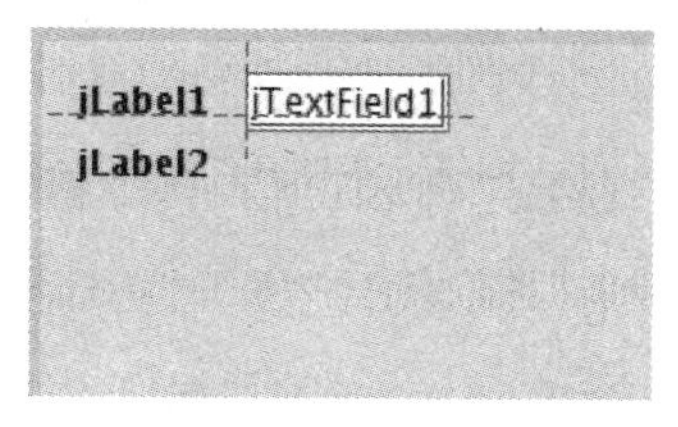

最后，放置一个密码域，它的左侧是标签，上方是文本域。

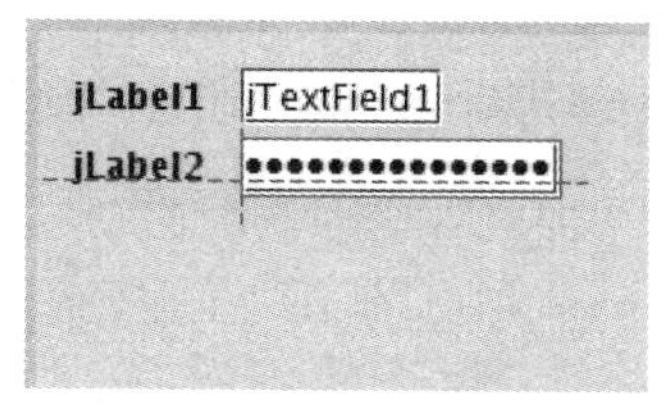

Matisse 将这些操作转换成下列 Java 代码：

```
layout.setHorizontalGroup(
   layout.createParallelGroup(GroupLayout.Alignment.LEADING)
   .addGroup(layout.createSequentialGroup()
      .addContainerGap()
     .addGroup(layout.createParallelGroup(GroupLayout.Alignment.LEADING)
         .addGroup(layout.createSequentialGroup()
            .addComponent(jLabel1)
            .addPreferredGap(LayoutStyle.ComponentPlacement.RELATED)
            .addComponent(jTextField1))
         .addGroup(layout.createSequentialGroup()
            .addComponent(jLabel2)
            .addPreferredGap(LayoutStyle.ComponentPlacement.RELATED)
            .addComponent(jPasswordField1)))
      .addContainerGap(222, Short.MAX_VALUE)));
```

```
layout.setVerticalGroup(
   layout.createParallelGroup(GroupLayout.Alignment.LEADING)
   .addGroup(layout.createSequentialGroup()
      .addContainerGap()
      .addGroup(layout.createParallelGroup(GroupLayout.Alignment.BASELINE)
         .addComponent(jLabel1)
         .addComponent(jTextField1))
      .addPreferredGap(LayoutStyle.ComponentPlacement.RELATED)
      .addGroup(layout.createParallelGroup(GroupLayout.Alignment.BASELINE)
         .addComponent(jLabel2)
         .addComponent(jPasswordField1))
      .addContainerGap(244, Short.MAX_VALUE)));
```

看起来有点让人感觉惊恐，庆幸的是不需要编写代码。阅读一下这段代码会有助于理解布局行为的操作过程，以便能够发现程序中的错误。下面分析一下这段代码的基本结构。在本节后面有关 API 注解中将更加详细地解释每个类和方法。

可以通过将组件放入 GroupLyout.SequentialGroup 或者 GroupLayout.ParallelGroup 对象中将它们组织起来。这些类是 GroupLayout.Group 的子类。在组中可以包含组件、间距和内嵌的组。由于组类中的各种 add 方法都返回组对象，因此可以像下面这样将方法调用串联在一起：

```
group.addComponent(. . .).addPreferredGap(. . .).addComponent(. . .);
```

正像从示例代码中所看到的，组布局分别对水平和垂直布局进行计算。

为了能够看到水平计算的效果，假设组件都被压平了，因此高度为 0，如下所示：

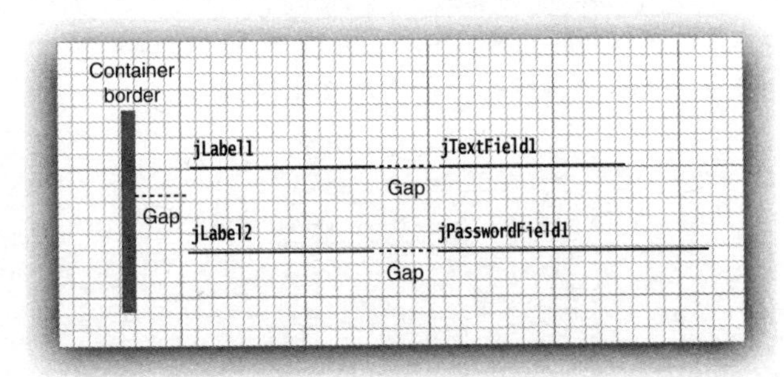

有两个平行的组件序列，对应的代码（略有简化）是：

```
.addContainerGap()
   .addGroup(layout.createParallelGroup()
      .addGroup(layout.createSequentialGroup()
         .addComponent(jLabel1)
         .addPreferredGap(LayoutStyle.ComponentPlacement.RELATED)
         .addComponent(jTextField1))
      .addGroup(layout.createSequentialGroup()
         .addComponent(jLabel2)
         .addPreferredGap(LayoutStyle.ComponentPlacement.RELATED)
         .addComponent(jPasswordField1)))
```

但是，请稍等，上面这段代码有问题。如果两个标签的长度不一样，那么文本域和密码域就无法对齐。

必须通知 Matisse，这里希望将组件对齐。选择这两个域，然后点击鼠标右键，并从菜单中选择 Align → Left to Column。同样可以对齐标签。如图 12-32 所示。

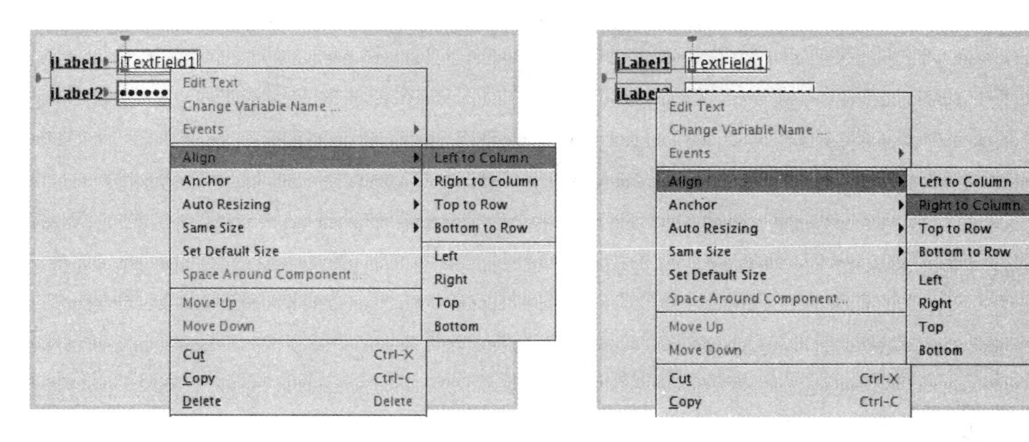

图 12-32 在 Matisse 中对齐标签和文本域

这样一来显著地改变了布局代码：

```
.addGroup(layout.createSequentialGroup()
   .addContainerGap()
   .addGroup(layout.createParallelGroup(GroupLayout.Alignment.LEADING)
      .addComponent(jLabel1, GroupLayout.Alignment.TRAILING)
      .addComponent(jLabel2, GroupLayout.Alignment.TRAILING))
   .addPreferredGap(LayoutStyle.ComponentPlacement.RELATED)
   .addGroup(layout.createParallelGroup(GroupLayout.Alignment.LEADING)
      .addComponent(jTextField1)
      .addComponent(jPasswordField1))
```

现在，标签和域分别置于两个平行组中。第一组的对齐方式是 TRAILING（这意味着当文本方向是自左向右时，应该右对齐）：

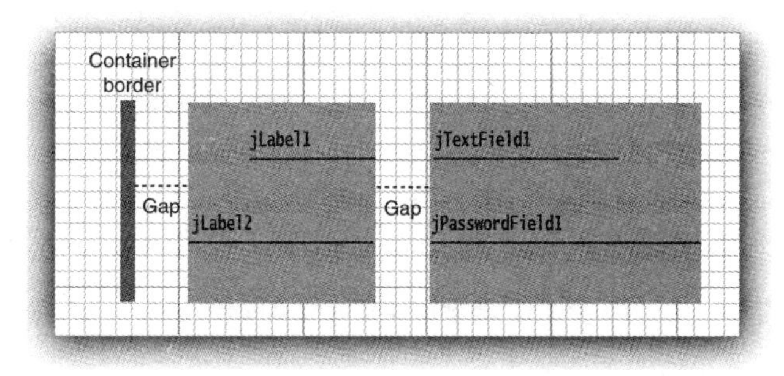

简直太奇妙了！ Matisse 居然可以将设计者的指令转换成嵌套的组。其实，正如 Arthur C.Clarke 所说：任何高级技术都源于奇特的想法。

鉴于完整性的考虑，下面看一下垂直计算。此时，应该将组件看作没有宽度。这里有一个顺序排列的组，其中包含了两个用间距分隔的平行组：

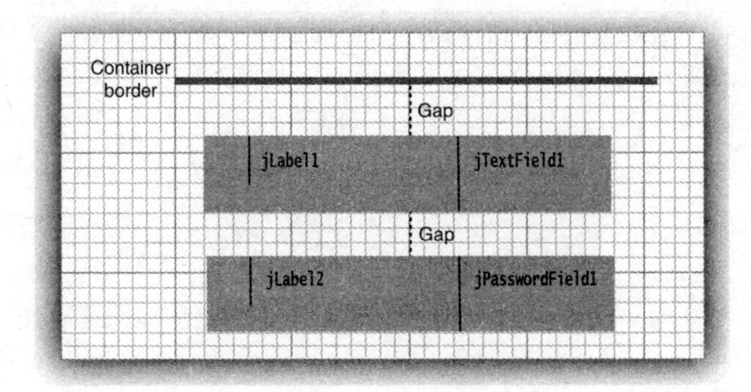

对应的代码是：

```
layout.createSequentialGroup()
   .addContainerGap()
   .addGroup(layout.createParallelGroup(GroupLayout.Alignment.BASELINE)
      .addComponent(jLabel1)
      .addComponent(jTextField1))
   .addPreferredGap(LayoutStyle.ComponentPlacement.RELATED)
   .addGroup(layout.createParallelGroup(GroupLayout.Alignment.BASELINE)
      .addComponent(jLabel2)
      .addComponent(jPasswordField1))
```

从这段代码可以看到：组件依据基线对齐（基线是组件文本对齐的直线）。

可以将一组组件的大小强制为相等。例如，可能想确保文本域和密码域的宽度相等。在 Matisse 中，选择这两个组件，然后点击鼠标右键，并从菜单中 Same Size → Same Width。如图 12-33 所示。

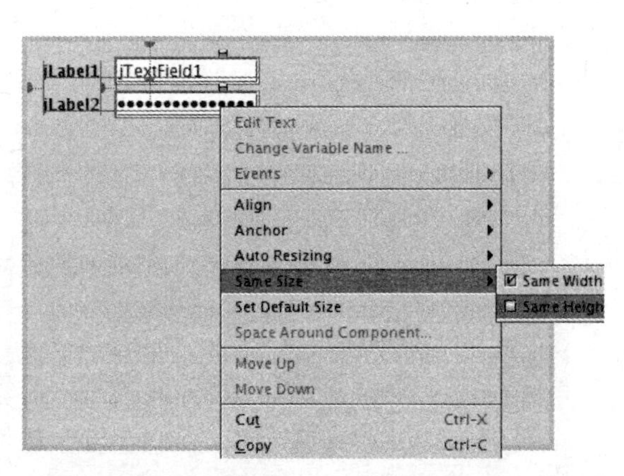

图 12-33　强制两个组件的宽度相等

Matisse 将下面这条语句添加到布局代码中：

```
layout.linkSize(SwingConstants.HORIZONTAL, new Component[] {jPasswordField1, jTextField1});
```

在程序清单 12-12 的代码中显示了如何用 GroupLayout 替代 GridBagLayout 来布局前面讲述的字体选择器。这里的代码看起来可能比程序清单 12-10 要复杂些，但不必编写。可以使用 Matisse 进行布局，然后，对少量的代码整理一下即可。

程序清单 12-12 groupLayout/FontFrame.java

```
1 package groupLayout;
2 
3 import java.awt.Font;
4 import java.awt.event.ActionListener;
5 
6 import javax.swing.BorderFactory;
7 import javax.swing.GroupLayout;
8 import javax.swing.JCheckBox;
9 import javax.swing.JComboBox;
10 import javax.swing.JFrame;
11 import javax.swing.JLabel;
12 import javax.swing.JScrollPane;
13 import javax.swing.JTextArea;
14 import javax.swing.LayoutStyle;
15 import javax.swing.SwingConstants;
16 
17 /**
18  * A frame that uses a group layout to arrange font selection components.
19  */
20 public class FontFrame extends JFrame
21 {
22    public static final int TEXT_ROWS = 10;
23    public static final int TEXT_COLUMNS = 20;
24 
25    private JComboBox<String> face;
26    private JComboBox<Integer> size;
27    private JCheckBox bold;
28    private JCheckBox italic;
29    private JScrollPane pane;
30    private JTextArea sample;
31 
32    public FontFrame()
33    {
34       ActionListener listener = event -> updateSample();
35 
36       // construct components
37 
38       JLabel faceLabel = new JLabel("Face: ");
39 
40       face = new JComboBox<>(new String[] { "Serif", "SansSerif", "Monospaced", "Dialog",
41             "DialogInput" });
42 
43       face.addActionListener(listener);
44 
45       JLabel sizeLabel = new JLabel("Size: ");
46 
47       size = new JComboBox<>(new Integer[] { 8, 10, 12, 15, 18, 24, 36, 48 });
48 
49       size.addActionListener(listener);
50 
51       bold = new JCheckBox("Bold");
52       bold.addActionListener(listener);
53 
```

```
54        italic = new JCheckBox("Italic");
55        italic.addActionListener(listener);
56
57        sample = new JTextArea(TEXT_ROWS, TEXT_COLUMNS);
58        sample.setText("The quick brown fox jumps over the lazy dog");
59        sample.setEditable(false);
60        sample.setLineWrap(true);
61        sample.setBorder(BorderFactory.createEtchedBorder());
62
63        pane = new JScrollPane(sample);
64
65        GroupLayout layout = new GroupLayout(getContentPane());
66        setLayout(layout);
67        layout.setHorizontalGroup(layout.createParallelGroup(GroupLayout.Alignment.LEADING)
68              .addGroup(
69                    layout.createSequentialGroup().addContainerGap().addGroup(
70                          layout.createParallelGroup(GroupLayout.Alignment.LEADING).addGroup(
71                                GroupLayout.Alignment.TRAILING,
72                                layout.createSequentialGroup().addGroup(
73                                      layout.createParallelGroup(GroupLayout.Alignment.TRAILING)
74                                            .addComponent(faceLabel).addComponent(sizeLabel))
75                                      .addPreferredGap(LayoutStyle.ComponentPlacement.RELATED)
76                                      .addGroup(
77                                            layout.createParallelGroup(
78                                                  GroupLayout.Alignment.LEADING, false)
79                                                  .addComponent(size).addComponent(face)))
80                                .addComponent(italic).addComponent(bold)).addPreferredGap(
81                          LayoutStyle.ComponentPlacement.RELATED).addComponent(pane)
82                          .addContainerGap()));
83
84        layout.linkSize(SwingConstants.HORIZONTAL, new java.awt.Component[] { face, size });
85
86        layout.setVerticalGroup(layout.createParallelGroup(GroupLayout.Alignment.LEADING)
87              .addGroup(
88                    layout.createSequentialGroup().addContainerGap().addGroup(
89                          layout.createParallelGroup(GroupLayout.Alignment.LEADING).addComponent(
90                                pane, GroupLayout.Alignment.TRAILING).addGroup(
91                                layout.createSequentialGroup().addGroup(
92                                      layout.createParallelGroup(GroupLayout.Alignment.BASELINE)
93                                            .addComponent(face).addComponent(faceLabel))
94                                      .addPreferredGap(LayoutStyle.ComponentPlacement.RELATED)
95                                      .addGroup(
96                                            layout.createParallelGroup(
97                                                  GroupLayout.Alignment.BASELINE).addComponent(size)
98                                                  .addComponent(sizeLabel)).addPreferredGap(
99                                            LayoutStyle.ComponentPlacement.RELATED).addComponent(
100                                           italic, GroupLayout.DEFAULT_SIZE,
101                                           GroupLayout.DEFAULT_SIZE, Short.MAX_VALUE)
102                                     .addPreferredGap(LayoutStyle.ComponentPlacement.RELATED)
103                                     .addComponent(bold, GroupLayout.DEFAULT_SIZE,
104                                           GroupLayout.DEFAULT_SIZE, Short.MAX_VALUE)))
105                         .addContainerGap()));
106       pack();
107    }
108
109    public void updateSample()
110    {
```

```
111        String fontFace = (String) face.getSelectedItem();
112        int fontStyle = (bold.isSelected() ? Font.BOLD : 0)
113              + (italic.isSelected() ? Font.ITALIC : 0);
114        int fontSize = size.getItemAt(size.getSelectedIndex());
115        Font font = new Font(fontFace, fontStyle, fontSize);
116        sample.setFont(font);
117        sample.repaint();
118     }
119 }
```

API javax.swing.GroupLayout 6

- `GroupLayout(Container host)`

  构造一个 GroupLayout 对象，用于布局 host 容器中的组件（注意：host 容器仍然需要调用 setLayout）。
- `void setHorizontalGroup(GroupLayout.Group g)`
- `void setVerticalGroup(GroupLayout.Group g)`

  设置用于控制水平或垂直容器的组。
- `void linkSize(Component... components)`
- `void linkSize(int axis, Component... component)`

  强制给定的几个组件具有相同的尺寸，或者在指定的坐标轴上有相同的尺寸（Swing Constants.HORIZONTAL 或者 SwingContants.VERTICAL）。
- `GroupLayout.SequentialGroup createSequentialGroup()`

  创建一个组，用于顺序地布局子组件。
- `GroupLayout.ParallelGroup createParallelGroup()`
- `GroupLayout.ParallelGroup createParallelGroup(GroupLayout.Alignment align)`
- `GroupLayout.ParallelGroup createParallelGroup(GroupLayout.Alignment align,boolean resizable)`

  创建一个组，用于并行地布局子组件。

  参数：align　　BASELINE、LEADING（默认值）、TRAILING 或 CENTER

  　　　resizable　　如果组可以调整大小，这个值为 true（默认值）；如果首选的尺寸是最小尺寸或最大尺寸，这个值为 false
- `boolean getHonorsvisibility()`
- `void setHonorsvisibility(boolean b)`

  获取或设置 honorsVisibility 特性。当这个值为 true（默认值）时，不可见的组件不参与布局。当这个值为 false 时，好像可见的组件一样，这些组件也参与布局。这个特性主要用于想要临时隐藏一些组件，而又不希望改变布局的情况。
- `boolean getAutoCreateCaps()`
- `void setAutoCreateCaps(boolean b)`

- `boolean getAutoCreateContainerCaps()`
- `void setAutoCreateContainerCaps(boolean b)`

  获取或设置 autoCreateCaps 和 autoCreateContainerCaps 特性。当这个值为 true 时，将自动地在组件或容器边框之间添加空隙。默认值是 false。在手工地构造 GroupLayout 时，true 值很有用。

API javax.swing.GroupLayout.Group

- `GroupLayout.Group addComponent(Component c)`
- `GroupLayout.Group addComponent(Component c, int minimumSize, int preferredSize, int maximumSize)`

  添加一个组件至本组中。尺寸参数可以是一个实际值（非负值），或者是一个特定的常量 GroupLayout.DEFAULT_SIZE 或 GroupLayout.PREFERRED_SIZE。当使用 DEFAULT_SIZE，将调用组件的 getMinimumSize、getPreferredSize 或 getMaximumSize。当使用 PREFERRED_SIZE 时，将调用组件的 getPreferredSize 方法。
- `GroupLayout.Group addCap(int size)`
- `GroupLayout.Group addCap(int minimumSize, int preferredSize, int maximumSize)`

  添加一个固定的或可调节的间隙。
- `GroupLayout.Group addGroup(GroupLayout.Group g)`

  将一个给定的组添加到本组中。

API javax.swing.GroupLayout.ParallelGroup

- `GroupLayout.ParallelGroup addComponent(Component c, GroupLayout.Alignment align)`
- `GroupLayout.ParallelGroup addComponent(Component c, GroupLayout.Alignment align, int minimumSize, int preferredSize, int maximumSize)`
- `GroupLayout.ParallelGroup addGroup(GroupLayout.Group g, GroupLayout.Alignment align)`

  利用给定的对齐方式（BASELINE、LEADING、TRAILINC 或 CENTER）添加一个组件或组至本组中。

API javax.swing.GroupLayout.SequentialGroup

- `GroupLayout.SequentialGroup addContainerCap()`
- `GroupLayout.SequentialGroup addContainerCap(int preferredSize, int maximumSize)`

  为分隔组件和容器的边缘添加一个间隙。
- `GroupLayout.SequentialGroup addPreferredCap(LayoutStyle.`

`ComponentPlacement type)`

为分隔组件添加一个间隙。间隙的类型是 LayoutStyle.ComponentPlacement.RELATED 或 LayoutStyle.ComponentPlacement。

12.6.3　不使用布局管理器

有时候用户可能不想使用任何布局管理器，而只想把组件放在一个固定的位置上（通常称为绝对定位）。这对于与平台无关的应用程序来说并不是一个好主意，但可用来快速地构造原型。

下面是将一个组件定位到某个绝对定位的步骤：

1）将布局管理器设置为 null。

2）将组件添加到容器中。

3）指定想要放置的位置和大小。

```
frame.setLayout(null);
JButton ok = new JButton("OK");
frame.add(ok);
ok.setBounds(10, 10, 30, 15);
```

API java.awt.Component 1.0

- `void setBounds(int x, int y, int width, int height)`

  移动并调节组件的尺寸

  参数：x, y　　组件新的左上角位置

  　　　width, height　　组件新的尺寸

12.6.4　定制布局管理器

原则上，可以通过自己设计 LayoutManager 类来实现特殊的布局方式。例如，可以将容器中的组件排列成一个圆形。如图 12-34 所示。

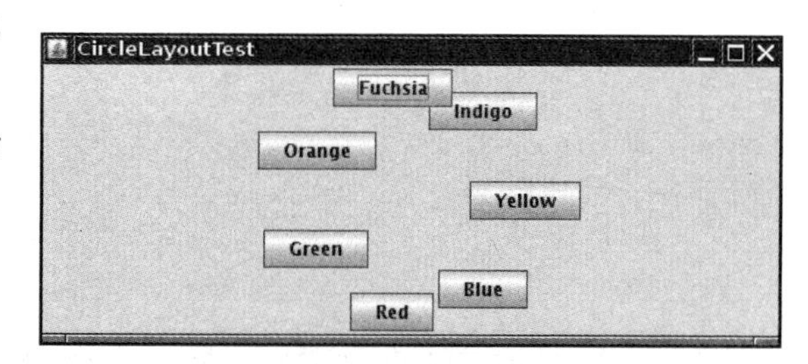

图 12-34　圆形布局

定制布局管理器必须实现 LayoutManager 接口，并且需要覆盖下面 5 个方法：

```
void addLayoutComponent(String s, Component c);
void removeLayoutComponent(Component c);
Dimension preferredLayoutSize(Container parent);
Dimension minimumLayoutSize(Container parent);
void layoutContainer(Container parent);
```

在添加或删除一个组件时会调用前面两个方法。如果不需要保存组件的任何附加信息，那么可以让这两个方法什么都不做。接下来的两个方法计算组件的最小布局和首选布局所需要的空间。两者通常相等。第 5 个方法真正地实施操作，它调用所有组件的 setBounds 方法。

注释： AWT 还有第二个接口 LayoutManager2，其中包含 10 个需要实现的方法，而不是

5 个。这个接口的主要特点是允许用户使用带有约束的 add 方法。例如，BorderLayout 和 GridBagLayout 都实现了 LayoutManager2 接口。

程序清单 12-13 简单实现了 CircleLayout 管理器的代码，在父组件中沿着圆形排列组件。这个管理器很有趣，但是没有什么实际的应用价值。示例程序的框架类见程序清单 12-14。

程序清单 12-13　circleLayout/CircleLayout.java

```
1  package circleLayout;
2  
3  import java.awt.*;
4  
5  /**
6   * A layout manager that lays out components along a circle.
7   */
8  public class CircleLayout implements LayoutManager
9  {
10    private int minWidth = 0;
11    private int minHeight = 0;
12    private int preferredWidth = 0;
13    private int preferredHeight = 0;
14    private boolean sizesSet = false;
15    private int maxComponentWidth = 0;
16    private int maxComponentHeight = 0;
17 
18    public void addLayoutComponent(String name, Component comp)
19    {
20    }
21 
22    public void removeLayoutComponent(Component comp)
23    {
24    }
25 
26    public void setSizes(Container parent)
27    {
28       if (sizesSet) return;
29       int n = parent.getComponentCount();
30 
31       preferredWidth = 0;
32       preferredHeight = 0;
33       minWidth = 0;
34       minHeight = 0;
35       maxComponentWidth = 0;
36       maxComponentHeight = 0;
37 
38       // compute the maximum component widths and heights
39       // and set the preferred size to the sum of the component sizes.
40       for (int i = 0; i < n; i++)
41       {
42          Component c = parent.getComponent(i);
43          if (c.isVisible())
44          {
45             Dimension d = c.getPreferredSize();
46             maxComponentWidth = Math.max(maxComponentWidth, d.width);
47             maxComponentHeight = Math.max(maxComponentHeight, d.height);
48             preferredWidth += d.width;
```

```
49              preferredHeight += d.height;
50           }
51        }
52        minWidth = preferredWidth / 2;
53        minHeight = preferredHeight / 2;
54        sizesSet = true;
55     }
56
57     public Dimension preferredLayoutSize(Container parent)
58     {
59        setSizes(parent);
60        Insets insets = parent.getInsets();
61        int width = preferredWidth + insets.left + insets.right;
62        int height = preferredHeight + insets.top + insets.bottom;
63        return new Dimension(width, height);
64     }
65
66     public Dimension minimumLayoutSize(Container parent)
67     {
68        setSizes(parent);
69        Insets insets = parent.getInsets();
70        int width = minWidth + insets.left + insets.right;
71        int height = minHeight + insets.top + insets.bottom;
72        return new Dimension(width, height);
73     }
74
75     public void layoutContainer(Container parent)
76     {
77        setSizes(parent);
78
79        // compute center of the circle
80
81        Insets insets = parent.getInsets();
82        int containerWidth = parent.getSize().width - insets.left - insets.right;
83        int containerHeight = parent.getSize().height - insets.top - insets.bottom;
84
85        int xcenter = insets.left + containerWidth / 2;
86        int ycenter = insets.top + containerHeight / 2;
87
88        // compute radius of the circle
89
90        int xradius = (containerWidth - maxComponentWidth) / 2;
91        int yradius = (containerHeight - maxComponentHeight) / 2;
92        int radius = Math.min(xradius, yradius);
93
94        // lay out components along the circle
95
96        int n = parent.getComponentCount();
97        for (int i = 0; i < n; i++)
98        {
99           Component c = parent.getComponent(i);
100          if (c.isVisible())
101          {
102             double angle = 2 * Math.PI * i / n;
103
104             // center point of component
105             int x = xcenter + (int) (Math.cos(angle) * radius);
```

```
106           int y = ycenter + (int) (Math.sin(angle) * radius);
107
108           // move component so that its center is (x, y)
109           // and its size is its preferred size
110           Dimension d = c.getPreferredSize();
111           c.setBounds(x - d.width / 2, y - d.height / 2, d.width, d.height);
112        }
113     }
114  }
115 }
```

程序清单 12-14 circleLayout/CircleLayoutFrame.java

```
 1 package circleLayout;
 2
 3 import javax.swing.*;
 4
 5 /**
 6  * A frame that shows buttons arranged along a circle.
 7  */
 8 public class CircleLayoutFrame extends JFrame
 9 {
10    public CircleLayoutFrame()
11    {
12       setLayout(new CircleLayout());
13       add(new JButton("Yellow"));
14       add(new JButton("Blue"));
15       add(new JButton("Red"));
16       add(new JButton("Green"));
17       add(new JButton("Orange"));
18       add(new JButton("Fuchsia"));
19       add(new JButton("Indigo"));
20       pack();
21    }
22 }
```

API java.awt.LayoutManager 1.0

- `void addLayoutComponent(String name, Component comp)`

  将组件添加到布局中。

  参数：name　　组件位置的标识符

  　　　comp　　被添加的组件

- `void removeLayoutComponent(Component comp)`

  从本布局中删除一个组件。

- `Dimension preferredLayoutSize(Container cont)`

  返回本布局下的容器的首选尺寸。

- `Dimension minimumLayoutSize(Container cont)`

  返回本布局中下容器的最小尺寸。

- `void layoutContainer(Container cont)`
  摆放容器内的组件。

12.6.5　遍历顺序

当把很多组件添加到窗口中时，需要考虑*遍历顺序*（traversal order）的问题。窗口被初次显示时，遍历序列的第一个组件会有键盘焦点。每次用户按下 TAB 键，下一个组件就会获得焦点（回忆一下，具有键盘焦点的组件可以用键盘进行操作。例如，如果按钮具有焦点，按下空格键就相当于“点击”它）。我们可能并不习惯使用 TAB 键遍历一组控件，但是也有很多用户喜欢这样做。这些人有可能厌恶鼠标，也有可能由于残疾而无法使用鼠标，或者采用语言方式进行交互，所以应该知道 Swing 是如何设置遍历顺序的。

遍历顺序很直观，它的顺序是从左至右，从上至下。例如，在字体对话框例子中，组件按照下面顺序进行遍历（见图 12-35）：

①外观组合框

②示例文本区（按下 CTRL+TAB 键移动到下一个文本域，TAB 字符被认为是文本输入）。

③尺寸组合框

④加粗复选框

⑤斜体复选框

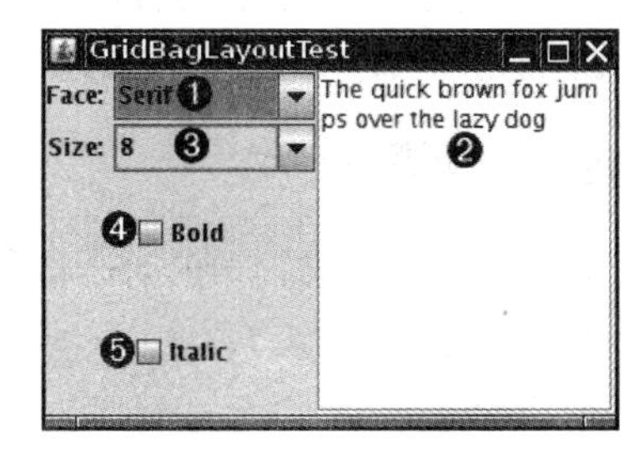

图 12-35　遍历顺序

如果容器还包含其他的容器，情况就更加复杂了。当焦点给予另外一个容器时，那个容器左上角的组件就会自动地获得焦点，然后再遍历那个容器中的所有组件。最后，将焦点移交给紧跟着那个容器的组件。

利用这一点，可以将相关元素组织在一起并放置在一个容器中。例如，放置在一个面板中。

注释： 调用

```
component.setFocusable(false);
```

可以从焦点遍历中删除一个组件。这对于不接受键盘输入、自行绘制的组件很有用。

12.7　对话框

到目前为止，所有的用户界面组件都显示在应用程序创建的框架窗口中。这对于编写运行在 Web 浏览器中的 applets 来说是十分常见的情况。但是，如果编写应用程序，通常就需要弹出独立的对话框来显示信息或者获取用户信息。

与大多数的窗口系统一样，AWT 也分为*模式对话框*和*无模式对话框*。所谓模式对话框是指在结束对它的处理之前，不允许用户与应用程序的其余窗口进行交互。模式对话框主要用于在程序继续运行之前获取用户提供的信息。例如，当用户想要读取文件时，就会弹出一个模式对话框。用户必须给定一个文件名，然后程序才能够开始读操作。只有用户关闭（模式）对话框之后，应用程序才能够继续执行。

所谓无模式对话框是指允许用户同时在对话框和应用程序的其他窗口中输入信息。使用无模式对话框的最好例子就是工具栏。工具栏可以停靠在任何地方，并且用户可以在需要的时候，同时与应用程序窗口和工具栏进行交互。

本节从最简单的对话框开始——一个简单信息的模式对话框。Swing 有一个很容易使用的类 JOptionPane，它可以弹出一个简单的对话框，而不必编写任何对话框的相关代码。随后，将看到如何通过实现自己的对话框窗口来编写一个复杂的对话框。最后，介绍在应用程序与对话框之间如何传递数据。

本节用两个标准的对话框结束：文件对话框和颜色对话框。文件对话框比较复杂，为此需要熟悉 Swing 中的 JFileChooser——自己编写文件对话框是一项颇有挑战性的任务。JColorChooser 对话框可用来让用户选取颜色。

12.7.1 选项对话框

Swing 有一套简单的对话框，用于获取用户的一些简单信息。JOptionPane 有 4 个用于显示这些对话框的静态方法：

showMessageDialog：　显示一条消息并等待用户点击 OK
showConfirmDialog：　显示一条消息并等待用户确认（与 OK/Cancel 类似）
showOptionDialog：　显示一条消息并获得用户在一组选项中的选择
showInputDialog：　显示一条消息并获得用户输入的一行文本

图 12-36 显示了一个典型的对话框。可以看到，对话框有下列组件：

- 一个图标
- 一条消息
- 一个或多个按钮

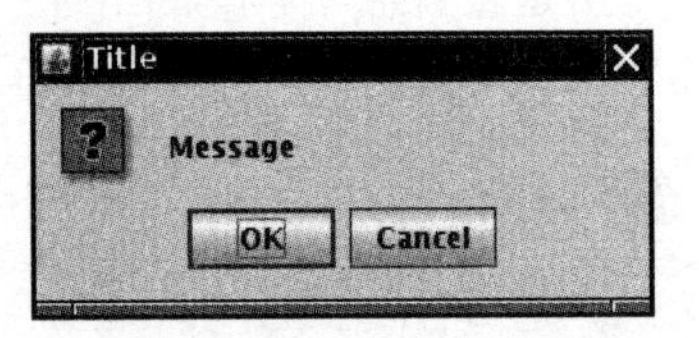

图 12-36　选项对话框

输入对话框有一个用于接收用户输入的额外组件。它既可能是用于输入任何字符串的文本域，也可能是允许用户从中选择的组合框。

这些对话框的确切布局和为标准消息类型选择的图标都取决于具体的观感。

左侧的图标将由下面 5 种消息类型决定：

```
ERROR_MESSAGE
INFORMATION_MESSAGE
WARNING_MESSAGE
QUESTION_MESSAGE
PLAIN_MESSAGE
```

PLAIN_MESSAGE 类型没有图标。每个对话框类型都有一个方法，可以用来提供自己的图标，以替代原来的图标。

可以为每个对话框类型指定一条消息。这里的消息既可以是字符串、图标、用户界面组件，也可以是其他类型的对象。下面是显示消息对象的基本方式：

String：　　　　　绘制字符串

Icon：　　　　　　显示图标

Component：　　　显示组件

Object[]：　　　　显示数组中的所有对象，依次叠加

任何其他对象：　　调用 toString 方法来显示结果字符串

可以运行程序清单 12-15 中的程序，查看一下这些选项。

当然，提供字符串消息是最常见的情况，而提供一个 Component 会带来更大的灵活性。这是因为通过调用 paintComponent 方法可以绘制自己想要的任何内容。

位于底部的按钮取决于对话框类型和选项类型。当调用 showMessageDialog 和 showInputDialog 时，只能看到一组标准按钮（分别是 OK/Cancel）。当调用 showConfirmDialog 时，可以选择下面四种选项类型之一：

```
DEFAULT_OPTION
YES_NO_OPTION
YES_NO_CANCEL_OPTION
OK_CANCEL_OPTION
```

使用 showOptionDialog 可以指定任意的选项。这里需要为选项提供一个对象数组。每个数组元素可以是下列类型之一：

String：　　　　　使用字符串标签创建一个按钮

Icon：　　　　　　使用图标创建一个按钮

Component：　　　显示这个组件

其他类型的对象：使用 toString 方法，然后用结果字符串作为标签创建按钮

下面是这些方法的返回值：

showMessageDialog 无

showConfirmDialog 表示被选项的一个整数

showOptionDialog　表示被选项的一个整数

showInputDialog　　用户选择或输入的字符串

showConfirmDialog 和 showOptionDialog 返回一个整数用来表示用户选择了哪个按钮。对于选项对话框来说，这个值就是被选的选项的索引值或者是 CLOSED_OPTION（此时用户没有选择可选项，而是关闭了对话框）。对于确认对话框，返回值可以是下列值之一：

```
OK_OPTION
CANCEL_OPTION
YES_OPTION
NO_OPTION
CLOSED_OPTION
```

这些选项似乎令人感到迷惑不解，实际上非常简单步骤如下：

1）选择对话框的类型（消息、确认、选项或者输入）。

2）选择图标（错误、信息、警告、问题、无或者自定义）。

3）选择消息（字符串、图表、自定义组件或者它们的集合）。

4）对于确认对话框，选择选项类型（默认、Yes/No、Yes/No/Cancel 或者 Ok/Cancel）。

5）对于选项对话框，选择选项（字符串、图表或者自定义组件）和默认选项。

6）对于输入对话框，选择文本框或者组合框。

7）调用 JOptionPane API 中的相应方法。

例如，假设需要显示一个图 12-36 的对话框。这个对话框显示了一条消息，并请求用户确认或者取消。这是一个确认对话框。图标是警告图标，消息是字符串，选项类型是 OK_CANCEL_OPTION。调用如下：

```
int selection = JOptionPane.showConfirmDialog(parent,
   "Message", "Title",
   JOptionPane.OK_CANCEL_OPTION,
   JOptionPane.QUESTION_MESSAGE);
if (selection == JOptionPane.OK_OPTION) . . .
```

提示：消息字符串中可以包含换行符（'\n'）。这样就可以让字符串多行显示。

这个程序显示了 6 个按钮面板（见图 12-37），其框架类在程序清单 12-15 中给出。程序清单 12-16 显示了这些面板的类。点击 Show 按钮时，会显示所选的对话框。

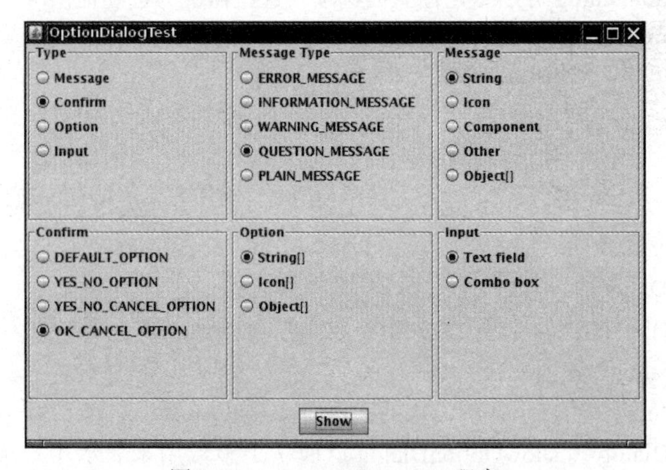

图 12-37 OptionDialogTest 程序

程序清单 12-15 optionDialog/OptionDialogFrame.java

```
1 package optionDialog;
2
3 import java.awt.*;
4 import java.awt.event.*;
5 import java.awt.geom.*;
6 import java.util.*;
7 import javax.swing.*;
8
9 /**
```

```
10   * A frame that contains settings for selecting various option dialogs.
11   */
12  public class OptionDialogFrame extends JFrame
13  {
14     private ButtonPanel typePanel;
15     private ButtonPanel messagePanel;
16     private ButtonPanel messageTypePanel;
17     private ButtonPanel optionTypePanel;
18     private ButtonPanel optionsPanel;
19     private ButtonPanel inputPanel;
20     private String messageString = "Message";
21     private Icon messageIcon = new ImageIcon("blue-ball.gif");
22     private Object messageObject = new Date();
23     private Component messageComponent = new SampleComponent();
24
25     public OptionDialogFrame()
26     {
27        JPanel gridPanel = new JPanel();
28        gridPanel.setLayout(new GridLayout(2, 3));
29
30        typePanel = new ButtonPanel("Type", "Message", "Confirm", "Option", "Input");
31        messageTypePanel = new ButtonPanel("Message Type", "ERROR_MESSAGE", "INFORMATION_MESSAGE",
32              "WARNING_MESSAGE", "QUESTION_MESSAGE", "PLAIN_MESSAGE");
33        messagePanel = new ButtonPanel("Message", "String", "Icon", "Component", "Other",
34              "Object[]");
35        optionTypePanel = new ButtonPanel("Confirm", "DEFAULT_OPTION", "YES_NO_OPTION",
36              "YES_NO_CANCEL_OPTION", "OK_CANCEL_OPTION");
37        optionsPanel = new ButtonPanel("Option", "String[]", "Icon[]", "Object[]");
38        inputPanel = new ButtonPanel("Input", "Text field", "Combo box");
39
40        gridPanel.add(typePanel);
41        gridPanel.add(messageTypePanel);
42        gridPanel.add(messagePanel);
43        gridPanel.add(optionTypePanel);
44        gridPanel.add(optionsPanel);
45        gridPanel.add(inputPanel);
46
47        // add a panel with a Show button
48
49        JPanel showPanel = new JPanel();
50        JButton showButton = new JButton("Show");
51        showButton.addActionListener(new ShowAction());
52        showPanel.add(showButton);
53
54        add(gridPanel, BorderLayout.CENTER);
55        add(showPanel, BorderLayout.SOUTH);
56        pack();
57     }
58
59     /**
60      * Gets the currently selected message.
61      * @return a string, icon, component, or object array, depending on the Message panel selection
62      */
63     public Object getMessage()
64     {
65        String s = messagePanel.getSelection();
66        if (s.equals("String")) return messageString;
```

```
67         else if (s.equals("Icon")) return messageIcon;
68         else if (s.equals("Component")) return messageComponent;
69         else if (s.equals("Object[]")) return new Object[] { messageString, messageIcon,
70               messageComponent, messageObject };
71         else if (s.equals("Other")) return messageObject;
72         else return null;
73      }
74
75      /**
76       * Gets the currently selected options.
77       * @return an array of strings, icons, or objects, depending on the Option panel selection
78       */
79      public Object[] getOptions()
80      {
81         String s = optionsPanel.getSelection();
82         if (s.equals("String[]")) return new String[] { "Yellow", "Blue", "Red" };
83         else if (s.equals("Icon[]")) return new Icon[] { new ImageIcon("yellow-ball.gif"),
84               new ImageIcon("blue-ball.gif"), new ImageIcon("red-ball.gif") };
85         else if (s.equals("Object[]")) return new Object[] { messageString, messageIcon,
86               messageComponent, messageObject };
87         else return null;
88      }
89
90      /**
91       * Gets the selected message or option type
92       * @param panel the Message Type or Confirm panel
93       * @return the selected XXX_MESSAGE or XXX_OPTION constant from the JOptionPane class
94       */
95      public int getType(ButtonPanel panel)
96      {
97         String s = panel.getSelection();
98         try
99         {
100           return JOptionPane.class.getField(s).getInt(null);
101        }
102        catch (Exception e)
103        {
104           return -1;
105        }
106     }
107
108     /**
109      * The action listener for the Show button shows a Confirm, Input, Message, or Option dialog
110      * depending on the Type panel selection.
111      */
112     private class ShowAction implements ActionListener
113     {
114        public void actionPerformed(ActionEvent event)
115        {
116           if (typePanel.getSelection().equals("Confirm")) JOptionPane.showConfirmDialog(
117                 OptionDialogFrame.this, getMessage(), "Title", getType(optionTypePanel),
118                 getType(messageTypePanel));
119           else if (typePanel.getSelection().equals("Input"))
120           {
121              if (inputPanel.getSelection().equals("Text field")) JOptionPane.showInputDialog(
122                    OptionDialogFrame.this, getMessage(), "Title", getType(messageTypePanel));
123              else JOptionPane.showInputDialog(OptionDialogFrame.this, getMessage(), "Title",
```

```
124                 getType(messageTypePanel), null, new String[] { "Yellow", "Blue", "Red" },
125                 "Blue");
126          }
127          else if (typePanel.getSelection().equals("Message")) JOptionPane.showMessageDialog(
128                OptionDialogFrame.this, getMessage(), "Title", getType(messageTypePanel));
129          else if (typePanel.getSelection().equals("Option")) JOptionPane.showOptionDialog(
130                OptionDialogFrame.this, getMessage(), "Title", getType(optionTypePanel),
131                getType(messageTypePanel), null, getOptions(), getOptions()[0]);
132       }
133    }
134 }
135 
136 /**
137  * A component with a painted surface
138  */
139 
140 class SampleComponent extends JComponent
141 {
142    public void paintComponent(Graphics g)
143    {
144       Graphics2D g2 = (Graphics2D) g;
145       Rectangle2D rect = new Rectangle2D.Double(0, 0, getWidth() - 1, getHeight() - 1);
146       g2.setPaint(Color.YELLOW);
147       g2.fill(rect);
148       g2.setPaint(Color.BLUE);
149       g2.draw(rect);
150    }
151 
152    public Dimension getPreferredSize()
153    {
154       return new Dimension(10, 10);
155    }
156 }
```

程序清单 12-16 optionDialog/ButtonPanel.java

```
1  package optionDialog;
2  
3  import javax.swing.*;
4  
5  /**
6   * A panel with radio buttons inside a titled border.
7   */
8  public class ButtonPanel extends JPanel
9  {
10    private ButtonGroup group;
11 
12    /**
13     * Constructs a button panel.
14     * @param title the title shown in the border
15     * @param options an array of radio button labels
16     */
17    public ButtonPanel(String title, String... options)
18    {
19       setBorder(BorderFactory.createTitledBorder(BorderFactory.createEtchedBorder(), title));
20       setLayout(new BoxLayout(this, BoxLayout.Y_AXIS));
```

```
21        group = new ButtonGroup();
22
23        // make one radio button for each option
24        for (String option : options)
25        {
26           JRadioButton b = new JRadioButton(option);
27           b.setActionCommand(option);
28           add(b);
29           group.add(b);
30           b.setSelected(option == options[0]);
31        }
32     }
33
34     /**
35      * Gets the currently selected option.
36      * @return the label of the currently selected radio button.
37      */
38     public String getSelection()
39     {
40        return group.getSelection().getActionCommand();
41     }
42  }
```

API javax.swing.JOptionPane 1.2

- `static void showMessageDialog(Component parent, Object message, String title, int messageType, Icon icon)`
- `static void showMessageDialog(Component parent, Object message, String title, int messageType)`
- `static void showMessageDialog(Component parent, Object message)`
- `static void showInternalMessageDialog(Component parent, Object message, String title, int messageType, Icon icon)`
- `static void showInternalMessageDialog(Component parent, Object message, String title, int messageType)`
- `static void showInternalMessageDialog(Component parent, Object message)`

  显示一个消息对话框或者一个内部消息对话框（内部对话框完全显示在所在的框架内）。

  参数：parent　　父组件（可以为 null）。

  　　　message　　显示在对话框中的消息（可以是字符串、图标、组件或者一个这些类型的数组）。

  　　　title　　对话框标题栏中的字符串。

  　　　messageType　　取值为 ERROR_MESSAGE、INFORMATION_MESSAGE、WARNING_ MESSAGE、QUESTION_MESSAGE、PLAIN_MESSAGE 之一。

  　　　icon　　用于替代标准图标的图标。

- `static int showConfirmDialog(Component parent, Object message, String title, int optionType, int messageType, Icon icon)`
- `static int showConfirmDialog(Component parent, Object message, String title, int optionType, int messageType)`
- `static int showConfirmDialog(Component parent, Object message, String title, int optionType)`
- `static int showConfirmDialog(Component parent, Object message)`
- `static int showInternalConfirmDialog(Component parent, Object message, String title, int optionType, int messageType, Icon icon)`
- `static int showInternalConfirmDialog(Component parent, Object message, String title, int optionType, int messageType)`
- `static int showInternalConfirmDialog(Component parent, Object message, String title, int optionType)`
- `static int showInternalConfirmDialog(Component parent, Object message)`

  显示一个确认对话框或者内部确认对话框（内部对话框完全显示在所在的框架内）。返回用户选择的选项（取值为 OK_OPTION, CANCEL_OPTION, YES_OPTION, NO_OPTION）；如果用户关闭对话框将返回 CLOSED_OPTION。

  参数：parent　　父组件（可以为 null）。
  　　　message　　显示在对话框中的消息（可以是字符串、图标、组件或者一个这些类型的数组）。
  　　　title　　对话框标题栏中的字符串。
  　　　messageType　　取值为 ERROR_MESSAGE、INFORMATION_MESSAGE、WARNING_MESSAGE、QUESTION_MESSAGE、PLAIN_MESSAGE 之一。
  　　　optionType　　取值为 DEFAULT_OPTION、YES_NO_OPTION、YES_NO_CANCEL_ OPTION、OK_CANCEL_OPTION 之一。
  　　　icon　　用于替代标准图标的图标。

- `static int showOptionDialog(Component parent, Object message, String title, int optionType, int messageType, Icon icon, Object[] options, Object default)`
- `static int showInternalOptionDialog(Component parent, Object message, String title, int optionType, int messageType, Icon icon, Object[] options, Object default)`

  显示一个选项对话框或者内部选项对话框（内部对话框完全显示在所在的框架内）。返回用户选择的选项索引；如果用户取消对话框返回 CLOSED_OPTION。

参数：parent　　父组件（可以为 null）。

message　　显示在对话框中的消息（可以是字符串，图标，组件或者一个这些类型的数组）。

title　　对话框标题栏中的字符串。

messageType　　取值为 ERROR_MESSAGE、INFORMATION_MESSAGE、WARNING_MESSAGE、QUESTION_MESSAGE、PLAIN_MESSAGE 之一。

optionType　　取值为 DEFAULT_OPTION、YES_NO_OPTION、YES_NO_CANCEL_OPTION、OK_CANCEL_OPTION 之一。

icon　　用于替代标准图标的图标。

options　　一组选项（可以是字符串、图标或者组件）。

default　　呈现给用户的默认值。

- `static Object showInputDialog(Component parent, Object message, String title, int messageType, Icon icon, Object[] values, Object default)`
- `static String showInputDialog(Component parent, Object message, String title, int messageType)`
- `static String showInputDialog(Component parent, Object message)`
- `static String showInputDialog(Object message)`
- `static String showInputDialog(Component parent, Object message, Object default) 1.4`
- `static String showInputDialog(Object message, Object default) 1.4`
- `static Object showInternalInputDialog(Component parent, Object message, String title, int messageType, Icon icon, Object[] values, Object default)`
- `static String showInternalInputDialog(Component parent, Object message, String title, int messageType)`
- `static String showInternalInputDialog(Component parent, Object message)`

显示一个输入对话框或者内部输入对话框（内部对话框完全显示在所在的框架内）。返回用户输入的字符串；如果用户取消对话框返回 null。

参数：parent　　父组件（可以为 null）。

message　　显示在对话框中的消息（可以是字符串、图标、组件或者一个这些类型的数组）。

title　　对话框标题栏中的字符串。

messageType　　取值为 ERROR_MESSAGE、INFORMATION_MESSAGE、WARNING_MESSAGE、QUESTION_MESSAGE、PLAIN_MESSAGE 之一。

icon	用于替代标准图标的图标。
values	在组合框中显示的一组值。
default	呈现给用户的默认值。

12.7.2　创建对话框

在上一节中，介绍了如何使用 JOptionPane 来显示一个简单的对话框。本节将讲述如何手工地创建这样一个对话框。

图 12-38 显示了一个典型的模式对话框。当用户点击 About 按钮时就会显示这样一个程序信息对话框。

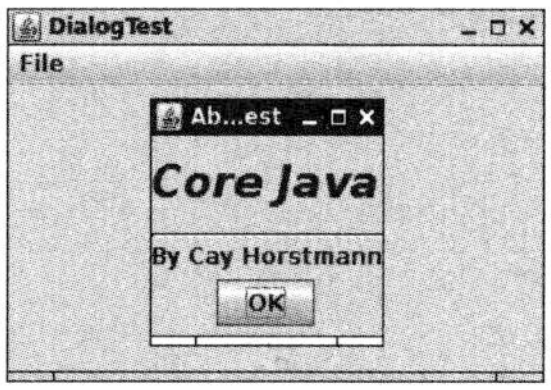

图 12-38　About 对话框

要想实现一个对话框，需要从 JDialog 派生一个类。这与应用程序窗口派生于 JFrame 的过程完全一样。具体过程如下：

1）在对话框构造器中，调用超类 JDialog 的构造器。

2）添加对话框的用户界面组件。

3）添加事件处理器。

4）设置对话框的大小。

在调用超类构造器时，需要提供拥有者框架（owner frame）、对话框标题及模式特征。

拥有者框架控制对话框的显示位置，如果将拥有者标识为 null，那么对话框将由一个隐藏框架所拥有。

模式特征将指定对话框处于显示状态时，应用程序中其他窗口是否被锁住。无模式对话框不会锁住其他窗口，而有模式对话框将锁住应用程序中的所有其他窗口（除对话框的子窗口外）。用户经常使用的工具栏就是无模式对话框，另一方面，如果想强迫用户在继续操作之前提供一些必要的信息就应该使用模式对话框。

注释： 在 Java SE 6 中，有两个额外的模式特征类型。文档 – 模式对话框将阻塞所有属于相同“文档”的窗口。更准确地说，是所有作为对话框的具有相同无父根窗口的窗口。这样解决了帮助系统的问题。在早期的版本中，当弹出一个模式对话框时，用户不可能与帮助窗口交互。工具箱对话框阻塞了所有来自相同“工具箱”的窗口。工具箱是一个运行于多个应用的 Java 程序，例如，浏览器中的 applet 引擎。有关更加详细的内容请参看网站：www.oracle.com/technetwork/articles/javase/modality-137604.html。

下面是一个对话框的例子：

```
public AboutDialog extends JDialog
{
   public AboutDialog(JFrame owner)
   {
      super(owner, "About DialogTest", true);
      add(new JLabel(
         "<html><h1><i>Core Java</i></h1><hr>By Cay Horstmann</html>"),
         BorderLayout.CENTER);

      JPanel panel = new JPanel();
```

```
      JButton ok = new JButton("OK");

      ok.addActionListener(event -> setVisible(false));
      panel.add(ok);
      add(panel, BorderLayout.SOUTH);
      setSize(250, 150);
   }
}
```

正如看到的，构造器添加了用户界面组件，在本例中添加的是标签和按钮，并且为按钮设置了处理器，然后还设置了对话框的大小。

要想显示对话框，需要建立一个新的对话框对象，并让它可见：

```
JDialog dialog = new AboutDialog(this);
dialog.setVisible(true);
```

实际上，在下面的示例代码中，只建立了一次对话框，无论何时用户点击 About 按钮，都可以重复使用它。

```
if (dialog == null) // first time
   dialog = new AboutDialog(this);
dialog.setVisible(true);
```

当用户点击 OK 按钮时，该对话框将被关闭。下面是在 OK 按钮的事件处理器中的处理代码：

```
ok.addActionListener(event -> setVisible(false));
```

当用户点击 Close 按钮关闭对话框时，对话框就被隐藏起来。与 JFrame 一样，可以覆盖 setDefaultCloseOperation 方法来改变这个行为。

程序清单 12-17 是测试程序框架类的代码。程序清单 12-18 显示了对话框类。

程序清单 12-17 dialog/DialogFrame.java

```
 1 package dialog;
 2 
 3 import javax.swing.JFrame;
 4 import javax.swing.JMenu;
 5 import javax.swing.JMenuBar;
 6 import javax.swing.JMenuItem;
 7 
 8 /**
 9  * A frame with a menu whose File->About action shows a dialog.
10  */
11 public class DialogFrame extends JFrame
12 {
13    private static final int DEFAULT_WIDTH = 300;
14    private static final int DEFAULT_HEIGHT = 200;
15    private AboutDialog dialog;
16 
17    public DialogFrame()
18    {
19       setSize(DEFAULT_WIDTH, DEFAULT_HEIGHT);
20 
21       // Construct a File menu.
```

```
22
23         JMenuBar menuBar = new JMenuBar();
24         setJMenuBar(menuBar);
25         JMenu fileMenu = new JMenu("File");
26         menuBar.add(fileMenu);
27
28         // Add About and Exit menu items.
29
30         // The About item shows the About dialog.
31
32         JMenuItem aboutItem = new JMenuItem("About");
33         aboutItem.addActionListener(event -> {
34            if (dialog == null) // first time
35               dialog = new AboutDialog(DialogFrame.this);
36            dialog.setVisible(true); // pop up dialog
37         });
38         fileMenu.add(aboutItem);
39
40         // The Exit item exits the program.
41
42         JMenuItem exitItem = new JMenuItem("Exit");
43         exitItem.addActionListener(event -> System.exit(0));
44         fileMenu.add(exitItem);
45      }
46   }
```

程序清单 12-18　dialog/AboutDialog.java

```
1  package dialog;
2
3  import java.awt.BorderLayout;
4
5  import javax.swing.JButton;
6  import javax.swing.JDialog;
7  import javax.swing.JFrame;
8  import javax.swing.JLabel;
9  import javax.swing.JPanel;
10
11 /**
12  * A sample modal dialog that displays a message and waits for the user to click the OK button.
13  */
14 public class AboutDialog extends JDialog
15 {
16    public AboutDialog(JFrame owner)
17    {
18       super(owner, "About DialogTest", true);
19
20       // add HTML label to center
21
22       add(
23             new JLabel(
24                   "<html><h1><i>Core Java</i></h1><hr>By Cay Horstmann</html>"),
25             BorderLayout.CENTER);
26
27       // OK button closes the dialog
28
```

```
29        JButton ok = new JButton("OK");
30        ok.addActionListener(event -> setVisible(false));
31
32        // add OK button to southern border
33
34        JPanel panel = new JPanel();
35        panel.add(ok);
36        add(panel, BorderLayout.SOUTH);
37
38        pack();
39     }
40  }
```

API javax.swing.JDialog 1.2

- `public JDialog(Frame parent, String title, boolean modal)`

  构造一个对话框。在没有明确地让对话框显示之前，它是不可见的。

  参数：parent　对话框拥有者的框架

  title　对话框的标题

  modal　true 代表模式对话框（模式对话框阻塞其他窗口的输入）

12.7.3 数据交换

使用对话框最通常的目的是获取用户的输入信息。在前面已经看到，构造对话框对象非常简单：首先初始化数据，然后调用 setVisible(true) 就会在屏幕上显示对话框。现在，看看如何将数据传入传出对话框。

看一下如图 12-39 所示的对话框，可以用来获得用户名和用户密码以便连接某些在线服务。

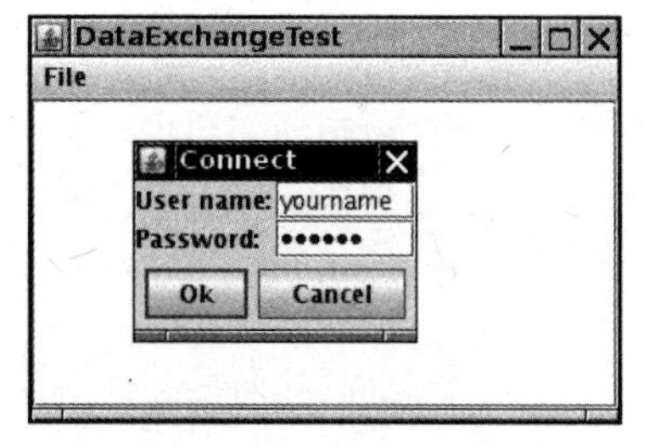

图 12-39　密码对话框

对话框应该提供设置默认数据的方法。例如，示例程序中的 PasswordChooser 类提供了一个 setUser 方法，用来将默认值放到下面的字段中：

```
public void setUser(User u)
{
   username.setText(u.getName());
}
```

一旦设置了默认值（如果需要），就可以调用 setVisible(true) 让对话框显示在屏幕上。

然后用户输入信息，点击 OK 或者 Cancel 按钮。这两个按钮的事件处理器都会调用 setVisible(false) 终止对 setVisible(true) 的调用。另外，用户也可以选择关闭对话框。如果没有为对话框安装窗口监听器，就会执行默认的窗口结束操作，即对话框变为不可见，这也中止了对 setVisible(true) 的调用。

重要的问题是在用户解除这个对话框之前，一直调用 setVisible(true) 阻塞。这样易于实现模式对话框。

希望知道用户是接收对话框，还是取消对话框。在示例代码中设置了 OK 标志，在对话框显示之前是 false。只有 OK 按钮的事件处理器可以将它设置为 true。这样，就可以获得对话框中的用户输入。

注释： 无模式对话框数据传输就没有那么简单了。当无模式对话框显示时，调用 setVisible(true) 并不阻塞，在对话框显示时，其他程序仍继续运行。如果用户选择了无模式对话框中的一项，并点击 OK，对话框就会将一个事件发送给程序中的某个监听器。

示例程序中还包含另外一个很有用的改进。在构造一个 JDialog 对象时，需要指定拥有者框架。但是，在很多情况下，一个对话框可能会有多个拥有者框架，所以最好在准备显示对话框时再确定拥有者框架，而不是在构造 PasswordChooser 对象时。

有一个技巧是让 PasswordChooser 扩展 JPanel，而不是扩展 JDialog，在 showDialog 方法中动态建立 JDialog 对象：

```
public boolean showDialog(Frame owner, String title)
{
   ok = false;

   if (dialog == null || dialog.getOwner() != owner)
   {
      dialog = new JDialog(owner, true);
      dialog.add(this);
      dialog.pack();
   }

   dialog.setTitle(title);
   dialog.setVisible(true);
   return ok;
}
```

注意，让 owner 等于 null 是安全的。

可以再做进一步的改进。有时，拥有者框架并不总是可用的。利用任意的 parent 组件可以很容易地得到它。如下所示：

```
Frame owner;
if (parent instanceof Frame)
   owner = (Frame) parent;
else
   owner = (Frame) SwingUtilities.getAncestorOfClass(Frame.class, parent);
```

在示例程序中使用了改进的代码。JOptionPane 类也使用了上面的机制。

很多对话框都有默认按钮。如果用户按下一个触发器键（在大多数“观感”实现中是 ENTER）就自动地选择了它。默认按钮通常用加粗的轮廓给予特别标识。

可以在对话框的根窗格（root pane）中设置默认按钮：

```
dialog.getRootPane().setDefaultButton(okButton);
```

如果按照前面的建议，在一个面板中布局对话框就必须特别小心。在包装面板进入对话框后再设置默认按钮。面板本身没有根窗格。

程序清单 12-19 是程序的框架类，这个程序展示了进出对话框的数据流。程序清单 12-20

给出了对话框类。

程序清单 12-19 dataExchange/DataExchangeFrame.java

```
1 package dataExchange;
2
3 import java.awt.*;
4 import java.awt.event.*;
5 import javax.swing.*;
6
7 /**
8  * A frame with a menu whose File->Connect action shows a password dialog.
9  */
10 public class DataExchangeFrame extends JFrame
11 {
12    public static final int TEXT_ROWS = 20;
13    public static final int TEXT_COLUMNS = 40;
14    private PasswordChooser dialog = null;
15    private JTextArea textArea;
16
17    public DataExchangeFrame()
18    {
19       // construct a File menu
20
21       JMenuBar mbar = new JMenuBar();
22       setJMenuBar(mbar);
23       JMenu fileMenu = new JMenu("File");
24       mbar.add(fileMenu);
25
26       // add Connect and Exit menu items
27
28       JMenuItem connectItem = new JMenuItem("Connect");
29       connectItem.addActionListener(new ConnectAction());
30       fileMenu.add(connectItem);
31
32       // The Exit item exits the program
33
34       JMenuItem exitItem = new JMenuItem("Exit");
35       exitItem.addActionListener(event -> System.exit(0));
36       fileMenu.add(exitItem);
37
38       textArea = new JTextArea(TEXT_ROWS, TEXT_COLUMNS);
39       add(new JScrollPane(textArea), BorderLayout.CENTER);
40       pack();
41    }
42
43    /**
44     * The Connect action pops up the password dialog.
45     */
46    private class ConnectAction implements ActionListener
47    {
48       public void actionPerformed(ActionEvent event)
49       {
50          // if first time, construct dialog
51
52          if (dialog == null) dialog = new PasswordChooser();
53
```

```
54          // set default values
55          dialog.setUser(new User("yourname", null));
56
57          // pop up dialog
58          if (dialog.showDialog(DataExchangeFrame.this, "Connect"))
59          {
60             // if accepted, retrieve user input
61             User u = dialog.getUser();
62             textArea.append("user name = " + u.getName() + ", password = "
63                   + (new String(u.getPassword())) + "\n");
64          }
65       }
66    }
67 }
```

程序清单 12-20 dataExchange/PasswordChooser.java

```
1 package dataExchange;
2
3 import java.awt.BorderLayout;
4 import java.awt.Component;
5 import java.awt.Frame;
6 import java.awt.GridLayout;
7
8 import javax.swing.JButton;
9 import javax.swing.JDialog;
10 import javax.swing.JLabel;
11 import javax.swing.JPanel;
12 import javax.swing.JPasswordField;
13 import javax.swing.JTextField;
14 import javax.swing.SwingUtilities;
15
16 /**
17  * A password chooser that is shown inside a dialog
18  */
19 public class PasswordChooser extends JPanel
20 {
21    private JTextField username;
22    private JPasswordField password;
23    private JButton okButton;
24    private boolean ok;
25    private JDialog dialog;
26
27    public PasswordChooser()
28    {
29       setLayout(new BorderLayout());
30
31       // construct a panel with user name and password fields
32
33       JPanel panel = new JPanel();
34       panel.setLayout(new GridLayout(2, 2));
35       panel.add(new JLabel("User name:"));
36       panel.add(username = new JTextField(""));
37       panel.add(new JLabel("Password:"));
38       panel.add(password = new JPasswordField(""));
39       add(panel, BorderLayout.CENTER);
```

```
40
41       // create Ok and Cancel buttons that terminate the dialog
42
43       okButton = new JButton("Ok");
44       okButton.addActionListener(event -> {
45          ok = true;
46          dialog.setVisible(false);
47       });
48
49       JButton cancelButton = new JButton("Cancel");
50       cancelButton.addActionListener(event -> dialog.setVisible(false));
51
52       // add buttons to southern border
53
54       JPanel buttonPanel = new JPanel();
55       buttonPanel.add(okButton);
56       buttonPanel.add(cancelButton);
57       add(buttonPanel, BorderLayout.SOUTH);
58    }
59
60    /**
61     * Sets the dialog defaults.
62     * @param u the default user information
63     */
64    public void setUser(User u)
65    {
66       username.setText(u.getName());
67    }
68
69    /**
70     * Gets the dialog entries.
71     * @return a User object whose state represents the dialog entries
72     */
73    public User getUser()
74    {
75       return new User(username.getText(), password.getPassword());
76    }
77
78    /**
79     * Show the chooser panel in a dialog
80     * @param parent a component in the owner frame or null
81     * @param title the dialog window title
82     */
83    public boolean showDialog(Component parent, String title)
84    {
85       ok = false;
86
87       // locate the owner frame
88
89       Frame owner = null;
90       if (parent instanceof Frame)
91          owner = (Frame) parent;
92       else
93          owner = (Frame) SwingUtilities.getAncestorOfClass(Frame.class, parent);
94
95       // if first time, or if owner has changed, make new dialog
96
```

```
97         if (dialog == null || dialog.getOwner() != owner)
98         {
99            dialog = new JDialog(owner, true);
100           dialog.add(this);
101           dialog.getRootPane().setDefaultButton(okButton);
102           dialog.pack();
103        }
104
105        // set title and show dialog
106
107        dialog.setTitle(title);
108        dialog.setVisible(true);
109        return ok;
110     }
111 }
```

API javax.swing.SwingUtilities 1.2

- `Container getAncestorOfClass(Class c, Component comp)`
  返回给定组件的最先的父容器。这个组件属于给定的类或者其子类之一。

API javax.swing.JComponent 1.2

- `JRootPane getRootPane()`
  获得最靠近这个组件的根窗格，如果这个组件的祖先没有根窗格返回 null。

API javax.swing.JRootPane 1.2

- `void setDefaultButton(JButton button)`
  设置根窗格的默认按钮。要想禁用默认按钮，需要将参数设置为 null。

API javax.swing.JButton 1.2

- `boolean isDefaultButton()`
  如果这个按钮是它的根窗格的默认按钮，返回 true。

12.7.4 文件对话框

当编写应用程序时，通常希望可以打开和保存文件。一个好的文件对话框应该可以显示文件和目录，可以让用户浏览文件系统，这是很难编写的。人们肯定不愿意从头做起。很幸运，Swing 中提供了 JFileChooser 类，它可以显示一个文件对话框，其外观与本地应用程序中使用的文件对话框基本一样。JFileChooser 是一个模式对话框。注意，JFileChooser 类并不是 JDialog 类的子类。需要调用 showOpenDialog，而不是调用 setVisible(true) 显示打开文件的对话框，或者调用 showSaveDialog 显示保存文件的对话框。接收文件的按钮被自动地标签为 Open 或者 Save。也可以调用 showDialog 方法为按钮设定标签。图 12-40 是文件选择对话框的样例。

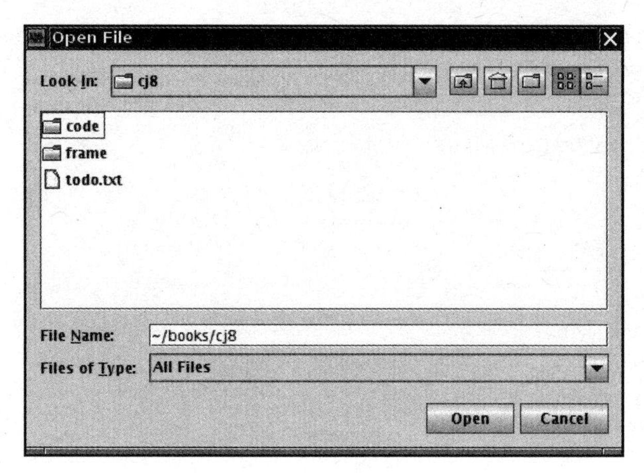

图 12-40 文件选择对话框

下面是建立文件对话框并且获取用户选择信息的步骤：

1）建立一个 JFileChooser 对象。与 JDialog 类的构造器不同，它不需要指定父组件。允许在多个框架中重用一个文件选择器。例如：

```
JFileChooser chooser = new JFileChooser();
```

提示： 重用一个文件选择器对象是一个很好的想法，其原因是 JFileChooser 的构造器相当耗费时间。特别是在 Windows 上，用户映射了很多网络驱动器的情况下。

2）调用 setCurrentDirectory 方法设置当前目录。例如，使用当前的工作目录：

```
chooser.setCurrentDirectory(new File("."));
```

需要提供一个 File 对象。File 对象将在卷 Ⅱ 的第 2 章中详细地介绍。这里只需要知道构造器 File（String fileName）能够将一个文件或目录名转化为一个 File 对象即可。

3）如果有一个想要作为用户选择的默认文件名，可以使用 setSelectedFile 方法进行指定：

```
chooser.setSelectedFile(new File(filename));
```

4）如果允许用户在对话框中选择多个文件，需要调用 setMultiSelectionEnabled 方法。当然，这是可选的。

```
chooser.setMultiSelectionEnabled(true);
```

5）如果想让对话框仅显示某一种类型的文件（如，所有扩展名为 .gif 的文件），需要设置文件过滤器，稍后将会进行讨论。

6）在默认情况下，用户在文件选择器中只能选择文件。如果希望选择目录，需要调用 setFileSelectionMode 方法。参数值为：JFileChooser.FILES_ONLY（默认值），JFileChooser.DIRECTORIES_ONLY 或者 JFileChooser.FILES_AND_DIRECTORIES。

7）调用 showOpenDialog 或者 showSaveDialog 方法显示对话框。必须为这些调用提供父组件：

```
int result = chooser.showOpenDialog(parent);
```

或者

```
int result = chooser.showSaveDialog(parent);
```

这些调用的区别是“确认按钮”的标签不同。点击“确认按钮”将完成文件选择。也可以调用 showDialog 方法，并将一个显式的文本传递给确认按钮：

```
int result = chooser.showDialog(parent, "Select");
```

仅当用户确认、取消或者离开对话框时才返回调用。返回值可以是 JFileChooser.APPROVE_ OPTION、JFileChooser.CANCEL_OPTION 或者 JFileChooser.ERROR_OPTION。

8）调用 getSelectedFile() 或者 getSelectedFiles() 方法获取用户选择的一个或多个文件。这些方法将返回一个文件对象或者一组文件对象。如果需要知道文件对象名时，可以调用 getPath 方法。例如：

```
String filename = chooser.getSelectedFile().getPath();
```

在大多数情况下，这些过程比较简单。使用文件对话框的主要困难在于指定用户需要选择的文件子集。例如，假定用户应该选择 GIF 图像文件。后面的文件选择器就应该只显示扩展名为 .gif 的文件，并且，还应该为用户提供反馈信息来说明显示的特定文件类别，如“ GIF 图像”。然而，情况有可能会更加复杂。如果用户应该选择 JPFG 图像文件，扩展名就可以是 .jpg 或者 .jpeg。与重新编码实现这种复杂情况相比，文件选择器的设计者提供了一种更好的机制：若想限制显示的文件，需要创建一个实现了抽象类 javax.swing.filechooser.FileFilter 的对象。文件选择器将每个文件传递给文件过滤器，只有文件过滤器接受的文件才被最终显示出来。

在编写本书的时候，有两个子类可用：可以接受所有文件的默认过滤器和可以接受给定扩展名的所有文件的过滤器。其实，设计专用文件过滤器非常简单，只要实现 FileFilter 超类中的两个方法即可：

```
public boolean accept(File f);
public String getDescription();
```

第一个方法检测是否应该接受一个文件，第二个方法返回显示在文件选择器对话框中显示的文件类型的描述信息。

注释： 在 java.io 包中有一个无关的 FileFilter 接口，其中只包含一个方法：boolean accept(File f)。File 类中的 listFiles 方法利用它显示目录中的文件。我们不知道 Swing 的设计者为什么不扩展这个接口，可能是因为 Java 类库过于复杂，致使 Sun 程序员也不太熟悉所有的标准类和接口了。

需要解决同时导入 javax.io 包和 javax.swing.filechooser 包带来的名称冲突问题。最简单的方法是导入 javax.swing.filechooser.FileFilter，而不要导入 javax.swing.filechooser.*。

一旦有了文件过滤器对象，就可以调用 JFileChooser 类中的 setFileFilter 方法，将这个对象安装到文件选择器对象中：

```
chooser.setFileFilter(new FileNameExtensionFilter("Image files", "gif", "jpg"));
```

可以为一个文件选择器安装多个过滤器：

```
chooser.addChoosableFileFilter(filter1);
chooser.addChoosableFileFilter(filter2);
. . .
```

用户可以从文件对话框底部的组合框中选择过滤器。在默认情况下，All files 过滤器总是显示在组合框中。这是一个很好的主意，特别是在使用这个程序的用户需要选择一个具有非标准扩展名的文件时。然而，如果你想禁用 All files 过滤器，需要调用：

```
chooser.setAcceptAllFileFilterUsed(false)
```

警告： 如果为加载和保存不同类型的文件重用一个文件选择器，就需要调用：

```
chooser.resetChoosableFilters()
```

这样可以在添加新文件过滤器之前清除旧文件过滤器。

最后，可以通过为文件选择器显示的每个文件提供特定的图标和文件描述来定制文件选择器。这需要应用一个扩展于 javax.swing.filechooser 包中的 FileView 类的对象。这是一个高级技巧。在通常情况下，不需要提供文件视图——可插观感会提供。然而，如果想让某种特定的文件类型显示不同的图标，就需要安装自己的文件视图。这要扩展 FileView 并实现下面5个方法：

```
Icon getIcon(File f);
String getName(File f);
String getDescription(File f);
String getTypeDescription(File f);
Boolean isTraversable(File f);
```

然后，调用 setFileView 方法将文件视图安装到文件选择器中。

文件选择器为每个希望显示的文件或目录调用这些方法。如果方法返回的图标、名字或描述信息为 null，那么文件选择器将会构造当前观感的默认文件视图。这样处理很好，其原因是这样只需处理具有不同显示的文件类型。

文件选择器调用 isTraversable 方法来决定是否在用户点击一个目录的时候打开这个目录。请注意，这个方法返回一个 Boolean 对象，而不是 boolean 值。看起来似乎有点怪，但实际上很方便——如果需要使用默认的视图，则返回 null。文件选择器将会使用默认的文件视图。换句话说，这个方法返回的 Boolean 对象能给出下面三种选择：真（Boolean.TRUE），假（Boolean.FALSE）和不关心（null）。

在示例中包含了一个简单的文件视图类。当文件匹配文件过滤器时，这个类将会显示一个特定的图标。可以利用这个类为所有的图像文件显示一个调色板图标。

```
class FileIconView extends FileView
{
   private FileFilter filter;
   private Icon icon;
```

```
    public FileIconView(FileFilter aFilter, Icon anIcon)
    {
       filter = aFilter;
       icon = anIcon;
    }

    public Icon getIcon(File f)
    {
       if (!f.isDirectory() && filter.accept(f))
          return icon;
       else return null;
    }
}
```

可以调用 setFileView 方法将这个文件视图安装到文件选择器中：

```
chooser.setFileView(new FileIconView(filter,
   new ImageIcon("palette.gif")));
```

文件选择器会在通过 filter 的所有文件旁边显示调色板图标，并且使用默认的文件视图来显示所有其他的文件。很自然，我们可以使用与文件选择器设定的一样的过滤器。

提示： 可以在 JDK 的 demo/jfc/FileChooserDemo 目录下找到更实用的 ExampleFileView 类。它可以将图标和描述信息与任意扩展名关联起来。

最后，可以通过添加一个附件组件来定制文件对话框。例如，图 12-41 在文件列表旁边显示了一个预览附件。这个附件显示了当前选择文件的缩略视图。

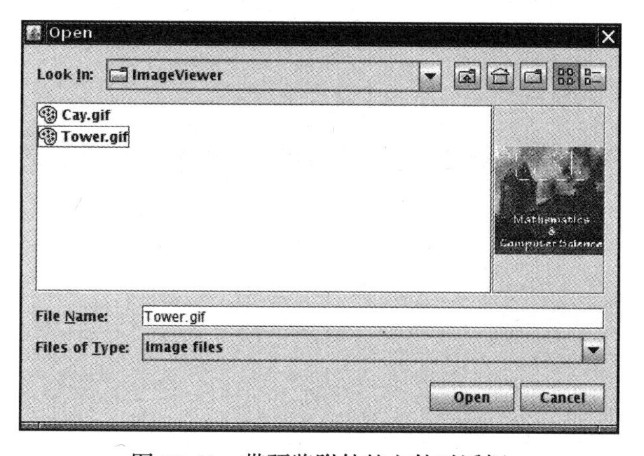

图 12-41　带预览附件的文件对话框

附件可以是任何 Swing 组件。在这个示例中，扩展 JLabel 类，并将图标设置为所选的图像文件的压缩拷贝。

```
class ImagePreviewer extends JLabel
{
   public ImagePreviewer(JFileChooser chooser)
   {
      setPreferredSize(new Dimension(100, 100));
```

```
      setBorder(BorderFactory.createEtchedBorder());
   }

   public void loadImage(File f)
   {
      ImageIcon icon = new ImageIcon(f.getPath());
      if(icon.getIconWidth() > getWidth())
         icon = new ImageIcon(icon.getImage().getScaledInstance(
            getWidth(), -1, Image.SCALE_DEFAULT));
      setIcon(icon);
      repaint();
   }
}
```

这里还有一个挑战，即需要在用户选择不同的文件时更新预览图像。文件选择器使用了JavaBeans 机制。当它的属性发生变化时，文件选择器就会通知相关的监听器。被选择文件是一个属性，可以通过安装 PropertyChangeListener 监听它。本书将在卷Ⅱ第 8 章中讨论这个机制。下面这段代码可以用来捕捉通知：

```
chooser.addPropertyChangeListener(event -> {
   if (event.getPropertyName() == JFileChooser.SELECTED_FILE_CHANGED_PROPERTY)
   {
      File newFile = (File) event.getNewValue();
      // update the accessory
      . . .
   }
});
```

在这个示例中，将这段代码添加到 ImagePreviewer 构造器中。

程序清单 12-21 ~ 程序清单 12-23 对第 2 章中的 ImageViewer 程序做了一定的修改。通过自定义的文件视图和预览附件文件增强了文件选择器的功能。

程序清单 12-21　fileChooser/ImageViewerFrame.java

```
1 package fileChooser;
2 
3 import java.io.*;
4 
5 import javax.swing.*;
6 import javax.swing.filechooser.*;
7 import javax.swing.filechooser.FileFilter;
8 
9 /**
10  * A frame that has a menu for loading an image and a display area for the
11  * loaded image.
12  */
13 public class ImageViewerFrame extends JFrame
14 {
15    private static final int DEFAULT_WIDTH = 300;
16    private static final int DEFAULT_HEIGHT = 400;
17    private JLabel label;
18    private JFileChooser chooser;
19 
20    public ImageViewerFrame()
21    {
```

```
22         setSize(DEFAULT_WIDTH, DEFAULT_HEIGHT);
23
24         // set up menu bar
25         JMenuBar menuBar = new JMenuBar();
26         setJMenuBar(menuBar);
27
28         JMenu menu = new JMenu("File");
29         menuBar.add(menu);
30
31         JMenuItem openItem = new JMenuItem("Open");
32         menu.add(openItem);
33         openItem.addActionListener(event -> {
34            chooser.setCurrentDirectory(new File("."));
35
36            // show file chooser dialog
37               int result = chooser.showOpenDialog(ImageViewerFrame.this);
38
39               // if image file accepted, set it as icon of the label
40               if (result == JFileChooser.APPROVE_OPTION)
41               {
42                  String name = chooser.getSelectedFile().getPath();
43                  label.setIcon(new ImageIcon(name));
44                  pack();
45               }
46            });
47
48         JMenuItem exitItem = new JMenuItem("Exit");
49         menu.add(exitItem);
50         exitItem.addActionListener(event -> System.exit(0));
51
52         // use a label to display the images
53         label = new JLabel();
54         add(label);
55
56         // set up file chooser
57         chooser = new JFileChooser();
58
59         // accept all image files ending with .jpg, .jpeg, .gif
60         FileFilter filter = new FileNameExtensionFilter(
61               "Image files", "jpg", "jpeg", "gif");
62         chooser.setFileFilter(filter);
63
64         chooser.setAccessory(new ImagePreviewer(chooser));
65
66         chooser.setFileView(new FileIconView(filter, new ImageIcon("palette.gif")));
67      }
68   }
```

程序清单 12-22 fileChooser/ImagePreviewer.java

```
1 package fileChooser;
2
3 import java.awt.*;
4 import java.io.*;
5
6 import javax.swing.*;
```

```
7
8 /**
9  * A file chooser accessory that previews images.
10  */
11 public class ImagePreviewer extends JLabel
12 {
13    /**
14     * Constructs an ImagePreviewer.
15     * @param chooser the file chooser whose property changes trigger an image
16     *       change in this previewer
17     */
18    public ImagePreviewer(JFileChooser chooser)
19    {
20       setPreferredSize(new Dimension(100, 100));
21       setBorder(BorderFactory.createEtchedBorder());
22 
23       chooser.addPropertyChangeListener(event -> {
24          if (event.getPropertyName() == JFileChooser.SELECTED_FILE_CHANGED_PROPERTY)
25          {
26             // the user has selected a new file
27             File f = (File) event.getNewValue();
28             if (f == null)
29             {
30                setIcon(null);
31                return;
32             }
33 
34             // read the image into an icon
35             ImageIcon icon = new ImageIcon(f.getPath());
36 
37             // if the icon is too large to fit, scale it
38             if (icon.getIconWidth() > getWidth())
39                icon = new ImageIcon(icon.getImage().getScaledInstance(
40                      getWidth(), -1, Image.SCALE_DEFAULT));
41 
42             setIcon(icon);
43          }
44       });
45    }
46 }
```

程序清单 12-23　fileChooser/FileIconView.java

```
1 package fileChooser;
2 
3 import java.io.*;
4 import javax.swing.*;
5 import javax.swing.filechooser.*;
6 import javax.swing.filechooser.FileFilter;
7 
8 /**
9  * A file view that displays an icon for all files that match a file filter.
10  */
11 public class FileIconView extends FileView
12 {
13    private FileFilter filter;
```

```
14     private Icon icon;
15
16     /**
17      * Constructs a FileIconView.
18      * @param aFilter a file filter--all files that this filter accepts will be shown
19      * with the icon.
20      * @param anIcon--the icon shown with all accepted files.
21      */
22     public FileIconView(FileFilter aFilter, Icon anIcon)
23     {
24        filter = aFilter;
25        icon = anIcon;
26     }
27
28     public Icon getIcon(File f)
29     {
30        if (!f.isDirectory() && filter.accept(f)) return icon;
31        else return null;
32     }
33  }
```

API javax.swing.JFileChooser 1.2

- `JFileChooser()`

  创建一个可用于多框架的文件选择器对话框。
- `void setCurrentDirectory(File dir)`

  设置文件对话框的初始目录。
- `void setSelectedFile(File file)`
- `void setSelectedFiles(File[] file)`

  设置文件对话框的默认文件选择。
- `void setMultiSelectionEnabled(boolean b)`

  设置或清除多选模式。
- `void setFileSelectionMode(int mode)`

  设置用户选择模式，只可以选择文件（默认），只可以选择目录，或者文件和目录均可以选择。mode 参数的取值可以是 JFileChooser.FILES_ONLY、JFileChooser. DIRECTORIES_ONLY 和 JFileChooser.FILES_AND_DIRECTORIES 之一。
- `int showOpenDialog(Component parent)`
- `int showSaveDialog(Component parent)`
- `int showDialog(Component parent, String approveButtonText)`

  显示按钮标签为 Open，Save 或者 approveButtonText 字符串的对话框，并返回 APPROVE_ OPTION、CANCEL_OPTION（如果用户选择取消按钮或者离开了对话框）或者 ERROR_OPTION（如果发生错误）。
- `File getSelectedFile()`
- `File[] getSelectedFiles()`

获取用户选择的一个文件或多个文件（如果用户没有选择文件，返回 null）。

- `void setFileFilter(FileFilter filter)`

  设置文件对话框的文件过滤器。所有让 filter.accept 返回 true 的文件都会被显示，并且将过滤器添加到可选过滤器列表中。

- `void addChoosableFileFilter(FileFilter filter)`

  将文件过滤器添加到可选过滤器列表中。

- `void setAcceptAllFileFilterUsed(boolean b)`

  在过滤器组合框中包括或者取消 All files 过滤器。

- `void resetChoosableFileFilters()`

  清除可选过滤器列表。除非 All files 过滤器被显式地清除，否则它仍然会存在。

- `void setFileView(FileView view)`

  设置一个文件视图来提供文件选择器显示信息。

- `void setAccessory(JComponent component)`

  设置一个附件组件。

API javax.swing.filechooser.FileFilter 1.2

- `boolean accept(File f)`

  如果文件选择器可以显示这个文件，返回 true。

- `String getDescription()`

  返回这个文件过滤器的说明信息，例如，Image files (*.gif,*.jpeg)。

API javax.swing.filechooser.FileNameExtensionFiler 6

- `FileNameExtensionFilter(String description, String ... extensions)`

  利用给定的描述构造一个文件过滤器。这些描述限定了被接受的所有目录和文件其名称结尾的句点之后所包含的扩展字符串。

API javax.swing.filechooser.FileView 1.2

- `String getName(File f)`

  返回文件 f 的文件名，或者 null。通常这个方法返回 f.getName()。

- `String getDescription(File f)`

  返回文件 f 的可读性描述，或者 null。例如，如果 f 是 HTML 文档，那么这个方法有可能返回它的标题。

- `String getTypeDescription(File f)`

  返回文件 f 的类型的可读性描述。例如，如果 f 是 HTML 文档，那么这个方法有可能返回 Hypertext document 字符串。

- `Icon getIcon(File f)`

  返回文件 f 的图标，或者 null。例如，如果 f 是 JPEG 文件，那么这个方法有可能返回简略的图标。

- `Boolean isTraversable(File f)`

  如果 f 是用户可以打开的目录，返回 Boolean.TRUE。如果目录在概念上是复合文档，那么这个方法有可能返回 false。与所有的 FileView 方法一样，这个方法有可能返回 null，用于表示文件选择器应该使用默认视图。

12.7.5　颜色选择器

前面曾经说过，一个高质量的文件选择器是一个很复杂的用户界面组件，人们肯定不愿意自己去编写它。许多用户界面工具包还提供了另外一些常用的对话框：选择日期 / 时间、货币值、字体以及颜色等。这将会带来两个方面的好处：程序员可以直接地使用这些高质量的代码而不用从头做起，并且用户可以得到一致的组件使用体验。

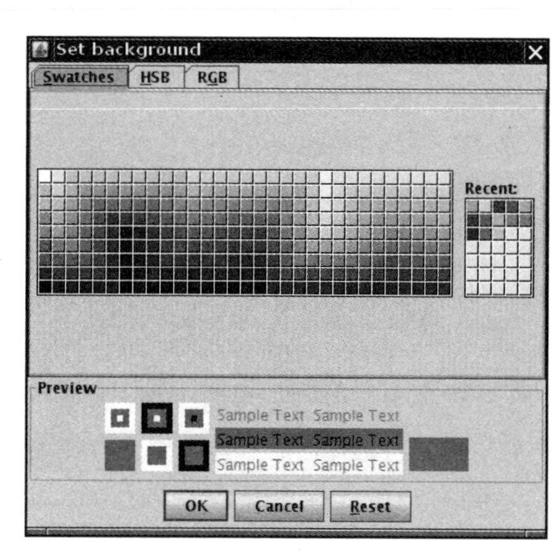

图 12-42　颜色选择器的 swatches 窗格

除了文件选择器外，Swing 还提供了一种选择器——JColorChooser（如图 12-42 ~ 图 12-44）。可以利用这个选择器选取颜色。与 JFileChooser 一样，颜色选择器也是一个组件，而不是一个对话框，但是它包含了用于创建包含颜色选择器组件的对话框方法。

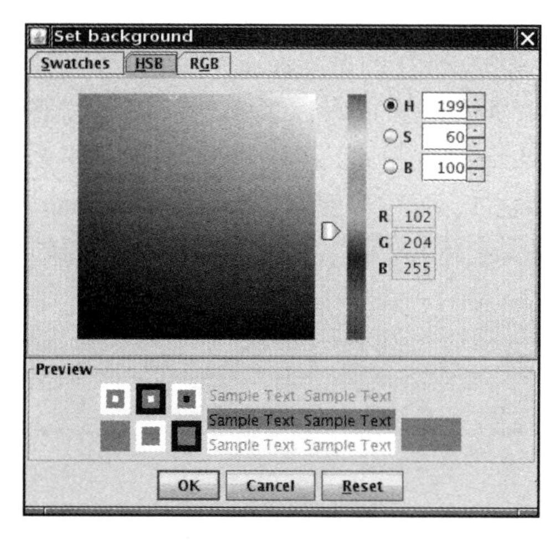

图 12-43　颜色选择器的 HSB 窗格

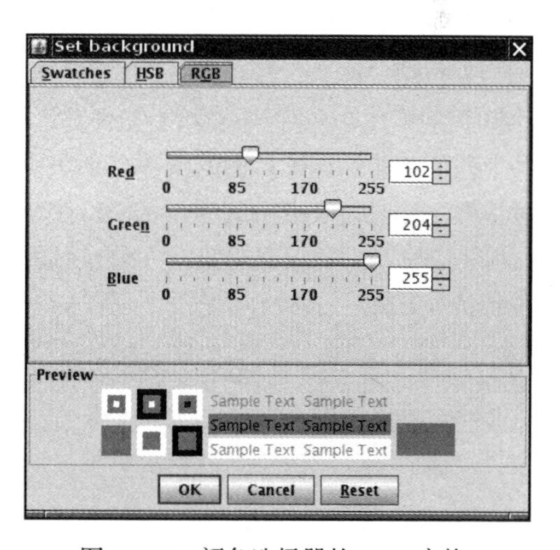

图 12-44　颜色选择器的 RGB 窗格

下面这段代码说明了如何利用颜色选择器显示模式对话框：

```
Color selectedColor = JColorChooser.showDialog(parent,title, initialColor);
```

另外，也可以显示无模式颜色选择器对话框，需要提供：

- 一个父组件。
- 对话框的标题。
- 选择模式 / 无模式对话框的标志。
- 颜色选择器。
- OK 和 Cancel 按钮的监听器（如果不需要监听器可以设置为 null）。

下面这段代码将会创建一个无模式对话框。当用户按下 OK 键时，对话框的背景颜色就会被设成所选择的颜色。

```
chooser = new JColorChooser();
dialog = JColorChooser.createDialog(
   parent,
   "Background Color",
false /* not modal */,
chooser,
event -> setBackground(chooser.getColor()),
null /* no Cancel button listener */);
```

读者还可以做进一步的改进，将颜色选择立即反馈给用户。如果想要监视颜色的选择，那就需要获得选择器的选择模型并添加改变监听器：

```
chooser.getSelectionModel().addChangeListener(event -> {
   do something with chooser.getColor();
});
```

在这种情况下，颜色选择器对话框提供的 OK 和 Cancel 没有什么用途。可以将颜色选择器组件直接添加到一个无模式对话框中：

```
dialog = new JDialog(parent, false /* not modal */);
dialog.add(chooser);
dialog.pack();
```

程序清单 12-24 的程序展示了三种对话框类型。如果点击 Model（模式）按钮，则需要选择一个颜色才能够继续后面的操作。如果点击 Modaless（无模式）按钮，则会得到一个无模式对话框。这时只有点击对话框的 OK 按钮时，颜色才会发生改变。如果点击 Immediate 按钮，那将会得到一个没有按钮的无模式对话框。只要选择了对话框中的一个颜色，面板的背景就会立即更新。

程序清单 12-24　colorChooser/ColorChooserPanel.java

```
1 package colorChooser;
2
3 import java.awt.Color;
4 import java.awt.Frame;
5 import java.awt.event.ActionEvent;
6 import java.awt.event.ActionListener;
7
8 import javax.swing.JButton;
9 import javax.swing.JColorChooser;
10 import javax.swing.JDialog;
11 import javax.swing.JPanel;
```

```
12
13 /**
14  * A panel with buttons to pop up three types of color choosers
15  */
16 public class ColorChooserPanel extends JPanel
17 {
18    public ColorChooserPanel()
19    {
20       JButton modalButton = new JButton("Modal");
21       modalButton.addActionListener(new ModalListener());
22       add(modalButton);
23
24       JButton modelessButton = new JButton("Modeless");
25       modelessButton.addActionListener(new ModelessListener());
26       add(modelessButton);
27
28       JButton immediateButton = new JButton("Immediate");
29       immediateButton.addActionListener(new ImmediateListener());
30       add(immediateButton);
31    }
32
33    /**
34     * This listener pops up a modal color chooser
35     */
36    private class ModalListener implements ActionListener
37    {
38       public void actionPerformed(ActionEvent event)
39       {
40          Color defaultColor = getBackground();
41          Color selected = JColorChooser.showDialog(ColorChooserPanel.this, "Set background",
42                defaultColor);
43          if (selected != null) setBackground(selected);
44       }
45    }
46
47    /**
48     * This listener pops up a modeless color chooser. The panel color is changed when the user
49     * clicks the OK button.
50     */
51    private class ModelessListener implements ActionListener
52    {
53       private JDialog dialog;
54       private JColorChooser chooser;
55
56       public ModelessListener()
57       {
58          chooser = new JColorChooser();
59          dialog = JColorChooser.createDialog(ColorChooserPanel.this, "Background Color",
60                false /* not modal */, chooser,
61                event -> setBackground(chooser.getColor()),
62                null /* no Cancel button listener */);
63       }
64
65       public void actionPerformed(ActionEvent event)
66       {
67          chooser.setColor(getBackground());
68          dialog.setVisible(true);
```

```
69          }
70       }
71
72       /**
73        * This listener pops up a modeless color chooser. The panel color is changed immediately when
74        * the user picks a new color.
75        */
76       private class ImmediateListener implements ActionListener
77       {
78          private JDialog dialog;
79          private JColorChooser chooser;
80
81          public ImmediateListener()
82          {
83             chooser = new JColorChooser();
84             chooser.getSelectionModel().addChangeListener(
85                   event -> setBackground(chooser.getColor()));
86
87             dialog = new JDialog((Frame) null, false /* not modal */);
88             dialog.add(chooser);
89             dialog.pack();
90          }
91
92          public void actionPerformed(ActionEvent event)
93          {
94             chooser.setColor(getBackground());
95             dialog.setVisible(true);
96          }
97       }
98    }
```

API javax.swing.JColorChooser 1.2

- `JColorChooser()`

  构造一个初始颜色为白色的颜色选择器。

- `Color getColor()`
- `void setColor(Color c)`

  获取和设置颜色选择器的当前颜色。

- `static Color showDialog(Component parent, String title, Color initialColor)`

  显示包含颜色选择器的模式对话框。

  参数：parent　　对话框显示在上面的组件

  　　　title　　对话框框架的标题

  　　　initialColor　　颜色选择器的初始颜色

- `static JDialog createDialog(Component parent, String title, boolean modal, JColorChooser chooser, ActionListener okListener, ActionListener cancelListener)`

  创建一个包含颜色选择器的对话框。

参数：parent 对话框显示在上面的组件
title 对话框框架的标题
modal 如果直到对话框关闭，这个调用都被阻塞，则返回 true
chooser 添加到对话框中的颜色选择器
okListener, cancelListener OK 和 Cancel 按钮的监听器

12.8 GUI 程序排错

本节会给出 GUI 编程的一些调试技巧，然后介绍如何使用 AWT 机器人（AWT robot）自动完成 GUI 测试。

12.8.1 调试技巧

如果你看过 Swing 窗口，肯定想知道它的设计者如何把组件摆放得如此恰到好处，可以查看它的内容。按下 Ctrl+Shift+F1 得到所有组件的层次结构输出：

```
FontDialog[frame0,0,0,300x200,layout=java.awt.BorderLayout,...
  javax.swing.JRootPane[,4,23,292x173,layout=javax.swing.JRootPane$RootLayout,...
    javax.swing.JPanel[null.glassPane,0,0,292x173,hidden,layout=java.awt.FlowLayout,...
    javax.swing.JLayeredPane[null.layeredPane,0,0,292x173,...
      javax.swing.JPanel[null.contentPane,0,0,292x173,layout=java.awt.GridBagLayout,...
        javax.swing.JList[,0,0,73x152,alignmentX=null,alignmentY=null,...
        javax.swing.CellRendererPane[,0,0,0x0,hidden]
          javax.swing.DefaultListCellRenderer$UIResource[,-73,-19,0x0,...
      javax.swing.JCheckBox[,157,13,50x25,layout=javax.swing.OverlayLayout,...
      javax.swing.JCheckBox[,156,65,52x25,layout=javax.swing.OverlayLayout,...
      javax.swing.JLabel[,114,119,30x17,alignmentX=0.0,alignmentY=null,...
      javax.swing.JTextField[,186,117,105x21,alignmentX=null,alignmentY=null,...
      javax.swing.JTextField[,0,152,291x21,alignmentX=null,alignmentY=null,...
```

如果设计你自己的定制 Swing 组件，但组件没能正确显示，你肯定很高兴有一个 *Swing* 图形化调试器（*Swing graphics debugger*）。即使你没有写自己的组件类，能直观地看到如何绘制组件内容也是很有趣的。可以使用 JComponent 类的 setDebugGraphicsOptions 方法打开对一个 Swing 组件的调试。有以下几个选项。

DebugGraphics.FLASH_OPTION	绘制前用红色闪烁地显示各条线、矩形和文本
DebugGraphics.LOG_OPTION	为每个绘制操作打印一个消息
DebugGraphics.BUFFERED_OPTION	显示在离屏缓冲区完成的操作
DebugGraphics.NONE_OPTION	关闭图形调试

我们发现，要让闪烁选项起作用，必须禁用“双缓冲”——这是 Swing 更新窗口时为减少闪烁所用的策略。打开闪烁选项的魔咒是：

```
RepaintManager.currentManager(getRootPane()).setDoubleBufferingEnabled(false);
((JComponent) getContentPane()).setDebugGraphicsOptions(DebugGraphics.FLASH_OPTION);
```

只需要把这些代码行放在 frame 窗口构造器的末尾。程序运行时，你将看到会用慢动作填充内容窗格。或者，对于更本地化的调试，只需要为组件调用 setDebugGraphicsOptions。“控制狂人”可能还会设置闪烁的时间段、次数和颜色——详细信息参见 DebugGraphics 类的在线文档。

如果希望得到 GUI 应用中生成的每一个 AWT 事件的记录，可以在发出事件的每一个组件中安装一个监听器。利用反射，可以很容易地自动完成这个工作。程序清单 12-25 给出了 EventTracer 类。

程序清单 12-25　eventTracer/EventTracer.java

```
1  package eventTracer;
2
3  import java.awt.*;
4  import java.beans.*;
5  import java.lang.reflect.*;
6
7  /**
8   * @version 1.31 2004-05-10
9   * @author Cay Horstmann
10  */
11 public class EventTracer
12 {
13    private InvocationHandler handler;
14
15    public EventTracer()
16    {
17       // the handler for all event proxies
18       handler = new InvocationHandler()
19          {
20             public Object invoke(Object proxy, Method method, Object[] args)
21             {
22                System.out.println(method + ":" + args[0]);
23                return null;
24             }
25          };
26    }
27
28    /**
29     * Adds event tracers for all events to which this component and its children can listen
30     * @param c a component
31     */
32    public void add(Component c)
33    {
34       try
35       {
36          // get all events to which this component can listen
37          BeanInfo info = Introspector.getBeanInfo(c.getClass());
38
39          EventSetDescriptor[] eventSets = info.getEventSetDescriptors();
40          for (EventSetDescriptor eventSet : eventSets)
41             addListener(c, eventSet);
42       }
43       catch (IntrospectionException e)
44       {
45       }
```

```
46          // ok not to add listeners if exception is thrown
47
48          if (c instanceof Container)
49          {
50             // get all children and call add recursively
51             for (Component comp : ((Container) c).getComponents())
52                add(comp);
53          }
54       }
55
56       /**
57        * Add a listener to the given event set
58        * @param c a component
59        * @param eventSet a descriptor of a listener interface
60        */
61       public void addListener(Component c, EventSetDescriptor eventSet)
62       {
63          // make proxy object for this listener type and route all calls to the handler
64          Object proxy = Proxy.newProxyInstance(null, new Class[] { eventSet.getListenerType() },
65                handler);
66
67          // add the proxy as a listener to the component
68          Method addListenerMethod = eventSet.getAddListenerMethod();
69          try
70          {
71             addListenerMethod.invoke(c, proxy);
72          }
73          catch (ReflectiveOperationException e)
74          {
75          }
76          // ok not to add listener if exception is thrown
77       }
78    }
```

要查看消息，可以把希望跟踪事件的组件增加到一个事件跟踪器：

```
EventTracer tracer = new EventTracer();
tracer.add(frame);
```

这样一来，就可以得到所有事件的一个文本描述，如图 12-45 所示。

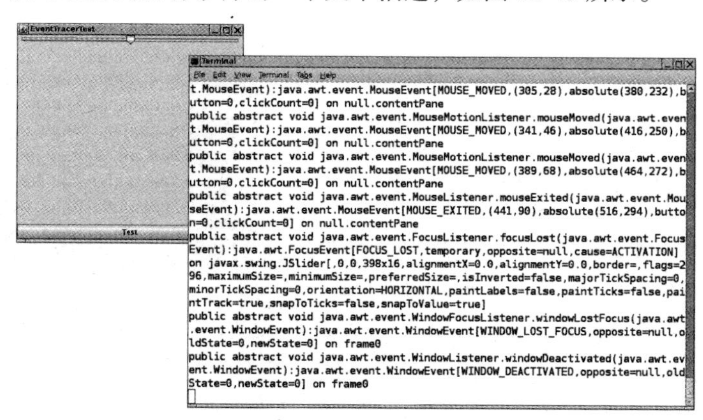

图 12-45　EventTracer 类的实际工作

12.8.2 让 AWT 机器人完成工作

Robot 类可以向任何 AWT 程序发送按键和鼠标点击事件。这个类就是用来自动测试用户界面的。

要得到一个机器人，首先需要得到一个 GraphicsDevice 对象。可以通过以下调用序列得到默认的屏幕设备：

```
GraphicsEnvironment environment = GraphicsEnvironment.getLocalGraphicsEnvironment();
GraphicsDevice screen = environment.getDefaultScreenDevice();
```

然后构造一个机器人：

```
Robot robot = new Robot(screen);
```

若要发送一个按键事件，需告知机器人模拟按下和松开按键：

```
robot.keyPress(KeyEvent.VK_TAB);
robot.keyRelease(KeyEvent.VK_TAB);
```

对于鼠标点击事件，首先需要移动鼠标，然后按下再释放鼠标按钮：

```
robot.mouseMove(x, y); // x and y are absolute screen pixel coordinates.
robot.mousePress(InputEvent.BUTTON1_MASK);
robot.mouseRelease(InputEvent.BUTTON1_MASK);
```

我们的思路是首先模拟按键和鼠标输入，然后截屏来查看应用是否完成了它该完成的工作。截屏需要使用 createScreenCapture 方法：

```
Rectangle rect = new Rectangle(x, y, width, height);
BufferedImage image = robot.createScreenCapture(rect);
```

矩阵坐标也指示绝对屏幕像素。

最后，通常我们都希望在机器人指令之间增加一个很小的延迟，使应用能跟得上。可以使用 delay 方法并提供延迟时间（毫秒数）。例如：

```
robot.delay(1000); // delay by 1000 milliseconds
```

程序清单 12-26 显示了如何使用机器人。这个机器人会检查第 11 章中我们见过的按钮测试程序。首先，按下空格键激活最左边的按钮。然后机器人会等待两秒，以便你能看到它做了什么。这个延迟之后，机器人会模拟按下 Tab 键和再按一次空格键，来点击下一个按钮。最后，它会模拟用鼠标点击第 3 个按钮。（要按下按钮，可能需要调整程序的 x 和 y 坐标。）程序的最后会截屏，并在另一个 frame 窗口中显示（见图 12-46）。

注释： 需要在一个单独的线程中运行机器人，如示例代码中所示。关于线程的更多信息参见第 14 章。

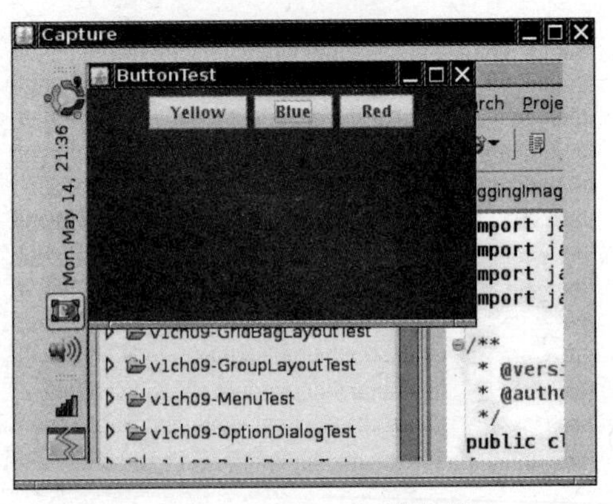

图 12-46 用 AWT 机器人截屏

从这个例子可以看到，单凭 Robot 类本身并不能方便地测试用户界面。实际上，这只是一个基本构建模块，可以作为测试工具的一个基础部分。专业的测试工具可以捕获、存储和重放用户交互场景，并得到组件在屏幕上的位置，这样就不用猜测鼠标点击的位置了。

程序清单 12-26　robot/RobotTest.java

```
1  package robot;
2
3  import java.awt.*;
4  import java.awt.event.*;
5  import java.awt.image.*;
6  import javax.swing.*;
7
8  /**
9   * @version 1.05 2015-08-20
10  * @author Cay Horstmann
11  */
12 public class RobotTest
13 {
14    public static void main(String[] args)
15    {
16       EventQueue.invokeLater(() ->
17             {
18                // make frame with a button panel
19
20                ButtonFrame frame = new ButtonFrame();
21                frame.setTitle("ButtonTest");
22                frame.setDefaultCloseOperation(JFrame.EXIT_ON_CLOSE);
23                frame.setVisible(true);
24             });
25
26       // attach a robot to the screen device
27
28       GraphicsEnvironment environment = GraphicsEnvironment.getLocalGraphicsEnvironment();
29       GraphicsDevice screen = environment.getDefaultScreenDevice();
30
31       try
32       {
33          final Robot robot = new Robot(screen);
34          robot.waitForIdle();
35          new Thread()
36          {
37             public void run()
38             {
39                runTest(robot);
40             };
41          }.start();
42       }
43       catch (AWTException e)
44       {
45          e.printStackTrace();
46       }
47    }
48
49    /**
50     * Runs a sample test procedure
```

```
51      * @param robot the robot attached to the screen device
52      */
53     public static void runTest(Robot robot)
54     {
55        // simulate a space bar press
56        robot.keyPress(' ');
57        robot.keyRelease(' ');
58
59        // simulate a tab key followed by a space
60        robot.delay(2000);
61        robot.keyPress(KeyEvent.VK_TAB);
62        robot.keyRelease(KeyEvent.VK_TAB);
63        robot.keyPress(' ');
64        robot.keyRelease(' ');
65
66        // simulate a mouse click over the rightmost button
67        robot.delay(2000);
68        robot.mouseMove(220, 40);
69        robot.mousePress(InputEvent.BUTTON1_MASK);
70        robot.mouseRelease(InputEvent.BUTTON1_MASK);
71
72        // capture the screen and show the resulting image
73        robot.delay(2000);
74        BufferedImage image = robot.createScreenCapture(new Rectangle(0, 0, 400, 300));
75
76        ImageFrame frame = new ImageFrame(image);
77        frame.setVisible(true);
78     }
79  }
80
81  /**
82   * A frame to display a captured image
83   */
84  class ImageFrame extends JFrame
85  {
86     private static final int DEFAULT_WIDTH = 450;
87     private static final int DEFAULT_HEIGHT = 350;
88
89     /**
90      * @param image the image to display
91      */
92     public ImageFrame(Image image)
93     {
94        setTitle("Capture");
95        setSize(DEFAULT_WIDTH, DEFAULT_HEIGHT);
96
97        JLabel label = new JLabel(new ImageIcon(image));
98        add(label);
99     }
100 }
```

API java.awt.GraphicsEnvironment 1.2

- `static GraphicsEnvironment getLocalGraphicsEnvironment()`

  返回本地图形环境。

- `GraphicsDevice getDefaultScreenDevice()`

  返回默认屏幕设备。需要注意的是，如果一个计算机有多个显示器，每一个屏幕会有一个图形设备——可以使用 getScreenDevices 方法来得到包括所有屏幕设备的一个数组。

API java.awt.Robot 1.3

- `Robot(GraphicsDevice device)`

  构造一个可以与给定设备交互的机器人。

- `void keyPress(int key)`
- `void keyRelease(int key)`

  模拟按下或松开按键。

  参数：key　　按键码。关于按键码的更多信息参见 KeyStroke 类。

- `void mouseMove(int x, int y)`

  模拟鼠标移动。

  参数：x, y　　鼠标位置（绝对像素坐标）

- `void mousePress(int eventMask)`
- `void mouseRelease(int eventMask)`

  模拟按下或松开一个鼠标按钮。

  参数：eventMask　　描述鼠标按钮的事件掩码。关于事件掩码的更多信息参见 InputEvent 类。

- `void delay(int milliseconds)`

  将机器人延迟指定的时间（毫秒数）。

- `BufferedImage createScreenCapture(Rectangle rect)`

  捕获屏幕的一部分。

  参数：rect　　要捕获的矩形（绝对像素坐标）。

至此将结束用户界面组件的讨论。第 10 章 ~ 第 12 章讲述了如何用 Swing 实现简单的图形用户界面。卷 Ⅱ 将讨论更加高级的 Swing 组件和更加复杂的图形技术。

第 13 章 部署 Java 应用程序

- ▲ JAR 文件
- ▲ 应用首选项的存储
- ▲ 服务加载器
- ▲ applet
- ▲ Java Web Start

到目前为止，我们已经能够熟练地使用 Java 程序语言的大部分特性，并且对 Java 图形编程的基本知识也有所了解。现在准备创建提交给用户的应用程序，至此需要知道如何将这些应用程序进行打包，以便部署到用户的计算机上。传统的部署方式是使用 applet，这应该归功于在 Java 出现的最初几年中对其给予的大肆吹捧。applet 是一种特殊的 Java 程序，它允许通过网络下载，并可以在浏览器中运行。其目的在于让用户不再为安装软件烦恼，并且可以通过支持 Java 的计算机或者其他具有 Internet 连接的设备使用这些软件。

由于种种原因，applet 并没有实现上述目标。因此，本章首先介绍打包应用的指令。然后展示应用如何存储配置信息和用户首选项。另外还会学习如何使用 ServiceLoader 类在应用中加载插件。

接下来，我们再来讨论 applet，介绍创建或维护 applet 时需要了解的有关知识。我们还会讨论 *Java Web Start* 机制——这是一种基于 Internet 的应用发布方法，很多方面都与 applet 很类似，不过更适合不在 Web 页面中的程序。

13.1 JAR 文件

在将应用程序进行打包时，使用者一定希望仅提供给其一个单独的文件，而不是一个含有大量类文件的目录，Java 归档（JAR）文件就是为此目的而设计的。一个 JAR 文件既可以包含类文件，也可以包含诸如图像和声音这些其他类型的文件。此外，JAR 文件是压缩的，它使用了大家熟悉的 ZIP 压缩格式。

提示： pack200 是一种较通常的 ZIP 压缩算法更加有效的压缩类文件的方式。Oracle 声称，对类文件的压缩率接近 90%。有关更加详细的信息请参看网站 http://doc.oracle.com/javase/1.5.0/docs/guide/deployment/deployment-guide/pack200.html。

13.1.1 创建 JAR 文件

可以使用 jar 工具制作 JAR 文件（在默认的 JDK 安装中，位于 jdk/bin 目录下）。创建一个新的 JAR 文件应该使用的常见命令格式为：

```
jar cvf JARFileName File1 File2 . . .
```

例如：

```
jar cvf CalculatorClasses.jar *.class icon.gif
```

通常，jar 命令的格式如下：

```
jar options File1 File2 . . .
```

表 13-1 列出了所有 jar 程序的可选项。它们类似于 UNIX tar 命令的选项。

表 13-1　jar 程序选项

选项	说　明
c	创建一个新的或者空的存档文件并加入文件。如果指定的文件名是目录，jar 程序将会对它们进行递归处理
C	暂时改变目录，例如： `jar cvf JARFileName.jar -C classes *.class` 改变 classes 子目录，以便增加这些类文件
e	在清单文件中创建一个条目（请参看 13.1.3 节）
f	将 JAR 文件名指定为第二个命令行参数。如果没有这个参数，jar 命令会将结果写到标准输出上（在创建 JAR 文件时）或者从标准输入中读取它（在解压或者列出 JAR 文件内容时）
i	建立索引文件（用于加快对大型归档的查找）
m	将一个清单文件（manifest）添加到 JAR 文件中。清单是对存档内容和来源的说明。每个归档有一个默认的清单文件。但是，如果想验证归档文件的内容，可以提供自己的清单文件
M	不为条目创建清单文件
t	显示内容表
u	更新一个已有的 JAR 文件
v	生成详细的输出结果
x	解压文件。如果提供一个或多个文件名，只解压这些文件；否则，解压所有文件
0	存储，不进行 ZIP 压缩

可以将应用程序、程序组件（有时称为“beans”——参见卷Ⅱ第 11 章）以及代码库打包在 JAR 文件中。例如，JDK 的运行时库包含在一个非常庞大的文件 rt.jar 中。

13.1.2　清单文件

除了类文件、图像和其他资源外，每个 JAR 文件还包含一个用于描述归档特征的清单文件（manifest）。

清单文件被命名为 MANIFEST.MF，它位于 JAR 文件的一个特殊 META-INF 子目录中。最小的符合标准的清单文件是很简单的：

```
Manifest-Version: 1.0
```

复杂的清单文件可能包含更多条目。这些清单条目被分成多个节。第一节被称为主节（main section）。它作用于整个 JAR 文件。随后的条目用来指定已命名条目的属性，这些已命名的条目可以是某个文件、包或者 URL。它们都必须起始于名为 Name 的条目。节与节之间用空行分开。例如：

```
Manifest-Version: 1.0
描述这个归档文件的行

Name: Woozle.class
描述这个文件的行
Name: com/mycompany/mypkg/
描述这个包的行
```

要想编辑清单文件，需要将希望添加到清单文件中的行放到文本文件中，然后运行：

```
jar cfm JARFileName ManifestFileName . . .
```

例如，要创建一个包含清单的JAR文件，应该运行：

```
jar cfm MyArchive.jar manifest.mf com/mycompany/mypkg/*.class
```

要想更新一个已有的JAR文件的清单，则需要将增加的部分放置到一个文本文件中，然后执行下列命令：

```
jar ufm MyArchive.jar manifest-additions.mf
```

注释：请参看http://docs.oracle.com/javase/8/docs/technotes/guides/jar获得有关JAR文件和清单文件格式的更多信息。

13.1.3 可执行JAR文件

可以使用jar命令中的e选项指定程序的入口点，即通常需要在调用java程序加载器时指定的类：

```
jar cvfe MyProgram.jar com.mycompany.mypkg.MainAppClass files to add
```

或者，可以在清单中指定应用程序的主类，包括以下形式的语句：

```
Main-Class: com.mycompany.mypkg.MainAppClass
```

不要将扩展名.class添加到主类名中。

警告：清单文件的最后一行必须以换行符结束。否则，清单文件将无法被正确地读取。常见的错误是创建了一个只包含Main-Class而没有行结束符的文本文件。

不论哪一种方法，用户可以简单地通过下面命令来启动应用程序：

```
java -jar MyProgram.jar
```

根据操作系统的配置，用户甚至可以通过双击JAR文件图标来启动应用程序。下面是各种操作系统的操作方式：

- 在Windows平台中，Java运行时安装器将建立一个扩展名为.jar的文件与javaw -jar命令相关联来启动文件（与java命令不同，javaw命令不打开shell窗口）。
- 在Solaris平台中，操作系统能够识别JAR文件的“魔法数”格式，并用java -jar命令启动它。

- 在 Mac OS X 平台中，操作系统能够识别 .jar 扩展名文件。当双击 JAR 文件时就会执行 Java 程序可以运行。

无论怎样，人们对 JAR 文件中的 Java 程序与本地文件有着不同的感觉。在 Windows 平台中，可以使用第三方的包装器工具将 JAR 文件转换成 Windows 可执行文件。包装器是一个大家熟知的扩展名为 .exe 的 Windows 程序，它可以查找和加载 Java 虚拟机（JVM），或者在没有找到 JVM 时告诉用户应该做些什么。有许多商业的和开源的产品，例如，Launch4J（http://launch4j.sourceforge.net）和 IzPack（http://izpack.org）。

在 Macintosh 平台中，这种情形处理起来会容易一些。Jar Bundler 工具是 XCode 的一部分，可以将 JAR 文件转换为一个一流的 Mac 应用。

13.1.4　资源

在 applet 和应用程序中使用的类通常需要使用一些相关的数据文件，例如：

- 图像和声音文件。
- 带有消息字符串和按钮标签的文本文件。
- 二进制数据文件，例如，描述地图布局的文件。

在 Java 中，这些关联的文件被称为资源（resource）。

注释：在 Windows 中，术语“资源”有着更加特殊的含义。Windows 资源也是由图像、按钮标签等组成，但是它们都附属于可执行文件，并通过标准的程序设计访问。相比之下，Java 资源作为单独的文件存储，并不是作为类文件的一部分存储。对资源的访问和解释由每个程序自己完成。

例如，AboutPanel 类显示了一条信息，如图 13-1 所示。当然，在面板中的书名和版权年限将会在出版下一版图书时发生变化。为了易于追踪这个变化，希望将文本放置在一个文件中，而不是以字符串的形式硬写到代码中。

但是应该将 about.txt 这样的文件放在哪儿呢？显然，将它与其他程序文件一起放在 JAR 文件中是最方便的。

类加载器知道如何搜索类文件，直到在类路径、存档文件或 web 服务器上找到为止。利用资源机制，对于非类文件也可以同样方便地进行操作。下面是必要的步骤：

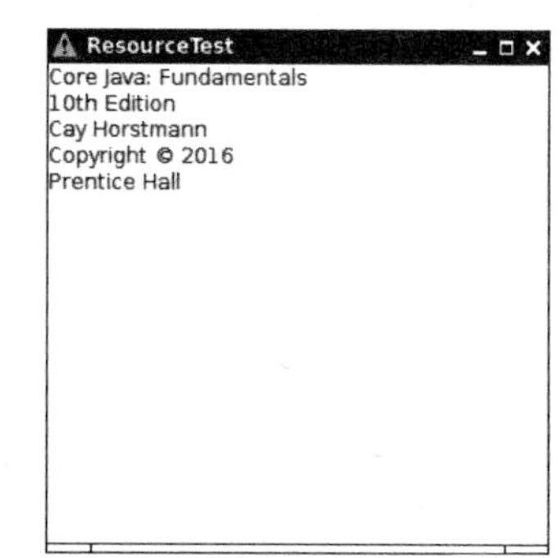

图 13-1　显示来自 JAR 文件的资源

1）获得具有资源的 Class 对象，例如，AboutPanel.class。

2）如果资源是一个图像或声音文件，那么就需要调用 getresource (filename) 获得作为 URL 的资源位置，然后利用 getImage 或 getAudioClip 方法进行读取。

3）与图像或声音文件不同，其他资源可以使用 getResourceAsStream 方法读取文件中的数据。

重点在于类加载器可以记住如何定位类，然后在同一位置查找关联的资源。

例如，要想利用 about.gif 图像文件制作图标，可以使用下列代码：

```
URL url = ResourceTest.class.getResource("about.gif");
Image img = new ImageIcon(url).getImage();
```

这段代码的含义是“在找到 ResourceTest 类的地方查找 about.gif 文件”。

要想读取 about.txt 文件，可以使用下列命令：

```
InputStream stream = ResourceTest.class.getResourceAsStream("about.txt");
Scanner in = new Scanner(stream, "UTF-8");
```

除了可以将资源文件与类文件放在同一个目录中外，还可以将它放在子目录中。可以使用下面所示的层级资源名：

```
data/text/about.txt
```

这是一个相对的资源名，它会被解释为相对于加载这个资源的类所在的包。注意，必须使用“/”作为分隔符，而不要理睬存储资源文件的系统实际使用哪种目录分隔符。例如，在 Windows 文件系统中，资源加载器会自动地将“/”转换成“\”。

一个以“/”开头的资源名被称为绝对资源名。它的定位方式与类在包中的定位方式一样。例如，资源

```
/corejava/title.txt
```

定位于 corejava 目录下（它可能是类路径的一个子目录，也可能位于 JAR 文件中，对 applet 来说在 web 服务器上）。

文件的自动装载是利用资源加载特性完成的。没有标准的方法来解释资源文件的内容。每个程序必须拥有解释资源文件的方法。

另一个经常使用资源的地方是程序的国际化。与语言相关的字符串，如消息和用户界面标签都存放在资源文件中，每种语言对应一个文件。国际化 API（internationalization API）将在卷Ⅱ的第 5 章中进行讨论。这些 API 提供了组织和访问本地化文件的标准方法。

程序清单 13-1 显示了这个程序的源代码。这个程序演示了资源加载。编译、创建 JAR 文件和执行这个程序的命令是：

```
javac resource/ResourceTest.java
jar cvfm ResourceTest.jar resource/ResourceTest.mf resource/*.class resource/*.gif resource/*.txt
java -jar ResourceTest.jar
```

将 JAR 文件移到另外一个不同的目录中，再运行它，以便确认程序是从 JAR 文件中而不是从当前目录中读取的资源。

程序清单 13-1 resource/ResourceTest.java

```
1 package resource;
2
3 import java.awt.*;
4 import java.io.*;
5 import java.net.*;
6 import java.util.*;
7 import javax.swing.*;
```

```
8
9 /**
10  * @version 1.41 2015-06-12
11  * @author Cay Horstmann
12  */
13 public class ResourceTest
14 {
15    public static void main(String[] args)
16    {
17       EventQueue.invokeLater(() -> {
18          JFrame frame = new ResourceTestFrame();
19          frame.setTitle("ResourceTest");
20          frame.setDefaultCloseOperation(JFrame.EXIT_ON_CLOSE);
21          frame.setVisible(true);
22       });
23    }
24 }
25
26 /**
27  * A frame that loads image and text resources.
28  */
29 class ResourceTestFrame extends JFrame
30 {
31    private static final int DEFAULT_WIDTH = 300;
32    private static final int DEFAULT_HEIGHT = 300;
33
34    public ResourceTestFrame()
35    {
36       setSize(DEFAULT_WIDTH, DEFAULT_HEIGHT);
37       URL aboutURL = getClass().getResource("about.gif");
38       Image img = new ImageIcon(aboutURL).getImage();
39       setIconImage(img);
40
41       JTextArea textArea = new JTextArea();
42       InputStream stream = getClass().getResourceAsStream("about.txt");
43       try (Scanner in = new Scanner(stream, "UTF-8"))
44       {
45          while (in.hasNext())
46             textArea.append(in.nextLine() + "\n");
47       }
48       add(textArea);
49    }
50 }
```

API java.lang.Class 1.0

- `URL getResource(String name) 1.1`
- `InputStream getResourceAsStream(String name) 1.1`

  找到与类位于同一位置的资源，返回一个可以加载资源的 URL 或者输入流。如果没有找到资源，则返回 null，而且不会抛出异常或者发生 I/O 错误。

13.1.5　密封

在第 4 章曾经提到过，可以将 Java 包密封（seal）以保证不会有其他的类加入到其中。

如果在代码中使用了包可见的类、方法和域，就可能希望密封包。如果不密封，其他类就有可能放在这个包中，进而访问包可见的特性。

例如，如果密封了com.mycompany.util包，就不能用下面的语句顶替密封包之外的类：

```
package com.mycompany.util;
```

要想密封一个包，需要将包中的所有类放到一个JAR文件中。在默认情况下，JAR文件中的包是没有密封的。可以在清单文件的主节中加入下面一行：

```
Sealed: true
```

来改变全局的默认设定。对于每个单独的包，可以通过在JAR文件的清单中增加一节，来指定是否想要密封这个包。例如：

```
Name: com/mycompany/util/
Sealed: true

Name: com/mycompany/misc/
Sealed: false
```

要想密封一个包，需要创建一个包含清单指令的文本文件。然后用常规的方式运行jar命令：

```
jar cvfm MyArchive.jar manifest.mf files to add
```

13.2 应用首选项的存储

应用用户通常希望能保存他们的首选项和定制信息，以后再次启动应用时再恢复这些配置。首先我们来介绍Java应用的传统做法，这是一种简单的方法，将配置信息保存在属性文件中。然后我们会介绍首选项API，它提供了一个更加健壮的解决方案。

13.2.1 属性映射

属性映射（property map）是一种存储键/值对的数据结构。属性映射通常用来存储配置信息，它有3个特性：

- 键和值是字符串。
- 映射可以很容易地存入文件以及从文件加载。
- 有一个二级表保存默认值。

实现属性映射的Java类名为Properties。

属性映射对于指定程序的配置选项很有用。例如：

```
Properties settings = new Properties();
settings.setProperty("width", "200");
settings.setProperty("title", "Hello, World!");
```

可以使用store方法将属性映射列表保存到一个文件中。在这里，我们将属性映射保存在文件program.properties中。第二个参数是包含在这个文件中的注释。

```
OutputStream out = new FileOutputStream("program.properties");
settings.store(out, "Program Properties");
```

这个示例会给出以下输出：

```
#Program Properties
#Mon Apr 30 07:22:52  2007
width=200
title=Hello, World!
```

要从文件加载属性，可以使用以下调用：

```
InputStream in = new FileInputStream("program.properties");
settings.load(in);
```

习惯上，会把程序属性存储在用户主目录的一个子目录中。目录名通常以一个点号开头（在 UNIX 系统中），这个约定说明这是一个对用户隐藏的系统目录。我们的示例程序就遵循这个约定。

要找出用户的主目录，可以调用 System.getProperties 方法，它恰好也使用一个 Properties 对象描述系统信息。主目录包含键 "user.home"。还有一个便利方法可以读取单个键：

```
String userDir = System.getProperty("user.home");
```

可以为程序属性提供默认值，这是一个很好的想法，因为用户有可能手动编辑这个文件。Properties 类有两种提供默认值的机制。第一种方法是，查找一个字符串的值时可以指定一个默认值，这样当键不存在时就会自动使用这个默认值。

```
String title = settings.getProperty("title", "Default title");
```

如果属性映射中有一个 "title" 属性，title 就会设置为相应的字符串。否则，title 会设置为 "Default title"。

如果觉得在每个 getProperty 调用中指定默认值太过麻烦，可以把所有默认值都放在一个二级属性映射中，并在主属性映射的构造器中提供这个二级映射。

```
Properties defaultSettings = new Properties();
defaultSettings.setProperty("width", "300");
defaultSettings.setProperty("height", "200");
defaultSettings.setProperty("title", "Default title");
. . .
Properties settings = new Properties(defaultSettings);
```

没错，如果为 defaultSettings 构造器提供另一个属性映射参数，甚至可以为默认值指定默认值，不过一般不会这么做。

程序清单 13-2 显示了如何使用属性来存储和加载程序状态。程序会记住框架位置、大小和标题。也可以手动编辑主目录中的文件 .corejava/program.properties 把程序的外观改成你希望的样子。

警告： 出于历史上的原因，Properties 类实现了 Map<Object,Object>。因此，可以使用 Map 接口的 get 和 put 方法。不过，get 方法会返回类型 Object，而 put 方法允许插入任何对象。最好坚持使用 getProperty 和 setProperty 方法，这些方法会处理字符串，而不是对象。

注释：属性映射是没有层次结构的简单表。通常会用类似 window.main.color、window.main.title 等键名引入一个伪层次结构。不过 Properties 类没有提供方法来组织这样一个层次结构。如果存储复杂的配置信息，就应当使用 Preferences 类，请看下一节。

程序清单 13-2 properties/PropertiesTest.java

```
1 package properties;
2
3 import java.awt.EventQueue;
4 import java.awt.event.*;
5 import java.io.*;
6 import java.util.Properties;
7
8 import javax.swing.*;
9
10 /**
11  * A program to test properties. The program remembers the frame position, size,
12  * and title.
13  * @version 1.01 2015-06-16
14  * @author Cay Horstmann
15  */
16 public class PropertiesTest
17 {
18    public static void main(String[] args)
19    {
20       EventQueue.invokeLater(() -> {
21          PropertiesFrame frame = new PropertiesFrame();
22          frame.setVisible(true);
23       });
24    }
25 }
26
27 /**
28  * A frame that restores position and size from a properties file and updates
29  * the properties upon exit.
30  */
31 class PropertiesFrame extends JFrame
32 {
33    private static final int DEFAULT_WIDTH = 300;
34    private static final int DEFAULT_HEIGHT = 200;
35
36    private File propertiesFile;
37    private Properties settings;
38
39    public PropertiesFrame()
40    {
41       // get position, size, title from properties
42
43       String userDir = System.getProperty("user.home");
44       File propertiesDir = new File(userDir, ".corejava");
45       if (!propertiesDir.exists()) propertiesDir.mkdir();
46       propertiesFile = new File(propertiesDir, "program.properties");
47
48       Properties defaultSettings = new Properties();
49       defaultSettings.setProperty("left", "0");
50       defaultSettings.setProperty("top", "0");
```

```
51         defaultSettings.setProperty("width", "" + DEFAULT_WIDTH);
52         defaultSettings.setProperty("height", "" + DEFAULT_HEIGHT);
53         defaultSettings.setProperty("title", "");
54 
55         settings = new Properties(defaultSettings);
56 
57         if (propertiesFile.exists())
58            try (InputStream in = new FileInputStream(propertiesFile))
59            {
60               settings.load(in);
61            }
62            catch (IOException ex)
63            {
64               ex.printStackTrace();
65            }
66 
67         int left = Integer.parseInt(settings.getProperty("left"));
68         int top = Integer.parseInt(settings.getProperty("top"));
69         int width = Integer.parseInt(settings.getProperty("width"));
70         int height = Integer.parseInt(settings.getProperty("height"));
71         setBounds(left, top, width, height);
72 
73         // if no title given, ask user
74 
75         String title = settings.getProperty("title");
76         if (title.equals(""))
77            title = JOptionPane.showInputDialog("Please supply a frame title:");
78         if (title == null) title = "";
79         setTitle(title);
80 
81         addWindowListener(new WindowAdapter()
82         {
83            public void windowClosing(WindowEvent event)
84            {
85               settings.setProperty("left", "" + getX());
86               settings.setProperty("top", "" + getY());
87               settings.setProperty("width", "" + getWidth());
88               settings.setProperty("height", "" + getHeight());
89               settings.setProperty("title", getTitle());
90               try (OutputStream out = new FileOutputStream(propertiesFile))
91               {
92                  settings.store(out, "Program Properties");
93               }
94               catch (IOException ex)
95               {
96                  ex.printStackTrace();
97               }
98               System.exit(0);
99            }
100        });
101     }
102 }
```

API java.util.Properties 1.0

- `Properties()`

创建一个空属性映射。

- `Properties(Properties defaults)`

  用一组默认值创建一个空属性映射。

  参数：defaults　　用于查找的默认值。

- `String getProperty(String key)`

  获得一个属性。返回与键（key）关联的值，或者如果这个键未在表中出现，则返回默认值表中与这个键关联的值，或者如果键在默认值表中也未出现，则返回 null。

  参数：key　　要获得相关字符串的键。

- `String getProperty(String key, String defaultValue)`

  如果键未找到，获得有默认值的属性。返回与键关联的字符串，或者如果键在表中未出现，则返回默认字符串。

  参数：key　　要获得相关字符串的键

  　　　defaultValue　　键未找到时返回的字符串

- `Object setProperty(String key, String value)`

  设置一个属性。返回给定键之前设置的值。

  参数：key　　要设置相关字符串的键

  　　　value　　与键关联的值

- `void load(InputStream in) throws IOException`

  从一个输入流加载一个属性映射。

  参数：in　　输入流

- `void store(OutputStream out, String header) 1.2`

  将一个属性映射保存到一个输出流。

  参数：out　　输出流

  　　　header　　存储文件第一行的标题

API java.lang.System 1.0

- `Properties getProperties()`

  获取所有系统属性。应用必须有权限获取所有属性，否则会抛出一个安全异常。

- `String getProperty(String key)`

  获取给定键名对应的系统属性。应用必须有权限获取这个属性，否则会抛出一个安全异常。以下属性总是允许获取：

```
java.version
java.vendor
java.vendor.url
java.class.version
os.name
os.version
os.arch
file.separator
```

```
path.separator
line.separator
java.specification.version
java.vm.specification.version
java.vm.specification.vendor
java.vm.specification.name
java.vm.version
java.vm.vendor
java.vm.name
```

注释： 可以在 Java 运行时目录的 security/java.policy 文件中找到可以自由访问的系统属性名。

13.2.2　首选项 API

我们已经看到，利用 Properties 类可以很容易地加载和保存配置信息。不过，使用属性文件有以下缺点：

- 有些操作系统没有主目录的概念，所以很难找到一个统一的配置文件位置。
- 关于配置文件的命名没有标准约定，用户安装多个 Java 应用时，就更容易发生命名冲突。

有些操作系统有一个存储配置信息的中心存储库。最著名的例子就是 Microsoft Windows 中的注册表。Preferences 类以一种平台无关的方式提供了这样一个中心存储库。在 Windows 中，Preferences 类使用注册表来存储信息；在 Linux 上，信息则存储在本地文件系统中。当然，存储库实现对使用 Preferences 类的程序员是透明的。

Preferences 存储库有一个树状结构，节点路径名类似于 /com/mycompany/myapp。类似于包名，只要程序员用逆置的域名作为路径的开头，就可以避免命名冲突。实际上，API 的设计者就建议配置节点路径要与程序中的包名一致。

存储库的各个节点分别有一个单独的键 / 值对表，可以用来存储数值、字符串或字节数组，但不能存储可串行化的对象。API 设计者认为对于长期存储来说，串行化格式过于脆弱，并不合适。当然，如果你不同意这种看法，也可以用字节数组保存串行化对象。

为了增加灵活性，可以有多个并行的树。每个程序用户分别有一棵树；另外还有一棵系统树，可以用于存放所有用户的公共信息。Preferences 类使用操作系统的“当前用户”概念来访问适当的用户树。

若要访问树中的一个节点，需要从用户或系统根开始：

```
Preferences root = Preferences.userRoot();
```

或

```
Preferences root = Preferences.systemRoot();
```

然后访问节点。可以直接提供一个节点路径名：

```
Preferences node = root.node("/com/mycompany/myapp");
```

如果节点的路径名等于类的包名，还有一种便捷方式来获得这个节点。只需要得到这个类的一个对象，然后调用：

```
Preferences node = Preferences.userNodeForPackage(obj.getClass());
```

或

```
Preferences node = Preferences.systemNodeForPackage(obj.getClass());
```

一般来说，obj 往往是 this 引用。

一旦得到了节点，可以用以下方法访问键 / 值表：

```
String get(String key, String defval)
int getInt(String key, int defval)
long getLong(String key, long defval)
float getFloat(String key, float defval)
double getDouble(String key, double defval)
boolean getBoolean(String key, boolean defval)
byte[] getByteArray(String key, byte[] defval)
```

需要说明的是，读取信息时必须指定一个默认值，以防止没有可用的存储库数据。之所以必须有默认值，有很多原因。可能由于用户从未指定过首选项，所以没有相应的数据。某些资源受限的平台可能没有存储库，移动设备有可能与存储库暂时断开了连接。

相对应地，可以用如下的 put 方法向存储库写数据：

```
put(String key, String value)
putInt(String key, int value)
```

等等。

可以用以下方法枚举一个节点中存储的所有键：

```
String[] keys()
```

目前没有办法找出一个特定键对应的值的类型。

类似 Windows 注册表这样的中心存储库通常都存在两个问题：

- 它们会变成充斥着过期信息的“垃圾场”。
- 配置数据与存储库纠缠在一起，以至于很难把首选项迁移到新平台。

Preferences 类为第二个问题提供了一个解决方案。可以通过调用以下方法导出一个子树（或者比较少见的，也可以是一个节点）的首选项：

```
void exportSubtree(OutputStream out)
void exportNode(OutputStream out)
```

数据用 XML 格式保存。可以通过调用以下方法将数据导入到另一个存储库：

```
void importPreferences(InputStream in)
```

下面是一个示例文件：

```
<?xml version="1.0" encoding="UTF-8"?>
<!DOCTYPE preferences SYSTEM "http://java.sun.com/dtd/preferences.dtd">
<preferences EXTERNAL_XML_VERSION="1.0">
   <root type="user">
      <map/>
      <node name="com">
```

```
            <map/>
            <node name="horstmann">
               <map/>
               <node name="corejava">
                  <map>
                     <entry key="left" value="11"/>
                     <entry key="top" value="9"/>
                     <entry key="width" value="453"/>
                     <entry key="height" value="365"/>
                     <entry key="title" value="Hello, World!"/>
                  </map>
               </node>
            </node>
         </node>
      </root>
   </preferences>
```

如果你的程序使用首选项，要让用户有机会导出和导入首选项，从而可以很容易地将设置从一台计算机迁移到另一台计算机。程序清单 13-3 中的程序展示了这种技术。这个程序只保存了主窗口的位置、大小和标题。试着调整窗口的大小，然后退出并重启应用。窗口的状态与之前退出时是一样的。

程序清单 13-3　preferences/PreferencesTest.java

```
1  package preferences;
2  
3  import java.awt.*;
4  import java.io.*;
5  import java.util.prefs.*;
6  
7  import javax.swing.*;
8  import javax.swing.filechooser.*;
9  
10 /**
11  * A program to test preference settings. The program remembers the frame
12  * position, size, and title.
13  * @version 1.03 2015-06-12
14  * @author Cay Horstmann
15  */
16 public class PreferencesTest
17 {
18    public static void main(String[] args)
19    {
20       EventQueue.invokeLater(() -> {
21          PreferencesFrame frame = new PreferencesFrame();
22          frame.setDefaultCloseOperation(JFrame.EXIT_ON_CLOSE);
23          frame.setVisible(true);
24       });
25    }
26 }
27 
28 /**
29  * A frame that restores position and size from user preferences and updates the
30  * preferences upon exit.
31  */
```

```
32 class PreferencesFrame extends JFrame
33 {
34    private static final int DEFAULT_WIDTH = 300;
35    private static final int DEFAULT_HEIGHT = 200;
36    private Preferences root = Preferences.userRoot();
37    private Preferences node = root.node("/com/horstmann/corejava");
38 
39    public PreferencesFrame()
40    {
41       // get position, size, title from preferences
42 
43       int left = node.getInt("left", 0);
44       int top = node.getInt("top", 0);
45       int width = node.getInt("width", DEFAULT_WIDTH);
46       int height = node.getInt("height", DEFAULT_HEIGHT);
47       setBounds(left, top, width, height);
48 
49       // if no title given, ask user
50 
51       String title = node.get("title", "");
52       if (title.equals(""))
53          title = JOptionPane.showInputDialog("Please supply a frame title:");
54       if (title == null) title = "";
55       setTitle(title);
56 
57       // set up file chooser that shows XML files
58 
59       final JFileChooser chooser = new JFileChooser();
60       chooser.setCurrentDirectory(new File("."));
61       chooser.setFileFilter(new FileNameExtensionFilter("XML files", "xml"));
62 
63       // set up menus
64 
65       JMenuBar menuBar = new JMenuBar();
66       setJMenuBar(menuBar);
67       JMenu menu = new JMenu("File");
68       menuBar.add(menu);
69 
70       JMenuItem exportItem = new JMenuItem("Export preferences");
71       menu.add(exportItem);
72       exportItem
73             .addActionListener(event -> {
74                if (chooser.showSaveDialog(PreferencesFrame.this) == JFileChooser.APPROVE_OPTION)
75                {
76                   try
77                   {
78                      savePreferences();
79                      OutputStream out = new FileOutputStream(chooser
80                            .getSelectedFile());
81                      node.exportSubtree(out);
82                      out.close();
83                   }
84                   catch (Exception e)
85                   {
86                      e.printStackTrace();
87                   }
88                }
```

```
89             });
90
91       JMenuItem importItem = new JMenuItem("Import preferences");
92       menu.add(importItem);
93       importItem
94             .addActionListener(event -> {
95                if (chooser.showOpenDialog(PreferencesFrame.this) == JFileChooser.APPROVE_OPTION)
96                {
97                   try
98                   {
99                      InputStream in = new FileInputStream(chooser
100                           .getSelectedFile());
101                     Preferences.importPreferences(in);
102                     in.close();
103                  }
104                  catch (Exception e)
105                  {
106                     e.printStackTrace();
107                  }
108               }
109            });
110
111      JMenuItem exitItem = new JMenuItem("Exit");
112      menu.add(exitItem);
113      exitItem.addActionListener(event -> {
114         savePreferences();
115         System.exit(0);
116      });
117   }
118
119   public void savePreferences()
120   {
121      node.putInt("left", getX());
122      node.putInt("top", getY());
123      node.putInt("width", getWidth());
124      node.putInt("height", getHeight());
125      node.put("title", getTitle());
126   }
127 }
```

API java.util.prefs.Preferences 1.4

- `Preferences userRoot()`

  返回调用程序的用户的首选项根节点。
- `Preferences systemRoot()`

  返回系统范围的首选项根节点。
- `Preferences node(String path)`

  返回从当前节点由给定路径可以到达的节点。如果 path 是绝对路径（也就是说，以一个 / 开头），则从包含这个首选项节点的树的根节点开始查找。如果给定路径不存在相应的节点，则创建这样一个节点。
- `Preferences userNodeForPackage(Class cl)`

- `Preferences systemNodeForPackage(Class cl)`

  返回当前用户树或系统树中的一个节点，其绝对节点路径对应类 cl 的包名。
- `String[] keys()`

  返回属于这个节点的所有键。
- `String get(String key, String defval)`
- `int getInt(String key, int defval)`
- `long getLong(String key, long defval)`
- `float getFloat(String key, float defval)`
- `double getDouble(String key, double defval)`
- `boolean getBoolean(String key, boolean defval)`
- `byte[] getByteArray(String key, byte[] defval)`

  返回与给定键关联的值，或者如果没有值与这个键关联、关联的值类型不正确或首选项存储库不可用，则返回所提供的默认值。
- `void put(String key, String value)`
- `void putInt(String key, int value)`
- `void putLong(String key, long value)`
- `void putFloat(String key, float value)`
- `void putDouble(String key, double value)`
- `void putBoolean(String key, boolean value)`
- `void putByteArray(String key, byte[] value)`

  在这个节点存储一个键 / 值对。
- `void exportSubtree(OutputStream out)`

  将这个节点及其子节点的首选项写至指定的流。
- `void exportNode(OutputStream out)`

  将这个节点（但不包括其子节点）的首选项写至指定的流。
- `void importPreferences(InputStream in)`

  导入指定流中包含的首选项。

13.3 服务加载器

有时会开发采用插件体系结构的应用。有些平台支持这种方法，如 OSGi (http://osgi.org)，并用于开发环境、应用服务器和其他复杂的应用中。这些平台超出了本书讨论的范畴，不过 JDK 还提供了一个加载插件的简单机制，这里就来介绍这个内容。

通常，提供一个插件时，程序希望插件设计者能有一些自由来确定如何实现插件的特性。另外还可以有多个实现以供选择。利用 ServiceLoader 类可以很容易地加载符合一个公共接口的插件。

定义一个接口（或者，如果愿意也可以定义一个超类），其中包含服务的各个实例应当提供的方法。例如，假设你的服务要提供加密。

```
package serviceLoader;

public interface Cipher
{
   byte[] encrypt(byte[] source, byte[] key);
   byte[] decrypt(byte[] source, byte[] key);
   int strength();
}
```

服务提供者可以提供一个或多个实现这个服务的类，例如：

```
package serviceLoader.impl;

public class CaesarCipher implements Cipher
{
  public byte[] encrypt(byte[] source, byte[] key)
  {
     byte[] result = new byte[source.length];
     for (int i = 0; i < source.length; i++)
        result[i] = (byte)(source[i] + key[0]);
     return result;
  }

  public byte[] decrypt(byte[] source, byte[] key)
  {
     return encrypt(source, new byte[] { (byte) -key[0] });
  }

  public int strength() { return 1; }
}
```

实现类可以放在任意包中，而不一定是服务接口所在的包。每个实现类必须有一个无参数构造器。

现在把这些类的类名增加到 META-INF/services 目录下的一个 UTF-8 编码文本文件中，文件名必须与完全限定类名一致。在我们的例子中，文件 META-INF/services/serviceLoader.Cipher 必须包含这样一行：

```
serviceLoader.impl.CaesarCipher
```

在这个例子中，我们提供了一个实现类。还可以提供多个类，以后可以从中选择。

完成这个准备工作之后，程序可以如下初始化一个服务加载器：

```
public static ServiceLoader<Cipher> cipherLoader = ServiceLoader.load(Cipher.class);
```

这个初始化工作只在程序中完成一次。

服务加载器的 iterator 方法会对服务提供的所有实现返回一个迭代器。（有关迭代器的更多信息参见第 9 章。）最容易的做法是使用一个增强的 for 循环进行遍历。在循环中，选择一个适当的对象来完成服务。

```
public static Cipher getCipher(int minStrength)
{
```

```
        for (Cipher cipher : cipherLoader) // Implicitly calls cipherLoader.iterator()
        {
            if (cipher.strength() >= minStrength) return cipher;
        }
        return null;
    }
```

API java.util.ServiceLoader<S> 1.6

- `static <S> ServiceLoader<S> load(Class<S> service)`

  创建一个服务加载器来加载实现给定服务接口的类。

- `Iterator<S> iterator()`

  生成一个以“懒”方式加载服务类的迭代器。也就是说，迭代器推进时类才会加载。

13.4 applet

applet 是包含在 HTML 页面中的 Java 程序。HTML 页面必须告诉浏览器要加载哪些 applet，另外每个 applet 要放在 Web 页面的什么位置。可以想见，需要使用 applet 的标记（tag）必须告诉浏览器从哪里得到类文件，以及这个 applet 在 Web 页面上如何定位（大小、位置等）。然后浏览器再从 Internet（或者从用户机器上的某个目录）获取类文件，并自动运行 applet。

最初开发 applet 时，必须使用 Sun 的 HotJava 浏览器才能查看包含 applet 的 Web 页面。很自然地，很少有用户愿意只是为了尝试一个新的 Web 特性去使用另一个浏览器。后来 Netscape 在它的 Navigator 浏览器中包含了一个 Java 虚拟机，那时 Java applet 才开始流行。Microsoft 的 Internet Explorer 紧随其后。遗憾的是，Internet Explorer 中的 Java 支持很快就落伍了，只能用于一些过期的 Java 版本，后来干脆取消了。

为了解决这个问题，Sun Microsystems 开发了“Java Plug-in”。通过使用浏览器扩展机制，可以把插件插入不同的浏览器，允许这些浏览器使用外部 Java 运行时环境执行 Java applet。

多年来，这个解决方案都能满足要求，applet 常用于教学工具、企业应用和一些游戏。遗憾的是，尽管不时会发现 Java 虚拟机的安全漏洞并被恶意利用，但 Sun Microsystems 和后来的 Oracle 在修补这些漏洞方面却动作迟缓，举措不力。由于不安全的 JVM 会置用户于危险当中，所以浏览器制造商让 Java 的使用更有难度。有些浏览器除了最新版本的 Java 插件外甚至完全禁用其他 Java 插件，另外一些浏览器则不再支持插件体系结构。Oracle 的反应也很让人失望。它开始要求所有 applet 都有数字签名（有关内容见 13.4.9 节）。

如今，开发人员要部署 Java applet 会很困难，用户运行 applet 也不容易。因此，我们相信，只有那些需要维护遗留 applet 的读者才会对下面的小节感兴趣。

注释：要在浏览器中运行这一章中的 applet，需要安装当前版本的 Java Plug-in，并确保浏览器与插件连接。要测试 applet，还需要适当地配置插件，让它信任本地文件。有关指令参见 2.5 节。

13.4.1　一个简单的 applet

按传统，我们首先编写一个 NotHelloWorld 程序，这里把它写为一个 applet。applet 就是一个扩展了 java.applet.Applet 类的 Java 类。在本书中，我们将使用 Swing 来实现 applet。这里的所有 applet 都将扩展 JApplet 类，它是 Swing applet 的超类。如图 13-2 所示，JApplet 是 Applet 类的一个直接子类。

注释：如果你的 applet 包含 Swing 组件，必须扩展 JApplet 类。普通 Applet 中的 Swing 组件不能正确绘制。

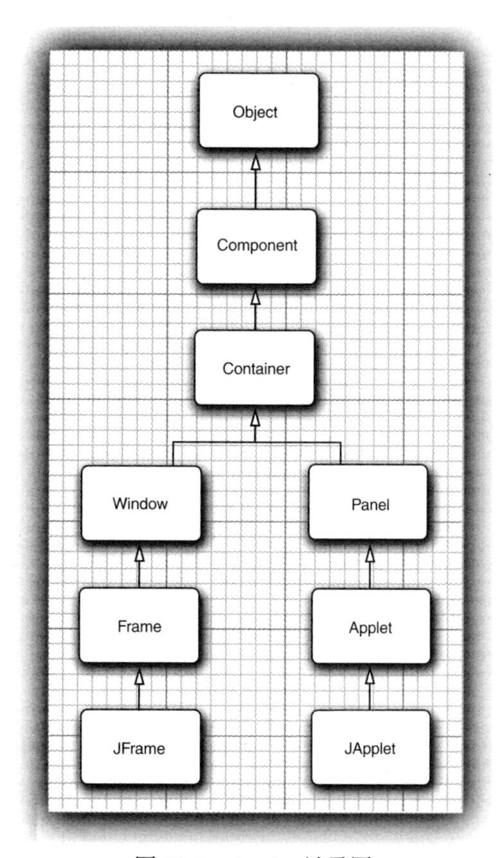

图 13-2　Applet 继承图

程序清单 13-4 显示了 applet 版本 "Not Hello World" 的代码。注意这个代码与第 10 章中的相应程序很类似。不过，由于 applet 在 web 页面中，所以没有必要指定退出 applet 的方法。

程序清单 13-4　applet/NotHelloWorld.java

```
1 package applet;
2
3 import java.awt.*;
4 import javax.swing.*;
```

```
5
6 /**
7  * @version 1.24 2015-06-12
8  * @author Cay Horstmann
9  */
10 public class NotHelloWorld extends JApplet
11 {
12    public void init()
13    {
14       EventQueue.invokeLater(() -> {
15          JLabel label = new JLabel("Not a Hello, World applet",
16                SwingConstants.CENTER);
17          add(label);
18       });
19    }
20 }
```

要执行 applet，需要完成以下 3 个步骤：

1）将 Java 源文件编译为类文件。

2）将类打包到一个 JAR 文件中（参见 13.1.1 节）。

3）创建一个 HTML 文件，告诉浏览器首先加载哪个类文件，以及如何设定 applet 的大小。

下面给出这个文件的内容：

```
<applet class="applet/NotHelloWorld.class" archive="NotHelloWorld.jar" width="300" height="300">
</applet>
```

在浏览器中查看 applet 之前，最好先在 JDK 自带的 applet viewer（applet 查看器）程序中进行测试。要使用 applet 查看器测试我们的示例 applet，可以在命令行输入：

```
appletviewer NotHelloWorldApplet.html
```

applet 查看器程序的命令行参数是 HTML 文件名，而不是类文件。图 13-3 给出了显示这个 applet 的 applet 查看器。

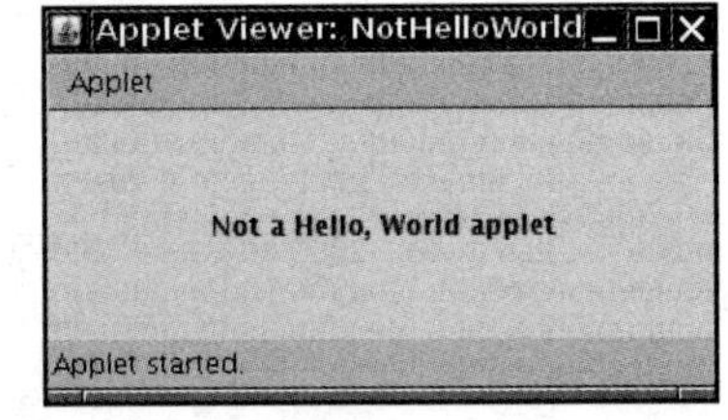

图 13-3　在 applet 查看器中查看 applet

applet 查看器很适用于测试的第一阶段，不过总会有某个时候需要在真正的浏览器中运行 applet，来查看用户实际看到的样子。具体来说，applet 查看器程序只会显示 applet，而不会显示周围的 HTML 文本。如果你的 HTML 文件包含多个 applet 标记，applet 查看器就会弹出多个窗口。

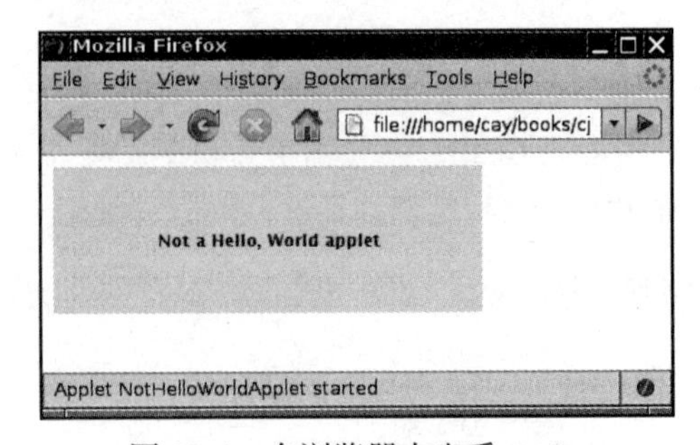

图 13-4　在浏览器中查看 applet

要正确地查看 applet，只需要把 HTML 文件加载到浏览器（如图 13-4 所示）。如果 applet 没有出现，则需要安装 Java Plug-in，并允许它加载无签名的本地 applet，参见 2.5 节的介绍。

✓ **提示**：如果修改了 applet 并重新编译，就需要重新启动浏览器，这样才会加载新的类文件。只是刷新 HTML 页面并不会加载新代码。调试 applet 时这会很麻烦。可以利用 Java 控制台避免烦人的浏览器重启。启动 Java 控制台，并执行 x 命令，这会清空类加载器缓存。然后可以重新加载 HTML 页面，这样就会使用新的 applet 代码。在 Windows 上，可以在 Windows 控制面板打开 Java Plug-in 控制。在 Linux 上，可以运行 jcontrol，请求显示 Java 控制台。加载 applet 时控制台就会弹出。

很容易把一个图形化 Java 应用转换为可以嵌入在 Web 页面中的 applet。基本上来说，所有用户界面代码都可以保持不变。下面给出具体的步骤：

1）建立一个 HTML 页面，其中包含加载 applet 代码的适当标记。

2）提供 JApplet 类的一个子类。将这个类标记为 public。否则 applet 将无法加载。

3）删去应用中的 main 方法。不要为应用构造框架窗口。你的应用将在浏览器中显示。

4）把所有初始化代码从框架窗口移至 applet 的 init 方法。不需要明确构造 applet 对象，浏览器会实例化 applet 对象并调用 init 方法。

5）删除 setSize 调用；对 applet 来说，用 HTML 文件中的 width 和 height 参数就可以指定大小。

6）删除 setDefaultCloseOperation 调用。applet 不能关闭；浏览器退出时 applet 就会终止运行。

7）如果应用调用 setTitle，则删除这个方法调用。applet 没有标题栏。（当然，可以用 HTML title 标记为 Web 页面本身指定标题。）

8）不要调用 setVisible(true)。applet 会自动显示。

API java.applet.Applet 1.0

- `void init()`

  首次加载 applet 时会调用这个方法。覆盖这个方法，把所有初始化代码放在这里。

- `void start()`

  覆盖这个方法，用户每次访问包含这个 applet 的浏览器页面时需要执行的代码都放在这个方法中。典型的动作是重新激活一个线程。

- `void stop()`

  覆盖这个方法，用户每次离开包含这个 applet 的浏览器页面时需要执行的代码都放在这个方法中。典型的动作是撤销一个线程。

- `void destroy()`

  覆盖这个方法，用户退出浏览器时需要执行的代码都放在这个方法中。

- `void resize(int width, int height)`

  请求调整 applet 的大小。如果能用在 Web 页面上这会是一个很不错的方法；遗憾的是，在当前浏览器中并不可用，因为这与当前浏览器的页面布局机制有冲突。

13.4.2 applet HTML 标记和属性

下面是一个最简形式的 applet 标记示例：

```
<applet code="applet/NotHelloWorld.class" archive="NotHelloWorld.jar"
     width="300" height="100"></applet>
```

可以在 applet 标记中使用以下属性：

- width, height

  这些属性是必要的，指定了 applet 的宽度和高度（单位为像素）。在 applet 查看器中，这是 applet 的初始状态。可以调整 applet 查看器创建的任何窗口的大小。但在浏览器中不能调整 applet 的大小。需要适当地猜测你的 applet 需要占据多大的空间，才能够让所有用户看到好的效果。

- align

  这个属性指定了 applet 的对齐方式。属性值与 HTML img 标记的 align 属性值相同。

- vspace, hspace

  这些属性是可选的，指定了 applet 上下的像素数（vspace）以及左右两边的像素数（hspace）。

- code

  这个属性指定了 applet 的类文件名。

  路径名必须与 applet 类的包一致。例如，如果 applet 类在包 com.mycompany 中，那么这个属性就是 code="com/mycompany/MyApplet.class"，也可以是 code="com.mycompany.MyApplet.class"。

  code 属性只指定包含 applet 类的类的名字。当然，你的 applet 可能包含其他类文件。一旦浏览器的类加载器加载了包含 applet 的类，它就会发现还需要更多类文件，并加载这些文件。

- archive

  这个属性会列出包含 applet 的类以及其他资源的 JAR 文件（可能有多个 JAR 文件）。这些文件会在加载 applet 之前从 Web 服务器获取。JAR 文件用逗号分隔。例如：

  ```
  <applet code="MyApplet.class"
     archive="MyClasses.jar,corejava/CoreJavaClasses.jar"
     width="100" height="150">
  ```

- codebase

  这个属性是加载 JAR 文件（早期还可以加载类文件）的 URL。

- object

  这个属性已经过时，可以指定包含串行化 applet 对象的文件的文件名，这个文件用于持久存储 applet 状态。由于没有办法对一个串行化文件签名，所以这个特性已经没有用了。

- alt

  Java 禁用时，可以使用 alt 属性来显示一个消息。

  如果一个浏览器根本无法处理 applet，它会忽略未知的 applet 和 param 标记。浏览器会显示 <applet> 和 </applet> 标记之间的所有文本。与之相反，支持 Java 的浏览器不会显示 <applet> 和 </applet> 标记之间的任何文本。对于使用这些浏览器的人，可以在这些标记之间显示提示消息。例如：

```
<applet . . . alt="If you activated Java, you would see my applet here">
   If your browser could show Java, you would see my applet here.
</applet>
```

- name

  编写脚本的人可以为 applet 指定一个 name 属性，用来指示所编写的 applet。Netscape 和 Internet Explorer 都允许通过 JavaScript 调用页面上的 applet 的方法。

  要从 JavaScript 访问一个 applet，首先要指定一个名字。

```
<applet ... name="mine"></applet>
```

  然后可以用 document.applets.*appletname* 表示这个对象。例如：

```
var myApplet = document.applets.mine;
```

  接下来就可以调用 applet 方法了：

```
myApplet.init();
```

  希望同一个页面上的两个 applet 相互直接通信时 name 属性也很重要。为每个当前 applet 实例指定一个名字，将这个字符串传递到 AppletContext 接口的 getApplet 方法。本章后面还会讨论这种 applet 间通信（*inter-applet communication*）机制。

注释： 在 www.javaworld.com/javatips/jw-javatip80.html 中，Francis Lu 使用 JavaScript-Java 通信解决了一个年代久远的问题：如何调整 applet 的大小，而不限于只能通过硬编码 width 和 height 属性来指定。这是 Java 与 JavaScript 集成的一个很好的例子。

13.4.3　使用参数向 applet 传递信息

与应用可以使用命令行信息一样，applet 可以使用内嵌在 HTML 文件中的参数。这是利用 HTML param 标记以及所定义的属性来完成的。例如，假设想让 Web 页面确定 applet 中使用的字体样式。可以使用以下 HTML 标记：

```
<applet code="FontParamApplet.class" ...>
   <param name="font" value="Helvetica"/>
</applet>
```

然后使用 Applet 类的 getParameter 方法得到参数的值：

```
public class FontParamApplet extends JApplet
{
   public void init()
   {
```

```
        String fontName = getParameter("font");
        . . .
     }
     . . .
  }
```

注释： 只能在 applet 的 init 方法中调用 getParameter 方法，而不能在构造器中调用。执行 applet 构造器时，参数还没有准备好。由于大多数重要 applet 的布局都由参数确定，所以建议不要为 applet 提供构造器，要把所有初始化代码放在 init 方法中。

参数总是作为字符串返回。如果需要数值类型，则需要将字符串转换为数值。可以调用适当的方法采用标准方式进行转换，如 Integer 类的 parseInt。

例如，如果想为字体增加一个 size 参数，HTML 代码可能如下所示：

```
<applet code="FontParamApplet.class" ...>
   <param name="font" value="Helvetica"/>
   <param name="size" value="24"/>
</applet>
```

下面的源代码显示了如何读取这个整数参数：

```
public class FontParamApplet extends JApplet
{
   public void init()
   {
      String fontName = getParameter("font");
      int fontSize = Integer.parseInt(getParameter("size"));
      . . .
    }
}
```

注释： param 标记中的 name 属性值与 getParameter 方法的参数匹配时，会使用不区分大小写的比较。

除了要确保代码中的参数匹配之外，还要检查是否缺少 size 参数。可以简单地测试是否为 null 来达到目的。例如：

```
int fontsize;
String sizeString = getParameter("size");
if (sizeString == null) fontSize = 12;
else fontSize = Integer.parseInt(sizeString);
```

下面给出一个经典的 applet，它会使用参数绘制一个直方图，如图 13-5 所示。

这个 applet 从 HTML 文件中的 param 值得到直方柱的标签和高度。下面给出图 13-5 相应的 HTML 文件：

```
<applet code="Chart.class" width="400" height="300">
   <param name="title" value="Diameters of the Planets"/>
```

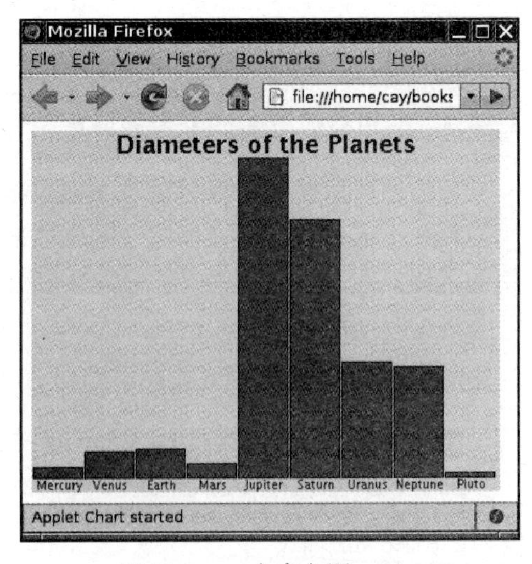

图 13-5 一个直方图 applet

```
   <param name="values" value="9"/>
   <param name="name.1" value="Mercury"/>
   <param name="name.2" value="Venus"/>
   <param name="name.3" value="Earth"/>
   <param name="name.4" value="Mars"/>
   <param name="name.5" value="Jupiter"/>
   <param name="name.6" value="Saturn"/>
   <param name="name.7" value="Uranus"/>
   <param name="name.8" value="Neptune"/>
   <param name="name.9" value="Pluto"/>
   <param name="value.1" value="3100"/>
   <param name="value.2" value="7500"/>
   <param name="value.3" value="8000"/>
   <param name="value.4" value="4200"/>
   <param name="value.5" value="88000"/>
   <param name="value.6" value="71000"/>
   <param name="value.7" value="32000"/>
   <param name="value.8" value="30600"/>
   <param name="value.9" value="1430"/>
</applet>
```

也可以在 applet 中建立一个字符串数组和一个数值数组，不过使用参数机制有两个好处。Web 页面上的同一个 applet 可以有多个副本，分别显示不同的图表：只需要在页面上放置两个 applet 标记，分别用一组不同的参数。另外，可以改变要绘制图表的数据。必须承认，行星直径在相当长的时间内都不会改变，不过假设你的 Web 页面包含每周销量数据的图表呢？由于使用纯文本，所以更新 Web 页面很容易。而每周编辑和重新编译一个 Java 文件就要麻烦多了。

实际上，有很多商业 JavaBeans 组件（beans）可以提供比这个 applet 更精美的图表。如果购买这样一个 bean，可以把它放在你的 Web 页面中，为它提供参数，而无须知道这个 applet 是如何呈现图表的。

程序清单 13-5 是这个图表 applet 的源代码。需要说明，init 方法读取了参数，并由 paintComponent 方法绘制图表。

代码清单 13-5 chart/Chart.java

```
1  package chart;
2
3  import java.awt.*;
4  import java.awt.font.*;
5  import java.awt.geom.*;
6  import javax.swing.*;
7
8  /**
9   * @version 1.34 2015-06-12
10  * @author Cay Horstmann
11  */
12 public class Chart extends JApplet
13 {
14    public void init()
15    {
16       EventQueue.invokeLater(() -> {
```

```
17          String v = getParameter("values");
18          if (v == null) return;
19          int n = Integer.parseInt(v);
20          double[] values = new double[n];
21          String[] names = new String[n];
22          for (int i = 0; i < n; i++)
23          {
24             values[i] = Double.parseDouble(getParameter("value." + (i + 1)));
25             names[i] = getParameter("name." + (i + 1));
26          }
27
28          add(new ChartComponent(values, names, getParameter("title")));
29       });
30    }
31 }
32
33 /**
34  * A component that draws a bar chart.
35  */
36 class ChartComponent extends JComponent
37 {
38    private double[] values;
39    private String[] names;
40    private String title;
41
42    /**
43     * Constructs a ChartComponent.
44     * @param v the array of values for the chart
45     * @param n the array of names for the values
46     * @param t the title of the chart
47     */
48    public ChartComponent(double[] v, String[] n, String t)
49    {
50       values = v;
51       names = n;
52       title = t;
53    }
54
55    public void paintComponent(Graphics g)
56    {
57       Graphics2D g2 = (Graphics2D) g;
58
59       // compute the minimum and maximum values
60       if (values == null) return;
61       double minValue = 0;
62       double maxValue = 0;
63       for (double v : values)
64       {
65          if (minValue > v) minValue = v;
66          if (maxValue < v) maxValue = v;
67       }
68       if (maxValue == minValue) return;
69
70       int panelWidth = getWidth();
71       int panelHeight = getHeight();
72
73       Font titleFont = new Font("SansSerif", Font.BOLD, 20);
```

```
74         Font labelFont = new Font("SansSerif", Font.PLAIN, 10);
75 
76         // compute the extent of the title
77         FontRenderContext context = g2.getFontRenderContext();
78         Rectangle2D titleBounds = titleFont.getStringBounds(title, context);
79         double titleWidth = titleBounds.getWidth();
80         double top = titleBounds.getHeight();
81 
82         // draw the title
83         double y = -titleBounds.getY(); // ascent
84         double x = (panelWidth - titleWidth) / 2;
85         g2.setFont(titleFont);
86         g2.drawString(title, (float) x, (float) y);
87 
88         // compute the extent of the bar labels
89         LineMetrics labelMetrics = labelFont.getLineMetrics("", context);
90         double bottom = labelMetrics.getHeight();
91 
92         y = panelHeight - labelMetrics.getDescent();
93         g2.setFont(labelFont);
94 
95         // get the scale factor and width for the bars
96         double scale = (panelHeight - top - bottom) / (maxValue - minValue);
97         int barWidth = panelWidth / values.length;
98 
99         // draw the bars
100        for (int i = 0; i < values.length; i++)
101        {
102           // get the coordinates of the bar rectangle
103           double x1 = i * barWidth + 1;
104           double y1 = top;
105           double height = values[i] * scale;
106           if (values[i] >= 0)
107              y1 += (maxValue - values[i]) * scale;
108           else
109           {
110              y1 += maxValue * scale;
111              height = -height;
112           }
113 
114           // fill the bar and draw the bar outline
115           Rectangle2D rect = new Rectangle2D.Double(x1, y1, barWidth - 2, height);
116           g2.setPaint(Color.RED);
117           g2.fill(rect);
118           g2.setPaint(Color.BLACK);
119           g2.draw(rect);
120 
121           // draw the centered label below the bar
122           Rectangle2D labelBounds = labelFont.getStringBounds(names[i], context);
123 
124           double labelWidth = labelBounds.getWidth();
125           x = x1 + (barWidth - labelWidth) / 2;
126           g2.drawString(names[i], (float) x, (float) y);
127        }
128     }
129 }
```

API java.applet.Applet 1.0

- `public String getParameter(String name)`

  得到加载applet的Web页面中用param标记定义的一个参数值。字符串name是区分大小写的。

- `public String getAppletInfo()`

  很多applet作者都会覆盖这个方法来返回关于当前applet作者、版本和版权信息的字符串。

- `public String[][] getParameterInfo()`

  可以覆盖这个方法来返回applet支持的一个param标记选项数组。每一行包含3项：参数名、类型和参数的描述。下面给出一个例子：

```
"fps", "1-10", "frames per second"
"repeat", "boolean", "repeat image loop?"
"images", "url", "directory containing images"
```

13.4.4 访问图像和音频文件

applet可以处理图像和音频。写作这本书时，图像必须是GIF、PNG或JPEG格式，音频文件必须是AU、AIFF、WAV或MIDI。另外也支持动画GIF，可以显示动画。

要用相对URL指定图像和音频文件的位置。通常可以通过调用getDocumentBase或getCodeBase方法得到基URL。前一个方法会得到包含这个applet的HTML页面的URL，后者会得到applet的codebase属性指定的URL。

可以为getImage或getAudioClip方法提供基URL和文件位置。例如：

```
Image cat = getImage(getDocumentBase(), "images/cat.gif");
AudioClip meow = getAudioClip(getDocumentBase(), "audio/meow.au");
```

第10章中已经见过如何显示一个图像。要播放一段音频，只需要调用它的play方法。还可以调用Applet类的play方法而无须先加载这段音频。

```
play(getDocumentBase(), "audio/meow.au");
```

API java.applet.Applet 1.0

- `URL getDocumentBase()`

  得到包含这个applet的Web页面的URL。

- `URL getCodeBase()`

  得到加载这个applet的代码基目录的URL。这可以是codebase属性引用的目录的绝对URL，如果没有指定，则是HTML文件所在目录的URL。

- `void play(URL url)`
- `void play(URL url, String name)`

  前一种形式会播放URL指定的一个音频文件。第二种形式使用字符串来提供相对于第一个参数中URL的一个路径。如果未找到任何音频剪辑，那么什么也不会发生。

- `AudioClip getAudioClip(URL url)`
- `AudioClip getAudioClip(URL url, String name)`

  第一种形式从给定 URL 得到一个音频剪辑。第二种形式使用字符串提供相对于第一个参数中 URL 的一个路径。如果无法找到音频剪辑，这两个方法会返回 null。
- `Image getImage(URL url)`
- `Image getImage(URL url, String name)`

  返回封装了 URL 所指定图像的一个图像对象。如果图像不存在，则立即返回 null。否则，会启动一个单独的线程来加载这个图像。

13.4.5　applet 上下文

applet 在浏览器或 applet 查看器中运行。applet 可以要求浏览器为它做些事情，例如，获取一个音频剪辑，在状态栏中显示一个简短的消息，或者显示一个不同的 Web 页面。浏览器可能会执行这些请求，也可能将其忽略。例如，如果一个在 applet 查看器中运行的 applet 要求 applet 查看器程序显示一个 Web 页面，那么什么也不会发生。

要与浏览器通信，applet 可以调用 getAppletContext 方法。这个方法会返回一个实现 AppletContext 接口的对象。可以认为 AppletContext 接口的具体实现是 applet 与外围浏览器之间的一个通信渠道。除了 getAudioClip 和 getImage 之外，AppletContext 接口还包含很多有用的方法，将在接下来的几节中讨论。

13.4.6　applet 间通信

一个 Web 页面可以包含多个 applet。如果一个 Web 页面包含来自同一个 codebase 的多个 applet，它们可以相互通信。很自然地，这是一项高级技术，你可能很少会用到。

如果为 HTML 文件中的各个 applet 指定 name 属性，可以使用 AppletContext 接口的 getApplet 方法来得到这个 applet 的一个引用。例如，如果 HTML 文件中包含以下标记：

```
<applet code="Chart.class" width="100" height="100" name="Chart1">
```

则以下调用

```
Applet chart1 = getAppletContext().getApplet("Chart1");
```

会提供这个 applet 的一个引用。如何使用这个引用呢？假设 Chart 类中有一个方法可以接受新数据并重绘图表，可以通过适当的类型转换来调用这个方法：

```
((Chart) chart1).setData(3, "Earth", 9000);
```

还可以列出一个 Web 页面上的所有 applet，不论它们是否有 name 属性。getApplets 方法会返回一个枚举对象。下面给出一个循环，它会打印当前页面上所有 applet 的类名：

```
Enumeration<Applet> e = getAppletContext().getApplets();
while (e.hasMoreElements())
{
```

```
        Applet a = e.nextElement();
        System.out.println(a.getClass().getName());
    }
```

applet 不能与不同 Web 页面上的其他 applet 通信。

13.4.7 在浏览器中显示信息项

可以访问外围浏览器的两个区域：状态栏和 Web 页面显示区，这都要使用 AppletContext 接口的方法。

可以用 showStatus 方法在浏览器底部的状态栏中显示一个字符串。例如：

```
showStatus("Loading data . . . please wait");
```

提示： 从我们的经验来看，showStatus 的作用有限。浏览器也会经常使用状态栏，它会用类似“Applet running”之类的话覆盖原先的消息。可以使用状态栏显示不太重要的消息，如“Loading data . . . please wait”，而不能显示用户不能遗漏的消息。

可以用 showDocument 方法告诉浏览器显示一个不同的 Web 页面。有很多方法可以达到这个目的。最简单的办法是调用 showDocument 并提供一个参数，即你想要显示的 URL：

```
URL u = new URL("http://horstmann.com/index.html");
getAppletContext().showDocument(u);
```

这个调用的问题在于，它会在当前页面所在的同一个窗口中打开新 Web 页面，因此会替换你的 applet。要返回原来的 applet，用户必须点击浏览器的后退按钮。

可以在 showDocument 调用中提供第二个参数告诉浏览器在另一个窗口中显示文档（见表 13-2）。如果提供了特殊字符串 "_blank"，浏览器会用这个文档打开一个新窗口，而不是替换当前文档。更重要的是，如果利用 HTML 中的框架特性，可以把一个浏览器窗口分割为多个框架，每个框架都有自己的名字。可以把 applet 放在一个框架中，让它在其他框架中显示文档。下一节会给出这样的一个例子。

注释： applet 查看器不显示 Web 页面。showDocument 方法在 applet 查看器中会被忽略。

表 13-2 showDocument 方法

目标参数	位　置
"_self" 或无	在当前框架中显示文档
"_parent"	在父框架中显示文档
"_top"	在最顶层框架中显示文档
"_blank"	在新的未命名顶层窗口中显示文档
其他字符串	在指定框架中显示。如果不存在指定名字的框架，则打开一个新窗口，并指定为这个窗口的名字

API java.applet.Applet 1.2

- `public AppletContext getAppletContext()`

提供 applet 的浏览器环境的一个句柄。在大多数浏览器中，可以使用这个信息控制运行这个 applet 的浏览器。

- `void showStatus(String msg)`

  在浏览器的状态栏中显示指定字符串。

API java.applet.AppletContext 1.0

- `Enumeration<Applet> getApplets()`

  返回相同上下文（也就是相同的 Web 页面）中所有 applet 的一个枚举（见第 9 章）。
- `Applet getApplet(String name)`

  返回当前上下文中有指定名的 applet；如果不存在则返回 null。只会搜索当前 Web 页面。
- `void showDocument(URL url)`
- `void showDocument(URL url, String target)`

  在浏览器的一个框架中显示一个新 Web 页面。第一种形式中，新页面会替换当前页面。第二种形式使用 target 参数标识目标框架（见表 13-2）。

13.4.8　沙箱

从一个远程站点加载代码再在本地执行时，安全会变得非常重要。访问一个 Web 页面会自动启动这个页面上的所有 applet。

点击一个链接会启动 Java Web Start 应用。如果访问一个 Web 页面或点击一个链接会执行用户计算机上的任意代码，有恶意的人就能轻松地窃取机密信息、访问金融数据，或者利用用户的机器发送垃圾邮件。

为了确保 Java 技术不会被恶意利用，Java 提供了一个精巧的安全模型，我们将在卷 Ⅱ 中详细讨论。安全管理器（*security manager*）会检查对所有系统资源的访问。默认情况下，它只允许无害的操作。要允许其他操作，用户必须明确地批准 applet 或应用运行。

远程代码在所有平台上能做什么？如果只是显示图像和播放声音，获得用户的按键和鼠标点击，将用户输入发回给加载代码的主机，这些通常都没有问题。这对于显示资料数据或者与教育程序或游戏交互来说够用了。这个受限的执行环境通常称为“沙箱”。沙箱中运行的代码不能改变或刺探用户的系统。

具体来说，沙箱中的程序有以下限制：

- 它们绝对不能运行任何本地可执行程序。
- 它们不能读写本地计算机的文件系统。
- 它们不能查找有关本地计算机的信息，不过所用的 Java 版本和一些无害的操作系统细节除外。特别是，沙箱中的代码不能查找用户的名字、e-mail 地址，等等。
- 远程加载的程序需要用户同意与下载这个程序的服务器以外的主机通信；这个服务器称为源主机（*originating host*）。这个规则通常称为“远程代码只能与家人通话”。这个规则可以保护用户防止代码刺探内部网资源。

- 所有弹出窗口都带有一个警告消息。这个消息是一个安全特性，确保用户不会把这个窗口误认为一个本地应用。这是因为会担心不设防的用户可能访问一个 Web 页面，被诱骗运行远程代码，然后键入密码或信用卡号，这可能会发回给 Web 服务器。在早期版本的 JDK 中，这个消息看上去很严重："不能信任的 Java Applet 窗口"。后来的版本把这个警告稍稍放松了一点："未授权的 Java Applet 窗口"，后来又改为"警告：Java Applet 窗口"。现在是一个警告性的小三角，只有最敏锐的用户才会注意到。

沙箱概念没有原先那么有意义。过去，任何人都可能部署沙箱代码，只有需要得到许可在沙箱外执行的代码才需要有数字签名。如今，不论是否在沙箱中运行，通过 Java Plug-in 执行的所有代码都必须有数字签名。

13.4.9 签名代码

applet 或 Java Web Start 应用的 JAR 文件必须有数字签名。签名的 JAR 文件带有一个证书，指示签名者的身份。加密技术可以确保这个证书不可伪造，而且能检测出对签名文件的任何篡改。

例如，假设你收到由 yWorks GmbH 开发并签名的一个应用，它使用 Thawte 签发的一个证书来签名（如图 13-6 所示）。接收到应用时，可以确保以下几个方面：

1）代码与签名时是一样的；没有第三方篡改这个代码。

2）签名确实来自 yWorks。

3）证书确实由 Thawte 签发。（Java Plug-in 知道如何检查 Thawte 和很多其他证书发行商的证书，另外也可以安装候选的"根证书"。）

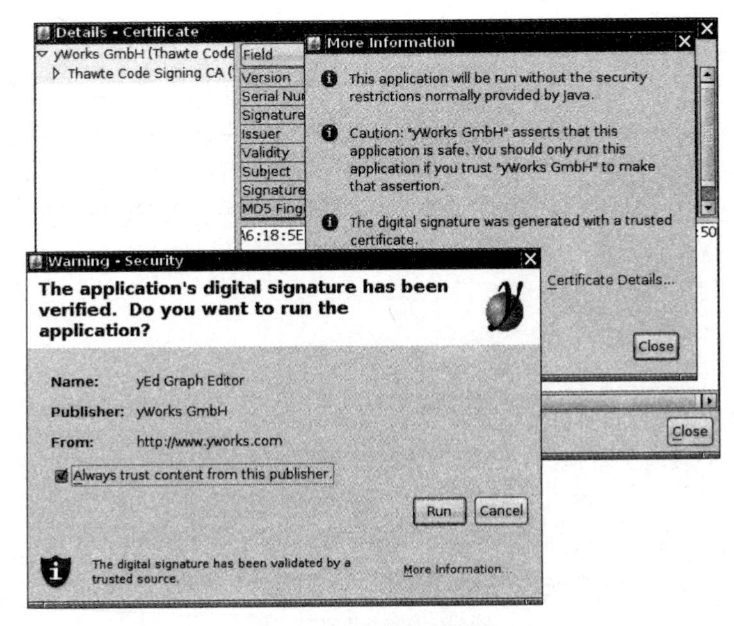

图 13-6 一个安全证书

如果点击“更多信息”链接，会告诉你这个应用运行时不会有 Java 通常的安全限制。要安装和运行这个应用吗？实际上这取决于你对 yWorks GmbH 的信任。

要从某个支持的发行商得到一个证书，可能每年要付数百美元，一些证书发行商还要求提供公司或企业的执照证明。过去，一些 Java 开发人员会生成他们自己的证书用来对代码签名。当然，Java Plug-in 没有办法检查这些证书的准确性。不过，过去 Java Plug-in 会为用户提供证书。这没有太大意义，因为很少有用户了解安全与不安全的证书之间的差别。现在已经不再支持不安全的证书。

如果想要发布一个 Java applet 或 Web Start 应用，你将别无选择。必须从 Java Plug-in 支持的一个证书发行商得到一个证书，用它对你的 JAR 文件签名。

如果你在一家公司任职，你的公司很有可能已经与一个证书发行商建立了关系，可以直接订购一个代码签名证书。如果没有，很有必要货比三家，因为具体的价格有很大差异，有些发行商对于向个人签发证书要求比较宽松。

你的证书会提供相关的安装说明，指出如何把它安装在一个 Java 密钥库中，这是一个受密码保护的文件，可以在签名过程中从这个密钥库获取证书。要保证这个密钥库文件和密码的安全。

接下来，需要确定希望得到什么权限。你可以选择沙箱权限和完全权限。建立一个清单文件（参见 13.1.2 节）。

包含 Permissions: sandbox 或 Permissions: all-permissions，例如：

```
Manifest-Version: 1.0
Permissions: all-permissions
```

接下来运行 jar 工具：

```
jar cvfm MyApplet.jar manifest.mf mypackage/*.class
```

HTML 文件的 applet 元素应当有属性 archive="MyApplet.jar"。

最后，对 JAR 文件签名。命令如下：

```
jarsigner -keystore keystorefile -tsa timestampURL MyApplet.jar keyalias
```

需要向证书发行商询问时间戳 URL。密钥别名由证书发行商签名。运行以下命令：

```
keytool -keystore keystorefile -list
```

来得到密钥别名。还可以用 keytool 命令的 -changealias 选项修改别名。（关于 keytool 的更多信息，参见卷 II 的第 9 章。）

现在把签名的 JAR 文件和包含 applet 元素的 HTML 文件放到你的 Web 服务器上。

注释： 可以详细地控制为 Java 应用授予的权限，有关内容将在卷 II 的第 12 章讨论。不过，这个体系没有以对消费者来说有意义的方式投入使用。Java Plug-in 只提供了两个安全级别：沙箱和完全权限。

13.5 Java Web Start

Java Web Start 是一项在 Internet 上发布应用程序的技术。Java Web Start 应用程序包含下列主要特性：

- Java Web Start 应用程序一般通过浏览器发布。只要 Java Web Start 应用程序下载到本地就可以启动它，而不需要浏览器。
- Java Web Start 应用程序并不在浏览器窗口内。它将显示在浏览器外的一个属于自己的框架中。
- Java Web Start 应用程序不使用浏览器的 Java 实现。浏览器只是在加载 Java Web Start 应用程序描述符时启动一个外部应用程序。这与启动诸如 Adobe Acrobat 或 RealAudio 这样的辅助应用程序所使用的机制一样。
- 数字签名应用程序可以被赋予访问本地机器的任意权限。未签名的应用程序只能运行在“沙箱”中，它可以阻止具有潜在危险的操作。

13.5.1 发布 Java Web Start 应用

要想准备一个通过 Java Web Start 发布的应用程序，应该将其打包到一个或多个 JAR 文件中。然后创建一个 Java Network Launch Protocol（JNLP）格式的描述符文件。将这些文件放置在 Web 服务器上。

还需要确保 Web 服务器对扩展名为 .jnlp 的文件报告一个 application/x-java-jnlp-file 的 MIME 类型（浏览器利用 MIME 类型确定启动哪一种辅助应用程序）。更详细的有关信息请参看 Web 服务器文档。

提示： 要想体验 Java Web Start，需要从 jakarta.apache.org/tomcat 上安装 Tomcat。Tomcat 是一个 servlet 和 JSP 页面的容器，也提供网页服务。它被预配置为服务于 JNLP 文件所对应的 MIME 类型。

试着用 Java Web Start 发布第 12 章中开发的计算器应用程序。步骤如下：

1）编译程序。

```
javac -classpath .:jdk/jre/lib/javaws.jar webstart/*.java
```

2）使用下列命令创建一个 JAR 文件：

```
jar cvfe Calculator.jar webstart.Calculator  webstart/*.class
```

3）使用下列内容准备启动文件 Calculator.jnlp：

```
<?xml version="1.0" encoding="utf-8"?>
<jnlp spec="1.0+" codebase="http://localhost:8080/calculator/" href="Calculator.jnlp">
   <information>
      <title>Calculator Demo Application</title>
      <vendor>Cay S. Horstmann</vendor>
      <description>A Calculator</description>
      <offline-allowed/>
```

```
  </information>
  <resources>
    <java version="1.6.0+"/>
    <jar href="Calculator.jar"/>
  </resources>
  <application-desc/>
</jnlp>
```

注意，版本号必须是 1.6.0，而不是 6.0。

启动文件格式很容易理解，无须说明。要想了解全部的规范，请参看 www.oracle.com/technetwork/java/javase/javawebstart。

4）如果使用 Tomcat，则在 Tomcat 安装的根目录上创建一个目录 tomcat/webapps/calculator。创建子目录 tomcat/webapps/calculator/WEB-INF，并且将最小的 web.xml 文件放置在 WEB-INF 子目录下：

```
<?xml version="1.0" encoding="utf-8"?>
<web-app version="2.5" xmlns="http://java.sun.com/xml/ns/j2ee"
   xmlns:xsi="http://www.w3.org/2001/XMLSchema-instance"
   xsi:schemaLocation="http://java.sun.com/xml/ns/j2ee
      http://java.sun.com/xml/ns/j2ee/web-app_2_5.xsd">
</web-app>
```

5）将 JAR 文件和启动文件放入 *tomcat*/webapps/calculator 目录。

6）按照 2.5 节描述的过程，在 Java 控制面板中将 URL http://localhost:8080 增加到可信站点列表。或者，可以按 13.4.9 介绍的过程为 JAR 文件签名。

7）在 *tomcat*/bin 目录执行启动脚本来启动 Tomcat。

8）将浏览器指向 JNLP 文件。例如，如果使用 Tomcat，则访问 http://localhost:8080/calculator/Calculator.jnlp。如果已经对浏览器完成了 Java Web Start 的有关配置，应该能看到 Java Web Start 的启动窗口（见图 13-7）。

如果你的浏览器不知道如何处理 JNLP 文件，可能会提供一个选项将它们与一个应用关联。如果是这样，请选择 *jdk*/bin/javaws。否则，明确如何将 MIME 类型 application/x-java-jnlp-file 与 javaws 应用关联。还可以试着重新安装可以做到这一点的 JDK。

9）稍后，计算器就会出现，所带的边框表明这是一个 Java 应用程序，如图 13-8 所示。

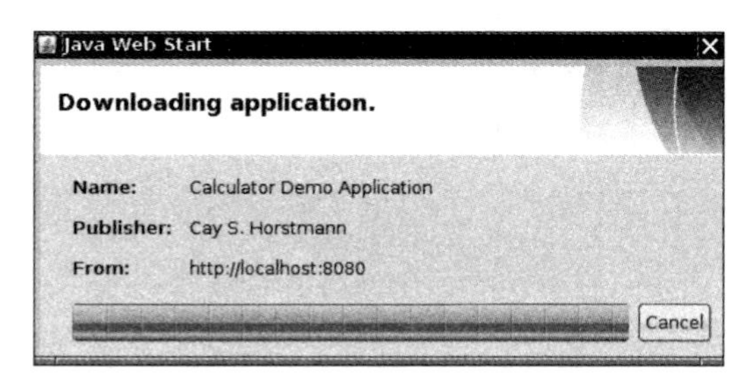

图 13-7　启动 Java Web Start

图 13-8　Java Web Start 发布的计算器

10）当再次访问 JNLP 文件时，应用程序将从缓存中取出。可以利用 Java 插件控制面板查看缓存内容，如图 13-9 所示。在 Windows 系统的 Windows 控制面板中可以看到 Java 插件控制面板。在 Linux 下，可以运行 jdk/jre/bin/ControlPanel。

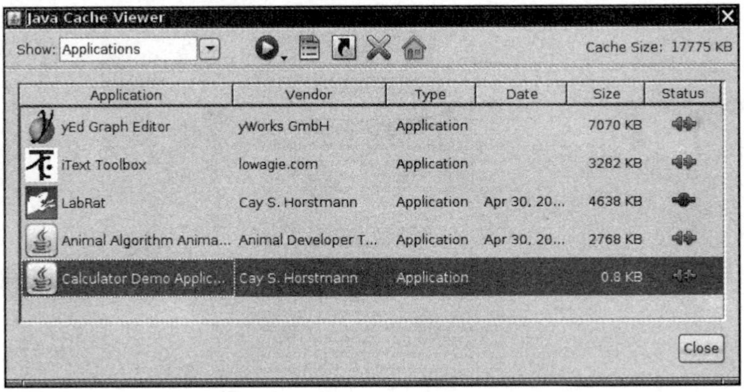

图 13-9 应用程序缓存

提示：如果在测试 JNLP 配置期间不想运行 web 服务器，可以通过执行下列命令临时性地覆盖启动文件中的 URL：

```
javaws -codebase file://programDirectory JNLPfile
```

例如，在 UNIX 中，可以从包含 JNLP 文件的目录中直接地发出下列命令：

```
javaws -codebase file://`pwd` Calculator.jnlp
```

当然，没有告诉用户再次运行应用程序时要启动缓存视图。可以利用安装器安装桌面和菜单的快捷键。将下列代码添加到 JNLP 文件中：

```
<shortcut>
  <desktop/>
  <menu submenu="Accessories"/>
</shortcut>
```

当用户首次下载应用程序时，将会显示“desktop integration warning”，如图 13-10 所示。

还应该为菜单快捷键和启动屏幕提供一个图标。Oracle 建议提供 32 × 32 和 64 × 64 的图标。把这些图标文件与 JNLP 和 JAR 文件一起放在 Web 服务器上。将下列代码添加到 JNLP 文件的 information 节中：

```
<icon href="calc_icon32.png" width="32" height="32" />
<icon href="calc_icon64.png" width="64" height="64" />
```

注意，这些图标与应用程序图标无关。如果想让应用程序也有图标，需要将一个独立的图标图像添加到 JAR 文件中，并在框架类中调用 setIconImage 方法。请看程序清单 13-1。

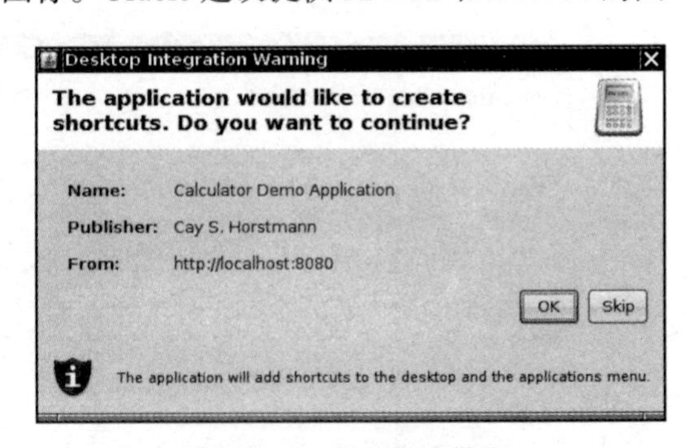

图 13-10 桌面集成警告

13.5.2　JNLP API

JNLP API 允许未签名的应用程序在沙箱中运行，同时通过一种安全的途径访问本地资源。例如，有一些加载和保存文件的服务。应用程序不能查看系统文件，也不能指定文件名。然而，可以弹出一个文件对话框，程序用户可以从中选择文件。在文件对话框弹出之前，应用程序不能浏览文件系统，也不能指定文件名。取而代之的是，系统将弹出文件对话框，由程序的用户从中选择文件。在文件对话框弹出之前，程序的用户会得到警告并且必须同意继续处理，如图 13-11 所示。而且，API 并不给予程序访问 File 对象的权限。特别是，应用程序没有办法找到文件的位置。因此，程序员需要通过工具实现“打开文件”和“保存文件”的操作，但是对于不信任的应用程序，系统应尽可能地将信息隐藏起来。

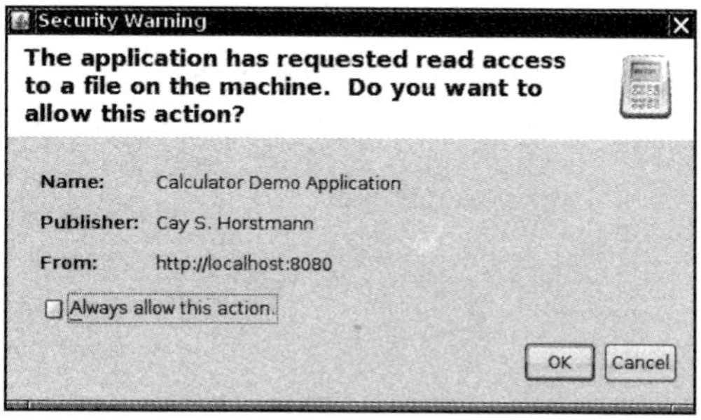

图 13-11　Java Web Start 安全警告

API 提供了下面的服务：

- 加载和保存文件
- 访问剪贴板
- 打印
- 下载文件
- 在默认的浏览器中显示一个文档
- 保存和获取持久性配置信息
- 确信只运行一个应用程序的实例

要访问服务，需要使用 ServiceManager，如下所示：

```
FileSaveService service = (FileSaveService) ServiceManager.lookup("javax.jnlp.FileSaveService");
```

如果服务不可用，调用将抛出 UnavailableServiceException。

注释： 如果想要编译使用了 JNLP API 的程序，那就必须在类路径中包含 javaws.jar 文件。这个文件在 JDK 的 jre/lib 子目录下。

现在，讨论一些最常用的 JNLP 服务。要保存文件，需要为文件对话框提供文件的初始路径名和文件扩展类型、要保存的数据和建议的文件名。例如：

```
service.saveFileDialog(".", new String[] { "txt" }, data, "calc.txt");
```

数据必须由 InputStream 传递。这可能有些困难。在程序清单 13-6 中，程序使用下面的策略：

1）创建 ByteArrayOutputStream 用于存放需要保存的字节。

2）创建 PrintStream 用于将数据传递给 ByteArrayOutputStream。

3）将要保存的数据打印到 PrintStream。

4）建立 ByteArrayInputStream 用于读取保存的字节。

5）将上面的流传递给 saveFileDialog 方法。

卷 Ⅱ 的第 1 章将阐述更多有关流的知识。现在，可以忽略示例中关于流的细节。

要想从文件中读取数据，需要使用 FileOpenService。它的 openFileDialog 对话框接收应用程序提供的初始路径名和文件扩展名，并返回一个 FileContents 对象。然后调用 getInputStream 和 getOuputStream 方法来读写文件数据。如果用户没有选择文件，openFileDialog 方法将返回 null。

```
FileOpenService service = (FileOpenService) ServiceManager.lookup("javax.jnlp.FileOpenService");
FileContents contents =  service.openFileDialog(".", new String[] { "txt" });
if (contents != null)
{
   InputStream in = contents.getInputStream();
   . . .
}
```

注意，应用程序不知道文件名或文件所放置的位置。相反地，如果想要打开一个特定的文件，需要使用 ExtendedService：

```
ExtendedService service = (ExtendedService) ServiceManager.lookup("javax.jnlp.ExtendedService");
FileContents contents =  service.openFile(new File("c:\\autoexec.bat"));
if (contents != null)
{
   OutputStream out = contents.getOutputStream();
   . . .
}
```

程序的用户必须同意文件访问。如图 13-12 所示。

要想在默认浏览器中显示一个文档，就需要使用 BasicService 接口。注意，有些系统可能没有默认的浏览器。

```
BasicService service = (BasicService) ServiceManager.lookup("javax.jnlp.BasicService");
if (service.isWebBrowserSupported())
   service.showDocument(url);
else . . .
```

处于起步阶段的 PersistenceService 允许应用程序保存少量的配置信息，并且在应用程序下次运行时恢复。这种机制类似于 HTTP 的 cookie，使用 URL 键进行持久性存储。URL 并不需要指向一个真正的 web 资源，服务仅仅使用它们来构造一个方便的具有层次结构的命名机制。对于任何给定的 URL 键，应用程序可以存储任意的二进制数据（存储可能会限制数据块的大小）。

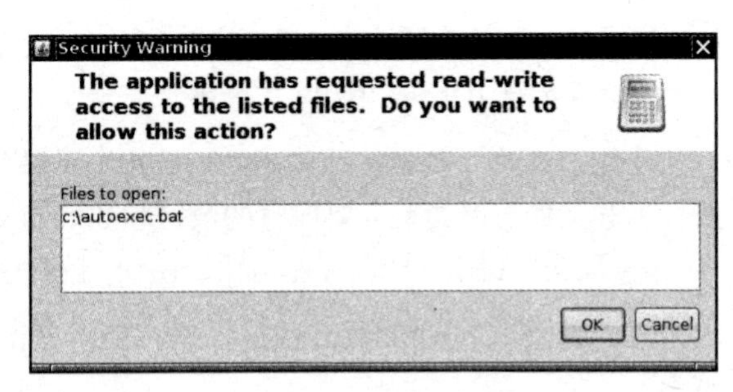

图 13-12　文件访问警告

因为应用程序是彼此分离的，一个特定的应用程序只能使用从 codebase 开始的 URL 键值（codebase 在 JNLP 文件中指定）。例如，如果一个应用程序是从 http://myserver.com/apps 下载的，那么它只能使用 http://myserver.com/apps/subkey1/subkey2/... 形式的键。访问其他键值的企图终将会失败。

应用程序可以调用 BasicService 类的 getCodeBase 方法查看它的 codebase。

可以调用 PersistenceService 中的 create 方法建立一个新的键：

```
URL url = new URL(codeBase, "mykey");
service.create(url, maxSize);
```

要想访问与某个特定键关联的信息，需要调用 get 方法。这个方法将返回一个 FileContents 对象，通过这个对象可以对键数据进行读写。例如：

```
FileContents contents = service.get(url);
InputStream in = contents.getInputStream();
OutputStream out = contents.getOutputStream(true); // true = overwrite
```

遗憾的是，无法轻而易举地知道这个键是已经存在还是需要创建。可以假定这个键已经存在，并调用 get 方法。如果抛出 FileNotFoundException，就说明需要创建。

注释：Java Web Start 应用程序和 applet 都可以使用常规的打印 API 进行打印。这时会弹出一个安全对话框来询问用户是否允许访问打印机。有关更多的打印 API 的信息，请参看卷 Ⅱ 的第 7 章。

程序清单 13-6 对计算器应用程序的功能做了一点改进。这个计算器有一个虚拟的纸带来记录所有的计算过程。用户可以保存或读取计算历史信息。为了演示持久性存储功能，应用程序允许设置框架的标题。如果再次运行程序，应用程序会从持久性存储中得到标题（如图 13-13 所示）。

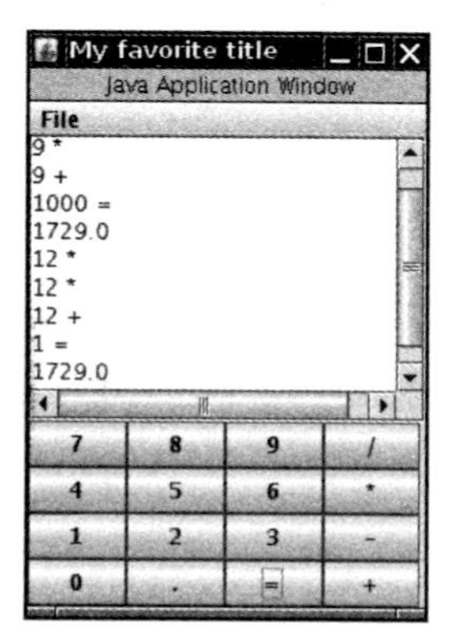

图 13-13　WebStartCalculator 应用程序

程序清单 13-6　webstart/WebStartCalculatorFrame.java

```
1 package webstart;
2 
3 import java.io.BufferedReader;
4 import java.io.ByteArrayInputStream;
5 import java.io.ByteArrayOutputStream;
6 import java.io.FileNotFoundException;
7 import java.io.IOException;
8 import java.io.InputStream;
9 import java.io.InputStreamReader;
10 import java.io.OutputStream;
11 import java.io.PrintStream;
12 import java.net.MalformedURLException;
13 import java.net.URL;
14 
15 import javax.jnlp.BasicService;
16 import javax.jnlp.FileContents;
17 import javax.jnlp.FileOpenService;
18 import javax.jnlp.FileSaveService;
19 import javax.jnlp.PersistenceService;
20 import javax.jnlp.ServiceManager;
21 import javax.jnlp.UnavailableServiceException;
```

```
22 import javax.swing.JFrame;
23 import javax.swing.JMenu;
24 import javax.swing.JMenuBar;
25 import javax.swing.JMenuItem;
26 import javax.swing.JOptionPane;
27
28 /**
29  * A frame with a calculator panel and a menu to load and save the calculator history.
30  */
31 public class CalculatorFrame extends JFrame
32 {
33    private CalculatorPanel panel;
34
35    public CalculatorFrame()
36    {
37       setTitle();
38       panel = new CalculatorPanel();
39       add(panel);
40
41       JMenu fileMenu = new JMenu("File");
42       JMenuBar menuBar = new JMenuBar();
43       menuBar.add(fileMenu);
44       setJMenuBar(menuBar);
45
46       JMenuItem openItem = fileMenu.add("Open");
47       openItem.addActionListener(event -> open());
48       JMenuItem saveItem = fileMenu.add("Save");
49       saveItem.addActionListener(event -> save());
50
51       pack();
52    }
53
54    /**
55     * Gets the title from the persistent store or asks the user for the title if there is no prior
56     * entry.
57     */
58    public void setTitle()
59    {
60       try
61       {
62          String title = null;
63
64          BasicService basic = (BasicService) ServiceManager.lookup("javax.jnlp.BasicService");
65          URL codeBase = basic.getCodeBase();
66
67          PersistenceService service = (PersistenceService) ServiceManager
68                .lookup("javax.jnlp.PersistenceService");
69          URL key = new URL(codeBase, "title");
70
71          try
72          {
73             FileContents contents = service.get(key);
74             InputStream in = contents.getInputStream();
75             BufferedReader reader = new BufferedReader(new InputStreamReader(in));
76             title = reader.readLine();
77          }
78          catch (FileNotFoundException e)
```

```
79          {
80             title = JOptionPane.showInputDialog("Please supply a frame title:");
81             if (title == null) return;
82 
83             service.create(key, 100);
84             FileContents contents = service.get(key);
85             OutputStream out = contents.getOutputStream(true);
86             PrintStream printOut = new PrintStream(out);
87             printOut.print(title);
88          }
89          setTitle(title);
90       }
91       catch (UnavailableServiceException | IOException e)
92       {
93          JOptionPane.showMessageDialog(this, e);
94       }
95    }
96 
97    /**
98     * Opens a history file and updates the display.
99     */
100   public void open()
101   {
102      try
103      {
104         FileOpenService service = (FileOpenService) ServiceManager
105               .lookup("javax.jnlp.FileOpenService");
106         FileContents contents = service.openFileDialog(".", new String[] { "txt" });
107 
108         JOptionPane.showMessageDialog(this, contents.getName());
109         if (contents != null)
110         {
111            InputStream in = contents.getInputStream();
112            BufferedReader reader = new BufferedReader(new InputStreamReader(in));
113            String line;
114            while ((line = reader.readLine()) != null)
115            {
116               panel.append(line);
117               panel.append("\n");
118            }
119         }
120      }
121      catch (UnavailableServiceException e)
122      {
123         JOptionPane.showMessageDialog(this, e);
124      }
125      catch (IOException e)
126      {
127         JOptionPane.showMessageDialog(this, e);
128      }
129   }
130 
131   /**
132    * Saves the calculator history to a file.
133    */
134   public void save()
135   {
```

```
136         try
137         {
138            ByteArrayOutputStream out = new ByteArrayOutputStream();
139            PrintStream printOut = new PrintStream(out);
140            printOut.print(panel.getText());
141            InputStream data = new ByteArrayInputStream(out.toByteArray());
142            FileSaveService service = (FileSaveService) ServiceManager
143                  .lookup("javax.jnlp.FileSaveService");
144            service.saveFileDialog(".", new String[] { "txt" }, data, "calc.txt");
145         }
146         catch (UnavailableServiceException e)
147         {
148            JOptionPane.showMessageDialog(this, e);
149         }
150         catch (IOException e)
151         {
152            JOptionPane.showMessageDialog(this, e);
153         }
154      }
155 }
```

API javax.jnlp.ServiceManager

- `static String[] getServiceNames()`

  返回所有可用的服务名称。

- `static Object lookup(String name)`

  返回给定名称的服务。

API javax.jnlp.BasicService

- `URL getCodeBase()`

  返回应用程序的 codebase。

- `boolean isWebBrowserSupported()`

  如果 Web Start 环境可以启动浏览器，返回 true。

- `boolean showDocument(URL url)`

  尝试在浏览器中显示一个给定的 URL。如果请求成功，返回 true。

API javax.jnlp.FileContents

- `InputStream getInputStream()`

  返回一个读取文件内容的输入流。

- `OutputStream getOutputStream(boolean overwrite)`

  返回一个对文件进行写操作的输出流。如果 overwrite 为 true，文件中已有的内容将被覆盖。

- `String getName()`

  返回文件名（但不是完整的目录路径）。

- `boolean canRead()`

- `boolean canWrite()`

  如果后台文件可以读写，返回 true。

javax.jnlp.FileOpenService

- `FileContents openFileDialog(String pathHint, String[] extensions)`
- `FileContents[] openMultiFileDialog(String pathHint, String[] extensions)`

  显示警告信息并打开文件选择器。返回文件的内容描述符或者用户选择的文件。如果用户没有选择文件，返回 null。

javax.jnlp.FileSaveService

- `FileContents saveFileDialog(String pathHint, String[] extensions, InputStream data, String nameHint)`
- `FileContents saveAsFileDialog(String pathHint, String[] extensions, FileContents data)`

  显示警告信息并打开文件选择器。写入数据，并返回文件的内容描述符或者用户选择的文件。如果用户没有选择文件，返回 null。

javax.jnlp.PersistenceService

- `long create(URL key, long maxsize)`

  对于给定的键创建一个持久性存储条目。返回由持久性存储授予这个条目的最大存储空间。
- `void delete(URL key)`

  删除给定键的条目。
- `String[] getNames(URL url)`

  返回由给定的 URL 开始的全部键的相对键名。
- `FileContents get(URL key)`

  返回用来修改与给定键相关的数据的内容描述符。如果没有与键相关的条目，抛出 FileNotFoundException。

至此，我们结束了对 Java 软件部署的讨论。这一卷最后一章将介绍一个重要内容：并发编程。

第 14 章 并　　发

- ▲ 什么是线程
- ▲ 中断线程
- ▲ 线程状态
- ▲ 线程属性
- ▲ 同步
- ▲ 阻塞队列
- ▲ 线程安全的集合
- ▲ Callable 与 Future
- ▲ 执行器
- ▲ 同步器
- ▲ 线程与 Swing

读者可能已经很熟悉操作系统中的多任务（multitasking）：在同一刻运行多个程序的能力。例如，在编辑或下载邮件的同时可以打印文件。今天，人们很可能有单台拥有多个 CPU 的计算机，但是，并发执行的进程数目并不是由 CPU 数目制约的。操作系统将 CPU 的时间片分配给每一个进程，给人并行处理的感觉。

多线程程序在较低的层次上扩展了多任务的概念：一个程序同时执行多个任务。通常，每一个任务称为一个线程（thread），它是线程控制的简称。可以同时运行一个以上线程的程序称为多线程程序（multithreaded）。

那么，多进程与多线程有哪些区别呢？本质的区别在于每个进程拥有自己的一整套变量，而线程则共享数据。这听起来似乎有些风险，的确也是这样，在本章稍后将可以看到这个问题。然而，共享变量使线程之间的通信比进程之间的通信更有效、更容易。此外，在有些操作系统中，与进程相比较，线程更“轻量级”，创建、撤销一个线程比启动新进程的开销要小得多。

在实际应用中，多线程非常有用。例如，一个浏览器可以同时下载几幅图片。一个 Web 服务器需要同时处理几个并发的请求。图形用户界面（GUI）程序用一个独立的线程从宿主操作环境中收集用户界面的事件。本章将介绍如何为 Java 应用程序添加多线程能力。

温馨提示：多线程可能会变得相当复杂。本章涵盖了应用程序可能需要的所有工具。尽管如此，对于更复杂的系统级程序设计，建议参看更高级的参考文献，例如：Brian Goetz 等编写的《Java Concurrency in Practice》（Addison-Wesley Professional，2006）。

14.1 什么是线程

这里从察看一个没有使用多线程的程序开始。用户很难让它执行多个任务。在对其进行剖析之后，将展示让这个程序运行几个彼此独立的多个线程是很容易的。这个程序采用不断地移动位置的方式实现球跳动的动画效果，如果发现球碰到墙壁，将进行重绘（见图 14-1）。

当点击 Start 按钮时，程序将从屏幕的左上角弹出一个球，这个球便开始弹跳。Start 按钮的处理程序将调用 addBall 方法。这个方法循环运行 1000 次 move。每调用一次 move，球就会移动一点，当碰到墙壁时，球将调整方向，并重新绘制面板。

```
Ball ball = new Ball();
panel.add(ball);
for (int i = 1; i <= STEPS; i++)
{
   ball.move(panel.getBounds());
   panel.paint(panel.getGraphics());
   Thread.sleep(DELAY);
}
```

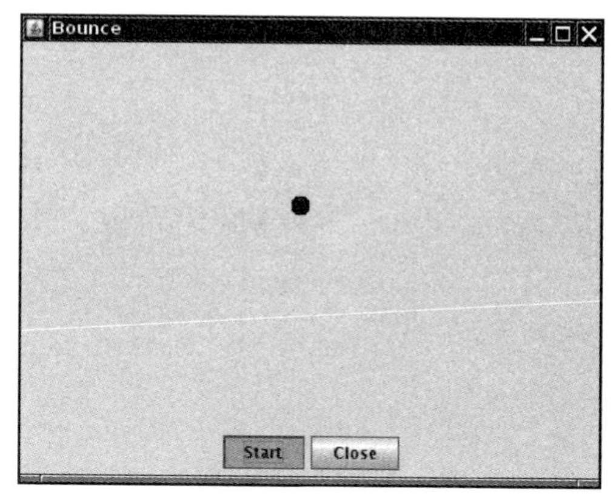

图 14-1　使用线程演示跳动的球

调用 Thread.sleep 不会创建一个新线程，sleep 是 Thread 类的静态方法，用于暂停当前线程的活动。

sleep 方法可以抛出一个 InterruptedException 异常。稍后将讨论这个异常以及对它的处理。现在，只是在发生异常时简单地终止弹跳。

如果运行这个程序，球就会自如地来回弹跳，但是，这个程序完全控制了整个应用程序。如果你在球完成 1000 次弹跳之前已经感到厌倦了，并点击 Close 按钮会发现球仍然还在弹跳。在球自己结束弹跳之前无法与程序进行交互。

注释：如果仔细地阅读本节末尾的代码会看到 BounceFrame 类的 addBall 方法中有调用

```
comp.paint(comp.getGraphics())
```

这一点很奇怪。一般来说，应该调用 repaint 方法让 AWT 获得图形上下文并负责绘制。但是，如果试图在这个程序中调用 comp.repaint()，在 addBall 方法返回以后才会重画画板。另外，还要注意 ball 组件扩展于 JPanel；这会让擦除背景变得非常容易。接下来的程序将使用一个专门的线程计算球的位置，并会重新使用大家熟悉的 repaint 和 JComponent。

显然，这个程序的性能相当糟糕。人们肯定不愿意让程序用这种方式完成一个非常耗时的工作。毕竟，当通过网络连接读取数据时，阻塞其他任务是经常发生的，有时确实想要中断读取操作。例如，假设下载一幅大图片。当看到一部分图片后，决定不需要或不想再看剩余的部分了，此时，肯定希望能够点击 Stop 按钮或 Back 按钮中断下载操作。下一节将介绍如何通过运行一个线程中的关键代码来保持用户对程序的控制权。

程序清单 14-1 ~ 程序清单 14-3 给出了这个程序的代码。

程序清单 14-1　bounce/Bounce.java

```
1 package bounce;
2
3 import java.awt.*;
4 import java.awt.event.*;
```

```
5  import javax.swing.*;
6
7  /**
8   * Shows an animated bouncing ball.
9   * @version 1.34 2015-06-21
10  * @author Cay Horstmann
11  */
12 public class Bounce
13 {
14    public static void main(String[] args)
15    {
16       EventQueue.invokeLater(() -> {
17          JFrame frame = new BounceFrame();
18          frame.setDefaultCloseOperation(JFrame.EXIT_ON_CLOSE);
19          frame.setVisible(true);
20       });
21    }
22 }
23
24 /**
25  * The frame with ball component and buttons.
26  */
27 class BounceFrame extends JFrame
28 {
29    private BallComponent comp;
30    public static final int STEPS = 1000;
31    public static final int DELAY = 3;
32
33    /**
34     * Constructs the frame with the component for showing the bouncing ball and
35     * Start and Close buttons
36     */
37    public BounceFrame()
38    {
39       setTitle("Bounce");
40       comp = new BallComponent();
41       add(comp, BorderLayout.CENTER);
42       JPanel buttonPanel = new JPanel();
43       addButton(buttonPanel, "Start", event -> addBall());
44       addButton(buttonPanel, "Close", event -> System.exit(0));
45       add(buttonPanel, BorderLayout.SOUTH);
46       pack();
47    }
48
49    /**
50     * Adds a button to a container.
51     * @param c the container
52     * @param title the button title
53     * @param listener the action listener for the button
54     */
55    public void addButton(Container c, String title, ActionListener listener)
56    {
57       JButton button = new JButton(title);
58       c.add(button);
59       button.addActionListener(listener);
60    }
61
```

```
62     /**
63      * Adds a bouncing ball to the panel and makes it bounce 1,000 times.
64      */
65     public void addBall()
66     {
67        try
68        {
69           Ball ball = new Ball();
70           comp.add(ball);
71 
72           for (int i = 1; i <= STEPS; i++)
73           {
74              ball.move(comp.getBounds());
75              comp.paint(comp.getGraphics());
76              Thread.sleep(DELAY);
77           }
78        }
79        catch (InterruptedException e)
80        {
81        }
82     }
83  }
```

程序清单 14-2 bounce/Ball.java

```
1  package bounce;
2 
3  import java.awt.geom.*;
4 
5  /**
6   * A ball that moves and bounces off the edges of a rectangle
7   * @version 1.33 2007-05-17
8   * @author Cay Horstmann
9   */
10 public class Ball
11 {
12    private static final int XSIZE = 15;
13    private static final int YSIZE = 15;
14    private double x = 0;
15    private double y = 0;
16    private double dx = 1;
17    private double dy = 1;
18 
19    /**
20     * Moves the ball to the next position, reversing direction if it hits one of the edges
21     */
22    public void move(Rectangle2D bounds)
23    {
24       x += dx;
25       y += dy;
26       if (x < bounds.getMinX())
27       {
28          x = bounds.getMinX();
29          dx = -dx;
30       }
31       if (x + XSIZE >= bounds.getMaxX())
```

```
32          {
33             x = bounds.getMaxX() - XSIZE;
34             dx = -dx;
35          }
36          if (y < bounds.getMinY())
37          {
38             y = bounds.getMinY();
39             dy = -dy;
40          }
41          if (y + YSIZE >= bounds.getMaxY())
42          {
43             y = bounds.getMaxY() - YSIZE;
44             dy = -dy;
45          }
46       }
47
48       /**
49        * Gets the shape of the ball at its current position.
50        */
51       public Ellipse2D getShape()
52       {
53          return new Ellipse2D.Double(x, y, XSIZE, YSIZE);
54       }
55    }
```

程序清单 14-3 bounce/BallComponent.java

```
1  package bounce;
2
3  import java.awt.*;
4  import java.util.*;
5  import javax.swing.*;
6
7  /**
8   * The component that draws the balls.
9   * @version 1.34 2012-01-26
10  * @author Cay Horstmann
11  */
12 public class BallComponent extends JPanel
13 {
14    private static final int DEFAULT_WIDTH = 450;
15    private static final int DEFAULT_HEIGHT = 350;
16
17    private java.util.List<Ball> balls = new ArrayList<>();
18
19    /**
20     * Add a ball to the component.
21     * @param b the ball to add
22     */
23    public void add(Ball b)
24    {
25       balls.add(b);
26    }
27
28    public void paintComponent(Graphics g)
29    {
```

```
30        super.paintComponent(g); // erase background
31        Graphics2D g2 = (Graphics2D) g;
32        for (Ball b : balls)
33        {
34           g2.fill(b.getShape());
35        }
36     }
37
38     public Dimension getPreferredSize() { return new Dimension(DEFAULT_WIDTH, DEFAULT_HEIGHT); }
39  }
```

API java.lang.Thread 1.0

- `static void sleep(long millis)`

  休眠给定的毫秒数。

  参数：millis　　休眠的毫秒数

14.1.1 使用线程给其他任务提供机会

可以将移动球的代码放置在一个独立的线程中，运行这段代码可以提高弹跳球的响应能力。实际上，可以发起多个球，每个球都在自己的线程中运行。另外，AWT 的事件分派线程（event dispatch thread）将一直地并行运行，以处理用户界面的事件。由于每个线程都有机会得以运行，所以在球弹跳期间，当用户点击 Close 按钮时，事件调度线程将有机会关注到这个事件，并处理“关闭”这一动作。

这里用球弹跳代码作为示例，让大家对并发处理有一个视觉印象。通常，人们总会提防长时间的计算。这个计算很可能是某个大框架的一个组成部分，例如，GUI 或 web 框架。无论何时框架调用自身的方法都会很快地返回一个异常。如果需要执行一个比较耗时的任务，应当并发地运行任务。

下面是在一个单独的线程中执行一个任务的简单过程：

1）将任务代码移到实现了 Runnable 接口的类的 run 方法中。这个接口非常简单，只有一个方法：

```
public interface Runnable
{
   void run();
}
```

由于 Runnable 是一个函数式接口，可以用 lambda 表达式建立一个实例：

```
Runnable r = () -> { task code };
```

2）由 Runnable 创建一个 Thread 对象：

```
Thread t = new Thread(r);
```

3）启动线程：

```
t.start();
```

要想将弹跳球代码放在一个独立的线程中，只需要实现一个类 BallRunnable，然后，将动画代码放在 run 方法中，如同下面这段代码：

```
Runnable r = () -> {
   try
   {
      for (int i = 1; i <= STEPS; i++)
      {
         ball.move(comp.getBounds());
         comp.repaint();
         Thread.sleep(DELAY);
      }
   }
   catch (InterruptedException e)
   {
   }
};
Thread t = new Thread(r);
t.start();
```

同样地，需要捕获 sleep 方法可能抛出的异常 InterruptedException。下一节将讨论这个异常。在一般情况下，线程在中断时被终止。因此，当发生 InterruptedException 异常时，run 方法将结束执行。

无论何时点击 Start 按钮，球会移入一个新线程（见图 14-2）：

仅此而已！现在应该知道如何并行运行多个任务了。本章其余部分将阐述如何控制线程之间的交互。

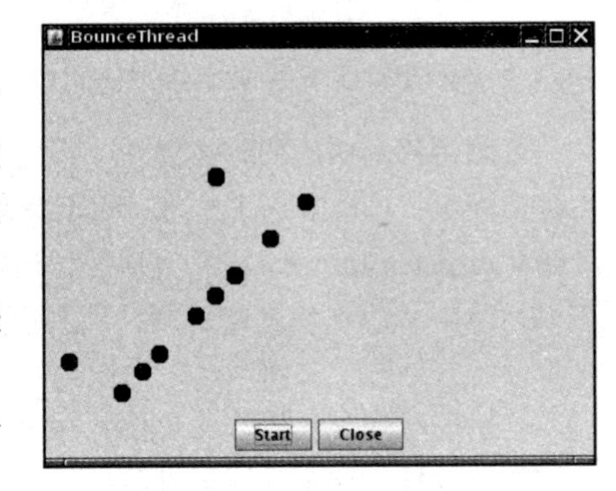

图 14-2　运行多线程

完整的代码见程序清单 14-4。

注释：也可以通过构建一个 Thread 类的子类定义一个线程，如下所示：

```
class MyThread extends Thread
{
   public void run()
   {
      task code
   }
}
```

然后，构造一个子类的对象，并调用 start 方法。不过，这种方法已不再推荐。应该将要并行运行的任务与运行机制解耦合。如果有很多任务，要为每个任务创建一个独立的线程所付出的代价太大了。可以使用线程池来解决这个问题，有关内容请参看第 14.9 节。

警告：不要调用 Thread 类或 Runnable 对象的 run 方法。直接调用 run 方法，只会执行同一个线程中的任务，而不会启动新线程。应该调用 Thread.start 方法。这个方法将创建一个执行 run 方法的新线程。

程序清单 14-4　bounceThread/BounceThread.java

```
1  package bounceThread;
2
3  import java.awt.*;
4  import java.awt.event.*;
5
6  import javax.swing.*;
7
8  /**
9   * Shows animated bouncing balls.
10  * @version 1.34 2015-06-21
11  * @author Cay Horstmann
12  */
13 public class BounceThread
14 {
15    public static void main(String[] args)
16    {
17       EventQueue.invokeLater(() -> {
18          JFrame frame = new BounceFrame();
19          frame.setTitle("BounceThread");
20          frame.setDefaultCloseOperation(JFrame.EXIT_ON_CLOSE);
21          frame.setVisible(true);
22       });
23    }
24 }
25
26 /**
27  * The frame with panel and buttons.
28  */
29 class BounceFrame extends JFrame
30 {
31    private BallComponent comp;
32    public static final int STEPS = 1000;
33    public static final int DELAY = 5;
34
35    /**
36     * Constructs the frame with the component for showing the bouncing ball and
37     * Start and Close buttons
38     */
39    public BounceFrame()
40    {
41       comp = new BallComponent();
42       add(comp, BorderLayout.CENTER);
43       JPanel buttonPanel = new JPanel();
44       addButton(buttonPanel, "Start", event -> addBall());
45       addButton(buttonPanel, "Close", event -> System.exit(0));
46       add(buttonPanel, BorderLayout.SOUTH);
47       pack();
48    }
49
50    /**
51     * Adds a button to a container.
52     * @param c the container
53     * @param title the button title
54     * @param listener the action listener for the button
55     */
```

```
56     public void addButton(Container c, String title, ActionListener listener)
57     {
58        JButton button = new JButton(title);
59        c.add(button);
60        button.addActionListener(listener);
61     }
62 
63     /**
64      * Adds a bouncing ball to the canvas and starts a thread to make it bounce
65      */
66     public void addBall()
67     {
68        Ball ball = new Ball();
69        comp.add(ball);
70        Runnable r = () -> {
71           try
72           {
73              for (int i = 1; i <= STEPS; i++)
74              {
75                 ball.move(comp.getBounds());
76                 comp.repaint();
77                 Thread.sleep(DELAY);
78              }
79           }
80           catch (InterruptedException e)
81           {
82           }
83        };
84        Thread t = new Thread(r);
85        t.start();
86     }
87  }
```

API java.lang.Thread 1.0

- `Thread(Runnable target)`

  构造一个新线程，用于调用给定目标的 run() 方法。

- `void start()`

  启动这个线程，将引发调用 run() 方法。这个方法将立即返回，并且新线程将并发运行。

- `void run()`

  调用关联 Runnable 的 run 方法。

API java.lang.Runnable 1.0

- `void run()`

  必须覆盖这个方法，并在这个方法中提供所要执行的任务指令。

14.2 中断线程

当线程的 run 方法执行方法体中最后一条语句后，并经由执行 return 语句返回时，或者出现了在方法中没有捕获的异常时，线程将终止。在 Java 的早期版本中，还有一个 stop 方法，其他线程可以调用它终止线程。但是，这个方法现在已经被弃用了。14.5.15 节将讨论它被弃用的缘由。

没有可以强制线程终止的方法。然而，interrupt 方法可以用来请求终止线程。

当对一个线程调用 interrupt 方法时，线程的中断状态将被置位。这是每一个线程都具有的 boolean 标志。每个线程都应该不时地检查这个标志，以判断线程是否被中断。

要想弄清中断状态是否被置位，首先调用静态的 Thread.currentThread 方法获得当前线程，然后调用 isInterrupted 方法：

```
while (!Thread.currentThread().isInterrupted() && more work to do)
{
   do more work
}
```

但是，如果线程被阻塞，就无法检测中断状态。这是产生 InterruptedException 异常的地方。当在一个被阻塞的线程（调用 sleep 或 wait）上调用 interrupt 方法时，阻塞调用将会被 Interrupted Exception 异常中断。（存在不能被中断的阻塞 I/O 调用，应该考虑选择可中断的调用。有关细节请参看卷Ⅱ的第 1 章和第 3 章。）

没有任何语言方面的需求要求一个被中断的线程应该终止。中断一个线程不过是引起它的注意。被中断的线程可以决定如何响应中断。某些线程是如此重要以至于应该处理完异常后，继续执行，而不理会中断。但是，更普遍的情况是，线程将简单地将中断作为一个终止的请求。这种线程的 run 方法具有如下形式：

```
Runnable r = () -> {
   try
   {
      . . .
      while (!Thread.currentThread().isInterrupted() && more work to do)
      {
         do more work
      }
   }
   catch(InterruptedException e)
   {
      // thread was interrupted during sleep or wait
   }
   finally
   {
      cleanup, if required
   }
   // exiting the run method terminates the thread
};
```

如果在每次工作迭代之后都调用 sleep 方法（或者其他的可中断方法），isInterrupted 检测既没有必要也没有用处。如果在中断状态被置位时调用 sleep 方法，它不会休眠。相反，它将清除这一状态（！）并抛出 InterruptedException。因此，如果你的循环调用 sleep，不会检测中断状态。相反，要如下所示捕获 InterruptedException 异常：

```
Runnable r = () -> {
   try
   {
      . . .
      while (more work to do)
      {
         do more work
         Thread.sleep(delay);
      }
   }
   catch(InterruptedException e)
   {
      // thread was interrupted during sleep
   }
   finally
   {
      cleanup, if required
   }
   // exiting the run method terminates the thread
};
```

注释：有两个非常类似的方法，interrupted 和 isInterrupted。Interrupted 方法是一个静态方法，它检测当前的线程是否被中断。而且，调用 interrupted 方法会清除该线程的中断状态。另一方面，isInterrupted 方法是一个实例方法，可用来检验是否有线程被中断。调用这个方法不会改变中断状态。

在很多发布的代码中会发现 InterruptedException 异常被抑制在很低的层次上，像这样：

```
void mySubTask()
{
   . . .
   try { sleep(delay); }
   catch (InterruptedException e) {} // Don't ignore!
   . . .
}
```

不要这样做！如果不认为在 catch 子句中做这一处理有什么好处的话，仍然有两种合理的选择：

- 在 catch 子句中调用 Thread.currentThread().interrupt() 来设置中断状态。于是，调用者可以对其进行检测。

  ```
  void mySubTask()
  {
     . . .
     try { sleep(delay); }
     catch (InterruptedException e) { Thread.currentThread().interrupt(); }
     . . .
  }
  ```

- 或者，更好的选择是，用 throws InterruptedException 标记你的方法，不采用 try 语句块捕获异常。于是，调用者（或者，最终的 run 方法）可以捕获这一异常。

  ```
  void mySubTask() throws InterruptedException
  {
  ```

```
    . . .
    sleep(delay);
    . . .
}
```

API java.lang.Thread 1.0

- `void interrupt()`

  向线程发送中断请求。线程的中断状态将被设置为 true。如果目前该线程被一个 sleep 调用阻塞，那么，InterruptedException 异常被抛出。

- `static boolean interrupted()`

  测试当前线程（即正在执行这一命令的线程）是否被中断。注意，这是一个静态方法。这一调用会产生副作用——它将当前线程的中断状态重置为 false。

- `boolean isInterrupted()`

  测试线程是否被终止。不像静态的中断方法，这一调用不改变线程的中断状态。

- `static Thread currentThread()`

  返回代表当前执行线程的 Thread 对象。

14.3　线程状态

线程可以有如下 6 种状态：

- New（新创建）
- Runnable（可运行）
- Blocked（被阻塞）
- Waiting（等待）
- Timed waiting（计时等待）
- Terminated（被终止）

下一节对每一种状态进行解释。

要确定一个线程的当前状态，可调用 getState 方法。

14.3.1　新创建线程

当用 new 操作符创建一个新线程时，如 new Thread(r)，该线程还没有开始运行。这意味着它的状态是 new。当一个线程处于新创建状态时，程序还没有开始运行线程中的代码。在线程运行之前还有一些基础工作要做。

14.3.2　可运行线程

一旦调用 start 方法，线程处于 runnable 状态。一个可运行的线程可能正在运行也可能没有运行，这取决于操作系统给线程提供运行的时间。(Java 的规范说明没有将它作为一个单独状态。一个正在运行中的线程仍然处于可运行状态。)

一旦一个线程开始运行，它不必始终保持运行。事实上，运行中的线程被中断，目的是为了让其他线程获得运行机会。线程调度的细节依赖于操作系统提供的服务。抢占式调度系统给每一个可运行线程一个时间片来执行任务。当时间片用完，操作系统剥夺该线程的运行权，并给另一个线程运行机会（见图 14-4）。当选择下一个线程时，操作系统考虑线程的优先级——更多的内容见第 14.4.1 节。

现在所有的桌面以及服务器操作系统都使用抢占式调度。但是，像手机这样的小型设备可能使用协作式调度。在这样的设备中，一个线程只有在调用 yield 方法、或者被阻塞或等待时，线程才失去控制权。

在具有多个处理器的机器上，每一个处理器运行一个线程，可以有多个线程并行运行。当然，如果线程的数目多于处理器的数目，调度器依然采用时间片机制。

记住，在任何给定时刻，一个可运行的线程可能正在运行也可能没有运行（这就是为什么将这个状态称为可运行而不是运行）。

14.3.3 被阻塞线程和等待线程

当线程处于被阻塞或等待状态时，它暂时不活动。它不运行任何代码且消耗最少的资源。直到线程调度器重新激活它。细节取决于它是怎样达到非活动状态的。

- 当一个线程试图获取一个内部的对象锁（而不是 java.util.concurrent 库中的锁），而该锁被其他线程持有，则该线程进入阻塞状态（我们在 14.5.3 节讨论 java.util.concurrent 锁，在 14.5.5 节讨论内部对象锁）。当所有其他线程释放该锁，并且线程调度器允许本线程持有它的时候，该线程将变成非阻塞状态。
- 当线程等待另一个线程通知调度器一个条件时，它自己进入等待状态。我们在第 14.5.4 节来讨论条件。在调用 Object.wait 方法或 Thread.join 方法，或者是等待 java.util.concurrent 库中的 Lock 或 Condition 时，就会出现这种情况。实际上，被阻塞状态与等待状态是有很大不同的。
- 有几个方法有一个超时参数。调用它们导致线程进入计时等待（timed waiting）状态。这一状态将一直保持到超时期满或者接收到适当的通知。带有超时参数的方法有 Thread.sleep 和 Object.wait、Thread.join、Lock.tryLock 以及 Condition.await 的计时版。

图 14-3 展示了线程可以具有的状态以及从一个状态到另一个状态可能的转换。当一个线程被阻塞或等待时（或终止时），另一个线程被调度为运行状态。当一个线程被重新激活（例如，因为超时期满或成功地获得了一个锁），调度器检查它是否具有比当前运行线程更高的优先级。如果是这样，调度器从当前运行线程中挑选一个，剥夺其运行权，选择一个新的线程运行。

14.3.4 被终止的线程

线程因如下两个原因之一而被终止：

- 因为 run 方法正常退出而自然死亡。

- 因为一个没有捕获的异常终止了 run 方法而意外死亡。

特别是，可以调用线程的 stop 方法杀死一个线程。该方法抛出 ThreadDeath 错误对象，由此杀死线程。但是，stop 方法已过时，不要在自己的代码中调用这个方法。

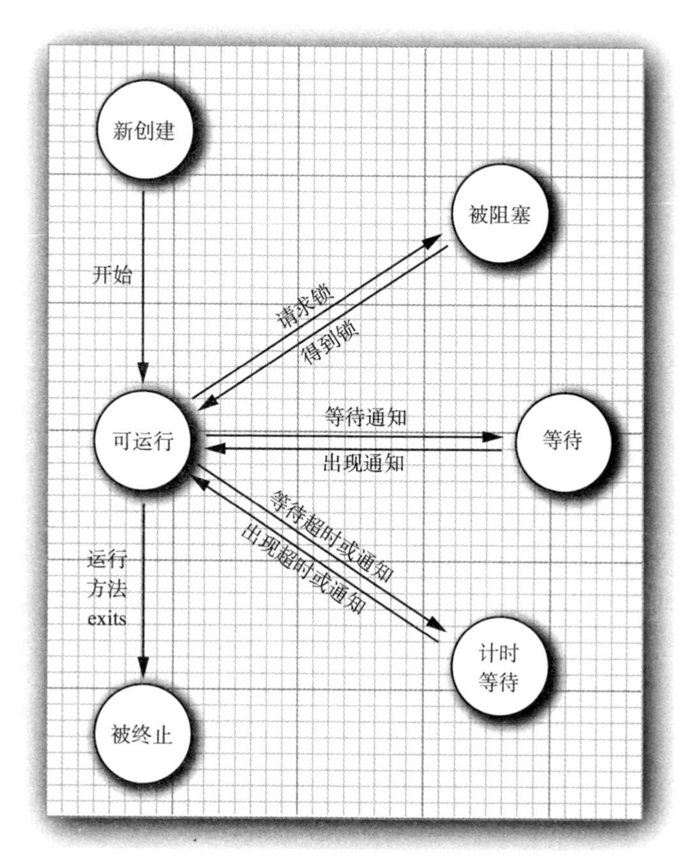

图 14-3　线程状态

API java.lang.Thread 1.0

- `void join()`

  等待终止指定的线程。

- `void join(long millis)`

  等待指定的线程死亡或者经过指定的毫秒数。

- `Thread.State getState() 5.0`

  得到这一线程的状态；NEW、RUNNABLE、BLOCKED、WAITING、TIMED_WAITING 或 TERMINATED 之一。

- `void stop()`

  停止该线程。这一方法已过时。

- void suspend()

  暂停这一线程的执行。这一方法已过时。

- void resume()

  恢复线程。这一方法仅仅在调用 suspend() 之后调用。这一方法已过时。

14.4 线程属性

下面将讨论线程的各种属性，其中包括：线程优先级、守护线程、线程组以及处理未捕获异常的处理器。

14.4.1 线程优先级

在 Java 程序设计语言中，每一个线程有一个优先级。默认情况下，一个线程继承它的父线程的优先级。可以用 setPriority 方法提高或降低任何一个线程的优先级。可以将优先级设置为在 MIN_PRIORITY（在 Thread 类中定义为 1）与 MAX_PRIORITY（定义为 10）之间的任何值。NORM_PRIORITY 被定义为 5。

每当线程调度器有机会选择新线程时，它首先选择具有较高优先级的线程。但是，线程优先级是高度依赖于系统的。当虚拟机依赖于宿主机平台的线程实现机制时，Java 线程的优先级被映射到宿主机平台的优先级上，优先级个数也许更多，也许更少。

例如，Windows 有 7 个优先级别。一些 Java 优先级将映射到相同的操作系统优先级。在 Oracle 为 Linux 提供的 Java 虚拟机中，线程的优先级被忽略——所有线程具有相同的优先级。

初级程序员常常过度使用线程优先级。为优先级而烦恼是事出有因的。不要将程序构建为功能的正确性依赖于优先级。

警告： 如果确实要使用优先级，应该避免初学者常犯的一个错误。如果有几个高优先级的线程没有进入非活动状态，低优先级的线程可能永远也不能执行。每当调度器决定运行一个新线程时，首先会在具有高优先级的线程中进行选择，尽管这样会使低优先级的线程完全饿死。

API java.lang.Thread1.0

- void setPriority(int newPriority)

  设置线程的优先级。优先级必须在 Thread.MIN_PRIORITY 与 Thread.MAX_PRIORITY 之间。一般使用 Thread.NORM_PRIORITY 优先级。

- static int MIN_PRIORITY

  线程的最小优先级。最小优先级的值为 1。

- static int NORM_PRIORITY

  线程的默认优先级。默认优先级为 5。

- `static int MAX_PRIORITY`
  线程的最高优先级。最高优先级的值为10。
- `static void yield()`
  导致当前执行线程处于让步状态。如果有其他的可运行线程具有至少与此线程同样高的优先级，那么这些线程接下来会被调度。注意，这是一个静态方法。

14.4.2 守护线程

可以通过调用

```
t.setDaemon(true);
```

将线程转换为*守护线程*（daemon thread）。这样一个线程没有什么神奇。守护线程的唯一用途是为其他线程提供服务。计时线程就是一个例子，它定时地发送“计时器嘀嗒”信号给其他线程或清空过时的高速缓存项的线程。当只剩下守护线程时，虚拟机就退出了，由于如果只剩下守护线程，就没必要继续运行程序了。

守护线程有时会被初学者错误地使用，他们不打算考虑关机（shutdown）动作。但是，这是很危险的。守护线程应该永远不去访问固有资源，如文件、数据库，因为它会在任何时候甚至在一个操作的中间发生中断。

API java.lang.Thread1.0

- `void setDaemon(boolean isDaemon)`
  标识该线程为守护线程或用户线程。这一方法必须在线程启动之前调用。

14.4.3 未捕获异常处理器

线程的run方法不能抛出任何受查异常，但是，非受查异常会导致线程终止。在这种情况下，线程就死亡了。

但是，不需要任何catch子句来处理可以被传播的异常。相反，就在线程死亡之前，异常被传递到一个用于未捕获异常的处理器。

该处理器必须属于一个实现Thread.UncaughtExceptionHandler接口的类。这个接口只有一个方法。

```
void uncaughtException(Thread t, Throwable e)
```

可以用setUncaughtExceptionHandler方法为任何线程安装一个处理器。也可以用Thread类的静态方法setDefaultUncaughtExceptionHandler为所有线程安装一个默认的处理器。替换处理器可以使用日志API发送未捕获异常的报告到日志文件。

如果不安装默认的处理器，默认的处理器为空。但是，如果不为独立的线程安装处理器，此时的处理器就是该线程的ThreadGroup对象。

注释：线程组是一个可以统一管理的线程集合。默认情况下，创建的所有线程属于相同的线程组，但是，也可能会建立其他的组。现在引入了更好的特性用于线程集合的操作，所以建议不要在自己的程序中使用线程组。

ThreadGroup 类实现 Thread.UncaughtExceptionHandler 接口。它的 uncaughtException 方法做如下操作：

1）如果该线程组有父线程组，那么父线程组的 uncaughtException 方法被调用。

2）否则，如果 Thread.getDefaultExceptionHandler 方法返回一个非空的处理器，则调用该处理器。

3）否则，如果 Throwable 是 ThreadDeath 的一个实例，什么都不做。

4）否则，线程的名字以及 Throwable 的栈轨迹被输出到 System.err 上。

这是你在程序中肯定看到过许多次的栈轨迹。

API java.lang.Thread 1.0

- `static void setDefaultUncaughtExceptionHandler(Thread.UncaughtExceptionHandler handler) 5.0`
- `static Thread.UncaughtExceptionHandler getDefaultUncaughtExceptionHandler() 5.0`

  设置或获取未捕获异常的默认处理器。
- `void setUncaughtExceptionHandler(Thread.UncaughtExceptionHandler handler) 5.0`
- `Thread.UncaughtExceptionHandler getUncaughtExceptionHandler() 5.0`

  设置或获取未捕获异常的处理器。如果没有安装处理器，则将线程组对象作为处理器。

API java.lang.Thread.UncaughtExceptionHandler 5.0

- `void uncaughtException(Thread t, Throwable e)`

  当一个线程因未捕获异常而终止，按规定要将客户报告记录到日志中。

  参数：t　由于未捕获异常而终止的线程

  　　　e　未捕获的异常对象

API java.lang.ThreadGroup 1.0

- `void uncaughtException(Thread t, Throwable e)`

  如果有父线程组，调用父线程组的这一方法；或者，如果 Thread 类有默认处理器，调用该处理器，否则，输出栈轨迹到标准错误流上（但是，如果 e 是一个 ThreadDeath 对象，栈轨迹是被禁用的。ThreadDeath 对象由 stop 方法产生，而该方法已经过时）。

14.5 同步

在大多数实际的多线程应用中，两个或两个以上的线程需要共享对同一数据的存取。如果两个线程存取相同的对象，并且每一个线程都调用了一个修改该对象状态的方法，将会发生什么呢？可以想象，线程彼此踩了对方的脚。根据各线程访问数据的次序，可能会产生讹误的对象。这样一个情况通常称为竞争条件（race condition）。

14.5.1 竞争条件的一个例子

为了避免多线程引起的对共享数据的讹误，必须学习如何同步存取。在本节中，你会看到如果没有使用同步会发生什么。在下一节中，将会看到如何同步数据存取。

在下面的测试程序中，模拟一个有若干账户的银行。随机地生成在这些账户之间转移钱款的交易。每一个账户有一个线程。每一笔交易中，会从线程所服务的账户中随机转移一定数目的钱款到另一个随机账户。

模拟代码非常直观。我们有具有 transfer 方法的 Bank 类。该方法从一个账户转移一定数目的钱款到另一个账户（还没有考虑负的账户余额）。如下是 Bank 类的 transfer 方法的代码。

```
public void transfer(int from, int to, double amount)
   // CAUTION: unsafe when called from multiple threads
{
   System.out.print(Thread.currentThread());
   accounts[from] -= amount;
   System.out.printf(" %10.2f from %d to %d", amount, from, to);
   accounts[to] += amount;
   System.out.printf(" Total Balance: %10.2f%n", getTotalBalance());
}
```

这里是 Runnable 类的代码。它的 run 方法不断地从一个固定的银行账户取出钱款。在每一次迭代中，run 方法随机选择一个目标账户和一个随机账户，调用 bank 对象的 transfer 方法，然后睡眠。

```
Runnable r = () -> {
   try
   {
      while (true)
      {
         int toAccount = (int) (bank.size() * Math.random());
         double amount = MAX_AMOUNT * Math.random();
         bank.transfer(fromAccount, toAccount, amount);
         Thread.sleep((int) (DELAY * Math.random()));
      }
   }
   catch (InterruptedException e)
   {
   }
};
```

当这个模拟程序运行时，不清楚在某一时刻某一银行账户中有多少钱。但是，知道所有账户的总金额应该保持不变，因为所做的一切不过是从一个账户转移钱款到另一个账户。

在每一次交易的结尾，transfer 方法重新计算总值并打印出来。

本程序永远不会结束。只能按 CTRL+C 来终止这个程序。

下面是典型的输出：

```
. . .
Thread[Thread-11,5,main]     588.48 from 11 to 44 Total Balance:  100000.00
Thread[Thread-12,5,main]     976.11 from 12 to 22 Total Balance:  100000.00
Thread[Thread-14,5,main]     521.51 from 14 to 22 Total Balance:  100000.00
Thread[Thread-13,5,main]     359.89 from 13 to 81 Total Balance:  100000.00
. . .
Thread[Thread-36,5,main]     401.71 from 36 to 73 Total Balance:   99291.06
Thread[Thread-35,5,main]     691.46 from 35 to 77 Total Balance:   99291.06
Thread[Thread-37,5,main]      78.64 from 37 to 3 Total Balance:   99291.06
Thread[Thread-34,5,main]     197.11 from 34 to 69 Total Balance:   99291.06
Thread[Thread-36,5,main]      85.96 from 36 to 4 Total Balance:   99291.06
. . .
Thread[Thread-4,5,main]Thread[Thread-33,5,main]       7.31 from 31 to 32 Total Balance:
99979.24
     627.50 from 4 to 5 Total Balance:  99979.24
. . .
```

正如前面所示，出现了错误。在最初的交易中，银行的余额保持在 \$100 000，这是正确的，因为共 100 个账户，每个账户 \$1 000。但是，过一段时间，余额总量有轻微的变化。当运行这个程序的时候，会发现有时很快就出错了，有时很长的时间后余额发生混乱。这样的状态不会带来信任感，人们很可能不愿意将辛苦挣来的钱存到这个银行。

程序清单 14-5 和程序清单 14-6 中的程序提供了完整的源代码。看看是否可以从代码中找出问题。下一节将解说其中奥秘。

程序清单 14-5 unsynch/UnsynchBankTest.java

```
1 package unsynch;
2 
3 /**
4  * This program shows data corruption when multiple threads access a data structure.
5  * @version 1.31 2015-06-21
6  * @author Cay Horstmann
7  */
8 public class UnsynchBankTest
9 {
10    public static final int NACCOUNTS = 100;
11    public static final double INITIAL_BALANCE = 1000;
12    public static final double MAX_AMOUNT = 1000;
13    public static final int DELAY = 10;
14 
15    public static void main(String[] args)
16    {
17       Bank bank = new Bank(NACCOUNTS, INITIAL_BALANCE);
18       for (int i = 0; i < NACCOUNTS; i++)
19       {
20          int fromAccount = i;
21          Runnable r = () -> {
22             try
23             {
24                while (true)
25                {
26                   int toAccount = (int) (bank.size() * Math.random());
27                   double amount = MAX_AMOUNT * Math.random();
```

```
28                  bank.transfer(fromAccount, toAccount, amount);
29                  Thread.sleep((int) (DELAY * Math.random()));
30               }
31            }
32            catch (InterruptedException e)
33            {
34            }
35         };
36         Thread t = new Thread(r);
37         t.start();
38      }
39   }
40 }
```

程序清单 14-6　unsynch/Bank.java

```
1 package unsynch;
2 
3 import java.util.*;
4 
5 /**
6  * A bank with a number of bank accounts.
7  * @version 1.30 2004-08-01
8  * @author Cay Horstmann
9  */
10 public class Bank
11 {
12    private final double[] accounts;
13 
14    /**
15     * Constructs the bank.
16     * @param n the number of accounts
17     * @param initialBalance the initial balance for each account
18     */
19    public Bank(int n, double initialBalance)
20    {
21       accounts = new double[n];
22       Arrays.fill(accounts, initialBalance);
23    }
24 
25    /**
26     * Transfers money from one account to another.
27     * @param from the account to transfer from
28     * @param to the account to transfer to
29     * @param amount the amount to transfer
30     */
31    public void transfer(int from, int to, double amount)
32    {
33       if (accounts[from] < amount) return;
34       System.out.print(Thread.currentThread());
35       accounts[from] -= amount;
36       System.out.printf(" %10.2f from %d to %d", amount, from, to);
37       accounts[to] += amount;
38       System.out.printf(" Total Balance: %10.2f%n", getTotalBalance());
39    }
40 
```

```
41     /**
42      * Gets the sum of all account balances.
43      * @return the total balance
44      */
45     public double getTotalBalance()
46     {
47        double sum = 0;
48 
49        for (double a : accounts)
50           sum += a;
51 
52        return sum;
53     }
54 
55     /**
56      * Gets the number of accounts in the bank.
57      * @return the number of accounts
58      */
59     public int size()
60     {
61        return accounts.length;
62     }
63  }
```

14.5.2 竞争条件详解

上一节中运行了一个程序，其中有几个线程更新银行账户余额。一段时间之后，错误不知不觉地出现了，总额要么增加，要么变少。当两个线程试图同时更新同一个账户的时候，这个问题就出现了。假定两个线程同时执行指令

```
accounts[to] += amount;
```

问题在于这不是原子操作。该指令可能被处理如下：

1）将 accounts[to] 加载到寄存器。

2）增加 amount。

3）将结果写回 accounts[to]。

现在，假定第 1 个线程执行步骤 1 和 2，然后，它被剥夺了运行权。假定第 2 个线程被唤醒并修改了 accounts 数组中的同一项。然后，第 1 个线程被唤醒并完成其第 3 步。

这样，这一动作擦去了第二个线程所做的更新。于是，总金额不再正确。（见图 14-4。）

我们的测试程序检测到这一讹误。（当然，如果线程在运行这一测试时被中断，也有可能会出现失败警告！）

注释： 可以具体看一下执行我们的类中的每一个语句的虚拟机的字节码。运行命令

```
javap -c -v Bank
```

对 Bank.class 文件进行反编译。例如，代码行

```
accounts[to] += amount;
```

被转换为下面的字节码：

```
aload_0
getfield        #2; //Field accounts:[D
iload_2
dup2
daload
dload_3
dadd
dastore
```

这些代码的含义无关紧要。重要的是增值命令是由几条指令组成的，执行它们的线程可以在任何一条指令点上被中断。

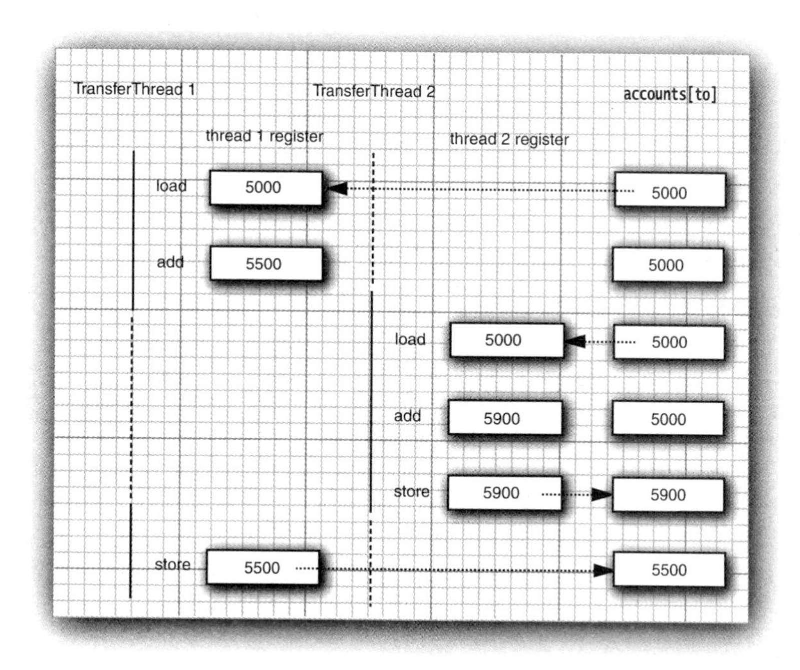

图 14-4 同时被两个线程访问

出现这一讹误的可能性有多大呢？这里通过将打印语句和更新余额的语句交织在一起执行，增加了发生这种情况的机会。

如果删除打印语句，讹误的风险会降低一点，因为每个线程在再次睡眠之前所做的工作很少，调度器在计算过程中剥夺线程的运行权可能性很小。但是，讹误的风险并没有完全消失。如果在负载很重的机器上运行许多线程，那么，即使删除了打印语句，程序依然会出错。这种错误可能会几分钟、几小时或几天出现一次。坦白地说，对程序员而言，很少有比无规律出现错误更糟的事情了。

真正的问题是 transfer 方法的执行过程中可能会被中断。如果能够确保线程在失去控制之前方法运行完成，那么银行账户对象的状态永远不会出现讹误。

14.5.3 锁对象

有两种机制防止代码块受并发访问的干扰。Java 语言提供一个 synchronized 关键字达到这一目的，并且 Java SE 5.0 引入了 ReentrantLock 类。synchronized 关键字自动提供一个锁以及相关的“条件”，对于大多数需要显式锁的情况，这是很便利的。但是，我们相信在读者分别阅读了锁和条件的内容之后，理解 synchronized 关键字是很轻松的事情。java.util.concurrent 框架为这些基础机制提供独立的类，在此以及第 14.5.4 节加以解释这个内容。读者理解了这些构建块之后，将讨论第 14.5.5 节。

用 ReentrantLock 保护代码块的基本结构如下：

```
myLock.lock(); // a ReentrantLock object
try
{
   critical section
}
finally
{
   myLock.unlock(); // make sure the lock is unlocked even if an exception is thrown
}
```

这一结构确保任何时刻只有一个线程进入临界区。一旦一个线程封锁了锁对象，其他任何线程都无法通过 lock 语句。当其他线程调用 lock 时，它们被阻塞，直到第一个线程释放锁对象。

警告：把解锁操作括在 finally 子句之内是至关重要的。如果在临界区的代码抛出异常，锁必须被释放。否则，其他线程将永远阻塞。

注释：如果使用锁，就不能使用带资源的 try 语句。首先，解锁方法名不是 close。不过，即使将它重命名，带资源的 try 语句也无法正常工作。它的首部希望声明一个新变量。但是如果使用一个锁，你可能想使用多个线程共享的那个变量（而不是新变量）。

让我们使用一个锁来保护 Bank 类的 transfer 方法。

```
public class Bank
{
   private Lock bankLock = new ReentrantLock(); // ReentrantLock implements the Lock interface
   . . .
   public void transfer(int from, int to, int amount)
   {
      bankLock.lock();
      try
      {
         System.out.print(Thread.currentThread());
         accounts[from] -= amount;
         System.out.printf(" %10.2f from %d to %d", amount, from, to);
         accounts[to] += amount;
         System.out.printf(" Total Balance: %10.2f%n", getTotalBalance());
      }

      finally
```

```
        {
            bankLock.unlock();
        }
    }
}
```

假定一个线程调用 transfer，在执行结束前被剥夺了运行权。假定第二个线程也调用 transfer，由于第二个线程不能获得锁，将在调用 lock 方法时被阻塞。它必须等待第一个线程完成 transfer 方法的执行之后才能再度被激活。当第一个线程释放锁时，那么第二个线程才能开始运行（见图 14-5）。

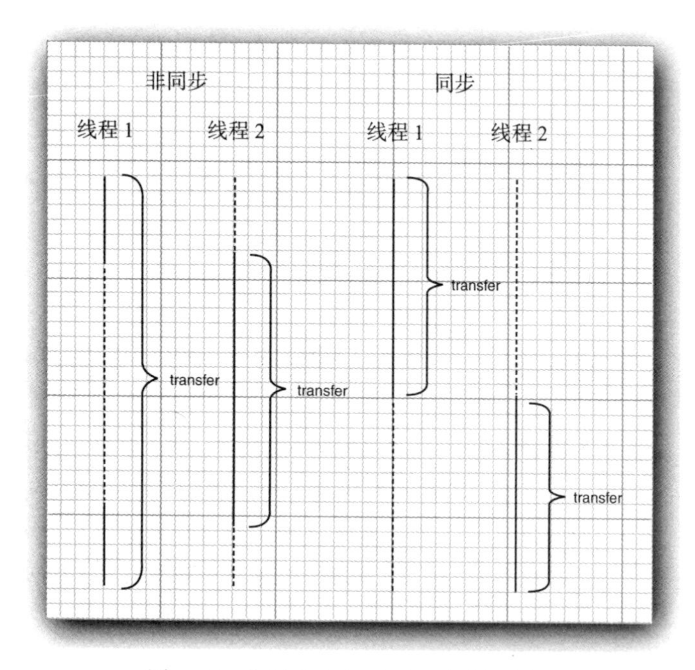

图 14-5 非同步线程与同步线程的比较

尝试一下。添加加锁代码到 transfer 方法并且再次运行程序。你可以永远运行它，而银行的余额不会出现讹误。

注意每一个 Bank 对象有自己的 ReentrantLock 对象。如果两个线程试图访问同一个 Bank 对象，那么锁以串行方式提供服务。但是，如果两个线程访问不同的 Bank 对象，每一个线程得到不同的锁对象，两个线程都不会发生阻塞。本该如此，因为线程在操纵不同的 Bank 实例的时候，线程之间不会相互影响。

锁是可重入的，因为线程可以重复地获得已经持有的锁。锁保持一个持有计数（hold count）来跟踪对 lock 方法的嵌套调用。线程在每一次调用 lock 都要调用 unlock 来释放锁。由于这一特性，被一个锁保护的代码可以调用另一个使用相同的锁的方法。

例如，transfer 方法调用 getTotalBalance 方法，这也会封锁 bankLock 对象，此时 bankLock 对象的持有计数为 2。当 getTotalBalance 方法退出的时候，持有计数变回 1。当 transfer 方法退出的时候，持有计数变为0。线程释放锁。

通常，可能想要保护需若干个操作来更新或检查共享对象的代码块。要确保这些操作完成后，另一个线程才能使用相同对象。

◆ **警告**：要留心临界区中的代码，不要因为异常的抛出而跳出临界区。如果在临界区代码结束之前抛出了异常，finally子句将释放锁，但会使对象可能处于一种受损状态。

API java.util.concurrent.locks.Lock 5.0

- `void lock()`

  获取这个锁；如果锁同时被另一个线程拥有则发生阻塞。

- `void unlock()`

  释放这个锁。

API java.util.concurrent.locks.ReentrantLock 5.0

- `ReentrantLock()`

  构建一个可以被用来保护临界区的可重入锁。

- `ReentrantLock(boolean fair)`

  构建一个带有公平策略的锁。一个公平锁偏爱等待时间最长的线程。但是，这一公平的保证将大大降低性能。所以，默认情况下，锁没有被强制为公平的。

◆ **警告**：听起来公平锁更合理一些，但是使用公平锁比使用常规锁要慢很多。只有当你确实了解自己要做什么并且对于你要解决的问题有一个特定的理由必须使用公平锁的时候，才可以使用公平锁。即使使用公平锁，也无法确保线程调度器是公平的。如果线程调度器选择忽略一个线程，而该线程为了这个锁已经等待了很长时间，那么就没有机会公平地处理这个锁了。

14.5.4 条件对象

通常，线程进入临界区，却发现在某一条件满足之后它才能执行。要使用一个条件对象来管理那些已经获得了一个锁但是却不能做有用工作的线程。在这一节里，我们介绍Java库中条件对象的实现。(由于历史的原因，条件对象经常被称为条件变量(conditional variable)。)

现在来细化银行的模拟程序。我们避免选择没有足够资金的账户作为转出账户。注意不能使用下面这样的代码：

```
if (bank.getBalance(from) >= amount)
   bank.transfer(from, to, amount);
```

当前线程完全有可能在成功地完成测试，且在调用transfer方法之前将被中断。

```
if (bank.getBalance(from) >= amount)
      // thread might be deactivated at this point
   bank.transfer(from, to, amount);
```

在线程再次运行前，账户余额可能已经低于提款金额。必须确保没有其他线程在本检查余额与转账活动之间修改余额。通过使用锁来保护检查与转账动作来做到这一点：

```
public void transfer(int from, int to, int amount)
{
   bankLock.lock();
   try
   {
      while (accounts[from] < amount)
      {
         // wait
         . . .
      }
      // transfer funds
      . . .
   }
   finally
   {
      bankLock.unlock();
   }
}
```

现在，当账户中没有足够的余额时，应该做什么呢？等待直到另一个线程向账户中注入了资金。但是，这一线程刚刚获得了对 bankLock 的排它性访问，因此别的线程没有进行存款操作的机会。这就是为什么我们需要条件对象的原因。

一个锁对象可以有一个或多个相关的条件对象。你可以用 newCondition 方法获得一个条件对象。习惯上给每一个条件对象命名为可以反映它所表达的条件的名字。例如，在此设置一个条件对象来表达“余额充足”条件。

```
class Bank
{
   private Condition sufficientFunds;
   . . .
   public Bank()
   {
      . . .
      sufficientFunds = bankLock.newCondition();
   }
}
```

如果 transfer 方法发现余额不足，它调用

```
sufficientFunds.await();
```

当前线程现在被阻塞了，并放弃了锁。我们希望这样可以使得另一个线程可以进行增加账户余额的操作。

等待获得锁的线程和调用 await 方法的线程存在本质上的不同。一旦一个线程调用 await 方法，它进入该条件的等待集。当锁可用时，该线程不能马上解除阻塞。相反，它处于阻塞状态，直到另一个线程调用同一条件上的 signalAll 方法时为止。

当另一个线程转账时，它应该调用

```
sufficientFunds.signalAll();
```

这一调用重新激活因为这一条件而等待的所有线程。当这些线程从等待集当中移出时，它们再次成为可运行的，调度器将再次激活它们。同时，它们将试图重新进入该对象。一旦锁成为可用的，它们中的某个将从 await 调用返回，获得该锁并从被阻塞的地方继续执行。

此时，线程应该再次测试该条件。由于无法确保该条件被满足——signalAll 方法仅仅是通知正在等待的线程：此时有可能已经满足条件，值得再次去检测该条件。

注释： 通常，对 await 的调用应该在如下形式的循环体中

```
while (!(ok to proceed))
   condition.await();
```

至关重要的是最终需要某个其他线程调用 signalAll 方法。当一个线程调用 await 时，它没有办法重新激活自身。它寄希望于其他线程。如果没有其他线程来重新激活等待的线程，它就永远不再运行了。这将导致令人不快的死锁（deadlock）现象。如果所有其他线程被阻塞，最后一个活动线程在解除其他线程的阻塞状态之前就调用 await 方法，那么它也被阻塞。没有任何线程可以解除其他线程的阻塞，那么该程序就挂起了。

应该何时调用 signalAll 呢？经验上讲，在对象的状态有利于等待线程的方向改变时调用 signalAll。例如，当一个账户余额发生改变时，等待的线程会应该有机会检查余额。在例子中，当完成了转账时，调用 signalAll 方法。

```
public void transfer(int from, int to, int amount)
{
   bankLock.lock();
   try
   {
      while (accounts[from] < amount)
         sufficientFunds.await();
      // transfer funds
      . . .
      sufficientFunds.signalAll();
   }
   finally
   {
      bankLock.unlock();
   }
}
```

注意调用 signalAll 不会立即激活一个等待线程。它仅仅解除等待线程的阻塞，以便这些线程可以在当前线程退出同步方法之后，通过竞争实现对对象的访问。

另一个方法 signal，则是随机解除等待集中某个线程的阻塞状态。这比解除所有线程的阻塞更加有效，但也存在危险。如果随机选择的线程发现自己仍然不能运行，那么它再次被阻塞。如果没有其他线程再次调用 signal，那么系统就死锁了。

警告： 当一个线程拥有某个条件的锁时，它仅仅可以在该条件上调用 await、signalAll 或 signal 方法。

如果你运行程序清单 14-7 中的程序，会注意到没有出现任何错误。总余额永远是 $100 000。

没有任何账户曾出现负的余额（但是，你还是需要按下 CTRL+C 键来终止程序）。你可能还注意到这个程序运行起来稍微有些慢——这是为同步机制中的簿记操作所付出的代价。

实际上，正确地使用条件是富有挑战性的。在开始实现自己的条件对象之前，应该考虑使用 14.10 节中描述的结构。

程序清单 14-7 synch/Bank.java

```
1 package synch;
2 
3 import java.util.*;
4 import java.util.concurrent.locks.*;
5 
6 /**
7  * A bank with a number of bank accounts that uses locks for serializing access.
8  * @version 1.30 2004-08-01
9  * @author Cay Horstmann
10  */
11 public class Bank
12 {
13    private final double[] accounts;
14    private Lock bankLock;
15    private Condition sufficientFunds;
16 
17    /**
18     * Constructs the bank.
19     * @param n the number of accounts
20     * @param initialBalance the initial balance for each account
21     */
22    public Bank(int n, double initialBalance)
23    {
24       accounts = new double[n];
25       Arrays.fill(accounts, initialBalance);
26       bankLock = new ReentrantLock();
27       sufficientFunds = bankLock.newCondition();
28    }
29 
30    /**
31     * Transfers money from one account to another.
32     * @param from the account to transfer from
33     * @param to the account to transfer to
34     * @param amount the amount to transfer
35     */
36    public void transfer(int from, int to, double amount) throws InterruptedException
37    {
38       bankLock.lock();
39       try
40       {
41          while (accounts[from] < amount)
42             sufficientFunds.await();
43          System.out.print(Thread.currentThread());
44          accounts[from] -= amount;
45          System.out.printf(" %10.2f from %d to %d", amount, from, to);
46          accounts[to] += amount;
47          System.out.printf(" Total Balance: %10.2f%n", getTotalBalance());
48          sufficientFunds.signalAll();
```

```
49          }
50          finally
51          {
52             bankLock.unlock();
53          }
54       }
55 
56       /**
57        * Gets the sum of all account balances.
58        * @return the total balance
59        */
60       public double getTotalBalance()
61       {
62          bankLock.lock();
63          try
64          {
65             double sum = 0;
66 
67             for (double a : accounts)
68                sum += a;
69 
70             return sum;
71          }
72          finally
73          {
74             bankLock.unlock();
75          }
76       }
77 
78       /**
79        * Gets the number of accounts in the bank.
80        * @return the number of accounts
81        */
82       public int size()
83       {
84          return accounts.length;
85       }
86    }
```

API java.util.concurrent.locks.Lock 5.0

- `Condition newCondition()`

  返回一个与该锁相关的条件对象。

API java.util.concurrent.locks.Condition 5.0

- `void await()`

  将该线程放到条件的等待集中。

- `void signalAll()`

  解除该条件的等待集中的所有线程的阻塞状态。

- `void signal()`

  从该条件的等待集中随机地选择一个线程，解除其阻塞状态。

14.5.5 synchronized 关键字

在前面一节中，介绍了如何使用 Lock 和 Condition 对象。在进一步深入之前，总结一下有关锁和条件的关键之处：

- 锁用来保护代码片段，任何时刻只能有一个线程执行被保护的代码。
- 锁可以管理试图进入被保护代码段的线程。
- 锁可以拥有一个或多个相关的条件对象。
- 每个条件对象管理那些已经进入被保护的代码段但还不能运行的线程。

Lock 和 Condition 接口为程序设计人员提供了高度的锁定控制。然而，大多数情况下，并不需要那样的控制，并且可以使用一种嵌入到 Java 语言内部的机制。从 1.0 版开始，Java 中的每一个对象都有一个内部锁。如果一个方法用 synchronized 关键字声明，那么对象的锁将保护整个方法。也就是说，要调用该方法，线程必须获得内部的对象锁。

换句话说，

```
public synchronized void method()
{
   method body
}
```

等价于

```
public void method()
{
   this.intrinsicLock.lock();
   try
   {
      method body
   }
   finally { this.intrinsicLock.unlock(); }
}
```

例如，可以简单地声明 Bank 类的 transfer 方法为 synchronized，而不是使用一个显式的锁。

内部对象锁只有一个相关条件。wait 方法添加一个线程到等待集中，notifyAll /notify 方法解除等待线程的阻塞状态。换句话说，调用 wait 或 notifyAll 等价于

```
intrinsicCondition.await();
intrinsicCondition.signalAll();
```

注释： *wait、notifyAll 以及 notify 方法是 Object 类的 final 方法。Condition 方法必须被命名为 await、signalAll 和 signal 以便它们不会与那些方法发生冲突。*

例如，可以用 Java 实现 Bank 类如下：

```
class Bank
{
   private double[] accounts;

   public synchronized void transfer(int from, int to, int amount) throws InterruptedException
   {
      while (accounts[from] < amount)
         wait(); // wait on intrinsic object lock's single condition
```

```
        accounts[from] -= amount;
        accounts[to] += amount;
        notifyAll(); // notify all threads waiting on the condition
    }

    public synchronized double getTotalBalance() { . . . }
}
```

可以看到，使用synchronized关键字来编写代码要简洁得多。当然，要理解这一代码，你必须了解每一个对象有一个内部锁，并且该锁有一个内部条件。由锁来管理那些试图进入synchronized方法的线程，由条件来管理那些调用wait的线程。

提示： Synchronized方法是相对简单的。但是，初学者常常对条件感到困惑。在使用wait/ notifyAll之前，应该考虑使用第14.10节描述的结构之一。

将静态方法声明为synchronized也是合法的。如果调用这种方法，该方法获得相关的类对象的内部锁。例如，如果Bank类有一个静态同步的方法，那么当该方法被调用时，Bank.class对象的锁被锁住。因此，没有其他线程可以调用同一个类的这个或任何其他的同步静态方法。

内部锁和条件存在一些局限。包括：

- 不能中断一个正在试图获得锁的线程。
- 试图获得锁时不能设定超时。
- 每个锁仅有单一的条件，可能是不够的。

在代码中应该使用哪一种？ Lock和Condition对象还是同步方法？下面是一些建议：

- 最好既不使用Lock/Condition也不使用synchronized关键字。在许多情况下你可以使用java.util.concurrent包中的一种机制，它会为你处理所有的加锁。例如，在14.6节，你会看到如何使用阻塞队列来同步完成一个共同任务的线程。还应当研究一下并行流，有关内容参见卷Ⅱ第1章。
- 如果synchronized关键字适合你的程序，那么请尽量使用它，这样可以减少编写的代码数量，减少出错的几率。程序清单14-8给出了用同步方法实现的银行实例。
- 如果特别需要Lock/Condition结构提供的独有特性时，才使用Lock/Condition。

程序清单14-8　synch2/Bank.java

```
1  package synch2;
2
3  import java.util.*;
4
5  /**
6   * A bank with a number of bank accounts that uses synchronization primitives.
7   * @version 1.30 2004-08-01
8   * @author Cay Horstmann
9   */
10 public class Bank
11 {
12    private final double[] accounts;
13
14    /**
```

```
15      * Constructs the bank.
16      * @param n the number of accounts
17      * @param initialBalance the initial balance for each account
18      */
19     public Bank(int n, double initialBalance)
20     {
21        accounts = new double[n];
22        Arrays.fill(accounts, initialBalance);
23     }
24
25     /**
26      * Transfers money from one account to another.
27      * @param from the account to transfer from
28      * @param to the account to transfer to
29      * @param amount the amount to transfer
30      */
31     public synchronized void transfer(int from, int to, double amount) throws InterruptedException
32     {
33        while (accounts[from] < amount)
34           wait();
35        System.out.print(Thread.currentThread());
36        accounts[from] -= amount;
37        System.out.printf(" %10.2f from %d to %d", amount, from, to);
38        accounts[to] += amount;
39        System.out.printf(" Total Balance: %10.2f%n", getTotalBalance());
40        notifyAll();
41     }
42
43     /**
44      * Gets the sum of all account balances.
45      * @return the total balance
46      */
47     public synchronized double getTotalBalance()
48     {
49        double sum = 0;
50
51        for (double a : accounts)
52           sum += a;
53
54        return sum;
55     }
56
57     /**
58      * Gets the number of accounts in the bank.
59      * @return the number of accounts
60      */
61     public int size()
62     {
63        return accounts.length;
64     }
65  }
```

API java.lang.Object 1.0

- `void notifyAll()`

  解除那些在该对象上调用 wait 方法的线程的阻塞状态。该方法只能在同步方法或同步块内部调用。如果当前线程不是对象锁的持有者，该方法抛出一个 IllegalMonitorStateException 异常。

- `void notify()`

  随机选择一个在该对象上调用 wait 方法的线程，解除其阻塞状态。该方法只能在一个同步方法或同步块中调用。如果当前线程不是对象锁的持有者，该方法抛出一个 IllegalMonitorStateException 异常。

- `void wait()`

  导致线程进入等待状态直到它被通知。该方法只能在一个同步方法中调用。如果当前线程不是对象锁的持有者，该方法抛出一个 IllegalMonitorStateException 异常。

- `void wait(long millis)`
- `void wait(long millis, int nanos)`

  导致线程进入等待状态直到它被通知或者经过指定的时间。这些方法只能在一个同步方法中调用。如果当前线程不是对象锁的持有者该方法抛出一个 IllegalMonitorStateException 异常。

  参数：millis　　毫秒数
  　　　nanos　　纳秒数，<1 000 000

14.5.6 同步阻塞

正如刚刚讨论的，每一个 Java 对象有一个锁。线程可以通过调用同步方法获得锁。还有另一种机制可以获得锁，通过进入一个同步阻塞。当线程进入如下形式的阻塞：

```
synchronized (obj) // this is the syntax for a synchronized block
{
   critical section
}
```

于是它获得 obj 的锁。

有时会发现“特殊的”锁，例如：

```
public class Bank
{
   private double[] accounts;
   private Object lock = new Object();
   . . .
   public void transfer(int from, int to, int amount)
   {
      synchronized (lock) // an ad-hoc lock
      {
         accounts[from] -= amount;
         accounts[to] += amount;
      }
      System.out.println(. . .);

   }
}
```

在此，lock 对象被创建仅仅是用来使用每个 Java 对象持有的锁。

有时程序员使用一个对象的锁来实现额外的原子操作，实际上称为客户端锁定（client-side locking）。例如，考虑 Vector 类，一个列表，它的方法是同步的。现在，假定在 Vector<Double> 中存储银行余额。这里有一个 transfer 方法的原始实现：

```
public void transfer(Vector<Double> accounts, int from, int to, int amount) // Error
{
   accounts.set(from, accounts.get(from) - amount);
   accounts.set(to, accounts.get(to) + amount);
   System.out.println(. . .);
}
```

Vector 类的 get 和 set 方法是同步的，但是，这对于我们并没有什么帮助。在第一次对 get 的调用已经完成之后，一个线程完全可能在 transfer 方法中被剥夺运行权。于是，另一个线程可能在相同的存储位置存入不同的值。但是，我们可以截获这个锁：

```
public void transfer(Vector<Double> accounts, int from, int to, int amount)
{
   synchronized (accounts)
   {
      accounts.set(from, accounts.get(from) - amount);
      accounts.set(to, accounts.get(to) + amount);
   }
   System.out.println(. . .);
}
```

这个方法可以工作，但是它完全依赖于这样一个事实，Vector 类对自己的所有可修改方法都使用内部锁。然而，这是真的吗？ Vector 类的文档没有给出这样的承诺。不得不仔细研究源代码并希望将来的版本能介绍非同步的可修改方法。如你所见，客户端锁定是非常脆弱的，通常不推荐使用。

14.5.7　监视器概念

锁和条件是线程同步的强大工具，但是，严格地讲，它们不是面向对象的。多年来，研究人员努力寻找一种方法，可以在不需要程序员考虑如何加锁的情况下，就可以保证多线程的安全性。最成功的解决方案之一是监视器（monitor），这一概念最早是由 Per Brinch Hansen 和 Tony Hoare 在 20 世纪 70 年代提出的。用 Java 的术语来讲，监视器具有如下特性：

- 监视器是只包含私有域的类。
- 每个监视器类的对象有一个相关的锁。
- 使用该锁对所有的方法进行加锁。换句话说，如果客户端调用 obj.method()，那么 obj 对象的锁是在方法调用开始时自动获得，并且当方法返回时自动释放该锁。因为所有的域是私有的，这样的安排可以确保一个线程在对对象操作时，没有其他线程能访问该域。
- 该锁可以有任意多个相关条件。

监视器的早期版本只有单一的条件，使用一种很优雅的句法。可以简单地调用 await

accounts[from] >= balance 而不使用任何显式的条件变量。然而，研究表明盲目地重新测试条件是低效的。显式的条件变量解决了这一问题。每一个条件变量管理一个独立的线程集。

Java 设计者以不是很精确的方式采用了监视器概念，Java 中的每一个对象有一个内部的锁和内部的条件。如果一个方法用 synchronized 关键字声明，那么，它表现的就像是一个监视器方法。通过调用 wait/notifyAll/notify 来访问条件变量。

然而，在下述的 3 个方面 Java 对象不同于监视器，从而使得线程的安全性下降：

- 域不要求必须是 private。
- 方法不要求必须是 synchronized。
- 内部锁对客户是可用的。

这种对安全性的轻视激怒了 Per Brinch Hansen。他在一次对原始 Java 中的多线程的严厉评论中，写道："这实在是令我震惊，在监视器和并发 Pascal 出现四分之一个世纪后，Java 的这种不安全的并行机制被编程社区接受。这没有任何益处。" [Java's Insecure Parallelism, ACM SIGPLAN Notices 34:38-45, April 1999.]

14.5.8 Volatile 域

有时，仅仅为了读写一个或两个实例域就使用同步，显得开销过大了。毕竟，什么地方能出错呢？遗憾的是，使用现代的处理器与编译器，出错的可能性很大。

- 多处理器的计算机能够暂时在寄存器或本地内存缓冲区中保存内存中的值。结果是，运行在不同处理器上的线程可能在同一个内存位置取到不同的值。
- 编译器可以改变指令执行的顺序以使吞吐量最大化。这种顺序上的变化不会改变代码语义，但是编译器假定内存的值仅仅在代码中有显式的修改指令时才会改变。然而，内存的值可以被另一个线程改变！

如果你使用锁来保护可以被多个线程访问的代码，那么可以不考虑这种问题。编译器被要求通过在必要的时候刷新本地缓存来保持锁的效应，并且不能不正当地重新排序指令。详细的解释见 JSR 133 的 Java 内存模型和线程规范（参看 http://www.jcp.org/en/jsr/detail?id=133）。该规范的大部分很复杂而且技术性强，但是文档中也包含了很多解释得很清晰的例子。在 http://www-106.ibm.com/developerworks/java/ library/j-jtp02244.html 有 Brian Goetz 写的一个更易懂的概要介绍。

注释：Brian Goetz 给出了下述"同步格言"："如果向一个变量写入值，而这个变量接下来可能会被另一个线程读取，或者，从一个变量读值，而这个变量可能是之前被另一个线程写入的，此时必须使用同步"。

volatile 关键字为实例域的同步访问提供了一种免锁机制。如果声明一个域为 volatile，那么编译器和虚拟机就知道该域是可能被另一个线程并发更新的。

例如，假定一个对象有一个布尔标记 done，它的值被一个线程设置却被另一个线程查询，如同我们讨论过的那样，你可以使用锁：

```
private boolean done;
public synchronized boolean isDone() { return done; }
public synchronized void setDone() { done = true; }
```

或许使用内部锁不是个好主意。如果另一个线程已经对该对象加锁，isDone 和 setDone 方法可能阻塞。如果注意到这个方面，一个线程可以为这一变量使用独立的 Lock。但是，这也会带来许多麻烦。

在这种情况下，将域声明为 volatile 是合理的：

```
private volatile boolean done;
public boolean isDone() { return done; }
public void setDone() { done = true; }
```

警告：Volatile 变量不能提供原子性。例如，方法

```
public void flipDone() { done = !done; } // not atomic
```

不能确保翻转域中的值。不能保证读取、翻转和写入不被中断。

14.5.9 final 变量

上一节已经了解到，除非使用锁或 volatile 修饰符，否则无法从多个线程安全地读取一个域。

还有一种情况可以安全地访问一个共享域，即这个域声明为 final 时。考虑以下声明：

```
final Map<String, Double> accounts = new HashMap<>();
```

其他线程会在构造函数完成构造之后才看到这个 accounts 变量。

如果不使用 final，就不能保证其他线程看到的是 accounts 更新后的值，它们可能都只是看到 null，而不是新构造的 HashMap。

当然，对这个映射表的操作并不是线程安全的。如果多个线程在读写这个映射表，仍然需要进行同步。

14.5.10 原子性

假设对共享变量除了赋值之外并不完成其他操作，那么可以将这些共享变量声明为 volatile。

java.util.concurrent.atomic 包中有很多类使用了很高效的机器级指令（而不是使用锁）来保证其他操作的原子性。例如，AtomicInteger 类提供了方法 incrementAndGet 和 decrementAndGet，它们分别以原子方式将一个整数自增或自减。例如，可以安全地生成一个数值序列，如下所示：

```
public static AtomicLong nextNumber = new AtomicLong();
// In some thread...
long id = nextNumber.incrementAndGet();
```

incrementAndGet 方法以原子方式将 AtomicLong 自增，并返回自增后的值。也就是说，获得值、增 1 并设置然后生成新值的操作不会中断。可以保证即使是多个线程并发地访问同

一个实例，也会计算并返回正确的值。

有很多方法可以以原子方式设置和增减值，不过，如果希望完成更复杂的更新，就必须使用 compareAndSet 方法。例如，假设希望跟踪不同线程观察的最大值。下面的代码是不可行的：

```
public static AtomicLong largest = new AtomicLong();
// In some thread...
largest.set(Math.max(largest.get(), observed)); // Error--race condition!
```

这个更新不是原子的。实际上，应当在一个循环中计算新值和使用 compareAndSet：

```
do {
   oldValue = largest.get();
   newValue = Math.max(oldValue, observed);
} while (!largest.compareAndSet(oldValue, newValue));
```

如果另一个线程也在更新 largest，就可能阻止这个线程更新。这样一来，compareAndSet 会返回 false，而不会设置新值。在这种情况下，循环会更次尝试，读取更新后的值，并尝试修改。最终，它会成功地用新值替换原来的值。这听上去有些麻烦，不过 compareAndSet 方法会映射到一个处理器操作，比使用锁速度更快。

在 Java SE 8 中，不再需要编写这样的循环样板代码。实际上，可以提供一个 lambda 表达式更新变量，它会为你完成更新。对于这个例子，我们可以调用：

```
largest.updateAndGet(x -> Math.max(x, observed));
```

或

```
largest.accumulateAndGet(observed, Math::max);
```

accumulateAndGet 方法利用一个二元操作符来合并原子值和所提供的参数。

还有 getAndUpdate 和 getAndAccumulate 方法可以返回原值。

注释： 类 AtomicInteger、AtomicIntegerArray、AtomicIntegerFieldUpdater、AtomicLongArray、AtomicLongFieldUpdater、AtomicReference、AtomicReferenceArray 和 AtomicReference-FieldUpdater 也提供了这些方法。

如果有大量线程要访问相同的原子值，性能会大幅下降，因为乐观更新需要太多次重试。Java SE 8 提供了 LongAdder 和 LongAccumulator 类来解决这个问题。LongAdder 包括多个变量（加数），其总和为当前值。可以有多个线程更新不同的加数，线程个数增加时会自动提供新的加数。通常情况下，只有当所有工作都完成之后才需要总和的值，对于这种情况，这种方法会很高效。性能会有显著的提升。

如果认为可能存在大量竞争，只需要使用 LongAdder 而不是 AtomicLong。方法名稍有区别。调用 increment 让计数器自增，或者调用 add 来增加一个量，或者调用 sum 来获取总和。

```
final LongAdder adder = new LongAdder();
for (. . .)
   pool.submit(() -> {
      while (. . .) {
```

```
            . . .
            if (. . .) adder.increment();
        }
    });
. . .
long total = adder.sum());
```

注释： 当然，increment 方法不会返回原值。这样做会消除将求和分解到多个加数所带来的性能提升。

LongAccumulator 将这种思想推广到任意的累加操作。在构造器中，可以提供这个操作以及它的零元素。要加入新的值，可以调用 accumulate。调用 get 来获得当前值。下面的代码可以得到与 LongAdder 同样的效果：

```
LongAccumulator adder = new LongAccumulator(Long::sum, 0);
// In some thread...
adder.accumulate(value);
```

在内部，这个累加器包含变量 $a_1, a_2, \cdots, a_n$。每个变量初始化为零元素（这个例子中零元素为 0）。

调用 accumulate 并提供值 v 时，其中一个变量会以原子方式更新为 $a_i = a_i \ op\ v$，这里 op 是中缀形式的累加操作。在我们这个例子中，调用 accumulate 会对某个 i 计算 $a_i = a_i + v$。

get 的结果是 $a_1\ op\ a_2\ op \ldots op\ a_n$。在我们的例子中，这就是累加器的总和：$a_1 + a_2 + \cdots + a_n$。

如果选择一个不同的操作，可以计算最小值或最大值。一般地，这个操作必须满足结合律和交换律。这说明，最终结果必须独立于所结合的中间值的顺序。

另外 DoubleAdder 和 DoubleAccumulator 也采用同样的方式，只不过处理的是 double 值。

14.5.11 死锁

锁和条件不能解决多线程中的所有问题。考虑下面的情况：

账户 1：\$200
账户 2：\$300
线程 1：从账户 1 转移 \$300 到账户 2
线程 2：从账户 2 转移 \$400 到账户 1

如图 14-6 所示，线程 1 和线程 2 都被阻塞了。因为账户 1 以及账户 2 中的余额都不足以进行转账，两个线程都无法执行下去。

有可能会因为每一个线程要等待更多的钱款存入而导致所有线程都被阻塞。这样的状态称为死锁（deadlock）。

在这个程序里，死锁不会发生，原因很简单。每一次转账至多 \$1 000。因为有 100 个账户，而且所有账户的总金额是 \$100 000，在任意时刻，至少有一个账户的余额高于 \$1 000。从该账户取钱的线程可以继续运行。

但是，如果修改 run 方法，把每次转账至多 \$1 000 的限制去掉，死锁很快就会发生。试试看。将 NACCOUNTS 设为 10。每次交易的金额上限设置为 2 * INITIAL_BALANCE，然后运行该程序。程序将运行一段时间后就会挂起。

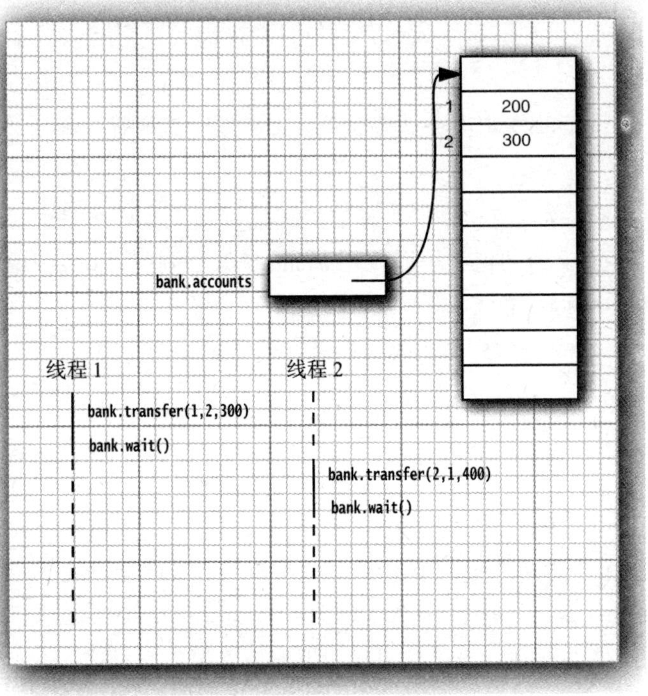

图 14-6　发生死锁的情况

✓ **提示**：当程序挂起时，键入 CTRL+\，将得到一个所有线程的列表。每一个线程有一个栈踪迹，告诉你线程被阻塞的位置。像第 7 章叙述的那样，运行 jconsole 并参考线程面板（见图 14-7）。

导致死锁的另一种途径是让第 i 个线程负责向第 i 个账户存钱，而不是从第 i 个账户取钱。这样一来，有可能将所有的线程都集中到一个账户上，每一个线程都试图从这个账户中取出大于该账户余额的钱。试试看。在 SynchBankTest 程序中，转用 TransferRunnable 类的 run 方法。在调用 transfer 时，交换 fromAccount 和 toAccount。运行该程序并查看它为什么会立即死锁。

还有一种很容易导致死锁的情况：在 SynchBankTest 程序中，将 signalAll 方法转换为 signal，会发现该程序最终会挂起（将 NACCOUNTS 设为 10 可以更快地看到结果）。signalAll 通知所有等待增加资金的线程，与此不同的是 signal 方法仅仅对一个线程解锁。如果该线程不能继续运行，所有的线程可能都被阻塞。考虑下面这个会发生死锁的例子。

账户 1：$1 990
所有其他账户：每一个 $990
线程 1：从账户 1 转移 $995 到账户 2
所有其他线程：从他们的账户转移 $995 到另一个账户

显然，除了线程 1，所有的线程都被阻塞，因为他们的账户中没有足够的余额。

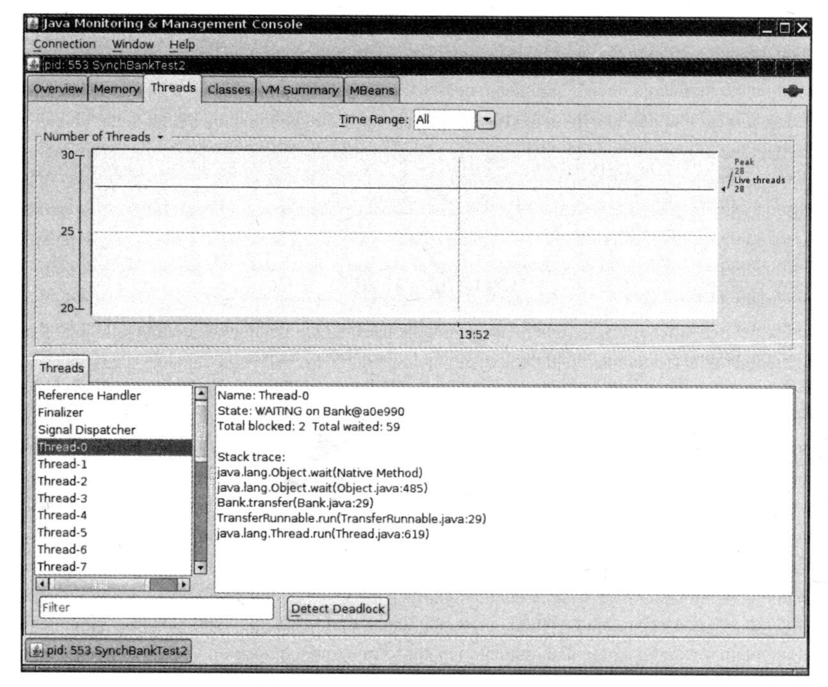

图 14-7 jconsole 中的线程面板

线程 1 继续执行，运行后出现如下状况：

账户 1：$995
账户 2：$1 985
所有其他账户：每个 $990

然后，线程 1 调用 signal。signal 方法随机选择一个线程为它解锁。假定它选择了线程 3。该线程被唤醒，发现在它的账户里没有足够的金额，它再次调用 await。但是，线程 1 仍在运行，将随机地产生一个新的交易，例如，

线程 1：从账户 1 转移 $997 到账户 2

现在，线程 1 也调用 await，所有的线程都被阻塞。系统死锁。

问题的起因在于调用 signal。它仅仅为一个线程解锁，而且，它很可能选择一个不能继续运行的线程（在我们的例子中，线程 2 必须把钱从账户 2 中取出）。

遗憾的是，Java 编程语言中没有任何东西可以避免或打破这种死锁现象。必须仔细设计程序，以确保不会出现死锁。

14.5.12 线程局部变量

前面几节中，我们讨论了在线程间共享变量的风险。有时可能要避免共享变量，使用 ThreadLocal 辅助类为各个线程提供各自的实例。例如，SimpleDateFormat 类不是线程安全的。假设有一个静态变量：

```
public static final SimpleDateFormat dateFormat = new SimpleDateFormat("yyyy-MM-dd");
```

如果两个线程都执行以下操作：

```
String dateStamp = dateFormat.format(new Date());
```

结果可能很混乱，因为 dateFormat 使用的内部数据结构可能会被并发的访问所破坏。当然可以使用同步，但开销很大；或者也可以在需要时构造一个局部 SimpleDateFormat 对象，不过这也太浪费了。

要为每个线程构造一个实例，可以使用以下代码：

```
public static final ThreadLocal<SimpleDateFormat> dateFormat =
   ThreadLocal.withInitial(() -> new SimpleDateFormat("yyyy-MM-dd"));
```

要访问具体的格式化方法，可以调用：

```
String dateStamp = dateFormat.get().format(new Date());
```

在一个给定线程中首次调用 get 时，会调用 initialValue 方法。在此之后，get 方法会返回属于当前线程的那个实例。

在多个线程中生成随机数也存在类似的问题。java.util.Random 类是线程安全的。但是如果多个线程需要等待一个共享的随机数生成器，这会很低效。

可以使用 ThreadLocal 辅助类为各个线程提供一个单独的生成器，不过 Java SE 7 还另外提供了一个便利类。只需要做以下调用：

```
int random = ThreadLocalRandom.current().nextInt(upperBound);
```

ThreadLocalRandom.current() 调用会返回特定于当前线程的 Random 类实例。

API java.lang.ThreadLocal<T> 1.2

- `T get()`

  得到这个线程的当前值。如果是首次调用 get，会调用 initialize 来得到这个值。

- `protected initialize()`

  应覆盖这个方法来提供一个初始值。默认情况下，这个方法返回 null。

- `void set(T t)`

  为这个线程设置一个新值。

- `void remove()`

  删除对应这个线程的值。

- `static <S> ThreadLocal<S> withInitial(Supplier<? extends S> supplier) 8`

  创建一个线程局部变量，其初始值通过调用给定的 supplier 生成。

API java.util.concurrent.ThreadLocalRandom 7

- `static ThreadLocalRandom current()`

  返回特定于当前线程的 Random 类实例。

14.5.13 锁测试与超时

线程在调用lock方法来获得另一个线程所持有的锁的时候，很可能发生阻塞。应该更加谨慎地申请锁。tryLock方法试图申请一个锁，在成功获得锁后返回true，否则，立即返回false，而且线程可以立即离开去做其他事情。

```
if (myLock.tryLock())
{
   // now the thread owns the lock
   try { . . . }
   finally { myLock.unlock(); }
}
else
   // do something else
```

可以调用tryLock时，使用超时参数，像这样：

```
if (myLock.tryLock(100, TimeUnit.MILLISECONDS)) . . .
```

TimeUnit是一个枚举类型，可以取的值包括SECONDS、MILLISECONDS、MICROSECONDS和NANOSECONDS。

lock方法不能被中断。如果一个线程在等待获得一个锁时被中断，中断线程在获得锁之前一直处于阻塞状态。如果出现死锁，那么，lock方法就无法终止。

然而，如果调用带有用超时参数的tryLock，那么如果线程在等待期间被中断，将抛出InterruptedException异常。这是一个非常有用的特性，因为允许程序打破死锁。

也可以调用lockInterruptibly方法。它就相当于一个超时设为无限的tryLock方法。

在等待一个条件时，也可以提供一个超时：

```
myCondition.await(100, TimeUnit.MILLISECONDS))
```

如果一个线程被另一个线程通过调用signalAll或signal激活，或者超时时限已达到，或者线程被中断，那么await方法将返回。

如果等待的线程被中断，await方法将抛出一个InterruptedException异常。在你希望出现这种情况时线程继续等待（可能不太合理），可以使用awaitUninterruptibly方法代替await。

API java.util.concurrent.locks.Lock 5.0

- `boolean tryLock()`

  尝试获得锁而没有发生阻塞；如果成功返回真。这个方法会抢夺可用的锁，即使该锁有公平加锁策略，即便其他线程已经等待很久也是如此。

- `boolean tryLock(long time, TimeUnit unit)`

  尝试获得锁，阻塞时间不会超过给定的值；如果成功返回true。

- `void lockInterruptibly()`

  获得锁，但是会不确定地发生阻塞。如果线程被中断，抛出一个InterruptedException异常。

API java.util.concurrent.locks.Condition 5.0

- `boolean await(long time, TimeUnit unit)`

  进入该条件的等待集，直到线程从等待集中移出或等待了指定的时间之后才解除阻塞。如果因为等待时间到了而返回就返回 false，否则返回 true。

- `void awaitUninterruptibly()`

  进入该条件的等待集，直到线程从等待集移出才解除阻塞。如果线程被中断，该方法不会抛出 InterruptedException 异常。

14.5.14 读 / 写锁

java.util.concurrent.locks 包定义了两个锁类，我们已经讨论的 ReentrantLock 类和 ReentrantReadWriteLock 类。如果很多线程从一个数据结构读取数据而很少线程修改其中数据的话，后者是十分有用的。在这种情况下，允许对读者线程共享访问是合适的。当然，写者线程依然必须是互斥访问的。

下面是使用读 / 写锁的必要步骤：

1）构造一个 ReentrantReadWriteLock 对象：

```
private ReentrantReadWriteLock rwl = new ReentrantReadWriteLock();
```

2）抽取读锁和写锁：

```
private Lock readLock = rwl.readLock();
private Lock writeLock = rwl.writeLock();
```

3）对所有的获取方法加读锁：

```
public double getTotalBalance()
{
   readLock.lock();
   try { . . . }
   finally { readLock.unlock(); }
}
```

4）对所有的修改方法加写锁：

```
public void transfer(. . .)
{
   writeLock.lock();
   try { . . . }
   finally { writeLock.unlock(); }
}
```

API java.util.concurrent.locks.ReentrantReadWriteLock 5.0

- `Lock readLock()`

  得到一个可以被多个读操作共用的读锁，但会排斥所有写操作。

- `Lock writeLock()`

  得到一个写锁，排斥所有其他的读操作和写操作。

14.5.15　为什么弃用 stop 和 suspend 方法

初始的 Java 版本定义了一个 stop 方法用来终止一个线程，以及一个 suspend 方法用来阻塞一个线程直至另一个线程调用 resume。stop 和 suspend 方法有一些共同点：都试图控制一个给定线程的行为。

stop、suspend 和 resume 方法已经弃用。stop 方法天生就不安全，经验证明 suspend 方法会经常导致死锁。在本节，将看到这些方法的问题所在，以及怎样避免这些问题的出现。

首先来看看 stop 方法，该方法终止所有未结束的方法，包括 run 方法。当线程被终止，立即释放被它锁住的所有对象的锁。这会导致对象处于不一致的状态。例如，假定 TransferThread 在从一个账户向另一个账户转账的过程中被终止，钱款已经转出，却没有转入目标账户，现在银行对象就被破坏了。因为锁已经被释放，这种破坏会被其他尚未停止的线程观察到。

当线程要终止另一个线程时，无法知道什么时候调用 stop 方法是安全的，什么时候导致对象被破坏。因此，该方法被弃用了。在希望停止线程的时候应该中断线程，被中断的线程会在安全的时候停止。

注释： 一些作者声称 stop 方法被弃用是因为它会导致对象被一个已停止的线程永久锁定。但是，这一说法是错误的。从技术上讲，被停止的线程通过抛出 ThreadDeath 异常退出所有它所调用的同步方法。结果是，该线程释放它持有的内部对象锁。

接下来，看看 suspend 方法有什么问题。与 stop 不同，suspend 不会破坏对象。但是，如果用 suspend 挂起一个持有一个锁的线程，那么，该锁在恢复之前是不可用的。如果调用 suspend 方法的线程试图获得同一个锁，那么程序死锁：被挂起的线程等着被恢复，而将其挂起的线程等待获得锁。

在图形用户界面中经常出现这种情况。假定我们有一个图形化的银行模拟程序。Pause 按钮用来挂起转账线程，而 Resume 按钮用来恢复线程。

```
pauseButton.addActionListener(event -> {
   for (int i = 0; i < threads.length; i++)
      threads[i].suspend(); // Don't do this
});
resumeButton.addActionListener(event -> {
   for (int i = 0; i < threads.length; i++)
      threads[i].resume();
});
```

假设有一个 paintComponent 方法，通过调用 getBalances 方法获得一个余额数组，从而为每一个账户绘制图表。

就像在第 14.11 节所看到的，按钮动作和重绘动作出现在同一个线程中——事件分配线程（event dispatch thread）。考虑下面的情况：

1）某个转账线程获得 bank 对象的锁。

2）用户点击 Pause 按钮。

3）所有转账线程被挂起；其中之一仍然持有 bank 对象上的锁。

4）因为某种原因，该账户图表需要重新绘制。

5）paintComponent 方法调用 getBalances 方法。

6）该方法试图获得 bank 对象的锁。

现在程序被冻结了。

事件分配线程不能继续运行，因为锁由一个被挂起的线程所持有。因此，用户不能点击 Resume 按钮，并且这些线程无法恢复。

如果想安全地挂起线程，引入一个变量 suspendRequested 并在 run 方法的某个安全的地方测试它，安全的地方是指该线程没有封锁其他线程需要的对象的地方。当该线程发现 suspendRequested 变量已经设置，将会保持等待状态直到它再次获得为止。

14.6 阻塞队列

现在，读者已经看到了形成 Java 并发程序设计基础的底层构建块。然而，对于实际编程来说，应该尽可能远离底层结构。使用由并发处理的专业人士实现的较高层次的结构要方便得多、要安全得多。

对于许多线程问题，可以通过使用一个或多个队列以优雅且安全的方式将其形式化。生产者线程向队列插入元素，消费者线程则取出它们。使用队列，可以安全地从一个线程向另一个线程传递数据。例如，考虑银行转账程序，转账线程将转账指令对象插入一个队列中，而不是直接访问银行对象。另一个线程从队列中取出指令执行转账。只有该线程可以访问该银行对象的内部。因此不需要同步。（当然，线程安全的队列类的实现者不能不考虑锁和条件，但是，那是他们的问题而不是你的问题。）

当试图向队列添加元素而队列已满，或是想从队列移出元素而队列为空的时候，阻塞队列（blocking queue）导致线程阻塞。在协调多个线程之间的合作时，阻塞队列是一个有用的工具。工作者线程可以周期性地将中间结果存储在阻塞队列中。其他的工作者线程移出中间结果并进一步加以修改。队列会自动地平衡负载。如果第一个线程集运行得比第二个慢，第二个线程集在等待结果时会阻塞。如果第一个线程集运行得快，它将等待第二个队列集赶上来。表 14-1 给出了阻塞队列的方法。

表 14-1 阻塞队列方法

方 法	正常动作	特殊情况下的动作
add	添加一个元素	如果队列满，则抛出 IllegalStateException 异常
element	返回队列的头元素	如果队列空，抛出 NoSuchElementException 异常
offer	添加一个元素并返回 true	如果队列满，返回 false
peek	返回队列的头元素	如果队列空，则返回 null
poll	移出并返回队列的头元素	如果队列空，则返回 null
put	添加一个元素	如果队列满，则阻塞
remove	移出并返回头元素	如果队列空，则抛出 NoSuchElementException 异常
take	移出并返回头元素	如果队列空，则阻塞

阻塞队列方法分为以下 3 类，这取决于当队列满或空时它们的响应方式。如果将队列当作线程管理工具来使用，将要用到 put 和 take 方法。当试图向满的队列中添加或从空的队列中移出元素时，add、remove 和 element 操作抛出异常。当然，在一个多线程程序中，队列会在任何时候空或满，因此，一定要使用 offer、poll 和 peek 方法作为替代。这些方法如果不能完成任务，只是给出一个错误提示而不会抛出异常。

注释： poll 和 peek 方法返回空来指示失败。因此，向这些队列中插入 null 值是非法的。

还有带有超时的 offer 方法和 poll 方法的变体。例如，下面的调用：

```
boolean success = q.offer(x, 100, TimeUnit.MILLISECONDS);
```

尝试在 100 毫秒的时间内在队列的尾部插入一个元素。如果成功返回 true；否则，达到超时时，返回 false。类似地，下面的调用：

```
Object head = q.poll(100, TimeUnit.MILLISECONDS)
```

尝试用 100 毫秒的时间移除队列的头元素；如果成功返回头元素，否则，达到在超时时，返回 null。

如果队列满，则 put 方法阻塞；如果队列空，则 take 方法阻塞。在不带超时参数时，offer 和 poll 方法等效。

java.util.concurrent 包提供了阻塞队列的几个变种。默认情况下，LinkedBlockingQueue 的容量是没有上边界的，但是，也可以选择指定最大容量。LinkedBlockingDeque 是一个双端的版本。ArrayBlockingQueue 在构造时需要指定容量，并且有一个可选的参数来指定是否需要公平性。若设置了公平参数，则那么等待了最长时间的线程会优先得到处理。通常，公平性会降低性能，只有在确实非常需要时才使用它。

PriorityBlockingQueue 是一个带优先级的队列，而不是先进先出队列。元素按照它们的优先级顺序被移出。该队列是没有容量上限，但是，如果队列是空的，取元素的操作会阻塞。(有关优先级队列的详细内容参看第 9 章。)

最后，DelayQueue 包含实现 Delayed 接口的对象：

```
interface Delayed extends Comparable<Delayed>
{
   long getDelay(TimeUnit unit);
}
```

getDelay 方法返回对象的残留延迟。负值表示延迟已经结束。元素只有在延迟用完的情况下才能从 DelayQueue 移除。还必须实现 compareTo 方法。DelayQueue 使用该方法对元素进行排序。

Java SE 7 增加了一个 TransferQueue 接口，允许生产者线程等待，直到消费者准备就绪可以接收一个元素。如果生产者调用

```
q.transfer(item);
```

这个调用会阻塞，直到另一个线程将元素（item）删除。LinkedTransferQueue 类实现了

这个接口。

程序清单 14-9 中的程序展示了如何使用阻塞队列来控制一组线程。程序在一个目录及它的所有子目录下搜索所有文件，打印出包含指定关键字的行。

程序清单 14-9 blockingQueue/BlockingQueueTest.java

```
1 package blockingQueue;
2
3 import java.io.*;
4 import java.util.*;
5 import java.util.concurrent.*;
6
7 /**
8  * @version 1.02 2015-06-21
9  * @author Cay Horstmann
10  */
11 public class BlockingQueueTest
12 {
13    private static final int FILE_QUEUE_SIZE = 10;
14    private static final int SEARCH_THREADS = 100;
15    private static final File DUMMY = new File("");
16    private static BlockingQueue<File> queue = new ArrayBlockingQueue<>(FILE_QUEUE_SIZE);
17
18    public static void main(String[] args)
19    {
20       try (Scanner in = new Scanner(System.in))
21       {
22          System.out.print("Enter base directory (e.g. /opt/jdk1.8.0/src): ");
23          String directory = in.nextLine();
24          System.out.print("Enter keyword (e.g. volatile): ");
25          String keyword = in.nextLine();
26
27          Runnable enumerator = () -> {
28             try
29             {
30                enumerate(new File(directory));
31                queue.put(DUMMY);
32             }
33             catch (InterruptedException e)
34             {
35             }
36          };
37
38          new Thread(enumerator).start();
39          for (int i = 1; i <= SEARCH_THREADS; i++) {
40             Runnable searcher = () -> {
41                try
42                {
43                   boolean done = false;
44                   while (!done)
45                   {
46                      File file = queue.take();
47                      if (file == DUMMY)
48                      {
49                         queue.put(file);
50                         done = true;
```

```
51                    }
52                    else search(file, keyword);
53                 }
54              }
55              catch (IOException e)
56              {
57                 e.printStackTrace();
58              }
59              catch (InterruptedException e)
60              {
61              }
62           };
63           new Thread(searcher).start();
64        }
65     }
66  }
67
68  /**
69   * Recursively enumerates all files in a given directory and its subdirectories.
70   * @param directory the directory in which to start
71   */
72  public static void enumerate(File directory) throws InterruptedException
73  {
74     File[] files = directory.listFiles();
75     for (File file : files)
76     {
77        if (file.isDirectory()) enumerate(file);
78        else queue.put(file);
79     }
80  }
81
82  /**
83   * Searches a file for a given keyword and prints all matching lines.
84   * @param file the file to search
85   * @param keyword the keyword to search for
86   */
87  public static void search(File file, String keyword) throws IOException
88  {
89     try (Scanner in = new Scanner(file, "UTF-8"))
90     {
91        int lineNumber = 0;
92        while (in.hasNextLine())
93        {
94           lineNumber++;
95           String line = in.nextLine();
96           if (line.contains(keyword))
97              System.out.printf("%s:%d:%s%n", file.getPath(), lineNumber, line);
98        }
99     }
100 }
101 }
```

生产者线程枚举在所有子目录下的所有文件并把它们放到一个阻塞队列中。这个操作很快，如果没有上限的话，很快就包含了所有找到的文件。

我们同时启动了大量搜索线程。每个搜索线程从队列中取出一个文件，打开它，打印所有包含该关键字的行，然后取出下一个文件。我们使用一个小技巧在工作结束后终止这个应用程序。为了发出完成信号，枚举线程放置一个虚拟对象到队列中（这就像在行李输送带上放一个写着“最后一个包”的虚拟包）。当搜索线程取到这个虚拟对象时，将其放回并终止。

注意，不需要显式的线程同步。在这个应用程序中，我们使用队列数据结构作为一种同步机制。

API java.util.concurrent.ArrayBlockingQueue<E> 5.0

- `ArrayBlockingQueue(int capacity)`
- `ArrayBlockingQueue(int capacity, boolean fair)`

  构造一个带有指定的容量和公平性设置的阻塞队列。该队列用循环数组实现。

API java.util.concurrent.LinkedBlockingQueue<E> 5.0

API java.util.concurrent.LinkedBlockingDeque<E> 6

- `LinkedBlockingQueue()`
- `LinkedBlockingDeque()`

  构造一个无上限的阻塞队列或双向队列，用链表实现。
- `LinkedBlockingQueue(int capacity)`
- `LinkedBlockingDeque(int capacity)`

  根据指定容量构建一个有限的阻塞队列或双向队列，用链表实现。

API java.util.concurrent.DelayQueue<E extends Delayed> 5.0

- `DelayQueue()`

  构造一个包含 Delayed 元素的无界的阻塞时间有限的阻塞队列。只有那些延迟已经超过时间的元素可以从队列中移出。

API java.util.concurrent.Delayed 5.0

- `long getDelay(TimeUnit unit)`

  得到该对象的延迟，用给定的时间单位进行度量。

API java.util.concurrent.PriorityBlockingQueue<E> 5.0

- `PriorityBlockingQueue()`
- `PriorityBlockingQueue(int initialCapacity)`
- `PriorityBlockingQueue(int initialCapacity, Comparator<? super E> comparator)`

  构造一个无边界阻塞优先队列，用堆实现。

  参数：initialCapacity　　优先队列的初始容量。默认值是 11。

  　　　comparator　　用来对元素进行比较的比较器，如果没有指定，则元素必须实现 Comparable 接口。

API java.util.concurrent.BlockingQueue<E> 5.0

- `void put(E element)`
  添加元素，在必要时阻塞。
- `E take()`
  移除并返回头元素，必要时阻塞。
- `boolean offer(E element, long time, TimeUnit unit)`
  添加给定的元素，如果成功返回 true，如果必要时阻塞，直至元素已经被添加或超时。
- `E poll(long time, TimeUnit unit)`
  移除并返回头元素，必要时阻塞，直至元素可用或超时用完。失败时返回 null。

API java.util.concurrent.BlockingDeque<E> 6

- `void putFirst(E element)`
- `void putLast(E element)`
  添加元素，必要时阻塞。
- `E takeFirst()`
- `E takeLast()`
  移除并返回头元素或尾元素，必要时阻塞。
- `boolean offerFirst(E element, long time, TimeUnit unit)`
- `boolean offerLast(E element, long time, TimeUnit unit)`
  添加给定的元素，成功时返回 true，必要时阻塞直至元素被添加或超时。
- `E pollFirst(long time, TimeUnit unit)`
- `E pollLast(long time, TimeUnit unit)`
  移动并返回头元素或尾元素，必要时阻塞，直至元素可用或超时。失败时返回 null。

API java.util.concurrent.Transfer Queue<E> 7

- `void transfer(E element)`
- `boolean tryTransfer(E element, long time, TimeUnit unit)`
  传输一个值，或者尝试在给定的超时时间内传输这个值，这个调用将阻塞，直到另一个线程将元素删除。第二个方法会在调用成功时返回 true。

14.7　线程安全的集合

如果多线程要并发地修改一个数据结构，例如散列表，那么很容易会破坏这个数据结构（有关散列表的详细信息见第 9 章）。例如，一个线程可能要开始向表中插入一个新元素。假定在调整散列表各个桶之间的链接关系的过程中，被剥夺了控制权。如果另一个线程也开始遍历同一个链表，可能使用无效的链接并造成混乱，会抛出异常或者陷入死循环。

可以通过提供锁来保护共享数据结构，但是选择线程安全的实现作为替代可能更容易些。当然，前一节讨论的阻塞队列就是线程安全的集合。在下面各小节中，将讨论 Java 类库提供的另外一些线程安全的集合。

14.7.1 高效的映射、集和队列

java.util.concurrent 包提供了映射、有序集和队列的高效实现：ConcurrentHashMap、ConcurrentSkipListMap、ConcurrentSkipListSet 和 ConcurrentLinkedQueue。

这些集合使用复杂的算法，通过允许并发地访问数据结构的不同部分来使竞争极小化。

与大多数集合不同，size 方法不必在常量时间内操作。确定这样的集合当前的大小通常需要遍历。

注释：有些应用使用庞大的并发散列映射，这些映射太过庞大，以至于无法用 size 方法得到它的大小，因为这个方法只能返回 int。对于一个包含超过 20 亿条目的映射该如何处理？ Java SE 8 引入了一个 mappingCount 方法可以把大小作为 long 返回。

集合返回弱一致性（weakly consistent）的迭代器。这意味着迭代器不一定能反映出它们被构造之后的所有的修改，但是，它们不会将同一个值返回两次，也不会抛出 Concurrent ModificationException 异常。

注释：与之形成对照的是，集合如果在迭代器构造之后发生改变，java.util 包中的迭代器将抛出一个 ConcurrentModificationException 异常。

并发的散列映射表，可高效地支持大量的读者和一定数量的写者。默认情况下，假定可以有多达 16 个写者线程同时执行。可以有更多的写者线程，但是，如果同一时间多于 16 个，其他线程将暂时被阻塞。可以指定更大数目的构造器，然而，恐怕没有这种必要。

注释：散列映射将有相同散列码的所有条目放在同一个“桶”中。有些应用使用的散列函数不当，以至于所有条目最后都放在很少的桶中，这会严重降低性能。即使是一般意义上还算合理的散列函数，如 String 类的散列函数，也可能存在问题。例如，攻击者可能会制造大量有相同散列值的字符串，让程序速度减慢。在 Java SE 8 中，并发散列映射将桶组织为树，而不是列表，键类型实现了 Comparable，从而可以保证性能为 $O(\log(n))$。

API java.util.concurrent.ConcurrentLinkedQueue<E> 5.0

- `ConcurrentLinkedQueue<E>()`

  构造一个可以被多线程安全访问的无边界非阻塞的队列。

API java.util.concurrent.ConcurrentLinkedQueue<E> 6

- `ConcurrentSkipListSet<E>()`
- `ConcurrentSkipListSet<E>(Comparator<? super E> comp)`

  构造一个可以被多线程安全访问的有序集。第一个构造器要求元素实现 Comparable 接口。

API java.util.concurrent.ConcurrentHashMap<K, V> 5.0

API java.util.concurrent.ConcurrentSkipListMap<K, V> 6

- `ConcurrentHashMap<K, V>()`
- `ConcurrentHashMap<K, V>(int initialCapacity)`
- `ConcurrentHashMap<K, V>(int initialCapacity, float loadFactor, int concurrencyLevel)`

  构造一个可以被多线程安全访问的散列映射表。

  参数：initialCapacity　集合的初始容量。默认值为 16。

  　　　loadFactor　控制调整：如果每一个桶的平均负载超过这个因子，表的大小会被重新调整。默认值为 0.75。

  　　　concurrencyLevel　并发写者线程的估计数目。

- `ConcurrentSkipListMap<K, V>()`
- `ConcurrentSkipListSet<K, V>(Comparator<? super K> comp)`

  构造一个可以被多线程安全访问的有序的映像表。第一个构造器要求键实现 Comparable 接口。

14.7.2 映射条目的原子更新

ConcurrentHashMap 原来的版本只有为数不多的方法可以实现原子更新，这使得编程多少有些麻烦。假设我们希望统计观察到的某些特性的频度。作为一个简单的例子，假设多个线程会遇到单词，我们想统计它们的频率。

可以使用 ConcurrentHashMap<String, Long> 吗？考虑让计数自增的代码。显然，下面的代码不是线程安全的：

```
Long oldValue = map.get(word);
Long newValue = oldValue == null ? 1 : oldValue + 1;
map.put(word, newValue); // Error--might not replace oldValue
```

可能会有另一个线程在同时更新同一个计数。

注释： 有些程序员很奇怪为什么原本线程安全的数据结构会允许非线程安全的操作。不过有两种完全不同的情况。如果多个线程修改一个普通的 HashMap，它们会破坏内部结构（一个链表数组）。有些链接可能丢失，或者甚至会构成循环，使得这个数据结构不再可用。对于 ConcurrentHashMap 绝对不会发生这种情况。在上面的例子中，get 和 put 代码不会破坏数据结构。不过，由于操作序列不是原子的，所以结果不可预知。

传统的做法是使用 replace 操作，它会以原子方式用一个新值替换原值，前提是之前没有其他线程把原值替换为其他值。必须一直这么做，直到 replace 成功：

```
do
{
   oldValue = map.get(word);
```

```
    newValue = oldValue == null ? 1 : oldValue + 1;
} while (!map.replace(word, oldValue, newValue));
```

或者，可以使用一个 ConcurrentHashMap<String, AtomicLong>，或者在 Java SE 8 中，还可以使用 ConcurrentHashMap<String, LongAdder>。更新代码如下：

```
map.putIfAbsent(word, new LongAdder());
map.get(word).increment();
```

第一个语句确保有一个 LongAdder 可以完成原子自增。由于 putIfAbsent 返回映射的的值（可能是原来的值，或者是新设置的值），所以可以组合这两个语句：

```
map.putIfAbsent(word, new LongAdder()).increment();
```

Java SE 8 提供了一些可以更方便地完成原子更新的方法。调用 compute 方法时可以提供一个键和一个计算新值的函数。这个函数接收键和相关联的值（如果没有值，则为 null），它会计算新值。例如，可以如下更新一个整数计数器的映射：

```
map.compute(word, (k, v) -> v == null ? 1 : v + 1);
```

注释： ConcurrentHashMap 中不允许有 null 值。有很多方法都使用 null 值来指示映射中某个给定的键不存在。

另外还有 computeIfPresent 和 computeIfAbsent 方法，它们分别只在已经有原值的情况下计算新值，或者只有没有原值的情况下计算新值。可以如下更新一个 LongAdder 计数器映射：

```
map.computeIfAbsent(word, k -> new LongAdder()).increment();
```

这与之前看到的 putIfAbsent 调用几乎是一样的，不过 LongAdder 构造器只在确实需要一个新的计数器时才会调用。

首次增加一个键时通常需要做些特殊的处理。利用 merge 方法可以非常方便地做到这一点。这个方法有一个参数表示键不存在时使用的初始值。否则，就会调用你提供的函数来结合原值与初始值。（与 compute 不同，这个函数不处理键。）

```
map.merge(word, 1L, (existingValue, newValue) -> existingValue + newValue);
```

或者，更简单地可以写为：

```
map.merge(word, 1L, Long::sum);
```

再不能比这更简洁了。

注释： 如果传入 compute 或 merge 的函数返回 null，将从映射中删除现有的条目。

警告： 使用 compute 或 merge 时，要记住你提供的函数不能做太多工作。这个函数运行时，可能会阻塞对映射的其他更新。当然，这个函数也不能更新映射的其他部分。

14.7.3 对并发散列映射的批操作

Java SE 8 为并发散列映射提供了批操作，即使有其他线程在处理映射，这些操作也能安全地执行。批操作会遍历映射，处理遍历过程中找到的元素。无须冻结当前映射的快照。除非你恰好知道批操作运行时映射不会被修改，否则就要把结果看作是映射状态的一个近似。

有 3 种不同的操作：

- 搜索（search）为每个键或值提供一个函数，直到函数生成一个非 null 的结果。然后搜索终止，返回这个函数的结果。
- 归约（reduce）组合所有键或值，这里要使用所提供的一个累加函数。
- forEach 为所有键或值提供一个函数。

每个操作都有 4 个版本：

- *operation*Keys：处理键。
- *operation*Values：处理值。
- *operation*：处理键和值。
- *operation*Entries：处理 Map.Entry 对象。

对于上述各个操作，需要指定一个参数化阈值（*parallelism threshold*）。如果映射包含的元素多于这个阈值，就会并行完成批操作。如果希望批操作在一个线程中运行，可以使用阈值 Long.MAX_VALUE。如果希望用尽可能多的线程运行批操作，可以使用阈值 1。

下面首先来看 search 方法。有以下版本：

```
U searchKeys(long threshold, BiFunction<? super K, ? extends U> f)
U searchValues(long threshold, BiFunction<? super V, ? extends U> f)
U search(long threshold, BiFunction<? super K, ? super V,? extends U> f)
U searchEntries(long threshold, BiFunction<Map.Entry<K, V>, ? extends U> f)
```

例如，假设我们希望找出第一个出现次数超过 1000 次的单词。需要搜索键和值：

```
String result = map.search(threshold, (k, v) -> v > 1000 ? k : null);
```

result 会设置为第一个匹配的单词，如果搜索函数对所有输入都返回 null，则返回 null。

forEach 方法有两种形式。第一个只为各个映射条目提供一个消费者函数，例如：

```
map.forEach(threshold,
   (k, v) -> System.out.println(k + " -> " + v));
```

第二种形式还有一个转换器函数，这个函数要先提供，其结果会传递到消费者：

```
map.forEach(threshold,
   (k, v) -> k + " -> " + v, // Transformer
   System.out::println); // Consumer
```

转换器可以用作为一个过滤器。只要转换器返回 null，这个值就会被悄无声息地跳过。例如，下面只打印有大值的条目：

```
map.forEach(threshold,
   (k, v) -> v > 1000 ? k + " -> " + v : null, // Filter and transformer
   System.out::println); // The nulls are not passed to the consumer
```

reduce 操作用一个累加函数组合其输入。例如，可以如下计算所有值的总和：

```
Long sum = map.reduceValues(threshold, Long::sum);
```

与 forEach 类似，也可以提供一个转换器函数。可以如下计算最长的键的长度：

```
Integer maxlength = map.reduceKeys(threshold,
   String::length, // Transformer
   Integer::max); // Accumulator
```

转换器可以作为一个过滤器，通过返回 null 来排除不想要的输入。

在这里，我们要统计多少个条目的值 > 1000：

```
Long count = map.reduceValues(threshold,
   v -> v > 1000 ? 1L : null,
   Long::sum);
```

注释： 如果映射为空，或者所有条目都被过滤掉，reduce 操作会返回 null。如果只有一个元素，则返回其转换结果，不会应用累加器。

对于 int、long 和 double 输出还有相应的特殊化操作，分别有后缀 ToInt、ToLong 和 ToDouble。需要把输入转换为一个基本类型值，并指定一个默认值和一个累加器函数。映射为空时返回默认值。

```
long sum = map.reduceValuesToLong(threshold,
   Long::longValue, // Transformer to primitive type
   0, // Default value for empty map
   Long::sum); // Primitive type accumulator
```

警告： 这些特殊化操作与对象版本的操作有所不同，对于对象版本的操作，只需要考虑一个元素。这里不是返回转换得到的元素，而是将与默认值累加。因此，默认值必须是累加器的零元素。

14.7.4 并发集视图

假设你想要的是一个大的线程安全的集而不是映射。并没有一个 ConcurrentHashSet 类，而且你肯定不想自己创建这样一个类。当然，可以使用 ConcurrentHashMap（包含“假”值），不过这会得到一个映射而不是集，而且不能应用 Set 接口的操作。

静态 newKeySet 方法会生成一个 Set<K>，这实际上是 ConcurrentHashMap<K, Boolean> 的一个包装器。（所有映射值都为 Boolean.TRUE，不过因为只是要把它用作一个集，所以并不关心具体的值。）

```
Set<String> words = ConcurrentHashMap.<String>newKeySet();
```

当然，如果原来有一个映射，keySet 方法可以生成这个映射的键集。这个集是可变的。如果删除这个集的元素，这个键（以及相应的值）会从映射中删除。不过，不能向键集增加元素，因为没有相应的值可以增加。Java SE 8 为 ConcurrentHashMap 增加了第二个 keySet 方法，包含一个默认值，可以在为集增加元素时使用：

```
Set<String> words = map.keySet(1L);
words.add("Java");
```

如果 "Java" 在 words 中不存在，现在它会有一个值 1。

14.7.5 写数组的拷贝

CopyOnWriteArrayList 和 CopyOnWriteArraySet 是线程安全的集合，其中所有的修改线程对底层数组进行复制。如果在集合上进行迭代的线程数超过修改线程数，这样的安排是很有用的。当构建一个迭代器的时候，它包含一个对当前数组的引用。如果数组后来被修改了，迭代器仍然引用旧数组，但是，集合的数组已经被替换了。因而，旧的迭代器拥有一致的（可能过时的）视图，访问它无须任何同步开销。

14.7.6 并行数组算法

在 Java SE 8 中，Arrays 类提供了大量并行化操作。静态 Arrays.parallelSort 方法可以对一个基本类型值或对象的数组排序。例如，

```
String contents = new String(Files.readAllBytes(
    Paths.get("alice.txt")), StandardCharsets.UTF_8); // Read file into string
String[] words = contents.split("[\\P{L}]+"); // Split along nonletters
Arrays.parallelSort(words);
```

对对象排序时，可以提供一个 Comparator。

```
Arrays.parallelSort(words, Comparator.comparing(String::length));
```

对于所有方法都可以提供一个范围的边界，如：

```
values.parallelSort(values.length / 2, values.length); // Sort the upper half
```

注释：乍一看，这些方法名中的 parallel 可能有些奇怪，因为用户不用关心排序具体怎样完成。不过，API 设计者希望清楚地指出排序是并行化的。这样一来，用户就会注意避免使用有副作用的比较器。

parallelSetAll 方法会用由一个函数计算得到的值填充一个数组。这个函数接收元素索引，然后计算相应位置上的值。

```
Arrays.parallelSetAll(values, i -> i % 10);
  // Fills values with 0 1 2 3 4 5 6 7 8 9 0 1 2 . . .
```

显然，并行化对这个操作很有好处。这个操作对于所有基本类型数组和对象数组都有相应的版本。

最后还有一个 parallelPrefix 方法，它会用对应一个给定结合操作的前缀的累加结果替换各个数组元素。这是什么意思？这里给出一个例子。考虑数组 [1, 2, 3, 4, . . .] 和 × 操作。执行 Arrays.parallelPrefix(values, (x, y) -> x * y) 之后，数组将包含：

```
[1, 1 × 2, 1 × 2 × 3, 1 × 2 × 3 × 4, . . .]
```

可能很奇怪，不过这个计算确实可以并行化。首先，结合相邻元素，如下所示：

```
[1, 1 × 2, 3, 3 × 4, 5, 5 × 6, 7, 7 × 8]
```

灰值保持不变。显然，可以在不同的数组区中并行完成这个计算。下一步中，通过将所指示的元素与下面一个或两个位置上的元素相乘来更新这些元素：

```
[1, 1 x 2, 1 x 2 x 3, 1 x 2 x 3 x 4, 5, 5 x 6, 5 x 6 x 7, 5 x 6 x 7 x 8]
```

这同样可以并行完成。log(*n*) 步之后，这个过程结束。如果有足够多的处理器，这会远远胜过直接的线性计算。这个算法在特殊用途硬件上很常用，使用这些硬件的用户很有创造力，会相应地调整算法来解决各种不同的问题。

14.7.7 较早的线程安全集合

从 Java 的初始版本开始，Vector 和 Hashtable 类就提供了线程安全的动态数组和散列表的实现。现在这些类被弃用了，取而代之的是 ArrayList 和 HashMap 类。这些类不是线程安全的，而集合库中提供了不同的机制。任何集合类都可以通过使用同步包装器（synchronization wrapper）变成线程安全的：

```
List<E> synchArrayList = Collections.synchronizedList(new ArrayList<E>());
Map<K, V> synchHashMap = Collections.synchronizedMap(new HashMap<K, V>());
```

结果集合的方法使用锁加以保护，提供了线程安全访问。

应该确保没有任何线程通过原始的非同步方法访问数据结构。最便利的方法是确保不保存任何指向原始对象的引用，简单地构造一个集合并立即传递给包装器，像我们的例子中所做的那样。

如果在另一个线程可能进行修改时要对集合进行迭代，仍然需要使用“客户端”锁定：

```
synchronized (synchHashMap)
{
   Iterator<K> iter = synchHashMap.keySet().iterator();
   while (iter.hasNext()) . . .;
}
```

如果使用“for each”循环必须使用同样的代码，因为循环使用了迭代器。注意：如果在迭代过程中，别的线程修改集合，迭代器会失效，抛出 ConcurrentModificationException 异常。同步仍然是需要的，因此并发的修改可以被可靠地检测出来。

最好使用 java.util.concurrent 包中定义的集合，不使用同步包装器中的。特别是，假如它们访问的是不同的桶，由于 ConcurrentHashMap 已经精心地实现了，多线程可以访问它而且不会彼此阻塞。有一个例外是经常被修改的数组列表。在那种情况下，同步的 ArrayList 可以胜过 CopyOnWriteArrayList。

API java.util.Collections 1.2

- `static <E> Collection<E> synchronizedCollection(Collection<E> c)`
- `static <E> List synchronizedList(List<E> c)`
- `static <E> Set synchronizedSet(Set<E> c)`
- `static <E> SortedSet synchronizedSortedSet(SortedSet<E> c)`
- `static <K, V> Map<K, V> synchronizedMap(Map<K, V> c)`
- `static <K, V> SortedMap<K, V> synchronizedSortedMap(SortedMap<K, V> c)`

  构建集合视图，该集合的方法是同步的。

14.8 Callable 与 Future

Runnable 封装一个异步运行的任务，可以把它想象成为一个没有参数和返回值的异步方法。Callable 与 Runnable 类似，但是有返回值。Callable 接口是一个参数化的类型，只有一个方法 call。

```
public interface Callable<V>
{
   V call() throws Exception;
}
```

类型参数是返回值的类型。例如，Callable<Integer> 表示一个最终返回 Integer 对象的异步计算。

Future 保存异步计算的结果。可以启动一个计算，将 Future 对象交给某个线程，然后忘掉它。Future 对象的所有者在结果计算好之后就可以获得它。

Future 接口具有下面的方法：

```
public interface Future<V>
{
   V get() throws . . .;
   V get(long timeout, TimeUnit unit) throws . . .;
   void cancel(boolean mayInterrupt);
   boolean isCancelled();
   boolean isDone();
}
```

第一个 get 方法的调用被阻塞，直到计算完成。如果在计算完成之前，第二个方法的调用超时，抛出一个 TimeoutException 异常。如果运行该计算的线程被中断，两个方法都将抛出 InterruptedException。如果计算已经完成，那么 get 方法立即返回。

如果计算还在进行，isDone 方法返回 false；如果完成了，则返回 true。

可以用 cancel 方法取消该计算。如果计算还没有开始，它被取消且不再开始。如果计算处于运行之中，那么如果 mayInterrupt 参数为 true，它就被中断。

FutureTask 包装器是一种非常便利的机制，可将 Callable 转换成 Future 和 Runnable，它同时实现二者的接口。例如：

```
Callable<Integer> myComputation = . . .;
FutureTask<Integer> task = new FutureTask<Integer>(myComputation);
Thread t = new Thread(task); // it's a Runnable
t.start();
. . .
Integer result = task.get(); // it's a Future
```

程序清单 14-10 中的程序使用了这些概念。这个程序与前面那个寻找包含指定关键字的文件的例子相似。然而，现在我们仅仅计算匹配的文件数目。因此，我们有了一个需要长时间运行的任务，它产生一个整数值，一个 Callable<Integer> 的例子。

```
class MatchCounter implements Callable<Integer>
{
   public MatchCounter(File directory, String keyword) { . . . }
```

```
   public Integer call() { . . . } // returns the number of matching files
}
```

然后我们利用 MatchCounter 创建一个 FutureTask 对象，并用来启动一个线程。

```
FutureTask<Integer> task = new FutureTask<Integer>(counter);
Thread t = new Thread(task);
t.start();
```

最后，我们打印结果。

```
System.out.println(task.get() + " matching files.");
```

当然，对 get 的调用会发生阻塞，直到有可获得的结果为止。

在 call 方法内部，使用相同的递归机制。对于每一个子目录，我们产生一个新的 MatchCounter 并为它启动一个线程。此外，把 FutureTask 对象隐藏在 ArrayList<Future<Integer>> 中。最后，把所有结果加起来：

```
for (Future<Integer> result : results)
   count += result.get();
```

每一次对 get 的调用都会发生阻塞直到结果可获得为止。当然，线程是并行运行的，因此，很可能在大致相同的时刻所有的结果都可获得。

程序清单 14-10 future/FutureTest.java

```
1  package future;
2
3  import java.io.*;
4  import java.util.*;
5  import java.util.concurrent.*;
6
7  /**
8   * @version 1.01 2012-01-26
9   * @author Cay Horstmann
10  */
11 public class FutureTest
12 {
13    public static void main(String[] args)
14    {
15       try (Scanner in = new Scanner(System.in))
16       {
17          System.out.print("Enter base directory (e.g. /usr/local/jdk5.0/src): ");
18          String directory = in.nextLine();
19          System.out.print("Enter keyword (e.g. volatile): ");
20          String keyword = in.nextLine();
21
22          MatchCounter counter = new MatchCounter(new File(directory), keyword);
23          FutureTask<Integer> task = new FutureTask<>(counter);
24          Thread t = new Thread(task);
25          t.start();
26          try
27          {
28             System.out.println(task.get() + " matching files.");
29          }
30          catch (ExecutionException e)
```

```
31            {
32               e.printStackTrace();
33            }
34            catch (InterruptedException e)
35            {
36            }
37         }
38      }
39   }
40
41   /**
42    * This task counts the files in a directory and its subdirectories that contain a given keyword.
43    */
44   class MatchCounter implements Callable<Integer>
45   {
46      private File directory;
47      private String keyword;
48
49      /**
50       * Constructs a MatchCounter.
51       * @param directory the directory in which to start the search
52       * @param keyword the keyword to look for
53       */
54      public MatchCounter(File directory, String keyword)
55      {
56         this.directory = directory;
57         this.keyword = keyword;
58      }
59
60      public Integer call()
61      {
62         int count = 0;
63         try
64         {
65            File[] files = directory.listFiles();
66            List<Future<Integer>> results = new ArrayList<>();
67
68            for (File file : files)
69               if (file.isDirectory())
70               {
71                  MatchCounter counter = new MatchCounter(file, keyword);
72                  FutureTask<Integer> task = new FutureTask<>(counter);
73                  results.add(task);
74                  Thread t = new Thread(task);
75                  t.start();
76               }
77               else
78               {
79                  if (search(file)) count++;
80               }
81
82            for (Future<Integer> result : results)
83               try
84               {
85                  count += result.get();
86               }
87               catch (ExecutionException e)
```

```
 88             {
 89                e.printStackTrace();
 90             }
 91          }
 92          catch (InterruptedException e)
 93          {
 94          }
 95          return count;
 96       }
 97 
 98       /**
 99        * Searches a file for a given keyword.
100        * @param file the file to search
101        * @return true if the keyword is contained in the file
102        */
103       public boolean search(File file)
104       {
105          try
106          {
107             try (Scanner in = new Scanner(file, "UTF-8"))
108             {
109                boolean found = false;
110                while (!found && in.hasNextLine())
111                {
112                   String line = in.nextLine();
113                   if (line.contains(keyword)) found = true;
114                }
115                return found;
116             }
117          }
118          catch (IOException e)
119          {
120             return false;
121          }
122       }
123 }
```

API java.util.concurrent.Callable<V> 5.0

- `V call()`

  运行一个将产生结果的任务。

API java.util.concurrent.Future<V> 5.0

- `V get()`
- `V get(long time, TimeUnit unit)`

  获取结果，如果没有结果可用，则阻塞直到真正得到结果超过指定的时间为止。如果不成功，第二个方法会抛出 TimeoutException 异常。

- `boolean cancel(boolean mayInterrupt)`

  尝试取消这一任务的运行。如果任务已经开始，并且 mayInterrupt 参数值为 true，它就会被中断。如果成功执行了取消操作，返回 true。

- `boolean isCancelled()`

  如果任务在完成前被取消了，则返回 true。

- `boolean isDone()`

  如果任务结束，无论是正常结束、中途取消或发生异常，都返回 true。

API java.util.concurrent.FutureTask<V> 5.0

- `FutureTask(Callable<V> task)`
- `FutureTask(Runnable task, V result)`

  构造一个既是 Future<V> 又是 Runnable 的对象。

14.9 执行器

构建一个新的线程是有一定代价的，因为涉及与操作系统的交互。如果程序中创建了大量的生命期很短的线程，应该使用线程池（thread pool）。一个线程池中包含许多准备运行的空闲线程。将 Runnable 对象交给线程池，就会有一个线程调用 run 方法。当 run 方法退出时，线程不会死亡，而是在池中准备为下一个请求提供服务。

另一个使用线程池的理由是减少并发线程的数目。创建大量线程会大大降低性能甚至使虚拟机崩溃。如果有一个会创建许多线程的算法，应该使用一个线程数"固定的"线程池以限制并发线程的总数。

执行器（Executor）类有许多静态工厂方法用来构建线程池，表 14-2 中对这些方法进行了汇总。

表 14-2 执行者工厂方法

方 法	描 述
newCachedThreadPool	必要时创建新线程；空闲线程会被保留 60 秒
newFixedThreadPool	该池包含固定数量的线程；空闲线程会一直被保留
newSingleThreadExecutor	只有一个线程的"池"，该线程顺序执行每一个提交的任务（类似于 Swing 事件分配线程）
newScheduledThreadPool	用于预定执行而构建的固定线程池，替代 java.util.Timer
newSingleThreadScheduledExecutor	用于预定执行而构建的单线程"池"

14.9.1 线程池

先来看一下表 14-2 中的 3 个方法。在第 14.9.2 节中，我们讨论其余的方法。newCachedThreadPool 方法构建了一个线程池，对于每个任务，如果有空闲线程可用，立即让它执行任务，如果没有可用的空闲线程，则创建一个新线程。newFixedThreadPool 方法构建一个具有固定大小的线程池。如果提交的任务数多于空闲的线程数，那么把得不到服务的任务放置到队列中。当其他任务完成以后再运行它们。newSingleThreadExecutor 是一个退化了的大小为 1 的线程池：由一个线程执行提交的任务，一个接着一个。这 3 个方法返回实现了 ExecutorService 接口的 ThreadPoolExecutor 类的对象。

可用下面的方法之一将一个 Runnable 对象或 Callable 对象提交给 ExecutorService：

```
Future<?> submit(Runnable task)
Future<T> submit(Runnable task, T result)
Future<T> submit(Callable<T> task)
```

该池会在方便的时候尽早执行提交的任务。调用 submit 时，会得到一个 Future 对象，可用来查询该任务的状态。

第一个 submit 方法返回一个奇怪样子的 Future<?>。可以使用这样一个对象来调用 isDone、cancel 或 isCancelled。但是，get 方法在完成的时候只是简单地返回 null。

第二个版本的 Submit 也提交一个 Runnable，并且 Future 的 get 方法在完成的时候返回指定的 result 对象。

第三个版本的 Submit 提交一个 Callable，并且返回的 Future 对象将在计算结果准备好的时候得到它。

当用完一个线程池的时候，调用 shutdown。该方法启动该池的关闭序列。被关闭的执行器不再接受新的任务。当所有任务都完成以后，线程池中的线程死亡。另一种方法是调用 shutdownNow。该池取消尚未开始的所有任务并试图中断正在运行的线程。

下面总结了在使用连接池时应该做的事：

1）调用 Executors 类中静态的方法 newCachedThreadPool 或 newFixedThreadPool。

2）调用 submit 提交 Runnable 或 Callable 对象。

3）如果想要取消一个任务，或如果提交 Callable 对象，那就要保存好返回的 Future 对象。

4）当不再提交任何任务时，调用 shutdown。

例如，前面的程序例子产生了大量的生命期很短的线程，每个目录产生一个线程。程序清单 14-11 中的程序使用了一个线程池来运行任务。

出于信息方面的考虑，这个程序打印出执行中池中最大的线程数。但是不能通过 ExecutorService 这个接口得到这一信息。因此，必须将该 pool 对象强制转换为 ThreadPoolExecutor 类对象。

程序清单 14-11 threadPool/ThreadPoolTest.java

```
1 package threadPool;
2 
3 import java.io.*;
4 import java.util.*;
5 import java.util.concurrent.*;
6 
7 /**
8  * @version 1.02 2015-06-21
9  * @author Cay Horstmann
10  */
11 public class ThreadPoolTest
```

```
12 {
13    public static void main(String[] args) throws Exception
14    {
15       try (Scanner in = new Scanner(System.in))
16       {
17          System.out.print("Enter base directory (e.g. /usr/local/jdk5.0/src): ");
18          String directory = in.nextLine();
19          System.out.print("Enter keyword (e.g. volatile): ");
20          String keyword = in.nextLine();
21 
22          ExecutorService pool = Executors.newCachedThreadPool();
23 
24          MatchCounter counter = new MatchCounter(new File(directory), keyword, pool);
25          Future<Integer> result = pool.submit(counter);
26 
27          try
28          {
29             System.out.println(result.get() + " matching files.");
30          }
31          catch (ExecutionException e)
32          {
33             e.printStackTrace();
34          }
35          catch (InterruptedException e)
36          {
37          }
38          pool.shutdown();
39 
40          int largestPoolSize = ((ThreadPoolExecutor) pool).getLargestPoolSize();
41          System.out.println("largest pool size=" + largestPoolSize);
42       }
43    }
44 }
45 
46 /**
47  * This task counts the files in a directory and its subdirectories that contain a given keyword.
48  */
49 class MatchCounter implements Callable<Integer>
50 {
51    private File directory;
52    private String keyword;
53    private ExecutorService pool;
54    private int count;
55 
56    /**
57     * Constructs a MatchCounter.
58     * @param directory the directory in which to start the search
59     * @param keyword the keyword to look for
60     * @param pool the thread pool for submitting subtasks
61     */
62    public MatchCounter(File directory, String keyword, ExecutorService pool)
63    {
64       this.directory = directory;
65       this.keyword = keyword;
66       this.pool = pool;
67    }
68 
```

```
69      public Integer call()
70      {
71         count = 0;
72         try
73         {
74            File[] files = directory.listFiles();
75            List<Future<Integer>> results = new ArrayList<>();
76
77            for (File file : files)
78               if (file.isDirectory())
79               {
80                  MatchCounter counter = new MatchCounter(file, keyword, pool);
81                  Future<Integer> result = pool.submit(counter);
82                  results.add(result);
83               }
84               else
85               {
86                  if (search(file)) count++;
87               }
88
89            for (Future<Integer> result : results)
90               try
91               {
92                  count += result.get();
93               }
94               catch (ExecutionException e)
95               {
96                  e.printStackTrace();
97               }
98         }
99         catch (InterruptedException e)
100        {
101        }
102        return count;
103     }
104
105     /**
106      * Searches a file for a given keyword.
107      * @param file the file to search
108      * @return true if the keyword is contained in the file
109      */
110     public boolean search(File file)
111     {
112        try
113        {
114           try (Scanner in = new Scanner(file, "UTF-8"))
115           {
116              boolean found = false;
117              while (!found && in.hasNextLine())
118              {
119                 String line = in.nextLine();
120                 if (line.contains(keyword)) found = true;
121              }
122              return found;
123           }
124        }
125        catch (IOException e)
```

```
126         {
127            return false;
128         }
129      }
130 }
```

API java.util.concurrent.Executors 5.0

- ExecutorService newCachedThreadPool()

  返回一个带缓存的线程池，该池在必要的时候创建线程，在线程空闲60秒之后终止线程。

- ExecutorService newFixedThreadPool(int threads)

  返回一个线程池，该池中的线程数由参数指定。

- ExecutorService newSingleThreadExecutor()

  返回一个执行器，它在一个单个的线程中依次执行各个任务。

API java.util.concurrent.ExecutorService 5.0

- Future<T> submit(Callable<T> task)
- Future<T> submit(Runnable task, T result)
- Future<?> submit(Runnable task)

  提交指定的任务去执行。

- void shutdown()

  关闭服务，会先完成已经提交的任务而不再接收新的任务。

API java.util.concurrent.ThreadPoolExecutor 5.0

- int getLargestPoolSize()

  返回线程池在该执行器生命周期中的最大尺寸。

14.9.2 预定执行

ScheduledExecutorService 接口具有为预定执行（Scheduled Execution）或重复执行任务而设计的方法。它是一种允许使用线程池机制的java.util.Timer的泛化。Executors类的newScheduledThreadPool和newSingleThreadScheduledExecutor方法将返回实现了Scheduled-ExecutorService接口的对象。

可以预定Runnable或Callable在初始的延迟之后只运行一次。也可以预定一个Runnable对象周期性地运行。详细内容见API文档。

API java.util.concurrent.Executors 5.0

- ScheduledExecutorService newScheduledThreadPool(int threads)

  返回一个线程池，它使用给定的线程数来调度任务。

- `ScheduledExecutorService newSingleThreadScheduledExecutor()`
  返回一个执行器，它在一个单独线程中调度任务。

API java.util.concurrent.ScheduledExecutorService 5.0

- `ScheduledFuture<V> schedule(Callable<V> task, long time, TimeUnit unit)`
- `ScheduledFuture<?> schedule(Runnable task, long time, TimeUnit unit)`
  预定在指定的时间之后执行任务。
- `ScheduledFuture<?> scheduleAtFixedRate(Runnable task, long initialDelay, long period, TimeUnit unit)`
  预定在初始的延迟结束后，周期性地运行给定的任务，周期长度是 period。
- `ScheduledFuture<?> scheduleWithFixedDelay(Runnable task, long initialDelay, long delay, TimeUnit unit)`
  预定在初始的延迟结束后周期性地运行给定的任务，在一次调用完成和下一次调用开始之间有长度为 delay 的延迟。

14.9.3 控制任务组

你已经了解了如何将一个执行器服务作为线程池使用，以提高执行任务的效率。有时，使用执行器有更有实际意义的原因，控制一组相关任务。例如，可以在执行器中使用 shutdownNow 方法取消所有的任务。

invokeAny 方法提交所有对象到一个 Callable 对象的集合中，并返回某个已经完成了的任务的结果。无法知道返回的究竟是哪个任务的结果，也许是最先完成的那个任务的结果。对于搜索问题，如果你愿意接受任何一种解决方案的话，你就可以使用这个方法。例如，假定你需要对一个大整数进行因数分解计算来解码 RSA 密码。可以提交很多任务，每一个任务使用不同范围内的数来进行分解。只要其中一个任务得到了答案，计算就可以停止了。

invokeAll 方法提交所有对象到一个 Callable 对象的集合中，并返回一个 Future 对象的列表，代表所有任务的解决方案。当计算结果可获得时，可以像下面这样对结果进行处理：

```
List<Callable<T>> tasks = . . .;
List<Future<T>> results = executor.invokeAll(tasks);
for (Future<T> result : results)
   processFurther(result.get());
```

这个方法的缺点是如果第一个任务恰巧花去了很多时间，则可能不得不进行等待。将结果按可获得的顺序保存起来更有实际意义。可以用 ExecutorCompletionService 来进行排列。

用常规的方法获得一个执行器。然后，构建一个 ExecutorCompletionService，提交任务给完成服务（completion service）。该服务管理 Future 对象的阻塞队列，其中包含已经提交的任务的执行结果（当这些结果成为可用时）。这样一来，相比前面的计算，一个更有效的组织形式如下：

```
ExecutorCompletionService<T> service = new ExecutorCompletionService<>(executor);
for (Callable<T> task : tasks) service.submit(task);
```

```
for (int i = 0; i < tasks.size(); i++)
   processFurther(service.take().get());
```

API java.util.concurrent.ExecutorService 5.0

- T invokeAny(Collection<Callable<T>> tasks)
- T invokeAny(Collection<Callable<T>> tasks, long timeout, TimeUnit unit)

  执行给定的任务，返回其中一个任务的结果。第二个方法若发生超时，抛出一个 Timeout Exception 异常。
- List<Future<T>> invokeAll(Collection<Callable<T>> tasks)
- List<Future<T>> invokeAll(Collection<Callable<T>> tasks, long timeout, TimeUnit unit)

  执行给定的任务，返回所有任务的结果。第二个方法若发生超时，抛出一个 Timeout Exception 异常。

API java.util.concurrent.ExecutorCompletionService<V>5.0

- ExecutorCompletionService(Executor e)

  构建一个执行器完成服务来收集给定执行器的结果。
- Future<V> submit(Callable<V> task)
- Future<V> submit(Runnable task, V result)

  提交一个任务给底层的执行器。
- Future<V> take()

  移除下一个已完成的结果，如果没有任何已完成的结果可用则阻塞。
- Future<V> poll()
- Future<V> poll(long time, TimeUnit unit)

  移除下一个已完成的结果，如果没有任何已完成结果可用则返回 null。第二个方法将等待给定的时间。

14.9.4 Fork-Join 框架

有些应用使用了大量线程，但其中大多数都是空闲的。举例来说，一个 Web 服务器可能会为每个连接分别使用一个线程。另外一些应用可能对每个处理器内核分别使用一个线程，来完成计算密集型任务，如图像或视频处理。Java SE 7 中新引入了 fork-join 框架，专门用来支持后一类应用。假设有一个处理任务，它可以很自然地分解为子任务，如下所示：

```
if (problemSize < threshold)
   solve problem directly
else
{
   break problem into subproblems
   recursively solve each subproblem
   combine the results
}
```

图像处理就是这样一个例子。要增强一个图像，可以变换上半部分和下部部分。如果有足够多空闲的处理器，这些操作可以并行运行。(除了分解为两部分外，还需要做一些额外的工作，不过这属于技术细节，我们不做讨论)。

在这里，我们将讨论一个更简单的例子。假设想统计一个数组中有多少个元素满足某个特定的属性。可以将这个数组一分为二，分别对这两部分进行统计，再将结果相加。

要采用框架可用的一种方式完成这种递归计算，需要提供一个扩展 RecursiveTask<T> 的类（如果计算会生成一个类型为 T 的结果）或者提供一个扩展 RecursiveAction 的类（如果不生成任何结果）。再覆盖 compute 方法来生成并调用子任务，然后合并其结果。

```
class Counter extends RecursiveTask<Integer>
{
   . . .
   protected Integer compute()
   {
      if (to - from < THRESHOLD)
      {
         solve problem directly
      }
      else
      {
         int mid = (from + to) / 2;
         Counter first = new Counter(values, from, mid, filter);
         Counter second = new Counter(values, mid, to, filter);
         invokeAll(first, second);
         return first.join() + second.join();
      }
   }
}
```

在这里，invokeAll 方法接收到很多任务并阻塞，直到所有这些任务都已经完成。join 方法将生成结果。我们对每个子任务应用了 join，并返回其总和。

注释： 还有一个 get 方法可以得到当前结果，不过一般不太使用，因为它可能抛出已检查异常，而在 compute 方法中不允许抛出这些异常。

程序清单 14-12 给出了完整的示例代码。

在后台，fork-join 框架使用了一种有效的智能方法来平衡可用线程的工作负载，这种方法称为工作密取（work stealing）。每个工作线程都有一个双端队列（deque）来完成任务。一个工作线程将子任务压入其双端队列的队头。(只有一个线程可以访问队头，所以不需要加锁。) 一个工作线程空闲时，它会从另一个双端队列的队尾“密取”一个任务。由于大的子任务都在队尾，这种密取很少出现。

程序清单 14-12 forkJoin/ForkJoinTest.java

```
1 package forkJoin;
2
3 import java.util.concurrent.*;
4 import java.util.function.*;
5
```

```
 6 /**
 7  * This program demonstrates the fork-join framework.
 8  * @version 1.01 2015-06-21
 9  * @author Cay Horstmann
10  */
11 public class ForkJoinTest
12 {
13    public static void main(String[] args)
14    {
15       final int SIZE = 10000000;
16       double[] numbers = new double[SIZE];
17       for (int i = 0; i < SIZE; i++) numbers[i] = Math.random();
18       Counter counter = new Counter(numbers, 0, numbers.length, x -> x > 0.5);
19       ForkJoinPool pool = new ForkJoinPool();
20       pool.invoke(counter);
21       System.out.println(counter.join());
22    }
23 }
24 
25 class Counter extends RecursiveTask<Integer>
26 {
27    public static final int THRESHOLD = 1000;
28    private double[] values;
29    private int from;
30    private int to;
31    private DoublePredicate filter;
32 
33    public Counter(double[] values, int from, int to, DoublePredicate filter)
34    {
35       this.values = values;
36       this.from = from;
37       this.to = to;
38       this.filter = filter;
39    }
40 
41    protected Integer compute()
42    {
43       if (to - from < THRESHOLD)
44       {
45          int count = 0;
46          for (int i = from; i < to; i++)
47          {
48             if (filter.test(values[i])) count++;
49          }
50          return count;
51       }
52       else
53       {
54          int mid = (from + to) / 2;
55          Counter first = new Counter(values, from, mid, filter);
56          Counter second = new Counter(values, mid, to, filter);
57          invokeAll(first, second);
58          return first.join() + second.join();
59       }
60    }
61 }
```

14.9.5 可完成 Future

处理非阻塞调用的传统方法是使用事件处理器，程序员为任务完成之后要出现的动作注册一个处理器。当然，如果下一个动作也是异步的，在它之后的下一个动作会在一个不同的事件处理器中。尽管程序员会认为“先做步骤 1，然后是步骤 2，再完成步骤 3”，但实际上程序逻辑会分散到不同的处理器中。如果必须增加错误处理，情况会更糟糕。假设步骤 2 是“用户登录”。可能需要重复这个步骤，因为用户输入凭据时可能会出错。要尝试在一组事件处理器中实现这样一个控制流，或者想要理解所实现的这样一组事件处理器，会很有难度。

Java SE 8 的 CompletableFuture 类提供了一种候选方法。与事件处理器不同，“可完成 future”可以“组合”(composed)。

例如，假设我们希望从一个 Web 页面抽取所有链接来建立一个网络爬虫。下面假设有这样一个方法：

```
public void CompletableFuture<String> readPage(URL url)
```

Web 页面可用时这会生成这个页面的文本。如果方法：

```
public static List<URL> getLinks(String page)
```

生成一个 HTML 页面中的 URL，可以调度当页面可用时再调用这个方法：

```
CompletableFuture<String> contents = readPage(url);
CompletableFuture<List<URL>> links = contents.thenApply(Parser::getLinks);
```

thenApply 方法不会阻塞。它会返回另一个 future。第一个 future 完成时，其结果会提供给 getLinks 方法，这个方法的返回值就是最终的结果。

利用可完成 future，可以指定你希望做什么，以及希望以什么顺序执行这些工作。当然，这不会立即发生，不过重要的是所有代码都放在一处。

从概念上讲，CompletableFuture 是一个简单 API，不过有很多不同方法来组合可完成 future。下面先来看处理单个 future 的方法（如表 14-3 所示）。(对于这里所示的每个方法，还有两个 Async 形式，不过这里没有给出，其中一种形式使用一个共享 ForkJoinPool，另一种形式有一个 Executor 参数)。在这个表中，我使用了简写记法来表示复杂的函数式接口，这里会把 Function<? super T, U> 写为 T -> U。当然这并不是真正的 Java 类型。

表 14-3 为 CompletableFuture<T> 对象增加一个动作

方　法	参　数	描　述
thenApply	T -> U	对结果应用一个函数
thenCompose	T -> CompletableFuture<U>	对结果调用函数并执行返回的 future
handle	(T, Throwable) -> U	处理结果或错误
thenAccept	T -> void	类似于 thenApply，不过结果为 void
whenComplete	(T, Throwable) -> void	类似于 handle，不过结果为 void
thenRun	Runnable	执行 Runnable，结果为 void

你已经见过 thenApply 方法。以下调用：

```
CompletableFuture<U> future.thenApply(f);
CompletableFuture<U> future.thenApplyAsync(f);
```

会返回一个 future，可用时会对 future 的结果应用 f。第二个调用会在另一个线程中运行 f。

thenCompose 方法没有取函数 T -> U，而是取函数 T ->CompletableFuture<U>。这听上去相当抽象，不过实际上也很自然。考虑从一个给定 URL 读取一个 Web 页面的动作。不用提供方法：

```
public String blockingReadPage(URL url)
```

更精巧的做法是让方法返回一个 future：

```
public CompletableFuture<String> readPage(URL url)
```

现在，假设我们还有一个方法可以从用户输入得到 URL，这可能从一个对话框得到，而在用户点击 OK 按钮之前不会得到答案。这也是将来的一个事件：

```
public CompletableFuture<URL> getURLInput(String prompt)
```

这里我们有两个函数 T -> CompletableFuture<U> 和 U -> CompletableFuture<V>。显然，如果第二个函数在第一个函数完成时调用，它们就可以组合为一个函数 T -> CompletableFuture<V>。这正是 thenCompose 所做的。

表 14-3 中的第 3 个方法强调了目前为止我一直忽略的另一个方面：失败（failure）。CompletableFuture 中抛出一个异常时，会捕获这个异常并在调用 get 方法时包装在一个受查异常 ExecutionException 中。不过，可能 get 永远也不会被调用。要处理异常，可以使用 handle 方法。调用指定的函数时要提供结果（如果没有则为 null）和异常（如果没有则为 null），这种情况下就有意义了。

其余的方法结果都为 void，通常用在处理管线的最后。

下面来看组合多个 future 的方法（见表 14-4）。

表 14-4 组合多个组合对象

方法	参数	描述
thenCombine	CompletableFuture<U>, (T, U) -> V	执行两个动作并用给定函数组合结果
thenAcceptBoth	CompletableFuture<U>, (T, U) -> void	与 thenCombine 类似，不过结果为 void
runAfterBoth	CompletableFuture<?>, Runnable	两个都完成后执行 runnable
applyToEither	CompletableFuture<T>, T -> V	得到其中一个的结果时，传入给定的函数
acceptEither	CompletableFuture<T>, T -> void	与 applyToEither 类似，不过结果为 void
runAfterEither	CompletableFuture<?>, Runnable	其中一个完成后执行 runnable
static allOf	CompletableFuture<?>...	所有给定的 future 都完成后完成，结果为 void
static anyOf	CompletableFuture<?>...	任意给定的 future 完成后则完成，结果为 void

前 3 个方法并行运行一个 CompletableFuture<T> 和一个 CompletableFuture<U> 动作，并组合结果。

接下来 3 个方法并行运行两个 CompletableFuture<T> 动作。一旦其中一个动作完成，就传递它的结果，并忽略另一个结果。

最后的静态 allOf 和 anyOf 方法取一组可完成 future（数目可变），并生成一个 CompletableFuture<Void>，它会在所有这些 future 都完成时或者其中任意一个 future 完成时结束。不会传递任何结果。

注释： 理论上讲，这一节介绍的方法接受 CompletionStage 类型的参数，而不是 CompletableFuture。这个接口有几乎 40 个抽象方法，只由 CompletableFuture 实现。提供这个接口是为了让第三方框架可以实现这个接口。

14.10 同步器

java.util.concurrent 包包含了几个能帮助人们管理相互合作的线程集的类见表 14-5。这些机制具有为线程之间的共用集结点模式（common rendezvous patterns）提供的“预置功能”（canned functionality）。如果有一个相互合作的线程集满足这些行为模式之一，那么应该直接重用合适的库类而不要试图提供手工的锁与条件的集合。

表 14-5 同步器

类	它能做什么	说　明
CyclicBarrier	允许线程集等待直至其中预定数目的线程到达一个公共障栅（barrier），然后可以选择执行一个处理障栅的动作	当大量的线程需要在它们的结果可用之前完成时
Phaser	类似于循环障栅，不过有一个可变的计数	Java SE 7 中引入
CountDownLatch	允许线程集等待直到计数器减为 0	当一个或多个线程需要等待直到指定数目的事件发生
Exchanger	允许两个线程在要交换的对象准备好时交换对象	当两个线程工作在同一数据结构的两个实例上的时候，一个向实例添加数据而另一个从实例清除数据
Semaphore	允许线程集等待直到被允许继续运行为止	限制访问资源的线程总数。如果许可数是 1，常常阻塞线程直到另一个线程给出许可为止
SynchronousQueue	允许一个线程把对象交给另一个线程	在没有显式同步的情况下，当两个线程准备好将一个对象从一个线程传递到另一个时

14.10.1 信号量

概念上讲，一个信号量管理许多的许可证（permit）。为了通过信号量，线程通过调用 acquire 请求许可。其实没有实际的许可对象，信号量仅维护一个计数。许可的数目是固定的，由此限制了通过的线程数量。其他线程可以通过调用 release 释放许可。而且，许可不是必须由获取它的线程释放。事实上，任何线程都可以释放任意数目的许可，这可能会增加许可数目以至于超出初始数目。

信号量在 1968 年由 Edsger Dijkstra 发明，作为同步原语（synchronization primitive ）。Dijkstra 指出信号量可以被有效地实现，并且有足够的能力解决许多常见的线程同步问题。在几乎任何一本操作系统教科书中，都能看到使用信号量实现的有界队列。

当然，应用程序员不必自己实现有界队列。通常，信号量不必直接映射到通用应用场景。

14.10.2 倒计时门栓

一个倒计时门栓（CountDownLatch）让一个线程集等待直到计数变为 0。倒计时门栓是一次性的。一旦计数为 0，就不能再重用了。

一个有用的特例是计数值为 1 的门栓。实现一个只能通过一次的门。线程在门外等候直到另一个线程将计数器值置为 0 。

举例来讲，假定一个线程集需要一些初始的数据来完成工作。工作器线程被启动并在门外等候。另一个线程准备数据。当数据准备好的时候，调用 countDown，所有工作器线程就可以继续运行了。

然后，可以使用第二个门栓检查什么时候所有工作器线程完成工作。用线程数初始化门栓。每个工作器线程在结束前将门栓计数减 1。另一个获取工作结果的线程在门外等待，一旦所有工作器线程终止该线程继续运行。

14.10.3 障栅

CyclicBarrier 类实现了一个集结点（rendezvous）称为障栅（barrier）。考虑大量线程运行在一次计算的不同部分的情形。当所有部分都准备好时，需要把结果组合在一起。当一个线程完成了它的那部分任务后，我们让它运行到障栅处。一旦所有的线程都到达了这个障栅，障栅就撤销，线程就可以继续运行。

下面是其细节。首先，构造一个障栅，并给出参与的线程数：

```
CyclicBarrier barrier = new CyclicBarrier(nthreads);
```

每一个线程做一些工作，完成后在障栅上调用 await :

```
public void run()
{
   doWork();
   barrier.await();
   . . .
}
```

await 方法有一个可选的超时参数：

```
barrier.await(100, TimeUnit.MILLISECONDS);
```

如果任何一个在障栅上等待的线程离开了障栅，那么障栅就被破坏了（线程可能离开是因为它调用 await 时设置了超时，或者因为它被中断了）。在这种情况下，所有其他线程的 await 方法抛出 BrokenBarrierException 异常。那些已经在等待的线程立即终止 await 的调用。

可以提供一个可选的障栅动作（barrier action），当所有线程到达障栅的时候就会执行这一动作。

```
Runnable barrierAction = . . .;
CyclicBarrier barrier = new CyclicBarrier(nthreads, barrierAction);
```

该动作可以收集那些单个线程的运行结果。

障栅被称为是循环的（cyclic），因为可以在所有等待线程被释放后被重用。在这一点上，有别于 CountDownLatch，CountDownLatch 只能被使用一次。

Phaser 类增加了更大的灵活性，允许改变不同阶段中参与线程的个数。

14.10.4 交换器

当两个线程在同一个数据缓冲区的两个实例上工作的时候，就可以使用交换器（Exchanger）。典型的情况是，一个线程向缓冲区填入数据，另一个线程消耗这些数据。当它们都完成以后，相互交换缓冲区。

14.10.5 同步队列

同步队列是一种将生产者与消费者线程配对的机制。当一个线程调用 SynchronousQueue 的 put 方法时，它会阻塞直到另一个线程调用 take 方法为止，反之亦然。与 Exchanger 的情况不同，数据仅仅沿一个方向传递，从生产者到消费者。

即使 SynchronousQueue 类实现了 BlockingQueue 接口，概念上讲，它依然不是一个队列。它没有包含任何元素，它的 size 方法总是返回 0。

14.11 线程与 Swing

在有关本章的介绍里已经提到，在程序中使用线程的理由之一是提高程序的响应性能。当程序需要做某些耗时的工作时，应该启动另一个工作器线程而不是阻塞用户接口。

但是，必须认真考虑工作器线程在做什么，因为这或许令人惊讶，Swing 不是线程安全的。如果你试图在多个线程中操纵用户界面的元素，那么用户界面可能崩溃。

要了解这一问题，运行程序清单 14-13 中的测试程序。当你点击 Bad 按钮时，一个新的线程将启动，它的 run 方法操作一个组合框，随机地添加值和删除值。

```
public void run()
{
   try
   {
      while (true)
      {
         int i = Math.abs(generator.nextInt());
         if (i % 2 == 0)
            combo.insertItemAt(new Integer(i), 0);
         else if (combo.getItemCount() > 0)
            combo.removeItemAt(i % combo.getItemCount());
```

```
            sleep(1);
         }
         catch (InterruptedException e) {}
      }
   }
```

试试看。点击 Bad 按钮。点击几次组合框，移动滚动条，移动窗口，再次点击 Bad 按钮，不断点击组合框。最终，你会看到一个异常报告（见图 14-8）。

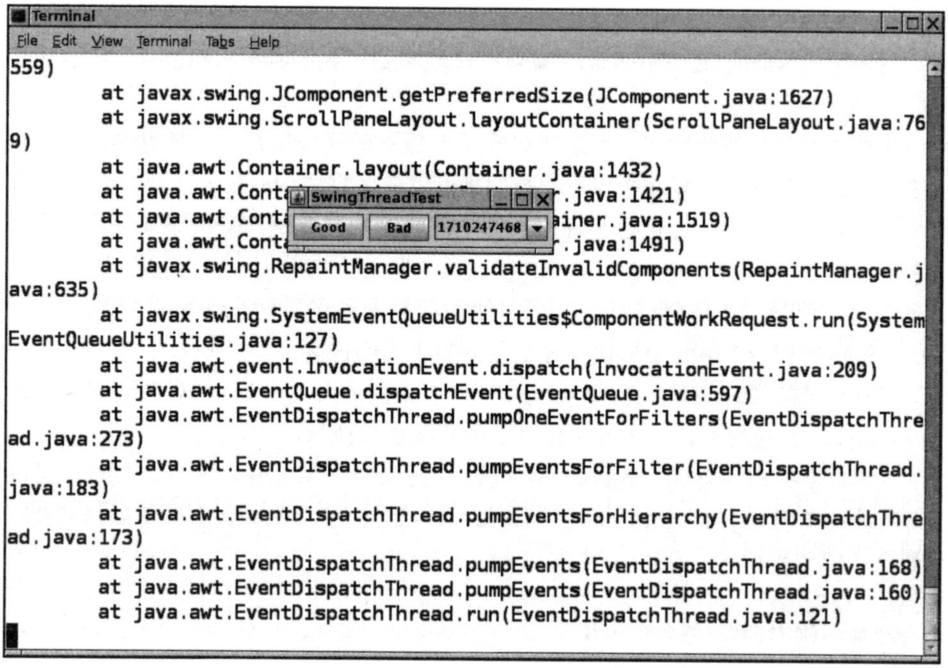

```
Terminal
File  Edit  View  Terminal  Tabs  Help
559)
        at javax.swing.JComponent.getPreferredSize(JComponent.java:1627)
        at javax.swing.ScrollPaneLayout.layoutContainer(ScrollPaneLayout.java:76
9)
        at java.awt.Container.layout(Container.java:1432)
        at java.awt.Conta                    r.java:1421)
        at java.awt.Conta                    ainer.java:1519)
        at java.awt.Conta                    r.java:1491)
        at javax.swing.RepaintManager.validateInvalidComponents(RepaintManager.j
ava:635)
        at javax.swing.SystemEventQueueUtilities$ComponentWorkRequest.run(System
EventQueueUtilities.java:127)
        at java.awt.event.InvocationEvent.dispatch(InvocationEvent.java:209)
        at java.awt.EventQueue.dispatchEvent(EventQueue.java:597)
        at java.awt.EventDispatchThread.pumpOneEventForFilters(EventDispatchThre
ad.java:273)
        at java.awt.EventDispatchThread.pumpEventsForFilter(EventDispatchThread.
java:183)
        at java.awt.EventDispatchThread.pumpEventsForHierarchy(EventDispatchThre
ad.java:173)
        at java.awt.EventDispatchThread.pumpEvents(EventDispatchThread.java:168)
        at java.awt.EventDispatchThread.pumpEvents(EventDispatchThread.java:160)
        at java.awt.EventDispatchThread.run(EventDispatchThread.java:121)

SwingThreadTest
Good  Bad  1710247468
```

图 14-8　控制台的异常报告

发生了什么？当把一个元素插入组合框时，组合框将产生一个事件来更新显示。然后，显示代码开始运行，读取组合框的当前大小并准备显示这个值。但是，工作器线程保持运行，有时候会造成组合框中值的数目减少。显示代码认为组合框中的值比实际的数量多，于是会访问不存在的值，触发 ArrayIndexOutOfBounds 异常。

在显示时对组合框加锁可以避免这种情况出现。但是，Swing 的设计者决定不再付出更多的努力实现 Swing 线程安全，有两个原因。首先，同步需要时间，而且，已经没有人想要降低 Swing 的速度。更重要的是，Swing 小组调查了其他小组在线程安全的用户界面工具包方面的经验。他们的发现并不令人鼓舞。使用线程安全包的程序员被同步命令搞昏了头，常常编写出容易造成死锁的程序。

14.11.1　运行耗时的任务

将线程与 Swing 一起使用时，必须遵循两个简单的原则。

（1）如果一个动作需要花费很长时间，在一个独立的工作器线程中做这件事不要在事件分配线程中做。

（2）除了事件分配线程，不要在任何线程中接触 Swing 组件。

制定第一条规则的理由易于理解。如果花很多时间在事件分配线程上，应用程序像“死了”一样，因为它不响应任何事件。特别是，事件分配线程应该永远不要进行 input/output 调用，这有可能会阻塞，并且应该永远不要调用 sleep。（如果需要等待指定的时间，使用定时器事件。）

第二条规则在 Swing 编程中通常称为单一线程规则（single-thread rule）。我们在后面的内容中进一步讨论。

这两条规则看起来彼此冲突。假定要启动一个独立的线程运行一个耗时的任务。线程工作的时候，通常要更新用户界面中指示执行的进度。任务完成的时候，要再一次更新 GUI 界面。但是，不能从自己的线程接触 Swing 组件。例如，如果要更新进度条或标签文本，不能从线程中设置它的值。

要解决这一问题，在任何线程中，可以使用两种有效的方法向事件队列添加任意的动作。例如，假定想在一个线程中周期性地更新标签来表明进度。

不可以从自己的线程中调用 label.setText，而应该使用 EventQueue 类的 invokeLater 方法和 invokeAndWait 方法使所调用的方法在事件分配线程中执行。

应该将 Swing 代码放置到实现 Runnable 接口的类的 run 方法中。然后，创建该类的一个对象，将其传递给静态的 invokeLater 或 invokeAndWait 方法。例如，下面是如何更新标签内容的代码：

```
EventQueue.invokeLater(() -> {
   label.setText(percentage + "% complete");
});
```

当事件放入事件队列时，invokeLater 方法立即返回，而 run 方法被异步执行。invokeAndWait 方法等待直到 run 方法确实被执行过为止。

在更新进度标签时，invokeLater 方法更适宜。用户更希望让工作器线程有更快完成工作而不是得到更加精确的进度指示器。

这两种方法都是在事件分配线程中执行 run 方法。没有新的线程被创建。

程序清单 14-13 演示了如何使用 invokeLater 方法安全地修改组合框的内容。如果点击 Good 按钮，线程插入或移除数字。但是，实际的修改是发生在事件分配线程中。

程序清单 14-13　swing/SwingThreadTest.java

```
1  package swing;
2
3  import java.awt.*;
4  import java.util.*;
5
6  import javax.swing.*;
7
8  /**
```

```
9    * This program demonstrates that a thread that runs in parallel with the event
10   * dispatch thread can cause errors in Swing components.
11   * @version 1.24 2015-06-21
12   * @author Cay Horstmann
13   */
14  public class SwingThreadTest
15  {
16     public static void main(String[] args)
17     {
18        EventQueue.invokeLater(() -> {
19           JFrame frame = new SwingThreadFrame();
20           frame.setTitle("SwingThreadTest");
21           frame.setDefaultCloseOperation(JFrame.EXIT_ON_CLOSE);
22           frame.setVisible(true);
23        });
24     }
25  }
26
27  /**
28   * This frame has two buttons to fill a combo box from a separate thread. The
29   * "Good" button uses the event queue, the "Bad" button modifies the combo box
30   * directly.
31   */
32  class SwingThreadFrame extends JFrame
33  {
34     public SwingThreadFrame()
35     {
36        final JComboBox<Integer> combo = new JComboBox<>();
37        combo.insertItemAt(Integer.MAX_VALUE, 0);
38        combo.setPrototypeDisplayValue(combo.getItemAt(0));
39        combo.setSelectedIndex(0);
40
41        JPanel panel = new JPanel();
42
43        JButton goodButton = new JButton("Good");
44        goodButton.addActionListener(event ->
45           new Thread(new GoodWorkerRunnable(combo)).start());
46        panel.add(goodButton);
47        JButton badButton = new JButton("Bad");
48        badButton.addActionListener(event ->
49           new Thread(new BadWorkerRunnable(combo)).start());
50        panel.add(badButton);
51
52        panel.add(combo);
53        add(panel);
54        pack();
55     }
56  }
57
58  /**
59   * This runnable modifies a combo box by randomly adding and removing numbers.
60   * This can result in errors because the combo box methods are not synchronized
61   * and both the worker thread and the event dispatch thread access the combo
62   * box.
63   */
64  class BadWorkerRunnable implements Runnable
65  {
```

```
66    private JComboBox<Integer> combo;
67    private Random generator;
68
69    public BadWorkerRunnable(JComboBox<Integer> aCombo)
70    {
71       combo = aCombo;
72       generator = new Random();
73    }
74
75    public void run()
76    {
77       try
78       {
79          while (true)
80          {
81             int i = Math.abs(generator.nextInt());
82             if (i % 2 == 0)
83                combo.insertItemAt(i, 0);
84             else if (combo.getItemCount() > 0)
85                combo.removeItemAt(i % combo.getItemCount());
86             Thread.sleep(1);
87          }
88       }
89       catch (InterruptedException e)
90       {
91       }
92    }
93 }
94
95 /**
96  * This runnable modifies a combo box by randomly adding and removing numbers.
97  * In order to ensure that the combo box is not corrupted, the editing
98  * operations are forwarded to the event dispatch thread.
99  */
100 class GoodWorkerRunnable implements Runnable
101 {
102    private JComboBox<Integer> combo;
103    private Random generator;
104
105    public GoodWorkerRunnable(JComboBox<Integer> aCombo)
106    {
107       combo = aCombo;
108       generator = new Random();
109    }
110
111    public void run()
112    {
113       try
114       {
115          while (true)
116          {
117             EventQueue.invokeLater(() ->
118                {
119                   int i = Math.abs(generator.nextInt());
120                   if (i % 2 == 0)
121                      combo.insertItemAt(i, 0);
122                   else if (combo.getItemCount() > 0)
```

```
123                 combo.removeItemAt(i % combo.getItemCount());
124             });
125             Thread.sleep(1);
126          }
127       }
128       catch (InterruptedException e)
129       {
130       }
131    }
132 }
```

API java.awt.EventQueue 1.1

- `static void invokeLater(Runnable runnable) 1.2`
  在待处理的线程被处理之后，让 runnable 对象的 run 方法在事件分配线程中执行。
- `static void invokeAndWait(Runnable runnable) 1.2`
  在待处理的线程被处理之后，让 runnable 对象的 run 方法在事件分配线程中执行。该调用会阻塞，直到 run 方法终止。
- `static boolean isDispatchThread() 1.2`
  如果执行这一方法的线程是事件分配线程，返回 true。

14.11.2 使用 Swing 工作线程

当用户发布一条处理过程很耗时的命令时，你可能打算启动一个新的线程来完成这个工作。如同上一节介绍的那样，线程应该使用 EventQueue.invokeLater 方法来更新用户界面。

SwingWorker 类使后台任务的实现不那么繁琐。

程序清单 14-14 中的程序有加载文本文件的命令和取消加载过程的命令。应该用一个长的文件来测试这个程序，例如 The Count of Monte Cristo 的全文，它在本书的附赠代码的 gutenberg 目录下。该文件在一个单独的线程中加载。在读取文件的过程中，Open 菜单项被禁用，Cancel 菜单项为可用（见图 14-9）。读取每一行后，状态条中的线性计数器被更新。读取过程完成之后，Open 菜单项重新变为可用，Cancel 项被禁用，状态行文本置为 Done。

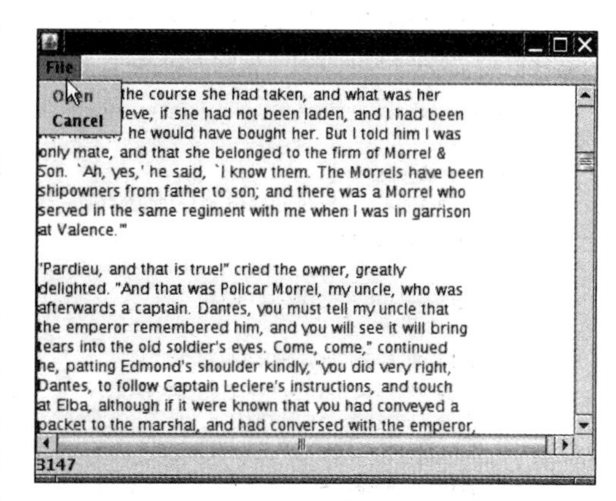

图 14-9　在独立线程中加载文件

这个例子展示了后台任务的典型 UI 活动：

- 在每一个工作单位完成之后，更新 UI 来显示进度。
- 整个工作完成之后，对 UI 做最后的更新。

SwingWorker 类使得实现这一任务轻而易举。覆盖 doInBackground 方法来完成耗时的工作，不时地调用 publish 来报告工作进度。这一方法在工作器线程中执行。publish 方法使得 process 方法在事件分配线程中执行来处理进度数据。当工作完成时，done 方法在事件分配线程中被调用以便完成 UI 的更新。

每当要在工作器线程中做一些工作时，构建一个新的工作器（每一个工作器对象只能被使用一次）。然后调用 execute 方法。典型的方式是在事件分配线程中调用 execute，但没有这样的需求。

假定工作器产生某种类型的结果；因此，SwingWorker<T，V> 实现 Future<T>。这一结果可以通过 Future 接口的 get 方法获得。由于 get 方法阻塞直到结果成为可用，因此不要在调用 execute 之后马上调用它。只在已经知道工作完成时调用它，是最为明智的。典型地，可以从 done 方法调用 get。（有时，没有调用 get 的需求，处理进度数据就是你所需要的。）

中间的进度数据以及最终的结果可以是任何类型。SwingWorker 类有 3 种类型作为类型参数。SwingWorker<T, V> 产生类型为 T 的结果以及类型为 V 的进度数据。

要取消正在进行的工作，使用 Future 接口的 cancel 方法。当该工作被取消的时候，get 方法抛出 CancellationException 异常。

正如前面已经提到的，工作器线程对 publish 的调用会导致在事件分配线程上的 process 的调用。为了提高效率，几个对 publish 的调用结果，可用对 process 的一次调用成批处理。process 方法接收一个包含所有中间结果的列表 <V>。

把这一机制用于读取文本文件的工作中。正如所看到的，JTextArea 相当慢。在一个长的文本文件（比如，The Count of Monte Cristo）中追加行会花费相当可观的时间。

为了向用户展示进度，要在状态行中显示读入的行数。因此，进度数据包含当前行号以及文本的当前行。将它们打包到一个普通的内部类中：

```
private class ProgressData
{
   public int number;
   public String line;
}
```

最后的结果是已经读入 StringBuilder 的文本。因此，需要一个 SwingWorker<StringBuilder, ProgressData>。

在 doInBackground 方法中，读取一个文件，每次一行。在读取每一行之后，调用 publish 方法发布行号和当前行的文本。

```
@Override public StringBuilder doInBackground() throws IOException, InterruptedException
{
   int lineNumber = 0;
   Scanner in = new Scanner(new FileInputStream(file), "UTF-8");
   while (in.hasNextLine())
   {
      String line = in.nextLine();
      lineNumber++;
      text.append(line).append("\n");
      ProgressData data = new ProgressData();
      data.number = lineNumber;
      data.line = line;
      publish(data);
      Thread.sleep(1); // to test cancellation; no need to do this in your programs
```

```
   }
   return text;
}
```

在读取每一行之后休眠 1 毫秒，以便不使用重读就可以检测取消动作，但是，不要使用休眠来减慢程序的执行速度。如果对这一行加注解，会发现 The Count of Monte Cristo 的加载相当快，只有几批用户接口更新。

注释： 从工作器线程来更新文本区可以使这个程序的处理相当顺畅，但是，对大多数 Swing 组件来说不可能做到这一点。这里，给出一种通用的方法，其中所有组件的更新都出现在事件分配线程中。

在这个 process 方法中，忽略除最后一行行号之外的所有行号，然后，我们把所有的行拼接在一起用于文本区的一次更新。

```
@Override public void process(List<ProgressData> data)
{
   if (isCancelled()) return;
   StringBuilder b = new StringBuilder();
   statusLine.setText("" + data.get(data.size() - 1).number);
   for (ProgressData d : data) b.append(d.line).append("\n");
   textArea.append(b.toString());
}
```

在 done 方法中，文本区被更新为完整的文本，并且 Cancel 菜单项被禁用。

在 Open 菜单项的事件监听器中，工作器是如何启动的。

这一简单的技术允许人们在保持对用户界面的正常响应的同时，执行耗时的任务。

程序清单 14-14 swingWorker/SwingWorkerTest.java

```
1  package swingWorker;
2
3  import java.awt.*;
4  import java.io.*;
5  import java.util.*;
6  import java.util.List;
7  import java.util.concurrent.*;
8
9  import javax.swing.*;
10
11 /**
12  * This program demonstrates a worker thread that runs a potentially time-consuming task.
13  * @version 1.11 2015-06-21
14  * @author Cay Horstmann
15  */
16 public class SwingWorkerTest
17 {
18    public static void main(String[] args) throws Exception
19    {
20       EventQueue.invokeLater(() -> {
21          JFrame frame = new SwingWorkerFrame();
22          frame.setDefaultCloseOperation(JFrame.EXIT_ON_CLOSE);
23          frame.setVisible(true);
```

```
24          });
25     }
26  }
27
28  /**
29   * This frame has a text area to show the contents of a text file, a menu to open a file and
30   * cancel the opening process, and a status line to show the file loading progress.
31   */
32  class SwingWorkerFrame extends JFrame
33  {
34     private JFileChooser chooser;
35     private JTextArea textArea;
36     private JLabel statusLine;
37     private JMenuItem openItem;
38     private JMenuItem cancelItem;
39     private SwingWorker<StringBuilder, ProgressData> textReader;
40     public static final int TEXT_ROWS = 20;
41     public static final int TEXT_COLUMNS = 60;
42
43     public SwingWorkerFrame()
44     {
45        chooser = new JFileChooser();
46        chooser.setCurrentDirectory(new File("."));
47
48        textArea = new JTextArea(TEXT_ROWS, TEXT_COLUMNS);
49        add(new JScrollPane(textArea));
50
51        statusLine = new JLabel(" ");
52        add(statusLine, BorderLayout.SOUTH);
53
54        JMenuBar menuBar = new JMenuBar();
55        setJMenuBar(menuBar);
56
57        JMenu menu = new JMenu("File");
58        menuBar.add(menu);
59
60        openItem = new JMenuItem("Open");
61        menu.add(openItem);
62        openItem.addActionListener(event -> {
63              // show file chooser dialog
64              int result = chooser.showOpenDialog(null);
65
66              // if file selected, set it as icon of the label
67              if (result == JFileChooser.APPROVE_OPTION)
68              {
69                 textArea.setText("");
70                 openItem.setEnabled(false);
71                 textReader = new TextReader(chooser.getSelectedFile());
72                 textReader.execute();
73                 cancelItem.setEnabled(true);
74              }
75           });
76
77        cancelItem = new JMenuItem("Cancel");
78        menu.add(cancelItem);
79        cancelItem.setEnabled(false);
80        cancelItem.addActionListener(event -> textReader.cancel(true));
```

```
81         pack();
82      }
83
84      private class ProgressData
85      {
86         public int number;
87         public String line;
88      }
89
90      private class TextReader extends SwingWorker<StringBuilder, ProgressData>
91      {
92         private File file;
93         private StringBuilder text = new StringBuilder();
94
95         public TextReader(File file)
96         {
97            this.file = file;
98         }
99
100        // The following method executes in the worker thread; it doesn't touch Swing components.
101
102        @Override
103        public StringBuilder doInBackground() throws IOException, InterruptedException
104        {
105           int lineNumber = 0;
106           try (Scanner in = new Scanner(new FileInputStream(file), "UTF-8"))
107           {
108              while (in.hasNextLine())
109              {
110                 String line = in.nextLine();
111                 lineNumber++;
112                 text.append(line).append("\n");
113                 ProgressData data = new ProgressData();
114                 data.number = lineNumber;
115                 data.line = line;
116                 publish(data);
117                 Thread.sleep(1); // to test cancellation; no need to do this in your programs
118              }
119           }
120           return text;
121        }
122
123        // The following methods execute in the event dispatch thread.
124
125        @Override
126        public void process(List<ProgressData> data)
127        {
128           if (isCancelled()) return;
129           StringBuilder b = new StringBuilder();
130           statusLine.setText("" + data.get(data.size() - 1).number);
131           for (ProgressData d : data) b.append(d.line).append("\n");
132           textArea.append(b.toString());
133        }
134
135        @Override
136        public void done()
137        {
```

```
138         try
139         {
140            StringBuilder result = get();
141            textArea.setText(result.toString());
142            statusLine.setText("Done");
143         }
144         catch (InterruptedException ex)
145         {
146         }
147         catch (CancellationException ex)
148         {
149            textArea.setText("");
150            statusLine.setText("Cancelled");
151         }
152         catch (ExecutionException ex)
153         {
154            statusLine.setText("" + ex.getCause());
155         }
156 
157         cancelItem.setEnabled(false);
158         openItem.setEnabled(true);
159      }
160   };
161 }
```

API javax.swing.SwingWorker<T, V> 6

- `abstract T doInBackground()`

覆盖这一方法来执行后台的任务并返回这一工作的结果。

- `void process(List<V> data)`

覆盖这一方法来处理事件分配线程中的中间进度数据。

- `void publish(V... data)`

传递中间进度数据到事件分配线程。从 doInBackground 调用这一方法。

- `void execute()`

为工作器线程的执行预定这个工作器。

- `SwingWorker.StateValue getState()`

得到这个工作器线程的状态，值为 PENDING、STARTED 或 DONE 之一。

14.11.3 单一线程规则

每一个 Java 应用程序都开始于主线程中的 main 方法。在 Swing 程序中，main 方法的生命周期是很短的。它在事件分配线程中规划用户界面的构造然后退出。在用户界面构造之后，事件分配线程会处理事件通知，例如调用 actionPerformed 或 paintComponent。其他线程在后台运行，例如将事件放入事件队列的进程，但是那些线程对应用程序员是不可见的。

本章前面介绍了单一线程规则："除了事件分配线程，不要在任何线程中接触 Swing 组件。"本节进一步研究此规则。

对于单一线程规则存在一些例外情况。

- 可在任一个线程里添加或移除事件监听器。当然该监听器的方法会在事件分配线程中被触发。
- 只有很少的 Swing 方法是线程安全的。在 API 文档中用这样的句子特别标明："尽管大多数 Swing 方法不是线程安全的，但这个方法是。"在这些线程安全的方法中最有用的是：

```
JTextComponent.setText
JTextArea.insert
JTextArea.append
JTextArea.replaceRange
JComponent.repaint
JComponent.revalidate
```

注释：在本书中多次使用 repaint 方法，但是，revalidate 方法不怎么常见。这样做的目的是在内容改变之后强制执行组件布局。传统的 AWT 有一个 validate 方法强制执行组件布局。对于 Swing 组件，应该调用 revalidate 方法。（但是，要强制执行 JFrame 的布局，仍然要调用 validate 方法，因为 JFrame 是一个 Component 不是一个 JComponent。）

历史上，单一线程规则是更加随意的。任何线程都可以构建组件，设置优先级，将它们添加到容器中，只要这些组件没有一个是已经被实现的（realized）。如果组件可以接收 paint 事件或 validation 事件，组件被实现。一旦调用组件的 setVisible(true) 或 pack(!) 方法或者组件已经被添加到已经被实现的容器中，就出现这样的情况。

单一线程规则的这一版本是便利的，它允许在 main 方法中创建 GUI，然后，在应用程序的顶层框架调用 setVisible(true)。在事件分配线程上没有令人讨厌的 Runnable 的安排。

遗憾的是，一些组件的实现者没有注意原来的单一线程规则的微妙之处。他们在事件分配线程启动活动，而没有检查组件是否是被实现的。例如，如果在 JTextComponent 上调用 setSelectionStart 或 setSelectionEnd，在事件分配线程中安排了一个插入符号的移动，即使该组件不是可见的。

检测并定位这些问题可能会好些，但是 Swing 的设计者没有走这条轻松的路。他们认定除了使用事件分配线程之外，从任何其他线程访问组件永远都是不安全的。因此，你需要在事件分配线程构建用户界面，像程序示例中那样调用 EventQueue.invokeLater。

当然，有不少程序使用旧版的单一线程规则，在主线程初始化用户界面。那些程序有一定的风险，某些用户界面的初始化会引起事件分配线程的动作与主线程的动作发生冲突。如同我们在第 10 章讲到的，不要让自己成为少数不幸的人之一，为时有时无的线程 bug 烦恼并花费时间。因此，一定要遵循严谨的单一线程规则。

现在读者已经读到本书卷 I 的末尾。这一卷涵盖了 Java 程序设计语言的基础知识以及大多数编程项目所需要的标准库中的部分内容。希望读者在学习 Java 基础知识的过程中感到愉快并得到了有用的信息。有关高级知识内容，如网络、高级的 AWT/Swing、安全性以及国际化，请阅读卷 II。

附录A　Java关键字

关键字	含　义	参见第 *n* 章
abstract	抽象类或方法	5
assert	用来查找内部程序错误	7
boolean	布尔类型	3
break	跳出一个 switch 或循环	3
byte	8 位整数类型	3
case	switch 的一个分支	3
catch	捕获异常的 try 块子句	7
char	Unicode 字符类型	3
class	定义一个类类型	4
const	未使用	
continue	在循环末尾继续	3
default	switch 的缺省子句	3，6
do	do/while 循环最前面的语句	3
double	双精度浮点数类型	3
else	if 语句的 else 子句	3
enum	枚举类型	3
extends	定义一个类的父类	4
final	一个常量，或不能覆盖的一个类或方法	5
finally	try 块中总会执行的部分	7
float	单精度浮点数类型	3
for	一种循环类型	3
goto	未使用	
if	一个条件语句	3
implements	定义一个类实现的接口	6
import	导入一个包	4
instanceof	测试一个对象是否为一个类的实例	5
int	32 位整数类型	3
interface	一种抽象类型，其中包含可以由类实现的方法	6
long	64 位长整数类型	3
native	由宿主系统实现的一个方法	12（卷Ⅱ）
new	分配一个新对象或数组	3
null	一个空引用（需要说明，null 从技术上讲是一个直接量，而不是关键字）	3
package	包含类的一个包	4

（续）

关键字	含　义	参见第 n 章
private	这个特性只能由该类的方法访问	4
protected	这个特性只能由该类、其子类以及同一个包中的其他类的方法访问	5
public	这个特性可以由所有类的方法访问	4
return	从一个方法返回	3
short	16 位整数类型	3
static	这个特性是这个类特有的，而不属于这个类的对象	3，6
strictfp	对浮点数计算使用严格的规则	2
super	超类对象或构造函数	5
switch	一个选择语句	3
synchronized	对线程而言是原子的方法或代码块	14
this	当前类的一个方法或构造函数的隐含参数	4
throw	抛出一个异常	7
throws	一个方法可能抛出的异常	11
transient	标志非永久的数据	2（卷 II）
try	捕获异常的代码块	7
void	指示一个方法不返回任何值	3
volatile	确保一个字段可以由多个线程访问	14
while	一种循环	3